A María Teresa y a nuestros
hijos Antonio, Teresa y Victoria

Gustavo: lo bueno de los libros en dos tomos, es que uno puede testimoniar dos veces a sus amigos, su afecto y su respeto. ¡Muchísimo ánimo para lo mucho que de ti esperamos!

Un abrazo.

Antonio García Berrio

FORMACION DE LA TEORIA LITERARIA MODERNA (2)

ANTONIO GARCIA BERRIO

Formación de la Teoría Literaria moderna (2)

TEORIA POETICA DEL SIGLO DE ORO

FILOLOGIA MURCIA

Universidad de Murcia
Departamento de Lengua Española.

Se publica esta obra
con la ayuda económica de la
Fundación Alexander von Humboldt.

Edita: Universidad de Murcia (Dpto. de Lengua Española).
Imprime: Imprenta de la Universidad de Málaga.
(Edif. Facultad de Medicina) Colonia de Santa Inés.
ISBN: 84-600-1674-9
Depósito Legal: MA. 204-1980
Printed in Spain / Impreso en España.

SUMARIO

Este segundo y último volumen de la Formación de la Teoría Literaria moderna *llega a manos de los lectores con notable retraso respecto a las previsiones que hice cuando, en la fecha de publicación de la primera parte, lo prometía razonablemente como una realidad inmediata. Crisis editoriales y vicisitudes de todo tipo han hecho peligrar, entre tanto, de tal manera su aparición, que en ocasiones he llegado a temer con fundamento, que la adversidad y hasta el propio desaliento iban a dejar truncada en su primer volumen la edición de la obra. De todos modos, cuando con la madurez se llega a reconocer en las dificultades una especie de indeseables compañeras cotidianas, a mí al menos me da más bien por agradecer lo que me queda o me regalan, que por lamentarme de todo lo que no llegó a ser cuándo y cómo lo imaginábamos.*

Pero si las dificultades materiales no han dejado de obstaculizar la aparición de esta obra, ha sido la ilusionada generosidad de algunas instituciones, que para mis afectos van siendo ya "las de siempre", la que ha puesto definitivamente el libro en franquía. Me satisface reconocer aquí el apoyo recibido de las Universidades de Murcia y Málaga, así como expresar mi gratitud a las corporaciones locales de mi ciudad natal, Albacete. Por último, repitiéndose un hecho que en mi vida profesional viene funcionando desde hace años como constante de fortuna, la Fundación Alexander von Humboldt ha contribuido generosamente a que la costosa empresa de dar a conocer esta obra no fuera mayoritariamente un riesgo personal.

Las demoras han impuesto también alteraciones en los planes y cálculos iniciales. El título global de este segundo tomo La Teoría Poética del Siglo de Oro, *lo considero justo en líneas generales. Con todo, quiero advertir de que un importante bloque doctrinal, el que se refiere más específicamente a los aspectos de elocución de la Retórica barroca, ha quedado desgajado de este volumen. El amplio desarrollo que actualmente ha adquirido ya en mis estudios dicha parte, sin olvidar las cir-*

cunstancias editoriales, me aconsejan abordarlo en el futuro como una obra autónoma dentro de mi contribución a la Historia de la Estética literaria. Por ahora anuncio sólo el título: Retórica barroca y conciencia de estilo. *Con lo dicho, queda claro que las referencias internas en la obra a los diferentes libros en que fue concebida en principio, deben ser desatendidas por el lector. El plan juvenil se ha ido modificando con la invasión de la realidad. Pero lo que para mí cuenta es la íntima satisfacción de haber podido llegar a ofrecer aquí, definitivamente reducidos a unidad, los frutos de tantos años de soledad y gozoso esfuerzo, aliviados y enriquecidos con la permanente asistencia, compañía y estímulo de mi más querido alumno, Tomás Albaladejo Mayordomo. El ha influído decisivamente en la elaboración de esta obra.*

Murcia, marzo de 1980

LIBRO PRIMERO

LA POETICA Y LA SOCIEDAD ESPAÑOLA DEL SIGLO DE ORO: HORACIO

CAPITULO I

LA HUELLA DEL «ARTE» HORACIANO EN LAS OBRAS DE TEORÍA LITERARIA DEL SIGLO DE ORO ESPAÑOL, CON ESPECIAL REFERENCIA A LA TÓPICA MENOR, EL PERÍODO ÁUREO DE LA RETÓRICA 1515-1580.

Consideraciones generales sobre los más primitivos tratados españoles de Poética.

En una puesta al día de las investigaciones en el ámbito de la Poética hispano-portuguesa durante los siglos XV y XVI aparecida recientemente, su autor, Karl Kohut, escribe: «La historia de la influencia de la Poética de Horacio en España y Portugal está aún por escribir; los impulsos iniciales para ello se hallan en *Horacio en España,* de Menéndez y Pelayo»[1]. Las páginas de este capítulo, y más en general las de todo este Libro Tercero están destinadas a remediar en alguna medida esa laguna. Decimos con plena conciencia a remediar y no a resolver, pues nuestra intención no se cifra en constituirnos en investigadores menudos y puntuales de los tres o cuatro puntos obscuros —ausencias o desconocimientos documentales de Menéndez y Pelayo— ni en aportar nuevos documentos sobre el particular, posiblemente existentes en espera de activos rebuscadores de bibliotecas. Nuestros intereses han sido, desde el principio de esta obra, los de una síntesis teórico-doctrinal.

Hemos examinado directamente una extensa cantidad de documentos horacianos en la medida de nuestras posibilidades y bibliotecas de acceso posible. El énfasis de novedad que hemos procurado, se refiere básicamente a la sistematización y combinatoria de ideas en un sistema, el horaciano, así como a la imprevisible ampliación histórico-artística de dicho sistema en una época, el Renacimiento, y en un espíritu de investigación científica,

1. Cfr. KARL KOHUT, *Las teorías literarias en España y Portugal durante los siglos XV y XVI,* Madrid, C.S.I.C. Anejos de la Revista de Literatura (36), 1973, p. 23.

el Humanismo. Por consiguiente, los capítulos que siguen, no pretenden resolver exhaustivamente la historia de la influencia de Horacio en España en la totalidad de sus documentos posibles, los conocidos y los desconocidos: nos preocupa sólo establecer la valoración, fisonomía y resultados definitivos del proceso cultural y espiritual en que dicha influencia se inscribe. Dentro de la teoría literaria muchas horas de sombra excitan nuestra atención. No pretendemos tampoco privar a nadie del lícito y comprensible regusto del hallazgo documental, tan novedoso como seguramente, a estas alturas, falto de auténtico relieve doctrinal.

A partir de tal espíritu, que nos apresuramos a declarar, porque no nos ha interesado en nuestro trabajo de modo preponderante el agotamiento de las minucias documentales, procedemos al examen de la presencia horaciana en los documentos mayores de teoría literaria española. Concretamente nos centraremos en todas las Poéticas conocidas, realmente tales, y en la inmensa mayoría de las Retóricas de los siglos XVI y XVII. En tal sentido es obligado advertir que destacaremos sólo los casos de presencia explícita del *Ars* de Horacio, descontando los problemas de hipotética inspiración horaciana que en muchos casos pueden coincidir con estímulos retóricos, con elementos procedentes de la tradición platónica, e incluso con inspiraciones más o menos transformadas de doctrinas aristotélicas[2].

Adelantemos que, como es lógico suponer, la presencia de Horacio, que no llega a ser obsesiva ni mucho menos en las referencias de la mayoría de nuestros autores españoles, es con todo sensiblemente más efectiva y frecuente en los tratados de Poética que en la inmensa mayoría de las obras de Retórica. A ello contribuía, como es natural, la índole diferente de las dos disciplinas, que sólo en algún caso excepcional, como el del entusiasta horacianista Jiménez Patón, se esfuerza en penetrar lo profundo de las coincidencias sobre la superficie de las discrepancias; pero también quizás sea importante destacar una cierta afirmada corriente de antipoética,

2. Obviamente no nos ha interesado aquí investigar las huellas del poeta Horacio sobre la creación literaria del Siglo de Oro. El nuestro es un trabaio circunscrito a la teoría poética. No son escasas las aproximaciones al tema desde don MARCELINO MENÉNDEZ Y PELAYO y su monumental *Horacio en España*, cit., y distintas aportaciones de Dámaso Alonso.

En general, ha sido bien analizada la influencia del poeta latino en Fray Luis de León, por ejemplo, J. LLOBERA, *La forma horaciana del maestro Fray Luis de León*, en «Razón y Fe», LXXXVI, 1929, pp. 540-550. Más completa y actualizada en el libro de VITTORE BROCHETTA, *Horacio en Villegas y Fray Luis de León*, Madrid, Gredos, 1970. Sin desdeñar los datos de Oreste Macrì en su estudio general, *La poesía de Fray Luis de León*, Salamanca, Anaya, 1970. Sobre su influencia en autores decisivos en la evolución lírica de nuestro Siglo de Oro, cfr. A. MENÉNDEZ PLANCARTE, *Horacio en Góngora*, en «Abside», XV, 1951, pp. 247-266; y J. O. CROSBY, *Quevedo the Greek Anthology and Horace*, en «Romance Philology», XIX, 1966, pp. 434-449.

y aún de modo más concreto de antihoracianismo, en el seno de las obras retóricas de que nos ofreciera testimonio muy elocuente un autor, Terrones del Caño, cuando proclamaba las excelencias de Horacio haciéndose eco de las prevenciones «oficiosas» contra su *Ars*.

Lo que en realidad venía a suceder es que, como sin posible controversia demostrara razonable y documentadamente el helenista Gil Fernández[3], el proceso de rechazo horaciano observable en numerosos casos tenía que ver en gran medida con un fenómeno conexo de carácter más general: «el enorme fracaso, la gran frustración de nuestro humanismo»[4]. Entre los factores deducibles de los datos y testimonios incuestionablemente importantes de Gil Fernández, no ocupaba el último lugar —amén de los derivados del general grado de incultura y desinterés de la vida científica de nuestras universidades[5],de la mezquindad y desacierto de la política cultural de reyes y magnates en el período, de la escasa difusión, actividad y acierto

3. Cfr. LUIS GIL FERNÁNDEZ, *El Humanismo español del Siglo XVI*, en *Actas del III Congreso Español de Estudios clásicos*, Madrid, 1968, pp. 209-297.

4. Gil Fernández, verifica, reduce y sintetiza, en términos de objetiva e incontrovertible documentación, las numerosas tendencias previas poco rigurosas a veces de quienes se movían desde prejuicios meramente psíquico-raciales, patrióticos, o hispanófobos. Desde estudios de entrada, más o menos expositivos como los de RUBIO, *Classical Scholarship in Spain*, Washington, 1934, de DEMETRIUS, o VILLOSLADA, *Renacimiento y Humanismo*, en *H.ª General de las Lit. Hisp.*, cit. II, pp. 319-430. E ingenuas defensas del tipo de las de AUDREY F. BELL, *Notes on the Spanish Renaissance*, en «Revue Hispanique», LXXX, 1930, pp. 319-352, o inculpaciones de signo fatalista y genéricas vinculadas al «espíritu de raza» del tipo de la de AMÉRICO CASTRO, *De la edad conflictiva*, Madrid, Taurus, 1963, especialmente, pp. 180 y ss. Rozan unos u otros de los tópicos precedentes: G. BARRAUD, *La Renaissance de l'Humanisme en Espagne ou l'osmose italo-ibérique de la Renaissance*, en «Bulletin de l'Association G. Budé», 1953, I, pp. 89-94, y S. CIRAC, *Helenismo y cristianismo en el Humanismo español.* Resumen en las «Actas del primer congreso español de Estudios Clásicos», pp. 388-400.

5. Uno de los estudiosos recientes de la Inquisición, Henry Kamen, ha enfatizado, a nuestro modo de ver con gran oportunidad, el decaimiento de las Universidades españolas del momento, como oportuna vía de relativizar acertadamente el papel de la Inquisición. Ilustrando aspectos de la intransigencia universitaria, con los siguientes, incuestionables ejemplos: «Muy a menudo en la historia moderna, desde el tiempo de la Reforma hasta hechos más recientes, las Universidades han figurado entre los más tardíos partidarios de la libertad frente a la autoridad. Los enemigos de Galileo no estaban en Roma, sino en la Universidad de Pisa. Las obras de Montano no fueron amenazadas por los inquisidores, sino por miembros del personal académico de la Universidad de Salamanca. La carrera del Brocense fue igualmente amenazada más directamente por sus colegas que por el Santo Oficio». Y centrándose en la situación concreta de la Universidad en la España de Felipe II, añade: «El mundo académico dividió sus caminos en el reinado de Felipe II. Unos pocos liberales (Juan de Valdés, Pedro de Lerma, Francisco Encinas), tuvieron que dejar el país por razones intelectuales, religiosas o raciales, para ir a trabajar al extranjero. Otros se quedaron y fueron lentamente silenciados o murieron. Las grandes Universidades de Alcalá y Salamanca, abiertas por sus estatutos a toda clase de cristianos, empezaron en el siglo XVI a perder su carácter democrático y a convertirse en resortes de la aristocracia. Los jóvenes nobles empezaron a monopolizar

de la imprenta española, etc...— la difundida marejada española del recelo hipócrita de los espíritus mediocres. Estos, asociados coyunturalmente en el XVI con la intolerancia religiosa disfrazada de celo contrarreformista, acapararon el monumental poder político y cultural que jalonaba cruelmente la vida familiar del emigrante desarraigado Vives, cargando de cadenas y lacerantes asechanzas la madurez de Fray Luis y de Sánchez de Las Brozas. Los motivos que se alegaban entonces nos harían reír hoy, si no se sobrepusiera ese fondo de trágica indignación que vibra siempre ante la gamberrada mortal, y, muy en especial, cuando por diabólico prodigio ésta continúa amenazando la vida de nuestro pueblo tras de cuatro siglos de sistemática destrucción de toda iniciativa liberalizadora.

La Inquisición constituyó entonces y después durante varios siglos el favorito instrumento de las más cobardes tácticas de delación y destrucción de la paz[6], independencia y progreso en el trabajo de nuestros humanistas

---

los colegios». Etc., cfr. HENRY KAMEN, *La Inquisición española*, Barcelona, Grijalbo, 1972, p. 316. El síntoma se incluye en la generalizada tendencia actual de restar el protagonismo exclusivo a la Inquisición con que la cargó la leyenda romántica de la historiografía del XIX. En general, se concuerda en considerar la radicalización en España del Tribunal del Santo Oficio como uno más de los síntomas del teocratismo intransigente que en nuestro país se apoderó de todos los aspectos de la vida social. Por ejemplo, cfr. JOSÉ LUIS ABELLÁN, *El erasmismo español*, Madrid, Ed. El Espejo, 1976, p. 46: «Sin embargo, la Inquisición no era más que un reflejo de las actitudes tomadas por aquella parte de la sociedad española, que tenía capacidad de influir en política».

6. No es propósito de este libro demorarse, ni siquiera brevemente, en tema tan bien estudiado, y que en los últimos tiempos, en especial apunta su definitivo perfil en libros ecuánimes y bien documentados. Haciéndonos eco tan sólo de trabajos clásicos sobre los lances de persecución a las importantes personalidades de nuestra cultura a que nos referimos en el texto, es obligada la mención de los de MIGUEL DE LA PINTA LLORENTE, *La Inquisición española y los problemas de la cultura y de la intolerancia*, Madrid, 1953; o, *Estudios y polémicas sobre Fray Luis de León*, Madrid, 1956, y los en colaboración con otros autores, como A. TOVAR: *Procesos inquisitoriales contra Francisco Sánchez de las Brozas*, Madrid, 1941, y M. PINTA LLORENTE y J. M. DE PALACIO, *Procesos inquisitoriales contra la familia de Vives*, Madrid, C.S.I.C., 1964. J. CUERVO, *Fray Luis de Granada y la Inquisición*, en «Homenaje a M. Pelayo», I, 1899, pp. 733-743, y A. HUERGA, *El proceso inquisitorial de la «monja de Lisboa» y Fray Luis de Granada*, en «Hispania Sacra», XII, 1959, pp. 333-356; D. ALONSO, *Sobre Erasmo y Fray Luis de Granada*, en *De los siglos oscuros al de Oro*, Madrid, Gredos, 1971. A. CASTRO, *Cervantes y la Inquisición*, en *Hacia Cervantes*, Madrid, Taurus, 1960 (2.ª ed.). Sobre las controversias erasmistas en la Inquisición resulta definitiva la monumental obra de MARCEL BATAILLON, *Erasmo y España*, Méjico, Fondo de Cultura Económica, 1966 (2.ª reimp.) (1.ª ed. francesa, 1937). A contrastar con la obra de A. RENAUDET, *Erasme et l'Italie*, Ginebra, Droz, 1954 (Travaux d'Humanisme et de Renaissance, XV). Ampliación de algún aspecto concreto en J. E. LONGURST, *Erasmus and the Spanish Inquisition: the case of Juan Valdés*, Alburquerque, Univ. of New Mexico Press, 1950. J. I. TELLECHEA IDÍGORAS, *El arzobispo Carranza y su tiempo*, Madrid, Guadarrama, 1968. Finalmente, aunque pretendemos descargar estas listas bibliográficas de obras de tipo general o histórico, destacamos, por su influencia

e intelectuales del XVI[7]. Pero sin deslizarnos a emprender aquí un camino de recuerdos que hoy puede recorrer ya con los ojos abiertos todo aquel que no le convenga llevarlos vendados, advirtamos que el recelo ante Horacio en muchos sectores españoles no fue sino una secuela del recelo general ante los intelectuales en la empecatada y ya fanática España del Imperio.

---

en nosotros, dos trabajos importantes españoles: JULIO CARO BAROJA, *Vidas mágicas e Inquisición*, Madrid, Taurus, 1967; y ANTONIO DOMÍNGUEZ ORTIZ, *Delitos y suplicios en la Sevilla imperial*, en *Crisis y decadencia de los Austrias*, Barcelona, Ariel, 1969.

7. Adviértase, no obstante, el valor más simbólico y sintomático que universalmente responsable de la Inquisición. Tal es la tendencia más generalizada de opinión en estudios recientes. Cfr. HENRY KAMEN, *La Inquisición española*, cit., pp. 311-312: «Al fin y al cabo, el tribunal no era una corporación despótica que les hubiera sido impuesta tiránicamente, sino la expresión lógica de los prejuicios predominantes en el medio social. Fue creado para tratar un problema social, y mientras se consideró que existía el problema, el pueblo no planteó la cuestión de su necesidad. Merece la pena recordar —puntualiza Kamen— que virtualmente no existe evidencia histórica que muestre ninguna oposición significativa a la existencia de la Inquisición, aparte de la lógica hostilidad de la clase racial contra la que iba dirigida, los conversos». Aceptando la tesis básica de Kamen, de que es ingenuo y simplista cargar a la Inquisición con toda la responsabilidad de la decadencia y la presión españolas en los siglos XVI y XVII, no cabe duda que sus argumentos concretos tienen una fácil respuesta. Si no se produjeron reacciones populares fue, en el fondo, porque el propio terror inquisitorial no las hacía posibles. Recordamos, al respecto, a MÁRQUEZ VILLANUEVA: «La perspectiva de tener algo que ver con la Inquisición era una de las más aterradoras para cualquier español de aquellos tiempos», de «Santa Teresa y el linaje», en *Espiritualidad y literatura en el siglo XVI*, Madrid, Alfaguara, 1968, p. 180.

Sinceramente creemos que la gran vuelta a los prejuicios históricos decimonónicos sobre la Inquisición, debe sus mejores razones a don Américo Castro, precisamente en la medida en que él supo ampliar la visión histórica, en la consideración de la desproporción evidente entre datos concretos y conciencia popular-nacional. En tal sentido, afirmaciones como la siguiente constituyen el mejor refrendo de las ponderaciones fácticas de los historiadores recientes de la Inquisición: «Desde hace años me viene pareciendo ineficaz atribuir a la Inquisición o a la Iglesia los males de España, una actitud tan ingenua como la de quienes culpan a la masonería el haber desencadenado la reforma luterana o la Revolución francesa. Lo acaecido en España fue obra de los rectores de la sociedad española, porque ni la Inquisición ni la Iglesia fueron principales responsables del curso tomado por *las masas* en Castilla y Aragón desde finales del siglo XV». Cfr. AMÉRICO CASTRO, *De la edad conflictiva*, cit.

Evidentemente también existía una oscura forma de conformismo, y hasta de convencimiento. Como Henri Hauser dijo, el ideal de la fuerza para la unidad de la fe, era uno de los dogmas matrices del Imperio, del que participaron con sincero entusiasmo —no hay por qué ponerlo en duda— las grandes masas populares en España y Europa; trampa a la que se podían sustraer sólo algunos espíritus de élite, desventurados en aquel siglo. Cfr. HENRI HAUSER, *La prépondérance espagnole*, París, La Haya, Mouton, 1973 (3.ª ed.), p. 5: «Non seulement les questions religieuses dominent l'histoire européenne après le milieu du XVIe siècle, mais les peuples, comme les princes, restent attachés à la doctrine farouche de l'unité de la foi. Toute transaction qui, en certains pays, laisse subsister en face l'une de l'autre deux croyances apparaît comme une rêve essentiellement provisoire, un intérin. A part quelques âmes d'élite, tout le monde admit que le problème religieux, celui du salut des âmes, doit être résolu par le force».

De su menesterosidad cultural, a despecho de las numerosas esforzadas y perseguidas excepciones que nos glorifican, traza un paralelo insuperable, para el caso de las humanidades clásicas, el aludido trabajo de Gil. Entre otros muchos, reproduce el impresionante testimonio de Hernán Pérez Oliva que cito a continuación. Concierne de modo muy concreto a Horacio,

---

Evidentemente de la sinceridad *nacional* de tal convencimiento, se seguirá siempre la prudencia con la que es preciso enjuiciar todo movimiento de oposición de los espíritus individuales. De ahí que, con Castro, estemos persuadidos del doble valor de la «hipocresía» cervantina, por ejemplo. Una «mezcla extraña de adhesión a la Iglesia y de criticismo racionalista», hacía a Cervantes proclamar la conveniencia de la «disimulación provechosa»; lo que, obviamente, hacía de él un «hábil hipócrita». Sin embargo, ese fondo inconsciente de mesianismo nacional aceptado, parte impuesto por el terror, parte infundido por el entusiasmo nacional, resta toda malicia moderna a las restricciones hipócritas, y añade credibilidad a la sinceridad de las retractaciones, cuando se producían. El fenómeno no era, por lo demás, ni siquiera español. Examinado por Castro el caso de la retractación de Descartes o la de Giordano Bruno, concluía, por lo que se refiere al italiano, que no había que mirarla «como una baja debilidad, sino como fruto de íntima y complicada convicción». Pero será sin duda en España donde, andando el tiempo, tales situaciones se generalizarán paroxísticamente. De ahí que el equilibrado Cervantes sirva a Castro la mejor experiencia de servicio a esa *doble verdad,* del convencimiento nacional y la creencia racional atávica: «La hipocresía consiste en este caso en encubrir hábilmente el alcance del pensamiento íntimo, en lo que tendría de crítica nociva (personalmente muy peligrosa) para esas verdades de carácter público y tradicional; pero no consiste en hablar en serio de esas verdades sin creer en ellas. Si no entendemos la hipocresía de esta manera, no alcanzaremos a penetrar el espíritu de la Contrarreforma, cuyo andamiaje está sostenido por el hábil disimulo. Como molde intelectual, la *doble verdad* sirvió a maravilla a quienes se encontraban en mala postura. En Cervantes esa *doble verdad* vino a armonizarse con el *engaño a los ojos;* y así, su mente y su sensibilidad están gobernadas también ahora por la elasticidad y la ondulación que esencialmente la informan».

Sin embargo, aquella situación europea alumbró, andando los años, dos soluciones muy distintas. En Europa la *doble verdad* fue disolviéndose en el triunfo de la verdad nacional; y del recuerdo tenebroso del pasado quedaba en 1600, como ha dicho el mismo Castro hablando de Descartes, una melancolía desengañada: «Había la sospecha, en los ánimos más altos, de que las grandes construcciones estaban por hacer; frente al entusiasmo, al anhelo y al vislumbre de verdades estaba la tremenda y secular afirmación de Roma. La Contrarreforma obliga a compromisos, a arreglos, en parte por convicción, en parte por miedo a la hoguera; pero trae también al ánimo melancolía y desengaño, muy característicos y perceptibles a principios del 1600. (Para las últimas citas no referenciadas de A. Castro, cfr. *El pensamiento de Cervantes,* Barcelona, Noguer, 1972, pp. 245-255). En España, lo que se produjo —visiblemente al menos— como conjunto y balance de aquellas tensiones, fue el afianzamiento del otro polo, una ciega conciencia de mesianismo teocrático. Un texto de Fray José de Sigüenza glosando el desastre de la Invencible, ponía el dedo en la llaga de aquella plaga contemporánea en que había ido a convertirse, la *soberbia* ciega de los españoles: «Nos abrió Dios los ojos —dice— para que viésemos en particular la nación española de dónde nacen tantas miserias... La soberbia y vana presunción bastaba para que Dios hiciera en nosotros mayor castigo... Es bien que con estos ejemplos abramos los ojos... y creamos que nuestra soberbia y presunción deshacen lo que merecerían las oraciones, lágrimas, ayunos y penitencias». Citado por Ben Rekers, *Arias Montano,* Madrid, Taurus, 1973, p. 60.

y se refiere al prejuicio generalizado contra las letras latinas por los degenerados preceptores lugareños de gramática, que encubrían su infértil latinidad tras de pretendidos escrúpulos antipaganizantes:

> «Tienen, pues, estos barbaros maestros desde tiempo por inviolable opinión, que la gramática se deve enseñar a los muchachos como un psalterio, con unos çentones, con un santoral, con unos himnos y oraçiones, y en estos libros y semejantes dizen que se han de envejezer. Y detestan y maldizen las buenas letturas de los antiguos, como Horaçio, Persio, Jubenal, Marcial, Ovidio, Terencio y Lucano, Virgilio, Salustio y Tito Libio, diziendo que estos corrompen los jubeniles juicios con fiziones gentilicas, y que muestran a los mançebos la lasçivia del amor. y el satiriçar y morder a todos» [8].

Quejas análogas, entre valerosas burlas irónicas y recelos timoratos de los sufridos ingenios españoles, se recogen con generosa abundancia en el mismo trabajo de Gil, salidas de las plumas de Villalón, Juan de Mal-Lara, Jerónimo de Zurita, etc... [9]. Una abrumadora unanimidad queda proclamada en todos ellos: en España el reverdecimiento de la ciencia renacentista discurría por senderos al menos mucho más lacerantes y tortuosos que en el resto de la Europa civilizada; Horacio era un capítulo más en la historia de dicho proceso. No vale la pena sacar conclusiones porque las consecuencias del proceso siguen perviviendo en dos bloques irreductibles de opiniones y de comportamientos; y no vamos a ser tan ingenuos de pensar que nuestras pobres palabras puedan apear a los adversarios de su cómoda y remunerada posición. Prosigamos, tan sólo; en su provecho no quiere ir escrita ni una sola línea de este libro.

8. Cfr. F. PÉREZ DE OLIVA, *Diálogo de la Dignidad del hombre*, en Madrid. B. Aut. Esp. Rivadeneyra, LXV, pp. 376 y ss., cit. por Gil Fernández, p. 231.

9. Jerónimo de Zurita recordaba el testimonio, poco sospechoso para sus adversarios, del cardenal Cisneros, quien, aun estableciendo determinadas limitaciones de índole moral en Horacio y otros clásicos latinos, recomendaba vivamente su lectura en la formación de los jóvenes. Ni que decir tiene que el límite no puede inferirse si se trataba de intelectuales adultos y formados. Nos referimos al texto siguiente: «El Cardenal Francisco Ximenez, varon piadoso y prudente, en sus constituciones manda que lean a los menores los primeros cuatro meses del año los distichos de Michael Verino o Caton..., a los mayores a Horacio o Lucano o al mismo Virgilio. Resolviendome digo que ninguno de los sobredichos autores latinos se debe vedar. En los estudios mandese que no se lean a los muchachos los libros siguientes: Catullo, Marcial, los libros de las elegías de Ovidio, los libros *De arte amandi* del mismo auctor, la *Priapeia* que anda al cabo de Virgilio; algunas pocas odas de Horacio, porque las demas en aquel genero son excelentes». Cfr. Ms. Bibl. Nac. Madrid, 18.634, n.º 12, publicado por Serrano y Sanz, en la «Rev. de Archivos. Bibl. y Mus», 1903, VIII, pp. 218-221; cito por GIL FERNÁNDEZ, op. cit., pp. 234-235.

Escaso, por no decir nulo, es el interés que nos ofrece la penetración horaciana en obras castellanas de Poética medieval, que son, como es sabido, más bien tratados de versificación, o bosquejos de historia poética ajustados también en su desarrollo a consideraciones de tipo métrico; pese a que el Medievo, como se ha repetido con mucha frecuencia, fue un período en el que en España, como en Europa, la influencia del modelo teórico-literario de la Poética horaciana alcanzaba cimas indiscutibles[10]. Ni el *Arte de trovar* de Enrique de Villena, ni el *Prohemio* de Santillana, ni el *Arte de Poesía Castellana* de Juan del Encina[11], ni la *Gaya* de Segovia[12], descubren en sus páginas ecos sustanciosos de la Poética de Horacio. La razón, entre otras cosas, reside en la índole misma de estos trabajos de indiscutible endeblez en su contenido doctrinal estético, cualquiera que sea el importante papel que desempeñan por su carácter temprano como documentos métricos e histórico-literarios.

Y no es que en todos estos tratados del siglo XV faltara la ocasión de hacer entrar a Horacio, pues, al debatirse en todos ellos la dignidad de la poesía, se invoca con frecuencia la alta índole de la creación, materia en la que, como bien sabemos, el recuerdo de la dualidad *ingenio-arte* acuñada insuperablemente por Horacio era ya tópico obligado. Pero, curiosamente, la doctrina imperante vino troquelada sobre el modelo de la tópica divinización furiosa cortado sobre el patrón platónico. Recordemos a este respecto, de paso, el tono más entusiasta del *Prohemio* del Marqués de Santillana:

10. Como uno de los más recientes y documentados informes en este sentido remitimos al excelente trabajo de CHARLES FAULHABER, *Retóricas clásicas y medievales en Bibliotecas Castellanas*, en «Abaco», 4, Castalia, pp. 151-300, especialmente p. 179, nota 18, afirma terminantemente el autor de esta notable búsqueda bibliográfica, al que cualquier lector ha de agradecer entre otras cosas su modestia, no frecuente por cierto en quienes se han pertrechado previamente de tan buenas razones de saber como él, que: «El *Ars poetica*, de Horacio, fue casi la única obra clásica conocida durante la Edad Media que trata de manera específica los problemas de la composición literaria». Por otra parte, el trabajo nos ofrece seguramente de modo exhaustivo el índice de obras conservadas de las autoridades «rivales» Aristóteles, pp. 163-167, y Cicerón, pp. 170-178.

11. Cfr. Para el *Arte de trovar*, la ed. de MENÉNDEZ Y PELAYO (sin los fragmentos meramente gramaticales), en *Historia de las Ideas Estéticas*, Madrid, C.S.I.C., 1962 (3.ª ed.), vol. I, pp. 483-487; en la *Biblioteca histórica de Filología Castellana*, del Conde de la Viñaza, Madrid, Imp. M. Tello, 1893, cols. 769-788. El *Prohemio* de Santillana en la *Biblioteca histórica*, cit. cols. 778-790. Finalmente, de JUAN DEL ENCINA, *Arte de Poesía Castellana*. Ed. por MENÉNDEZ Y PELAYO, *Historia de las Ideas Estéticas*, cit. vol. I, pp. 511-524. A la gentileza del profesor Francisco López Estrada debo el conocimiento anticipado de un «Borrador de trabajo para una edición comentada» del *Arte* de Encina. (Mecanografiado, Madrid, 1976). Me atendré en las citas de fragmentos de esta obra a la cuidada edición de López Estrada, de próxima aparición.

12. Cfr. GUILLÉN DE SEGOVIA, *La Gaya*, Madrid, C.S.I.C., 1969.

«como es çierto que este sea un çelo çeleste, una affection divina, un inasaçiable çibo del animo; al qual, asy como la materia busca la forma è lo imperfecto la perffection, nunca esta sçiencia de poesia é gaya sciençia se fablaron si non en los animos gentiles é elevados espiritus»[13].

Por su parte Juan del Encina, positivamente seguidor de la huella de Santillana, eleva el tema a especulación teórica central de su *Arte*, sin hacer mención alguna de Horacio para ello. La vieja tripartición retórica del *Fedro* platónico aparece reducida a la discusión *natura-ars*, de más estricta progenie horaciana, en formulaciones tan directas como la siguiente:

«Aunque otra cosa no respondiéssemos para provar que la poesía consista en arte: bastava el juyzio de los claríssimos autores que intitularon *De arte poética* los libros que desta facultad escrivieron. Y ¿quién será tan fuera de razón que, llamándose arte el oficio de texer o herrería o hazer vasijas de barro o cosas semejantes, piense la poesia y el trobar aver venido sin arte en tanta dinidad? Bien sé que muchos contenderán para en esta facultad ninguna otra cosa requerirse salvo el buen natural; y concedo ser esto lo principal y el fundamento; mas también afirmo polirse y alindarse mucho con las osservaciones del arte, que si al buen ingenio no se juntasse ell arte: sería como una tierra frutífera y no labrada»[14].

De la multiplicidad de vías desde las que pudieron llegar hasta Encina tal tipo de consideraciones, platónica, ciceroniana, horaciana, etc., el autor castellano sigue una indirecta pero razonablemente familiar: la tradición retórica, y dentro de ella Quintiliano, es el autor invocado para enjuiciar las precedencias recíprocas entre los dos elementos de la dualidad. Al retórico hispano-romano apelaba Encina para defender incluso una tímida defensa de la prioridad del «natural», sin demasiadas cautelas explícitas en favor del nunca olvidado arte. Así se inicia el capítulo cuarto que lleva precisamente por título: «de lo principal que se requiere para aprender a trobar».

«En lo primero amonestamos a los que carecen de ingenio y son más aptos para otros estudios y excercicios, que no gasten su tiempo en vano leyendo

13. Cfr. M. de Santillana, *Prohemio*, ed. de la Viñaza, col. 779. Recuérdese además su archifamosa formulación de la naturaleza de la poesía, establecida en términos de *res-verba* y *docere-delectare*, pero su esquema es permanentemente de procedencia retórica: «E ¿qué cosa es la poesia (que en nuestro vulgar gaya sçiençia llamamos) si non un fingimiento de cosas utiles, cubiertas ó veladas con muy fermosa cobertura, compuestas distinguidas é scandidas por cierto cuento, pesso é medida?».

14. Cfr. Juan del Encina, *Arte de Poesía Castellana*, cap. II, 194-205, ed. cit. de Menéndez y Pelayo. Vol. I, p. 516; ed. de López Estrada, fol. 6.

> nuestros precetos, podiéndolo emplear en otra cosa que les sea más natural; y tomen por sí aquel dicho de Quintiliano en el primero de sus *Instituciones;* que ninguna cosa aprovechan las artes y precetos adonde fallece natura; que a quien ingenio falta, no le aprovecha más esta arte que precetos de agricultura a tierras estériles»[15].

La única cita horaciana de este tratado no pertenece al *Ars*, y lo curioso que se observa, es la comunidad a propósito de ella con el *Prohemio* del marqués de Santillana, quien la había invocado en un contexto no absolutamente idéntico para justificar las razones por las que habían pervivido las enseñanzas de los poetas antiguos:

> «Pero es asy —decía Santillana— que como á la nueva me plaguiesen, fallelos agora cuando me paresçio ser neçessarios. Ca asy como Oracio, poeta, dize: *Quem nova concepit olla servabit odorem*»[16].

Hasta bien iniciado el siglo XVI[17] no nos enfrentaremos con las primeras obras de Poética que ostentarán verdadera condición de tales. Su número, para el caso de nuestro país, sigue en la práctica reducido a la cifra y mención de las que hiciera Menéndez Pelayo en su *Historia de las ideas estéticas*, primera investigación moderna en este dominio. Los tratados de Poética han sido desde hace ya no pocos años cómodamente asequibles en nuestro país merced a la especial atención editorial del Consejo de Investigaciones Científicas y a la solicitud y pulcritud de editores como Carballo Picazo, Rafael de Balbín, Porqueras Mayo... etc... Pese a sus reiterados esfuerzos, recientemente expuestos y ponderados por su autor, poco es

15. *Ibid.*, pp. 517-518.

16. Cfr. SANTILLANA, *Prohemio*, ed. cit. col. 788. Por su parte Encina: «Mas para quanto a la elocucion mucho aprovecha segun es doctrina de Quintiliano: criarse desde la tierna niñez adonde hablan muy bien: porque como nos enseña Oracio: qualquiera vasija de barro guarda para siempre aquel olor que recibió quando nueva», *Arte de poesía*, ed. cit. p. 518. En general, para el conocimiento bibliográfico de obras y ediciones de todas estas obras, resultan muy útiles los catálogos de JUANA DE JOSÉ PRADES, *La teoría literaria (Retóricas, poéticas, preceptivas)*, Madrid, Inst. de Est. Madrileños, n.º 3, 1954, así como el de A. CARBALLO PICAZO, *Métrica española*, Madrid, Instituto Estudios Madrileños, 1956. Utilidad indiscutible, y mérito positivo el de estos primeros inventarios modernos, que tuvieron que salvar sin duda numerosas dificultades, de recopilación, con lo que a nuestro entender quedan más que explicadas sus escasas omisiones, las cuales, poco a poco, se pueden ir subsanando.

17. La obra de Juan del Encina antes aludida, en la impresión de la que la transcribió Menéndez y Pelayo, es de la edición de Burgos de 1505; pero en su edición del *Cancionero de todas las obras de Juan del Encina*, apareció impreso en Salamanca en 1496, de donde la toma para su edición López Estrada.

lo que ha podido añadir a dicha lista el estudio de K. Kohut en punto a Poéticas y Retóricas españolas[18].

Antes de alcanzarse, pues, la fecha de 1580 en la que se publicarán los primeros documentos considerables de Poética estricta, *El Arte poética en romance castellano*, de Miguel Sánchez de Lima, y sobre todo los importantísimos *Comentarios* de Fernando de Herrera a las obras de Garcilaso, el interés fundamental de nuestra investigación lo acaparan los tratados retóricos, siempre claro está que se tenga en cuenta el carácter obligadamente indirecto, secundario y en definitiva pobre de tal tipo de obras para una investigación con el objeto de la nuestra. Adviértase que en la relación precedente descontamos algunos documentos previos de más valor histórico que teórico como el *Discurso sobre la poesía Castellana* de Gonzalo Argote de Molina, publicado en 1575, o los mismos *Comentarios* del Brocense a Garcilaso, del año anterior.

Precisamente, además, el examen meticuloso y sistemático de los documentos retóricos que nos hemos creído en la obligación de realizar directamente, incluso no confiando en iniciativas ajenas como los recientes resúmenes de Martí o de Rico —estudios siempre obligadamente limitados para agotar el contenido de cada obra en la riqueza integral de todas sus perspectivas posibles— nos permite destacar dos importantes documentos de Poética, en sentido estricto, muy anteriores a la fecha inicial de 1580. Se trata de *De Arte Poetica* del Brocense, encuadernado al final de la edición de su tratado retórico *De Arte Dicendi*, publicado en Salamanca en 1558[19], obra que suponemos bastante bien localizada por la crítica, aunque no

18. En su intento de ofrecer «una primera y sistemática orientación sobre las fuentes de teoría literaria», K. Kohut, nos recuerda noticias de ciertos autores sobre sus propósitos de escribir o declaraciones de haber escrito Poéticas anteriores a la de Sánchez de Lima. Son, por parte de los portugueses, Juan Caldeira (1507) y Aquiles Staço. Entre los españoles, Kohut se refiere, una vez más, a las noticias sobre obras perdidas y desconocidas de Alejo de Venegas, Herrera y Bartolomé Bravo, pero no le es posible concluir por el momento sino con el lamentable epitafio de «parecen haberse perdido». La cuestión, por tanto, sigue puesta en los mismos inquietantes límites iniciales, a reserva de felices logros de pacientes investigadores que, por el momento, no cuentan con pista alguna. Véase asimismo en Kohut la sistematización de fuentes, muy lícita aun en ejemplos como los de obras sobre historiografía, por la interdependencia de los problemas poéticos con algunas obras de este tipo. Para la referencia a Retóricas, claro está, la oportuna puesta al día de Kohut puede completarse felizmente hoy con el cómodo cotejo que ofrecen dos obras muy recientes. Las de Antonio Martí (1972) y José Rico Verdú (1973). Cfr. K. KOHUT: *Las teorías literarias*, cit. pp. 16-19.

19. La obra del Broncense que estudiaremos más adelante, tiene la siguiente descripción de la portada: Franci/sci Sanctij Bro/censis in Inclyta/Salmanticensi Academia Rheto/rices professoris de arte di/cendi liber unus denuò/ auctus et emendatus/Cui accessit/IN ARTEM POETI/cam Horatij per eundem/autorem brevis elu/cidatio./SALMANTICAE/Excudebat Mathias/Gastius. 1558. *La Poética*, comprende de p. 51 r. a 67 r.

abundan las referencias explícitas a ella y menos comentarios y estudios sobre la misma. El breve tratadito es súmamente interesante sin embargo, pues supone una peculiarísima manipulación de la tradición teórica horaciana, de valoración muy difícil si no se cuenta con la exacta ponderación de lo que ésta supone.

Menos conocido sin duda —y lo decimos con satisfacción para alegría de los que buscan infructuosamente textos primerizos de Poética en autores españoles del XVI— es el importante documento de teoría poética titulado *De Oratione,* que nos ofrece la Retórica de Antonio Lulio. Esta obra no es sin duda anterior a 1554, según la conjetura de Martí reforzada por otros argumentos nuestros, según se verá más adelante; pero tampoco posterior a 1558, según el mismo Martí, aunque Menéndez y Pelayo —ignoramos con qué fundamento— retrasó en diez años la fecha de edición. Contemporáneas casi, e incluso quizás algo anteriores a la obra del Brocense, las dieciséis páginas de gran formato dedicadas a tratar del *Decoro Poético* constituyen en realidad una apretada síntesis poética, realizada con esfuerzo riguroso realmente intachable por este poco conocido autor; un descendiente del excelso mallorquín Raimundo y una de nuestras grandes lumbreras exportadas a Europa en la primera mitad del siglo XVI. Contienen las mencionadas páginas un verdadero tratado de la materia poética sintéticamente abordada, con muy positivo interés en algunas aportaciones concretadas. Así pues en virtud de tales circunstancias y para contento seguramente de muchos, podemos adelantar en unos veinte años la fecha de aparición de la primera Poética española del XVI; y es así, si no consideramos los interesantes fragmentos de Poética incluidos en las obras de Vives. Personalmente, fuera del fetichismo de las fechas, creemos que lo verdaderamente importante de tal anticipo es que, además, coincide con documentos de positivo interés, especificidad doctrinal y dignidad teóricas muy superiores sin duda —como nuestro análisis mostrará en su lugar oportuno— a muchas de las obras con que, años más tarde, se inauguraba la cuenta oficial de nuestras Poéticas del Siglo de Oro.

Las noticias sobre el «ars» de Horacio en los primeros grandes tratados españoles de Retórica (1515-1559).

Nuestra revisión se ha de iniciar, naturalmente, con la mención del epítome retórico de Antonio de Nebrija, a propósito del cual concordamos plenamente con la limitada valoración que del mismo hace Martí[20]. No

20. Cfr. ANTONIO MARTÍ, *La preceptiva retórica española en el Siglo de Oro,* Madrid, Gredos, 1972, pp. 83-88. Se ha de reseñar a este respecto la omisión de su resumen por

tiene en realidad otro valor señalado que él de su fecha, debido quizás a la cual y a la notoriedad y prestigio del nombre de su autor, alcanzó desproporcionada difusión, aureolándose en consecuencia con un marcado carácter de obligatoriedad y canon doctrinal que habían de determinar severas dificultades para quienes, como el Brocense, pretendieron a lo largo del siglo encauzar la sistemática retórica por otras vías. Nebrija no hizo sino una síntesis escolar con el pensamiento de los autores clásicos, entre los cuales incluso la mención simple de Horacio quedó excluida[21]; obviamente sus doctrinas literarias no encuentran eco alguno en esta obra.

Tal omisión no constituirá, ni mucho menos, un hecho excepcional, ni siquiera destacable, como rasgo de la obra de Nebrija. Por lo general apresurémonos a advertir desde ahora que, ni con la tradición del esquema doctrinal retórico, ni desde luego en la automatizada reiteración de la materia que se ofrece en los no escasos tratados manuales españoles de los siglos XVI y XVII, nos será dado descubrir —salvo en contadas y destacadas excepciones— iniciativas tendentes a problematizar sobre la posible asimilación de las doctrinas retóricas y el contenido teórico literario de la *Epistola ad Pisones*. Para entendimiento de lo cual, no hay que desdeñar el hecho indiscutible, que denuncia Terrones del Caño, del activo prejuicio antihoraciano en la tradición retórica alentado por nuestros preceptistas.

Nuestro examen debe comenzar en la práctica por el monumento vivo de cultura humanística que son las obras del genial europeísta valenciano Luis Vives, donde la presencia de Horacio, especialmente en lo que se refiere a las obras de teoría retórica o afines, es sin duda una de las más poderosas entre todos los humanistas. Vives conocía suficientemente la obra de Horacio, en especial la difundidísima *Ars Poetica*, como para poblar de referencias a ella muchas de sus páginas retóricas; pero, ni aun en su caso, podemos corroborar la existencia de coincidencias efectivas entre la plantilla doc-

---

José Rico Verdú, en *La Retórica española de los siglos XVI y XVII*. Madrid, C.S.I.C. Anejo 35 de la Revista de Literatura, 1973; así como también el de la importante e influentísima *Ecclesiasticae Rhetoricae*, de Fray Luis de Granada, entre las obras más destacadas. bien es cierto que Rico Verdú nos compensa con la noticia y resumen de otras obras de significación menor a las anteriores, cuya mención y tratamiento explícito faltan en Martí. Reconocidas algunas de estas lagunas, que Antonio Martí se apresura a advertir, con encomiable humildad a la luz de su notable esfuerzo de investigación, ambas obras constituyen una válida y muy útil aportación de conjunto, que ya convierte en tópico inexplotable lo del «absolutó vacío» en este importante campo. Llegada es ya la hora para los buenos estudios concretos y monográficos.

21. Cfr. Antonio de Nebrija, *Artis Rhetoricae Compendiosa coaptatio ex Aristotele, Cicerone et Quintiliano*, sin indicación de lugar y año, el ejemplar que conocemos está en la Biblioteca Nacional de Madrid, y Martí, que lo utilizó también, dice que «parece ser la misma imprenta de Granada que imprimió su *Apología* en 1515».

trinal retórica y la de la *Epistola ad Pisones*. Esto, advirtámoslo ya desde aquí, no lo encontraremos en la Retórica de ninguno de nuestros humanistas, ni siquiera a título de original ocurrencia personal, pues que no lo consentía ya la férrea naturaleza sistemática canonizada para la disciplina.

Dejando a un lado, como va a ser norma de los tres primeros capítulos de este Libro Tercero, el examen de la penetración horaciana en la llamada por nosotros tópica mayor, en la que ciertamente Vives se muestra independientemente genial y sumamente moderno y renovador para su época, el examen de las referencias horacianas relativas a tópicos menores depara abundantes ejemplos, tanto en el tratado *De ratione dicendi,* como en el libro IV del *De causis corruptarum artis,* dedicado específicamente a la degradación científica de la Retórica.

Para Vives, Horacio es ante todo un poeta distinguido e indescontable en la literatura latina. No se registra en su caso el curioso fenómeno de olvido que se observa en alguno de nuestros más distinguidos cultivadores de la Retórica en el siglo XVI. Horacio aparece recordado entre los tres o cuatro autores a los que el término de *poeta* designa unívocamente y por antonomasia: Homero, Virgilio, Horacio y Lucano[22]. El reconocimiento de sus más destacadas características poéticas, su facilidad y riqueza de figuración, le vienen recordadas por Quintiliano[23]. Y su conocimiento de la obra horaciana aparece tan actualizado que por ello, y no a título de crítica o rechazo general, se recuerdan versos horacianos para quejarse de su aspereza sonora o de su tono prosístico[24].

Los temas más tópicos de Horacio, la innovación de materias comunes y los ataques a quienes no saben alcanzarla[25], o los insuperables hexámetros

22. Cfr. JUAN LUIS VIVES, *De Ratione Dicendi*, en *Opera omnia*, ed. por Gregorio Mayans, Valencia, B. Monfort MDCCLXXXII, Vol. II, lib. I, cap. II, p. 98: «in quo est antonomasia, sive contractio, ut quum *Poeta* vel apud Graecos pro Homero sumitur, vel apud nos pro Vergilio, aut etiam alio quocunque: nam Horatium vel Lucanum citantes, poetas nomine universale frequenter utimur».

23. *Ibid.*, lib. II, cap. X, p. 151. «Quintilianus Horatium dicit multis figuris feliciter esse audacem».

24. *De Causis Corruptarum Artium*, en *Opera*, cit. Vol. VI, lib. IV, cap. III, p. 164: «atqui permultae sunt pedestres orationes modulationes longe quam jambici versus comoediarum Plauti et Terentii, quam vel heroici illi, qui continuo feruntur cursu absque caesuris, ut apud Horatium.

Persius hic permagna negotia dives

vel cum caesura est obscura,

Nescio quid meditans nugarum totus in illis».

25. De los imitadores: «astringunt vires et libertatem ingenii ad certum quoddam praescriptum, ut non immerito.—*Servum pecus imitatores* (en esta ocasión el tópico global se adscribe a Horacio, aunque no se citan concretamente sus más difundidas fórmulas) nominet Flaccus Horatius». *Ibid.*, cap. IV, p. 173.

con las imágenes sobre la vida de las palabras, citas indefectibles en la evocación horaciana, no podían tampoco quedar ausentes en el recuerdo del gran humanista y devoto lector de Horacio.

> «Nec est ulla lingua tam virgens nunc, et florens, quae tribus certe primis actatibus careat. Scite Horatius *haec in modum ac morem silvae mutari* ait, *interire vetera, nova exoriri.* Hae sunt rerum omnium vices, et huic vanitati res conditae subditae sunt,quo usque liberentur per revelationem filiorom Dei»[26].

Pero no siempre la presencia explícita del *Ars* y de sus grandes temas es el modo en que manifiesta Vives su cultura horaciana. En muchos casos ésta se insinúa veladamente entre sus propias palabras, por ejemplo en la distinción entre orden natural y orden poético[27]; o bien bordea temas transformados del propio Horacio, como respecto al famoso *ut pictura poesis,* que él toma desde los retruécanos que se había ido desplazando la insinuación horaciana, recordando sin embargo como fuente a Plutarco[28]. Este procedimiento resulta particularmente visible en el capítulo tercero del bellísimo tratado *De vita, et moribus eruditi,* que forma parte del *De tradendis disciplinis.*

Cuando se ocupa en el referido capítulo de las cautelas necesarias antes de la publicación de una obra, muchos de los pasos, como el sometimiento del trabajo poético a la opinión del crítico ecuánime y la imparcialidad de su juicio, llevan la impronta de los fragmentos correspondientes en la sección *de emendatione* de la *Epistola ad Pisones*[29]. En otras ocasiones, dentro del mismo volumen general de consejos de «emendatione», el recuerdo de Horacio se ofrece aún más próximo, aunque el propio Vives discrepe razonablemente del parecer expuesto en el *Ars,* como a propósito de la demora de nueve años antes de la publicación de la obra[30].

26. *De Ratione Dicendi,* Vol.III, lib. I, cap. II, p. 96.

27. La declaración sobre el orden natural y el poético está inscrita en un capítulo sobre la Historia: «*Ordo* est duplex, naturae, et artis; *naturae* est, ut quae priora sunt loco, aut tempore, narrentur prius, in quo vel res, ut sunt gestae, sequimur, vel narrantem aliquem inducimus, sicut Vergilius Aeneam, Ulyssem Homerus, in quo etiam servatus est naturae ordo, nam prius est, ut Aeneas appulerit Carthagini, quam ut illa narret Didoni; non est servantus ordo rerum gestarum. . .; est ordo *artis,* quum aliquid ad finem interponitur quod est prius. . .,» etcétera. *Ibíd.,* lib. III, cap. III, p. 208.

28. *Ibíd.,* lib. III, cap. VII, p. 219: «Poema, inquit Plutarchus, pictura est loquens».

29. Cfr. J. Luis Vives, *De Tradendis Disciplinis,* en *Opera,* cit. Vol. VI, lib. IV, cap. III, página 434.

30. *Ibíd.,* pp. 434-435 «de emittendo in publicum versiculus est Horatii.

Ne praecipitetur editio. nonumque prematur in annum:

ex cuius duabus partibus priori consentio, posteriori non item; neque enim videtur mihi in tanta vitae brevitate expedire, ut nonus demum annus foetum nobis pariat; sed neque in universum po-

También en el capítulo precedente al citado se suceden las notas «de emendatione», emparentables y de hecho emparentadas con las del *Ars,* y en general con el contenido de las epístolas literarias de Horacio[31]. Pero en la imposibilidad —y la ociosidad incluso en una obra del carácter de la nuestra— de dar cuenta aquí con minuciosidad de todas las citas o ecos horacianos dispersos a lo largo de las obras completas de Vives, centremos finalmente nuestra atención en aquellas de sus páginas más directamente próximas a la materia de Poética.

Karl Kohut señaló a título de muestra importante en el conjunto de los «tratados de teoría literaria en sentido amplio» la *Veritas fucata, sive de licentia poetica* de Vives, la calificaba como «una obra de especial importancia»; por cierto la única de contenido teórico-literario anterior a 1580, aunque conocida no habitualmente mencionada, de la que Kohut nos da noticias en su anticipo[32]. Desde luego no despreciable, ni mucho menos sobre todo a la vista de su temprana fecha de 1523, es el contenido de este breve diálogo, dedicado casi monográficamente a debatir la tópica cuestión de la «mentira» poética, que Vives trata un poco forzosamente de canalizar a través de una serie de limitaciones. Pero de mayor interés aún en cuanto a la organicidad, sistematismo y amplitud exigibles a una teoría poética, nos parece a nosotros el interesante capítulo VII, del *De Ratione Dicendi,* titulado «De Poeticis».

También en cuanto al nivel de contenido doctrinal horaciano supera el referido capítulo al diálogo de *Veritas fucata,* que registra dos citas ocasionales de Horacio, la primera entre otros autores particularmente preocupados por el tema de la propiedad de las obras de cada escritor[33]. La segunda es una alusión a los irónicos versos horacianos donde se

---

test dari certa regula propter varietatem ingeniorum, et operarum: satis fuerit admonitam esse cuiusque prudentiam, non oportere editionem tamquam immaturum partum ante tempus eiici».

31. Por ejemplo, se cita el horaciano «Redit ad fastos, et virtutem aestimat annis», para criticar a quienes desprecian la literatura contemporánea haciendo sólo aprecio de lo añoso, bueno o malo que ello fuere. Y pocas líneas después se recuerda también a Horacio a propósito del *dormitat Homerus:* «velut quum memoria seu incogitantia magnus vir labitur, nam Horatio vel Homerus ipse dormitare nonnumquam videtur». (*Ibid.,* pp. 430-431.)

32. Cfr. K. KOHUT, *Las teorías literarias...,* cit. p. 17. El propio Kohut nos anuncia su trabajo como un anticipo de obras más extensas y pormenorizadas, que esperamos con sincero interés, pues la persistente búsqueda de datos y documentos poéticos tempranos que este autor afirma estar realizando, así como su abierta insatisfacción ante tópicos inveterados y trabajos anteriores, obligan a conjeturar se deba encontrar ya en posesión de muchos testimonios realmente consistentes y novedosos, que permitan alargar la historia de la teoría literaria española a la época de sus albores en los siglos XV y primeros años del XVI.

33. Cfr. J. L. VIVES, *Veritas fucata, sive de licentia poetica, quantum Poetis liceat a Veritate abscedere,* en *Opera omnia,* ed. cit. Vol. II, pp. 517 y ss., el fragmento aludido en p. 530.

aducía su supuesta impotencia creativa como venia para consejar y enseñar el arte[34].

Deteniéndonos en el análisis del referido capítulo por la importancia excepcional que su fecha le confiere, advertimos en primer lugar la persistencia en el mismo de la preocupación viviana por el problema de los límites razonables y verosímiles de la ficción poética: los dioses paganos no son otra cosa que el resultado de la ingenua ignorancia del vulgo, que adornó con tales atributos a hombres más ingeniosos que el resto y conocedores de cosas. Así es que las ficciones poéticas tienen como fundamento la satisfacción del vulgo, el alimento deleitoso de su ignorancia. Pero conviene, por otra parte, que en ellas no se contengan contradicciones ni lesiones graves contra la verosimilitud[35], dado que la última razón de la verosimilitud poética radica, según Vives, en la congruencia, sólo a través de la cual funciona nuestra mente.

Tras de su descalificación de las materias deshonestas o simplemente feas como objetos artísticos, se sigue la proclamación de la poesía como hecho casi divino, adscrita tradicionalmente a la tradición platónica, pero para la cual sin embargo se citan los versos de Horacio: *Ingenium, misera,* etcétera. Este rasgo del que nos ocuparemos en capítulos sucesivos, supone sin duda una de las notas de mayor interés en el pensamiento estético viviano[36], que, sin embargo, vendrá a constituirse en mero pie forzado para su razonamiento sucesivo: que la poesía cristiana, recordando su olímpico origen pagano, se ha de ocupar de materias divinas acordadas con tales creencias, para producir el fin general de deleitar y el específico de moralizar. Recorriendo así el tópico mixto de la finalidad del arte, por cierto que también con la cita del horaciano: *Omne tulit punctum, qui miscuit utile dulci*[37].

En el punto de las materias aptas para la obra teatral, Vives se extiende en consejos muy próximos a los que andando el tiempo volveremos a leer expresados de modo casi idéntico en las *Tablas Poéticas* de Cascales. En resumen: rechazo de materias tan recientes que cualquiera, al recordarlas, pueda aducir sus falsedades, e igualmente de las tocantes a temas excesivamen-

34. *Ibíd.,* p. 531: «Vives. Si ipse nihil magni et praeclari foetus possum parere, at saltem ad pariendum alios adhortator, faciamque quod vel effoetae istae, vel steriles mulieres, quae obstetrices sunt, ubi puerperae esse nequeunt, et quemadmodum Horatius inquit: *...Fungar vice cotis, acutum...,* etc.

35. *De Ratione Dicendi,* cit. p. 218: «quanquam non usque eo falsas esse has fabulas convenit, quin similitudinem aliquam retineant veri, ut nec impossibilia dicantur, neque incredibilia, nempe ea quae inter se naturaliter pugnant, velut *stare quem, et sedere,* nec contraria iis, quae aperte sunt vera, aut persuasissima».

36. *Ibíd.,* p. 219.

37. *Ibíd.,* p. 221.

te divinos porque trivializan en exceso los altos misterios de la Religión. Su desarrollo se ha de adaptar a la naturaleza y cultura del auditorio, sin desdeñar cierta dosis de obscuridad y alegorismo cuando la índole de aquél la tolere[38].

En los consejos para el desarrollo de la fábula dramática se alterna el recuerdo de Aristóteles y Horacio, los dos guías poéticos fundamentales de Vives. Materia más específicamente peculiar del primero es la relativa a la extensión del argumento y congruencia de principio a fin del carácter de los personajes:

> «... erit argumentum breve, compendiosum, quodque praecipua materiae totius attingat, verbis simplex, et facile, sensisque, quoad eius praestari poterit, dilucidum, ut comprehendi et teneri a quovis citra negotium possit; plurimum adfert gratiae personarum discrimen, et decorum usque ad extremum servatum, de quo in superioribus praecipi».

Pero inmediatamente se suceden los consejos de sabor marcadamente horaciano, confirmado incluso por la explícita referencia a la *Epistola ad Pisones*:

> «non prodibunt personae multae pariter in proscenium, nisi forte mutae, ne si variae interloquantor, confundatur intelligentia rei:
>
> Nec quarta loqui persona laboret,
>
> inquit Horatius»[39].

También en punto al tratamiento de la métrica y del decoro según los géneros, de que se ocupa más adelante Vives, se insinúa claramente Horacio en los entresijos del tratado; en ocasiones a vueltas con los datos de la *Poética* de Aristóteles, y siempre conducidos por el fino espíritu

38. *Ibid.*, p. 221.

39. Otro de los rasgos que permiten hablar en Vives de una poética comprensiva con las futuras razones estéticas manieristas y aun barrocas, en el sentido de una posibilidad artístico-minoritaria, centrada en la consecución fundamental del deleite formal en manos de un poeta dotado de muy peculiares y raras peculiaridades de ingenio. Claro está que en Vives existe siempre la razonable acomodación a la naturaleza del auditorio, «ultima ratio» de toda decisión estética, que salva la suya de convertirse en una estética extremista, confiriéndole perfiles de universal validez: «allegoriae personarum in scenis poematis vehementer allubescunt, nec est iniucunda quaedam obscuritas, in qua auditor ingenium intendat, modo intra captum vulgi, cui ludi illi parantur, nam quod populus assequi non potest, molestum est illi magis obscuritate, quam gratum». *Ibid.*, p. 221.

sintético de Vives, como en la siguiente proclamación de la «naturaleza» sobre el «arte»:

> «... dulcior multo est rhythmus absque metro; natura primorum inventorum rhythmum est secuta; ars metrum fecit ex rhythmo, ¿quanto porro est arte potior natura?»

Aparte de los pormenores sobre discusión técnica del ritmo de los distintos metros, que figuran acertadamente comentados en este denso capítulo de Vives sobre Poética, los ecos del *Ars* se nos revelan inocultables, aunque no citados, en el tratamiento del decoro temático y métrico de los géneros. Tal es el caso del fragmento sobre épica y dramática:

> «res bellicae heroico versu sunt decantatae, quasi tuba, et spiritu illo militari, quo essent gestae; scenici actus plurimum decurrunt iambo, quod is pes sermoni familiari ac quotidiano est proximus» [40].

El resto del importante capítulo está dedicado a los consejos relativos al elemento «verba», adaptación de la métrica al verso, argumento y público y, sobre todo, a una extensa discusión del tipo de palabras adecuadas a la poesía. Vives muestra una flexibilidad y tolerancia en dicha selección absolutamente concordes con las amplias miras de su positiva genialidad: barbarismos, dialectalismos, epítetos compuestos y especiales, etc... etc..., todo lo que, tocado de buen gusto, se haga entrar en el metro poético, lo tolerará éste a diferencia de la expresión no rítmica, debiéndose todo ello, según Vives, a la sujeción adicional del verso al metro, que no ha de soportar la prosa.

Hasta aquí algunas ideas poéticas destiladas de los importantes fragmentos de las obras retóricas de Luis Vives [41]; suficientes a nuestro juicio para convertirlo en un dignísimo precedente de los mejores días de nuestra poética

40. *Ibíd.*, pp. 222-223.

41. La fecundidad del pensamiento viviano, aparte de la exaltación justísima de las dotes geniales de este español de la diáspora, bien puede servir para definir y simbolizar la ocasión áurea de un efímero período de libertades españolas rápidamente angostado. AMÉRICO CASTRO lo definió brillantemente en «Recordando a Erasmo» en *Teresa la Santa y otros ensayos*, Madrid, Alfaguara, 1972, p. 180: «Marchábamos al hilo de la corriente más refinada y progresiva de Europa. El pensamiento de Italia y el renovador análisis de Erasmo comenzaban a suscitar frutos originales en ciertas mentes hispánicas: Luis Vives, el más brillante pensador del momento; junto a él los Valdés, Vergara y muchos otros que en una u otra forma descubrían zonas nuevas para la inteligencia, al mismo tiempo que se revelaban las nuevas tierras de América, descubiertas por denodados españoles». Claro es que conviene matizar que el valor simbólico de Vives no hay que predicarlo quizás tanto de una patria de nacimiento, que él evitó

áurea[42]. Este período de plenitud no había de llegar sino unos cincuenta años después, con las *Anotaciones* de Fernando de Herrera en 1580 y la *Philosophia* del Pinciano en los años finales del siglo. De este modo con muy análogas fisonomía y circunstancias a los breves y especiosos documentos de Poética añadidos a sus obras retóricas posteriormente por Antonio Llull y el Brocense[43] —estos fragmentos de Vives constituyen un pórtico áureo para la ciencia Poética posterior, del cual casi no había de ser digna ésta; portada para cuyos materiales de base, como acabamos de ver, el *Ars* de Horacio no fue ni mucho menos una cantera secundaria[44].

---

celosamente en su edad adulta, cuanto de una patria intelectual de elección, Europa, que le abrió las puertas de sus mejores Universidades. En tal sentido las palabras de Castro, sin ser —por otra parte— equivocadas para la situación española, debieran limitarse en las siguientes precisiones de otro maestro inolvidable: «Vives fue, como su maestro, un escritor por encima de las naciones... El gran español desterrado en Brujas no pretendía ser profeta en su patria; no tenía muy buena opinión de sus compatriotas. Se resignaba a ser poco leído entre ellos, y a ser comprendido menos todavía», cfr. M. BATAILLON, *Erasmo y España*, cit. p. 633. Este rasgo del espíritu progresista y renovador de Vives ha sido destacado también recientemente por Alain Guy, *Vives ou l'Humanisme engagé*, Paris, Seghers, 1972, p. 30: «Tel fut Juan Vives, issu d'une famille de juifs convertis *(conversos)*, mais suspects et persécutés, qui dut s'expatrier pour vivre et penser librement: il a su faire en lui même la synthèse de la tradition et de l'inquiétude religieuses, de la vénération de l'Antiquité et de la volonté radicale de renouveau. André Schott disait qu'il appartenait au triumvirat de l'humanisme, où il représentait le jugement, aux côtés d'Erasme, qui était l'esprit, et de Guillaume Budé, qui incarnait l'éloquence». En términos análogos se manifiesta la opinión de JOSÉ LUIS ABELLÁN en *El eramismo español*, cit. p. 129: «La característica renacentista de Vives se impone a todas luces; es una avanzadilla en actitudes y doctrinas de lo más típico del Renacimiento: la crítica de la autoridad, la preocupación por el hombre, la vuelta a las fuentes clásicas, la pérdida de la observación y la experiencia, el espíritu crítico y curioso de todas las novedades, hasta el punto de ser precursor en múltiples aspectos de doctrinas que se van a convertir pronto en tópicos de época».

42. El análisis y la valoración de los datos tenidos en cuenta en estas páginas, permiten restringir, a nuestro juicio, la general afirmación de M. Bataillon, creemos que absolutamente desenfocada, y basada en afirmaciones parciales y circunstanciales de Vives. Para él «la doctrina de Vives se resume en una condena sin apelación de toda poesía. Proscribe, por lo menos, toda ficción que sea puro juego del espíritu». Cfr. M. BATAILLON, *Erasmo y España*, ed. citada, pp. 616-617.

43. Aunque no hayamos atendido aquí la labor de los humanistas menos vinculados a los debates poético-retóricos, resulta imprescindible recordar el estudio modélico, de MARGARITA MORREALE DE CASTRO, *Pedro Simón Abril*, Madrid, Anejos de la R.F.E., 55, 1949.

44. En consonancia con sus indiscutibles méritos y con el poderoso grado de expansión europea de su actividad docente y doctrinal, Vives ha merecido una atención de la bibliografía precedente muy superior a la tributada al resto de nuestros humanistas. Su vinculación a las más puras esencias del pensamiento humanístico en general se ha destacado desde el viejo trabajo de A. BONILLA Y SAN MARTÍN, *Luis Vives y la filosofía española del Renacimiento*, Madrid, Imp. del Asilo de Huérfanos, 1903; hasta más recientes trabajos como el de B. MANZONI, *Vives. Umanista spagnuolo*, Lugano, Cenobio, 1960; y en especial los de BERNARDO MONSEGÚ. *Filosofía del Humanismo de Juan Luis Vives*, Madrid, C.S.I.C. 1961 y CARLOS

En 1541, se publica la primera retórica o tratado de predicación en castellano, se trata de la obra de Miguel de Salinas, *Rhetorica en lengua Castellana*[45]. Este autor, devoto de Vives y Erasmo, pone una primera piedra, humilde pero decisiva, en la tratadística de la predicación sagrada del Siglo de Oro español. Su finalidad, la instrucción de los jóvenes novicios que su orden le confía; su anhelo, realizarla del modo más realista y efectivo, de ahí que utiliza incluso por primera vez la propia lengua castellana. Antonio Martí, con su claro instinto para los diagnósticos de valor total de obras y de autores retóricos, ha destacado estos hechos como la característica y la más señalada razón de decoro de nuestro autor[46].

Para nada aparece Horacio mencionado en esta obra. Hecho natural por otra parte, si se tiene en cuenta el escasísimo número de autores o citas empleadas para ejemplificar. En cuanto a sus doctrinas mayores, de las que nos ocuparemos más adelante, ni en su defensa del *arte,* ni en los suaves matices de concesión al deleite del auditorio que se insinúan junto al *docere,* aparece para nada la mención de Horacio. En una obra del carácter de la de Salinas, tales refuerzos de autoridad eruditos hubieran sonado a redundante pedantería para la sencillez efectiva de su autor.

Tampoco pueden considerarse cantera medianamente rica de materiales horacianos las obras retóricas de Alfonso García Matamoros, con las que nos enfrenta ahora el turno cronológico inmediatamente después de las de Vives. Matamoros, sin el talento especulativo del valenciano ni la notoriedad de Nebrija, compone sin embargo con ambos un trío impecable de

---

G. Noreña, *Juan Luis Vives*, La Haya, M. Nijhoff, 1970. Sus conexiones, parecidos y discrepancias con la gran cumbre europea del Humanismo septentrional europeo, Erasmo, apuntados en la gran obra de conjunto de Bataillon, *Erasmo y España,* fueron precisados por Lorenzo Riber, *Erasmo y Luis Vives*, en «Boletin de la Real Academia Española», XXIV, 1945, pp. 193-224, y XXVI, 1947, pp. 81-135. Un resumen útil, continúa siendo el libro de Watson Foster, *Luis Vives, el gran valenciano*, Oxford, Univ. Press, 1929. Pero el único trabajo específico en ámbitos más o menos próximos a nuestros intereses, aparte las citas de Martí, es el muy general de F. de Urmeneta, *Introducción a la Estética de Luis Vives*, en «Rev. de Ideas Estéticas» 1947, pp. 437-450.

45. Cfr. Miguel de Salinas. *Rhetorica en Lengua Castellana,* Alcalá de Henares, en J. de Brocos, MDXLI.

46. «... tal vez no sea exagerado afirmar que de no haberse dado el paso de Salinas, no tendríamos ahora el gozo de poder leer la retórica de Guzmán o la *Elocuencia Española* en el *Mercurio Trimegisto* de Patón. Su aportación a la elocuencia específicamente sacra fue muy importante. Insiste en que el predicador tenga siempre muy presente al auditorio español ante el que predica, que hable su lengua, use las mismas palabras del pueblo y adopte unas ideas que estén al alcance del pueblo. El cerco del latín en tales tratados se había roto, y el monje de los Jerónimos tendrá para siempre un recuerdo muy honroso en aquellos que estudian la historia de esta disciplina». Cfr. A. Martí, *Preceptiva retórica...*, citada, p. 95.

prestigio humanístico; quizás su insuperable elegancia ciceroniana, destacada desde Menéndez y Pelayo a Martí como rasgo superior y más encomiable de su aportación a la historia de nuestro humanismo renacentista, confieren a sus libros una dignidad siempre atendible[47].

El examen de sus tres retóricas, *De Ratione Dicendi*, (1548), y las posteriores —utilizamos habitualmente la fecha de la primera obra publicada como índice de inclusión en la ordenación cronológica seguida en este capítulo— *De Tribus Dicendi Generibus y De Methodo Concionandi*[48], no nos ha deparado más allá de cuatro o cinco alusiones a Horacio; excepción hecha del capítulo final de la tercera de las obras mencionadas, al que atenderemos más adelante con algún pormenor. De las antedichas referencias[49], tan sólo una es directamente alusiva a la *Epistola ad Pisones*. Es la que se refiere al símil del «monstruo», ya tan poco significativamente horaciano dada su expansión tópica, lugar común para toda recomendación adversa a cualquier tipo de mezclas violentas o detonantes[50].

Sin embargo, la lectura atenta de obras tan importantes como las de Matamoros puede proyectar no despreciables elementos esclarecedores sobre la problemática general, en la valoración de las referencias horacianas de las obras retóricas. Téngase en cuenta que, de algún modo, lo que plantea esta puesta en contacto es la apertura de dos géneros o modalidades de arte verbal, de tradición y finalidad absolutamente dispares. Con Matamoros, por ejemplo, alcanza nivel de verdadera tensión un tema que ha de dar la vuelta a toda especulación retórica de nuestro Siglo de Oro: la cuestión de la cultura artística o de las referencias poéticas del orador, más delicado aún al tratarse de los tratados de Oratoria Cristiana. Cuestión ésta que, a su vez, se conecta en términos mucho más generales y clásicos con la del *retor* como sabio universal en todo género de disciplinas, que planteaban tanto la inmensidad universalista de la *inventio* dialéctica, como el argumento

47. Cfr. A. MARTÍ. *Preceptiva retórica...* cit. pp. 131 y siguiente. Idéntica estimación destaca en su examen de la obra de MATAMOROS J. LÓPEZ DEL TORO, editor e investigador de la *Pro adserenda Hispanorum eruditione*, Madrid, C.S.I.C., 1944; y el catedrático de griego, señor PERIAGO LORENTE, autor de la tesis doctoral *Estudio de las obras retóricas de Alfonso García Matamoros*, Murcia, 1974 (mecanografiada).

48. Para la descripción bibliográfica y cronológica de las primeras ediciones de las dos obras anteriores. Cfr. L. RICO VERDÚ, *La Retórica española*, cit. pp. 123 y 127. Nosotros hemos utilizado la edición de *Opera Omnia*, de Madrid, MDCCLXIX, Tip. A. Ramírez.

49. Cfr. *Opera*, cit. pp. 279, 506 y 509.

50. He aquí, como muestra, la referencia intrascendente de Matamoros: «Secus enim monstrum illud Horatianum saepissime conficiemus, quod quum virgineum mireque formosum haberet caput, turpiter tamen in deformen piscem desivit. Quare dicturi iuvenes etiam atque etiam a nobis monendi sunt, ut principem aliquam propositionem, quo referantur omnia, vel confingant in primis, vel certam inveniant, ne soluta et incerta vagetur oratio». Cfr. *De Ratione Dicendi*, en *Opera*, cit. pp. 259-260.

no desatendible de que el orador clásico ha de entender en todo género de cuestiones, de donde se sigue la peregrina y utópica exigencia —no siempre sentida sin embargo como tal— de su pericia universal en todo tipo de saberes.

Planteada la cuestión sobre el mencionado terreno del saber universal, nuestros mejores ingenios retóricos habían tratado ya de reducirla a sus términos exactos y realistas en el mismo sentido que las propuestas de Matamoros. Vives, al irrumpir con sus interrogaciones y argumentos de reducción al absurdo, había denunciado un tópico irreflexivamente inveterado en los tratados retóricos tradicionales:

> «An rhetoricen conferruminationem quandam facitis artium et disciplinarum omnium? Quis non videt non esse rhetoris de coelo, deque elementis dicere, de angulis, de pyramide?

Como Matamoros, a renglón seguido del elogio tradicional hiperbólico de la función del *retor,* establecía Vives idéntica corrección de buen sentido, que corroboraba a su vez con la constatación de los límites reales en los más famosos oradores del pasado:

> «... talis et tam divinus orator, qualis post genus hominum natum, nullis existit, omnem rem subiectam habet ad dicendum. Ex qua humilia subtiliter, et magna graviter, et mediocria temperate potest dicere, quum sit omnium rerum magnarum atque artium scientiam consequutus. Verum civilis oratoris munus, quales multi studio eloquentiae floruerunt Athenis et plures excelluere Romae, quo aetas Ciceronis praestantissimos estudit, in tam ampla non versatur arena»[51].

Con posterioridad a ellos, Furió Ceriol piensa en el saber como en un tipo de universal virtualidad qué puede llevar al orador a documentarse en cada caso de la cuestión sobre la que haya de tratar[52]; y luego, como

51. Cfr. A. GARCÍA MATAMOROS, *De Ratione Dicendi*... ed. cit. p. 250.

52. Cfr. FURIÓ CERIOL, *Institutionum Rhetoricarum libri tres.* Lovaina, ex S. Gualtheri et J. Bathevii, 1554. Para ilustrarlo propone la bella imagen del arquitecto, que toma los resultados oportunos de distintos artesanos particulares ya elaborados en la medida y oportunidad que los necesita: «Architectus ad aedificandas aedes, opus habet calce, arena, lateribus, coementis, lignis hoc vel hoc modo dolatis: calcem, ab his qui lapides in fornacibus coquunt, petit: arenam sumit ab arenariis. . .» etc. . , etc. . , y concluye: «deinde quae a multis variisque artificibus seorsum erat facta, domus ad usum, in unum coniungit. Similiter orator castum sermonem a Grammatico, argumenta a Dialectico, cognitionem rerum a Philosopho, historiam ab historicis, leges a iureconsulto mutuatus, in suam orationem transfert, atque ita coniungit. Quare qui Rhetori plures quam nos, tractandas esse partes existimant, tam errant, quam qui maxime», pp. 6-7. Cfr. DONALD W. BLEZNICH, *Las «Institutiones Rhetoricae» de Fadrique Furió,* en «N.R.F.H.». XIII, 1959.

consecuencia de su pericia expresiva, a presentarla mejor incluso que el científico experto en ella[53]. Solución que se conecta, en cierta manera, con la cauta y realista interpretación de Fray Luis de Granada, resuelta mediante la distinción entre materia retórica y materia de elocuencia[54]. Sin embargo, que tal tipo de cautelas no eran ociosas, podría atestiguarlo el hecho de que, sin citar uno de los autores secundarios más o menos directamente repetidores irreflexivos del tópico secular acuñado, el mismo Benito Arias Montano se hiciera eco indiscutiblemente de tal tipo de universal exigencia sapiencial[55]. Claro es que esto bien pudiera venir causado por la irreflexión augusta de su empeño versificatorio, y la dificultad evidente

53. Furió constituye uno de los casos más interesantes de autores de Retórica, relativamente desconocidos, cuya recuperación por la historiografía cultural moderna ha descubierto un mundo sorprendente de ricas y variadas conexiones culturales y espirituales. Ya Marcel Bataillon desveló toda la importancia y singularidad de sus ideas en el círculo de españoles estudiosos en Lovaina, *Erasmo y España*, cit., pp. 552 y ss. Sobre la actividad de este grupo de ilustrados españoles y las difíciles circunstancias de su supervivencia, puede consultarse J. I. TELLECHEA, *Españoles en Lovaina en 1551-1558*, en «Revista española de Teología», XXIII (1963), pp. 21-45. Con todo, ha sido el interés prestado a la figura de este eminentísimo sucesor de Vives por J. A. Maravall, lo que ha contribuido a poner de relieve la complejidad de su actitud discordante con la línea oficializada en España. Furió es una de esas figuras claves en que se sustenta la tesis de Maravall sobre una oposición liberal española en los mismos años del imperio, «un escritor de los más originales e interesantes en el reinado de Felipe II». La actitud general de estos españoles, ha sido caracterizada por Maravall en los siguientes términos: «Jóvenes universitarios que anhelan mayor libertad espiritual y social, burgueses cuya profesión mercantil les lleva a unas más comprensivas actitudes, gentes que salen de la peninsula para respirar más anchamente, y que les cuesta decidirse a regresar, todo esto —concluye— es un cuadro de época», cfr. JOSÉ ANTONIO MARAVALL, *La oposición política bajo los Austrias*, Barcelona, Ariel, 1972, p. 71. De los matices sobre Furió en esta obra destacan pp. 123, 126 y 179 y ss.

54. La adscripción específica de la «dulzura», producto de la pericia en el decir, frente al arsenal de saberes de la dialéctica, brilla en fragmentos como el que sigue: «Porque el Rhetorico en las pruevas imita la brevedad, y sutileza de los Dialecticos; mas de tal manera, que, como antes digimos, la Oración no conste solamente de nervios, sino tambian de carne, y piel, esto es, que se vista del ornato oratorio». Cfr. FRAY LUIS DE GRANADA, *Los seis Libros de la Rhetorica Eclesiástica o de la manera de predicar*. Barcelona, J. Jolis y B. Pla, MDCCLXXVIII (4.ª impresión); usamos por comodidad la traducción que poseemos de esta obra originalmente latina, como es sabido, editada en Valencia en 1570.

55. La figura de Montano es de las que más atento y especial estudio mereció. Si el libro de Ben Rekers descubrió un Montano sorprendentemente vinculado a las tendencias «familistas» heterodoxas, al menos desde 1574, creemos que no pocas sorpresas había de deparar, sobre la imagen y valoración tópica que merecen sus ideas retóricas, una monografía cuidada sobre este aspecto. En tal sentido resulta incuestionablemente cierta la paradoja señalada por el mencionado Rekers sobre la difusión-anonimato de Montano: «En la actual historiografía española su nombre goza de excelente nombradía, pero tan sólo su nombre. Siempre se dice de él que fue uno de los máximos exponentes de la Contrarreforma. Pero lo que realmente pensó e hizo continúa sin estudiar y la doctrina de sus libros, ignorada», cfr. BEN REKERS, *Arias Montano*, cit. p. 19.

en otros lugares y en gracia a la modernidad sensata la dificultad evidente de tal exigencia, que arrancaba de un momento de sincretismo y unicidad científicas incompatible ya con la diversificación de ciencias, artes y técnicas en el Renacimiento:

> «Hunc etiam multis ornet sapientia diva Artibus, atque omni doctrinae munere, quisquis Orator cupit et fieri, et praeclarus haberi. Hunc Heliconiades certent componere divae, Quaeque suum finxisse paret, proprioque coronet Munere, perdoceat Pallasque et doctus Apollo Instruat hunc multis, quas noverit, artibus. Ergo Unus erit qui sacra Deum mysteria priscis Scripta voluminibus norit, qui carmina vatum, Et responsa adytis cognoscat reddita sacris, Apperiat, non ignoret civilia iura, Pontificium leges sacras, divinaque Patrum Consilia, et quaecumque genus mortale iuvare, Et foedus servare hominum, sanctumque tueri Concilium vitae, et socialia vincula possunt»[56].

Conectado con este tópico, como una de sus más importantes secuelas, se abría paso en la preocupación de nuestros retóricos renacentistas la cuestión de la licitud de enriquecer la *oratio* con testimonios, citas y adornos de poetas, incluso de consentir su entrada en los tratados de Retórica y predicación.

Como fácilmente podrá colegirse, este hecho está directamente vinculado con la valoración de datos horacianos de nuestras retóricas. Matamoros no anduvo demasiado generoso en sus citas de poetas. Singularmente silenció a Horacio, frente al empleo mucho más intenso de Virgilio, centro ilustrador y exornativo en toda la tradición de nuestros retóricos. Incluso Ovidio y Marcial cuentan en él con referencias más frecuentes, aunque, en términos absolutos, casi tan limitadas como el mismo Horacio. Pero en su actitud general explícita frente al problema, manifiesta el retórico español una apertura que no descubren otros muchos teóricos de nuestro país cuyas obras examinaremos más adelante. Lo mismo se diga de su liberalidad frente a la admisión de poesía y ciencia profana, o aun de la pagana antigüedad clásica, en sermones católicos de su tiempo. En su *De methodo concionandi* afirma al respecto:

> «Quin sic potius omni studio in Poesim et Philosophiam et artem oratoriam incubuerunt, ut Sacris etiam litteris admiscere non dubitarent... Quod si in huius quaestionis confirmationem mihi vissum esset Graecos auctores adhibere,

56. B. ARIAS MONTANO, *Rhetoricorum Libri IIII,* Valencia MDCCLXXV, L.IV, IX, pp. 167-8. Disponemos de la edición con los pequeños resúmenes previos del obispo de Michoacan. Antonio Morales. La obra original se publicó en Amberes en 1569.

totam Graeciam a suis sedibus excitarem, ut infinita paene innumerabilisque illustrium virorum turba nobis praesto adesset, qui quum Christianae religionis firmissima propugnacula essent, cum Christi Servatoris nostri caelesti divinaque Philosophia poetarum pulchras sententias, historicorum ex ultima antiquitate repetitas historias, philosophorum paradoxa admirabilesque opiniones, oratorum omnem civilem institutionem et humanitatem suis scriptis inserere non dubitarunt. Quare facilius dabitur venia indiserto concionatori, quam indocto»[57].

No obstante lo cual, la mesura de Matamoros se había visto ya reflejada otras veces en sus equilibradas recomendaciones a la sensata y dosificada utilización en los sermones de tal tipo de erudición copiosa:

«Quare ethnicorum exempla et testimonia concionator usurpabit, modo id parce et peropportune faciat: ne ostentatione magis, quam caussae utilitate haec adferre videatur»[58].

El tema se conecta, como veremos, con un problema generalizado en la oratoria y la Retórica renacentistas y desorbitadamente descompuesto en el Barroco: el uso de los dichos breves, sentencias y conceptos agudos. Pero planteándolo por ahora, como pretendemos hacer, en las zonas más estrictamente vecinas a la explicación de las razones de presencia —en este caso de ausencia— de Horacio en nuestros tratadistas de Retórica, resulta obvio que el tema de la aceptación de teorías poéticas, sentidas como elemento de un arte-ciencia muy diverso, y más aún siendo su autor un poeta pagano, denotaba en ocasiones prejuicios absolutamente restrictivos. Al menos tal se deduce, sin duda, del caso de Matamoros; así el tema, aunque teóricamente aceptado con resolución, era abordado siempre con toda la precaución y reserva de una cuestión debatida.

Sin incidir en la línea concreta de las interdicciones a Horacio, sólo ocasionalmente desvelada por la independencia y hasta desenfado del tan injustamente olvidado texto de Terrones del Caño; la reserva, y aun la fulminación general de la ciencia y el arte profanos en la predicación religiosa, habría de contar con propugnadores tan intransigentes y escuchados como Diego Valades, y en tono menos decidido con la actitud negativa de Lorenzo de Villavicencio[59].

57. Alonso García Matamoros, *De methodo concionandi*, ed. cit. pp. 593-594.

58. *Ibid.*, p. 552.

59. La impreparación de Diego Valades le hace prorrumpir a veces en necios alegatos como el que sigue, bordeando argumentos similares, pero más hábilmente modelados por otros teóricos de la predicación cristiana: «Quod quidem officium, nemo recte usurpare potest, nisi illi, qui Christum Deum cognoscentes, divino spiritu adiuti, verissimam eius Religionem

No son, con todo, las razones apuntadas a propósito de los textos de Matamoros las únicas, ni siquiera en nuestra opinión las determinantes que explican el relativo repliegue de las enseñanzas del *Ars* horaciano en nuestros grandes tratados retóricos y de predicación. Las causas más importantes habrían de ser explicadas a base de la idiosincrasia de los mismos cultivadores de la Retórica, quienes, quizás celosos de la autonomía y prioridad de su ciencia, rechazaban toda contaminación con un tratado de Poética; tanto más si se añade que, frente al permanente ideal escolástico en los monótonos pero férreamente estructurados tratados de Retórica al uso en los siglos XV y XVI, la obra de Horacio soportaba la no desdeñable tacha adicional de «sine arte tradita». Las razones de por qué Horacio no aparece tan usualmente en la ejemplificación misma de los tratados como el omnipresente Virgilio, el siempre sospechoso Ovidio, el jocundo y especializado Marcial e incluso muchos otros poetas latinos secundarios, se hallan probablemente en la índole misma de la poesía de Horacio, y sobre todo en la tradición de uso que arrancara de los primeros modelos medievales de Retóricas, que en cualquier caso conculcan la tradición de preñado horacianismo de las *Institutiones* de Quintiliano. Con todo, son razones y explicaciones cuya verificación excede el campo de nuestra investigación actual; allá se queden para los especialistas correspondientes y para los críticos e historiadores de la fortuna de Horacio como poeta.

Pero quizás el punto más importante, por no decir el único, donde se registra la influencia explícita del *Ars* de Horacio en la obra de Matamoros, sea el capítulo final del segundo libro, de su *De Methodo Concionandi*,

---

copiose explicant, iidemque soli eloquentes merito appellari possunt: qui stultitiam existimarunt sapientiam huius mundi, quae viribus propriis, et ab humana industria excogitatis innititur; nulli veritati cedens, nisi quam syllogisticis rationibus se se ostendere posse confidunt». Cfr. DIEGO VALADES, *Rhetorica Christiana ad concionandi et orandi usum accomodata*, Perugia, 1579, p. 5; al ejemplar fotocopiado de que dispongo le falta la portada, la referencia la tomo de la bibliografía de Martí; Rico Verdú no recoge esta Retórica, notable cuando mucho por sus despropósitos, a parte del interés que para americanistas y antropólogos le prestan las descripciones de costumbres de las Indias, que Valades tuvo ocasión de conocer. Más moderado, el aludido Lorenzo de Villavicencio admite la utilidad del manejo de datos profanos por el predicador cristiano, como medio de hacer frente a las doctrinas heréticas. Cfr. LORENZO DE VILLAVICENCIO, *De Formandis Sacris Concionibus*. Amberes, Vda. y herederos de I. Stelsij. 1565, p. 234: «Adversus haereticos autem nostri depugnantes, arma philosophica arripere, seque iss munire sunt coacti, quod cernerent eos, quamvis scripturas admitterent, tamen errorum suorum venena, ex philosophorum et Poëtarum Circaeis poculis primum hausisse, deinde ex iisdem praesidium omne petere solitos. Quam ob causam non minus lepide quam vere dixit Tertullianus, Philosophos esse haereticorum Patriarchas. Haeretici namque ingeniosissimi fere semper homines, dialecticorum contortis et aculeatis sophismatibus, atque omni instrumento Philosophico pulchre instructi, magnam et firmam sibi spem iniiciebant de religionis nostrae doctrinae per se simplici et omnibus auxiliis externis orbata, cito ac facile evertenda».

que trata «De usu describendi alienas conciones», en el que se encaja un tema medular en un autor tan entusiastamente ciceroniano como Matamoros, el problema de la imitación de modelos. Aplacemos hasta nuestra revisión del *De Imitatione,* de Fox Morcillo, la consideración de la entusiasta, pero sensata, solución de Matamoros al problema general retórico, español e italiano, de la imitación de Cicerón; por el momento no consideraremos el capítulo XI del *De Tribus Dicendi Generibus,* dedicado monográficamente a tratar «De imitatione Ciceronis», en el que precisamente se manifiestan dos de las cuatro referencias horacianas antes aludidas. Nos centraremos por el contrario en el ya referido capítulo final del *De Methodo*. así como en sus concretas referencias a la *Epistola ad Pisones*.

En este capítulo final el problema se reduce al planteamiento de si para el orador cristiano resulta beneficioso o no usar de ajenos sermones, y en general de obras ajenas. Por encima del mismo problema técnico, el gran móvil del pensamiento de Matamoros es el fantasma de la herejía:

> «Quod equidem nescio an his temporibus tam libere ac frequenter fieri liceret, quum vix intelligamus quibus fidendum sit, ita non parum multi evaserunt in haereticos, quos Catholicos credebamus».

El consejo inmediato atañe a la necesidad de examinar en las obras ajenas su ortodoxia, y sólo si se tiene la suficiente preparación doctrinal para hacer el examen, y éste es favorable, pronunciarla:

> «Indoctis vero consilium darem, ut conciones ad populum non pronuntient, de quibus iudicium facere propter Theologiae, Divinarumque Scripturarum ignorantiam minime possint. Nam si aliorum ingenio et doctrinae confisi in publicum prodierint, fieri sane vix poterit, quin aliquando in pudendos errores et haereses prolabantur»[60].

Pero para nuestro intento actual, más interesantes que las cautelas de tipo dogmático o del decoro evangélico de la predicación, eran sin duda las puramente técnico-innovadoras suscitadas por tal tipo de repeticiones de piezas o fragmentos. Aquí, desde la denuncia a la solución, Matamoros recorre el tema con el recuerdo horaciano permanentemente en mano:

> «Unde periculum frequenter huiusmodi concionatoribus creari videmus, qui se totos in alienas conciones temere ingurgitarunt. Quod si imitatores *servum pecus*

60. Cfr. A. García Matamoros. *De Methodo Concionandi...*, ed. cit. p. 697.

vocat Horatius, quomodo eos appelaret, qui non aliorum conciones imitantur, sed furantur potius et pro suis populo venditant?»

Entre la inaceptabilidad del fraude y la obligación de nutrir el propio ingenio con las mejores doctrinas posibles en el alto oficio de la predicación, Matamoros propone la consabida fórmula de la variación elocutiva horaciana, canalizada en el caso de la obra oratoria dentro de una falsa estructura de *dispositio*, precisamente hacia manipulaciones y alteraciones en el manejo de ésta. Todo lo cual presidido y autorizado por la cita explícita de los ya inevitables hexámetros horacianos:

«Atqui proprium ex alieno sibi facerent (si ut Horat. inquit in *Arte poetica)* ordinem concionis mutarent: aliquid etiam de suo pro loco et tempore, atque personis adderent: si exquisite denique, ac non vulgari modo, res ab aliis compositas atque elaboratas persequuti fuerint. Sic enim habet Horatius:

Publica materies privati iuris erit, si
Nec circa patulum vilemque moraberis orbem».

Por cierto que en la interpretación de los hexámetros anteriores observamos que Matamoros aparece contagiado de la interpretación generalizada y torcida de *publica materies,* como «a nemine tractata», lo que en el contexto concreto del retórico español constituye además un error doble:

«Quae enim in medio posita sunt —explica—, nulliusque adhuc iuris esse dicuntur, quoniam a nemine sunt pertractata, tua (inquit Horatius) omnino efficies, si a circulatorum consuetudine longe abfueris, qui vulgari crassaque Minerva suscepta argumenta tractant»[61].

En fin, con ser tan relativamente escaso el material horaciano descubierto en la obra de Matamoros, es sin embargo suficiente —en especial si se tiene presente el abandono general, quizá deliberado, del *Ars* de Horacio en los tratados de Retórica— para poder inferir una favorable opinión y conocimiento de la poética horaciana por este aventajado discípulo español de Cicerón[62]. Horacio se filtra en ocasiones, como hemos visto, en los

61. Los dos textos anteriores, *Ibíd.*, pp. 697-698.

62. En el caso de Matamoros, contamos con una importante ayuda para su comprensión en el estudio de una de sus obras de índole no retórica, *Pro adserenda Hispanorum Eruditione,* defensa precoz de la ya controvertida ciencia española. Precede un intento muy logrado de valoración de su personalidad humanística, debido al editor, José López del Toro, ALFONSO GARCÍA MATAMOROS, *Pro adserenda Hispanorum eruditione,* cit.

entresijos doctrinales de un tipo de tratados, deliberadamente construidos de espaldas a la Poética; y en la primera ocasión clara que a Matamoros se le ofrece, al tratar de la imitación, le confiere al poeta latino el liderazgo doctrinal entre sus autoridades.

El período que hemos acotado en el parágrafo actual, alínea junto a las obras ya examinadas de los colosos de nuestro humanismo, Nebrija y Vives, y a las del que en algunos aspectos no les hizo mal tercio, Alonso García Matamoros, las de otras dos importantes personalidades de nuestro humanismo, la obra del agudísimo retórico Furió Ceriol y el tratado *De imitatione* de otro de los españoles europeístas, Sebastián Fox Morcillo. Entre ambos grupos de obras debe situarse un conjunto de libros menores o perdidos, los *Progymnasmata* de Antonio Llull de 1550 y las *Institutiones Oratoriae* de Pedro Juan Núñez (1552), de cuyos autores nos ocuparemos en apartados sucesivos en ocasión de la fecha de publicación de sus obras más representativas[63]. La perdida retórica de Gallés fue publicada según la lista de Rico Verdú en 1533, pero su hallazgo se ha resistido a la tenacidad o la buena fortuna de nuestros dos modernos investigadores de la Retórica.

El 1554 fue sin duda fecha brillante en la historia de la teoría retórica española. Dos obras importantísimas de dos autores de primera dimensión vieron la luz en este año. Se trata del tratado en dos libros *De imitatione* de Sebastián Fox Morcillo que, «además de ser grande objeto de codicia bibliográfica, son un primor de arte y de estilo», y las *Institutionum Rhetoricarum,* de Fadrique Furió Ceriol, que Menéndez y Pelayo lamentaba no haber podido comprar ni examinar; y verdaderamente lamentable era el caso, porque en esta ocasión la obra deseada del apasionado bibliófilo y polígrafo le hubiera podido deparar muchos deleites y satisfacciones, además del puramente bibliográfico[64].

Efectivamente los elogios que hace pocos años ha dedicado Martí a la significación intelectual de Ceriol —y los más generales de Maravall—, a su independencia de criterio, manifiesta en su adhesión matizada a la revisión aristotélica de Petrus Ramus[65], no quedan defraudados con la

63. Cfr. PEDRO JUAN NÚÑEZ, *Institutiones Oratoriae colectae methodice ex institutionibus Audomari Talaci,* editada por Mayáns, en la Imp. de P. Berruguete, Valencia, 1774. Pese a incluirla en su lista como obra no perdida, no ofrece después noticia Verdú de los *Progymnasmata* de ANTONIO LLULL. Sin duda sigue la referencia de MENÉNDEZ Y PELAYO, *Historia de las Ideas Estéticas,* cit. II. p. 160, que se limita a dar la noticia de su edición y algo de su fortuna bibliográfica: *Progymnasmata Rhetorica, ad Franciscum Baumensem,* Basilea, apud Joanem Oporimum, 1550. Cítase una edición aumentada, 1551, y otra de Lyon, 1582.

64. La noticia sobre estas dos obras, en M. PELAYO. *Ibíd.,* II. pp. 161 y 159 respectivamente.

65. Cfr. A. MARTÍ. *Preceptiva retórica...* cit. pp. 42-61. «Un digno sucesor de Vives —comienza llamándole, y en este ámbito concreto con plena razón—en el campo de la retórica es

lectura de sus *Instituciones,* sublimadas y agilizadas constantemente por una saludable aura de platonismo. Tal es su interés, a nuestro juicio, que, aun siendo algo ajeno al interés central de nuestra investigación, no nos podemos sustraer a reproducir aquí un personal e interesante fragmento de Furió, donde manifiesta su abierta queja de Cicerón y Quintiliano, en la responsabilidad que a ambos cabe como iniciadores del fetichismo de la autoridad aristotélica en la teoría retórica, al punto de pretender reducir ésta a una especie de parte muerta de la facultad o derecho civil:

> «Quo loco non possum non vehementer mirari Ciceronem fortasse meum illustri ac incredibili ingenio virum, tam turpiter de Aristotele fuisse deceptum, ut hanc artem Iuris Civilis particulam esse affirmaret: et rem alioque latissime patentem arctissimis limitibus vel cathenis potius illigaret constringeret. Fuit in eadem opinione Quintilianus vir ingenio singulari, sed vicit ingenium tanti viri authoritas Ciceronis et Aristotelis, maluitque illorum decreta quam naturae suae ductum sequi».

Iniciado el prejuicio, su expansión alcanzó hasta los tiempos contemporáneos, y hasta ellos se extiende, asimismo, la condena del despejado liberalismo de Furió[66]. En un momento dado en la continuación de este alegato, el apasionado e independiente valenciano prorrumpe en exclamaciones casi patéticas. En tal y tan vital medida sentía este espíritu singular la necesaria desvinculación de los tiempos respecto del férreo papanatismo retardatario de la hipocresía con que se invocaban y manejaban autoridades, quizás por quienes, sin ellas, quedaban vacíos de toda idea e iniciativa intelectual propias:

> «Aperiamus carcerem, effringamus fores, rumpamus vincula, et eam tandem ab hac tyrannide vindicemus. vindicata est. Vagatur iam longe lateque: non angustioribus continetur finibus, quam usus rationis. Namque vis Oratoria profes-

---

Furió Ceriol. Valenciano como Vives, preocupado por los problemas del Renacimiento, liberal en su pensamiento y genial en sus intuiciones». Una aproximación a la obra retórica de Furió la realizó DONALD W. BLEZNICH, *Las «Institutiones Rhetoricae» de Fadrique Furió,* cit., pp. 334-339. Furió es un símbolo permanente para Maravall en su estudio de la línea discordante que destruye la tópica habitual de la España intransigente y antisecularizante, convocado en todos los estudios que componen su volumen, *La oposición política bajo los Austrias.* cit.

66. Cfr. F. FURIÓ CERIOL. *Institutionum Rhetoricarum libri tres,* cit., pp. 108-109. He aquí la continuación del anterior alegato de inconformismo intelectual: «Hos tantos talesque viros secuta est universa schola usque, quae vel admiratione eorum quae non intelligeret, vel quod nihil contra horum authoritatem auderet, miserabiliter est decepta. Quid nos? patiemur ne tandiu Rhetoricam esse constrictam et oppressam? minime gentium», p. 109.

sioque ipsa bene dicendi, —es la nueva fisonomía, redimida, de la Retórica— hoc suscipit ac pollicetur, ut omni de re, quaecunque sit proposita, ab ea apte, ornate, copioseque dicatur. Neque est hoc, ut plerisque videtur, immensum et infinitum, sed doctrinae paucorum praeceptorum, usus tamen nec exigui laboris, nec omnino facilis: is tamen qui exercitatione diligenti facile superetur[67].

Pese a su radicalismo contra las autoridades, la Antigüedad clásica se halla presente, viva y reputada en la Retórica de Furió. Los autores, reducidos a su estricta fuerza de contemporaneidad, rompen con frecuencia los perfiles de sus «patrones» habitualizados. Ni domesticados ni domesticadores, llegan quizás como en pocas obras de esta índole en el Renacimiento a reconquistar su dimensión genuina. Sin embargo, Horacio es el gran ausente de la obra de Furió; ni una sola cita se ha ofrecido a nuestra lectura. Cicerón es invariablemente su guía retórica universal. Aristóteles y Quintiliano, poderosas fuentes retóricas criticadas con más frecuencia y decisión de las que eran usuales. Virgilio y Ovidio son los poetas que le proveen de elegantes ejemplos. Más que simple casualidad o respeto a convención establecida, se nos antoja que en el caso de este vacío de Ceriol habrá que replantear razones ya insinuadas en casos precedentes: restablecimiento de la imagen y el valor de la poesía horaciana, poco apta quizás al fragmentarismo de la ejemplificación retórica. Por lo que respecta al caso del *Ars,* pertinaz negativa, nacida de un espíritu de rebeldía a la colonización de la propia disciplina por la Poética. Y aún más quizás, hábito muy encarnado de interdicción de la peculiar Poética de Horacio.

Concebida la obra fundamentalmente retórica de Fox Morcillo como un tratado de la imitación ciceroniana, resultaba fatal que en ella se dejase sentir la sombra de la doctrina horaciana, tan frecuentemente vinculada a la problemática de la renovación y lícita apropiación de materiales tópicos. No obstante lo cual, tampoco tildaríamos el elegantísimo tratado de Fox Morcillo[68] de obra genuinamente horaciana, ni siquiera el horacianismo se hace presente en ella con ponderación llamativa. Así, en zonas donde la mención de Horacio era tan obligada como en la doctrina del decoro de los personajes según edad, carácter, nación, etc., o en las cuestiones de renovación del vocabulario, en vano se espera la cita de los conocidos hexámetros de la *Epistola ad Pisones*.

67. *Ibid.*, p. 109.

68. Sobre el valor de conjunto de la producción de Fox Morcillo, esforzada síntesis platónico-aristotélica dominada por una comprensiva actitud contraria a todo extremismo científico, sólo conocemos la útil, pero ya anticuada obra de P. URBANO GONZÁLEZ DE LA CALLE, *Estudio histórico-crítico de las doctrinas de Fox Morcillo,* Madrid, Acad. de Ciencias Morales, 1903.

No es nada extraordinario que Horacio aparezca enumerado, sin más, en las listas de poetas latinos imitables que a veces el autor establece en su obra[69]. Fuera de tales referencias, la *Epistola ad Pisones* sólo aparece aludida en dos ocasiones en la obra de Fox Morcillo, y éstas en ocasiones de escaso empeño. La primera recordando el «simulare cupressum» como refuerzo del imperativo estético de no sacrificar el efecto de la totalidad a la minucia desproporcionada de las partes[70]; y en otra ocasión para exaltar las condiciones de excelente ayuda en la crítica de poetas que concurrían en la obra de Horacio; materia esta, en opinión de Morcillo, altamente comprometida. Así tras de haber trazado su propia inteligente lección de metodología crítico-literaria[71], Fox alude a la posible autorización del parecer de Horacio:

> «Sed tamen quod est omnibus iamdiu aetatibus doctorum iudicio statutum, —bien diferente talante es éste al que presentaba su contemporáneo Ceriol, si bien el de Fox Morcillo constituía la regla— de auctorum ordine haudquaque gravabor dicere, nisi in hoc etiam errasse illos quis dicat: quod maioris est arrogantiae, et perversitatis. Visne ergo sumam a Poetis exordium, quos Horatii praecepto legi primum oportet, an ab oratoribus potius? quos praeceptorum vulgus initio sumit explicandos»[72].

Alcanzamos ya el límite que nos hemos fijado como unidad de materia congruente en este parágrafo. El examen realizado de la primera edad áurea de nuestra Retórica nos ha ofrecido un escaso saldo de prestigio

69. Cfr. SEBASTIÁN FOX MORCILLO, *De imitatione seu de informandi Styli rationi. Libri II.* Amberes, Martín Nuntius, 1554, p. 22 v. Algo más extensa resulta la referencia en p. 42 v. «Huic non post habendus Horatius in elegantia, puritateque orationis, ac si Poeticum Lyrici carminis leporem requiras, cunctorum facile princeps, sed in Satyra frigidior, longeque Persio, aut Iuvenale inferior: qui tametsi minus illo in dicendo tersi, maiorem tamen carminis habent spiritum, ac venustatem».

70. *Ibíd.*, p. 55 v.: «Atque haec tanquam de singulis orationis lineamentis: restat nunc, ut eiusdem corpus universum formetur: in quo maiori opus est arte, quod multi partem unam, aut alteram bene fingere, et ut ait Horatius, simulare cupressum possunt: at vero totum corpus e partibus suis apte construere, ac bene formare nequeunt».

71. *Ibíd.*, p. 41 r.: «Ac de auctorum quidem bonitate, et praestantia iudicium ferre difficile cumprimis est, et obscurum: longam enim id lectionem, atque usum, magnumque iudicii acumen postulat, tum quia nemo vere, aut exacte iudicare potest de altero, nisi eum bene norit, et quasi introspexerit, tum quia varia sunt, ac diversa hominum iudicia, et quod unus putat absolutum, id alter minime probat».

72. *Ibíd.*, p. 41 r.-v. La singularidad de Fox Morcillo en el grupo intelectual de Lovaina, estudiada por IGNACIO TELLECHEA, *Españoles en Lovaina,* cit., ha sido destacada, junto a otro de nuestros mejores retóricos de aquella época, Furió, por JOSÉ ANTONIO MARAVALL, como figuras-síntoma de una actitud de discrepancia liberal, cfr. *La oposición política bajo los Austrias,* cit., especialmente pp. 60 y ss.

horaciano. No olvidado, pero perdido en la densa estructura de peculiaridad doctrinal estricta de las obras de Retórica; el resultado de lo visto ya puede servir, salvo raras excepciones, como anuncio inalterable de futuros resultados. Horacio, y sobre todo su *Ars,* jugaron un muy limitado papel de estímulo en la obra de nuestros tratadistas de Retórica; pero una investigación monográfica como la que realizamos en este libro III no ha querido dejar de perseguir hasta las referencias más triviales. No podía ser de otro modo; la conciencia supra-retórica y supra-poética, de ciencia del lenguaje artístico, que quizás se había inaugurado de algún modo en la Antigüedad, y precisamente en tratados como los de Horacio o del Pseudo-Longino, había sido pulverizada por el espíritu atomista y taxonómico de las retóricas medievales. Sólo en privilegiadas ocasiones empezaba a ser oteado en el período renacentista. Quizás incluso el reducto más retardatario vino a constituirlo la parcela concreta de la ciencia Retórica.

El horacianismo en los tratados de Retórica y Poética del Brocense y Antonio Llull.

Hemos querido asociar en este epígrafe las obras de dos de las más importantes figuras de la teoría literaria —Retórica y Poética— de nuestro Siglo de Oro. A uno de estos autores, el Brocense, se está en vías de reconocerle todo el amplísimo crédito que merecen su capacidad y la índole de su obra[73], que por nuestra parte, no dudamos en calificar —con bastante conocimiento de causa por lo menos en su faceta Poética— de genial, sin que alcance el adjetivo la degradación semántica que le ha acarreado su moderna generalización a simples hechos normales adornados de talento o de gracia, y aun a veces sin ellos. Mas por lo que respecta a Antonio Llull, faltan absolutamente los estudios que le hagan justicia; aun contando

73. El Brocense, nos atrevemos a proclamar, carece aún del estudio digno de su importancia. Y eso que relativamente se trata de uno de nuestros humanistas más estudiados; cuando mucho, existen aceptables aproximaciones a alguna de las facetas científicas de su densa y amplia personalidad humanística. Pero falta el estudio integral sobre el mismo. Entre los trabajos existentes recordemos como más destacados, los de conjunto y de corte biográfico de P. URBANO GONZÁLEZ DE LA CALLE, *Francisco Sánchez de las Brozas. Su vida profesional y académica.* Madrid, V. Suárez, 1923; AUBREY F. G. BELL, *Francisco Sánchez el Brocense,* Oxford, Univ. Press, 1925; así como los de interés en aspectos concretos de la biografía intelectual, como el de MIGUEL DE LA PINTA LLORENTE, *Procesos inquisitoriales contra Francisco Sánchez de las Brozas,* Madrid, 1941. Los aspectos estrictamente gramaticales de su obra son quizás los más monográficamente abordados por el resumen de conjunto de CONSTANTINO GARCÍA, *Contribución a la historia de los conceptos gramaticales. La aportación del Brocense,* Madrid, C.S.I.C., Anejo LXXI de la R.F.E., 1960.

con el aliciente que pudiera suponer un juicio, si breve y con visos de apresuramiento, tan rotundamente positivo como el de Menéndez y Pelayo: «Es uno de nuestros mejores y más racionales libros de Retórica, aunque no está exento de nimiedades y de subdivisiones inútiles»[74].

La verdad es que en el reparo de Menéndez y Pelayo pudiera haber mucho de enojo del nervioso y apresurado ritmo de consulta que sus ingentes planes imponían al ilustre e intuitivo sabio. En cierto modo se trata del mismo tipo de desconcierto que se habrá apoderado quizás de los pocos lectores posteriores del extenso y misceláneo tratado *De Oratione*. Nuestra lectura de la obra —que no presumimos más atenta que lo hayan sido las de quienes nos hayan precedido en los últimos tiempos, por la particular, episódica y, en cierto modo, marginal índole de nuestra búsqueda de injertos horacianos—, nos ha convencido sin embargo de que la obra posee enjundia superior a la que generalmente se la ha reconocido. Quizá sólo un detenido estudio monográfico, rico en perspectivas interdisciplinarias, lógicas, jurídicas, matemáticas, poéticas, etc... podrá decir la última palabra sobre su verdadero valor; ya que las «nimiedades» a que se refería Menéndez y Pelayo, son con mucha frecuencia interesantes «excursos», y sobre todo agudísimas síntesis doctrinales impecablemente raras sobre las más variadas materias. Por otra parte nos ha parecido advertir en esta obra, por encima de las posibles y ya señaladas extravagancias personales y biográficas de su autor, un grado de vigor y coherencia de razonamiento que la emparentan con los más sazonados modelos de discurso del mismo Sánchez de las Brozas[75]. Mas con todo, esperemos el trabajo definitivo y monográfico sobre este extenso y desconcertante libro.

Gran parte de la confianza provisional de nuestra estimación del *De Oratione* de Llull se debe a que el carácter específico de nuestra especialización nos ha permitido valorar minuciosamente, estimándolo como muy importante, uno solo de sus «excursos» adicionales al mero plan retórico, que a su vez, y en apreciación más apresurada, juzgamos de indiscutible mérito. Nos referimos a la breve Poética sintetizada entre las páginas 514

74. Cfr. M. Menéndez y Pelayo, *Historia de las ideas estáticas*, II, p. 161.

75. Antonio Martí llega en ocasiones a muy encomiásticos extremos en su enjuiciamiento de la obra; veamos un ejemplo con cuya valoración coincidimos: «La retórica de Antonio Llull es obra de gran envergadura e interés, que no ha sido suficientemente conocida y estudiada. Es de una amplitud comparable a la obra de Quintiliano pero le supera en el esfuerzo que hace Lulio por fundir el pensamiento filosófico con la retórica y poética». Cfr. A. Martí, *Preceptiva retórica*, cit. p. 136. No es poco decir si se toma un término de contraste como Quintiliano. Frente a juicios como el anterior pueden resultar sorprendentes las fluctuaciones valorativas de Martí —muy comprensibles por otra parte en distintos puntos concretos de la lectura de una obra como el *De Oratione*— como por ejemplo en p. 134. «Es una obra difusa y eclecticista sin líneas de pensamiento original».

y 530 de la obra, de la que habremos de ocuparnos aquí con cierta extensión, dado que se trata de la primera síntesis de un verdadero sistema de Poética realizada por un autor español. Pues, aun cuando la Poética horaciana del Brocense resultara ser anterior en algunos años, su índole es muy otra a la de Llull, ya que se trataría simplemente de una paráfrasis más, con estructura racionalizada, de la *Epistola ad Pisones* de Horacio, y no de un tratado sistemático de esquema aristotélico como es el del mallorquín.

Nos resta, antes de proceder al examen de las obras de ambos autores en la vertiente concreta que nos ocupa en este capítulo, demorarnos algo a propósito de la cuestión antes ponderada de la fecha del *De Oratione*. El interés en nuestra opinión procedería no tanto de que se pudiera adelantar o retrasar en diez años un libro retórico posiblemente de gran valor, pero precedido ya —aun optando por la más temprana de las opciones— de otras obras retóricas españolas y extranjeras de relieve e importancia no inferior. Lo que valora vitalmente la opción de fecha que se haga, es que lo convierte en el primer tratado de Poética, producido por el Renacimiento español. Incluso en alguna conjetura, como la de Martí, se podría adelantar hasta a la misma paráfrasis horaciana reorganizada en sistema poético del Brocense.

Un hecho resulta en cualquier caso indiscutible, la obra es posterior a 1554. Lo prueba el argumento aducido por Antonio Martí: Llull en la dedicatoria a Felipe II, al enumerar los títulos del soberano, lo denomina también rey de Inglaterra; siendo así que precisamente fue en el referido año de 1554 cuando tuvo lugar el matrimonio del rey con María Tudor[76]. Por nuestra parte, refuerza las razones de Martí en este extremo la cita del *Lazarillo de Tormes* que Llull incluye en su obra ya que como es bien sabido las tres ediciones simultáneas del *Lazarillo* vieron la luz en 1554[77]. El problema, pues, viene determinado por el término «ad quem»

76. *Ibid.*, p. 132, nota 43.

77. Cfr. ANTONIO LLULL, *De Oratione Libri Septem*, Basilea, per I. Oporinum, s.a. p. 502. Por cierto pudiera resultar curioso el que Llull titule «diálogo» al *Lazarillo*. Pero lo cierto es que el tecnicismo literario moderno, y menos aún en el caso de una obra autobiográfica narrada en primera persona, no estaba suficientemente fijado en la terminología literaria de la época. Téngase en cuenta que con idéntica denominación se integran en el fragmento aludido obras dialogísticas en sentido estricto, como las de Luciano, y novelas latinas consideradas como tales, cual es la de Apuleyo. Para la historia del desarrollo teórico de estas cuestiones, aparte de los *Orígenes de la Novela*, cit. de MENÉNDEZ Y PELAYO, cfr. A. GONZÁLEZ DE AMEZÚA, *Cervantes, creador de la novela corta española*, Madrid, 1956-1958. E. G. RILEY, *Teoría de la novela en Cervantes*, Madrid, Taurus, 1966; y WALTER PABST, *La novela corta en la Teoría y en la creación literaria*, Madrid, Gredos, 1972. En cualquier caso, lo llamativo para Lulio era el relato en primera persona de Lázaro. He aquí sus curiosas, y quien sabe si de algún modo esclarece-

de este proceso. El ejemplar de esta obra a que he tenido acceso, en la única edición que se conoce, de la Biblioteca Nacional de Madrid, no lleva fecha[78]. Menéndez y Pelayo señala la de 1568 sin aclarar las razones de su decisión, ya que la descripción bibliográfica de la obra, que hace en nota concuerda plenamente, sin fecha, con el ejemplar de la Nacional de Madrid editado en Basilea. Rico Verdú muestra una rara alternativa: de una parte acoge la fecha de 1568 de Menéndez y Pelayo, sin indicar el origen de su decisión, al final de su descripción bibliográfica de la portada[79], lo que nos induce a sospechar que pudiera haber manejado otro ejemplar distinto del de Martí, del nuestro y aun del descrito por Menéndez y Pelayo —aunque el resto de la descripción que hace coincide exactamente con la portada del de la Nacional—; pero, en contraste, en la lista general de retóricas del XVI[80] que ofrece, lo da como de 1556, el año según él en que se publica el *De arte dicendi* del Brocense, fecha a su vez equivocada para esta obra según el ejemplar de ella que él mismo maneja[81], y error al que le vuelve a inducir sin duda Menéndez y Pelayo que la estableció sin confesar con qué fundamento[82].

Debiendo descartar, pues, en este detalle concreto, por sus contradicciones, el testimonio de Rico Verdú, nos quedan las fechas de 1568, señalada sin fundamento que sepamos por Menéndez y Pelayo, y la de 1558 de Martí como términos más tardíos de edición de la obra. Frente a la ausencia de razones de Menéndez y Pelayo, la fecha de Martí se apoya en el mismo argumento ya señalado de la dedicatoria del libro; pues si bien Felipe II empezó a ser rey consorte de Inglaterra en 1554, dejó de serlo en 1558.

---

doras palabras: «Dialogi ergo primum morati sunto. Sed ex moribus nunc subtilitatem ostendat interrogator, nunc simplicitatem qui respondet: et pro occasione alias etiam formas accersat. Proxime enim accedit dialogus ad poema, quod vocant dramaticum: licet una aliquando tantum persona loquatur ut docent Apuleius, Lucianus, Lazarillus», p. 502.

78. Como Menéndez y Pelayo, Martí y Rico Verdú, nosotros hemos utilizado la edición de Basilea, sin año, existente en la Biblioteca Nacional de Madrid, sign. 3-59459, Martí dice que se trata de un libro muy raro, que no ha podido hallar en ninguna biblioteca de España excepto la Nacional.

79. Cfr. J. Rico Verdú, *La Retórica española,* cit. p. 152. nota.

80. *Ibid.,* p. 75.

81. Suponemos alguna errata, o comprensible descuido en la corrección de pruebas de esta lista, ya que en la descripción de la obra del Brocense (p. 200, nota) da la fecha de 1558, que es la del ejemplar que hemos visto nosotros y la del que cita Martí.

82. Cfr. M. Menéndez y Pelayo, *Historia de las ideas estéticas* cit. II. p. 178, aparte de todo, el criterio de Menéndez y Pelayo en el cuidado de fechas es evidentemente sospechoso, véase que líneas más abajo habla de 1579, como de «diez años más adelante», de la fecha de 1556 dicha antes. Don Marcelino no sumaba bien, distraído sin duda por la elegante arquitectura de su discurso y aun por la misma variación y cadencia de sus períodos, para dar forma de inigualable elegancia a materias indiscutiblemente áridas.

No cabe duda que es una buena razón, y nosotros por muchas causas nos acogemos gustosamente a ella; pero tampoco deja de estar descartado un «lapsus» en la composición de dicha dedicatoria, escrita quizás mucho antes e impresa mecánicamente; esto descontando otro tipo de explicaciones verosímiles: reivindicaciones políticas, etc... De todos modos, ya es demasiado espacio el que hemos dedicado a la cuestión en una investigación de la índole de la nuestra: desde 1554 a 1568. En cualquier caso, el mérito y el carácter de prioridad cronológica absoluta del tratadito poético incluido en el *De Oratione* por Llull hacen de este autor el representante más antiguo en la teoría Poética española, que adopta en la exposición de su obra sistemática y estructura aristotélicas.

En función de los escrúpulos anteriores, nos ocuparemos primero, para continuar con el mismo criterio cronológico que seguimos en este capítulo, del *De arte dicendi* del Brocense[83]. Obra juvenil, como señala Menéndez y Pelayo, no ofrece aún la firme andadura intelectual de su maduro *Organum dialecticum*[84], pero contiene ya las inmutables directrices básicas de sus estimaciones acerca de los principios esenciales de esta ciencia[85], y, por lo que hace a su sustento horaciano, firme y permanente vía de acceso del Brocense a los dominios de la teoría poética, la sensata devoción del catedrático salmantino por Horacio aparece ya totalmente encarnada.

Las referencias a Horacio son frecuentes en esta obrita personal y de gran valor, escuetamente doctrinal y sin desvaríos extrarretóricos; pues en las contadas ocasiones en que excede el tratamiento de los tópicos más medulares, es para extenderse en consideraciones políticas y judiciales como ámbitos próximos al campo específico de la Retórica. Por lo común, las citas de Horacio no son, sin embargo, de las epístolas literarias[86], dado el ya aludido carácter concentradamente monográfico de la obra. Sólo en el fragmento donde se aproximaban al máximo Retórica y Poética en el *Ars* de Horacio, el famoso «si vis me flere...», etc... tan próximo a otros textos ciceronianos, el Brocense acude gustoso a la cita de la *Epistola ad Pisones:*

83. Cfr. F. Sánchez de las Brozas. *De arte dicendi liber unus... Cui accessit In Artem Poeticam Horatij per eundem autorem brevis elucidatio,* Salamanca, M. Gastius, 1558.

84. Cfr. F. Sánchez de las Brozas, *Organum dialecticum et Rhetoricum,* Salamanca, 1588.

85. En el campo de la teoría poética es preciso señalar, a parte de su paráfrasis horaciana y de la «elucidatio» encuadernada con el *De arte dicendi,* su *De Auctoribus Interpretandis sive de Exercitatione,* encuadernada con los *Paradoxa,* y editada por Plantino en Amberes, 1581.

86. Cfr. Sánchez de las Brozas, *De Arte Dicendi liber unus,* Salamanca, M. Gastius, 1558, pp. 6 v., 11 v., 25 v., 32 v., 33 v., 34 v., 42 v., y 43 v.

«Sed regulam auream, quae sit multarum instar, ad omnes affectus movendos adhibeamus, quam deceptus memoria Quintilianus non aliquo tradente... cum a Cicerone multis verbis, et ab Horatio in arte poetica per multa carmina, et denique a Persio sit repetitum praeceptum hoc, ut si quem movere velimus, nos prius moveamur»[87].

Pero el documento horaciano más importante del Brocense es su *Elucidatio*, publicada en 1558 al final del breve tratadito anterior; aparte de su penetrante paráfrasis del *Ars*, examinada a lo largo de los dos primeros libros de esta obra, y que constituye en nuestra opinión el comentario de Horacio más profundo, agudo y novedoso, si no el más completo y sistemático que produjo la Europa de los siglos XV al XVII.

La breve obrita, con poco más de treinta páginas de pequeño formato, constituye un documento sin posible desperdicio, difícil de resumir en estas páginas. Adelantemos que va concebida como un tratado de «enarratio», es decir sistematizada desde la finalidad de convertirse en un canon crítico. De otra parte, lo interesante en ella no es la exégesis doctrinal horaciana que encierra, la cual coincide básicamente con la contenida en la paráfrasis ya tan extensamente utilizada y descrita por nosotros; sino la distribución que en la misma se hace del pensamiento horaciano según un orden sistemático original, con frecuencia de esquemas teórico-retóricos muy evidentes.

En el «fin al que debe proponerse el poeta», primer precepto con que se abre su tratado, se incluyen todos los desvelos por la pulcritud estructural de la obra, enlazando los más variados tópicos desde el «Sit quod vis scribere simplex duntaxat et unum» con la descripción del erróneo proceder del pintor del «monstruo»:

«Poetae his legibus non astringuntur: liberi enim sunt, quemadmodum et pictores. Falleris, inquit, si ista simpliciter accipis. Quis enim non irrideat pictorem illum, qui cum virginem pingere destinarit, pulchram ei faciem tribuat, collum equinum», etcétera... etc...[88].

El segundo precepto, «Sine arte non posse opus procedere», sorprende porque en él se omite cualquier tipo de contacto con la cuestión de fondo de la prioridad del arte sobre el ingenio en la configuración del poeta y del proceso de creación. Siendo, como ya hemos dicho, la obra del Brocense un manualito para críticos, lo que en verdad interesa destacar a su autor a propósito del «arte» es en qué consista. De este modo, la

87. *Ibid.*, p. 30 v.
88. *Ibid.*, pp. 52 v. 53 r.

discusión más o menos filosófica sobre la causa eficiente de la poesía se convierte en una descripción de los tipos posibles de estilo, alto, medio y bajo, y de las virtudes más sobresalientes del mismo, entre las que se destaca la variedad prudente. Ofrecemos una muestra algo extensa del curioso modo que tiene el Brocense de engastar los versos de Horacio en el curso del razonamiento propio, a propósito de la polaridad variedad-unidad:

> «Varietas insuper virtus maxima est in poesi, solet enim animos mirum in modum allicere: sed hanc comitatur vitium vel maximum: Nam qui cupiunt variare rem aliquam, nulla lege aut arte id facientes, portentose delphinum sylvis appingunt, fluctibus aprum, credentes hanc esse veram varietatem. Denique dum vitium fugimus stulti, in vitium incidimus. Neque satis est artem in una alterave parte callere, cum tot poetae sint necessaria: nam infelix ille faber est, qui capillos et ungues ad amusim exprimit, si totam statuam nescit partibus suis adaptare. Nec ille formosus est, qui nigros oculos nigrumque capillum est sortitus, si tamen deformis nasus totam oculorum praestantiam deturpat»[89].

Reinsistencia en las mismas cuestiones medulares del orden y la disposición, como claves del feliz resultado y acabamiento estético del poema, viene a ser también la que se observa en el tercer precepto del tratado, donde al fin aparece la congruencia entre título y contenido, «De collocatione rerum et verborum». Aquí todavía la transferencia de Horacio al Brocense, palabras y aun versos enteros, es más rica que en el ejemplo anterior[90]. Transformándose la obra en un ingeniosísimo artificio de prosificación y conversión en discurso propio y congruente de las largas tiradas de hexámetros horacianos, soldados a veces por muy pocas palabras, pero éstas de acierto y oportunidad totales para traducir a ritmo discursivo doctrinal los flexibles hiatos, llenos de alusividad poética, de la Epístola de Horacio.

En el cuarto precepto, con el título de «Singula quaeque locum teneant sortita decenter», se configura una auténtica colecta, en términos de enorme

89. *Ibid.*, pp. 54 r.-v.

90. Véase el comienzo del Precepto Tercero: «Sumite materiam, etc. Optima dispositione nihil pulchrius. Huic igitur incumbat poeta: observetque qua methodo sit disponenda materies: diximus esse methodum prudentiae, atque doctrinae. Horatius prudentiae ordinem in poetis probat. Non enim ut quaeque natura prima sunt, ita primum narranda: sed dicenda primum, quae primo dici postulant: pleraque differenda et in praesens tempus servanda, praesens tempus vocat proprium, et commodam opportunitatem: quaedam vero retinenda et amanda: quaedam omnino repellenda. Si quaeras quomodo tantam rem assequaris, accipe praeceptum. Sumite materiam vestris qui scribitis aequam Viribus, et versate diu quid ferre recusent, Quid valeant humeri: nam qui rem de qua dicturus est bene legerit. id est selegerit, et perpenderit, neque methodo et ordine lucido destituetur, neque etiam facundia». Obsérvese el denso empedrado horaciano, especialmente en la segunda mitad del texto.

oportunidad, de las tan frecuentes como dispersas alusiones al «decorum» existentes en el *Ars* horaciano. Decoro tipificado por temas y metros apropiados a los géneros respectivos; recordando la excelencia del yambo «quia maxime aptus est alternis sermonibus, id est, interrogationibus et responsionibus», para la representación dramática de acontecimientos: «Natus est etiam rebus agendis». Y con idéntica asiduidad y coherencia son invocadas tantas otras sentencias tópicas de la Epístola para recomendar la separación y autonomía de géneros: a este tenor son movilizados desde el «descriptas servare vices», al «versibus exponi tragicis res comica non vult».

Formando unidad temática con el cuarto, los preceptos quinto y sexto constituyen despliegues de variantes del «decorum». Si el caso anterior conglomeró los consejos horacianos relativos a la peculiaridad y exclusividad de metros y géneros, el quinto se ocupa, a través de un tortuoso razonamiento, de los hechos de «decoro personal», es decir de la flexibilidad entre arquetipos e individuos que conviene a las peculiares criaturas literarias. Una característica notable de este punto, sin embargo, es que el Brocense tratara de vincularlo con los hechos de conmoción de los ánimos en los espectadores. Es decir, si la perfecta construcción congruente de los elementos estructurales de la obra —centrada en los tres primeros consejos, y aun el «decoro» de metros y palabras a géneros oportunos— tiene que ver con la cuestión general de la «organización»; es decir, con la aquiescencia intelectual a la ficción artística conducida por vías adecuadas a nuestro sistema de cognición. El Brocense intuye genialmente —y así lo organiza y distribuye— el otro poderoso ingrediente de la ilusión estética globalizada, que es consentimiento, compasión o aquiescencia sentimental.

De este modo se explica que el quinto precepto, continuación del tema del «decoro», se inaugure en el tratado con claras invocaciones a los hexámetros horacianos del placer estético-deleitoso:

> «Non satis est pulchra esse. etc. —así comienza este quinto apartado que titulará 'De motu animorum'— Hoc praeceptum pendet a superiore —es decir, recalca su intención de establecer su vínculo con las cuestiones del 'decoro'—: adhuc enim de decoro personarum servando agit: sed quia insuper tria videnda sunt poetae, ut doceat, moveat, et delectet: agit nunc de praecipua illa parte, quae posita est in motu animorum.»

En el consentimiento sentimental, que constituye la emoción decorosa, el Brocense va ensartando los ingredientes desgranados por Horacio a lo largo de su *Epistola.* El primero, la proporción entre los sentimientos, en imaginadas reviviscencias, del creador y los que se pretende despertar en el oyente; tema éste, como sabemos, favorito tanto de los «consilia» retóricos como del propio recetario horaciano[91]. En segundo lugar, la acertada y oportuna pintura de los *caracteres,* «intuendae sunt personae dignitates». El tercero, cuya importancia subraya con especial énfasis el Brocense, apunta más al sentimiento intelectualizado de congruencia intelectual que es la verosimilitud, el respeto en último término a la dinámica y leyes de la historia de los hombres, si no a la historia misma; es decir, la cuestión del decoro de las materias tradicionales o innovadas:

> «Tertia praeclara et a paucis intellecta admonitio. Aut scribis res notas et ab aliis celebratas, aut novam et invisam arripis scribendi materiam. Si notam rem scribis, famam sequere: non enim licebit tibi a fama discedere... sin autem nova scribis, sibi convenientia finge: hoc est, servetur ad imum res illa qualis ab incepto processerit, et sibi constet».

Ocasión ésta que se ofrece al Brocense para puntualizar, tanto su acertada interpretación del debatido tópico horaciano de la «publica materies»[92], como los habituales procedimientos de «apropiar» la materia ya tratada[93]. Entre estos últimos enumera también, con acierto muy dudoso, el tan repetido tópico de la proporción y armonía entre promesas y realizaciones —prefacio y narración retórica—, resuelto siempre en los más genuinos términos horacianos; a propósito de los cuales, incluso, ensaya el Brocense una interpretación interna de la propiedad y acierto estilísticos con que está resuelta la metáfora del parto de los montes[94].

En suma, el decoro personal no reside tanto en las noticias reales de los personajes literarios, sino en su conformidad con arquetipos y leyes

91. «Nihilominus tamen utilissimas admonitiones Horatii audiamus. Prima est: Si vis alios ad laetitiam, dolorem, iram, misericordiam, et ad alios huiusmodi affectus pertrahere; teipsum prius iisdem move. Hoc praeceptum —añade con buen sentido— non minus ad poetam ipsum, qui scribit: quam ad actores sive histriones pertinet». *Ibíd.,* p. 58 r.

92. «Quemadmodum difficilius est publicam materiam proprie dicere (quia omnibus ex aequo est proposita, et plures habent iudices) ita potior laus et maior sequitur poetam, si res communes sibi facit proprias, quam si primus indicta proferret. Et rectius.i. melius et cum maiore laude ex historia Homerica compones Tragoediam, quam si novam tu teipse excogitasses». *Ibíd.,* p. 59 r.

93. «Publica materies, etc. Nunc exequitur praecepta quae servanda sunt illi, qui publicam materiam conatur efficere suam. Primum ne moretur in periodis vilibus, periodum vocat orbem: deinde ne sit fidus interpres, cuius officium est verbum verbo reddere: aliqua etiam praetermittantur, quae si cantare coneris, aut turbabunt ordinem, aut sibi pugnabunt: denique te arctatum et implicatum cernent qui noverunt historiam: nec incipies inflatus ut scriptor ille Cyclicus: Fortunam Priami cantabo», etc. *Ibíd.,* pp. 59 r. y v.

94. He aquí el análisis del paralelismo contenido —expresión a que aludimos—: «Parturiunt montes nascetur ridiculus mus, in quo versu adhuc notabis, primam partem gravibus compositam verbis magnum quid enunciare: secundam ita paulatim decrescere, ut in unam dictionem monosyllabam desinat, epitheto etiam apposito ex gracilibus literis», *Ibíd.,* p. 59 v.

filosófico-morales[95], para ajustar las cuales tanto la Retórica como la Poética han fundido y consagrado los moldes estrictos que se repiten, desde la *Retórica* de Aristóteles al *Ars* de Horacio, como garantía de verdad absoluta e inmutable, no sometida a las parciales fluctuaciones de la verdad de las imitaciones directas y realistas.

El último de los apartados del «decoro», el sexto, trata más bien de dar cuenta de las especiales leyes decorosas que se refieren al ámbito estricto de las obras teatrales, tragedias y comedias. Se glosan aquí los principales preceptos de congruencia que estableciera la prudencia horaciana: «Aut agitur ergo res in scenis, aut acta refertur»[96], el número de actos, la acción que no exceda de un día, la ausencia del «deus ex machina» en la resolución antidramática del conflicto, las noticias sobre el coro como defensor de la «parte del autor»[97]. Por efecto del tradicionalismo horaciano, se da acogida incluso a las noticias de incidencia ya tan escasamente contemporánea, como las relativas a las variaciones musicales en los espectáculos teatrales romanos y las de la función suavizante de los sátiros, a los que el Brocense asimilaba con razón con nuestros modernos «entremeses» en cuanto a sus efectos en la distensión dramática. Un tercer bloque de problemática se abre por último, según este tratadito del Brocense, en el conjunto general del *Ars* horaciano a propósito del sistema de Poética. Son una serie más o menos convergente o englobable de principios, que, sin embargo, carecen ya de la unidad intersistemática de los seis —o cuatro— preceptos pasados[98].

Esta clara conciencia de separación entre «preceptos» técnicos y «quaestio-

95. «Tu quid ego et populus etc. Secundam partem aggreditur, cum ex nobis aliquid gignimus. In hac parte, inquit, non standum est famae, sed ex morali philosophia eruenda praecepta: quae tibi omnia collecta proponit Horatius plenius ac melius Chrysippo et Crantore. Maxime tui operis, ait, decorum servabis, si aetates cuiusque personae loquentis considerabis». *Ibíd.*, pp. 59 v. 60 r.

96. He aquí la glosa directa y simple de este hexámetro, que, como sabemos, diera lugar a una nube de interpretaciones discrepantes: «Haec distinctio huc spectat, ut quae optima credideris in actione, minime narrentur esse facta, sed agantur palam: nam quae videmus, validius mentem excitant, quam quae audimus», p. 60 r.

97. Por cierto que la defensa del autor se compenetra mal con el oficio viril en la forzada interpretación de este punto por el Brocense: «Chorus, inquit, autoris partes defendat, id est, aliquando in autoris laudem secedat, non enim ex ipsa fabula constat chorus, sed ex his qui extra fabulam sunt, ut populus, aut nymphae, aut aliquid simile. Defendat officium virile, hoc est, in virtutis laudem sit multus». *Ibíd.*, p. 60 v.

98. *Ibíd.*, p. 61: «Carmine qui Tragico. etc. Agit tandem Horatius de Episodiis ut vocat Aristoteles quos hic vocat Satyros. Locus hic est obscurissimus, et a nemine hactenus (quod sciam) animadversus. Epeisodium, est (ut ait Suidas) id quod inducitur et adiicitur praeter legitimam fabulam risus gratia. hoc vocat Horatius Satyros, vel Faunos, vel Silenos. Hispani vocamus, Entremeses, quod inter medias actiones irrepant. Unde igitur haec Episodia ortum habuerint, declarat, inquiens».

nes» especulativo-estéticas constituye sólo el primer paso de una larga serie de aciertos de estimación por parte del Brocense, quien en los tres apartados subsiguientes lograría aislar con firme pulso las dos facetas más importantes de la Epístola de Horacio. Relativamente fácil le resultaba, por la evidencia que en sí mismo encierra, el encuadramiento y estudio del problema *ingenium-ars,* llevado a cabo en la estricta conexión que requiere con la constelación de sus derivados tópicos secundarios, así como con acertadas conexiones con la cuestión *res-verba.* Pero, para nosotros, el campo donde la perspicacia del Brocense se alza realmente muy por encima de las posibilidades normales de la conciencia estimativa contemporánea, es en la resuelta determinación y evidenciación del punto medular y determinante último del valor de la Epístola, la que en el libro II de esta obra hemos denominado la intención «histórico-social» profunda, que condiciona y relativiza la sinceridad y alcance verdaderos de todas las manifestaciones y apreciaciones estéticas del tratado.

En cuanto a estas dos cuestiones; del examen de la dualidad *ingenium-ars* en este tratadito nos ocuparemos —siguiendo nuestro programa— capítulos más adelante, en la sección monográficamente dedicada a las mencionadas categorías. Respecto a la ponderación y evidenciación claras de la intención propagandístico-política de la Epístola en el tratado del Brocense, y para establecer la condigna valoración de la misma, conviene desplazarse a las categorías intelectuales y a los hábitos, intereses y prejuicios críticos de los humanistas del siglo XVI —que esperamos hayan ilustrado suficientemente los dos primeros libros de esta obra—, para comprender en todo su valor la perspicacia del catedrático salmantino. Bástenos recordar cómo naufragaban y omitían toda glosa o considerando al respecto las demás paráfrasis contemporáneas. Sólo el haber destacado estos hechos desatendidos en dos de los nueve apartados de que consta su sistematización del *Ars,* es un dato de suficiente elocuencia[99].

El Brocense trata de seguir a Horacio en su epidérmica determinación de la inferioridad romana. La impericia métrico-escénica de Accio y Ennio es para él todo un símbolo:

> «Hunc pedem —el trimetro yámbico— et hanc legem —distribución de los 'metra' en la estructura del verso— nec Accius nec Ennius in suis tragoediis servaverunt».

99. *Ibíd.,* p. 62 r. «His sex praeceptis, aut verius, quatuor, complexus est Horatius quicquid ad perfectionem poeseos spectare poterant. Nunc aliquas prosequitur quaestiones quae ab illis praeceptis pendent: quas in hunc locum distulit, ne preaceptorum turbaret claritatem. Nam qui praecipit, brevis esse debet».

Recordando, asimismo, los ataques favoritos del portaestandarte de la estética augústea contra el primitivo y rudo Plauto, ejemplo detestable para la juventud romana renovada en el estímulo del espíritu griego:

«Quid igitur agendum? Evolve poetas Graecos, ad illorumque normam tua scripta dirige. Nam qui Plautum conatur imitari, nec versus faciet, nec iocos homine docto dignos unquam proferet.»

La estimación final del Brocense tiene como un cierto dejo irónico que sanciona tácitamente la parte más frívola, evanescente y forzada, del «dictado» programa artístico de Horacio:

«Latini autem omnia cum laude tentarunt, nec minus clari fuissent lingua quam armis, si quae scribebant, voluissent limare: poema vero nisi saepius castigetur, reprehensione non carebit»[100].

Resulta difícil valorar en conjunto, y con una mención conclusiva, el mérito de esta obrita, así como su enorme valor en la historia de la evolución del horacianismo hispánico, sin reiterar los elogios sobre la personalidad del Brocense que constituyeron nuestro punto de partida. En nuestra opinión el mejor servicio de ella a la comprensión del verdadero significado de la doctrina del *Ars* horaciano radica en la perfecta disección, agrupación y calificación de los datos parciales de teoría estética diseminados artísticamente a lo largo de la *Epistola ad Pisones*. Maravilla, asimismo, la perfecta estructuración del tratado: nueve apartados en total, destinados en grupos de tres a glosar los tres pilares básicos de la doctrina estética horaciana: proporción estructural de la obra, decoro, y finalidad del arte, entendida tanto en su plano especulativo general estético como en su concreción histórico-social romana. En tal sentido, nuestra cultura no ha conocido en todo su desarrollo más sucinta, esquemática y rigurosa delimitación del sistema horaciano que la realizada por este breve opúsculo del Brocense, al menos desde nuestro punto de vista.

Y para ponderar al límite de lo inverosímil nuestra admiración y sorpresa, el genial Sánchez de las Brozas nos advierte al final, jugando al chiste con el mismo precepto de Horacio, que no de los nueve años que se recomiendan en la Epístola, sino sólo de tres días había dispuesto él para la elaboración de tan equilibrada síntesis, con un decorado tras del que nos deja adivinar los entorpecedores empeños de la cátedra y aun las felices y tristes demoras del hogar:

100. Los últimos textos en *Ibíd.*, pp. 62 r. y 63 r.

«Deinde ne praecipitet opus, sed domi per multos annos retineat, quia domi subinde corrigitur, at postquam evolavit, nescit vox missa reverti. Hoc ego praeceptum servare posse optarem: qui tribus non amplius diebus haec raptim et properanter scripsi, tot interim lectionibus publicis impeditus, et domesticis etiam occupationibus detentus»[101].

Ante semejantes destellos de genialidad sólo nos resta urgir la necesidad de estudiar con todo pormenor y asiduidad la obra total de nuestro eminente humanista, para que se haga definitiva justicia a Sánchez de las Brozas, y en él a una de las dos o tres cimas más altas —si no a la más encumbrada— del Humanismo español.

Si las obras del Brocense constituyen, según es hecho plenamente observado, algunas de las mejores muestras de nuestro Humanismo, el tratado *De Oratione,* de Antonio Llull es, hasta que se realice la definitiva sanción, luego de un trabajo monográfico adecuado, uno de los libros más prometedores[102]. Por lo que a nuestra actual investigación se refiere, la cultura horaciana que esta obra transparenta es muy sólida, y su utilización en discursos —en cierta medida habitualmente ajenos a su específico contenido— frecuente y siempre oportuna.

Las citas de ocasiones y de ejemplos no específicamente procedentes de la *Epistola ad Pisones* abundan en las páginas del libro[103]. Pero la obra horaciana utilizada hasta el extremo en el *De Oratione,* es precisamente el *Ars Poetica.* Desde el mismo comienzo, habitualmente citado del «...pictoribus atque poetis quidlibet audendi semper fuit aequa potestas»[104], son mencionados todos los puntos más corrientemente acomodables, entre los que no faltan varias citas a la cuestión de los caracteres de los personajes, conectados en alguna ocasión con el apartado retórico «de afectibus» y citados a propósito de las divisiones según la edad. En tal descripción Lulio descubre su mejor tributo de admiración a Horacio[105]. Y no en

101. *Ibíd.,* p. 65 v.

102. Los datos relativos a la vida de este mallorquín descendiente del gran Raimundo, que vivió casi permanentemente en Francia, nos los proporciona en gran parte él mismo en su propia obra. Un resumen hace Martí, y una síntesis biográfica se incluye también en RICO VERDÚ, *La Retórica española...* cit. p. 152. Conviene advertir, como curiosidad, que, si Antonio Llull resulta hoy prácticamente desconocido entre nosotros, no lo era, sin embargo, para la monumental erudición de E. NORDEN, quien lo apreciaba al extremo de ser la primera autoridad que cita en la primera nota de su *Die antike Kunstprosa,* cit. Vol. I, p. 2.

103. Cfr. A. LULIO, *De Oratione,* cit. para algunos ejemplos de este tipo, pp. 141, 334, 435, 487, etc... etc...

104. *Ibíd.,* p. 119.

105. *Ibíd.,* p. 102.

esta sola cita, sino en otras ocasiones recordará aún el mallorquín fragmentos de esta vertiente del *Ars*, como en los relativos a la congruencia con los rasgos transmitidos históricamente por la fama[106], o incluso utilizando la magistral descripción horaciana del carácter del «viejo» como ejemplo insuperable de prosopopeya[107].

En el capítulo de los consejos estilísticos, Lulio vacía prácticamente el manantial de los consejos horacianos; naturalmente comenzando por el «decipimur specie recti...», usado ocasionalmente, y que inicia el consabido fragmento de los límites entre brevedad y obscuridad[108]. Estos mismos versos se ofrecen permanentemente presentes en la obra, sin duda muy bien aprendidos por su autor, quien los recordará tanto a propósito del mismo tratamiento de la brevedad estilística[109], como para ilustrar con su propia forma la figura antítesis[110]. Tal tipo de reflexión crítico-formal sobre la misma expresión del *Ars* no es único, sino que se enlaza en general con el interés horaciano de Lulio, el cual en alguna ocasión no tiene inconveniente en extenderse a reflexiones sobre la maestría melódica de los versos horacianos de la *Epistola ad Pisones;* sin duda una de las razones básicas de su fácil penetración y aptitud para ser retenida, de las que buen testimonio ofrece el propio autor del tratado *De Oratione*[111].

No podía quedar tampoco excluido de las menciones ocasionales de Horacio el recuerdo del tratado horaciano «de las palabras», con sus cuestiones conexas de la creación de neologismos y la dinámica vital del vocabulario de las lenguas[112]; igual que la mención del magistral hexámetro sobre

106. *Ibíd.*, p. 158: «Quae quoniam persona caret, et morum quoque minus assequuta est. In persona autem certa definitaque sic ii quarendi sunt, quemadmodum circunstantiae eius docebunt, fietque Achilles.

Impiger, iracundus, inexorabilis, acer...», etc., pp. 158-159.

107. *Ibíd.*, p. 463.

108. La sobreposición al propio lenguaje de las fórmulas hechas, aprendidas en Horacio, es muy evidente en este ocasional y alejado empleo; hablando del decoro: «Sed affectatione multi decipiuntur et (ut Flaccus ait) specie recti: qui se videre id quod rectum et decorum est arbitrantes, saepe falsi arguuntur». *Ibíd.*, p. 492.

109. *Ibíd.*, p. 214: «Erit ergo brevis, in qua cum nihil desit nihil tamen possit adimi. Quapropter iuxta Horatianum praeceptum, quae desperas tractata nitescere posse, relinque».

110. *Ibíd.*, p. 228.

111. *Ibíd.*, p. 407: «In cantu quidem formas cuiusque modi ex catalexi maxime definimus: at vero in lectione et dialecto, magis ex ingressu. Ob eam rem Horatius insurgere saepius dictus est: quanquam non semper. Nam ut illud, *Maecoenas atavis edite regibus*, virile est, et erectum, doriceque inchoatum (ascendit enim ilico, et frequentius, quam descendit: idque nunc tono, nunc semiditono, nunc ditono)».

112. *Ibíd.*, p. 319: «Itaque cum fiat omnis eloquutio per verba simplicia et coniuncta: sciendum est, simplicium quaedam esse nativa, quaedam reperta. Voco autem reperta, quae ab aliquo nove fabricantur. Quapropter universa haec praesentis loci industria circa duo versabitur: facienda nomina (quam ὀνοματοποιίαν vocant) et transponenda (quam τροπλω et τρόπου)

el valor regulador del «uso» cuya difusión tópica estaba tan presente en el ánimo de Llull, que ni siquiera introdujo en este caso el superfluo inciso consabido «ut ait Horatius»[113]. Circunstancias que se repiten igualmente en el caso, no menos difundido, de su mención de los juegos de palabras construidas a propósito del tan recordado «ut pictura poesis». Reviste la forma de un comentario muy animado sobre las peculiaridades estilísticas de algunos destacados pintores de su tiempo, que no dudamos en reproducir como un testimonio más de los dilatados intereses y aciertos de este mal conocido talento mallorquín:

> «Sic nostra aetate pictorum clarissimi, ut Michael Angelus Italus ex multa luce et albore facile dignoscitur ab aliis pictoribus: Albertus Durerus Germanus, ex umbris et parergis, et corporum crassitie: omnesque mutuo sese agnoscunt ex mixtione colorum, et luminibus et gestibus quibusdam: licet eadem pharmaca omnes terant, et argumenta eadem accipiant. Ut enim vultus hominum, sic et manus diversae sunt, tam pictorum quam poetarum; nec unquam duorum scripta penitus sese referunt, nec duorum autorum pictae tabulae. Nec me poenitet in hanc incidisse comparationem, de scripto et pictura. Quid enim orationi similius, quam pictura? Equidem quod ali i de poesi, id ego (ni fallor) aptius magisque proprie dixerim, orationem loquentem picturam esse; picturam vero, mutam orationem»[114].

Otro grupo de citas con cierta unidad, es el que afecta al que podríamos denominar ámbito teórico de la ficción literaria, el estatuto de la ficción verosímil, su distinción de la «mentira» en sentido estricto; así como la determinación del campo relativo de proximidad de la poesía o la historia al valor absoluto de la axiología filosófica. El recuerdo de Horacio va unido continuamente a la enumeración de modos de lograr el relato verosímil[115].

Pero entrando ya de lleno en el estudio del capítulo «De Poetica decoro», advertimos que en él no decrece —antes al contrario se condensa sutilmente— la presencia de la inspiración horaciana desde el primer instante. Centrado el problema inicial de la Poética en el peculiar tipo de verdad que incorpora,

---

Utrumque vero ὀνομασίαν iam dixere.
—Nam licuit, semperque licebit,
Signatum praesente nota producere nomen, inquit Horatius».

113. *Ibíd.*, p. 362. El hexámetro horaciano refuerza este atrevido aserto de Llull: «potiores semper partes esse usus quam rationis».

114. *Ibíd.*, pp. 495-496.

115. *Ibíd.*, p. 214: «Quod si id quod finxisti, rei verae alicui aut notae cohaereat, nec dissentiat a seipso, iam mentiri disces multo magis impune. *Atque ita mentitur* (inquit Horatius) *sic veris falsa remiscet,/Primo ne medium, medio ne discrepet imum*».

y tras de aludir muy en breve a las archifamosas formulaciones aristotélicas de la verosimilitud: «Poetae autem non solum facta, sed uti fieri potuere, multa scribunt», se extiende a considerar en qué medida se aproxima la «verdad» del poeta a la verdad filosófica, y aun en qué medida supera a esta última verdad. Reflexiones, como sabemos, de clara progenie aristotélica, emparentadas de cerca con la relación poesía-historia-filosofía, cuya autoridad, sin embargo, trata de encauzar Llull hacia determinados hexámetros de Horacio no muy directamente empeñados en el tema:

> «Philosopho autem praestare etiam hactenus volunt poetam, quod non imperiose (ut ille) sed exemplis, et sub persona, quasi in speculo, tam vivendi recte normam exhibet, quam naturae vim virtutemque demonstrat. In hanc sententiam Horatius:
> *Quid quid sit pulchrum, quid turpe, quid utile, quid non,*
> *Planius ac melius Chrysippo et Crantore dicit*»[116].

Definida la poesía, Lulio se aventura, con todo el peso de sus profundas convicciones platónicas, a definir la figura del poeta. En este punto, aun cuando la aproximación al poeta se hace desde la perspectiva de la doctrina del furor, su examen racionalista y moderno del tópico le lleva a denostarlo más bien como mito inoperante. Su solución —que presentaremos con todo pormenor en el lugar correspondiente dentro de los próximos capítulos— se pronuncia por el talento natural, moderadamente ayudado por reglas y saberes concretos y específicamente técnicos, que contribuyen a que la poesía encuentre las vías más efectivas para dar salida a su misión primaria de encauzamiento moral. Sigue la constitución de la obra, su proceso y partes, sumándose por igual la descripción aristotélica y el buen sentido analítico que no faltaba a Lulio. El orden es: concepción de la fábula, establecimiento de los episodios y formulación verbal:

A pesar de que la mecánica general de la confección de su síntesis es básicamente aristotélica —más producto de la retención de algo bien sabido, que de haber seguido textualmente un modelo tenido ante los ojos—, el recuerdo del no menos bien aprendido Horacio salta a la doctrina muchas veces. Por ejemplo, a continuación de las palabras anteriores, en el recuerdo horaciano de la dignidad relativa de lo presenciado y lo escuchado, y la cuestión horaciano-aristotélica de las truculencias escénicas.

> «... paulatim totam a capite ad calcem ut sic exponamus ac perficiamus fabulam, ut ex dictione sola, etiam non adhibita actione, palam fiat»[117].

116. *Ibíd.*, p. 514-5.
117. *Ibíd.*, p. 516.

Análogamente, a propósito de la estimación directriz de la *res* sobre el desarrollo de la ficción literaria —a la que seguirán «non invita» los «verba»—, que no debe condicionar en ningún caso el desarrollo de la acción y de la fisonomía de la obra. Una larga tradición, generada desde Catón y Cicerón, resuena aquí; pero ya sabemos cuál es, dentro de ella, el mérito de Horacio y su responsabilidad de «recordatorio» del sistema tópico de la clasicidad[118].

El esquema de Aristóteles, depurado quizá ocasionalmente en la noción tan típicamente horaciana del debido «decoro», regula también el paso siguiente de este coherente y completo tratado poético. Desde el recuerdo aristotélico de los modos de imitación se abre el catálogo y sistematización dialéctica de los «géneros», que cuenta además con el testimonio no confesado, pero sí poderosamente influyente, del triple esquema de representación —dramático, exegemático y mixto—, difundido más bien desde la precedente tradición medieval retórica. Tributo al anacronismo sin sentido imperante en la devoción clasicista de los humanistas del siglo, es el desproporcionadamente largo «excursus» que Lulio dedica a los límites, insinuados por Aristóteles, entre la imitación verbal de los poetas y la gestual de danzantes y saltadores[119].

De tales antecedentes surge un esquema casi triple de géneros, verdadera novedad y anticipo, según sabemos, de ciertas poéticas del Renacimiento italiano, como la de Minturno, bien explotada por su adaptador español Cascales. He aquí la interesante exposición a este respecto de Llull:

> «Ergo ut ad rem revertamur, cum actiones hominum imitari possis agendo, loquendo, cantando, et saltando: non solum fingendis his constabit tota poetica, sed genera etiam eius per haec ipsa distinguemus: eruntque poematum differentiae, Dramaticum, Epicum, Dithyrambicum seu Lyricum, et (quae ab omnibus vulgo Musica appellatur) Aulicum. Primi generis sunt tragoediae, comoediae, et quae personis introductis aguntur in theatro. Secundi, scripta heroica, veluti Homeri, Vergilii, quae continuo dictionis filo res gestas narrant. Tertii sunt, Odae, hymni, epigrammata, et elegia. Quartum, quod oratione caret, citharoedis relinquimus, et auletis»[120].

Obsérvese que el texto anterior, con algunas de sus positivas y acertadas iniciativas, abría un portillo evidente a la concepción moderna de la teoría

118. *Ibíd.*, p. 518: «Atque his quidem rebus constat fabula, primum ac praecipuum opus poetae. Non enim metris numerisque genus hoc orationis metiri debes, sed rebus inventis. Quare in hunc ordinem non recipies, licet metrice scripserint, Empedoclem, Aratum, Dionysium, Lucretium, Lucanum, quorum nulla est narrata fabula».

119. Ocupa una página larga de este breve resumen de dieciséis. *Ibíd.*, pp. 516-517.

120. *Ibíd.*, pp. 517-518.

de los tres géneros. Tanto por la conglomeración de los dos dramáticos en una unidad con posibilidad dialéctica, como por la misma reducción a la forma lírica de composiciones métricamente muy diversas y como —y esto es lo decisivo— por haber relegado a los géneros de aulética y citarística, que perturbaban toda posibilidad de esquema dialéctico en la *Poética* de Aristóteles, a los aledaños periliterarios de la danza, considerándolos por tanto excluidos de las formas de arte verbal —«quod oratione caret»—. Pero, con todo, esta presunción se desvanece bastante al constatar lo arcaico y conservador del concepto de lírica que sostiene Llull, muy diferente de una concepción realmente moderna de la misma. En su caracterización de este importantísimo género moderno, no se deja influir por su realidad operante contemporánea, sino fundamentalmente por la primitiva concepción musical asociada al instrumento lira:

> «Lyricum dicemus carmen omne eius generis, quod cum vario metrorum genere compositum est, tum clausulis periodisque certis ac definitis ita recurrit, ut cantus harmoniam et melos lyra facile declaret, et spacia eadem redeundo metiatur. Etenim ut multi extent hymni, atque odae monocoli, ut hendecasyllabi, dimetri, tetrametri, et alii id genus: tamen ita cantando horum redeunt et componuntur toni, ut claudi et finiri facile intelligas syllabis periodos, et genera metrorum varia constitui» [121].

No obstante, como en casi la totalidad de las estimaciones poéticas de este capítulo, la obra de Llull supone también en esta doctrina de los géneros un ámbito de interés y novedad teóricos que, producto ante todo del buen sentido de su autor, superará notablemente los logros de obras españolas e italianas bastante posteriores, aun cuando sean mucho más extensamente monográficas que este breve tratadito, tan bien concebido e insuperablemente sistematizado.

Tras el estudio en cierto modo propedéutico de la temática, estructura compositiva y elocución *(res-methodum-dictio y compositio)*, en el que el eco implícito de Horacio no deja de escucharse [122], el esquema de Llull aborda sistemáticamente el examen de cada uno de los géneros. En este punto es de destacar su incomparable capacidad de decisión intelectual, así como su perfecta asimilación de tantos grupos y subgrupos que se indigestaban por lo general, produciendo errores sin número de distribu-

121. *Ibíd.*, p. 527.

122. Por ejemplo, incluso en las fórmulas del respeto al decoro recíproco entre los géneros, como en las siguientes líneas: «Porro autem licet eligendorum versuum non sit ubique par facultas atque copia, sed sua cuique poemati stet lex, suus cuique decor: ne vel comoedia assurgat in cothurnos, aut contra tragoedia socco ingrediatur». *Ibíd.*, p. 519.

ción y omisiones injustificables a los tratadistas profesionales de Poética.

En las definiciones tradicionales de comedia y tragedia se sigue el criterio habitual de la distinción de ambas por la índole de los personajes y el «decoro» subsiguiente. Dentro de los subgéneros dramáticos se incluyen la égloga y los sátiros, estos últimos descritos con términos de marcado sabor horaciano, junto a muy interesantes noticias literario-arqueológicas sobre los mismos:

> «Satyram peruncti fecibus ora, et in nemoroso ac sylvestri olim theatro recitabant Graeci, ad risum tantum depravantes sententias et dictiones: eam tamen Latini sibi nunc usurpant, deposita omni persona, atque apparatu scenae. Quapropter illi iambo, nostri hexametro scripsere. Sed in locum Graecae satyrae, vulgo in usu sunt mimi, risum actione magis quam dictione captantes. Inter Graecos unus recensetur Platinas scriptor satyrae»[123].

El tratamiento de la estructura de la fábula trágica, con peripecia y agnición; así como el establecimiento de las diferencias entre tragedia y comedia, que sigue en el tratado de Lulio, no son sino la traslación y compendio, muy correcta y acertadamente realizados, de los extensos fragmentos de la *Poética* dedicados a tales cuestiones, donde apenas se insinúa algún problema anexo como el de la tragicomedia, circunstanciado en exclusiva a las elevadas piezas cómicas de Terencio[124]. Otro tanto se diga de las partes cuantitativas, actos, prólogo, episodio, coro, etc..., en las que no obstante se deja sentir periódicamente la palabra de Horacio engastada en el conjunto general del pensamiento aristotélico.

Tales inclusiones horacianas se producen además sin más aviso, construyendo frases, o partes de frases, incluidas en el discurso de Lulio, que sólo el lector bien avezado en el *Ars* puede reconocer. Veamos algunos ejemplos: «Sed *omne tulit punctum* Sophocles», «Satyram *peruncti fecibus ora*, et in nemoroso ac sylvestri olim theatro recitabant Graeci» (ambos en p. 520). «Et vocarunt Actus, atque; scenas: quos itu ac reditu histrionum in scenam finiebant: *nec ultra quintum produci* fabulam voluere» (p. 523); «Itaque multa conantur Latini in carmine, sed pauca praestant, et *invita* omnia conant (ut dicitur) *Minerva*» (p. 530).

123. *Ibid.*, pp. 520-521.

124. La obra de Llull quedaba aún lejos en el tiempo de los problemas acuciantes que se habían de plantear en España algunos decenios después: «Quanquam, ut autor Aristoteles, mixtum genus desiderat potius theatralis imperitia: et relicta tragoedia, ob eam rem facta est gratior vulgo comoedia. Et miratus saepius ego sum, cum haec viderem, qui tanta fuit populi Romani gravitas atque constantia, tantusque Latinae dictionis amor, ut Terentianis fabulis capi potuerit: in quibus tam pauci risus, usque adeo rara scommata, tam graves deceptiones. Sed agnosco tempora. Vivebant tum Scipiones, Catonesque erant in precio». *Ibid.*, p. 522.

Brevedad y precisión son las notas dominantes en la exposición de las subclases épicas y líricas. Entre las primeras se enumeran la sátira no escénica y la égloga. Entre las variedades líricas o ditirámbicas[125]: los peanes, himnos, cantos líricos, odas, cantos sotadeos, elegías, epigramas, anatemas, silvas y epitafios[126].

En el balance final valorativo de la literatura latina que su atrevido e impetuoso natural le lleva a establecer, Horacio descubre en fin su privilegiado valor, junto con Virgilio y Cicerón, entre los grandes representantes de la elocuencia y las buenas letras latinas. Partiendo de la denuncia, también horaciana, del descuido literario acarreado por el pragmatismo militar y económico romano, Lulio descarta la estimación de la tragedia latina —Séneca incluido— a la vez que suma sus reservas a las de Quintiliano respecto de la comedia. Respecto a este género, piensa Llull, que en cierto modo no es computable, cuando se trate de valorar la gran literatura de un pueblo[127].

Sus elogios, que son excepción, a Virgilio y Quintiliano suponen el contrapunto de tan negativa visión, de la que salen con ciertas salpicaduras adversas Tibulo y Propercio. Más apreciado que éstos, tampoco alcanza a su juicio categoría de excelencia Ovidio, quien se ve degradado por cierta dosis de impudicia y disolución ética, defectos que, en el caso de Marcial, lo descalifican totalmente en opinión de Llull[128]. Entre los líricos latinos, sólo Horacio emerge limpio de semejante marejada de reproches:

125. Llull trata incluso de glosar la duplicidad de denominaciones, que él propone reducir en último término a designación de hechos poemáticos idénticos. «Constat autem Dithyrambus et carmen omne lyricum, numeri varietate imprimis: ut ad lyram tibiamque cantetur. Non omnino sequemur hic divisionem Aristotelis: quia poetarum ille genera fecit, Epicos, Lyricos, et Dithyrambicos. Isacius Tzetza inter lyricos ponit Dithyrambicos, sed altioris tamen cuiusdam Musae arbitratur: quod hymnos in Dionysium varie componerent. nam et a Baccho nomen hoc accepere. Lyrici vero, et elegiaci, Veneri dicati, myrto coronabantur, et in mensa cantabant: ubi videntur Dithyrambici choris servivisse. Ita Pindarus, cui nomen Lyrici datum est, ad mensam cantasse se docet φίλαν ἀμφὶ τράπεζαν: nec sine phorminge. Et nihil profecto obstat, quin ad lyram Dithyrambici et poetae omnes melopoei componant sua carmina». *Ibíd.*, p. 527.

126. El tratamiento general de todas estas subclases en *Ibíd.*, pp. 526-529.

127. *Ibíd.*, pp. 529-530: «Nam gloriae appetens ille populus, maluit ex rebus gestis, quas breviario enarrabat, quam ex ingenio poetae, qui ex inventione sola placet, laudem et famae aeternitatem demereri. Ergo manifestum ex iis quae dixi, ex carmine (epitaphio, inquam, elegia, et odis) si metrum auseras, et interpretationem, nihil relinquet poetici officii. contentum nanque est carmen ad notas fabulas allusisse, nihil praeterea. Tragoedia iam carent Latini. Nam Senecam admiret qui volet: mihi, etsi gravis, at certe adeo inelegans videtur, ut praeter sententias nihil habeat lectione dignum. De comoedia idem, quod sensit Fabius, sentio».

128. Respecto al elogio de Virgilio y Cicerón: «In heroico autem versu cedimus, certum est, oeconomia Graeco Homero: sed tamen adeo praestitit in caeteris Vergilius, ut huic uni cum Cicerone debeatur propagatio Romanae eloquentiae». Por lo que hace a las críticas de Tibulo, Propercio, Ovidio y Marcial, he aquí sus razones: «Elegantes et tersi, atque etiam

«Lyra solius digna est Horatii, quam audiamus. Insurgit enim aliquando, et plenus est iucunditatis et gratiae: magis tamen figuris verborum variis, et sententiarum, feliciter audax».

Mucho radicalismo e intransigencia se descubren en la acre e iconoclasta crítica de Lulio; muchas espúreas razones sobre todo concernientes a escalas axiológico-morales y sociales antepuestas al criterio del buen gusto literario. Mas con todo, por lo que a nosotros cumple, bien enhiestas quedan plantadas en el discurso anterior las razones de su reverencia horaciana. Antonio Llull tiene, pues, en ésta como en tantas otras escalas y parcelas, un lugar de honor en la historia del horacianismo español del siglo XVI.

El horacianismo en otros tratados de Retórica anteriores a 1580.

Algo antes de la fecha de las dos obras comentadas en el parágrafo precedente se debió publicar —en 1555, si nos atenemos a la lista de Verdú— la Retórica perdida de Vallés. En torno a 1558, según la misma lista, se publicaron una serie de obras menores de Pedro Juan Núñez, los *Apposita* y *Epitheta.* En 1565 parece haber salido a luz por vez primera, según indicación de Verdú, el libro de Cipriano Suárez *De arte rhetorica libri tres,* que alcanzó gran número de ediciones; la de Sevilla que resume Verdú, es de 1569. Obra de escaso atractivo y empeño, sin otro interés que el de haber sido durante muchos años texto oficial en los colegios de la Compañía de Jesús. Pero la enjundia e importancia de sus doctrinas no alcanzan valor suficiente en nuestra revisión[129]. De 1567 es para Verdú la perdida Retórica de Saura con fecha extraída de la noticia de Menéndez y Pelayo. Sobre su *Libellus de figuris rhetoricis,* la exhaustiva y empeñada búsqueda de Martí no ha dado resultado positivo alguno hasta el presente[130]. Más éxito, en cambio, ha coronado los esfuerzos de Martí en el caso de las *Tabulae breves et compendiariae in duos thomos Rhetoricae* de Alfonso de Torres, desconocida por Menéndez y Pelayo, localizada en la Biblioteca Nacional de Madrid y resumida por Martí, e igualmente por Rico Verdú.

---

docti sunt, Tibullus, Propertius, et alii quidam: sed parum certe splendidi: nimium vero impudici. Ovidius nihil profecto non praestitisset suis elegis, si moderari sibi potuisset. Multo deterior Martialis, foedans ac turpiter corrumpens morum impuritate lepidum et ad epigramma natum ingenium». *Ibid.*, p. 530.

129. Cfr. CIPRIANO SUÁREZ, *De Arte Rhetorica libri tres*, Sevilla, A. Scrivano, 1569; Del mismo autor da noticia Martí sobre la obra *Summa Artis Rhetoricae*, Valencia, s. a.

130. Cfr. A. MARTÍ, *Preceptiva retórica*, cit. pp. 232-233.

A propósito de esta obra, el primero de los modernos estudiosos citados se lamentaba, ensayando un juicio valorativo, de que no se dedicara un poco más a prescindir del pasado para intentar una renovación verdadera[131].

Respecto al tratado de Lorenzo de Villavicencio, *De formandis Sacris Concionibus*, acusado de plagio por los protestantes y desoído por sospechoso para los católicos, tampoco produce noticias de utilidad en nuestra revisión horaciana; como no sea la meramente negativa que testimonia, sobre el creciente recelo por parte de los tratadistas de Retórica y predicación en el uso de poetas y filósofos paganos[132]. En tales condiciones resulta obvio anotar la absoluta carencia de menciones de Horacio en este tratado. Tampoco se hace presente explícitamente Horacio en el *Methodus Oratoria*, de Andrés Sempere, salvo en una ocasión, y no precisamente de la *Epistola ad Pisones*[133]. La obra de este médico-profesor de Retórica es ligera e intrascendente, pero revela buen conocimiento técnico de la materia retórica. Horacio, como hemos dicho, no existe; la guía es Cicerón, y de los poetas latinos casi nada aparece citado, pese a que resplandece en la obra siempre una cierta apertura hacia la comunicación lingüístico-artística de Retórica y Poética. A pesar de su indiscutible buen sentido común, la latinidad de este autor se perfila poco profunda y sentida, quizás improvisada.

El texto fundamental de Pedro Juan Núñez, las *Institutiones Rhetoricae*, erudito y bien trabado pero monótono e insufriblemente plúmbeo[134], se publicó en 1578 y debe incluirse entre los que no aportaron renovación alguna a la Retórica. Igualmente son muy escasos los testimonios que brindan

131. *Ibid.*, p. 232, la descripción bibliográfica de la obra de Torres en el ejemplar de la Biblioteca Nacional, es A. de Torres, *Tabulae breves et compendiariae in duos Thomos Rhetoricae*. Alcalá de Henares, I. Iñiguez de Lequerica, 1579.

132. Cfr. Lorenzo de Villavicencio, *De Formandis Sacris Concionibus*, Amberes, Viuda y Herd. de I. Stelsio, 1565. «Item aliquando, parce tamen Philosophorum vel Poetarum placita atque sententiae proferuntur. Ne vero quis, quod hic dicimus, aspernetur, ceu abiectum vel suspectum, exempla huius studii ac diligentiae habemus in sacris literis proposita... Quamvis ab his quos constat a religione nostra fuisse alienos, testimonia petere non decet, nisi ut diximus, parce ac raro et ad convincendos refractarios et durioris animi homines, praeterea adhibita nonnumquam hac cautione, ut dicamus nos id genus rationes ab humana sapientia derivatas usurpare, quo auditores pudeat suae inscitiae tarditatis, stuporis, incredulitatis, vel quo sciant se convinci etiam a gentilibus, prophanis, omnium rerum spiritualium ignaris», pp. 116-117.

133. Cfr. Andrés Sempere, *Methodus Oratoria; item et De Sacra Ratione Concionandi Libellus*, Valencia, I. Mey, MDLXVIII; la cita de Horacio, en p. 41, Martí la da como obra muy rara, de la que dice que no ha podido encontrar más que un ejemplar en la Biblioteca Universitaria de Valencia; pero el ejemplar fotocopiado de que disponemos nosotros, es de la Biblioteca Nacional de Madrid, en el que sin duda debió consultarla también Rico Verdú, quien lo resume.

134. Compartimos plenamente el juicio de Martí, *Preceptiva Retórica*, cit. pp. 182-187, cfr. P. Juan Núñez, *Institutiones Rhetoricae*, Barcelona, P. Malo, MDLXXVIII.

las *Institutiones* para enriquecer la historia del horacianismo. Martí nos recuerda de este autor su explícito aprecio de la *Poética* de Aristóteles. Nada hay de semejante, en contrapartida, respecto al *Ars* de Horacio; quizás únicamente sea destacable el que tomó prestados de la Epístola algunos hexámetros para ejemplificar el modo en que el orador se puede servir de conocidos versos de un poeta, con intención de cambiarlos en alguna medida y producir determinado efecto[135].

Si en el caso anterior, las fuentes y la ejemplificación latina pudieran haber sido deliberadamente parcas, en el de Diego Valades, autor de una *Rhetorica Christiana* publicada el año siguiente de la de Juan Núñez, en 1579, la ausencia parece obedecer a las propias limitaciones culturales del autor, y sin duda constituye el resultado de la personal incapacidad de su autor y de su evidente carencia de los mínimos que constituían la base del espíritu humanístico. No desaprueba Núñez programáticamente el uso de autores paganos en la Retórica, y aun en la predicación sacra, con ciertas mínimas cautelas que diríamos, si no razonables, —por no emplear el adjetivo razonable, en ningún sentido, tratándose de esta obra— al menos sí inocentemente obvias[136]. Pero con todo, lo cierto es que los ejemplos literarios latinos son utilizados muy raramente, y sólo en algún grado superior figuran Virgilio y Pico de la Mirándola entre los laicos modernos. Horacio aparece aludido sólo en un par de ocasiones[137].

Las dos grandes obras retóricas del período que estamos considerando en este parágrafo, la de Benito Arias Montano y la de Fray Luis de Grana-

135. *Ibid.*, pp. 205, v. 206 r.: «Versus poetarum interponuntur aliquando ab oratore, aut integri, ut epist. decima septima libri septimi ad Trebatium, quare omnibus de rebus fac ut quam primum sciam, aut consolando, aut consilio, aut re iuvero, ad verbum ex Terentio integer senarius, aut per parodiam: quae dupliciter sit: aut cum versum imitamur, servato aliquo genere carminis, ut si illud Horatianum vos exemplaria Graeca nocturna versate manu, versate diurna. ita commutes vos exemplaria Graeca nocturna tractate manu, tractate diurna: aut cum alteram eius partem sine versu insigni exprimit orator et quasi aliquid addit de suo, ut vos exemplaria Graeca nocturna versate manu, eadem exercete opera diurna».

136. Cfr. DIEGO VALADES, *Rhetorica Christiana. Ad concionandi et orandi usum accomodata*, Perugia, 1579, p. 23. La numeración de páginas en esta obra está con frecuencia alterada y repetida: «Hactenus docuimus profanas disciplinas non esse inutiles. Nunc quo modo illis utamur. dicendum. Primum. non omnibus. quae dicunt poetae mentem adhibendam, sed eis tantum, quae bonorum hominum facta nobis enarraverunt. Nam, quando ad nefarios homines veniunt, haec vitare, his aures obstruere, non minus quam Ulisses ad cantus sirenum. Nam pravis assuescere sermonibus, via est ad rem ipsam. Deinde, artem mentiendi oratorum non unitabimur, sed ea magis recipiamus, in quibus virtutem laudaverunt, vel vitium vituperaverunt. Veluti enim flores hominibus quidem usque ad odorem, vel colorem usus est, apes autem ex ipsis mel excerpere noverunt. Sic, qui diligentes in legendo sunt, non solum quod dulce, iucumdumque fuerit in eorum libris persequuntur, sed quandam ex eis utilitatem animo referre invigilant».

137 *Ibid.*, pp. 292 y 293, la segunda sólo concretamente a versos del Ars.

da[138], tampoco enriquecerán positivamente nuestra búsqueda de elementos horacianos filtrados en los tratados de Retórica y predicación. La primera, de 1569, no presenta mención explícita alguna de la obra de Horacio; sin embargo, en gran parte por estar escrita en versos latinos, aparecen fórmulas más o menos directamente consonantes con algunas acuñaciones de la *Epistola ad Pisones*, de la que, como sabemos, su valor de propulsión más inmediato e indiscutible radicó antes que en una ideología estética, en la difusión de una serie de imágenes y expresiones.

En tal sentido, nos parece advertir ecos horacianos en esta obra ya desde su mismo arranque, conectándola con el comienzo obligatoriamente tópico del monstruo y sus límites entre las licencias de pintores y poetas: «Pinge mihi egregiam vultu formaque puellam» etc...[139]. Y sin duda más próximo aparece aún en el tratamiento del exordio no altisonante ni en exceso prometedor, con la ya obligada mención del símil del parto de los montes:

> «Grandia praeterea ne sunto exordia, magnis
> Ampullata modis, et vocibus usque petitis,
> Quae tundunt aures sonitu, sed sensa ministrant
> Exigua, atque animos fallunt sperantis ab alto
> Principio montis partum, ridendaque tandem,
> Aut quibus et caruisse velis spectacula promunt»[140].

Claro está que ante ecos de carácter tan vago y tópico, no cabe pensar en la gravitación próxima del modelo, sino más bien valorar la inevitabilidad de su encuentro, formando parte ya aquél de un patrimonio global, fluctuante y automatizado. En tal grado se descubrirían, por ejemplo, las alusiones ex-

138. Se nos antoja insuficiente respecto a estos dos grandes autores indicar sólo nuestro propio juicio de valor, personal y rápido, con que procuramos habitualmente testimoniar nuestra estimación en el caso de autores secundarios y menos conocidos desde estas páginas. La valoración de Arias Montano como pilar básico de nuestro humanismo ha sido máxima desde P. Urbano González de la Calle, *Arias Montano humanista*, Badajoz, Centro de Estudios Extremeños, 1928: Luis Morales Oliver. *Arias Montano*. Madrid, 1927, y Aubrey F. G. Bell. *Benito Arias Montano*. Oxford, Univ. Press. 1922; hasta los trabajos más recientes, como la obra de Ben Reckers, *Arias Montano*, cit. Respecto a Fray Luis de Granada, la unanimidad es igualmente absoluta en lo que toca a la valoración de su significado para la historia y teoría de nuestra elocuencia. Mencionemos sólo la monografía añeja de Pidal y Mon. *Fray Luis de Granada como orador sagrado del Siglo de Oro*, Madrid, 1887, uno de los más recientes y autorizados exámenes de la índole de su significación en las páginas dedicadas a él por Dámaso Alonso en *De los Siglos oscuros al de Oro*. Madrid, Gredos, 1964.

139. B. Arias Montano, *Rhetoricorum Libri IIII*, Valencia, ex B. Monfort, MDCCLXXV, página 5.

140. *Ibid.*, pp. 81-82, Lib. III, cap. XXVI.

plícitas al «in medias res» en el fragmento del «ordo»[141], la metáfora de la representación de peces sobre la tierra[142]; o el más lejanamente sonante tono horaciano del desprecio por la opinión del vulgo, que preside el fragmento correspondiente de los *Rhetoricorum libri*[143].

La *Retórica Eclesiástica* de Fray Luis de Granada ofrece, pese a su considerable extensión, sólo una cita de Horacio; y ésta no precisamente del *Ars*, frente a los numerosos textos ejemplificativos de Virgilio y a las citas técnico-retóricas, también numerosas, de Cicerón, Quintiliano, Cornificio, etc...[144].

Finalmente mencionaremos las obras retóricas de un típico exponente del declive de la disciplina en España, Lorenzo Palmireno, autor valenciano cuya prolijidad doctrinal no responde ciertamente a su necesidad de comunicar nada realmente notable ni novedoso. Hemos examinado el conjunto de obras titulado *Rhetoricae prolegomena*, de 1565-1567, compuesto por tres libros farragosos[145] en los que trata de dar cuenta y seguir las más variadas opiniones, perdiéndose subsiguientemente en la maraña por él mismo creada con ellas. Su *De arte dicendi libri quinque* es en realidad una reedición, con otro orden y algunas adiciones, de los tres libros antes aludidos en los *Prologomena*[146]. Con anterioridad a estas dos obras, Palmireno había debutado en 1560 con una *De vera et facili imitatione Ciceronis*[147], verdadero «totum revolutum» y especie de cartilla de niños o libro de primeras letras, donde se suman y confunden gran variedad de doctrinas, emergiendo sólo de tarde en tarde el primitivo propósito de la imitación de Cicerón, pero realizado en términos escolares y ramplones. Por lo que hace al horacianismo

141. *Ibid.*, p. 86, Lib. III, cap. XXXVIII:
. . ., medias interdum spiritus in res / Arripitur subito, atque movet penetralia cantu / Intima, et incipiens ex gestis ultima tractat.

142. *Ibid.*, p. 88. Lib. III. cap. XXXI.
. . . neque in aequore pingit / Venantes catulos aprumque, aut lustra ferarum, / Nec pisces alit in terris, vitulosque marinos, / Montibus aereis transmittat;

143. *Ibid.*, pp. 115-116, Libro III, cap. CIIII.

144. Cfr. FRAY LUIS DE GRANADA, *Los seis libros de la Rhetorica Eclesiástica*, Barcelona (5.ª impresión), J. Solís y B. Plá, MDCCLXXVIII. Hemos utilizado la traducción castellana del siglo XVIII, de la que disponemos, para el examen de esta obra que en su versión latina *Ecclesiasticae Rhetoricae. sive de ratione concionandi libri sex*, tuvo la primera de sus numerosas ediciones, en Lisboa en 1575. La cita de Horacio aludida en p. 302.

145. Cfr. LORENZO PALMIRENO, *Rhetoricae prolegomena*, en el ejemplar de la Biblioteca Nacional de Madrid que manejo, descrito por Verdú y por Martí, este último lo da como de 1567, no hay portada y escrito a tinta figura Valencia 1565, fecha imposible, pues algunos de los libros encuadernados, todos impresos por I. Mey en Valençia, llevan fecha de 1567.

146. Cfr. LORENZO PALMIRENO, *De Arte Dicendi. Libri quinque*. Valencia, P. Huete, 1573.

147. Cfr. LORENZO PALMIRENO, *De vera et facili imitatione Ciceronis*, Zaragoza, P. Bernuz, 1560.

de estos tratados, escaso es, en verdad, lo que ofrecen; tan sólo dos citas en la primera de las obras mencionadas, y aun éstas no del *Ars*[148].

En cuanto al tema de la imitación de Cicerón, que en España corre hasta Palmireno desde Matamoros y a través de Fox Morcillo, conviene advertir que en nuestra patria la cuestión del fervor ciceroniano no es sino una secuela del fenómeno histórico acaecido antes en Italia, revitalizando un tema suscitado incluso en la misma Roma casi desde la muerte misma de Cicerón[149], al plantearse el problema de seguir como la cumbre de la elegancia expresiva y la latinidad al maestro de la oratoria romana. Fueron en Italia ciceronianistas exaltados Pietro Bembo, Sadoleto, Paolo Cortese, C. Alcmeon, Esteban Doleto, Giovanni Esturnio y otros. En España, apenas se observa la actitud extremista, ni en Vives[150], que en esto adopta una atemperada prudencia como Erasmo, ni en nuestro primer ciceroniano, el propio García Matamoros[151]. Fox Morcillo, por su parte, quizás acertó a formular en esta problemática la solución más moderna y radical: el ciceronianismo, como el horacianismo y cualquier actitud imitativa de los clásicos, ha de fijarse como propósito último el imbuirse del espíritu del autor imitado, de tal manera que sus fórmulas verbales nos sirvan como soluciones expresivas a nuestros pensamientos de modo espontáneo, y no al revés, como solía suceder entre los imitadores furiosos, cuyo propio pensamiento era víctima y presa de unos cerrados moldes expresivos que se aprendían de memoria y eran seguidos literalmente:

> «Haec ideo Francisce longo e principio ducta retuli, ut scias, imitari nihil esse aliud, quam eius auctoris, quem approbes, spiritum, mores, ingeniumque induere, et cum hoc simul cogitandi, loquendique formam exprimere».

148. Cfr. L. Palmireno, *Rhetorice Prolegomena*, cit. p. 6 y p. 26.

149. Véase los capítulos correspondientes en los dos libros precedentes de esta obra. Para un tratamiento sintético de la cuestión, cfr. Gaetano Righi, *Historia de la filología clásica*, Barcelona, Labor, 1967, p. 21.

150. Cfr. L. Vives, *De causis corruptarum*... cit., Vol. VI, p. 173: «... nam suppilare putant esse imitari, nempre vel verborum ac rationis vel rerum et argumentorum particulas sumere, ex quibus velut centonibus opus suum constant».

151. Véase en Matamoros una crítica firme a los excesos de servilismo en la imitación ciceroniana: «Nam quibus Deus Optimus Maximus naturam et facultatem ad elegantiam dedit, ii continuo Ciceronem, ut deum quemdam a caelo in terras delapsum intuentur: quem non ut eloquentem aliquem hominem, sed ut ipsam potius eloquentiam suscipiunt et impensius adorat». Cfr. A. García Matamoros, *De Tribus Dicendi*... ed. cit. p. 507. La solución de Matamoros es que, bajo el magisterio de Cicerón, se aprenda precisamente a seguir más directamente la forma natural: «Atqui Ciceroniane dicere, quod a me non semel dictum est, nihil aliud profecto est, quam optime dicere: optime autem dicere, est pro rei natura pure et eleganter et apte dicere», pp. 512-513.

La razón que legitima esta «comunión», radica en que, en último término, todos imitan el acto creador de Dios[152].

El recorrido analítico realizado a través de sesenta y cinco años de la Retórica clásica española, quizás los que van asociados a los nombres y obras que más contribuyeron a su grandeza, nos obliga a pensar, a primera vista, en lo que pudiera ser un profundo olvido horaciano. Creemos con todo que no es así. Retórica y Poética, nacidas como ciencias diferentes, no sólo no se esfuerzan durante este período por descubrir sus puntos en común como disciplinas de investigación —o aun de normativa lingüística—, sino que se observa visiblemente en cada una de ellas tensión y rigidez positivas para no verse absorbida por la otra, para mantener las peculiaridades y morfología que les ha impuesto una tradición de sistemática doctrinal más bien caprichosa, de la que ya se quejara el genio penetrante y sin prejuicios de Luis Vives.

En tales circunstancias, las Poéticas de Aristóteles y de Horacio son sistemáticamente desatendidas por los autores de Retórica. Especialmente la *Epistola ad Pisones,* no sólo por su fluidez artística, sino, en su aspecto negativo por la imagen del catecumenismo doctrinal aristotélico que sobre ella arrojara la misma teoría poética renacentista, quedaba en las antípodas del frío sentido que pudiera conmover a los autores de retóricas, tan canónicamente sistematizadores, machacones y monótonos. No obstante lo cual, las ágiles intuiciones de Horacio sobre la lengua manejada con intencionalidad artística —poética— no pudieron ser absolutamente desoídas por los tratadistas de Retórica. Así aparecieron en las obras de éstos sólo de vez en cuando, como despuntes florales de un credo bien aprendido y sabido de memoria.

Fuera de los tres o cuatro indirectos y fragmentarios documentos de Poética que hemos podido examinar en este período de tiempo —cronológicamente no se ofrecen más— bien nutridos por cierto de horacianismo; los numerosos e ilustres tratados españoles de Retórica que hemos examinado, no pueden funcionar a efectos de nuestra valoración de la penetración horaciana de otro modo sino como un filtro permeable a la observación atenta, a través de cuyos poros se deja sentir el verdadero caudal del interés y el recuerdo por el *Ars* horaciano. A ese título, los resultados del análisis que hemos realizado, se nos antojan más que suficientes para poder atestiguar la pervivencia de una corriente caudal de horacianismo.

152. Cfr. S. Fox Morcillo, *De imitatione...* cit. p. 13 r.

CAPITULO II

LA HUELLA DEL «ARTE» HORACIANO. (*Continuación*). DECADENCIA RETÓRICA Y AUGE DE LAS POÉTICAS (1580-1650)

Introducción, decadencia de la teoría retórica y auge de la poética

La fecha de 1580, elegida como límite entre este capítulo y el anterior, es parcialmente caprichosa y parcialmente significativa. Caprichosa porque aún puede resultar prematuro hablar de decadencia de las Retóricas, cuando en los últimos años del siglo continuaron publicándose nuevas obras del Broncense, como el *Organum Dialecticum et Rhetoricum*, amén de otros tratados sensatos y discretos como los de Pérez de Valdivia, Juan de Guzmán, y Bartolomé Bravo; e incluso en los primeros años del siglo siguiente aguardan todavía las obras de Jiménez Patón. Pero con todo, descontando el caso del Brocense, cuya producción posterior es mera secuela y pervivencia de su arranque en la Salamanca humanista del segundo y tercer cuarto del siglo, basta volver la vista hacia Nebrija, Vives, Fox Morcillo, Arias Montano, Antonio Llull, García Matamoros, Furió Ceriol, etc... para percatarnos en suma de la irremisible declinación de valores aneja al cambio de los tiempos.

La decadencia de la latinidad humanística en el siglo XVI no vino marcada, en el ámbito concreto de las Retóricas, por una compuerta compacta y brutal; por el contrario, se extinguió como el sonido de un cantar cuyas voces suenan cada vez más lejanas; de vez en cuando un golpe de viento puede acercarnos la ilusión, pero en seguida vuelve a restablecerse la decepcionante distancia acrecentada. Menéndez y Pelayo diagnosticó ya magistralmente el cáncer, tanto en términos sociológico-estructurales [1], como internamente

1. Cfr. M. MENÉNDEZ Y PELAYO: *Historia de las Ideas Estéticas*, cit. Vol. II, p. 182, por ejemplo, a propósito del juego de denuncias inquisitoriales al Brocense: «A tan feroces y

técnicos[2], para acabar proclamando con insuperable brillantez, que no nos sentimos capaces de dejar de reseñar, la impotencia de la «Retórica de colegios».

> «Extraviado el verdadero sentido de la antigüedad, ya no se buscaban en ella impresiones de frescura ni alientos de renovación, como en aquella edad heroica de la cultura clásica, que empieza en el Petrarca y se cierra con Enrique Stéfano, el más grande de los helenistas. Al juvenil y sincero entusiasmo, que da tan extraordinario calor a las poesías y a las prosas de Pontano y de Policiano, las cuales propiamente no son imitación de la antigüedad, sino una antigüedad resucitada, una *recreación* de lo antiguo, con la misma carne y sangre que tuvo; a la espontánea y ardorosa elocuencia de Vives; a la gracia infinita de Erasmo, había sucedido una imitación fría, algo de pueril y de *umbrátil*, una verbosidad estéril, literatura de escolares y pedagogos, no de hombres hechos y avezados a las tormentas de la vida».

Y tras de la defensa no muy convincente —quizás por no hallarse su autor profundamente convencido— que sigue, de la orientación educativa jesuítica, responsable mayor, o más directamente evidente, de aquella torsión del espíritu liberal y europeísta del Renacimiento, concluye el honrado y sabio paladín de su causa, cuyo peor defecto fue el de no haber podido escoger después a sus lectores, hipócritamente rapaces los unos e irritada y acosadamente nerviosos y sumarizadores los otros:

> «No tenían ellos —los jesuitas— la culpa de que las escuelas del siglo XVII no pudiesen ya producir Vives, ni Foxos, ni Arias Montanos, ni Brocenses, porque el espíritu que había alentado a aquellos grandes hombres estaba extinguido».

---

absurdas represalias acudía, en el siglo XVI, la ciencia oficial y petrificada contra los reformadores a quienes en otro campo no podía vencer; armando los puñales contra Pedro Ramus, o amargando con la dureza de las cárceles la vejez al Brocense y la edad madura a Fr. Luis de León». Es un Menéndez y Pelayo insuperablemente informado y dueño de la retórica justa para dar la verdadera medida crítica de una época y unas obras. El Menéndez y Pelayo manejado y acomodado para uso de inmovilistas, no es desde luego el de centenares de páginas de sus obras, como ésta. Sentimos la tentación de dejarle hablar durante largos fragmentos, nos reprimimos, sin embargo, por razones de espacio editorial y considerar que sus obras están suficientemente difundidas como para que no haya necesidad de reproducirlas.

2. *Ibid.*, p. 183: «... como al mismo tiempo iba cayendo en desuso la hermandad entre la Retórica y la filosofía, tan preconizada por Vives, por Fox Morcillo y por el Brocense, no era de extrañar que las artes Retóricas fueran haciéndose cada día más empíricas, más descarnadas, más anacrónicas y más infecundas, dando vueltas eternamente alrededor de los mismos textos, sin tomar de ellos el espíritu de creación y de libertad que había animado a los humanistas del Renacimiento».

La afirmación de Menéndez y Pelayo deja elegantemente inéditas las causas reales de la decadencia. Tradicionalmente se ha pretendido situar en términos excesivamente concretos y circunstanciales la causa del cambio, de este primer gran paso de la decadencia cultural de España. La Inquisición, la aludida universal desde el siglo pasado, no resulta tan unívocamente culpable del retroceso, si a la corriente más actual de estudios debemos referirnos[3]. El fenómeno, como hecho de conciencia social, ha de tener causas mucho más complejas. La situación, sin embargo, se justifica más adecuadamente pensando en causas genéricas, como la famosa *hipocresía* a que gustaba de aludir Castro, para explicar las renuncias continuas, las iniciativas fallidas, rápidamente reprimidas, de la civilización española de los siglo XVI y XVII; como la que en el plano de la retórica liberal de la primera mitad del siglo XVI estamos constatando:

> «...la disimulación estaba en la base de aquel movimiento ideológico —se refiere a la Contrarreforma— en lo religioso y lo moral... la técnica consiste en dar medio paso hacia adelante y uno hacia atrás; pero queda la huella del avance; como en ciertos cuadros de Velázquez permanece visible la huella de lo rectificado por el artista».

Y Cervantes es para Castro, en esta ocasión, el mejor testimonio de la tendencia:

> «Cervantes —añade— está lleno de estos *arrepentimientos*. Un velo de moralidad, de ortodoxia absoluta, recubre todos los salientes y aristas que produce el razonar independiente del autor. A veces la pluma corre indiscreta, y entonces la rectificación es de violenta crudeza»[4].

3. Véase, por ejemplo, la oposición de Leonardo Gallois, tendente a considerar a la Inquisición más como consecuencia de una atmósfera general europea, que como causa concreta de una situación española, cfr. LEONARDO GALLOIS, *La Inquisición*, Barcelona, Fénix, 1973, pp. 5-6: «Es obvio que en la época en que floreció la Inquisición, todo el mundo creía en algo, y, por lo tanto, esa creencia tan arraigada les conducía a ser intolerantes. Sin embargo, esa intransigencia no era privativa de la religión católica ni tampoco de la Inquisición». Otro tanto afirma Henry Kamen: «Una consecuencia más seria y sólida plantea la cuestión de si se puede reprochar al tribunal la decadencia cultural de España, de mediados del siglo XVII a mediados del siglo XVIII. Que hubo tal decadencia es cierto. Que la Inquisición la causara ya es menos seguro». Si bien, para el caso que nos ocupa, resulta indiscutible que la intervención del Santo Oficio en la producción intelectual del país era de sus vertientes más avisada, como advierte el mismo Kamen: «Ciertamente, el tribunal en su época más conservadora sólo se mostró activo actuando contra ciertos intelectuales», cfr. HENRY KAMEN, *La Inquisición española*, cit., p. 315. Para aspectos concretos de un juicio análogo en M. BATAILLON, cfr. *Erasmo y España*, cit., p. 490.

4. Cfr. AMÉRICO CASTRO, *El pensamiento de Cervantes*, cit., pp. 279-280.

Estas formas difusas de «persuasión y poder policíaco» de que nos ha hablado Márquez Villanueva, un fervoroso discípulo de don Américo[5], constituían el andamiaje de aquel estado. Como siempre, el poder se limitaba a actuar sobre los sentimientos «igualitarios y hostiles» de las masas, sobre ocultos atavismos ancestrales del pueblo. Aquí afloran con toda su fuerza de verdad, en infinidad de testimonios concretos y ajenos a cualquier teoría, los prejuicios fomentados de cristiandad vieja y pureza de sangre, con sus secuelas sociales y económicas, la piedad gregaria de las masas espoleada por las mediocres custodias de la ortodoxia inmovilista, el tradicionalismo devoto, la pereza y la ramplonería intelectuales, etc. La asfixia de todo un pueblo a manos de una minoría avisada e intransigente no ha sido nunca posible —entonces como ahora— sin la extraña complicidad de esas mismas masas de pueblo; ciega, torpe y sanguinariamente, las masas han reconocido siempre tarde a sus salvadores y han prestado demasiado pronto oído a sus carceleros. El cuadro que presentamos no lo afirmamos sobre nuestras propias palabras, ni nos lo ha sugerido exclusivamente don Américo o sus discípulos; antes bien, hemos parafraseado voluntariamente un texto inolvidable y precioso de Bataillon, que nos permitiremos citar aquí extensamente:

> «Como desquite, la Inquisición puede apoyarse en el sentimiento *cristiano viejo* de las masas populares, en su oscuro instinto igualitario, hostil a los hombres que tienen dinero y saben ganarlo, y sobre todo, en su piedad gregaria, bien cultivada por los frailes mendicantes, y que se siente lastimada por la menor crítica de las denuncias tradicionales. Como el Edicto de la fe ordenaba denunciar los delitos contra la fe común de que cada cual pudiera tener conocimiento, el pueblo español entero se encontró asociado, de grado o por fuerza, a la acción inquisitorial. Ahí está el resorte por excelencia de la *inquisición inmanente* de que habla Unamuno. Y a ello se debe que el misoneísmo y la ignorancia acaben por prevalecer sobre los novadores y los sabios... Ha pasado —concluye— un viento de delación que ha agotado la primavera del erasmismo español»[6].

5. Cfr. Francisco Márquez Villanueva, «Teresa y el linaje», en su obra *Espiritualidad y literatura en el siglo XVI*, cit. En torno a la Santa, ha construido muy acertadamente Márquez la agobiante atmósfera a que nos referimos: «Una cadena de circunstancias, prendida en su nacimiento en una familia de la burguesía conversa de Avila, ha situado la vida de Santa Teresa frente a un sistema de prejuicios que la sociedad española de su época respaldaba ya con el complejo de persecución y poder policíaco característico de un estado moderno».

6. Cfr. Marcel Bataillon, *Erasmo y España*, cit., p. 491. Tesis recuperada recientemente por José Antonio Maravall en su capítulo «Una cultura dirigida», del libro *La cultura del Barroco*, Barcelona, Ariel, 1975, p. 163: «El poder, desmedido y desordenado, constriñe insuperablemente la vida social. No hemos de tomarla, desde luego, como fiel mención de una institución existente, mas sí podemos considerarla como adecuado reflejo del estado de ánimo bajo

Con las masas al fondo como magma ejecutor y víctima, es lógico que la lucha más cuidadosa y cruel se ejerza entre el poder, interesado en el eternizamiento del «statu quo», y las minorías renovadoras. Por eso, la excepción violenta que fueron siempre los intelectuales, aun en los momentos de mayor tibieza punitiva de la ortodoxia inmovilista, y que tuvo en el erasmismo uno de sus más destacados —pero ni mucho menos el único— capítulos, la observamos generalizada por doquier y extendida invariablemente al agotamiento en pos de las tempranas posibilidades de renovación ideológico-estética de la Poética y la Retórica españolas de la primera mitad del siglo. Pocos documentos de la atmósfera contemporánea que inspiraba la vida intelectual española, más significativos que la siguiente carta de 1533, dirigida a uno de los principales encartados en el proceso a que venimos refiriéndonos, Luis Vives, escrita por uno de sus más inquietos amigos y discípulos españoles, Rodrigo Manrique, hijo del benemérito y tolerante Inquisidor General de la buena época. La ofrecemos desde la versión de Marcel Bataillon:

> «nuestra patria es una tierra de envidia y soberbia; y puedes agregar: de barbarie. En efecto, cada vez resulta más evidente que ya nadie podrá cultivar medianamente las buenas letras en España sin que al punto se descubra en él un vínculo de herejía, de errores, de taras judaicas. De tal manera es esto, que se ha impuesto silencio a los doctos; y aquellos que corrían al llamado de la erudición, se les ha inspirado, como tú dices, un terror enorme. Pero ¿para qué te hago toda esta relación?... en Alcalá se hacen esfuerzos por extirpar completamente el estudio del griego...»

No sin justicia y oportunidad plenas, Bataillon asocia a las anteriores noticias de Manrique, las terribles palabras de Vives a Erasmo, escritas

---

el que se encontraba la sociedad española, aquella propuesta que el médico real Pérez de Herrera defiende con calor: que se establezcan en pueblos, lugares y barrios, unos censores o síndicos, para averiguar en secreto la manera de vivir de cada uno, sus posibles tratos ilícitos o de mal ejemplo, a fin de que sean castigados y que de esta manera 'todos vivan con sospecha y miedo y sumo cuidado, no teniendo nadie seguridad de que no se sabrá su proceder y vivir'. Que este régimen de *miedo*, de *inseguridad* iba ligado a los intereses de las clases dominantes, nos lo revela el hecho de que Pérez de Herrera proponga a su vez que, en las ciudades, estos puestos de censores se den a caballeros y otras personas *de virtud, calidad y hacienda*. De esta manera, ricos y nobles se convertían en agentes del sistema de control que culminaba en la monarquía católica. Sin llegar a tan penoso extremo, de hecho, algo semejante venía a equivaler en la realidad con la monopolización práctica por los privilegiados de los puestos de gobierno en la administración municipal, además, claro está, de los del Estado».

al año siguiente, donde haciéndose eco de la sentencia clásica, pronuncia aquel resignado y formidable epitafio de la libertad intelectual:

> «Estamos pasando por tiempos difíciles, en que no se puede hablar ni callar sin peligro» [7].

Volviendo nuestros ojos ahora —y sólo ahora, una vez destacado lo anterior— a cambios más concretos y particularizados, preciso es constatar que el signo general del declive retórico hay que comprenderlo, en parte, desde su canalización a la crecientemente exigente oratoria sagrada contrarreformista. En las postrimerías del XVI, la teoría oratoria decae y se trivializa correspondiendo en gran medida al público de moda, que imponía la trivialización de los espíritus en el púlpito, el floreo literario y la pedantería doctrinal, por mortificado espíritu de reverencia —paradójico fenómeno— a la flexión del espinazo intelectual, que en nuestro país aconsejaban el ejemplo de los más prósperos y la malandanza de los más independientes. ¡Curioso monstruo ha sido desde entonces, y peligroso, este producto sietemesino y ultraintegrista de la corrupta injusticia social-económica española; encenagado permanente en los viscosos y pestilentes sucedáneos de turno a la corriente cristalina y diáfana, que para los pueblos civilizados ha sido el progresivo perfeccionamiento histórico de la libertad social y de conciencia!

El auge de la teoría literaria, de otra parte, lo hemos situado en torno a 1580, por razones siempre relativizables pero concretas. Es la fecha de aparición tanto del *Arte Poética en Romance Castellano* de Sánchez de Lima, como —sobre todo— de los *Comentarios* a Garcilaso de la Vega, debidos a la pluma de Fernando de Herrera. Bien es cierto que algunos notables tratados poéticos hemos tenido ocasión de analizar antes, incluidos en las retóricas de Vives y Llull, aparte de la magistral poética horaciana del Brocense. Asimismo otros dos no desestimables documentos de Poética vieron la luz algunos años antes de la fecha de 1580. Se trata del comentario del Brocense a las poesías de Garcilaso, de 1574, y del *Discurso sobre la Poesía Castellana* de Argote de Molina, editado por vez primera en 1575. Fechas ambas, lo suficientemente próximas a la de los dos tratados mayores antes mencionados, como para poder ser englobadas con la de éstos. Por otra parte, por la misma índole de su interés doctrinal poético, no consideramos ninguno de ambos tratados lo suficientemente rico como para hacer de él un hito realmente significativo en la periodización de nuestra teoría literaria renacentista.

7. Cfr. M. BATAILLON, *Erasmo y España*, cit. p. 490.

El hablar de auge de nuestra teoría poética parece que nos obliga a pensar en algo equivalente a la época áurea de las retóricas. Ni mucho menos. Salvo el caso de la *Philosophia* del Pinciano, y quizás de la *Idea nueva de la tragedia antigua* de González de Salas, —y aun en el caso de estas obras habrá que esperar, para poder establecer una sanción definitiva, el resultado de monografías de investigación no meramente parafrásticas, sino que valoren su contenido con suficiente contraste en el conocimiento de la teoría literaria renacentista, incluyendo la espinosa y ardua investigación de fuentes— nuestra teoría poética no alcanzó, ni con mucho, la alta dignidad que los óptimos cinceladores de esta ciencia en el Renacimiento español: Vives, Llull, Arias Montano, etc..., supieron imprimir a la retórica de los buenos años. La Poética en España aparece inserta en el declive claro de nuestro gran Humanismo; su difusión, relativamente superior a la Retórica, fue, sin embargo, el resultado de hechos ajenos a su propio valor, a los que no resultaron extraños, incluso, posteriores amortiguamientos y el descrédito global de la Retórica. A procesos ulteriores, ajenos al valor intrínseco mismo de tales obras, se debe el fenómeno de abandono que ha sumido en ignorancia común hasta casi nuestros días, la totalidad de nuestros libros áureos de Retórica, llevando a la confusión de gigantes y pigmeos.

Por otra parte, resulta obvio advertir que, con los tratados estrictos de Poética, se han mezclado y etiquetado analógicamente obras que, por las mismas razones, se hubieran podido tildar de retóricas, y que pertenecen desde luego a un conjunto global de disciplinas filológicas o mejor de teoría de la lengua literaria. Se trata, sobre todo, de los documentos de las polémicas sobre la poesía barroca, cuya actualidad e interés permanente habrían de vincularse en todo caso al contexto que sirvieron y los implica, y no a propios méritos e interés teórico o crítico relevante, del cual en verdad carecen.

La teoría Poética anterior al Pinciano y las últimas Retóricas del siglo XVI.

Grande es el interés que dentro del tema general del horacianismo en España descubre el *Comentario* del Brocense a Garcilaso de la Vega; pero nulo para nuestro intento actual. Las notas del Brocense, que maravillan por su erudición literaria clásica y contemporánea, se ciñen a una pormenorizada relación de fuentes y semejanzas de los conceptos y versos garcilasianos con los de los mayores poetas de la clasicidad latina e italiana. Horacio, tan bien conocido de Sánchez de las Brozas, proyectaba, según él, una indescontable influencia sobre el conjunto total de las poesías de Garcilaso, siendo quizá el autor clásico más veces aproximado al texto glosado. Pero, como es lógico en un comentario de tales características, queda ausente de tales aproximaciones toda referencia a la *Epistola ad Pisones*[8].

Por razones diferentes, tampoco el *Discurso* de Argote de Molina encierra ningún interés para nuestro trabajo; obra breve con referencias de valor más bien histórico-literario, crítico y métrico, se desinteresa de todo apoyo doctrinal teórico, y por tanto ni de lejos es posible percibir en ella la voz de Horacio[9].

En contraste con los casos anteriores, grande es el interés que también en nuestro ámbito concreto encierran los riquísimos *Comentarios* de Fernando de Herrera[10], calificados por Vilanova como «el máximo acontecimiento en el campo de la estética literaria del siglo XVI, con anterioridad a la publicación de la *Filosofía Antigua Poética* del Pinciano». Sin duda es así en lo que se refiere al dominio concreto de la crítica literaria; siéndolo, de modo mucho más problemático, en el de la teoría general estético-literaria del Brocense. Pero en cuanto a difusión, influjo, interés y pluralidad de corrientes incorporadas —platónica, aristotélica y horaciana— ninguna de las obras de éste, una a una, se le pueda quizás comparar[11].

8. Cfr. SÁNCHEZ DE LAS BROZAS, *Comentario* (1574), editado en su obra *Garcilaso de la Vega y sus Comentaristas*, por Antonio Gallego Morell, Granada, Universidad, 1967, pp. 239-77. Damos la fecha que indica Gallego Morell al frente de la edición, Vilanova en su estudio, *Preceptistas españoles de los siglos XVI y XVII*, en *Historia general de las Literaturas Hispánicas*, Barcelona, Vergara, 1953, (Reimpr. 1968). Vol. III, pp. 565 y ss.; de la de 1677. No hemos comprobado, por nuestra parte, esta discrepancia sin demasiado relieve histórico, habida cuenta de las obras antecedentes, y hemos antepuesto la fecha indicada por Gallego Morell por razón del carácter más estrictamente monográfico de su obra. Para VILANOVA. op. cit. p. 571, en la anterior había indicado la fecha de 1576.

9. Cfr. GONZALO ARGOTE DE MOLINA, *Discurso sobre la Poesía Castellana*, Sevilla, H. Díaz, 1575, publicado adjunto a su edición del *Conde Lucanor*, pp. 92-97. Disponemos y citamos la edición de este opúsculo, realizada por Eleuterio F. Tiscornia, Madrid, V. Suárez 1827.

10. Valoración evidente, insistentemente reiterada por JOSÉ ALMEIDA, *La crítica literaria de Fernando de Herrera*, Madrid, Gredos, 1976.

11. Cfr. A. VILANOVA, *Preceptistas*, cit. p. 574; más adelante añade: «Sin menoscabar en un ápice la portentosa erudición del Brocense, cuya figura genial y gigantesca se yergue como una de las más altas cimas del humanismo español del siglo XVI, es evidente que sus anotaciones y enmiendas a las obras de Garcilaso están muy lejos de poseer la trascendencia de las *Anotaciones* de Herrera, que no se limitó a la búsqueda inmediata de modelos y fuentes, sino que desarrolló en sus notas un verdadero curso de estética literaria y de arte poética, en muchos aspectos no superado.» p. 575. Valoración análoga y global mereció la obra de Antonio Alatorre; «el libro más hermoso de crítica literaria y de erudición poética que se escribió en la España del Siglo de Oro», cfr. A. ALATORRE, *Garcilaso, Herrera, Prete Jacopín y don Tomás Tamayo de Vargas*, en «Modern Language Notes», 78, 1963, pp. 126-151, también en E. RIVERS (ed.), *La poesía de Garcilaso*, Barcelona, Ariel, 1974, pp. 323-365, el texto cit., en p. 365.

En numerosos lugares de sus *Anotaciones* descubre Herrera su buen conocimiento general de la poesía horaciana, al aproximar textos del poeta latino similares a los glosados. En algún punto, incluso, hace auténtico alarde de erudición horaciana, citando, aparte de la suya propia, las traducciones del gran poeta latino debidas a las plumas de Prieto Bembo, Domenico Veniero, Tomasso Mocenigo, y de su propio prologista, amigo y compañero, el maestro Francisco de Medina[12]. Horacio, pues, como poeta era uno de los mentores más cultivados por aquel floreciente grupo sevillano, cuya carta de naturaleza firmara el mismo Medina en el prólogo de las *Anotaciones* de Herrera[13].

A este conocimiento general del poeta Herrera, que en verdad poco sorprende conocidas la alta personalidad poética del modelo y la de su lector, añade el texto de las *Anotaciones* un conjunto no desdeñable de noticias, mucho más concretas y relevantes para nuestra investigación actual. En ellas se plantea el grado en que la *Epistola ad Pisones* contribuyó a la constitución del entramado teórico-estético, donde se sustentaban las opiniones literarias de su autor manifiestas en esta obra.

En un momento de enorme permeabilidad a los modelos métricos y al sistema de imágenes y tecnicismos poéticos italianos, como el que representa la época de Garcilaso[14] y aun la del propio Herrera, era evidente que la cuestión de la licitud del préstamo lingüístico había de alcanzar de manera fatal una vigencia y sensibilización muy vivas. Si, de otro lado, recordamos la profunda penetración de las imágenes del *Ars* horaciano sobre la vida de las palabras y la evolución de su discurrir bajo los imperativos del uso, resultaba punto menos que obligatorio, al menos para un horaciano de corazón como Herrera, la reseña de los correspondientes versos de la *Epistola ad Pisones* en su extensa y apasionada defensa de los extranjerismos, compartiendo los honores de la mención con Cicerón y Aristóteles:

> «Con los más estimados despojos de Italia y Grecia, y de los otros reinos peregrinos, puede vestir y aderezar su patria y amplialla con hermosura, y él mismo producir y criar nuevos ornamentos —dice taxativamente en un punto de su apasionada defensa, y agrega—, porque quien hubiere alcanzado con estudio y arte tanto juicio que pueda discernir si la voz es propia y dulce al sonido, o extraña y aspera, puede y tiene licencia para componer vocablos

12. Cfr. F. DE HERRERA, *Anotaciones*, ed. cit. de Gallego Morell. Algunos ejemplos en pp. 303, 318, 335, etc... etc... El que hemos aludido de un modo más concreto y que corresponde a los versos que comienzan: «O crudelis adhuc, et Veneris muneribus potens»... en pp. 351 y ss.

13. Cfr. A. VILANOVA, *Preceptistas*, cit. p. 578.

14. Cfr. R. LAPESA, *La trayectoria poética de Garcilaso*, Madrid, Rev. de Occidente, 1948; o distintos estudios de la antología crítica de ELÍAS L. RIVERS (ed.) *La poesía de Garcilaso*, cit.

y enriquecer la lengua. Aristoteles, Tulio y Horacio aprueban la novedad de las dicciones y enseñan cómo se hallen. Y así dijo Tulio que las cosas que parecen duras al principio, se ablandan con el uso. Y Horacio:

...licuit, semperque licebit
signatum praesente nota producere nomen»[15].

Otro punto común, igualmente indefectible en una obra de la índole de la de Herrera, era el relativo a los problemas de la imitación y el plagio, así como el de los modos de resolver la cuestión de la originalidad en las materias comunes; problema particularmente adscrito al quehacer poético de Garcilaso, tan cargado de recuerdos latinos y especialmente italianos[16]. Herrera, al defender a su autor en esto, recuerda expresamente también aquí la sombra tutelar de las licencias horacianas:

«Y sin duda alguna es muy dificil decir nueva y ornadamente las cosas comunes; y así la mayor fuerza de la elocucion consiste en hacer nuevo lo que no es, y por esta causa dijo Horacio:

ex noto fictum carmen sequar, ut sibi quivis...»[17]

Horacio va asociado, también en muchas ocasiones, a las declaraciones estéticas más medulares en las *Anotaciones* de Herrera. Ya en el texto antes copiado en nota se advierte la pujanza enorme que los hechos de expresión, los elementos formales —«verba» para resumir— adquieren en la estimación de la esencia literaria del exquisito poeta sevillano. Impresión

15. Cfr. F. de Herrera, *Anotaciones*, ed. cit., p. 509.

16. El tema de los antecedentes de Garcilaso y sus fuentes fue la piedra capital de la controversia paralela a las anotaciones entre «el Prete Jacopín» y Herrera, e indirectamente también el Brocense y Tamayo de Vargas. Como era usual en este tipo de debates, se atendía más al cuidado de la minucia que a los problemas de fondo, con lo que la teoría poética se veía enriquecida, para los textos polémicos de Herrera, y el Condestable de Castilla; cfr. la ed. de José M.ª Asensio, *Fernando de H., controversia sobre sus anotaciones a las obras de Garcilaso*, Sevilla (Biblófilos Andaluces), 1970.

17. Ibíd. p. 397: tras la cita de éste y de los tres hexámetros siguientes añade Herrera, glosando la conformidad de su propia estimación con la sanción horaciana: «Para esto conviene juicio cierto y buen oido que conozca por ejercicio y arte la fuerza de las palabras que no sean humildes, hinchadas, tardas..., sino propias, altas, graves... Y es clarisima cosa, que toda la excelencia de la poesia consiste en el ornato de la elocución, que es en la variedad de la lengua y terminos de hablar y grandeza y propiedad de los vocablos escogidos y significantes con que las cosas comunes se hacen nuevas, y las humildes se levantan, y las altas se tiemplan, para no exceder segun la economia y decoro de las cosas que se tratan.» páginas 397-398.

que se refuerza algunas líneas más adelante, y que también aparece refrendada con algunos de los más famosos y repetidos hexámetros de la *Epistola ad Pisones* «non satis est pulchra esse poemata, dulcia sunto».

La penetración intensa de Horacio, con frecuencia, es preciso buscarla fuera de declaraciones explícitas en el comentario de Herrera, júzguese si no por este texto donde campea, sin ser citada, la famosa descalificación de Horacio hacia el quehacer de los poetas mediocres:

> «Mas pues el poeta tiene por fin decir compuestamente para admirar, —dice en el mismo importante fragmento a que también pertenecen las citas anteriores— y no intenta sino decir admirablemente, y ninguna cosa sino la muy excelente causa admiracion, bien podremos enriquecer los conceptos amorosos en alguna manera de aquella maravilla que quieren los antiguos maestros de escribir bien que tenga la poesia; que si no es excelente, no la puede engendrar, y de ella procede la jocundidad»[18].

En conclusión, junto a las enseñanzas de Aristóteles y Platón, y al lado del muy positivo influjo de algunos tratados modernos de Poética, como el famoso *Poetices libri septem* de Scaligero[19], cuya mención por cierto no escamotea Herrera, como hizo con las *Annotationes* del Brocense con las que rivalizaba, el *Ars* de Horacio se alza sin duda con una parte importante en la responsabilidad del ideario estético de Herrera; pues precisamente su nombre y mención van unidos a algunas de las más avanzadas, comprometidas y renovadoras doctrinas del poeta sevillano.

El mismo año en que se publican las *Anotaciones* de Herrera, vio la luz la primera Poética oficial en lengua castellana publicada en el siglo XVI, el *Arte Poética en romance castellano*[20] de Miguel Sánchez de Lima. A

18. *Ibid.*, pp. 399-400.

19. Cfr. R. F. D. PRING-MILL: *Escaligero y Herrera. Citas y plagios de los «Poetices libri Septem» en las «Anotaciones»*, en «Actas de II Congreso Intern. de Hispanistas», Nimega, 1967, pp. 489 y ss. Otros aspectos del influjo general italiano han sido abordados por V. DI BENEDETTO, *Las teorias sobre el lenguaje en la Italia del Renacimiento y en Fernando de Herrera*, en «Rev. de la Univ. de Madrid», XIV, 1965, pp. 196-197. LORE TERRACINI, *Tradizione illustre e lingua letteraria nella Spagna del Rinascimento*, en «Studi di Letteratura Spagnola», I, 1964, pp. 61-98, y II, 1965, pp. 9-94. Sobre los *Comentarios*, p. 13. V. DI BENEDETTO, *Fernando de Herrera*, fuentes italianas y clásicas de sus principales teorías sobre el lenguaje poético, en «Filología Moderna», 1966-67, n.º 25-26, pp. 21-46. Otros estudios generales, con abundantes referencias de situación, son ORESTE MACRÍ, *Fernando de Herrera*, Madrid, Gredos, 1959, y J. M. BLECUA, *Las Obras de Garcilaso con anotaciones de Fernando de Herrera*, en *Estudios Hispánicos Hom. a Archer M. Huntington*, 1952, pp. 55-58.

20. Cfr. MIGUEL SÁNCHEZ DE LIMA, *El Arte Poética en Romance Castellano*, Alcalá de Henares, I. Iñiguez de Lequerica, 1580, la utilizamos en la edición, muy cuidada, de Rafael de Balbín. Madrid, C.S.I.C. 1974.

esta obra le hizo poco favor la coincidencia cronológica, que fuerza inevitables contrastes, con la gran obra del vate sevillano [21]; pero en honor a la verdad, y de acuerdo con las intenciones de su autor, si no hay que otorgarle demasiada importancia, tampoco resulta justo reiterar sistemáticamente las acusaciones que usualmente se le hacen, por no haber sido lo que nunca pretendió ser.

Existía un vacío notable de tratados españoles para uso de lectores vulgares y rimadores populares y aficionados a propósito de esta doctrina, en llamativo contraste con el enorme cúmulo de las obras italianas del mismo género. De ahí que Sánchez de Lima se propusiera remediar la falta de la mejor manera que sus escasos saberes lo consintieran. Así es como él nos presenta sus intenciones, y en esto no nos defrauda:

> «y sabiendo (como de cierto lo se) que ay ingenios en España, que si tuviessen una luz de las reglas que son menester guardarse en las composturas, harian muchas y muy buenas cosas, las quales dexan de hazer, por carescer de preceptos... movido con buen zelo quise abrir el camino con este breve compendio, para que otros de mejor ingenio procuren sacarlo despues mas limado, añadiendo y quitando lo que vieren que falta, o sobra. Lo que suplico es, que se reciba mi entrañable voluntad» [22].

Precisamente porque quisiéramos contarnos, aunque quizá seamos en ello los primeros, entre quienes «recibamos su entrañable voluntad», dejaríamos descansar ya con lo dicho el tratado de este «gastador» de la Poética, que no pretendió ser sino eso el portugués hispanizado Sánchez de Lima. No nos lo consiente, sin embargo, precisamente por ocuparnos una investigación de la índole monográfica de la nuestra, un juicio equivocado de Menéndez y Pelayo, que ciertamente lleva camino de eternizarse. Según el ilustre maestro, que sobre esta obra pasó con evidentes prisas, el *Arte* sería un verdadero monumento —por su exclusividad de fuentes, que no por su valor— del horacianismo en España:

21. Desde Menéndez Pelayo, que no se dignó otorgarle apenas atención, se suceden los juicios adversos sobre el valor de esta obra; atendemos a la muy autorizada síntesis valorativa de ANTONIO VILANOVA, *Preceptistas*, cit. p. 589: «En conjunto, la absoluta carencia de ideas originales, la confusa mezcla de doctrinas ajenas interpretadas de manera inconsciente y superficial, y un total desconocimiento de la *Poética* aristotélica, cuyos principios de validez universal pretende sustituir con vagos preceptos piadosos y moralizantes, otorgan una importancia casi nula a las ideas estéticas de Miguel Sánchez de Lima, cuya erudición escasa y anacrónica, eclipsa en aquel mismo año el prodigioso saber crítico de las *Anotaciones* de Herrera.»
22. Cfr. M. SÁNCHEZ DE LIMA, *El Arte Poética*, ed. cit. p. 12.

«El portugués Miguel Sánchez de Lima, apenas se aparta un punto de las pisadas de Horacio cuya doctrina corrobora en versos propios[23].

En verdad que no entendemos bien lo que aquí dice Menéndez y Pelayo, pues si Sánchez de Lima incluye versos horacianos en su obra, nada tienen que ver éstos con el contenido doctrinal de la *Epistola ad Pisones*, y muy poco, por no decir nada, con el de la materia poética en general. La afirmación de Menéndez y Pelayo ha sido después repetida sistemáticamente, tanto por el editor moderno de la obra, Rafael de Balbín, como por Antonio Vilanova, quienes sin embargo han encauzado con acierto la crítica de fuentes[24].

En el caso de Vilanova, creemos que su mención de la fuente horaciana es tan sólo un producto de respetuosa atención a la crítica de don Marcelino, en un ámbito —el horacianismo— al que él, a diferencia de nuestro caso actual, no estaba obligado a prestar especial atención. Muy acertada y clarificadora es, por contraste, su iniciativa de poner en contacto las doctrinas centrales de la obra de Sánchez de Lima con las de la *Genealogia Deorum* de Boccaccio, y precisamente a partir de las ideas de esta obra es como queda sin fundamento la atribución a Horacio del sustento doctrinal básico del *Arte Poética.*

Es cierto que en alguna ocasión, como ha recogido Vilanova en su resumen del contenido de la obra, se habla de «mezclando el agradable y dulce estilo con lo provechoso y muy sentido»; y aun pudiéramos conceder que se apunte un ponderado equilibrio en la cuestión de los límites entre el arte y la «vena» en algún lugar del libro, dedicado casi monográficamente a este problema fuera de las doctrinas métricas. Pero ante una obra de 1580, atribuir un fundamento de inmediatez horaciana a declaraciones tópicas tan vagas y generalizadas es una notable desproporción, máxime —insistimos— cuando la primera afirmación tiene un carácter único y positivamente ocasional en el contenido total de la obra; y la segunda, cuestión central de la misma, no se resuelve nunca en equilibrio, sino con una preferencia clara por la «vena», como advierte muy acertadamente el mismo Vilanova. Por lo demás, el distinguido estudioso de nuestra preceptiva clásica no dudó en vincular esta singular tendencia —en contra gravitaba toda una

23. Cfr. M. MENÉNDEZ Y PELAYO: *Historia de las Ideas Estéticas*, cit. Vol. II, p. 215.

24. Cfr. R. DE BALBÍN, edición cit. Nota bibliográfica, p. X, Balbín recuerda oportunamente la nota del conde de la Viñaza, *Biblioteca*, cit. col. 398, en la que se enlazan las ideas métricas de Sánchez de Lima con criterios rítmicos y ortológicos de Nebrija. A. VILANOVA, *Preceptistas*, cit. p. 585: «Sus ideas proceden casi exclusivamente de la *Genealogia deorum* de Boccaccio, a través de la traducción italiana de Giuseppe Betussi de Basano (Venecia 1554) y de la horaciana *Epistola ad Pisones*, modelos que otorgan un carácter muy restringido a la originalidad de sus teorizaciones poéticas.»

tradición de signo integrista y moralizante a la que, quizás sólo por ignorancia y deseos de abreviar, escapó el nada progresista Sánchez de Lima— con la fiel repetición del contenido doctrinal básico sustentado en la obra de Boccaccio, cuyo modelo seguía el hispano-portugués permanentemente[25].

Por no alterar el orden metodológico de nuestro libro, no nos demoraremos aquí en el examen total de las doctrinas que acoge Sánchez de Lima en su obra sobre la índole del poeta y su proceso creador. Pero para representar la opinión más extremadamente ecléctica y antiplatonizante, recordemos el texto de la obra que la ofrece quizás de manera más clara:

> «...el arte, cuyo effecto es suplir la falta de naturaleza: porque puesto que lo natural se aventaje tanto a lo artificial, como se aventaja lo vivo a lo pintado, y que lo uno juntamente con lo otro, seria muy perfecto, no dexaria tambien de ser Poeta el que de cualquiera destas fuere adornado: porque (como digo) arte no es otra cosa, sino un suplemento con que con artificio se adquiere, lo que la naturaleza falto, para la perfecion del arte»[26].

Habiéndose dado a conocer, en el capítulo correspondiente del libro II de esta obra, las razones más habitualmente manejadas en la Europa del momento dentro de los debates en la dualidad *ingenium-ars*, suponemos no revestirá especial esfuerzo reconocer en la parte «ecléctica» del texto precedente un marcado eco de la gradación ciceroniana de ambos ingredientes dentro del esquema triple de estilos y excelencias oratorias, que antepone la *natura* al *ars*, y hace a ambos indisociables en la consecución de la obra perfecta.

En último término, además, aun concedido el efecto modélico de Horacio en esta decisión concreta. ¿No son claras las divergencias, dado que ésta,

25. Cfr. A. Vilanova, *Preceptistas*, cit. Ya en la misma afirmación de entrada deja patente Vilanova su clara apreciación del problema: «Sánchez de Lima adopta una actitud ecléctica de pura estirpe horaciana, que cifra su ideal estético en la suma de la vena y el arte, aun reconociendo la primordial importancia de la vena poética» —y tras la cita de un texto del *Arte Poética*, añade— «Esta actitud ambigua y reticente. . . dejará paso después a un manifiesto predomino de la vena poética y la inspiración...». Más adelante centra en sus términos precisos la fuente de toda esta doctrina, que si algo tiene es de Platón, si bien de un Platón filtrado por Boccaccio: «La definición de la poesía que nos ofrece a continuación Sánchez de Lima, está inspirada, en su última parte, en la versión ovidiana de la enajenación poética y del furor divino que enciende a los Poetas, los cuales, según las doctrinas del *Fedro* y del *Ion* platónicos, están inspirados por un dios. Pero la fuente de que proceden la mayor parte de sus ideas, no debe buscarse en ninguno de los textos platónicos, sino en el libro IV de la *Genealogia deorum* de Boccaccio, el primer escritor renacentista que recaba para la creación poética, no sólo un origen divino, y una esencia celeste y eterna, sino la expresión esotérica de conceptos y pensamientos sublimes.» pp. 588 y 589.

26. Cfr. M. Sánchez de Lima, *El Arte Poética*, ed. cit. p. 12.

por importante que sea, es sólo una cuestión aislada dentro del sistema estético horaciano entre decenas de tópicos distintos, que para nada se ven mencionadas en el *Arte Poética*? ¿Cómo justificar con esta sola base el «apenas se aparta un punto de las pisadas de Horacio» en el juicio de Menéndez y Pelayo?

Definitivamente creemos que el *Arte Poética* debe ser totalmente descontada de la tradición horaciana; sólo en una ocasión se menciona explícitamente a Horacio, y es para aclarar un problema de denominación métrica, ni siquiera con propósito de aludir al *Ars*: «Son las que Horacio en sus Lyricos llama Odas» [27].

La obra, por lo demás, aparece escrita con unos presupuestos intelectuales que revelan categorías muy ramplonas en su autor; así, el acceso a la doctrina platónico-boccacciesca del furor se lleva a término desde los presupuestos y prejuicios más vulgares:

> «Ay otra suerte de hombres tan locos, que no paresce, sino que siempre andan metidos en unas vanas imaginaciones, fabricando en sus memorias unos castillos de viento, cuyo fundamento esta edificado sobre la region del ayre» —y más adelante añade el mismo personaje— «Es cierto verdad, que os tengo lástima a todos los Poetas: porque todo el dia os andays con mas sobra de locura que de dineros» [28].

Respecto a la imagen que de la Poética en la edad clásica tiene este casi indocto tratadista, baste decir como muestra que no cita a Aristóteles, ni a Horacio, ni siquiera a los retóricos como Cicerón y Quintiliano a la hora de confeccionar la lista de posibles antecedentes de su trabajo. Para él las ideas sobre lenguaje artístico quedaron inéditas en la antigüedad clásica. Por boca de Calidonio, el informador del diálogo, escuchamos:

> «...una delas quales, y la mas principal, sera dar cinco de corto, pues me quiero poner en tan poco espacio de tiempo, y con tan poco ingenio, y rudo entendimiento, a alabar una cosa, que Homero, y Virgilio, con todos los demas Poetas, Griegos, y Latinos tuvieran harto que dezir, si tratar della quisieran: lo qual si dexaron de hazer fue, porque les parecio ser poco lo que entendian para alabarla: mas pues quereys que en esto yo me publique por necio, sobre serlo, por atreverme alo que ellos no se atrevieron, os dire lo que siento de la excelencia desta señora» [29].

27. *Ibid.*, p. 42.
28. *Ibid.*, pp. 15 y 17.
29. *Ibid.*, pp. 39-40.

Ante esta imagen de la Poética en la antigüedad, poco tenía que hacer la pulcra andadura del elegante *Ars* horaciano frente al prejuicio insalvable que exhibe Sánchez de Lima contra los mitos clásicos explicativos de la poesía, sancionando y condenando a Ovidio del que sin duda debió servirse muy asiduamente, si es que salió de Boccaccio para inspirarse[30]. Alabando a los poetas clásicos, pero temeroso al tiempo de todo desviacionismo paganizante, Sánchez de Lima se nos manifiesta enraizado en una severa crítica de cualquier dimensión artística moderna no estrictamente moralizante[31], y aun hasta insoportablemente ramplón y moralista se ofrece su planteamiento de la finalidad de la Literatura en su tiempo[32].

En 1592 ve la luz en Salamanca la primera edición del *Arte Poética española*, del jesuita abulense Diego García Rengifo, que la publicó a nombre de su hermano, Juan Díaz Rengifo[33]. Sin duda ofreció un completo manual de versificación española a los ingenios de nuestro Siglo de Oro —que

30. Véase un testimonio explícito de su remoción de los mitos poéticos clásicos: «Y con todo holgaria en estremo que me dixessedes lo que sentis de las excelencias dela Poesia, con tal condicion, que no me conteys fabulas de Ovidio, ni me digays el cuento del cavallo alado que entre los Poetas es llamado el Pegaso, ni la fuente Cabalina, ni me trateys de las ninfas, que son las hermanas nueve, que unos llaman Musas, y otros, habitadoras del Parnaso, porque no puedo suffrir oyr essas ficiones, ni las dela hermosura de las diosas delas fuentes, y rios: tampoco me agrada oyr tratar de Nereydas, Napeas, Driadas... ni los que Ovidio llama Semideos, que contino los Poetas traen entre manos, o por mejor dezir, en la punta dela lengua para dezillas, y enla de la pluma para escrevillas: no hablando jamas palabra, ni escriviendo letra, que no vaya llena destas ficiones, con que dexan suspensos a los mal entendidos lectores.» *Ibid.*, pp. 36-37.

31. Véase a este tenor el ataque típico contra los libros de caballerías: «Que dire mas dela Poesia? sino que es tan provechosa ala Republica Christiana, quanto dañosos y perjudiciales los libros de cavallerias, que no sirven de otra cosa, sino de corromper los animos delos mancebos y donzellas, con las dissoluciones que en ellos se hallan, como si nuestra mala inclinación no bastasse, pues de algunos no se puede sacar fruto, que para el alma sea de provecho, sino todo mentiras y vanidades.» *Ibid.*, p. 42.

32. *Ibid.*, pp. 43-44. He aquí sus ideas sobre el servicio de la poesía moderna a la sociedad: «Y demas desto es esta una virtuosa y santa ocupacion: pues que mientras el Poeta esta componiendo, eleva el sentido en las cosas celestiales, y en la contemplacion de su criador, unas vezes sube al cielo contemplando aquella immensa y eterna gloria, los esquadrones de los bienaventurados, mira los Angeles, oye los Archangeles, contempla los Cherubines y Seraphines... De alli baxa al infierno..., otras vezes visita el Purgatorio... En estas y otras semejantes contemplaciones gasta su tiempo el verdadero y buen Poeta, escusando el gastallo en otras, que podrian ser offensa de Dios, y daño de su consciencia; por donde queda bien declarado, de quanta utilidad y provecho sea esta excelentissima poema.»

33. Obra difícil de hallar en sus primeras ediciones, como indica Menéndez y Pelayo, el ejemplar de que hemos podido disponer más cómodamente es uno de los corruptos por las adiciones de Vicens, Cfr. J. DÍAZ RENGIFO: *Arte Poética Española... con una fertilísima sylva de consonantes*. Barcelona, M. A. Martí, 1759, No obstante no resulta difícil orientarse en la parte original de la obra, aparte por el estilo muy diverso, porque Vicens tuvo el buen criterio de señalar entre asteriscos sus añadidos.

en verdad utilizaron poco los buenos y cultos, y mucho los copleros aficionados— hasta la publicación del más extenso, pero tardío, de Caramuel. Y aun a pesar de esto último, fue el más popular y difundido entre rimadores y copleros posteriores, en especial con la forma ampliada y estrafalaria que le diera ya en el siglo XVIII el barcelonés Joseph Vicens. Pese a los fuertes reparos sobre su originalidad —que no hemos comprobado, pero nos asalta la duda sobre ellos, pues ya conocemos otras muestras de la tendencia sumarizadora de don Marcelino, en la atribución de fuentes[34]— Menéndez y Pelayo lo da como aportación útil y no exenta de buen sentido[35]; y con un criterio oscilante, entre el menosprecio por su escasa originalidad y cultura unas veces y el reconocimiento de su prudencia y claridad otras, tampoco es absolutamente negativa la valoración de Vilanova.

Rengifo hace una exposición inicial de sus fuentes, entre las que desde luego no figura Horacio, en su prólogo «Al prudente y christiano lector»:

> «Las fuentes, de donde han manado estos arroyos, han sido Aristoteles en su Poetica, San Agustin en diversos lugares de sus Obras, el Venerable Beda en el Arte, que escriviò à Guigberto Levita, Jacobo Micilo, Cesar Escaligero, Antonio de Tempo, y otros Autores modernos: los quales, aunque no tratan de la Poesia Española, sino de la Latina, Italiana, ò Griega: mas como lo comun de el Arte en todas las Lenguas, es uno, todavia me han ayudado; pero mucho mas el uso, y experiencia, y la observacion perpetua de los mejores, y más elegantes Poetas Italianos, y Españoles, que han escrito, y los apuntamientos de hombres doctos, à quienes he comunicado».

No obstante este silencio, la presencia de la doctrina horaciana en el cuerpo de la obra es bien patente, y con razón la reclama Vilanova entre

34. Vilanova ha delimitado en sus justos términos la deuda de Rengifo con Antonio da Tempo, y los méritos propios del jesuita abulense: «Si bien esto es cierto —la acusación de falta de originalidad respecto de Tempo— en muchos casos, el mérito de la obra estriba en su maestría técnica y en lo acertado de su adaptación, que no se limita a una mera paráfrasis castellana sino a una paciente transposición de la métrica italiana a la versificación española, sustituyendo los ejemplos toscanos por fragmentos de nuestros primeros poetas renacentistas. Por otra parte, su detallado estudio de las combinaciones estróficas de la escuela tradicional castellana, pese a los antecedentes de Encina, Nebrija y Sánchez de Lima, supera de mucho a sus modelos anteriores y constituye una aportación absolutamente original. Por todas estas razones y por la utilísima silva de consonantes o diccionario de rimas que enriquece la última parte de la obra, el *Arte Poética Española* de Rengifo alcanza un éxito sin precedentes y se convierte en el oráculo manual de la versificación española». Cfr. A. VILANOVA, *Preceptistas*, citado pp. 596-597.

35. Cfr. M. MENÉNDEZ Y PELAYO, *Historia de las Ideas Estéticas*, cit. pp. 215-216; «y si él —Rengifo— no era hombre para grandes novedades, y apenas hizo más que traducir el Tempo y acomodarle a nuestra lengua hasta en cosas que son privativas de la versificación italiana, realmente ni la doctrina es absurda, ni los ejemplos son de mal gusto».

los complementos omitidos en el anterior inventario de fuentes[36]. En el cuerpo de la obra, y aun no teniendo obviamente que ver con los problemas de la versificación romana, Horacio está recordado quizás más veces que el resto de los autores confesados en el elenco anterior. A veces lo es como primer acuñador de «conceptos»[37], otras vinculado a imitaciones españolas de sus obras[38]; en una ocasión citado, con Virgilio, entendiéndose de ambos ser los dos poetas más apreciables de la literatura clásica[39]. A veces, en fin, se le confirma como modelo eterno y universal en la construcción de determinados tipos métricos:

> «y assi lo han hecho los Poetas Latinos, que de mil, y quinientos años à esta parte escrivieron, que siempre han seguido las medidas, y leyes, que en las Odas de Horacio observaron»[40].

Con esta máxima valoración global de Horacio como poeta, bien patente en la obra de Rengifo, alterna su análogo interés por las doctrinas de la *Epistola ad Pisones* que se filtra a través de ciertos fragmentos, donde aparece pudorosamente admitido el nombre de Horacio. Esta presencia se deja sentir a veces en afirmaciones incidentales de marcado color horaciano como la alusión a la doctrina de apropiación de las materias comunes, que se desliza en el comienzo del capítulo segundo «aunque no ha faltado quien componga en su natural Poesia, è imite, y haga *propia la agena*»[41]. Otras veces son claras alusiones a los tópicos más acrisoladamente universalizados del *Ars*, eludiendo la atribución concreta con fórmulas de buscada generalidad.

> «Pero dirà alguno, que la naturaleza hace los Poetas, y no el Arte: y traerà aquel dicho tan *celebrado entre los antiguos* —subrayado nuestro—. Los *poetas nacen*, etc...

No obstante, no siempre se escamotea sistemáticamente la mención horaciana. Por ejemplo, es recordada la referencia del *Ars* a los orígenes de

36. Cfr. A. VILANOVA, *Preceptistas*, cit. p. 596: «Ni que decir tiene que a este catálogo de fuentes es preciso añadir Horacio y Cicerón, que la pauta inicial de su obra es el *Arte Poética* de Sánchez de Lima, y que el modelo constante de sus teorizaciones estróficas son las páginas de Tempo».

37. Cfr. J. DÍAZ RENGIFO, *Arte Poética española*, cit., p. 120.

38. *Ibid.*, p. 93.

39. *Ibid.*, p. 22: «Puedese, pues, hacer en Español todo verso Latino, imitando siempre el sonido mas lleno, y corriente de cada genero: y vocablos tenemos nosotros para componer versos tan numerosos, como Virgilio, y Horacio los hicieron».

40. *Ibid.*, p. 109.

41. *Ibid.*, p. 3.

la poesía como sucedánea de las ciencias reglamentadoras de la vida civil[42], y se citan igualmente versos concretos de la *Epistola ad Pisones* para recomendaciones muy circunstanciales, como el genérico consejo horaciano sobre la permanencia e identidad de lo comenzado, aplicado muy latamente a la permanencia del *concepto* de origen en la sucesión de las glosas:

> «Luego —dice al respecto— imaginarà algun buen discurso, que sea à proposito de la sentencia propuesta, y le puede llevar hasta el cabo: porque es gran falta comenzar una Alegoria, ó Metaphora, ò un Concepto en la Glosa de el primer verso, y saltar à otro en la de el segundo. Lo cual reprehende Horacio en su Arte Poetica, con aquel verso:
>
> *Amphora coepit*
> *Institui, currente rota cur urceus exit.*
>
> Significando este vicio por la inconstancia de un Hollero, que comenzasse à formar un cantaro, y andando la rueda sacasse un jarro»[43].

Ocasión sin duda de más empeño doctrinal es la mención del archifamoso consejo horaciano *Omne tulit punctum...*, para reforzar su defensa, sin duda tomada de Scalígero[44], del concepto equilibrado en la función del arte que, como sabemos, constituía sólo el primer paso para afirmar las preferentes razones de un didactismo generalizado y con algo de anacronismo retrógrado, una de cuyas fundamentales bases de prestigio y penetración fueron, sin duda, los influyentes *Poetices Libri Septem*. «El fin intrinseco de la Arte Poetica es hacer versos» había confesado, por delante, este Rengifo tratadista métrico en último término. «Los fines extrinsecos pueden ser muchos. Porque unos hay que componen por su recreación: otros por servir à la Republica»[45].

Pero de cualquier modo, el punto más interesante y clarificador de la obra que comentamos, para explicar el contradictorio comportamiento frente a Horacio que nos ofrece el tratado de Rengifo, y quizá más en general para sumarse al conjunto de testimonios de esa línea de tácita interdicción de Horacio que hemos reseñado ya en algunos de nuestros tratadistas de Retórica, se da sin duda en el final del capítulo quinto. Comienza el referido lugar con el elogio de los poderes de la poesía, remontán-

42. *Ibid.*, pp. 1-2: «Los primeros inventores, en quienes resplandeciò el ánimo noble, y deseo de virtud, según Horacio, y Virgilio, fueron Orpheo, y Amphion; los quales en la suavidad de sus versos cantados à la bihuela, reduxeron à la vida politica y civil, los hombres de aquel tiempo, que como salvajes vivian en los montes sin ley».

43. *Ibid.*, p. 72.

44. Lo que Tempo es a los consejos sobre versificación, lo es Scalígero, según VILANOVA, en el ámbito de las razones doctrinales del *Arte Poética española*. Cfr. *Preceptistas*, cit. p. 597.

45. Cfr. DÍAZ RENGIFO: *Arte Poética Española*, ed. cit., pp. 6-9.

dose a la función de la misma sobre el modelo de la invocación horaciana de dicha edad primitiva:

> «Es tambien la Poesia buena para enseñar, y mover: porque en ella se pueden decir verdades, y dar avisos, y consejos saludables: los quales por ir en aquel estilo se quedan mejor en la memoria, y le imprimen en los corazones: y mas quando algun buen Musico los canta... Quantas veces la Poesia bien concertada ha sacado agua de los duros pedernales, hecho parar los rios, detenerse los Tigres, y Leones en medio dé su carrera, è inclinarse las ramas de los altos árboles para oìr, y finalmente edificarse los Pueblos, y Ciudades? Muchos efectos de estos se atribuyeron à los sabrosos, y elegantes versos, que Orpheo, y Amphion cantaban. Y à la verdad no hicieron ellos estas cosas, assi materialmente como suenan; pero hicieron lo que por ellas se significa, que es mover los hombres duros, y amansarlos, y quitarles la fiereza natural, con que se havian criado, y hacerles parar en medio del furor de sus pasiones, y finalmente componerlos, y ordenarlos entre sì, y hacerles, que se juntassen à vivir dentro de unos mismos muros».

En este punto, súbitamente, como un afloramiento y justificación de lo que hoy llamaríamos su «mala conciencia» horaciana, ya que va bordeando el contenido de un texto cuya declaración omite, prorrumpe Rengifo en las siguientes exclamaciones, que constituyen a nuestro juicio uno de los testimonios más importantes y sintomáticos en la evolución de la fortuna horaciana en los textos de teoría literaria española:

> «Quan graves, y quan agudas Sentencias nos dexò escritas Horacio en todas las Obras, que hizo! Las quales, sino las huviera mezclado con algunas torpezas, se pudieran leer no con menos fruto, que las Oraciones Pareneticas de Isocrates, y que las Morales de Plutarcho, y Dialogos de Platon».

He aquí la clave declarada de los recelos y limitaciones en el manejo de la autoridad de Horacio en el siglo XVI español: una tacha de índole moral, de «decencia», invalidaba su autoridad. Mas como, por lo demás, muchos pensamientos sumamente aceptados sobre poesía y lengua poética no podían hallarse en parte diferente, y la inmensa mayoría no se concebía sin la formulación horaciana; de ahí esa permanente ronda de la «mala conciencia» a que aludíamos. Esta, si se paliaba de alguna manera con la cita abundante de Horacio, se veía constreñida y permanentemente refrenada por la circulación del prejuicio de signo moral, cuyo origen —según sospechamos— se encontraba fundamentalmente inscrito en la tradición retórica, la más pujante y prestigiosa de las relativas al lenguaje artístico en la España del siglo XVI.

Y a continuación, como si le urgiera hacer pública confesión de ortodoxia vigente, prorrumpe el jesuita Rengifo en una larga y fatigosa declaración de las vertientes sacras de la poesía, que así tenía que ver con lo mejor de la historia de ésta que con aleluyas de ciegos. El tono nos recuerda mucho las ya conocidas protestas de ortodoxia cristiana de Sánchez de Lima:

> «Pero quiero tocar la razon, que à mi juìcio mas levanta, y engrandece esta Arte, y nos manifiesta mas su valor: esto es lo mucho, que sirve para el culto de Dios, y de sus Santos» —aquí una larga enumeración de la aburrida poesía patrística y eclesial, incluso con alusiones a la intrascendente poesía de justas, túmulos y fiestas eclesiásticas de la época— «Què Fiesta hay de Navidad, del Santissimo Sacramento, de Resurreccion, de la Virgen nuestra Señora, y de los Santos, que no busque Canciones, y Villancicos para celebrarla? Y aun donde hay personas de letras en semejantes ocasiones suelen sacar tantos, y tan varios metros, que no menos hermosean con ellos las Iglesias, y Claustros, que con los tapices, y doseles, que colgados, dando un como celestial pasto à las almas, que con silencio los leen, y con gusto los encomiendan à la memoria»[46].

En conclusión, la obra de Rengifo, que nos ha provisto de suficientes materiales horacianos en el breve espacio de sus cinco primeros capítulos dedicados exclusivamente a teoría poética, como para no descartarla a la hora de contar tratados con una firme impronta horaciana, nos ha proporcionado también, de manera sobresaliente, el argumento inverso negativo, el síntoma aclaratorio de por qué Horacio no solía alcanzar más menciones explícitas en las obras de Poética y Retórica de nuestro Siglo de Oro.

De las retóricas y tratados de predicación sagrada publicados en el período que ahora estudiamos, debemos excluir la mención de los de escaso valor, tales como el de Vicente Blas García[47]; los del Brocense, Palmireno, y Pedro Juan Núñez por haber sido estudiados antes, aunque aparecieron en estos momentos; y, en fin, los perdidos, como la obra de J. Santiago, de la que tuvimos la suerte de localizar un ejemplar en Murcia, y esperamos poder ofrecer alguna vez muestra de este rarísimo, si no único, ejemplar conservado por pura casualidad. Quedan así, como obras no perdidas y de un cierto interés, el seráfico tratado de predicación de Jaime Pérez

46. *Ibid.*, pp. 11-12.

47. Cfr. VICENTE BLAS GARCÍA, *Brevis epitome, in qua praecipua Rhetorica capita... continentur*. Valencia, Vda. de P. Huete, 1581.

de Valdivia, que a juicio acertado de Félix G. Olmedo: «lanzó el suyo —el libro y se dice del autor— como un voto más contra los que querían dar al elemento humano más cabida de la que debe tener en la predicación»[48], y que, por consiguiente, nada tiene que aportarnos en el tema del horacianismo[49].

Mejores razones para citar el *Ars* de Horacio concurrían en el tratado de Bartolomé Bravo, de 1596; puesto que incluye una buena parte de sus páginas en el tema de la imitación ciceroniana, y bien conocida es la notoriedad y difusión de los hexámetros horacianos dedicados a aclarar el modo lícito de innovar la materia «común». Pese a todo, este tratado, al que caracterizan su asepsia atemporal sin menciones ambientales, su corrección lingüística y su buen orden doctrinal, no incluye ni una sola referencia de Horacio; bien que no sean muchas más las que incorpora —fuera de las de Cicerón— de otros autores latinos. Ni siquiera de las obras de Virgilio, cantera tan frecuentemente explotada por los autores de Retórica, existen en el tratado de Bravo más allá de media docena de menciones[50].

Un caso realmente discrepante en la tradición de omisiones horacianas que vemos afirmada en los tratados retóricos y de predicación de finales de siglo, es el de la *Primera parte de la Rhetorica*, de Juan de Guzmán[51],

48. Cfr. FÉLIX G. OLMEDO, Prólogo a su edición de la *Instrucción de predicadores*, de F. Terrones del Caño, Madrid, Espasa-Calpe (Clásicos castellanos, n.º 126), 1960, p. CXXVIII.

49. Cfr. JAIME PÉREZ DE VALDIVIA, *De Sacra Ratione Concionandi*, Barcelona, P. Malo, MDLXXXIX, en la edición que nosotros conocemos. Aunque las fechas de autorizaciones y prefacios datan de 1585, que es la que señala el siempre cuidadoso Martí para los ejemplares consultados en la Bibl. Nac. de Madrid, en la bibliografía final de su obra; aunque en el texto menciona no sabemos con qué base una edición de 1583 (p. 163). En cualquier caso, la obra, más bien un tratado de piedad para oradores, tiene positivos méritos, fuera de su inexistente horacianismo, que harán que la consideremos con cierta atención en capítulos sucesivos como válido testimonio de ambiente sobre la predicación sagrada del momento.

50. Cfr. BARTOLOMÉ BRAVO, *De Arte Oratoria, ac de eiusdem exercendae ratione, Tullianaque imitatione*, Medina del Campo, I. Canto, MDXCVI. En esta obra se incluye la noticia de una poética que el autor dice tener escrita. Karl Kohut recoge esta mención entre las de obras perdidas de la misma índole, junto con las pretensiones —meros proyectos— de Alejo de Venegas, y el de Fernando de Herrera, Cfr. K. KOHUT, *Las teorías literarias...*, cit., p. 16. La obra de Bravo, de la que su autor habla en pretérito y como ya realizada, a diferencia de Venegas y Herrera, fue mencionada ya por Menéndez y Pelayo en su *Bibliografía hispano-latiniano clásica*, y las palabras de B. Bravo aparecen en la dedicatoria de su Retórica, sin paginación, a Don Juan Alonso Moscoso, obispo de León. Son las siguientes: «Itaque librum de Arte Oratoria, eiusque exercendae ratione, quem nuper confeci; libellumque alterum de Poetica Arte cum editurus essem in vulgus, non prius proferre in lucem volui, quam tibi dicarem, patrocinioque tuo committerem: ut et tanti nominis splendore illustrior, et ipse tanti viri auctoritate commendatus exiret».

51. Cfr. JUAN DE GUZMÁN, *Primera parte de la Rhetorica... dividida en catorze Combites de Oradores*. Alcalá de Henares, J. Iñiguez de Lequerica, 1589.

publicada en Alcalá de Henares en 1589, que tanto a nuestro juicio como al de Antonio Martí[52], mereció sanción excesivamente dura de Menéndez y Pelayo. Frente al prejuicio antihoraciano que hemos visto reaparecer, entre otros varios casos en el recientemente examinado de Rengifo, y que en el ámbito de las teorías retórica y concionatoria habría que formular más bien como actitud de reserva a la poesía, y más en concreto a la poesía clásico-pagana, Guzmán exalta la licitud del derecho y la conveniencia de que el orador cristiano lea a los poetas paganos, para enriquecerse con las gracias de su arte y servir mejor la causa de la predicación evangélica:

> «Y dezidme vos —responde uno de los participantes en el diálogo, el licenciado Fernando de Boán, a quien se concede siempre la parte del acierto—, qual gran varon uvo en el mundo, que no se diesse un buen tiempo a los autores prophanos, o Gramaticos? Leed a san Hieronymo, y a san Augustin, y vereys sus obras llenas de versos de Poetas, y de cosas de historiadores. No me parece sea esso impedimento, pues es todo menester para ser uno eloquente»[53].

Consecuentemente con tal espíritu, la obra va enriquecida y amenizada con verdadera profusión de citas de textos poéticos clásicos, entre los que las obras de Horacio registran fundamental importancia. Muy numerosas son las menciones de versos horacianos, no específicamente de la *Epistola ad Pisones*[54]. Pero centrándonos especialmente en las citas y comentarios a esta última obra, ya desde el mismo prólogo de su tratado, nos saluda Guzmán con la tantas veces repetida imagen del «monstruo».

> «De modo que el que tuvo ingenio dotado de buen natural, diestro, culto, y adornado de buenos preceptos reduzidos a exercicio, supo dar cuenta de qualquiera cosa que tomo entre las manos. Y el que carecio de arte, si quiso con sus palabras pintar alguna cosa, quando mas perfecta la saco, si a caso fue examinada por hombres discretos hizo lo que el pintor de Horacio, trazando en su pintura un rostro de persona con cuello de cavallo, adornando cierta

52. La opinión de Menéndez Pelayo, que trae su origen en un desproporcionado contraste entre Guzmán y la personalidad colosal del Brocense, pudiera muy bien haber arrastrado en este punto —como ha ocurrido en otros— la opinión general, respecto de la cual brilla el trabajo atento y el sentido común que nunca faltan en el independiente juicio de A. Martí, el cual ha salvado así seguramente a esta obra de un silencio que en verdad no merece. Cfr. M. MENÉNDEZ Y PELAYO. *Historia de las ideas estéticas,* cit., Vol. II, p. 189 y A. Martí, *Preceptiva retórica,* cit., p. 211.

53. Cfr. J. DE GUZMÁN, *Primera parte de la Retórica,* cit., pp. 74 v-75 r.

54. Véase algunos ejemplos en *Ibid.,* pp. 10 v., 19 v., 68 r., 122 v., 123 r., 134 r., 231 r., etc...

parte del cuerpo de varias plumas, y rematando lo restante en la forma de un disforme pece»[55].

Esta imagen resultaba siempre sumamente útil y acomodable a vario propósito, y Guzmán vuelve a utilizarla en algún otro lugar[56]. Tal tipo de consejos de contenido fundamentalmente relativo a la coherencia estructural de la obra, a la proporción y el decoro —preocupación medular del *Ars* horaciano—, eran por otra parte las notas más útil y fácilmente traducibles a las recetas del sermón y de la pieza retórica. De ahí que el tratado de Guzmán abunde en tal género de préstamos. Por ejemplo, en general, sobre la unidad del sermón existe el «simplex duntaxat et unum»[57], con la peculiaridad en esta obra de dar la traducción del hexámetro latino en versos castellanos pareados, quintetos, etc... Y más en concreto, reproduciendo los consejos horacianos para introducir lícita variedad en el bloque uniforme de la acción o tema central, al tratar de la cuestión reiteradamente debatida de si los sermones han de tratar de un solo punto argumental o evangélico o deben combinar varios. En esta última posibilidad es donde anidarían los excesos de sentenciosidad en la oratoria ultraconceptista del siglo siguiente, y ante la que sale al paso resueltamente Guzmán:

> «Muchas vezes he oydo decir essa simpleza, y principalmente a los que no saben hazer los sermones sino de fragmentos y remiendos. Y los que esso dizen, es cosa cierta que no fueron discipulos y assi no es mucho que ignoren el ser maestros. Si quereys que os diga la verdad de lo que siento, los sermones de muchas pieças parecenme ser como unos hombrezitos vestidos de librea al modo de papagayos, cuya manera de vestir es tenida por infame entre hombres cortesanos: y assí los que siguen esse modo paran en lo que dize Horacio:
>
> *Qui variare cupit rem prodigialiter unam*
> *Delphinum sylvis appingit fluctibus aprum.*
> Aquel que sin concierto ha pretendido
> Aver alguna cosa variado,
> Monstruosamente, el tal tiene añadido
> Un delphin en un bosque, y figurado
> Tiene en la mar un javali el cuytado»[58].

55. *Ibid.*, pp. 1 r y v.
56. *Ibid.*, p. 78 v.
57. *Ibid.*, p. 66 v.: «que el cuerpo del sermon sea travado y encadenado, de suerte que en el no se echen de ver resquicios, sino que se pueda dezir del lo que dize Horacio.

Denique sit quodvis simplex duntaxat et unum.
Lo que hizieres procura vigilante
Que en si Uniforme sea y semejante».

58. *Ibid.*, pp. 72 v-73 r.

De modo semejante, la invocación de las diferencias decorosas va unida al recuerdo de Horacio[59]; como van también las inevitables alusiones al contraste no decepcionante entre las promesas del exordio y las realizaciones del cuerpo de la obra, repetidas a lo largo del tratado de Guzmán en distintos lugares. Uno de ellos, donde se recoge el tópico de modo extenso, es el que sigue:

> «Desta suerte son algunos exordios bien hinchados y fanfarrones, y todo el restante cuerpo del sermon es fragil y debil; por lo qual seria yo de parecer, que los que en el Sermon tuviessen poco que dezir, que tambien moderassen su exordio, y lo conformassen con el, porque no se pueda dezir por ellos.
>
> *Parturiunt montes nascetur ridiculus mus.*
> Parir quieren los montes, y ha salido
> Un triste ratonzillo que han parido.
>
> Diria yo destos tales, que se pusieron un morrion de oro en la cabeça, y un peto y espaldar de trapos viejos, como dize Luciano: o que adornaron el cuerpo de un enano con la cabeça del Colosso de Rhodas, para lo qual converna tener en nuestra memoria el otro verso de Horacio:
>
> *Est modus in rebus, sunt certi denique fines*
> *Quos ultra citraque, nequit consistere rectum.*
> Deve un modo en las cosas ser tenido
> Finalmente, y un limite guardado
> Dentro o fuera del qual, nunca ha podido
> Lo recto consistir o moderado.
>
> Para que quadrandolo bien, y conformandolo segun razon venga todo a tener su punto»[60].

59. *Ibid.*, p. 71 r.: «Lo que pertenece al decoro poetico no querria ver aqui en la prosa, porque no ay cosa que mejor parezca que dar a cada estilo lo que es suyo, conforme a lo de Horacio.

Singula quaeque locum teneant sortita decenter
Cada cosa por suerte aya alcançado
El lugar que le fue por suerte dado».

En otra ocasión cita el mismo verso con el siguiente comentario: «...no assi como se me offrecio la cosa, quando compuse algo, la puse en aquel lugar, que entonces traçava, sino que me detuve, y contemple en qual parte estaria bien, y si quadrava mejor en otro lugar, reservela para alli, y sino pusela en aquella parte, segun lo de Horacio.

Singula quaeque...», p. 133 v.

60. *Ibid.*, pp. 85 v.-86 r. Otra clara alusión al mismo consejo, sin cita explícita, se ofrece alguna página más adelante: «Mas los que hazen esto que yo digo, de mostrarse grandes y hinchados en sus principios, es menester tengan gran advertencia, de que vayan en el discurso de su sermon, desembolviendo la rica tela de las labores que prometen, segun acostumbraron varones eloquentissimos, de modo que se pueda dezir por el tal predicador, viendo

En otra ocasión, incluso, alguno de los versos comprendidos dentro del tratamiento horaciano de la forma del exordio es abordado bajo un análisis fónico-estilístico, con la pretensión de constatar en qué alto grado el feliz hallazgo de Horacio consigue refrendar en la forma sonora el contenido temático incorporado[61].

Pero no se reduce el total a citas exclusivamente relativas al ámbito de la estructura de la composición y al decoro de sus partes. Del bien conocido Horacio extrae Guzmán tanto razones al paso para tratar circunstanciales tópicos personales[62] como, incluso, los refuerzos doctrinales de algunas de sus decisiones estéticas de mayor empeño. Tal sería el caso, por ejemplo, de la mezcla propuesta del rigor doctrinal con la no desdeñable hermosa formulación:

> «Y que desde el exordio començasse nuestro Christiano orador a echar las semillas o rayces, de lo que adelante ha de tratar en el discurso del sermon, todo el qual querria que fuesse bien travado y encadenado, lleno de clausulas candidas y rodadas, y de tal suerte sonantes, que pareciessen una concertada

---

como entro, y despues prosiguio, aquello que dixo Horacio. Que es, que no quiere echar humo, despues de aver echado de si un resplandor, sino que en echando el humo, da luego una luz y claridad, con la qual descubre unos milagros dignos de gran consideracion». pp. 86 v-87 r.

61. *Ibid.*, pp. 151 v.-152 v.: «De suerte que no solamente se representaran estas palabras destos versos con boca redonda y hinchada, sino con boato fanfarron. Tambien es de advertir aquello de Horacio del arte poetica:

Parturiunt montes nascetur ridiculus mus.

El qual verso en lo que toca a su pronunciacion tiene cierto artificio digno de considerar, porque del modo que Horacio trato alli de las obras que comiençan con gran hinchazon, y luego en el medio se disminuyen, y a la postre acaban de enfriarse: assi ni mas ni menos significo con la composicion de las palabras de aquel verso: las quales son bien hinchadas en la pronunciacion de sus syllabas segun se echa de ver por aquellas palabras PARTURIUNT MONTES. Luego las del medio son mediocres y mas blandas en el sonido, como lo dan a entender aquellas syllabas NASCETUR. Y al fin rematase el verso con syllabas debiles y de poco aliento que son, RIDICULUS MUS, con lo qual de industria significo muy bien Horacio las obras, que descaen de lo propuesto al principio».

62. Por ejemplo, saliendo al paso de la objeción de que él daba preceptos, no siendo predicador: «Con todo esto se me figura aver muchos dioses Momos, que diran, que pues hasta agora yo no me di a la predicacion, que para que doy trazas a los predicadores? Desto me defendere con el dicho de Horacio, el qual para responder a una tacita objeccion, de los que le podian dezir, que pues no conponia cosas grandes como poeta, para que dava reglas de poesia, dixo ciertas palabras en el arte poetica, cuyo sentido es este.

Sere como la piedra aguzadera,
La qual puede dar filo a qualquier cosa
Sin que para cortar sea poderosa».

Ibid., p. 4 v.

musica. Digo que los sermones desta suerte viviran para siempre, y se podra dezir dellos, lo de Horacio.

Omne tulit punctum qui miscuit utile dulci.
La gala se llevo aquel curioso
Que a lo dulce mezclo lo provechoso»[63].

Para concluir nuestro pormenorizado examen del horacianismo en la *Primera parte de la Retórica*, debemos advertir que, aun con ser una de las obras de su clase que nos ha provisto de mayor número de citas de Horacio y de más rica gama de peculiaridades en las mismas, este tratado no se limita en exclusiva al entusiasmo horaciano; antes al contrario, la mayoría de los poetas latinos, a cuyo frente figuran en el interés del profesor alcalaíno Virgilio y Marcial, cuentan también con una positiva y continuada presencia en sus páginas.

Este rasgo alude quizás a un síntoma más general en la ideología estética contemporánea, que alcanza —como no podía ser de otro modo, habida cuenta la permeabilidad social del fenómeno de la predicación en la España de aquellos años y circunstancias— a la teoría retórica y fundamentalmente a los tratados de concionatoria. Como muy acertadamente la contextúa Martí, la Retórica de Juan de Guzmán es un típico testimonio del tránsito de épocas. De una parte rompe con los dogmas de una tratadística retórica estéril y sin cultivo, encerrada en la fidelidad a las propias tradiciones cada vez más utópicas, mordiéndose así su propia cola[64]; y de otra parte polariza la excitación del ambiente, originada por el acuciante reclamo social de la predicación hacia fórmulas más flexibles, ricas y amables; lo que, en sí, constituía además el primer paso en el despeñadero de toda mesura que era la pasión creciente por el cada vez mejor aceptado conceptismo.

Guzmán, un profesor de Retórica que hizo el circuito lugareño de Pontevedra y el encumbrado de Alcalá, se percató con todo su buen sentido de la situación en que se hallaba la ciencia que enseñaba, de los problemas de su aplicación, bajo su fisonomía tradicional estricta, en un mundo cada vez más poderosamente disociado de ella. Sin las timideces y los temores jesuíticos de Rengifo, ni la candidez seráfica del ortodoxo Pérez de Valdivia,

63. *Ibid.*, p. 63 r.
64. Cfr. A. Martí, *Preceptiva retórica*, cit., pp. 215-217: «Es un testimonio más de la inestabilidad y transición por la que atravesaba el arte de la oratoria»... —y de otra parte «la retórica en tiempo de Guzmán se hallaba demasiado ahogada para poder resucitar con frescura. Ya sólo eran capaces los retóricos de producir librillos de progimnasmas que corrían de mano en mano, como tratando de vender las mezquinas fórmulas mágicas que producirían el éxito en el arte del bien decir».

Juan de Guzmán comprendió la urgencia de comunicar las reglas del arte con su aplicación contemporánea más habitual, la multitudinaria y favorecida predicación religiosa; y lo hizo, además, de un modo eminentemente realista: transigiendo con el deleite del adorno y reduciendo el rigor doctrinal a mínimos de auténtico rendimiento útil. En esta apertura hacia nuevos aires de reforma y transigencia con un incipiente cambio del gusto artístico, que acabaría siendo colosal, la obra de Juan de Guzmán no jugó quizá el papel de una pieza de rendimiento valioso, pero supo constituirse en todo un símbolo del proceso.

Presencia de la doctrina horaciana en la Philosophia *del Pinciano. Traducciones del* Ars. *Otros documentos menores del siglo XVI*

Cuando no restaban sino cuatro años al siglo XVI para rendir definitiva cuenta de su poblado balance de buenas y mediocres retóricas, y de su escaso caudal de poéticas, en 1596, el médico cesáreo Alonso López Pinciano vino a enriquecer el volumen de estas últimas con una aportación decisiva, *La Philosophia Antigua Poetica,* obra unánimemente alabada como la más perfecta y completa aportación española a la teoría poética durante el siglo XVI, y aún diríamos más, durante todo el Siglo de Oro. Incluso no nos engañaríamos demasiado quizás pensando que es la más compendiosa y meritoria aportación española a la teoría literaria de todos los tiempos si exceptuamos en su extraordinario carácter monográfico la *Agudeza y arte de ingenio,* y ponemos entre paréntesis la comparación de sus méritos con la *Poética* de Luzán, hasta que el volumen de estudios de fuentes sobre la *Philosophia* equivalga al que disponemos a propósito de la obra de Luzán[65].

No constituye objetivo directo de este trabajo tratar de establecer diagnóstico y juicio de valor precipitado o superficial de una obra que sigue requiriendo urgente, meticuloso y muy especializado estudio. Nuestro actual interés en ella queda meramente circunscrito a la ponderación del caudal doctrinal

65. Aparte de las estimables menciones antiguas y modernas a la obra del Pinciano entre las que destacaremos las de Menéndez y Pelayo, Vilanova y Porqueras Mayo, disponemos de un estudio monográfico sobre la *Philosophia antigua* en la obra de SANFORD SHEPARD: *El Pinciano y las teorías literarias del Siglo de Oro.* Madrid, Gredos, 1962; obra que, pese a sus aciertos, que iremos destacando en los oportunos lugares, creemos no hace justicia a su objeto de estudio; pues se trata sólo de poco más que de una cuidada paráfrasis pero sin entrar en los obligados contrastes con una conveniente densidad de otras obras y doctrinas, por no hablar de la investigación de fuentes, tarea definitiva y previa a la decisión de su valor.

horaciano aceptado en sus páginas, tarea que simplifican muy cómodamente los índices realizados por el editor moderno de la obra, Alfredo Carballo Picazo[66]. Desde los mencionados índices nos es fácil ya constatar que Horacio es cuantitativamente la segunda de las autoridades poéticas citadas, tras de Aristóteles y casi en igualdad con Platón, pero desde luego antes que Cicerón, Quintiliano —muy parcamente usado, por cierto— y los demás autores, tanto de Poéticas como de Retóricas. Pese a ello, le aventaja el número de citas de los dos grandes colosos de la epopeya clásica, Homero y Virgilio, así como de sus obras y personajes respectivos; bien que los dos grandes poetas mencionados no son recordados, naturalmente, sino en orden a la ejemplificación y en su condición de objetos de estudio.

Poco prometedor se ofrecería, sin embargo, el horacianismo de la obra, si nos atuviéramos a la lectura de su prólogo donde se hace notar, de modo evidente, la penetración del difundido prejuicio anti-horaciano inaugurado por Julio César Scalígero. En dicha pieza, el médico López Pinciano trata de justificar su intromisión en ámbito tan alejado de su facultad como lo era sin duda el de la Poética mediante ingeniosas razones y ejemplos mitológicos, pero especialmente fundándose, según era habitual en tal tipo de disculpas, en la ausencia de obras del género que sufría nuestro país. Y razón llevaba Pinciano en ello, si a obras de la enjundia de la suya se refería[67].

Al justificar, de modo paralelo y «ex abundantia», la carencia de tratados poéticos en la antigüedad y en la época inmediatamente precedente, tras haber señalado ciertas limitaciones en Aristóteles, añade respecto al mundo latino y al contemporáneo:

> «Esto del Philósopho; de sus comentadores latinos y italianos no tengo que dezir sino que fueron muy doctos, mas que fueron faltos como lo fué el texto que comentaron. De los que escrivieron Artes de por sí, Horacio fué brevíssimo, escuro y poco ordenado: De Hierónymo Vida dize Scalígero que escrivió para poetas ya hechos y consumados: y yo digo del Scalígero que fué un doctíssimo

66. Cfr. Alonso López Pinciano, *Philosophia Antigua Poetica*, Madrid, T. Iunti, MDXCVI, seguimos la edición de A. Carballo Picazo, Madrid, C.S.I.C., 1953, 3 vols.

67. *Ibid.*, vol. I, p. 8: «Sabe Dios ha muchos años desseo ver un libro desta materia sacado a luz de mano de otro por no me poner hecho señal y blanco de las gentes, y sabe que por ver mi patria, florecida en todas las demás disciplinas, estar en esta parte tan falta y necessitada, determiné a arriscar por la socorrer. Dirá acaso alguno no es la Poética de tanta sustancia que por su falta peligre la república. Al qual respondo que lea y sabrá la utilidad grande y mucha dotrina que en ello se contiene. Mas ¿para qué lector te canso con esta apologia, si sabes que Apolo fue médico y poeta, por ser estas artes tan affines que ninguna más? Que si el médico templa los humores, la Poética enfrena las costumbres que de los humores nacen».

varón y, para instituyr un poeta, muy bueno y sobre todos aventajado, mas que en la materia del ánima poética, que es la fábula, estuvo muy falto. Aquí verás, lector, con brevedad la importancia de la Poética, la essencia, causas y especies della. Si para te exercitar más quisieres, lee al César Scalígero, que él te dará mucho y muy bueno»[68].

Sin embargo advertiremos en seguida que la impresión inicial se invierte en el interior de la obra; mientras Scalígero es absolutamente olvidado o sistemáticamente silenciado, no existe apenas doctrina horaciana que no encuentre su eco en las páginas de la *Philosophia*. Por lo general, además, no serán citas meramente exornativas, incrustadas en el curso orgánico de materias más o menos cerradas en sí mismas y ocasionales —estamos seguros de que, influido por el difundido prejuicio antihoraciano de Scalígero, el Pinciano trató de reducir la mención de Horacio al mínimo indispensable—; pues Alonso López no parecía estimar el fundamento esencial de la valoración de Horacio, que sin duda reside en la insuperable dignidad y oportunidad con la que son expresados sus tópicos teóricos. Por el contrario, Horacio en muchos casos, si no en la mayoría, será utilizado como verdadera y auténtica autoridad, reforzando con sus propias razones la validez de los argumentos del Pinciano.

Respecto a las citas generales del poeta latino, de su valor y peculiaridades poéticas, con independencia de las doctrinas explicadas en el *Ars*, existen abundantes menciones en la *Philosophia*. Pero, como solía ser habitual, entre todas ellas no igualan, ni en este caso se aproximan siquiera, el volumen total de citas específicamente referidas a la *Epistola ad Pisones*. Horacio es recordado como ejemplo de poeta lírico-narrativo por excelencia, junto a Píndaro[69], a propósito del origen de la denominación de epodos[70], sobre la determinación del tipo de personajes que intervienen en el «mimo»[71], etc... etc...[72]. Pero sobre todo, es en punto a la caracterización de la poesía satírica donde el Pinciano, que consideraba al poeta latino un maestro verdaderamente insuperable, reitera su recuerdo cuantas veces se ofrece la ocasión de tratar de la materia; desde la mera exaltación de su capacidad en este tipo de composiciones, a la caracterización temática

68. *Ibíd.*, pp. 9-10. He aquí la primera pauta evidente para una investigación de fuentes. El hecho de remitir a Scalígero, sus inevitables elogios y los mismos reparos de incompletez que se le oponen, presentan las trazas de una típica ocultación de fuente: en especial confirmada por el hecho de que Scalígero, en tales términos exaltado en el prólogo, no vuelve a ser mencionado ni una sola vez en el cuerpo de la obra.

69. *Ibíd.*, I, p. 283.

70. *Ibíd.*, I, p. 294.

71. *Ibíd.*, III, p. 242-243.

72. Otras ocasiones con propósito diverso en I, p. 251, II, 241, etc.

de las mismas, o a su definición dentro del tipo «comûn» de imitación[73]. Otras veces se citan actitudes mantenidas por Horacio en obras distintas de su *Epistola ad Pisones*, pero en temas cuyo tratamiento teórico se abordó en el *Ars;* como por ejemplo la invocación de auxilio a las divinidades al comienzo del poema, o la del libro tercero del *Carmen Saeculare*, para aludir al tópico de la decadencia y descomposición inmoral de la danza y la música en Roma, asociada como síntoma de un proceso ciudadano de depravación ético-social[74].

Pero, centrándonos en el ámbito concreto de la penetración doctrinal de la *Epistola ad Pisones*, parece casi obvio señalar que, puesto qué fue intensa, no podía faltar la mención del generalizado tópico del «monstruo» horaciano, recordado efectivamente tanto en contextos positivos, cuando son glosados los poderes de la imaginación para trascender las leyes estrictas en la dimensión de lo real[75], como en su estricta y originaria dimensión negativa para simbolizar a base de él la construcción deficiente e irregular de «fábulas» en las obras poéticas[76]. Incluso en alguna ocasión servía en sus dos aspectos, positivo y negativo, a controvertidas razones de algunos participantes del diálogo; como en el caso siguiente, a propósito de los estrictos límites de la verosimilitud «que no salga de los términos de la semejança a verdad».

> «Yo lo entiendo bien, dixo el Pinciano, mas para entenderlo mejor quiero traer a Horacio, el qual, en su Arte, no pone límite alguno, mas antes dize que los pintores y poetas tienen facultad de atreverse a quanto quieran finjir y machinar.
>
> Vgo dixo entonces —descubriendo la otra cara del tópico—: Bolved la hoja, y hallaréys la respuesta, o, por mejor dezir, bolved el ojo a la hoja dos dedos más abaxo; veréys que dize la forma que en esto se deve guardar, y es: que no se ayunten imposibles, ni aves a sierpes, ni corderos a tigres; lo qual fué también el introito a su obra, diziendo que de tal modo ha de ser la licción, que no dé que reyr de imposible, que es dezir, de necia; porque si un pintor,

73. *Ibid.*, III, pp. 84; 234; 237, 238-230.

74. *Ibid.*, III, pp. 115-185 respectivamente.

75. *Ibid.*, I, pp. 48-49: «No atiende la imaginación a las especies verdaderas, mas finge otras nuevas, y acerca dellas obra de mil maneras... ya del oro haze un coloso, y ya un animal que tenga cabeça de hombre, cuello de cavallo, cuerpo de ave y cola de pece, como dize Horacio; ésta —añade en su interesante despripción de los poderes del mundo imaginativo— es una gran persona, porque abraça las especies passadas, presentes y aun futuras, las quales no pueden el sentido común ni la memoria porque el común sentido sólo abraça presentes, passadas, y la memoria, las passadas solamente».

76. *Ibid.*, III, p. 212.

debaxo de una cabeça de una dama, pintase un cuello de cavallo, y debaxo déste, un cuerpo de ave, y éste rematasse con cola de algún pescado, no se podrían las gentes contener de risa»[77].

No quiso aprovechar a pleno rendimiento el Pinciano las enseñanzas de Horacio en uno de sus campos doctrinales más peculiares, explotado sin embargo de modo preferente por otros autores según sabemos: el de los consejos sobre la «disposición», el «orden» y, más en general, la amplia casuística del *decorum*. Sólo en una ocasión comparte Horacio con Aristóteles en la *Philosophia*, con razones menos convincentes para el caso del primero, el recuerdo del Pinciano. Se trata de un consejo concreto sobre las dimensiones ideales de la fábula en la acostumbrada metáfora del cuerpo de un animal perfecto[78]. Una vez más se acude a una fórmula horaciana de este campo para resolver la razón de ser del comienzo artificioso de la narración poética, como narración mediada; estableciéndose así uno de los fundamentos discriminativos entre el orden natural-histórico y el orden artificioso-poético[79]. El *decorum* métrico-temático, muy insistido por Horacio y tema favorito de las rememoraciones horacianas en el siglo XVI, no aparece ni insinuado; pues en las contadas ocasiones que se alude a hexámetros de la *Epistola* pertenecientes a tiradas con tal objeto, el propósito e intención de la cita son otros[80].

Un tema en cierto modo accesorio de Horacio, que sin embargo interesó frecuentemente al Pinciano, quien utilizó la cita horaciana en diversos lugares de su obra, fue el de la distinta capacidad de impresión relativa a los testimonios vistos o simplemente oídos. Se trataba, como sabemos, de un problema vinculado a la cuestión aristotélico-horaciana de la licitud, o no, de representar truculencias manifiestas en escena, que arrojaba habitualmente dos tipos de reservas, las dictadas por el buen gusto o la decencia moral y las derivadas de la verosimilitud. El Pinciano, que no asoció nunca este tópico sino con la cepa horaciana de su tradición, especializa asimismo la discusión en su posible vertiente de la verosimilitud, tema persistentemente medular para él, que constituye una de las constantes más importantes, felizmente desveladas y resueltas de su obra[81]:

77. *Ibid.*, II, pp. 62-63.

78. *Ibid.*, II, p. 381: «pintado el animal perfecto que dize Aristóteles como exemplo de la tragedia, de la qual principalmente se aprovecha el Philosopho, y aun Horacio, para su Poética».

79. *Ibid.*, II., pp. 88-89.

80. Por ejemplo la invocación, absolutamente aislada de contexto, de «La ira, dize Horazio, que armó a Archíloco de iambos». *Ibid.*, I , p. 227.

81. Tema que el Pinciano entendió siempre dentro de la concordancia doctrinal aristotélico-horaciana, si bien su acuñación genérica y más difundida era la aristotélica: «en las épicas,

«... y es de advertir que, aunque en toda especie de fábula es la verisimilitud necessaria, pero mucho más en las dramáticas y representativas, las quales mueven mucho más al ánimo, porque entra su imitación por el ojo, y, por ser acción sujeta a la vista, la falta es mucho manifiesta más que no en aquellas especies de fábulas que entran por el oydo o lectura, como son las comunes; assí que especialmente es menester la semejança a verdad en las dichas fábulas activas, porque el bramar los bueyes del Sol y otras cosas semejantes parecen bien dichas en el poema común, pero, representadas en teatro, parecieran muy mal, que ni los bueyes se pudieran poner bien en los assadores, ni pudieran bramar.

Fadrique dixo: Bramaran más a mi parecer los oyentes de dolor de ver una acción tan fuera de toda imitación, o, a lo menos bramara Horacio, si presente se hallara, que dize:

No conviene Medea despedace
Delante del teatro sus hijuelos;
Ni delante del pueblo, Atreo tueste
Las entrañas del hijo de Thieste»[82].

La interpretación que se hace en el fragmento precedentemente copiado de la superioridad, a efectos de conmoción poética, de lo visto sobre lo escuchado, constituía, como es sabido, un tópico de frecuente discrepancia entre los comentadores renacentistas de Horacio. Pinciano ratifica su solución en otros lugares[83], utilizando pluralmente este argumento en un buen número de decisiones estéticas.

Otro tema horaciano vinculado a la cuestión general de la verosimilitud era el relativo a la obligación de un final coherente y razonable según el proceso de la fábula misma, lo cual comportaba la espúrea y generalizada salida del «deus ex machina»; Pinciano se ocupó en varias ocasiones también de esta cuestión, recordando en alguna de ellas la conjunta progenie aristotélica y horaciana del consejo[84].

Obligada era la mención de Horacio, asimismo, en otra serie de cuestiones

---

que no sólo atienden a la doctrina, sino, como Aristóteles quiere, al deleyte, es necessaria la verisimilitud, porque las acciones que carecen désta fueron odiosas a Horacio, y aun a todo el mundo lo deven ser». *Ibid.*, III, p. 250.

82. *Ibid.*, II, pp. 70-71.

83. *Ibid.*, II, p. 304. Véase una muestra: «Nació de la épica la tragedia y tomó la narración de las personas solamente, dexando la del poeta; lo qual hizieron los trágicos por movernos los ánimos, que, como dize Horacio, más perezosamente incitan a las orejas las cosas oydas que no las vistas». Otra utilización semejante de esta razón, con propósito diferente, en III, p. 301.

84. *Ibid.*, pp. 87-88.

de índole, si se quiere, secundaria en el sistema estético de la Poética; pero tan personalmente caracterizadas por él que, pese a no ser ni mucho menos el único acuñador de las mismas, su mención se fue haciendo absolutamente obligada, según vamos viendo, aun en los textos menos proclives a admitir referencias horacianas. Mencionemos entre tales cuestiones para concluir esta reseña de la tópica menor, las relativas a tres temas sustanciales: caracteres de los personajes, imitación de modelos, y consejos «de emendatione».

Comenzando por el primer tópico, sorprende no encontrar convocado a Horacio en una temática donde su mención resultaba ya punto menos que forzosa: la caracterización de los personajes según su edad; incluso, requerido uno de los personajes para que la repita, se expresa por su boca sin duda los escrúpulos del Pinciano a reiterar doctrinas tan tópicas: «No es mi intento cansar con lo que está dicho, mas para os complacer digo...»[85]. Menos habitual resultaba que, de manera semejante a como hemos visto en el caso de muchas ilustraciones italianas a la obscura descripción aristotélica de los cuatro rasgos de los caracteres, Horacio sea convocado por el Pinciano para que llene el conjunto de vacíos y ambigüedades del texto aristotélico en los rasgos tercero y cuarto, de semejanza y de constancia:

> «Y el porqué es la condición tercera: que sea semejante a la persona que representa, por la qual semejança dixo Horacio, en su Arte: *Sea Medea feroz; llorosa, Ino; pérfido, Ixión, y Orestes, triste*. La quarta: que sea constante, como el Horacio mismo enseña diziendo: *que, si alguno quisiere introduzir alguna persona de nuevo y nueva, mire cómo la comiença en sus costumbres, y en ellas prosiga siempre hasta el fin constante y firme*. Y esto, porque acontece naturalmente que el hombre contino sigue la naturaleza de su costumbre»[86].

Algo difusas y atípicas son las alusiones a Horacio en el tema, tan tópicamente vinculado ya a los versos de su *Ars*, de la imitación lícita de modelos en las materias tradicionales y tratadas por muchos *(communia)*. El Pinciano acusa en este punto la influencia de dicha tradición tópica, aunque no de modo pleno, al recordar a Horacio; y no sólo en las doctrinas proclamadas por éste, sino incluso en el ejemplo de su propia creación artística[87]. Asimismo, se asocia con esta doctrina la cuestión de la variación significativa que precisan los extranjerismos, antes de ser incorporados al propio idioma[88].

85. *Ibíd.*, II, pp. 76-77.
86. *Ibíd.*, II, pp. 361-362.
87. *Ibíd.*, I, pp. 197-198.
88. *Ibíd.*, II, 138. «La mudança que dezís de alma en los vocablos y la que dezís de

En tercero y último lugar, en este remate de nuestro examen a la tópica menor horaciana tal como se ve representada en la *Philosophia Antigua*, señalaremos que las alusiones descubiertas a distintos lugares de los típicos consejos horacianos «de emendatione» no son muy numerosas; lo que se explica, dada la índole misma del contenido de la *Philosophia*, más teórica o estética que orientada a ilustrar procesos para la praxis artística. No obstante lo cual, en algún lugar concreto, se descubre la huella de Horacio asociada a algún consejo de esta clase, como en el de los defectos tolerados al artista, englobable en el tópico común de la resistencia a la mediocridad en los poetas[89]. Por otra parte, cuando en la *Philosophia* se descubre una tirada de diálogo movida por la ponderación del tipo de sacrificios y privaciones voluntariamente aceptadas por el poeta en la dignidad de su arte, y adscrita a los problemas exclusivamente técnicos de «emendatione», adquirimos rápidamente la evidencia de que allí se vuelca y sintetiza todo el contenido de la doctrina horaciana del *Ars*:

> «Y, si queréys saber qué tal ha de ser el trabajo, leed a Horacio, el qual dize que se ha de exercitar con abstinencia de vino y Venus, y con sudor y frío y madrugar y trasnochar; y que la obra salida desta abstinencia, sudor y vela ha de ser muy buena, porque la que no es buena, es mala; y que deve estar, después del título de buena, guardada en casa nueve años, como criatura en el vientre, cerrada al pueblo, mas no al autor, el qual la deve visitar por momentos. Esto es lo que Horacio dize»[90].

Por cierto que debió de llamar poderosamente la atención del Pinciano, grabándosele bien en su memoria, el consejo horaciano de la abstención del vino, porque lo repite de modo casi idéntico, fuera del texto anterior, al menos en otras dos ocasiones. En ambas se destaca que, mientras el vino es un recurso del furor báquico ensalzado por Homero con buen conocimiento de causa, no apartado Ennio jamás —según la fama— de sus efectos, que «Horacio dize mucho bien dél para la poética, y que las Musas luego de mañana huelen a vino»; sin embargo en sus consejos del *Ars* propone la abstención. Para justificar esta contradicción, que sin duda preocupaba festivamente al Pinciano, acude a la explicación siguiente, en los dos casos en que se plantea el dilema:

---

el cuerpo es buena, a mi parecer, y la abraço mientra que no hallo otra lección que más clara y más brevemente me lo diga, advirtiendo lo de Horacio: que el uso sea con vergüença y no demasiado». *Ibíd.*, II., pp. 213-214.

89. *Ibíd.*, III, p. 296.

90. *Ibíd.*, I , p. 153-155.

«Una cosa es adotrinar un mochacho y amaestrarle desde niño —fin específico supuesto por Pinciano para la *Epistola ad Pisones*— que a su edad es muy dañoso el vino, como antes se dixo; otra cosa es quando ya está adotrinado y hecho hombre, a cuya edad no será dañoso»[91].

Aparte de las consideraciones más o menos jocosamente maliciosas que pudiera suscitar con sus insistencias el «médico cesáreo», resulta evidente, por lo menos, que su profesión de médico fomentaba poderosamente el interés en esta hasta festiva cuestión. No olvidemos la vigencia de la especulación sobre los humores y sus catalizadores en las explicaciones médicas del talento y la selección de sus tipos, el Pinciano deja traslucir aquí un síntoma de las elucubraciones que habían de cristalizar de modo definitivo en la obra de su colega Huarte de San Juan.

Pero la verdadera medida del poderoso relieve alcanzado por la penetración horaciana en esta obra capital de teoría literaria en el Siglo de Oro no la ofrece el análisis, hasta cierto punto disgregado o inorgánico, de la que venimos denominando la «tópica menor»; sino que por el contrario, la brindaría la consideración del conjunto de la tópica mayor, que en la *Philosophia* constituye, en cuanto comunidad integrada, un cerrado sistema unitario de doctrina estética.

Sin adelantar aquí el examen pormenorizado en la *Philosophia* de los tres grandes tópicos, para el cual remitimos a los capítulos sucesivos, nos interesa destacar por ahora, sin embargo, la incidencia de las enseñanzas horacianas, o de la estimación peculiar del Pinciano sobre las mismas, en el desarrollo de este conjunto tópico. El punto de partida de López Pinciano es el empleo de ciertos textos de Horacio de modo reiterado y sistemático. Su concepción didáctico-utilitarista del arte, asociada a una imagen racionalista del creador artístico y correlativa de una patente estimación filosófico-contenidista, que iba unida a un cierto grado de despectivo rebajamiento del elemento formal a nivel de ornato retórico, muy bien pudo dictárselos en último término su tan admirado como celosamente reservado Scalígero. Para la consolidación doctrinal del referido ideario, el Pinciano cree descubrir en ciertos perfiles de la doctrina poética horaciana, evidentemente forzados por él, el apoyo insustituible.

Reiterada es en la *Philosophia* la cita de las *Socraticae chartae,* invocadas por Horacio como fundamento de un contenidismo filosófico de base moral no ajeno a un cierto grado de integrismo social evidente[92]. Otro tanto

91. *Ibid.,* III, pp. 196-197. Repite la misma explicación que diera en I, pp. 228-229.

92. Las referencias anteriores, cuyo contenido examinaremos en su lugar preciso, pueden ser consultadas en *Ibid.,* I, p. 215; II, p. 115 y 204-205.

se diga respecto al recuerdo machacón del originario empleo político-legislativo de la poesía como primer elemento de cohesión cívica entre los primitivos hombres, libérrimos, insolidarios y montaraces[93]. En una palabra, la defensa de la prioridad de *res* que establece Pinciano, racionalista y ponderada pero firme, adquiere sus mejores fundamentos de autoridad en su lectura de la *Epistola ad Pisones*.

Hecho análogo se registra en torno al tratamiento del poeta y su naturaleza como causa eficiente de la poesía. Aquí Horacio es incluso convocado —con evidente violencia— para sustentar fórmulas de prioridad del ingenio, que evidentemente él no expresó, sino que en su procedencia fundamentalmente retórica tienen su origen en Cicerón:

> «... en doctrina de Horacio... el orador quiere arte y estudio, y el poeta, natural ingenio».

Dicha comparación, no existente en Horacio, viene a ser forzada en lo que a la exigencia concreta del poeta se refiere, en términos igualmente poco horacianos:

> «Assí es verdad, que es lo principal, —la «vena»— aunque Horacio dize que él no sabe quál es más importante a la Poética, la arte y estudio o la vena natural; y verdaderamente que me haze mucha difficultad esta su sentencia que dize assí: *el poeta nace y el orador se haze*. La qual parece contraria a la primera, porque, si el poeta nace con él y le es natural, ¿para qué el estudio y la arte?»

La respuesta de Fadrique, voz de la verdad establecida como tal por el autor en este diálogo, no sólo no deshace la falsa atribución, sino que, según es habitual en el Pinciano, trata de conjugar sus extremos sin arredrarse por la contradicción, introduciendo una correlación categorial en el punto de vista. Todo ello para concluir, eso sí, reclamando la reducción equilibrada e integrista que se persigue, el reconocimiento de la validez ecléctica en Horacio:

> «... se deve advertir que la Poética se considera diferentemente según sus causas diferentes. El que considera la efficiente, dize muy bien que es el ingenio y natural inventivo; y el que considera la materia acerca de que trata, dirá que, para ser buen poeta, debe tener mucho estudio; y el que considera a la Poética según ambas causas, efficiente y material, dirá lo que Horacio, que la una

93. *Ibid.*, I, p. 217 y 220.

y la otra, arte y naturaleça, son tan importantes, que no se sabe quál más lo sea»[94].

También en punto a la finalidad del arte en la doctrina de la *Philosophia* juega Horacio el papel determinante, en función del supuesto equilibrio ecléctico que le atribuye Pinciano entre didactismo moralista y hedonismo formal. Sin entrar en el detalle del planteamiento y desarrollo del tópico por extenso, recojamos el balance que hace don Gabriel, censor imaginario del diálogo, cuya misión es, al final de cada Epístola, resumir las posiciones adoptadas, extraer la síntesis y decir la última palabra que representa la ortodoxia del mismo Pinciano. En este punto, como puede verse en el sumario de Gabriel, Horacio y sus opiniones han jugado el papel central en el debate:

> «Days en el párrafo 2.3. las causas finales de la poética, y mezcláys, con Horacio, a la dotrina el deleyte. No me parece mal; pero quisiera ver más adelgazada esta cosa, y saber claramente quál sea el fin de los dos más principal. Yo soy de opinión que ninguno sabe mejor juzgar del fin que tiene la obra que el mismo autor della. Y que, por lo que dezís de Aristóphanes y Eurípides, se puede y debe colegir ser la util y honesto más cierto fin de la poética que no lo deleytoso»[95].

No estimamos pertinente por el momento establecer el grado de fidelidad a la letra, o al espíritu, del *Ars* horaciano en las razones que de él extrae López Pinciano. Pero, con independencia de ello, creemos que queda suficientemente bien establecido, en qué alto grado pesaban las opiniones de Horacio para el autor de la *Philosophia* dentro de las decisiones más medulares, ramificadas e importantes del sistema estético-literario.

Tras nuestro examen precedente de la *Philosophia* del Pinciano, para cerrar el recorrido histórico de la penetración horaciana en los tratados de Poética, Retórica y predicación del siglo XVI, nos resta mencionar en breve reseña otros tipos de documentos literarios de importancia secundaria. Antes de hacerlo, hemos de advertir que, el que no hayamos abundado con pormenor y rigor equivalentes en otros textos que no hayan sido las obras de Poética y Retórica propiamente dichas, ha sido debido a una deliberada exclusión económica de parte nuestra. Evidentemente, el seguir la fortuna de la penetración doctrinal horaciana en los posibles millares de referencias dispersas a todo lo largo del siglo en obras de creación literaria, así como todo tipo de tratados, aprobaciones, dedicatorias, etc..., hubiera enriquecido en algún modo la casuística de las menciones precedentes.

94. *Ibid.*, I, pp. 220-222.
95. *Ibid.*, I, p. 232.

Pero por nuestros sondeos y por las muestras cotejadas en tales documentos, creemos que su rendimiento efectivo, para la clarificación y acotamiento de las líneas del horacianismo en la cultura literaria española del siglo XVI, hubiera sido muy escaso. Desde luego la persecución de datos de esta índole, para satisfacer tan parceladísimas exigencias, escapa a nuestras intenciones y al sentido de nuestros deberes personales con el progreso actual de la ciencia que cultivamos.

Una muestra de lo que hubiera podido suponer tal búsqueda, nos la ofrece el cotejo de la antología de prólogos renacentistas facilitada por la ordenación de Porqueras Mayo, en cuyo índice analítico el nombre de Horacio no aparece recogido sino cuatro veces, una de ellas en alusión incidental del propio Porqueras, y las tres restantes en citas circunstanciales y anodinas de Torres Naharro, López de Enciso —quizás la más empeñada a propósito de la finalidad del arte— y de Jerónimo de Lomas Cantoral, con una mención ocasional de la condena horaciana a los poetas mediocres[96]. En cualquier caso, la exigua presencia de Horacio en los prólogos del Renacimiento coleccionados por Porqueras contrasta visiblemente con el adensamiento de sus menciones en los documentos del mismo género durante el siglo XVII. Constatación ésta que nos brinda la utilísima y benemérita actividad de Porqueras Mayo, merced al cotejo que haremos, más adelante, de las mucho más numerosas citas descubribles en los prólogos del Manierismo y Barroco, recogidos en la antología del género correspondiente a estos períodos.

Pero no sería lícito cerrar la historia del horacianismo en el siglo XVI, sin la mención de las traducciones completas de la *Epistola ad Pisones* que se conservan impresas. Y que por tanto pudieron ejercer cierta influencia. Nuestro juicio sobre sus méritos, por muchas razones de idoneidad para formularlo que pudieran concurrir en nuestra persona, no nos atreveríamos a que discrepara del de Menéndez y Pelayo, por su insuperable capacidad de gustador y juez de nuestras traducciones latinas[97]; pero es que, además, nuestra convicción íntima avala plenamente su aserto. Mala sin remedio, aunque no demasiado infiel, nos parece la traducción de Luis de Zapata de 1592, y algo mejor, sin que por ello deje de ser de poco empeño filológico, «floja lánguida y sin nervio» en su formulación castellana en versos sueltos, la de Vicente Espinel, publicada un año antes que la de Zapata, en la edición de sus *Diversas rimas*[98].

96. Cfr. ALBERTO PORQUERAS MAYO, el *Prólogo en el Renacimiento español.* Madrid, C.S.I.C. Anejo 24 de Rev. de Literatura, 1965, pp. 169, 198 y 216.

97. Cfr. M. MENÉNDEZ Y PELAYO: *Bibliografía hispano-latina clásica,* Madrid, C.S.I.C. 1951, vol. VI, pp. 76 y ss. También en *Historia de las Ideas Estéticas*, cit., Vol. II., pp. 210-211.

98. Cfr. VICENTE ESPINEL: *Arte Poetica de Oracio, traducida en verso Castellano*, en *Diversas*

El cotejo de algunos pasajes significativos nos muestra ambos intentos igualmente deficientes. Si a veces gana Zapata en fidelidad literal al texto, pierde siempre en la tosquedad de su traducción versificada. Tomemos un ejemplo donde es observable este balance; la traducción del «sumite materiam vestris, qui scribitis»: y los versos siguientes. En primer lugar, el texto de Espinel:

«Al que escogiere lo que puede y sufre
Nunca le faltarà elegancia, y orden.
Esta del ordenar es la excelencia,
Y la gracia se engaña, o yo me engaño:
Que de las cosas que dezirse deven
Las mas propias escriva, y las restantes
A mejor tiempo, y ocasion las dexe:
Aquello escoja, essotro menosprecie
Quien promete escrivir obras en verso».

Y el correspondiente de Zapata:

«el que escogiere cosa a su medida
nunca se verá falto de eloquencia.
ni de orden que es la lumbre reluziente
De la orden la virtud y gracia es esta
que diga agora aquesto que conviene
dilate muchas cosas muchas dexe
y guarde otras despues para su tiempo
y esto ame y esto dexe con prudencia
del prometido verso el Autor diestro» [99].

En ocasiones colaboran con la falta de calidad de los endecasílabos de Zapata las deficiencias de la edición, a las que ya aludiera Menéndez y Pelayo. A veces se trata de erratas notables que nos privan de apreciar su interpretación de importantes pasajes, propicios para haber introducido

---

rimas, Madrid, L. Sánchez, 1591, pp. 150 r.-166 v. Existe edición de las *Diversas rimas*, por D. C. Clarke, Nueva York, 1956. Y LUIS DE ZAPATA, *El Arte Poetica de Horacio, traducida de latin en Español*, Lisboa, A. de Syqueira, 1592; ejemplar rarísimo, según Menéndez y Pelayo, este último, que dice haber conocido en la Biblioteca Nacional de París, pero que hoy existe también en la de Madrid, de donde procede la fotocopia de que nos servimos. Existe edición facsimilar en la Real Academia Española, Madrid, 1954.

99. Cfr. ESPINEL, op. cit., p. 151 v., y ZAPATA, op. cit., p. 7 v.

sustanciosas precisiones[100], otras son dudosos errores y repeticiones, que curiosamente salvan, si no el ritmo —que ése va perdido de principio a fin de la obra—, al menos sí la cuenta silábica del endecasílabo[101].

En punto a clarificación de lugares secularmente obscuros, milagro sería —y el milagro en efecto no se hace— que vinieran a aclarar su comprensión tan pedestres traducciones; y así, por ejemplo, las vemos reptar —literal y críptica la de Zapata, difusa y ambigua la de Espinel— sobre las dificultades interpretativas de tan controvertido fragmento que se inicia en «publica materies...» Zapata:

> «Dificultosa es cierto, y ardua cosa
> hazer particular lo a todos publico.
> y lo comun tratarlo propriamente.
> porque podras mejor poner en actos
> para representar historias viejas,
> que las de que inventor (sic) fuiste primero.
> La publica materia, haras tuya
> si en un circulo vil, y abierto a todos
> detener y tardar no te quisieres
> y si de immitador no te conviertes
> con poca abilidad en fiel interprete:

El mismo contenido lo expresa así, a su vez, Espinel:

> «Difficil es dezir comunes cosas
> De suerte que parezcan propias vuestras.

100. Tal sería, por ejemplo, el caso de la traducción del importante «non satis est pulchra esse poemata; dulcia sunto», del que la edición de Zapata dice textualmente:

> «No basta que sean buenos los poemas
> sino que han de ser dulces y que *mueran* (sic)
> donde quieran el animo ala gente» op. cit., p. 9 r.

Texto interpretado, a su vez, con más precisión, pero también con más libertad por Espinel:

> «No basta que los versos sean hermosos,
> Que han de ser dulces en el mesmo grado,
> Que como la muger hermosa y blanda
> Lleven el coraçon de quien los oye
> Hazia qualquiera parte que se muevan»: op. cit., p. 153 v.

101. Es el caso de los siguientes versos:

> «porque nos forma a dentro la natura
> a toda la inclinacion, a gozo, y a ira,
> y a tristeza, y despues produze a fuera
> lo que en el animo ay la lengua *lengua*» (sic)

ZAPATA, op. cit., p. 9 v.

Y mejor sacareys en la comedia
De Homero el verso, que inventadas cosas
De nadie conocidas, ni tratadas.
La publica materia haras tuya,
Si del vulgacho la opinion no sigues,
Y siendo en declarar fiel interprete»[102].

Entre los pasos de análogo tenor ambiguo es preciso señalar la traducción de Zapata de «Ciclico» como nombre propio, así como la no más acertada de «poeta corrillero» de Espinel, al «scriptor cyclicus» de hexámetro 136: la común elección de «autor» en la *lectio varia* del 193, con omisión igualmente común al, en consecuencia, difícilmente explicable «officiumque virile»[103]. Resultando común y curiosamente verosímil la interpretación —en el sentido que modernamente, como sabemos, le diera Rostagni entre otros— de «columnas» en el hexámetro 373, que ofrecen ambos; por cierto que ensombrecida también en los dos por imprecisiones de bulto y errores de traducción en muy significativos términos. Comenzando por Espinel, que en el mismo fragmento traduce por «razonable» el «mediocre» horaciano, privando así al texto de todo sentido, e incluso haciendo incurrir a Horacio en flagrantes contradicciones doctrinales en doctrinas de no pequeña importancia:

«Pero ser razonables los Poetas,
No lo apruevan los Dioses, ni los hombres,
Ni aun las colunas si les pegan versos»[104].

Y el relativo acierto de Zapata, afeado en su caso por un galimatías de invenciones doctrinales forzadas, y aun de graves errores gramaticales en su interpretación:

«mas ser medianos poetas malos hombres
ni los dioses al hombre lo conceden
ni las colunas donde los poetas
suelen sacar en publico sus versos»[105].

Tampoco resultan especialmente iluminadas con el fruto de ambas traducciones las doctrinas «mayores» del pensamiento estético horaciano. El sistema

102. Cfr. Respectivamente, ZAPATA, p. 10 r., y ESPINEL, p. 154 v.

103. Cfr. ESPINEL., op. cit., p. 156 v.: «Defienda el coro del autor las vezes,/y el oficio que hace cada uno». Y, ZAPATA, op. cit., p. 12 r. «Defienda siempre el choro en las tragedias / las partes del autor, y el justo officio».

104. *Ibid.*, 162 v.

105. Cfr. ESPINEL, op. cit., p. 162 v.; Zapata, op. cit., p. 17 v.

de las tres grandes dualidades venía expresado en la *Epistola ad Pisones* en pasajes de diafanidad inconfundible, de ahí que los errores capitales sean imposibles para cualquier traducción. Pero si Espinel y Zapata no yerran, verdad es que tampoco ilustran con ninguna peculiar luz de época la imagen crítica de tan debatidas cuestiones. Respecto a la discusión sobre la dualidad «ingenio-arte» surgen pocas peculiaridades, si no es en precisiones muy concretas y accesorias; como en la traducción de Zapata donde se adjetiva de «bueno» el ingenio, substrayendo de paso la cualificación horaciana de «misera» al arte —perspectivística y necesitada de contextuación— [106]; o, en la traducción de Espinel, la particularización en la versión «concepto» de la fórmula más amplia «provisam rem» que había utilizado Horacio [107]. Por lo demás el eclecticismo explícito horaciano es recogido en ambos casos, sin que se pueda percibir la más ligera nota personal de valor [108].

106. Cfr. L. DE ZAPATA, op. cit., p. 15 v.:

«Porque pensó Democrito, que era
muy mejor, que no el arte el buen ingenio
y escluye de Helicon los poetas cuerdos
ay muchos, que andan solos, y apartados
y huyen del regalo de las gentes».

107. Cfr. V. ESPINEL: op. cit., p. 160 v.:

«De escrivir bien la fuente, y el principio
Es el saber, y con saber se adquiere,
Como tenemos el exemplo en Socrates,
Y al concepto bien visto, y bien pensado
Nunca le faltaràn palabras propias».

108. Véanse las dos versiones que se ofrecen, del texto que comienza en el hexámetro 408: «natura fieret laudabile carmen an arte». La de ESPINEL, op. cit., p. 164:

«Siempre se ha preguntado, y se pregunta,
Si el numeroso verso se compone,
Con la naturaleza o con el arte?
Y no se que aprovecha el mucho estudio
Sin la riqueza de la fertil vena.
Ni el buen ingenio sin estar labrado:
Tanto se favoreçe el uno al otro,
Y en amistad conforme se conjuran».

Por su parte ZAPATA ofrece la siguiente versión:

«Qual mas loable sea el verso hecho
por natura y por arte a avido pleito,
y sobre ello aun no ha avido sentencia
mas lo uno sin lo otro yo no apruevo
ni pienso que estudio ay bueno sin vena
ni que valdra sin arte y gran ingenio
mas lo uno al o otro ayuda de manera (sic)
que entrambas cosas juntas y conformes
gran amistad y alianca se prometen» (sic).

Op. cit., p. 19 r.

En lo que se refiere a los textos del *Ars* horaciano donde se expresa la concepción igualmente ecléctica de su autor entre los dos extremos de la dualidad *docere-delectare,* el fondo de automatizada repetición de las traducciones se ofrece absolutamente análogo, sin que se dejen advertir peculiaridades contemporáneas notables, como no sea en alguna resonancia anacrónica —la mención de las Indias— en la traducción de Espinel:

«O quiere aprovechar, o dar deleyte
El Poeta que escrive, o juntamente
Quiere agradar y aprovechar la vida:
. . . .
El que mezcló lo dulce, y provechoso,
La ventaja llevó teniendo atentos
Con deleyte, y consejo a los letores.
Este libro enrriquece a los libreros,
Este passa la mar, y va a las Indias,
Este al autor le aumenta fama y vida»[109].

109. Cfr. V. ESPINEL, op. cit., pp. 161-162.

CAPITULO III

LA HUELLA DEL «ARTE» DE HORACIO (*continuación*). HORACIO Y LOS ALBORES DEL BARROCO EN TEORÍA LITERARIA (1600-1617)

Horacianismo en los tratados de Poética de comienzos del siglo: Carvallo, Cueva y Lope de Vega

Recién inaugurado el siglo XVII se sucede la publicación de una serie de obras en las que se acrisolan y consolidan determinadas tendencias estéticas insinuadas ya en los años finales del siglo anterior. Entre tales tendencias no es la de menor entidad histórico-estética —siendo sin duda la de mayor relieve para el contenido concreto de nuestra investigación—, la que señala un cierto grado de agotamiento de la autoridad máxima de Aristóteles en punto a teoría literaria. Pero conviene precisar esta afirmación. Cierto es que el prestigio de Aristóteles se vió en cierta medida minado por las diatribas parisinas de Petrus Ramus en un plano doctrinal más amplio, y por la incomodidad de un aristotelismo atrincherado en fórmulas y extrapolaciones no siempre lícitas, que ahogaba en muchos casos el libre florecer de la conciencia artística renacentista. Pero, al menos en el caso de la doctrina artística española, dicha baja de cotización no se dejó apreciar quizás nítidamente hasta la segunda mitad del siglo XVII; y aun así, en documentos muy concretos, en explícitas depreciaciones de las ideas aristotélicas preferidas como fuentes de autoridad.

Lo que indiscutiblemente sí se produjo —de lo cual tomamos conciencia ya desde los documentos de Poética, Retórica y crítica literaria de los tres primeros lustros del siglo— fue un progresivo abandono de Aristóteles como fuente de autoridad exclusiva y ni siquiera preferente. Las razones de ello preciso es incluirlas, evidentemente, en el mismo fenómeno general de agotamiento a que los textos de Aristóteles habían llegado, debido en gran parte a la reiterada y monográfica utilización de los mismos por parte de los teorizadores durante el siglo anterior. Pero no se trata tan sólo, pensamos, de una moda teórico-artística; ya que el mundo de la teoría estética se hallaba, si no tan absolutamente decaído como se ha pretendido a veces, sí desde luego bastante replegado en sí mismo y con escasas posibilidades de real influencia en la marcha y desarrollo del gusto y la práctica artística contemporáneas. Indudablemente, los rumbos ya definitivamente manifiestos de la literatura en la transición de los dos siglos, y aun los anuncios previos del que había de cristalizar como gusto barroco, se avenían mal, no ya con el mismo Aristóteles, sino aún con el resultado aristotélico de la teoría renacentista. Este aparecía centrado, según sabemos, en fórmulas técnicas demasiado estrechas e indiscutibles a las que se unía una imagen de absoluto poder del «arte», del didactismo-moralizador antihedonista y de la prioridad del contenido sobre la forma, con las que difícilmente podían avenirse los ideales de los artistas y de la sociedad dominados por el nuevo gusto.

En tal sentido, la Poética española que se inaugura en el siglo XVII con *El Cisne de Apolo* de Luis Alfonso de Carvallo, supuso un auténtico y rotundo manifiesto del cambio de signo, al que evidentemente contribuirán muchos datos de orden meramente circunstancial; ya que, publicada solo cuatro años después de la *Philosophia* del Pinciano, no parece lícito que se puedan oponer ambas obras como síntomas totalmente dispares de las épocas respectivas. Lo que bien pudiera sustentarse es que, haciendo en ello abstracción del valor absoluto de ambas obras, la del Pinciano representaba, en 1598, la formulación tardía y conservadora del renacentismo aristotelizante, mientras la de Carvallo —de valor doctrinal, estructura y rigor expositivo muy inferiores a los de la otra— constituyó un temprano descubrimiento o reactivación de ideas teóricas promovidas en el propósito de concordancia doctrinal con el espíritu y las aspiraciones de la realidad artística contemporánea. Menéndez y Pelayo, a pesar de sus juicios contradictorios sobre Carvallo, destacó ya el valor singular del elemento doctrinal platonizante en el olvidado preceptista [1], pero ha sido sin duda Vilanova quien ha sabido percatarse y destacar en nuestros días, en todo su valor de síntoma y antecedente, el cambio de rumbo respecto al aristotelismo de la obra del clérigo asturiano, así como valorar en sus justas dimensiones las consecuencias de ello:

> «es el primero de nuestros preceptistas que, no sólo se aparta de la autoridad dogmática de Aristóteles, sino que formula en su integridad una poética platónica, dando paso además a las doctrinas renovadoras de Huarte de San Juan... Una curiosa mezcla de idealismo platónico y de libertad romántica que se rebela contra el dogmatismo de las reglas y de las tres unidades aristotélicas,

1. Cfr. M. MENÉNDEZ Y PELAYO, *Historia de las Ideas Estéticas*, cit, vol. II, p. 219.

convierte a Luis Alfonso de Carvallo en un inmediato precursor de Lope de Vega en el *Arte nuevo de hacer comedias*»[2].

Lo que no se ha destacado, sin embargo, en esta obra es que, junto al indiscutible fermento platónico subyacente a la misma, fundamentalmente en su doctrina más extensa y llamativamente abordada de la «vena» poética, coexistieron otras poderosas bases doctrinales contemporáneas y clásicas, que con Platón constituían el estímulo indiscutible de la renovación doctrinal de Carvallo. Horacio figura, después de Cicerón, a la cabeza de los autores mencionados en el libro, seguidos muy de cerca de Virgilio, a quien se utiliza no sólo, según era habitual en la época, como base de ejemplificación, sino del que además se infieren directrices teórico-poéticas. Quintiliano y Aristóteles aparecen recordados con casi la misma frecuencia que Platón, e incluso algo más en términos estrictos; pero ya a notable distancia de los anteriores. Entre los italianos modernos, los preceptistas Girolamo Vida y Badio Ascensio, el poeta Angelo Polizziano, y entre los españoles Covarrubias, encabezan la lista muy nutrida y renovadora de los autores citados por Carvallo[3].

Un estudio adecuado de la totalidad de fuentes de la obra nos permitiría, sin duda, establecer de modo definitivo la responsabilidad relativa de las mismas en el decisivo cambio de rumbo de nuestra teoría poética, observable ya en el libro de Carvallo. Seguramente dicha encuesta sería muy reveladora en especial en lo que se refiere a Badio Ascensio, a quien, según era hábito frecuente en la época, no se le cita frecuentemente. Nosotros, por el momento, sin disentir de las opiniones de Menéndez y Pelayo y de Vilanova, trataremos de perfilar el papel modélico de Horacio en las doctrinas del *Cisne*. Adelantemos que lo juzgamos, por lo menos, absolutamente definitivo. Un estudio completo y con valoraciones relativas deberá incluir obligatoriamente la constatación precisa de las doctrinas respectivas utilizadas sin mención de autor, que, en el caso de las «auténticas fuentes básicas», podrían arrojar resultados muy diferentes de los que hacen suponer las menciones explícitas cuantitativas; especialmente si Carvallo seguía los poco honestos hábitos intelectuales de una buena mayoría de sus contemporáneos, autores de Poéticas y Retóricas. Obviamente un trabajo tan monográfico excede la naturaleza de nuestra investigación actual; pero queda aquí anunciado y

2. Cfr. A. VILANOVA. *Preceptistas*. cit. p. 616.

3. Cfr. LUIS ALFONSO DE CARVALLO (transcribo el apellido con la grafía de la portada de la edición original, siguiendo el modelo de M. Pelayo y de Vilanova; Porqueras Mayo, editor moderno de la obra, transcribe en la portada Carballo) *Cisne de Apolo*, Medina del Campo, I. Godinez de Millis, 1602. Sigo la edición moderna de Porqueras Mayo. Madrid, C.S.I.C. 1958, 2 vols.

bosquejado como imprescindible paso previo a la valoración de las respectivas responsabilidades directas —o indirectas a través de Badio Ascensio u otra fuente moderna— de Platón y Horacio en la constitución de la base doctrinal del *Cisne de Apolo*.

Pero, centrando por esta vez nuestra atención en el contraste limitado a las autoridades de Horacio y Aristóteles, el *Cisne* nos ofrece la imagen de un Aristóteles máximamente respetado por «tan sabio y prudente»[4], que incluso llega a suplantar en alguna ocasión el recuerdo de Horacio, aun cuando el caso más frecuente sea el inverso[5]. Pero las doctrinas específicamente aristotélicas están desatendidas de un modo total en la obra, cuando no se ven invadidas y transfiguradas por la injusta mención de textos rebuscados de Horacio, y sin aludir siquiera al nombre de Aristóteles. Tal podría ser, por ejemplo, el caso de la difundida y tan genuinamente aristotélica cuestión de si el verso —o la imitación— determina o no la específica naturaleza de la obra poética en cuanto tal; resuelta por Carvallo en los términos siguientes:

> «a las quales —se refiere a obras de versificación— llaman los Griegos stycologias, por solo enseñar a hazer versos, lo qual no basta para ser uno Poeta, y ansi en su poetica, no hizo dellos caso Oracio, antes dize. *Non satis est puris versum verbis perscribere*. Y en sus sermones. *Neque enim concludere versum dixeris esse satis*. Que no basta para uno ser poeta el hazer versos. Hieronymo Vida Obispo de Alva haze caso dellos, antes sin hazer versos ay muchos Poetas. Entre los quales refiere Baptista Mantuano, al glorioso Doctor Augustino»[6].

El único caso de recuerdo explícito de Aristóteles en una doctrina realmente importante e indiscutiblemente propia, se registra a propósito de la verosimilitud. Pero, aun en esta ocasión, Horacio comparte con el gran filósofo griego la propiedad de la doctrina en la estimación de Carvallo:

> «Si el fingir —leemos en primer lugar— fuesse sin su limitacion y concierto, no puedo negar que seria mentir, mas quando es conforme a cierta orden, y limitacion, no es mentir, antes es loable officio del Poeta, y tan proprio

4. *Ibíd.*, Vol. I, pp. 58 y 117.

5. Tales casos son: la cita de Aristóteles, y no de Horacio, en una mención común, la prohibición del «deus ex machina», *Ibíd.*, Vol. II, p. 20; y el mismo caso en ocasión de la censura a inventos y adiciones con las fábulas muy conocidas y recibidas de la tradición. Volumen II, p. 44.

6. *Ibíd.*, Vol. I, p. 24. Caso menos llamativo, ciertamente emparentable con éste, es el de la suplantación por el *Ars* de las noticias —mucho más amplias— de la *Poética* aristotélica, cuando se traza en él la historia de la evolución griega de la tragedia. *Ibíd.*, Vol. II, pp. 31-32.

suyo, que Aristoteles dize no tiene cosa que mas le convenga». Y tras la distinción de las ficciones en verosímiles y fabulosas, prosigue: «Las verisimiles son las que cuentan algo, que sino fue, pudo ser, ò podra succeder... Porque esta suerte dc fictiones tiene su sal y gusto en el proceder y successo de las cosas, y siendo disparatado, mas suele enfadar que deleytar, y assi entiendo yo, que lo quiso enseñar Oracio en este verso.

Conforme a verdad sean las fictiones»[7].

Entrando ya en el examen de las numerosas menciones de Horacio, hay que advertir que muchas de ellas no responden a citas del contenido del *Ars*, sino a datos externos, como la privanza del poeta en la corte de Augusto[8]. En ocasiones se trata de citas de otros poemas horacianos[9], donde aparece resaltada su dimensión de poeta satírico y aun de historiador del género[10].

En cuanto a las también numerosas citas del *Ars*, obvio casi resulta advertir que la popular imagen del «monstruo» horaciano aparece recordada indefectiblemente en el *Cisne*[11] entre las cuestiones generales de decoro estructural de la obra, tales como la también consabida recomendación de que el exordio no sea decepcionante por sus pretensiones[12]; o las quizás menos habitualmente recordadas sobre la inconveniencia de trastornar el orden natural de fábula y acciones episódicas[13], y la de demorarse en exceso en representar las acciones episódicas, plasmada por Horacio en el símil de quien en la pintura de un naufragio se detiene especial y minuciosamente con la representación de un laurel:

7. *Ibid.*, Vol. I, pp. 79-81. Una mezcla en cierto modo semejante de ambas autoridades, bien que en esta ocasión en materia más frecuentemente recordada y positivamente incluible entre las doctrinas y afirmaciones de base estrictamente horaciana, se registra a propósito de la «insania» poética. Aquí, junto a menciones de Horacio y de otros autores, gusta Carvallo de recordar los elogios de Aristóteles al poeta Marco Siracusano «cuando estaba fuera de sí». Vol. II, pp. 192-193.

8. *Ibid.*, Vol. I, p. 56.

9. *Ibid.*, Vol. I, pp. 66, 123, 180; vol. II, p. 214.

10. *Ibid.*, Vol. II, pp. 62 y 63.

11. *Ibid.*, Vol. II, p. 74. «Y assi como en el pintor seria notado y reydo el pintar una Venus con barbas, o el monstruo que dize Oracio in poe. Seria vicio en el poeta descrivir un Hector temeroso y cobarde, sin que el uno ni el otro se pudiesse aprovechar de su licencia».

12. *Ibid.*, Vol. II, p. 50: «Por lo qual Oracio in poet. reprehende a Liclico (sic) que aviendo prometido grandes cosas despues fueron rediculosas, por lo qual se dixo *parturiunt montes nascetur rediculus mus*. Y quanto mas humilde fuere el exordio haze mas maravillosos los hechos que despues se cuentan».

13. *Ibid.*, Vol. II, p. 51.

...«y aun en lo que es licito que pinte y descrivan ha de aver moderacion, y no hazer como el pintor, que pintando un naufragio, pinto por adorno y por enchir vacios un laurel, siendo tan improprio pues en la mar no los ay. Todo lo qual reprehende Oratio al principio de su Poetica»[14].

Próximas a la materia anterior resultan las cuestiones generales relativas al *decorum*, que, en su afirmación central, vinculaba Carvallo al famoso hexámetro *descriptas servare vices operumque colores*[15], y que se despliegan bajo el constante recuerdo horaciano en muchas de sus posibilidades, como en la adecuación de versos y materias[16], o en la del decoro según las edades. Aquí siguió minuciosamente a Horacio para acabar proclamando su condición de invariable modelo en este ámbito:

«Este es pues el decoro de las edades que Oracio encomienda, al qual si se pervierte atribuyendo lo que es proprio y natural del viejo al moço, es vicio y falta, y se podria dezir que han trocado las maxcaras»[17].

Otra área doctrinal de la *Epistola ad Pisones* que, como sabemos ya, resultaba objeto favorito de préstamo para los tratadistas de Poética, era la de los consejos de «emendatione». En este punto no omitió Carvallo ni siquiera el recuerdo del margen de prudencia de nueve —o diez, según los casos— años antes de publicar la obra[18]. Tampoco falta el consejo *brevis esse laboro, obscurus fio,* que en el *Cisne* no aparece directamente aplicado en el sentido y contexto horacianos, sino como mero pretexto para exponer propias ideas sobre la extensión con que se han de tratar las normas poéticas[19]. A propósito de alguna de las citas anteriores, se hace necesario señalar que, por lo general, las referencias de Carvallo eran casi siempre imprecisas, sin citas textuales, y con frecuencia aprovechadas fuera de su estricto contexto horaciano.

14. *Ibíd.*, Vol. II, p. 74.
15. *Ibíd.*, Vol. II, p. 114.
16. *Ibíd.*, Vol. II, p. 126.
17. *Ibíd.*, Vol. II, p. 119.
18. CARVALLO transforma casi siempre el sentido recto de las alusiones horacianas; por ejemplo el tópico de la demora de nueve años, lo metamorfosea en diez enmiendas: «los quales (versos) conviene ser muy mirados y atentados, y no arrojadizos, que el buen verso dize Oracio, tiene necessidad de emendarse diez vezes». *Ibíd.*, vol. I, p. 194. En otra ocasión se alude, simplemente, a la necesidad de sudar durante muchos años: «y este exercicio de la poesia es menester començallo muy temprano, y de tierna edad y sudar, trassudar, y borrar mucho papel para llegar a la perfeccion de la arte, como Oracio en su Poetica dize». Vol. II, p. 227.
19. *Ibíd.*, Vol. II, p. 39.

Centrándonos, para acabar, en la breve mención de los préstamos relativos a la que venimos denominando «tópica mayor», cuyo tratamiento extenso hemos reservado para capítulos sucesivos, descubrimos en primer lugar el refuerzo de la autoridad de Horacio convocado por Carvallo a efectos de cimentar en distintos puntos el compromiso ecléctico entre didactismo moralista y formalismo hedonista. Ya sea en doctrinas más o menos periféricas, como a propósito del recuerdo de los orígenes de la poesía, aliada y sustituta de la primitiva regulación social de la vida del hombre[20]; ya, simplemente, para recomendar que cada uno elija la materia apropiada a sus fuerzas[21]. Finalmente Horacio resulta vinculado a declaraciones más medulares a través de los fragmentos de mayor difusión de su *Ars*, como el famoso *Omne tulit punctum*... o el *Non satis... esse pulchra*[22]. En la primera de ambas ocasiones, por cierto, declara explícitamente Carvallo su adhesión al resultado ecléctico, ejemplificando con Horacio:

> «Nobilissimo es el desta arte, y no se puede mas dessear, pues su artifice avra llegado a lo que se puede llegar, que es mezclar lo provechoso con lo dulce, como deste verso consta, que diximos. *Omne tulit punctum*»... etc.[23].

Por cierto que contrasta, tanto a título del propio sistema personal de Carvallo como al de su entendimiento y aplicación de la doctrina de Horacio, la actitud ecléctica descubierta por la solución precedente, con su original y moderno planteamiento extremoso en el caso de la dualidad tradicional *ingenium-ars*, centro de interés fundamentalísimo, como sabemos, del *Cisne de Apolo*.

Sin entrar ahora en el análisis detallado de esta última característica, que corresponde, según el plan de nuestra obra, a capítulos posteriores; lo que sí procede aquí es destacar que, junto a Platón y posiblemente

20. *Ibid.*, Vol. I, pp. 164-165: «Y la politica vida, ablandò aquellos pechos rusticos y endurecidos, con la suavidad de los versos, y el artificio de dezir, como todo esto dizen casi con las proprias palabras. Angelo Policiano en su Nutricia, y Ciceron en el primero libro de inventione. Y esto proprio sintio Oracio quando dize, que Orpheo sagrado interprete de los Dioses, apartò los Sylvestres hombres de comerse unos a otros, y que por esto se dize que amansavan los Tygres con su canto. Y Amphyon por esta razon se dixo, que con su musica traya los materiales necessarios, para hazer los muros de Thebas, y dize mas, que la poesia era la ciencia que enseñava a distinguir lo publico de lo particular, y lo sagrado de lo profano, y a edificar ciudades, y dar leyes para su govierno. Y aora sirve de conservar las republicas en este estado... de donde vino a exclamar Ciceron, *O praeclaram emendatricem vitae poeticam*».

21. *Ibid.*, Vol. I, p. 76.

22. *Ibid.*, Vol. I, pp. 167-168.

23. *Ibid.*, Vol. II, p. 7.

en términos de influencia muy análogos, Horacio fue invocado por Carvallo como consciente e inequívoco antecedente en su defensa de la «vena». Y para corroborar su iniciativa lo proclama así, unas veces a título general, sin referencia concreta a las doctrinas del *Ars*[24], y en otras ocasiones con alusiones explícitas a dichas doctrinas, cuyo positivo eclecticismo, decantable incluso a un examen superficial de las mismas, no tiene Carvallo inconveniente en torcer, contextuándolo a su capricho: «y Oracio confiessa que sin la rica vena el estudio aprovecha poco»[25]. En suma, Horacio acompaña a Platón y a Cicerón —otro pilar básico en las destacadas innovaciones teóricas del *Cisne de Apolo*, que no ha sido tenido suficientemente en cuenta hasta ahora como fuente de la obra— como uno de los soportes básicos de la renovación doctrinal poética de Carvallo en la medular doctrina de la índole inspirada del poeta, gracias a la cual se nos ofrece como auténtico avanzado en nuestras letras de la renovación estética del Manierismo.

Es bien sabido que el espíritu de liberación respecto a la autoridad de Aristóteles, no exento sin embargo de respeto, que Carvallo exhibe en el *Cisne de Apolo*, coincide en sus rasgos esenciales con la actitud de Lope de Vega en su documento programático, *El Arte nuevo de hacer comedias*. Sin embargo, las vías y modelos teóricos por los que se ejerce en ambos casos son absolutamente diversos. La justificación de la independencia por parte de Lope no procede de un canto a los derechos personales del poeta, de su «vena», cual era el caso de Carvallo; sino que se funda en un testimonio más del grado cierto de timorato conservadurismo que nunca abandonó al genio Lope en las supuestas obligaciones con un público que exige la deleitosa variedad, más allá de las exigencias convencionales de la unicidad y congruencia básicas en el código dramático aristotélico[26].

24. *Ibid.*, Vol. I, p. 68.

25. *Ibid.*, Vol. II, p. 185; nuevos esfuerzos en II, pp. 189 y 219; y otra referencia en II, página 193.

26. A este respecto gravitan las diversas interpretaciones, casi todas favorables a Lope de Vega, que se han dado a la ironía anti-aristotélica de este discutido tratadito. La bibliografía abundante al respecto ha sido recogida y sistematizada por JUANA DE JOSÉ PRADES en su edición y estudio del *Arte nuevo de hacer Comedias*. Madrid, C. S. I. C., 1971, pp. 331, y ss. Recordemos aquí, simplemente, algunos de los trabajos más conocidos que abundan en el tópico que nos ocupa, desde su edición y estudio por A. MOREL-FATIO: *L'Arte Nuevo de hazer comedias, de Lope de Vega* en «Bull. Hisp.», III, 1901, pp. 365-405. M. ROMERA NAVARRO, *La preceptiva dramática de Lope de Vega y otros ensayos sobre el Fénix*, Madrid, Yunque, 1935, especialmente pp. 38-44, sobre la «ironía» del *Arte Nuevo*; R. MENÉNDEZ PIDAL, *Lope de Vega, el Arte nuevo y la nueva biografía*, en R. F. E. XXII, 1935, pp. 337-398; JOSÉ MANUEL BLECUA, *Perdiendo respeto a Aristóteles*, en «Arriba», 8 de abril de 1962; R. DEL ARCO, *Lope de Vega*, en *Historia general de las Literaturas Hispánicas*, cit. Vol. III, especialmente pp. 231-233; ANDRÉ COYNE, *Lope de Vega y sus ideas dramáticas*, en «Mercurio Peruano», 38, 1957; pp. 475-409; VICENTE GAOS, *La poética invisible de Lope de Vega*, en

Si en el caso de Carvallo jugaron muy activo y destacado papel las sugerencias de Platón y de Horacio, en el de Lope, dada la carga, experiencia y compromiso de una praxis artística ya empeñada, las referencias erudito-teóricas encerraban prestigio y acicate positivamente menores. Por lo que hace en concreto al horacianismo, advertimos en el *Arte Nuevo* la misma indiferente y devota referencia que a Aristóteles, mucho más frecuentemente recordado sin embargo. Que Lope tenía bien leído el *Ars* de Horacio, al igual que algún comentario —posiblemente el de Robortello— así como la *Poética* de Aristóteles son hechos desde luego indiscutibles, pues que ambas obras constituían el abecedario poético de cualquier ingenio medianamente cultivado de la época. Pero el modo accesorio e indirecto, a través de las referencias existentes en el opúsculo de Robortello sobre la comedia [27], con que aparecen aludidos ambos monumentos poéticos y en especial la *Epistola ad Pisones,* resulta igualmente innegable.

Obviamente, las conexiones doctrinales que pueden señalarse, a propósito **de algunos tópicos teóricos, entre la obrita de Lope[28], y la Epístola horaciana** pueden, con justicia, considerarse simplemente fruto de la común atención a materias, en cierta medida, afines [29]. Pero en general no se perciben los ecos

Temas y problemas de Literatura española, Madrid Guadarrama, 1959, pp. 119-142; FERNÁNDEZ MONTESINOS, *La paradoja del «Arte Nuevo»*, en «Rev. de Occidente», 1962, II, pp. 302-30; AMÉRICO CASTRO, *La edad conflictiva*, Madrid, Taurus, 1963, especialmente pp. 69-72. Especialmente útil y sistemática es la obra de conjunto de LUIS C. PÉREZ y SÁNCHEZ ESCRIBANO, *Afirmaciones de Lope de Vega sobre preceptiva dramática*. Madrid. C. S. I. C. Anejos de la Rev. de Literatura, 17, 1961, especialmente, pp. 189-209. J. S. PONS, *L'Art nouveau de Lope de Vega*, en «Bull. Hispanique», XLVII, 1945, pp. 71-78. A. CORNEJO POLAR, *Lope de Vega: de la sumisión a la rebeldía. Notas sobre el «Arte nuevo de hacer comedias»* en «La lectura», 1962, 68-69, pp. 22-37; A. VALBUENA BRIONES, *Teoría y práctica en la dramática de Lope*, en «Arbor», 1972, 315, pp. 5-14.

27. Aparte de los estudios concretos centrados en el *Arte nuevo*, ilustran distintos aspectos de la teoría dramática de Lope: JOAQUÍN DE ENTRAMBASAGUAS, *Una guerra literaria del Siglo de Oro. Lope de Vega y los preceptistas aristotélicos*, Madrid, C. S. I. C., EDWIN S. MORBY, *Some observations on Tragedia and Tragicomedia in Lope*, en «Hispanic Review», XL, 1943; RAÚL H. PADILLA, *Algunos aspectos de las teorías dramáticas de Lope de Vega y Ben Jonson*, en «Segismundo», 7-8, 1968, pp. 25-39; JOSÉ F. MONTESINOS, *Estudios sobre Lope*, Salamanca, Anaya, 1969; RAYMOND R. MC CURDY, *Lope de Vega y la pretendida inhabilidad española para la tragedia*, en *Homenaje a W. L. Fichter*, Madrid, 1971, pp. 525-535.

28. JUANA DE JOSÉ PRADES, en el amplio estudio que acompaña su edición del *Arte nuevo*, ha seguido paso a paso la traducción por Lope del tratadito de ROBORTELLO, *Explicatio eorum omnium, quae ad Comoediae artificium, pertinent*, publicado con otros tratados menores, al final de sus *Explicationes*, cit. p. 41-50.

29. Tal podría ser el caso, por ejemplo, de alguna consideración como la siguiente, que glosa el «decoro» métrico-temático:

«Acomode los versos con prudencia.
A los sujetos de que va tratando».

explícitos del *Ars* de Horacio. E incluso en las dos ocasiones en que se alude a él, se trata invariablemente de testimonios indirectos, bien a través del comentario a Terencio de Elio Donato[30], bien de referencias obtenidas por medio de su fuente doctrinal básica, Robortello, como a propósito de las tres clases de escenario. Hecho al que por cierto, y en sentido estricto, nunca aludiera Horacio, y sí Vitrubio, a través del cual se sigue la cita de Robortello:

«Pues, lo que les compete a los tres géneros
Del aparato que Vitrubio dize,
Toca al autor, como Valerio Máximo,
Pedro Crinito, Horacio en sus *Epístolas*,
Y otros los pintan, con sus lienços y árboles,
Cabañas, casas y fingidos mármoles»[31].

Evidentemente, Lope no juzgaba oportuno, ni digno de lucimiento personal en una oración académica, inundar su discurso con citas de un texto tan bien conocido de su auditorio como era el de Horacio. Por eso, más que en la repetición de lugares doctrinales, el horacianismo del *Arte nuevo*, de que ha hablado recientemente Juan Manuel Rozas[32], no puede ser

---

Cfr. Lope de Vega, *Arte nuevo*, ed. cit. p. 297, versos 305-306. Por ejemplo, en la architópica doctrina de los personajes, las coincidencias no llegaban a tal grado que permitieran a Juan Manuel Rozas anotar un testimonio más en favor del horacianismo del *Arte nuevo*. Cfr. J. M. Rozas, *Significado y doctrina del Arte nuevo de Lope de Vega*, Madrid, SGEL., p. 117: «Pero en esta ocasión, Lope no actúa como cuando sigue a Robortello, tan de cerca que no le deja ver la verdad de su propio teatro, sino que sigue a Horacio muy de lejos, por lo que puede estructurar bastante bien, según la experiencia, los personajes de la comedia barroca».

30. La referencia indirecta, a través de Donato, se hace en los siguientes versos:

«Elio Donato dice que tuvieron
Principio en los antiguos sacrificios,
Da por autor de la Tragedia a Thespis,
Siguiendo a Horacio, que lo mismo afirma,
Como de las Comedias a Aristófanes».

Ibid., p. 287, versos 83-86. Véase además el estudio de J. de José Prades, en pp. 80-82.

31. *Ibid.*, p. 299, versos 350-355. Estudio de los mismos en pp. 224-226. Cfr. G. Mancini, *Qualche considerazione sulla precettiva teatrale del Siglo de Oro*, en «Miscellanea di Studi Ispanici», 1965, 4, 30-46; M. Herrero García, *Ideas estéticas del teatro clásico español*, en «Rev. de Ideas Estéticas», 1944, 5, pp. 79-110; y Juana de José Prades, *Teoría sobre los personajes de la Comedia nueva*, Madrid, C. S. I. C., 1963.

32. Cfr. J. M. Rozas, *Significado y doctrina del «Arte nuevo» de Lope de Vega*, cit., especialmente en pp. 53-54. El autor ha constatado correctamente la índole horaciana del *Arte nuevo*, y también las limitaciones indudables de dicha influencia: «Dentro, pues, de la tradición de los antiguos, Lope se planteaba sus contenidos desde la *Poética* y desde

afirmado sino, como lo hace el propio Rozas, del tono general expositivo de ambas piezas y de sus similitudes métricas, así como del orden discursivo de su exposición. Por otra parte, también puede argumentarse, en apoyo del tono horaciano del *Arte nuevo,* que hasta las ausencias de Horacio resultarían muy significativas de su real difusión; precisamente en su condición, difícilmente ocultable, de «vademecum» común para cualquier persona culta, que resultaría impropio y trivial reproducir por extenso.

Unos años antes de darse a conocer el *Arte nuevo* se había publicado en 1606 el *Ejemplar poético* de Juan de la Cueva. Esta obra, a la que no se puede defender con éxito de las tachas de poco ordenada, atropellada en ocasiones, monótona y aburrida siempre; está enriquecida, sin embargo, de cierta enjundia doctrinal a la que ha hecho poco favor el juicio de Menéndez y Pelayo sobre sus débitos parciales —ciertos pero locales— al *Discurso* de Argote de Molina. La acusación después repetida por su editor Walberg no fue tampoco ajustada a términos precisos por Francisco A. de Icaza[33]. Si en ella no se descubre manifiestamente, como en el *Arte nuevo,* el flamante frente del gusto contemporáneo ante un Aristóteles intolerante e inflexibilizado por sus administradores renacentistas, bien cierto es, sin embargo, que desde una perspectiva menos favorecida que la de Lope, el anciano y trasnochado Juan de la Cueva proclamó, como señalara Menéndez y Pelayo, una base idéntica de discordancia en su defensa del cambio de gusto contemporáneo, que no llega a configurarse jamás en términos de absoluto destierro de la timidez frente a la autoridad de Aristóteles.

Como sucediera en la obra de Lope, tampoco resuena diáfana y rotunda en *El ejemplar* la voz de Horacio; sin embargo, ciertas transparencias de un indudable conocimiento del *Ars* se perfilan aquí en diferentes puntos de la obra, con nitidez y proximidad superiores a los del *Arte Nuevo*[34]. Proximidad que crece, reforzada además con la cita expresa del poeta latino, en los frecuentes fragmentos de la obra consagrados a tratar problemas

---

la *Retórica* de Aristóteles, para tomar o dejar lo conveniente, y seguir, en cuanto a estructura, tono y género, la base que le proporcionaba el *Arte poética* de Horacio. De las dos poéticas, además de conocerlas, en latín ambas, directamente, Lope tenía un buen conocimiento a través de los comentarios de Francisco Robortello, que las analizó juntas en un volumen que apareció en Florencia, en 1548. Sin embargo, una lectura de las versiones que a finales de siglo habían hecho del *Arte poética* de Horacio, Vicente Espinel y Luis Zapata, no arroja ninguna luz al texto lopiano».

33. Cfr. JUAN DE LA CUEVA, *El Ejemplar Poético,* editado con otras obras por F. A. de Icaza, en Clásicos Castellanos, 60, Madrid, Espasa-Calpe, 1924, reimp. 1965, p. 134 nota.

34. Ecos horacianos evidentemente próximos creemos descubrir en fragmentos como los que siguen, sin que reclamemos por ello proximidad probada entre las dos obras:

de lenguaje, tanto en su dimensión lingüístico-social general como en la concretamente poética:

«Por este modo fué el sermón romano
enriquecido con las voces griegas,
y peregrinas, cual lo vemos llano.
Y si tú que lo ignoras, no te allegas
a seguir esto, y porque a ti te admira
lo menosprecias, y su efecto niegas,
lo propio dice el Sabio de Stagira
a quien Horacio imita doctamente
en dulce, numerosa y alta lira.
Si formaren dicción, es conveniente
que sea tal de la oración el resto
que autoridad le dé a la voz reciente».

Lugares donde se potencia poderosamente la aludida proximidad son aquellos en que se abordan cuestiones generales de «decoro»[35] entre lengua y personajes:

«Acomoda el estilo que en él vean
las cosas que tratares tan al vivo
que tu designo por verdad lo crean.
Pinta al Satúrneo Júpiter esquivo
contra el terrestre bando de Briareo
y al soberbio Jayán, en vano altivo.
Celosa a Juno, congojoso a Orfeo,
hermosa a Hebe, lastimada a Ino,
a Clito bello, y sin fe a Tereo».

Hombre si se quiere de «escasa cultura» y gusto positivamente rudo y desigual, concordamos con Menéndez y Pelayo en el valor limitado de su estimación por Juan de la Cueva, quien «en la crítica como en la poesía,

---

Que las diciones ásperas y duras
no supo corregir, y usando de ellas
las nuevas ofuscó y dañó las puras» (ed. cit., p. 128).

O en estos otros:

«Pacerán juntos peces y animales
por los montes, las aves y serpientes
en perpetua amistad serán iguales». Ed. cit., p. 161.

35. Véanse, si no, como ejemplos inmediatos, tópicos comunes formulados en términos muy próximos:

tuvo intenciones, atisbos y vislumbres más que concepciones enteras»[36]. Pero más allá de su participación en errores y prejuicios, de amplio curso en la época, tales como el de considerar a Horacio un mero imitador y versificador de las doctrinas de Aristóteles, Juan de la Cueva se ofrece en su *Ejemplar* profundamente preocupado por sintetizar y dar cabida a un rico repertorio de fuentes teóricas, clásicas y contemporáneas. Al mismo tiempo, desatiende y subestima el *Cisne de Apolo*, obra sin duda de cierta difusión en el momento que el viejo autor dramático y poeta elabora su tardía, y no siempre coherente y bien regida, síntesis teórica[37]. Entre tales fuentes, salvedad hecha del reverente prestigio que para el prejuicio insuperable de nuestro autor alcanza Aristóteles, Horacio ocupa el lugar de privilegio, según proclama Cueva en los siguientes versos:

«Si me atrevo a hablar y hablo tanto,
es porque los poetísimos entiendan
que no es para aquí cisne tan maganto.

«Una cosa encomienda más cuidado
que en cualquiera sujeto que tratares
siga siempre el estilo comenzado.
Si fuera triste aquello que cantares
que las palabras muestren la tristeza
y los afectos digan los pesares.
Si de Amor celebrares la aspereza,
la impaciencia y furor de un ciego amante,
de la mujer la ira y la crueza:
este decoro has de llevar delante...».

Para ése y los otros textos citados, antes y después, *Ibid.*, pp. 121-122.

36. Cfr. M. Menéndez y Pelayo, *Historia de las Ideas Estéticas*, cit., vol. II., p. 294.

37. Juan de la Cueva, sale al paso de sus detractores, descartando todo valor de la obra que, publicada tres o cuatro años antes, debía ser el «vademecum» oficial de los poetastros castellanos, el *Cisne de Apolo*. Por ello dice:

«Y habrá mil apoetados que leyendo
esto dirán que son triviales cosas
y que las pueden enseñar durmiendo.
Que tienen mil autores y mil glosas
de donde las tomé y queriendo vello
no verán maravillas milagrosas
. . . .
Y a la cordura dándole de mano
darán voces diciendo ciégamente:
'Cuanto ha dicho está escrito en castellano.
Ya sabemos el río desta fuente
que es donde el cisne se bañó de Apolo
con que se fertiliza su corriente'».

Cfr. *Ejemplar Poético*, edic. cit. p. 147.

Y si sus ojos con estambre vendan,
que es a lo jumental, conozcan desto
que otros métodos hay de donde aprendan.
De los primeros tiene Horacio el puesto
en números y estilo soberano
cual en su Arte al mundo es manifiesto.
Scalígero hace el paso llano
con general enseñamiento y guía;
lo mismo el doto Cintio y Biperano.
Maranta es ejemplar de la poesía,
Vida el norte, Pontano el ornamento,
la luz Minturno, cual el sol del día.
Estos, y otros con divino aliento,
enseñen lo que el cisne no ha cantado
ni le pudo pasar por pensamiento.
....
al oceano sacro de Stagira
donde se afirman los dudosos pasos,
se eterniza la trompa y tierna lira» [38].

Horacianismo en los tratados de Retórica y predicación en los dos primeros decenios del siglo XVII.

Paralelo al fenómeno constatado para la teoría poética en el epígrafe precedente, se perfila el desarrollo de la teoría retórica y la concionatoria en los primeros veinte años del siglo XVII. De la mano del *Cisne de Apolo*, y a favor de una tendencia de signo romántico-platónico potenciadora del elemento literario de fabulación fantástica con poderosa base hedonística y formalista, Horacio había alcanzado, no diremos que una notoriedad inusitada, pero sí desde luego un perfil de autoridad positivamente inédito en las antes referidas peculiaridades del cambio artístico. Algo análogo tendremos ocasión de descubrir para el caso de la Retórica, precisamente en la correlación existente entre el cambio de signo de la autoridad horaciana, manifiesto en la multiplicación y adensamiento de sus referencias en este tipo de obras, y la evolución de concepciones y prejuicios retóricos y concionatorios.

Ante todo advirtamos que el primer dato para presumir el cambio de situación es un grado de salutífera animación en los tratados. Estos van

38. Cfr. JUAN DE LA CUEVA, *Ejemplar Poético*, edic. cit. p. 147.

abandonando progresivamente su condición de fríos y anacrónicos resúmenes repetidos de la elocuencia latina, para acercarse cada vez más a verdaderas obras críticas y normativas de la predicación eclesiástica viva y habitual en castellano. Seguramente lo impuso el sorprendente auge de la oratoria sagrada, activada en estos primeros años del siglo por una positiva pasión obsesiva, que, si bien iba a determinar en último término la horma viciada de la oratoria degenerada del Barroco, constituiría en compensación un elemento animador del arte verbal, en la misma medida que consiguió implicar apasionadamente en una de sus manifestaciones, la oratoria sagrada, el volumen de masas quizás más importante que jamás hubiera convocado fenómeno artístico-verbal alguno.

De ahí que en el caso de los tratados puramente retóricos del período, aun no siendo producto, ni mucho menos, de inferiores y más desordenados talentos que muchos del período inmediatamente anterior, el interés decrezca positivamente, por ser, cada vez de modo más acuciante, piezas de museo separadas del fenómeno histórico que pretendían teorizar. Tal es el caso, por ejemplo, de libros como el de Juan Bautista Poza, de 1615, y el de Pablo José de Arriaga, de 1519. La obra del primero de ambos, *Rhetoricae Compendium,* constituye a nuestro juicio un excelente resumen, muy maduro y decantado en orden y claridad intachables. Incluso diríamos que, a tenor de tales cualidades, la obra adquiere un interés ya impensable, después de que, agotadas las canteras de una exégesis sensata de la Retórica, se había caído ya en el mar sin fondo de extravagancias y ociosidades anacrónicas[39]. Ni una sola cita de Horacio hemos encontrado en la obra de Poza, tan poco dado a deslizarse en terrenos peligrosos, como sabemos lo era sin duda a los ojos de los de su Orden la cita y estímulo de poetas en las piezas de oratoria. Sus superiores y cofrades estaban entregados a un ramplón y tedioso purismo escolar mecanizado, que había de resultar fatal para el indeclinable vitalismo y la apertura experimentalista consustanciales a cualquier manifestación artística.

Quizás por haber surgido en el ámbito menos agobiante de las Indias, la obra de otro jesuita, Pablo José de Arriaga, pueda presentar algunos perfiles de novedad y de cierto atrevimiento, que nunca se permitiera traslucir

39. Coincidimos en nuestra valoración de los méritos de esta obra con Antonio Martí, quien se lamenta de que Poza «no se decidiera a tratar los problemas de la retórica de modo sincero»; pero conviene no perder de vista que, como destaca el propio Martí, ni siquiera a pesar de su cauteloso y sumiso proceder, consiguió escapar Poza a persecuciones, disgustos y condenas en el propio medio eclesiástico y de la Inquisición. ¡Malos tiempos corrían ya entonces para novedades en España! En especial si se dejaba asomar tras de ellas un inquietante talento no vulgar, pesadilla de mediocres, como era el caso de Poza y de tantos otros. Cfr. A MARTÍ, *Preceptiva retórica*, cit. pp. 247-249.

el desafortunado Poza. Dicha proclividad a una manifiesta transigencia con el paulatinamente impuesto gusto de la predicación barroca, se descubre tímidamente en despuntes elogiosos a demasías exornativas, recargamiento estilístico de las «amplificaciones»[40], efectismos en el exordio contra el consejo tradicional[41], saltos y asociaciones conceptuosas en la aproximación de lugares evangélicos[42], etc. Todo ello en tono prudente y mesurado, dentro de un esquema general de intransgredida prioridad teórica de la «doctrina»[43] y el didactismo[44], del que tendremos ocasión de ocuparnos con detalle en capítulos sucesivos.

Por lo que hace a citas de Horacio, algunas se registran en el libro —confirmando el tono de mayor apertura a concesiones artísticas de esta obra frente a la anterior de Poza—, pero por lo general son de escaso valor y, salvo en una ocasión[45], todas ajenas a la *Epistola ad Pisones*[46].

En el conjunto de obras que estamos considerando, y como pórtico a la Retórica secularizada del preceptor manchego Jiménez Patón, debemos destacar un documento de trascendencia realmente superior dentro de nuestro campo de interés actual, la obra de Francisco Terrones del Caño *Instrucción de predicadores*, no publicada hasta 1617 aunque había sido comenzada por su autor en los últimos años del siglo precedente y terminada, según Martí, en 1605. Se trataría de un caso de demora con circunstancias muy análogas a las de las *Tablas Poéticas* de Cascales, acabadas casi en la misma época y publicadas con retraso el mismo año de 1617. Pero hasta aquí alcanzan todas las semejanzas entre ambas obras, ya que frente al anacronismo amodorrado del murciano, mecido en la cómoda repetición de sus fuentes, de espaldas a la realidad artística concreta española, en la obra del obispo de Tuy y gran predicador de Felipe II destaca muy singularmente la nota de realismo y buen sentido práctico, como pusieran de relieve su editor Félix G. Olmedo y recientemente Antonio Martí[47].

40. Cfr. Pablo José de Arriaga, *Rhetoris Christiani Partes Septem*. Leiden, H. Cardon, MDCXIX, p. 102-103.

41. *Ibid.* p. 143.

42. *Ibid.* p. 199.

43. *Ibid.* pp. 225-227 y 362.

44. *Ibid.* p. 1-2.

45. Aun ésta es de aplicación extraña a la doctrina teórica. Se trata de la ejemplificación de la figura «proverbio», con el conocido «parturiunt montes...»; *Ibid.* p. 246.

46. *Ibid.* pp. 43, 47, 244, 278-279, 279.

47. Cfr. Francisco Terrones del Caño, *Instrucción de predicadores*, Granada, B. Lorençana, 1617. Edición y extenso estudio preliminar del P. Félix G. Olmedo, en «Clásicos Castellanos», n.º 126. Madrid, Espasa-Calpe, 1960. A Martí. *Preceptiva retórica*, cit. pp. 205-210; ofrece una síntesis de su valoración general en los siguientes términos: «Esta obra de Terrones debía haber sido una de las más inspiradoras para los predicadores. Es un término medio

Este último gusta de ponerlo en relación, dentro de dicha vertiente, con el espíritu de abierto realismo y digna amenidad popular en la predicación sagrada que preconizara, muchos años antes, Diego de Estella.

Pero más que por extremadas o violentas rupturas con usos tradicionales, que no se ofrecen en las reflexiones teóricas de este delicado orfebre de la predicación renacentista, tan poco amigo del envaramiento insustancial como de los extremismos efectistas de mal gusto que se anunciaban ya en la predicación de los primeros años del XVII, la obra es particularmente notable para nosotros porque esa misma dosis de sinceridad y liberación de prejuicios tópicos que ha sido ya destacada, alcanza también y muy concretamente al caso de Horacio. Terrones descubre abiertamente, jugando en términos muy apropiados con su irónico desvelamiento del misterio, el consagrado interdicto de los tratadistas retóricos españoles respecto a los útiles consejos —en muchos casos, como sabemos, de índole marcadamente retórica— de la *Epistola ad Pisones*. Al recomendar para el predicador una sólida cultura literaria y científica, complemento insustituible en su concepción realista de las virtudes morales y aptitudes técnicas infusas por voluntad providente de Dios, que nuestro autor no niega ni menosprecia; se refería concretamente a la utilidad del *Ars* horaciano, de la misma manera que, festiva e irónicamente, denunciaba también la circunstancia concreta de su ostracismo, según moda —de orígenes difícilmente determinados— difundida en la teoría oratoria de su tiempo:

> «Solamente de las letras humanas no puedo callar la necesidad que el predicador tiene de saber Retórica que es estudio de dos meses por alguna arte breve, como es la del Maestro Francisco Sánchez Brocense; que muchos de los documentos que yo he procurado observar y pienso poner en este tratado son de pura Retórica. Para la cual es necesario leer el *Arte Poética* de Horacio y entenderla bien en quince lecciones. Por vida vuestra que no digáis esto a nadie, a lo menos no me deis por autor, que se reirán muchos de los que no saben más de *Sic argumentor*, aunque no se esquitarán de lo que yo me río de los que menosprecian estas artes, y más cuando los veo con cien imperfecciones, por falta dellas. Advierto que la *Arte Poética* de Horacio casi no trata de enseñar a componer versos, sino con qué prudencia y reglas se han de escribir o representar las obras poéticas en público. El predicar tiene mucho desto, y le alcanzan la mayor parte de las reglas de aquella arte. Ella se ha de aprender en la

entre una retórica y un tratado pastoral de predicación; pero, al alejarse por completo de la preocupación de seguir la retórica de los clásicos, produce un tratado enteramente convincente, que nos recuérda la sinceridad que encontrábamos en los autores de la primera parte de este trabajo», p. 210.

mocedad, porque se percibe mejor, a lo menos con la memoria, que, en cuanto tiene muchas reglas de prudencia, mejor la penetran los ya varones»[48].

El documento que hemos transcrito extensamente, constituye a nuestro juicio la pieza capital en la aclaración del comportamiento y parca utilización de Horacio por los autores de tratados retóricos españoles. Dejando a un lado las razones de la discutible —aunque no absolutamente injustificable— caracterización del supuesto componente retórico del *Ars*, resulta claro que sus consejos y preceptos podían ser fácilmente asimilables para la construcción de piezas oratorias, y que en general eran compatibles y complementarios, cuando no absolutamente coincidentes, con la problemática y los preceptos de los tratados de teoría Retórica. La propuesta irónica de ocultación de tal parecer hecha por Terrones, dejaba al descubierto un difundido prejuicio, inaceptable para el buen criterio y sentido común de nuestro autor.

Las causas del rechazo de la Poética horaciana venían asociadas, como no es difícil imaginar, al prejuicio general contra el uso de las doctrinas de pensadores no cristianos, o simplemente de humanistas no directamente referentes a cuestiones doctrinales de moral o de dogma católico[49]. Tocado de su prudente y equilibrado sentido de la ponderación concionatoria, Terrones presentó los extremos iniciales en que podían desembocar las exageraciones de uno y otro tipo:

«Unos —dice— que no estudiaron más que a Aristóteles y Santo Tomás son de parecer que en el púlpito no se han de traer cosas humans, y abominan el estudio dellas reciamente. Otros, por otra parte, son tan negro de humanistas que la mayor parte del sermón se les va en esto.»

Pese a la condena del extremismo humanístico-laico, en la que insistía Terrones como medida de prudencia[50], acabaría sin embargo recomendando

48. Cfr. F. Terrones del Caño, *Instrucción de predicadores*, cit. pp. 33-34.

49. Para recordar aquí una vez más la vigencia de tales testimonios negativos reproducimos el parecer dado al respecto por Lorenzo de Villavicencio, en su obra *De Formandis Sacris Concionibus*, Amberes, Vda. y Herederos de J. Stelsio, 1565: «Item aliquando, parce tamen Philosophorum vel Poëtarum placita atque sententiae proferuntur. Ne vero quis, quod hic dicimus, aspernetur, ceu abiectum vel suspectum, exempla huius studii ac diligentiae habemus in sacris literis proposita», p. 116.

50. Cfr. F. Terrones del Caño, *Instrucción de predicadores*, cit. p. 81: «Y esta segunda opinión es abominable, porque habiendo tantas y tan lindas cosas en la Sagrada Escritura y santos, y en autores de veras, siendo el púlpito lugar dellas, es de gran profanidad hinchirlo de burlas y dexar diamantes por claveques, que, aunque valen algo, es muy poco, y en comparación de los diamantes es nada».

el enriquecimiento, ponderado con la ciencia, de los sermones, siguiendo el ejemplo de tantos Santos Padres: Agustín, Jerónimo, Basilio, el Papa Clemente, etc... etc...

> «Así que es cosa muy reprobada por los santos y autores graves, llenar los sermones de humanidades, dejándolos ayunos de Escritura y santos. Pero la otra opinión es muy rigurosa, porque los mismos Santos Doctores, como parece por sus escritos, estudiaron, supieron y dijeron en sus libros y sermones algunas cosas de letras humanas y aconsejan y alaban esto.»

Evidentemente muy distinto era el caso de las doctrinas más o menos sospechosas de los tratados humanísticos, y el de las ficciones, frecuentemente inmorales y siempre poco edificantes, de los poetas amorosos y festivos. Este tipo de alusiones y floreos, que empezaba a generalizarse en la época del prudente y equilibrado Terrones, mereció invariablemente su desaprobación. Horacio, sin embargo, se hallaba para él, a este respecto, entre los tres grandes poetas de la antigüedad cuya dignidad artística les había granjeado el derecho a ser referidos directamente en el sermón, bien que con prudencia y sin énfasis. En el interesante documento que a continuación citamos, define Terrones el inestable equilibrio que imponía la prudencia concionatoria en tan resbaladizas materias:

> «De lo dicho se colige que también se han de traer pocas veces versos de poetas en el sermón, si no fuere algún versico muy a propósito, porque el exceso en esto enfría el auditorio, y no ganan nada los cascos del predicador, especialmente si dixese alguna cosa de romance, que desto se ha de guardar, si no fuere tan grave que edifique, como quien dixese lo de don Jorge Manrique: *Nuestras vidas son los ríos*, etc. Pero otras coplas, aunque vengan a propósito, no se han de decir asi trobadas como son, sino desleírlas casi en prosa, pero de manera que en alguna palabra se entienda que fué verso.
> Sobre todo advierto que nunca se ha de citar el autor del verso, a lo menos Ovidio, Marcial, Garcilaso, Montemayor u otros así que trataron materias vanas y lascivas. Bastará decir "allá vuestro poeta", o "el otro en sus devaneos"; aunque, si fuesen Virgilio, Homero, Horacio, podríanse nombrar con algún encogimiento y un poco de desdén, y no enjugándose la boca con ellos, como si citáramos a San Jerónimo»[51].

El «encogimiento» de las menciones horacianas, recomendado así para citas de sermón en las líneas anteriores, no rezaba al parecer para el caso

51. *Ibid.* p. 87.

del *Ars* como modelo doctrinal retórico, según sabemos ya por la opinión de Terrones. Consecuente con tal convicción, su *Instrucción de Predicadores*, es sin duda la obra de su género que cuenta con una más extensa acogida de textos de la *Epistola ad Pisones*, producida por la teorización retórica y poética en todo nuestro Siglo de Oro, excepción hecha tal vez de las *Tablas* de Cascales.

Pasando en rápida reseña lo más interesante de las menciones de Horacio, destaquemos en primer lugar que, frente al uso más habitual de las mismas, no se hallan demasiado abundantemente recogidas las referencias quizá más tópicas al orden y «decoro» estructural, las relativas al carácter de los personajes, así como tampoco los tan frecuentes préstamos de sus versos sobre la «vida de las palabras»; aunque desde luego esté todo ello representado por alguna cita ocasional. Por ejemplo, sorprende la ausencia de alusiones, verdaderamente excepcional, al «monstruo»[52]. Los magistrales hexámetros sobre la descripción de caracteres según las edades sólo sirvieron a Terrones para ejemplificar la figura prosopopeya[53], y los preceptos horacianos sobre la regulación del uso lingüístico y la dinámica del vocabulario fueron citados una sola vez[54].

Material más frecuentemente utilizado fueron los consejos generales de «emendatione»; evidentemente por su carácter fragmentario y aleatorio eran más fácilmente trasladables al propio intento, según lo exigiera la índole del discurso. Entre éstos, destacaremos en el tratado de Terrones: el que alude vagamente a los pecados perdonables en los poetas[55]; el de la meditación y el reposo que conviene a los sermones antes de ser pronunciados, tomado del precepto de la prudente espera de nueve años[56]; el que se dedica al crítico contra los poetas obstinadamente equivocados y la imposibilidad de corregirlos[57]; o, finalmente, la ponderación horaciana de dificultad en hacer lo que parece más sencillo, lo que había de motivar el sintomático ataque contra una de las razones favoritas manejada a la sazón por oradores y poetas «difíciles»:

52. Para citas de tópicos encuadrables en este apartado, véase la de «simplex dumtaxat et unum...» aplicado al sermón de un solo argumento, en p. 49; así como el consabido «nec sic incipies» para el exordio, en pp. 109-110.

53. *Ibid.* pp. 140-141.

54. *Ibid.* pp. 132-133.

55. *Ibid.* pp. 20-21.

56. *Ibid.* p. 54.

57. *Ibid.* p. 21. Aplicado aquí naturalmente como todos los otros a los oradores: «Pero pues no quieren aprender ni creer a quien les aconseja que lo dejen o se enmienden, dejémosles perderse.

Sit ius, liceatque perire poetis.
Invitum qui servat idem facit occidenti».

«Piensan los simples, que oyen al predicador de claro entendimiento predicar claramente cosas dificultosas, que no ahonda, y que el otro, que aun las cosas claras y fáciles dificulta y encarama, va muy subido; y dicen del claro, que aquello cada cual se lo diría, sin mucho trabajo; y si probasen a decirlo ellos así, por mucho que sudasen y trabajasen, no harían nada, como dijo el otro en su *Arte Poética:*

Ut sibi quivis
Speret idem: sudet multum, frustraque laboret
Ausus idem .

Como si no fuese de mayores ingenios y mayor trabajo facilitar lo dificultoso y entricado, que entricar y obscurecer lo claro»[58].

En ámbito muy próximo al precedente se distinguen los consejos de tipo estilístico verbal[59], así como también los muy frecuentemente recordados en los documentos retóricos, por su afinidad radical de origen, sobre pronunciación y entonación concordes con el contenido de lo expresado[60]. Recuérdese igualmente los que glosan la porcionalidad entre el tipo de emoción provocada en el auditorio y la previamente concebida y simulada por el autor, el actor y el orador. Esta indicación la aplicó Terrones, con notable distorsión, a los sentimientos cristianos de piedad, cuya transfusión al auditorio ha de constituir el fin fundamental del predicador[61].

Todos los ejemplos antes citados[62] corresponden, en mayor o menor grado, con citas horacianas rectamente traídas y aplicadas a materias congruentes con las que constituyen el contexto de las mismas en la *Epistola ad Pisones*. No obstante, ya hemos tenido ocasión de constatar, y así lo hemos destacado, el rasgo de parcelamiento y oportunismo algo superfluo de tales citas en la obra de Terrones. Ellas sirvieron más bien de elemento de refuerzo y exornación erudita, que de auténticas pautas autorizadas para seguir el desarrollo del propio pensamiento, Y de esta peculiaridad, mantenida en tales términos, se pasa en muchas ocasiones al caso de la simple explotación de menciones horacianas por puras razones de prestigio,

58. *Ibid.* p. 135.
59. Sobre la brevedad, p. 120; y la caracterización del estilo hinchado, en p. 129.
60. *Ibid.* p. 146.
61. *Ibid.* pp. 22-23: «por esto advierto que el predicador ha de tener todas las virtudes y aborrecer capitalmente todos los vicios, porque, pues ha de persuadir virtudes y disuadir vicios, si él no está interiormente vestido destos dos afectos, amor de lo bueno y odio de lo malo, es casi imposible que mueva al auditorio a lo que él interiormente y de veras no está movido. Horacio en su *Arte Poética:*

Ut ridentibus arrident, ita flentibus adsunt, etc.

62. Algunas otras citas en *Ibid.* pp. 31, 58, 66, 143, etc.

oportunismo y voluntad de refuerzo, aplicadas a coyunturas doctrinales absolutamente dispares de la recta interpretación de su sentido y contexto genuinos.

Son casos, como los de manifestaciones más o menos ocasionales del *Ars*, aplicados mediante su descontextualización a materias similares, tal, por ejemplo, el del «ludere qui nescit»[63]; o simplemente desplazados a ocasiones con las que no presentaban originalmente la menor posibilidad de contacto en la intención del texto horaciano. Este último sería el caso de la traslación del consejo estructural de orden narrativo, que se encierra en el «iam nunc dicat...», a los tipos de público, según lo que conviene decir y omitir en cada ocasión:

> «Cosas hay buenas para predicar en la Corte que no serían para Salamanca, y al contrario. Y sermones prediqué yo en Palacio que no se podían predicar en una iglesia de monjas. De manera que el día que nos encargáremos de un sermón, habemos de considerar qué género de auditorio puede y suele juntarse allí, y como se fuere estudiando y mirando materia para predicar, de ella misma se ha de ir escogiendo punto a punto, y lo demás, aunque sea bueno, dejarlo, como enseñó Horacio:
>
> *Ut iam nunc dicat, iam nunc debentia dici*, etc...
>
> Que no porque un punto sea delgado, se ha de traer en cualquier auditorio, sino guardarlo para tiempo sazonado y buena ocasión. Esta doctrina tiene Horacio por principio y fuente de escribir buenos libros, y lo mismo de predicar buenos sermones.
>
> *Quid deceat, quid non, quo virtus, quo ferat error*»[64].

Este último procedimiento fue propuesto con bastante frecuencia en otros lugares de la obra de Terrones[65], alcanzando términos de desproporción

63. *Ibíd.* p. 21: «La lástima es que no se atreve a justar ni salir al juego de cañas, ni aun al de la pelota quien no sabe estos ejercicios, y confesamos sin empacho que no los sabemos; pero ¿quién confiesa que no sabe predicar? Y cuántos que no lo saben salen y porfían a hacerlo.

Ludere qui nescit, campestribus abstinet armis»; etc.

64. *Ibíd.* pp. 90-91.

65. Un ejemplo es el caprichoso desplazamiento de la ironía horaciana auto-excluyente a una trivial y rebuscada caracterización del auditorio: «...porque el que se sube al púlpito tiene tantos jueces, cuantos oyentes, y muchos saben juzgar sermones que no los saben predicar.

. . .*Vice cotis, acutum»*, etc.

Ibíd. pp. 54-55. La implantación irregular y desplazada de la imitación del ciprés fuera de su sitio, en p. 94; o la aplicación del «*Nec reditum Diomedis ab interitu Meleagri*» a observaciones vagas y generales, como «discursos prolixos cansan al oyente», pp. 114-115.

casi jocosa[66]. Así sucede cuando se invoca la prohibición horaciana de representaciones truculentas e inverosímiles en escena para amonestar a los oradores, por la simulación y remedo vulgar y chocarrero de trivialidades y aun groserías indignas del alto oficio de la predicación:

> «No se hagan gesticulaciones menudas, como si decimos que uno se rascaba, no se ha de rascar el predicador, para darlo a entender. Si decimos que llegó a Cristo un cojo a pedir salud cojeando, no ha de hacer el predicador meneos de cojo. Si se trae una comparación de los que se acuchillan, no se han de dar tajos | ni reveses, ni abroquelarse en el púlpito. Diciendo: "No se les da una castañeta o una higa para vuestra hermosura", ni ha de sonar la castañeta ni parecer la higa, conforme al precepto de Horacio: *Non tamen intus*, etc... De manera que no se han de hacer acciones de representantes, sino representar grave y modestamente»[67].

No faltan además en la obra de Terrones del Caño, como veremos en su lugar oportuno, otras interesantes menciones al contenido de los problemas más medulares de la que hemos venido denominando la «tópica mayor horaciana»[68]; si bien el moderantismo general que en él se descubre, refuerza las soluciones de tipo intermedio, las más generalizadas por otra parte en un ámbito total, restando positiva originalidad y capacidad impulsora a sus propuestas.

Finalmente, se hace obligado destacar a propósito de esta obra el hecho de que las muy numerosas citas horacianas que contiene manifiestan más una voluntad de integración —encuadrada en el concepto de Terrones sobre la *Epistola ad Pisones* como desarrollo de una situación y actitud generales esencialmente retóricas— que una fructífera y efectiva incorporación de sus doctrinas, las cuales no alcanzaron a verse realmente fundidas e insertadas en la problemática fundamental de la oratoria sagrada española de los comienzos del siglo barroco.

66. *Ibíd.* pp. 139-140: «No se han de hacer exclamaciones, sino cuando las pide el caso de que se va tratando; que por cosas medianas, como porque el otro no hinca más que la una rodilla en la iglesia, no se han de dar luego voces al cielo y al crucifijo, que es el yerro que, a otro propósito —menos mal que lo declara— reprendió Horacio: *Nec deus intersit*», etc.

67. *Ibíd.* p. 153.

68. Tal es el caso por ejemplo del refuerzo del horaciano «cui lecta potenter erit res»..., a la solución, de progenie estoica, que marcaba la prioridad de la *res* sobre los procesos de expresión. *Ibíd.* p. 127. En contraste resulta muy significativo que sea Horacio la autoridad invocada fundamentalmente por Terrones para la defensa de la prioridad del «ingenio» sobre el arte, que por su parte el predicador de Felipe II no proclama explícitamente, aunque tampoco oculta el positivo efecto sobre su opinión de tan atractiva propuesta; p. 162.

Ante la obra retórica de Bartolomé Jiménez Patón, resulta pertinente hacerse la pregunta inicial de en qué radica el que haya trascendido hasta el punto de haber sido considerada —con absoluta justicia— como la obra más representativa de la Retórica española tardía en el Siglo de Oro; habiendo sido desde luego la más famosa y difundida de todas las obras de su clase entre sus contemporáneos. La razón no reside solamente como se ha señalado acertadamente desde Menéndez y Pelayo hasta Martí[69], en la riqueza y originalidad de su ideario estético, ni en sus concepciones retóricas. Quizás consista más bien en sus alcances de comprometida contemporaneidad verdaderamente raros, sabiamente fundidos dentro de una estructura retórica de corte puramente clasicista. De manera semejante muy bien pudiera achacarse dicho mérito a la apertura de talante e intereses de su autor, tal vez por haber vivido fuera del ámbito de las órdenes religiosas, que había sido capaz de sofocar un ingenio tan culto como el de Juan Bautista Poza, y que había templado siempre con pesados sellos de obligada prudencia las ágiles iniciativas de apertura y modernidad de Terrones del Caño[70].

Naturalmente que, de tal espíritu y características, se había de seguir obligatoriamente en las obras de Patón una resuelta ruptura contra el interdicto horaciano. Así es como, una vez más, la imagen, doctrina y ejemplos del poeta latino se veían asociados con una tentativa vivificadora en el aletargado cuerpo de nuestra Retórica tardía. En su obra *El perfecto predicador,* libro poco conocido y muy interesante en cuanto que constituye una verdadera tesis sociológica sobre los problemas y peculiaridades de la predicación, Horacio fue el único poeta citado, y uno de los pocos autores aludidos. Esta exclusividad es positivamente sintomática de su estimación, y más si se tiene en cuenta la presión de prejuicios adversos que denunciara Terrones. Aun cuando realmente las citas advertidas sean de escaso valor a nuestro propósito, por no rozar en realidad problemas de teoría poética, sino sólo cuestiones relacionadas con la condición satírica de su poesía —recordada con harta frecuencia—[71] con el desprecio de los juicios de aduladores, murmu-

69. Cfr. M. Menéndez y Pelayo, *Historia de las Ideas Estéticas,* cit. Vol. II. p. 191; A. Vilanova, *Preceptistas,* cit. pp. 660-667; A. Martí, *Preceptiva retórica,* cit. pp. 263-270.

70. Sobre la contemporaneidad y la transfusión de noticias con Lope, Cfr. Juan Manuel Rozas y Antonio Quilis, *El lopismo de Jiménez Patón, Góngora y Lope en la Elocuencia española en arte,* en «Rev. de Literatura», XXI, 1962, pp. 35-54.

71. Cfr. Bartolomé Jiménez Patón, *El perfecto predicador.* Martí la da sin lugar ni fecha de edición, indicando la de 1605; posiblemente por haber manejado el ejemplar muy raro de la Biblioteca Nacional cuya fotocopia hemos utilizado nosotros, y al que faltan las primeras páginas. No obstante, en este ejemplar la dedicatoria de Patón a Don Pedro de Fonseca lleva fecha 15 de abril de 1609, en Villanueva de los Infantes. La cita aludida en el texto en pp. 63 r. y v.

radores[72], y con el de la opinión vulgar[73], etc... En la única ocasión en que se alude a doctrina poética horaciana es más bien a una contaminación ciceroniana de esta doctrina[74].

Consolidando el síntoma que marcan la apertura y exclusividad de las citas horacianas en la obra anterior, se ofrece la intensa y persistente presencia del *Ars* en la obra retórica más conocida y record·da de Jiménez Patón, el *Mercurius Trimegistus*, de 1621, que engloba trabajos anteriores del propio autor, entre ellos la famosa *Elocuencia española en Arte*, lícito y digno antecedente de la *Agudeza* de Gracián, publicado muchos años antes, en Toledo y 1604[75].

Incluso en una carta o declaración al Licenciado Don Fernando Ballesteros y Saavedra, reproducida en el libro junto al permiso que Patón pide al destinatario, en abril de 1618, se alude a una *Declaración magistral del Arte Poética de Horacio*, que nuestro autor tenía compuesta y no publicada[76]. He aquí la referencia de tan curiosa noticia:

> «Algunos nos an notado de cortos en la elecion y colocacion de las palabras, y es porque no an visto lo que sobre el Arte poetica de Orazio emos escrito, y porque no anda impreso será bien decirles alguna cosa, con que satisfagamos su gusto en la parte, que sea posible, que en todo no lo es.»

Dicha «declaración» no parece que fuera una simple traducción, ya que en ocasiones alude a haber utilizado la de Vicente Espinel[77]; más bien debería tratarse propiamente de una paráfrasis aclaratoria de dificultades doctrinales, como lo era la obra de Villén de Biedma del mismo título.

Dada la índole de la breve *Elocuencia Sacra*, ninguna mención de Horacio se desliza en ella; pero, no bien doblada la primera página de la *Española*, la obra se puebla de un verdadero diluvio de citas horacianas en su mayoría no pertenecientes al *Ars*[78]. Ello no quiere decir que, si bien en número

72. *Ibid.* p. 70 v.

73. *Ibid.* p. 85 v., otra mención en p. 115 v.

74. Es la de la negativa horaciana a la dignidad de poeta para ser mediocre, ampliada desde Cicerón a la tolerancia con la mediocridad del orador: «Que no pueden ser las cosas yguales, y como dixo Ciceron, si conforme sus reglas se uviera de dar el sabio, ò el orador, ninguno se hallara bueno. Aquel ternemos por muy bueno, dize Oracio, cuyas faltas fueren medianas». *Ibid.* p. 127 r.

75. Cfr. BARTOLOMÉ JIMÉNEZ PATÓN, *Mercurius Trimegistus, sive de triplici eloquentia Sacra, Española, Romana.* Biatiae, 1621, la fecha de la dedicatoria en Villanueva de los Infantes es algo anterior de 1618.

76. *Ibid.* p. 197 y ss.

77. *Ibid.* p. 144 r.

78. Recordemos algunas, en *Ibid.* pp. 51 r, 60 v., 65 v., 67 v., 68 v., 69 v., 70 v., 71 v., 84 v., 76 r. v. 78 r. v. 123 v., 135 r., 158 r.

menor, no existan en esta parte abundantes referencias a la *Epistola ad Pisones*. Desde el prefacio, sin paginación, de la obra, la Epístola es saludada como una de las fuentes más importantes de preceptiva retórica. A propósito de la mención sucesiva de algunas de sus más conocidas sentencias, como la de la mezcla de lo dulce con lo útil, se insiste en inciso en la naturaleza pragmático-retórica del *Ars*:

> «No deve faltar de la memoria aquella repetida sentencia (que se deve guardar) de nuestro poeta Orazio en su Arte (que como la tituló Poetica pudiera Retorica) y es que el que mezcla lo sabroso del bien decir, con lo provechoso de lo que se dice se lleba la palma»[79].

Las demás referencias existentes se distribuyen, con alguna escasa excepción[80], entre las dos zonas habitualmente más explotadas por los paralelos retóricos: la doctrina horaciana sobre las peculiaridades del «uso» lingüístico y las leyes de evolución del vocabulario[81]; así como también la relativa a la acomodación de las palabras con los afectos que expresan, o aún los gestos, pues que, como dice Patón, la «acción es la eloquencia del cuerpo»[82].

Obviamente, por grande que sea el interés de las menciones horacianas en el libro de la *Elocuencia española*, éste aumenta considerablemente en la tercera parte de la obra, la *Elocuencia romana*, sección sin duda de menor curiosidad general que la anterior, con la que, como la Sagrada, comparte un esquema doctrinal básico idéntico, establecido con criterio bastante conservador, según el tratamiento del sistema tradicional de tropos y figuras. Si la parte dedicada al ámbito español constituye un inteligente y bien encauzado documento de crítica literaria contemporánea para la crucial y compleja encrucijada artística de su fecha; carente de esta virtud, el documento arqueológico de la elocuencia romana anima muy escasamente las poco novedosas líneas de la estructura doctrinal común.

El número de las menciones generales a Horacio y a sus obras es aquí

79. *Ibid.* p. 59 r.
80. *Ibid.* pp. 114 r., y 142 r., dedicada esta obra a la glosa del «sic ita mentitur».
81. *Ibid.* pp. 61 v., y 125 v.
82. *Ibid.* pp. 60 r., 139 v., y 144 r., en la última de las citas aludidas, copia un largo fragmento de la traducción de Espinel, que comienza en:

> Porque el lenguaje umano es de maner
> Que rie si ries, si llorais llora... etc...

Destacando la comunidad doctrinal poético-retórica en este punto mediante el recuerdo ciceroniano; «y antes que Oracio lo avia dicho Ciceron».

muy elevado[83]; pero más que en ellas, centraremos sólo nuestra atención en las citas y comentarios de la *Epistola ad Pisones*.

Como es bien sabido, Jiménez Patón, haciéndose eco de un criterio muy generalizado en la estética imperante dentro de la sociedad literaria de la época, limitó la atención de su planteamiento retórico a sólo los datos de elocución, de ahí naturalmente que —según hemos advertido ya con anterioridad— las menciones horacianas vengan todas referidas a dicho ámbito elocutivo. Y también de ahí, que en esta ocasión se arracimen las citas, una vez más, sobre las virtudes de estilo, en especial de la brevedad, aludiendo a conocidos fragmentos horacianos: «brevis esse laboro», o «quidquid praecipies esto brevis...»[84]. También abundan las referencias, tan repetidas en general por nuestro autor, a los insuperables fragmentos horacianos sobre la vida de las palabras y la renovación del vocabulario[85]; y, en fin, las consabidas alusiones al paralelismo que debe existir entre concepción, elocución y acción. Véase, entre otros casos, la siguiente:

> «Sed hic non omitendum praeceptum, quod Quintilianus regulam auream appellat, et multarum instar fore affirmat, et a se inventam experimento duce gloriatur; cùm a Persio sit repetitum, et ab Horatio his verbis commendatum, ut servetur:
> *Ut ridentibus arridet, ita flentibus adsunt*, etc.
> Horatium praecipientem quidquid ad veram actionem spectat considera, et id docuit prius quam Quintilianus»[86].

Conectadas con la materia general de la elocución, se ofrecen por último diferentes menciones horacianas de variada índole, junto con algunas de *dispositio*[87]. En suma, la parcial explotación del *Ars* de Horacio por parte

83. Damos la referencia de algunos: *Ibíd.* pp. 219 v., 220 r., 215 v., 216 r., 219 r. y v., 220 r., 222 r., 223 r., 225 r., 226 r., 232 r., 256 r., 260 r., 265 v., 267 r., etc. etc.

84. *Ibíd.* p. 220 r.

85. *Ibíd.* p. 204 r. y v. —paginación equivocada, es en realidad 214— Cita desde «*Si forte necesse est...*, hasta, *Signatum praesente nota...*», y añade: «Ponit similitudinem et sequitur». Vuelve a citar desde «*Nedum Sermonem...* hasta *Qum penes arbitrum est...*», y concluye: «Habet etiam authoritatem, si raro etiam, et in loco adhibeantur. Id enim significatur in illo versu. *Multa renascentur, quae iam ceciderunt*». En 212 v.: «Hic ornatus pulcherrimus erit, si ordinem serves ellegantissimum in construendo illo, ut praecipit Horatius: *...Cui lecta potenter erit res...* —etc. hasta— *Pleraque differat...* Et infra: *In verbis etiam tenuis cautusque serendis...* hasta, *Reddiderit iunctura novum*.

86. *Ibíd.* pp. 270 r., otra mención análoga sobre la concordancia decorosa de «lengua y ánimo», en p. 227 v.

87. Por ejemplo la mención del «monstruo», unida a la ejemplificación de la barbaralexis: «Barbara lexis est oratio ex pluribus Barbarismus constans. Hanc ego etiam Koismum, vel Soroismum appello, eo quod eiusmodi loqutio similis est *Horatiano monstro*», e incluso el tópico de la versosimilitud conjugado en la *dispositio:* «Nam (ut ait Quintilianus) sunt

de Patón no obedecía a que así, limitada, la entendiera prevalentemente el preceptista manchego, sino a que entraba al servicio de su parcelada conceptuación de la Retórica. Conviene advertir además que, si en el caso de *El perfecto predicador* las menciones horacianas redoblan su significación, al ser casi las únicas citas latinas —y desde luego las únicas de un poeta— que se ofrecen en la obra; no es tal el caso de las mucho más numerosas de la *Elocuencia romana,* en la que Horacio preside junto con Virgilio y Marcial un extenso repertorio de textos y autores latinos, recordados para ejemplificar en exclusiva el patrón doctrinal retórico, repetido en cada una de las tres partes del *Mercurius.* No obstante, con Terrones del Caño y Cascales, Jiménez Patón marca, en torno a la fecha clave de 1617, una cumbre en la historia de la penetración doctrinal horaciana en la Poética y la Retórica españolas, pudiendo lícitamente atribuirse al síntoma de su positivo desplazamiento de la autoridad de Aristóteles el valor de una pieza clave en la plasmación teórica del cambio general de norte estético reclamado por la contemporánea revolución artística del Barroco.

La supuesta apoteosis horaciana de las Tablas Poéticas *de Cascales: apariencia y realidad.*

El mismo año que vio la luz la *Instrucción de predicadores* de Terrones del Caño, se publicaron en Murcia con notable retraso las *Tablas Poéticas* de Francisco Cascales; obra que según todas las apariencias se presenta como la cima más notable de la penetración de Horacio en las obras de nuestra teoría poética en el Siglo de Oro. En los dos primeros libros de esta obra hemos entrado en contacto con todo pormenor con la paráfrasis horaciana del preceptista murciano, publicada en Valencia en 1639 y que con las de Falcó, el Brocense y Villén de Biedma, constituyen los exponentes únicos conservados en España de tal tipo de obras.

Las *Tablas Poéticas* marcan con unos treinta años de anticipación sobre la paráfrasis horaciana el ya decidido entusiasmo juvenil de Cascales por el contenido doctrinal del *Ars* de Horacio. Obra en general muy elogiada, Menéndez y Pelayo deshizo las justas y muy pormenorizadas acusaciones de plagio que sobre ella formulara Luzán, sin que la crítica posterior haya contribuido a volver las aguas a su cauce, hasta que un reciente trabajo nuestro ha determinado con toda seguridad sus débitos teóricos[88]. Por

---

plurima vera quidem, sed parum credibilia; sicut falsa quoque frequenter verisimilia. De Hoc Horatius: *Atque ita mentitur...* hasta, *ne discrepat imum*». *Ibid.* p. 274 r.

88. Cfr. nuestro artículo *La decisiva influencia italiana en la ciencia poética del Renacimiento y Manierismo españoles: las fuentes de las «Tablas Poéticas» de Cascales*, en «Studi e problemi

haber tomado el tratado de Cascales como base de una obra introductora a nuestra Poética del Siglo de Oro[89], no nos demoramos aquí en pormenores y noticias que pueden hallarse en dicho libro; pero quede como resumen general, frente a elogios carentes de fundamento documental y contraste, igual que contra depreciaciones a nuestro parecer injustificadas[90], nuestra opinión de que, pese a la evidenciada falta de originalidad de los más notables fragmentos del libro y a los evidentes errores y atribiliarismo doctrinal de Cascales, este consciente resumen utilitario de su autor, espigado de las mejores fuentes italianas, constituye una pieza clave en la historia de las ideas poéticas de nuestro Siglo de Oro.

La introducción de la obra es altamente prometedora para nuestro propósito actual. Cascales da a entender en ella que el único patrón que sigue es la poética de Horacio; tratándose en tal caso de la primera ocasión programada de una obra horaciana de Poética con la extensión y ambiciones de las *Tablas,* excepción hecha, naturalmente, del género de las paráfrasis. El personaje ignorante del diálogo confiesa que sus dudas, y el deseo de resolverlas, le habían surgido con su incomprensión de la lectura de la *Epistola ad Pisones;* sin mencionar para nada la *Poética* de Aristóteles, ni cualquier otra obra moderna[91]. Por consiguiente, la aclaración del docto Castalio se promete sobre el mismo texto de base, del que además, advierte, tiene hecha una útil traducción[92].

---

di critica testuale», 7, 1973, pp. 136-160; establecemos en este trabajo los plagios literales de Cascales a Robortello, Minturno, Torquato Tasso y el Brocense fundamentalmente sobre amplias y medulares extensiones de la obra.

89. Cfr. nuestro libro. *Introducción a la Teoría Poética clasicista,* Barcelona, Planeta, 1975.

90. Cfr., entre las obras del primer tipo, aparte del juicio muy elogioso e injusto de Menéndez y Pelayo, la obra de conjunto clásica sobre el preceptista de JUSTO GARCÍA SORIANO, *El humanista Francisco de Cascales, Su vida y sus obras,* Madrid, Tip. de la Revista de Archivos, Bibl. y Mus. 1925, es francamente panegírica. Le falta el contraste decisivo con las fuentes italianas del preceptor murciano; no obstante en su época fue una muy positiva aportación, y aún hoy continúa siendo la obra general insustituible sobre Cascales. Por contraste con la superioridad evidente del Pinciano, son extremadamente duros para Cascales, en un plano de valores absolutos, muchos juicios de SANFORD SHEPARD: *El Pinciano y las teorías literarias del Siglo de Oro,* cit. Excelente edición de las *Tablas* es la de Benito Brancaforte, en Clásicos Castellanos, Madrid, Espasa-Calpe, 1975.

91. *Cfr.* F. DE CASCALES, *Tablas Poéticas,* ed. cit. p. 2: «eché mano —dice Pierio— de Horacio, y abriéndole, lo primero que descubrí fue su Poética: hela leido, pero en muchas cosas se me ha quedado el entendimiento deseoso y corto».

92. *Ibid.* pp. 5-6. «*Castalio.* Esta empresa es mayor que la que mis fuerzas pueden sustentar: mas con el arrimo de los buenos autores, fiado en ellos y en vuestra bondad, no quiero escusar lo que me pedis. Y para principio de ello os aviso que esta propria *Poetica* de Horacio la tengo traducida en Castellano: y viene a cuento, respecto de ser lo que tratamos en nuestra materna lengua. *Pierio.* Y no solo por eso, sino por haber muchos en España

Mas no bien concluida tal proposición, asalta a Cascales el escrúpulo general que durante todo el siglo XVI mantuviera la *Epistola ad Pisones* en un plano de discreta subsidiaridad respecto a la *Poética* de Aristóteles; a saber: el carácter incompleto y fragmentario de su contenido doctrinal, así como el supuesto ametodismo y sus interpolaciones, absolutamente culpables y desvalorizadoras dentro de las pretensiones y prejuicios de la mayoría de los humanistas del XVI, encabezados por el prestigioso Scalígero. Cascales no niega tal carácter, aludiendo a una deliberada voluntad artística de género en Horacio y proponiendo, a su vez, para convertir la obra en Poética cabal, un proceso de extrapolación de problemas. A la pregunta de Pierio sobre si la *Poética* de Horacio «contiene todo el sujeto de esta divina arte», responde Castalio en el sentido antes expuesto:

> «No; mas algunos preceptos principales de ella, que tomandolos por instrumento, se puede discurrir sobre las partes de toda la Poesia, no por via de comento, porque el comento con mucho menos cumple, sino en virtud de estos consejos, que en efecto tratan de algunas cosas de las tres especies generales de la Poesia, tomar una larga licencia de explicar todo lo que en ellas se debe guardar»[93].

Se plantea después en las *Tablas* la discusión, habitual en la mayoría de los prefacios de las obras italianas del XVI, sobre el título que más convendría a las obras de Horacio y de Aristóteles; debatiendo la licitud relativa de dichos títulos a la luz del carácter incompleto de ambas obras, más acusado quizás en el caso de la de Horacio. Pero también se aduce contra la *Poética* la ausencia de doctrina sobre la comedia y otros géneros, así como la merma del supuesto tratado perdido sobre cuestiones generales de la poesía. Cascales razona con las más convincentes armas en favor de Horacio[94], tomadas a préstamo en gran parte al razonamiento análogo

ignorantes de la Latinidad, que si en ella lo tratarades, quedaran privados de este bien. *Castalio.* Soy contento de lo hacer asi, alegando de Horacio, quando se ofreciere, los versos de mi traduccion».

93. *Ibid.* p. 3.

94. Responde Castalio a la pregunta de Pierio: «Pues si Horacio no escribe todo el oficio del Poeta, ¿por qué a su libro le da titulo de *Poetica? Castalio.* O bien sea por arbitrio y juicio de los Gramaticos, o por opinión recibida, o por parecer de los impresores, que no en pocas cosas se suelen tomar algunas libertades, ese titulo de *Poetica* se le ha dado y confirmado con millares de impresiones. Lambino y otros tienen lo contrario, que no se debe llamar sino *Epistola:* porque realmente lo es, y en ella escribe a los Pisones, caballeros Romanos». Y tras citar el parecer de Robortello, añade: «De manera que claro consta, que no la hemos de decir *Poetica,* mas que por estar del tiempo bautizada con este nombre. Que si lo fuera, bien sabia Horacio quantas mas cosas de las que él dixo se deben decir sobre este arte; y la obligación que tenia de tratarla en methodo, como preceptor de ella,

de Robortello[95], y destacando el fondo de limitación de tales argumentos.

Finalmente el propósito de constituir la obra como una mera paráfrasis aclaratoria de la *Epistola ad Pisones*, de la que Cascales afirma con cierto énfasis orgulloso haber realizado una traducción que utilizará, parece prometer indiscutiblemente una pauta única horaciana para la organización de las *Tablas*[96]. Sin embargo nos apresuramos a adelantar que, aunque Horacio sea en efecto muy copiosamente citado para ilustrar doctrinas, unas veces con propiedad y otras sin ella, el valor real de su presencia no constituye en modo alguno un sustento teórico realmente valioso; antes al contrario ofrece tan sólo el perfil de un esporádico y a veces perturbador rosario de citas ocasionales, muchas de ellas muy mal encajadas.

La estructura de la obra, para nosotros sin duda su mérito más destacable, remarca indiscutiblemente la base doctrinal fundamentalmente aristotélica, complementada en su adaptación y extensión a la teoría de los tres grandes géneros: dramático, épico y lírico, que a Cascales le adviene desde sus modelos italianos, Tasso y Minturno. Dividida en dos partes «de la poesia in genere» e «in specie»; ya desde la Tabla primera, de resumen, se despliega la estructura de causas del sistema poético, y la sistematización aristotélica —en partes cuantitativas y cualitativas de la obra— llena la pauta fundamental. Precisamente la aclaración del esquema y problemática de las partes cualitativas —en el mismo orden aristotélico de fábula, costumbres, sentencia y dicción— viene a constituir la materia de las otras cuatro tablas de la primera parte. El contenido de la obra es por consiguiente esencialmente aristotélico, no en balde su fuente principal era el primer comentador de la *Poética* de Aristóteles, Robortello. En la segunda parte, las cinco tablas de la poesía in «specie», reproducen en el caso de estudio de cada una

y no interpolando la materia de la Epica con la Scenica y Lyrica, ora acudiendo a la Tragedia, ora a la Comedia, ora al verso Heroico, quando le parece, no saliendo de su proposito quanto a epistola, dando a entender en esto que no escribia el Arte *ex professo*, sino que solamente daba luz a los deseosos de ella, y ocasión a los que la quisieren profesar y escribir». *Ibid.* pp. 3-4.

95. Véase la fuente de Cascales para gran parte de las ideas al respecto, en el comienzo de la paráfrasis horaciana de Robortello: «Etsi libellus hic de arte poetica inscribitur, videturque ipsa inscriptio prae se ferre methodo quadam certa, et ordinata praeceptiones tradi scribendorum poematum, puto tamen ego inscriptionem illam a poeta non fuisse appositam neque, cum ad *PISONES* scriberet, in animo habuisse artem ullam, aut methodum praeclarae huius facultatis tradere; nam si id efficere voluisset; ab initio omnia repetens, et naturae ordinem sequens praeceptiones omnes singillatim esset persecutus, quae ad poema recte scribendum spectant; hanc enim commodiore ratione potuisse artem poeticae facultatis describi ab Horatio satis patet. Nuncvero quis credat hominem doctissimum de arte tam confuse fuisse locutum? sic igitur omnino sentiendum». Cfr. F. ROBORTELLO, *Paraphrasis in Libellvm Horatii, qvi vulgo de Arte Poetica inscribitur*, ed. cit. p. 1.

96. Cfr. F. CASCALES, *Tablas Poéticas*, cit. pp. 5-6.

de ellas —en especial las clásicamente canonizadas, tragedia, comedia y epopeya— el mismo esquema interno aristotélico expuesto en la parte primera[97].

Hecho el preámbulo anterior para situar adecuadamente de entrada el valor del componente horaciano en la obra española, que pese a todo, y fuera de las estrictas paráfrasis, constituye la cumbre de la horacianización de nuestra ciencia poética áurea; advirtamos además que, de los 476 versos que forman el conjunto total de doctrinas de la *Epistola ad Pisones*, sólo algo más de la tercera parte —165 hexámetros exactamente— fueron traducidos y glosados en las *Tablas*. Con todo, insistimos en que se trata de un contenido realmente denso de doctrinas; por ello optaremos al presentarlas aquí por reproducirlas no en un difícil y arriesgado orden sinóptico y orgánico, sino en el de su aparición a lo largo de la estructura de la obra de Cascales.

En la tabla I, los hexámetros 179-188 de la *Epistola ad Pisones* —claramente destinados por Horacio a prohibir la representación escénica de truculencias y acontecimientos prodigiosos, por cuanto lesionan la verosimilitud de la ilusión escénica, o simplemente por su condición desagradable—, se ven desplazados a glosar la «materia poética», que «es todo quanto puede recibir imitación». Hace en ello Cascales todas las salvedades incluidas en general en los referidos hexámetros, pero torcidas con especial cuidado y omitiendo la mención de los lances mitológicos que existen en Horacio, para ilustrar la inconveniencia de representar a Dios y a la Virgen[98].

En el mismo apartado de «materia» son encajados los famosos hexámetros 38-41, rectamente acogidos en principio, para torcerlos más tarde dentro de una menos convincentemente horaciana distribución del límite prudente de las propias fuerzas, según el relativo empeño y dignidad, no de los temas, sino de los géneros jerarquizados en orden de dificultad creativa[99].

97. En ocasiones se registra en las *Tablas* la asociación de Aristóteles y Horacio como las más altas fuentes de autoridad Poética, por ejemplo en *Ibid.* pp. 42 y 45: «al fin no seran de tanta autoridad, que se deba creer antes a ellos que a Aristoteles y Horacio», «¿cómo la regla de la unicidad, que en esto dio Aristoteles, y Horacio confirmó, es verdadera, si el que escribió la *Heracleida*... etc...?» No obstante, tales asociaciones explícitas carecen de todo valor discriminatorio, por pertenecer a un texto literalmente plagiado de *L'Arte Poetica* de Minturno, op. cit., pp. 32-34.

98. *Ibid.* pp. 11-12.

99. He aquí la traducción y glosa de Cascales: «... bien se cree que sabrá tambien el Poeta escoger y tomar materia conveniente a sus fuerzas, y que havrá probado primero lo que puede sustentar. Horacio:

> Escritores, tomad a vuestras fuerzas
> Materia igual; haced prueba primero
> De aquel peso que pueden, o no pueden

Por último, dividida la materia poética en «cosas y palabras», se invocan a tal propósito los hexámetros 309-311, para recomendar con Horacio las «socraticae chartae» como fuente y guía doctrinal de la *res*, así como la confesada prioridad de la misma sobre los *verba*[100]. En conclusión, la doctrina de la «materia» discurre con naturalidad y soltura por los cauces horacianos, compartiendo sin embargo eclécticamente la prioridad ejemplar con Aristóteles, del que se recuerdan por extenso sus discusiones sobre la esencia mimética y no versal de la poeticidad, y la exclusión del ámbito de lo poético de disciplinas como matemáticas o histórica, aunque se enseñaran en obras versificadas.

Pero esta insistencia aristotélica a que acabamos de referirnos, realmente se condensa aún más dentro de las *Tablas* en las páginas sucesivas, cuando aparece la doctrina de la «forma poética», «imitación que se hace con palabras», con independencia del verso. Este último, a su vez, es ingrediente secundario, aunque con positiva función endulzadora de la imitación poética, a cuya glosa aplica inmediatamente Cascales los archirrepetidos hexámetros 99-100:

> «Y tambien, porque siendo necesario en la Poesia el ornato y dulzura; el verso que en esto tiene tanta excelencia, no es razon olvidarle. Horacio:
>
> *No basta ser hermosa la Poesia,*
> *Tambien sea dulce; inclinará los animos*
> *A la parte do mas le pareciere.*»

A pesar de esta mención, oportuna pero marginal, la importantísima doctrina aristotélica de la imitación llena el apartado de la «forma», extendiéndose además, a través de las clases de imitación, al bosquejo de la teoría de los tres géneros fundamentales, filtrada hasta Cascales por la

---

Sustentar vuestros hombros: conveniente
Siendo la empresa, no tengais recelo
Que os falte la facundia y orden clara.

Quien no es bastante para hacer una obra Epica, ni una Tragedia, haga Comedia, o haga una Egloga, una Satira, una Cancion o un Soneto. Examinese tambien adonde le lleva mas su inclinación. Porque havrá quien no acierte a darle su gracia a una Comedia, y hará una Tragedia por estremo bien... Por tanto conviene experimentar cada uno su natural ingenio para mejor acertar». *Ibíd.* p. 13.

100. *Ibíd.* p. 14. La traducción de los referidos hexámetros:

«La fuente de escribir bien es la ciencia;
Esa te enseñará el divino Socrates.
Y quanto tengas allegada hacienda
De que decir, sobrarte han las palabras.»

doctrina de progenie retórica de los «modos» de imitación: exegemático, dramático y mixto.

Algo análogo sucede con la importantísima cuestión de la finalidad de la poesía. Aunque en este punto comienza Cascales con la cita de los hexámetros 343-344 —precisamente invocando de modo genérico el eclecticismo horaciano entre enseñanza y deleite—, la inmediata asociación de otras fuentes, tales como la forzada y abrupta yuxtaposición de la definición pseudociceroniana de comedia[101], y sobre todo la extensa mención de las doctrinas catártica y del placer imitativo de la *Poética* de Aristóteles, reducen la presencia de Horacio a un mínimo meramente exornativo, tanto en extensión como en desarrollo doctrinal. En el final de esta tabla primera, comprimido anticipo de lo que se ha de tratar en el resto de la obra, sin la menor referencia a Horacio, se destaca aún más nítidamente la permanente armazón aristotélica que anima la estructura general del libro[102].

Quizás más exiguo y marginal todavía es el papel de Horacio en el desarrollo de la tabla II, dedicada a la *fábula*, primera de las partes cualitativas de la obra enunciada por Aristóteles. La ponderación de su importancia, los límites de verosimilitud en su desarrollo con la discusión conexa de las diferencias entre historia y ficción fabulosa, sus características —«una, entera y de justa grandeza»—, el punto cronológico en el arranque de la ficción, diferente de la sucesión histórica, el orden y naturaleza de los episodios respecto del conjunto de la fábula, etc...; todo ello constituye un conglomerado doctrinal cuya inspiración esencial es la *Poética* y sus canales concretos Robortello, Minturno, y el Pinciano, con quien se permite polemizar. Las inclusiones horacianas en más de treinta páginas que ocupa esta Tabla, se reducen a tres: una mención circunstancial y genérica del hexámetro 47, *hoc amet, hoc spernat...*, acotado aún más acomodaticiamente por Cascales en su traducción: «Esto escriba el Poeta, aquello deje»; la referencia común en Horacio y Aristóteles a la divergencia entre el arranque en la narración histórica y en la poética[103]; y finalmente la nota meramente exornativa del elocuente comienzo de la *Epistola ad Pisones* en lo tocante

101. *Ibíd.* p. 17, «*Castalio*. El *Fin* de la Poesia es agradar y aprovechar imitando: por este fin dixo Horacio:

Todos los votos se llevó el Poeta,
Que supo ser de gusto y de provecho:
Ya alegrando al lector, ya aconsejando.

De manera que el Poema no basta ser agradable, sino provechoso y moral: como quien es imitación de la vida, espejo de las costumbres, imagen de la verdad». El desarrollo de las doctrinas aristotélicas comprende pp. 17-19.

102. *Ibíd.* pp. 19-21.

103. *Ibíd.* p. 35, se traducen los hexámetros 146-147.

a la doctrina de los episodios, cortada esencialmente sobre la teoría aristotélica a través del símil del equilibrio y perfecta disposición de los miembros en el cuerpo animal[104].

La presencia de Horacio se intensifica, como era de esperar, en la tabla III; puesto que, estando dedicada a las «costumbres», la sinóptica maestría de Horacio en esta materia hacía obligada la aparición de las tiradas tópicas, consagradas tanto por la tradición retórica como por la poética, sobre la caracterización de los personajes según las edades, etc...[105]. Pero lo que resulta más destacable en este punto de las *Tablas* es el rasgo que, en general, hemos advertido ya en numerosas obras españolas y europeas, como uno de los favoritos de la mezcla aristotélico-horaciana en un patrón colectivo. Consiste esta peculiaridad en tratar de adaptar e ilustrar ciertos sectores de doctrina horaciana a las notas aristotélicas de «bondad, conveniencia, semejanza e igualdad». A propósito del rasgo de bondad, no claramente definido en Aristóteles, nada verdaderamente congruente podría ser descubierto en la obra de Horacio; pero Cascales, como algunos otros comentadores del poeta latino, acogiéndose a alguna incidencia ocasional y muy genérica, apunta el contenido de los hexámetros 114-118:

> «Es pues la consideración, que si la bondad de una Muger se atribuye al varon, si la del esclavo al Principe, ya no será bondad sino vicio... Lo mismo dice Horacio.
>
> *Va a decir mucho, si el criado, que habla*
> *Es de buenas costumbres, o de malas:*
> *Si habla maduro viejo, o joven férvido:*
> *Si matrona potente, o presta moza*
> *Mercader trafagante, o despeñado*
> *Labrador: o si es Colco, o es Assyrio,*
> *O si criado en Thebas, o si en Argos*»[106].

A la segunda nota de *conveniencia,* definida por Cascales como que «a cada cosa de estas —oficios, estados, naciones, sexo, edad— se le ha de guardar su decoro y propiedad», se le aplica generosamente la tirada de los antes referidos hexámetros 153-178, reforzándolos incluso con otra de las citas genéricas y ocasionales: la continuación y especificación del contenido de las «socraticae chartae», hexámetros 312-316, que nada de estrictamente común tienen con la materia de los caracteres. Y, tras de

104. *Ibid.* p. 39, se traducen los hexámetros 1-9.

105. *Ibid.* pp. 56-57. Se traducen aquí una gran cantidad de hexámetros de la Epístola, desde el 153 al 178.

106. *Ibid.* p. 55.

la extensa discusión, mantenida en términos explícitamente aristotélicos, sobre la casuística que crea el misterioso precepto de la bondad, se sucede con brevedad la mención de los dos restantes rasgos: *semejanza* —«que las personas o cosas que han sido en tiempos pasados, las imitemos conforme a la opinión y noticia que teñemos de ellas»— e *igualdad* o *constancia* —«aquel a quien el Poeta le pinte iracundo, le lleve iracundo hasta el cabo»—. En ambos casos la asignación correcta de los hexámetros apropiados discurre según el hábito consagrado ya en los comentadores de Horacio: hexámetros 119-124 para la semejanza, y 125-127 para la igualdad[107]. A este compacto bloque horaciano-aristotélico añádense, en el caso de esta tabla de las costumbres, minuciosas ejemplificatorias y subclasificaciones modernas ajenas a una y otra tradición, extraídas por Cascales de las fuentes contemporáneas italianas, sobre todo de Minturno.

La tabla IV, dedicada al tratamiento de la «sentencia», no registra mención alguna de Horacio. La categoría, como parte cualitativa de la obra, era aristotélica, y el tratamiento llegó totalmente filtrado hasta Cascales desde la tradición retórica a través del Minturno. Por el contrario la tabla V, donde se trata de la dicción, se verá enriquecida por las tan difundidas menciones de los animados hexámetros horacianos sobre la «vida de las palabras», a propósito de los neologismos y la innovación del vocabulario[108]. Sin embargo esta referencia aislada se diluye a su vez dentro de una extraña e inoperante estructura de tratado gramatical, que remonta sus orígenes hasta el planteamiento de esta sección, realizado en su *Poetica* por Aristóteles. En el caso de las *Tablas*, el minúsculo tratado gramatical se refuerza y condensa en su condición de «vademecum» utilitario con los inventarios fónico-estilísticos de las «virtudes de las letras» y las sistematizaciones —por cierto que meramente elementales— de figuras y tropos correspondientes a los manuales de Retórica[109]; así como con la sumaria mención de las breves nociones métricas que incluye.

107. *Ibid.* pp. 62-63. Por cierto que en este segundo texto, la traducción de Cascales, sin duda siempre superior a las de sus predecesores, desdibuja notablemente el contenido literal de Horacio:

«Si quieres escribir algun Poema,
Fingir nuevas personas y argumentos,
Procura de llevarlo hasta el cabo
Como lo comenzaste, de manera
Que por todo y en todo se parezca.»

108. *Ibid.* pp. 80-81 se traducen los hexámetros 46-59.

109. Por cierto que una de las figuras ejemplificadas, la sinédoque, lo es mediante el tan discutido fragmento de la Epístola, «... —*Mediocribus esse Poetis|Non homines, non di, non concessere columnae*», del que en su paráfrasis latina había de dar Cascales renovada medida de sus caprichosas e imaginativas capacidades al pretender ver en la intención del

La Tabla con la que se inicia la segunda parte de la obra «de la poesía in specie», centrada en el tratamiento de la épica, es donde el número de menciones horacianas alcanza la más alta frecuencia de todo el libro. Carente la materia, como es sabido, de un explícito tratamiento, de extensión semejante al de la tragedia en la *Poética*, Cascales, a través de sus fuentes italianas, recogió el ejemplo del propio Aristóteles trazando el modelo teórico para este género desde la plantilla general de definición y partes, cuantitativas y cualitativas, de la tragedia. Por cierto que la fisonomía del género épico y aun su misma lícita supervivencia, se hallaban seriamente comprometidas en las polémicas contemporáneas modernas en Italia, con ciertos reflejos también en las mucho más atenuadas de nuestro país[110]. Así, a las páginas de las *Tablas Poéticas* saltan también, literalmente traducidos, los ecos recogidos por Minturno sobre el implacable debate del *Orlando*, y aun ciertos reflejos de los *Discorsi* del Tasso.

Por lo que respecta a los textos horacianos incluidos en el apartado de la épica, ninguno de ellos corresponde a los fragmentos de la *Epistola ad Pisones* específicamente referentes a la definición de la temática, el estilo o el metro épicos. Dividido el discurso épico al modo retórico en principio y narración, se adjudican al primero sistemáticamente las tan reiteradas prevenciones horacianas contra los comienzos hinchados y altisonantes. Aquí, como en el caso de sus antecedentes españoles, tampoco acierta Cascales con la versión de «cíclico», que el murciano traduce «como el otro poeta saltambanco»[111]. Respecto al desarrollo de la doctrina sobre la narración, Cascales descubre la oportunidad óptima para empedrar su texto con recuerdos genéricos horacianos, correspondientes tanto al campo de la «dispositio» como al de la «elocutio». Entre los del primer tipo, se advierten las prevenciones contra el abuso de descripciones episódicas[112], la reiteración de aspectos

---

fragmento una alusión sutil a los tres géneros literarios. He aquí el comentario castellano de las *Tablas*, muchos años anterior a la referida paráfrasis, pero al que fue obstinadamente fiel el profesor murciano: «Donde *columnae* se toma por el theatro en que se representa; que las colunas son parte del theatro, que es el todo. Y este verso ultimo citado, no lo han entendido los interpretes Acron, Porphyrio, Lambino, Sanchez Brocense, ni Sambuco, ni los demas que yo he visto; y quiere decir: 'que ni los Dioses, es a saber, ni los Poetas Lyricos, que cantan a los Dioses; ni los hombres, es a saber, ni los Poetas Heroicos, que celebran a los hombres ilustres; ni las colunas, es a saber, ni los Poetas Comicos y Tragicos, que representan sus Fabulas en los theatros sustentados en colunas, les permiten que sean razonables; que es tanto como decir, que en todo genero de Poesia han de ser los Poetas excelentes, o no escribir'». *Ibid.* p. 85.

110. Cfr. Frank Pierce, *La Poesía Epica del Siglo de Oro*. Madrid, Gredos, 1961, pp. 17-39.

111. Cfr. F. Cascales, *Tablas Poéticas*, ed. cit. p. 120, traduce los hexámetros 126-145.

112. *Ibid.* p. 121. Traduce los hexámetros 14-21; por cierto que la amplia dosis de libertad que Cascales se toma, no redunda en agilidad de expresión, en especial en los versos finales de este fragmento:

conexos con el peculiar orden de la narración épico-fabulosa, como algo opuesto al orden natural de acontecimientos en la sucesión histórica[113]; el comienzo «in medias res» y la subsiguiente suspensión del ánimo[114]; o, en fin, consejos generales para lograr el pleno interés permanente del espectador o del oyente a través de la sabia dosificación de la tensión verosímil:

«Vuestra disposición, si no me engaño,
Podrá ser tal. Aquello que conviene
Decirse agora, que se diga agora,
Lo demas reservarlo hasta su tiempo:
Esto escriba el Poeta, aquello deje»

«Pintas el altar sacro de Diana,
Y pintas un arroyo, que regando
Un prado ameno va por mil rodeos.
Pintas el Rin, profundo y ancho rio;
Y un arco que promete lluvia pintas.
Mas eso no ha lugar agora ¿Y sabes
Por ventura un cypres pintar al vivo?
Bien. ¿Qué importa, si el otro pobre naufrago
Rota la nave, su caudal perdido,
Pide sola la tabla del naufragio,
Con que a misericordia el pueblo mueva?»

Contrástese con la traducción que, ya muy adelantado el siglo, diera de los mismos hexámetros el P. Morell:

«Quando el ara, y el bosque de Diana,
Y el arroyuelo que entre perlas mana,
Y qual sierpe de plata
Entre campos amenos se desata:
Ya el Rin, ya el Iris arco en sus colores
Pensil de aërias flores
Se descriven sin tino,
Pero à que fin si nada al caso vino?
Porque sabes pintar un cipres bello
En todo has de ponello?
Para que si entre escollos formidables
La Nave zozobrò rotos los cables,
Y el Naufrago lloroso te ha pagado
Porque le pintes tu, desesperado,
Pintas con necia mano
Entre las olas un cipres loçano?»

Cfr. MORELL, *Poesías latinas*, cit., pp. 410-411.

113. Cfr. al respecto la nueva mención de los hexámetros 146-147, a partir de: «Ni comenzó la vuelta de Diomedes...»

114. Dos veces repetido casi el mismo fragmento, entre los hexámetros 148-152 en pp. 126 y 141.

Y más adelante:

> «*Y con tal arte finge, asi lo falso*
> *Junta con la verdad, que no desdice*
> *El medio del principio, el fin del medio*»[115].

Los consejos más bien relativos al campo de la elocución se refieren a la genérica exhortación horaciana a la brevedad[116]. Otros, en fin, son meras cuñas interpuestas para dotar de agilidad al discurso preceptivo del autor con variada ocasión[117].

Obviamente ninguna conexión se establece con Horacio en las *Tablas* en lo correspondiente a las arbitrariamente denominadas —bajo el influjo no bien discriminado de Minturno— «épicas menores»; égloga, elegía y sátira. Estos eran tipos de poemas o géneros no abordados en concreto en ningún momento de la *Epistola ad Pisones*, pero respecto al último de los cuales se asociaba invariablemente el recuerdo modélico del quehacer artístico del propio Horacio. Cascales no podía tampoco sustraerse a la mención habitual[118]. Y no es mucho más significativo el papel que juega la doctrina horaciana en el apartado siguiente —tabla III de la segunda parte— sobre la tragedia. Cascales especializa singularmente sus referencias a las enseñanzas aristotélicas de los tipos de agniciones y reconocimientos, así como la casuística de la piedad, desatendiendo cualesquiera otros considerandos explícitos aun en el propio Aristóteles, sin duda para no repetir el tratamiento de las partes cualitativas realizado en la primera parte de sus *Tablas*. Sólo la mención mal interpretada de los «sátiros»[119], constituye

115. *Ibid.* pp. 139 y 141, hexámetros 42-45; y 151-152, respectivamente.

116. En p. 125, traduce los hexámetros 335-337:

> «Si algo enseñares, ser procura breve,
> Para que tus preceptos entendidos
> Y a la memoria encomendados sean:
> De pecho lleno lo superfluo mana».

Y más adelante añade la limitación horaciana del hexámetro 25.

> «Tal hay que por ser breve da en obscuro».

117. Tal es el caso del fin inesperado, desde un presupuesto de comienzos distinto, en la metáfora horaciana del alfarero, p. 134, hex. 21-22: «Comenzaste a hacer una tinaja, / Andando el torno ¿cómo salió cantaro?». O bien la licencia de osadía acordada para pintores y poetas de los hexámetros 9-11, en p. 137.

118. *Ibid.* pp. 156 y 158.

119. Cascales interpreta los «Sátiros» como una parte en cierto modo integrada en la tragedia, de donde deduce: «y si hablamos de estotro contento mas material, que procede de causas ridiculas, el Tragico tambien puede traherlas algunas veces con qué entretenga a los oyentes: y estos entretenimientos llama Horacio *Satyros*». *Ibid.* p. 172; los hexámetros traducidos a continuación son: 220-224 y 231-239.

la única aportación horaciana, y no sin cierta impropiedad, en la doctrina de la tragedia, a la que se ha de añadir tan sólo la noticia sobre la función del coro, en la que por cierto escamotea Cascales la decisión entre la incierta *lectio* inicial «actoris vel auctoris»[120].

En los apartados restantes, consagrados al tratamiento de la comedia y la lírica, el perfil de la doctrina horaciana se recorta sólo en tres ocasiones entre el conjunto general de doctrinas aristotélicas extrapoladas en el caso de la comedia, y del tratamiento conceptista de la lírica que había adquirido Cascales desde su lectura de los *Discorsi dell'Arte Poetica* del Tasso. Para la comedia se amonesta, de la mano de Horacio, a los contaminadores de su estilo con incidencias trágicas[121], y se recuerdan las limitaciones de actos, escenas y personas hablantes también con versos de la *Epistola ad Pisones*[122]. Por lo que hace, finalmente, a la lírica, no deja de ser notable y distinguida la mención del *Ars*, puesto que —de no haber sido, como en realidad lo es, una extrapolación abusiva de determinadas palabras del texto horaciano— resultaría ser ni más ni menos que la definición y comprensión unitaria y globalizada del género que, obviamente, ni Horacio ni ninguno de los demás poetas clásicos llegó a plantearse con conciencia explícita de tal[123].

Si, desde el aspecto positivo de las consideraciones anteriores de lo tratado, pasamos ahora a la inversa, a lo excluido; advertiremos con facilidad que no siempre ha sido el meollo esencial de la *Epistola ad Pisones* lo entresacado por Cascales. Algunas de las más brillantes y destacadas tiradas de versos

120. *Ibid.* p. 174, hexámetros 193-201. Así comienza:

«Haga las partes y el oficio el Choro
De un buen varon: no cante entre acto y acto
Sino cosa que importe, y sea a proposito:
A los buenos socorra; a los amigos aconseje...» etc.

121. *Ibid.* p. 194, hexámetros 89-98, aunque se reconoce con Horacio que «aunque algunas veces también ella —la comedia— se engrie y pone de puntillas, como ni más ni menos la Tragedia se suele humillar algunas veces».

122. *Ibid.* p. 200, hexámetros 189-190 y 192.

123. *Ibid.* p. 203, hexámetros 83-85.

«La Musa manda en lyricas canciones
Cantar los altos Dioses, semideos,
Al bravo vencedor, al más ligero
Caballo, los cuydados, los amores
De mancebos las fiestas y banquetes».

Versos que van precedidos por la siguiente caracterización en Cascales: la lírica es «Imitación de cualquier cosa que se proponga: pero principalmente de alabanzas de Dios y los Santos, y banquetes y placeres, reducidas a un concepto Lyrico florido». Y cerrados por las siguientes palabras: «Y esas cosas es necesario que guarden unidad y conveniente grandeza, y sean celebradas en suave y florido estilo, en cualquiera de los tres modos, exegematico, dramatico, mixto».

—mucho de lo relativo a la renovación del vocabulario, y casi todo lo concerniente al sistema de las tres grandes dualidades tópicas— aparecen perfectamente inéditas en esta selección, centrada en determinados módulos doctrinales con evidente tendencia, por añadidura, a aislarlos y a omitir el libre giro de su augusto desarrollo horaciano.

Por último es preciso destacar que, si la traducción de los fragmentos que nos ofrece Cascales, no deja de ofrecer lagunas, errores y zonas de sombra; resulta cierto también que es la mejor que nos legara nuestro Siglo de Oro. En ocasiones se decantan algunas licencias y atrevimientos no pequeños, de los que incluso el mismo autor llega a hacerse eco por boca del más lego Pierio; concretamente respecto a determinados versos añadidos a la descripción del «monstruo»[124]. En lo que respecta a que Cascales, según su propia declaración, dispusiera de una traducción de la Epístola completa, perfectamente establecida y concluida, antes de abordar el trabajo de componer las *Tablas*, ciertas variaciones observables en algún texto dos veces transcrito bien podrían contradecir tal pretensión[125]. Obliga a pensar lo contrario, sin embargo, el caso de otra situación similar en que el texto común aparece idénticamente reproducido[126].

Las citas horacianas en las «Cartas filológicas»

El interés de Cascales por la materia horaciana que testimonian las *Tablas Poéticas* —por no referirnos, naturalmente, a su paráfrasis de la *Epistola ad Pisones*— no decae, ni muchos menos, en el caso de su obra más difundida, y quizás hoy de más valioso testimonio, las *Cartas filológicas*. En el conjunto de las tres décadas de epístolas, escritas en distintos momentos, que componen la obra, Horacio es quizás la autoridad que más tenazmente deja sentir su presencia.

Muchas son las referencias a obras horacianas distintas de la *Epistola*

124. *Ibid* p. 226: «*Pierio.* Pues haveis acabado con tanta felicidad, no quiero enfadaros: pero no dejaré de advertir, que en vuestra traducción de la Epistola de Horacio veo dos versos añadidos en el principio della:

De oso los brazos, de leon la espalda,
De aguila el pecho, y de dragon los senos.

Y abajo veo otros dos. *Castalio.* Todo esso es verdad: puse estos primeros, porque no me parecia estar bien hecha la descripcion del monstruo sin expresar las partes dél; y los ultimos, porque sin ellos quedaba obscura la sentencia».

125. Nos referimos concretamente a la traducción de los hexámetros 146-147, citados en pp. 35 y 125 con variantes concretas en el último verso: «*Asedio de los dos huevos de Leda*», y «*Asalto de los dos huevos de Leda*», respectivamente.

126. Cfr. el ejemplo en pp. 126 y 141, respecto de los hexámetros comunes 148-150.

ad Pisones. Algunas de ellas se advierten casi obsesivamente recordadas, como la designación horaciana de «purpúreos cisnes», o de que los cisnes arrastran el carro de Venus[127]. Otras veces se trata de la mención a numerosos textos de Horacio —junto a los de otros autores—, donde se hace presente una estructuración ternaria de distintos fenómenos de la realidad[128]; otras son relativas a los efectos del vino, y el cuidado de los niños[129]; otras a la descripción de juegos circenses y en general de costumbres romanas[130], según van aflorando y coincidiendo los temas antedichos con la propia temática de la epístola de turno en Cascales. Aunque, por lo general, la aparición del testimonio horaciano es muy dispersa e irregular: para mencionar epítetos de la púrpura[131], para precisar la noción de «reyes magos»[132], para aclarar el valor de términos raros como «mola»[133]; para ejemplificar desplazamientos de palabras en el interior del verso[134] etc... etc...[135]. Con frecuencia tales citas vienen a cumplir simplemente una función ocasional de refuerzo de una situación o decisión concreta del propio Cascales, como en el caso de la mención del *Ridentem dicere verum, Quis vetat?*[136]; o bien son sentencias lapidarias, convocadas por su valor de verdad universal[137].

Esta permanente presencia estaba fundamentada, como es fácil suponer, en la alta estima de los méritos poéticos de Horacio y, consecuentemente. de su autoridad como teorizador y modelo práctico que albergaba Cascales. Son muchos los puntos de las *Cartas filológicas* donde gustosamente se hace pública confesión de tal aprecio y respeto. Ya en las frecuentes enumeraciones de los más altos poetas clásicos para reforzar un aserto de su autoridad[138], ya como autoridad inapelable en decisiones concretas, cual es el caso de probar que la lírica encierra en cada composición no más de

127. Cfr. F. DE CASCALES, *Cartas Filológicas*. Ed. J. García Soriano, Madrid, Espasa-Calpe (Clásicos Castellanos), 1961, 3 vols. Vol. I, pp. 101 y 103; Vol. II. p. 162.
128. *Ibíd.* Vol. I, pp. 120, 121, 123, 124.
129. *Ibíd.* Vol. II, pp. 192, 197-98; 208-9, 210.
130. *Ibíd.* Vol. II, pp. 148, 152; III, 96.
131. *Ibíd.* Vol. I, p. 97.
132. *Ibíd.* Vol. I, p. 114.
133. *Ibíd.* Vol. II, p. 127.
134. *Ibíd.* Vol. I, p. 169.
135. Entre otros ejemplos comparten esta índole variada los siguientes, Vol. I, p. 17; II, pp. 91, 101.
136. *Ibíd.* Vol. II. p. 137.
137. Por ejemplo los siguientes: «Nescit vox missa reverti», I, 41; «Sapientia prima est stultitia caruisse», II, 90; o el tan difundido, «Orandum est, ut sit mens sana in corpore sano», III, 33.
138. Véase, por ejemplo, Vol. I, p. 178.

un «concepto»[139], precisión fundamental recogida desde el Dante en la formulación de las modernas teorías, tanto de la lírica como del conceptismo literario. En cuanto a su autoridad como teorizador, el prestigio de Horacio en las *Cartas* va vinculado fundamentalmente a la devoción de Cascales por la *Epístola ad Pisones*, a la que confiesa en cierta ocasión «la mejor retórica que hasta hoy tenemos, y lo mejor de sus obras»[140]; y de la que en otra afirma: «Vuelvo a mi Horacio, que le hallo a la mano a cuanto quiero decir. Suplícoos que le oyáis y le miréis a las manos»[141].

Con tales admiración y asiduidad respecto a los versos del *Ars*, es natural que sean éstos, entre toda la obra de Horacio, los más frecuentemente representados en las páginas de las *Cartas*. A veces, como señalábamos ya en el uso ocasional de versos de otras obras, las menciones tienen poco que ver con el fondo doctrinal de la Epístola, y son simples asociaciones ingeniosas por alguna circunstancia concreta. Tal sería por ejemplo el caso de la finalización de una carta en la que Cascales no se quiere demorar, que le trae al recuerdo el último verso de la *Epístola ad Pisones*, *Non misura cutem, nisi plena cruoris hirudo*; o la más genérica proclamación de su voluntad de brevedad en un asunto, asociada al *quidquid praecipies, esto brevis*[142]; o, por abreviar, un buen número de circunstancias más o menos análogas[143].

Sin embargo, como es lógico, el contenido básico de la utilización del *Ars* por parte de Cascales está dirigido preponderantemente a glosar concretos problemas doctrinales de Poética. Estos se producen en ocasiones de índole general, universal; en ellas el paralelismo del contexto de las *Cartas* con el del *Ars* es absoluto y su acomodación no reviste problema alguno. En especial cuando se trata de noticias adjetivas y externas, como la mención del *tibia non ut nunc orichalco vincta*, etc..., para precisar la materia de que se hacían los instrumentos musicales. Entre las menciones de este tipo, no podían faltar las genéricas sobre la unidad estructural de la fábula vinculadas al *simplex, dumtaxat et unum*, o sobre el omnipotente valor del *uso* como *forma loquendi*, o, en fin, sobre la obligación de veracidad del poeta en la descripción de las cosas[144]. Pero la verdad es que el rasgo

139. *Ibid.* Vol. II, p. 102.
140. *Ibid.* Vol. I, p. 174.
141. *Ibid.* Vol. III, pp. 134-135.
142. *Ibid.* Vol. III, p. 124, y II, 87 respectivamente.
143. Reseñamos entre ellos, el recuerdo de las «tres Anticiras» para curar la ofuscación en un punto dado, I, 143; el consabido consejo de no asociar realidades habitualmente discretas para no formar compuestos monstruosos, II, 20; el restringido número de los que pueden juzgar rectamente una obra, III, 233, etc..., etc...
144. *Ibid.* Vol. II, pp. 111-112; I, 174; y I, 174 respectivamente.

general común a todas las citas horacianas de Cascales reside, sin duda, en la escasa fidelidad al contexto en que éstas aparecen incluidas. No existe, por lo común, homogeneidad alguna entre la correspondencia del fragmento aislado y la ocasión y motivación deparada por los contextos respectivos en el original del *Ars* y en su transcripción de las *Cartas*. Observemos algunos ejemplos:

La famosa formulación de la dualidad *natura-ars*, que contaba con excelentes realizaciones en la *Epistola ad Pisones*, es invocada por las más tortuosas y alejadas citas, a base incluso de simples coincidencias verbales, de condición absolutamente polisémica. Véase el texto al que nos referimos:

> «En la poesía son menester tres cosas; que no se puede llamar uno con buen derecho poeta si no las tiene todas. Vena, o espíritu poético; éste no se adquiere con industria humana, porque es don del cielo... La segunda es arte. Horacio: *In vitium ducit culpae fuga, si caret arte*. La última es la doctrina. El mismo:
> *Respicere exemplar vitae morumque jubebo*
> *Doctum imitatorem*»[145].

Con ocasión de hallarse tratando del carácter de los ancianos y de su diversidad en la forma de hablar respecto a los jóvenes, cita Cascales los famosos hexámetros sobre la vida de las palabras, su evolución como la de los seres vivos, etc..., cuando en esta circunstancia eran a la sazón ya inseparables expresión y tópico[146].

Pero donde la inadecuación crece de modo palpable, bien que en este caso con otro tipo de frutos no absolutamente despreciables, es al aplicar Cascales —como en general los demás corresponsales cuyas cartas se recogen en la obra— las máximas emanadas de la indiscutible autoridad del *Ars*, a las vicisitudes de las polémicas contemporáneas sobre la obscuridad de la poesía y la oratoria gongorinas. Se citan con frecuencia versos de la *Epistola ad Pisones* sin clara conciencia de su acomodación concreta a la circunstancia del propio razonamiento, sólo con el ánimo de autorizar y arropar las propias palabras. Así la simple mención del término «obscuro» en el archifamoso: *brevis esse laboro, obscurus fio*, le lleva a encajar la

145. *Ibid.* Vol. III, pp. 45-46. Bien es cierto, sin embargo, que en este punto de la acomodaticia y poco ortodoxa aplicación de los versos horacianos, no le hacían tampoco mal tercio los corresponsales, cuyas cartas a Cascales tuvo a bien publicar el preceptor murciano. Un ejemplo análogo e inverso de mala utilización de este mismo tópico nos lo ofrece uno de ellos, FRANCISCO DEL VILLAR, al citar el famoso *Natura fieret laudabile carmen an arte*, como una proclamación del principio más bien trivial de variabilidad universal irreductible de los dictados del «gusto». *Ibid.* Vol. I, p. 172.

146. *Ibid.* Vol. III, pp. 132-133.

cita en un punto que nada tiene que ver con la relación brevedad-obscuridad a la que se refería el texto de Horacio[147].

Casos análogos al anterior serían la mención injustificada del *qui variare cupit*, para recriminar a Góngora por su evolución estilística de las composiciones intrascendentes y sencillas, de las que tanto gustaba Cascales, al nuevo estilo de las *Soledades* que aborrecía[148]: o el invocar los extremos horacianos asignados al quehacer del crítico responsable y justo, *versus reprehendet inertes*... etc..., no más que por su lejano parecido con la objeción capital a la obscuridad gongorina de ser puramente verbalista y no de altos y difíciles conceptos[149]. Igualmente desproporcionada se nos ofrece la mención en las *Cartas filológicas* de los críticos ideales, a que se alude en la *Epístola ad Pisones*, Mecio y Aristarco[150], y sobre todo Quintilio Varo, de quien pretende hacer espejo y modelo remoto en la diatriba contemporánea sobre el lenguaje culto de los predicadores:

> «Aquel gran crítico Quintilio Varo, cuando le traían algún poema a que le viese y censurase, *corrige* decía al poeta, *esto y esto por tu vida;* si respondía que no podía más, mandábale que volviese al yunque los mal forjados versos; si defendía el poeta sus faltas, y no las quería emendar, callaba y despedía al enamorado de sí mismo. Y decía generalmente: «El prudente poeta abomine los versos flojos y sin arte, culpe los duros, borre los incultos» —y tras la cita latina de los hexámetros 445-447, añade— ¿Véis cómo no solamente este gran crítico no vitupera el lenguaje culto, sino que le alaba, y satiriza el inculto?»[151].

Si tan llenas de los hexámetros del *Ars* de Horacio estaban las *Tablas Poéticas*, y tan impregnadas de su espíritu, resulta inevitable que la obra del gran poeta latino salte continuamente en la discusión sobre el mérito y puntos obscuros de su obra juvenil, que el preceptor murciano mantuvo con el Catedrático de Retórica de Alcalá, Pedro González de Sepúlveda. En la carta de éste se cita a Horacio, junto con Aristóteles y Plutarco, como fuentes primerísimas de la mencionada obra, al tiempo que se proclama el difundido prejuicio de la insuficiencia teórica del *Ars* de Horacio, motivada, según Sepúlveda, porque en Roma no se sentía aún la necesidad de encuadrar

147. Uno de los adversarios en la polémica, Angulo y Pulgar, le hizo observar ya la impropiedad en la primera de sus *Epístolas satisfactorias*. *Ibíd.* Vol. I, pp. 144-145.
148. *Ibíd.* Vol. I, p. 189.
149. *Ibíd.* Vol. I, p. 147.
150. *Ibíd.* Vol. III, pp. 128-129.
151. *Ibíd.* Vol. III, pp. 135-136.

canónicamente el arte de la poesía[152]. La materia de las costumbres de los personajes en las *Tablas Poéticas*, en la que tan alta responsabilidad adquirieron, según sabemos, las enseñanzas horacianas[153]: así como el rastreamiento desde los débiles ecos en Horacio de una teoría unitaria de la lírica[154], constituyen las vertientes en torno a las que se articulan las menciones del *Ars* entre ambos autores.

152. *Ibid.* Vol. III, pp. 193-194.
153. Por parte de SEPÚLVEDA, *Ibid.*, III, 205, CASCALES, III, 227-29 y 229.
154. *Ibid.* SEPÚLVEDA, III, 215 y 219; CASCALES, III, 236, 238 y 239.

CAPITULO IV

El eco de Horacio en los documentos tardíos del barroco español (1620-1650)

Los tratados de Poética del período: ocaso y alborear.

La consolidación del gusto barroco en el arte español del siglo XVII llevaba fatalmente aparejada la quiebra en la producción de obras de corte tradicional, tanto de Retórica como de Poética. Los españoles nos incorporamos tarde a la teoría Poética europea del Renacimiento con Sánchez de Lima, Carvallo y el Pinciano —no más tarde, ni peor con todo, que el resto de Europa excepto Italia— y tras de unos años de apresurado cultivo, abandonamos al hábito de publicar tratados sistemáticos clasicistas al mismo tiempo poco más o menos, que los italianos. Pero, si no nos faltan quizás razones para dolernos del retraso, no nos sobran en compensación para lamentar el pronto desocupo. La verdad es que la orientación de los nuevos intereses del arte barroco español no mantenía demasiados puntos de referencia con la Poética y Retórica tradicionales, ni en relación al teatro, la novela, la lírica y la concionatoria sagrada; los cuatro géneros de verdadera propulsión de nuestro arte. La propia Italia nos ofrece el ejemplo, cuando, tras del gran siglo de comentarios a Horacio, Aristóteles y Cicerón en Poética y Retórica, los libros teóricos más representativos e interesantes de la primera mitad del XVII son los documentos polémicos en torno a Marino, y los tratados conceptistas —de muy distinto signo— de Mateo Pellegrini y Emmanuelle Tesauro.

No es, por tanto, extraño que el interés de la teoría poética y de la crítica literaria durante este período se centrara, básicamente, en documentos tradicionalmente «menores», como prólogos y apresurados papeles de polémica; cuando no en obras extensas con este mismo carácter, que tomaban el pulso vivo al cotidiano cambio de acontecer y del gusto artístico. De la misma manera los tratados retóricos de estructura y doctrinas tradicionales no servían ya más que a la actualidad ucrónica de los «colegios», pero no a los oradores sagrados; porque ya nadie, por moderado y conservador que fuera, podía predicar como se hiciera cien o doscientos años antes, y sobre todo no podía sustraerse ya al interés de los debates sobre la nueva concionatoria renovada a partes iguales en la moda conceptista y en el influjo de los «cultos». Por eso los tratados realmente con entidad de tales, sobre poesía y predicación barrocas, no llegaron sino en el ápice central del siglo, hacia 1650. Justo antes de que el fuego con que venían jugando nuestros monarcas, estadistas, oradores y poetas desde los comienzos mismos del siglo arrebatara nuestro suelo y nuestra historia en una hoguera secular sin solución; pero también sólo después de que durante esos cincuenta años, sobre poco más o menos, los tanteos previos de Lope, Cervantes, Quevedo, Góngora y Paravicino ofrecieran materiales y perspectivas para balances como la *Agudeza y arte de ingenio,* y para otros ignorados, pero de tan positivo interés que no desdicen grandemente de la misma obra de Gracián, como la *Censura de la Elocuencia* de José de Ormaza.

Por consiguiente, recorriendo la lista de obras sistemáticas y extensas que produjo el período, el inventario ha de resultar bien escaso en cuanto a tratados de Poética realmente tales: sólo el breve discurso de Soto de Rojas, prefacio a su *Desengaño de amor en rimas,* la traducción de la *Poética* de Aristóteles por Ordóñez y la *Idea nueva de la tragedia antigua* de J. Antonio González de Salas, representan el sector de obras de corte tradicional; mientras algunas pocas Retóricas, como las de Novella y Arriaga, mantienen viva la producción editorial española de este género con destino básicamente a la anquilosada retórica escolar.

El saldo horaciano del período en este apartado concreto no puede resultar, obviamente, muy brillante. Descartada por su misma condición la traducción aristotélica de Ordóñez; del breve *Discurso sobre la Poética* de Pedro Soto de Rojas, apenas si puede mencionarse otra cosa que una imprecisa alusión a Horacio entre los heterogéneos testimonios de Cicerón, San Pablo y San Agustín en defensa de la claridad en la lengua del poeta[1]. Sólo una obra, la más importante en términos absolutos y a todos respectos, nos proveerá de una moderada, no escasa, cantidad de recuerdos horacianos.

1. Cfr. PEDRO SOTO DE ROJAS, *Discurso sobre la Poética, escrito en el abrirse la Academia, Selvage, por el Ardiente,* en *Desengaño de amor en Rimas,* Madrid, 1623 ed. de las *Obras* de A. GALLEGO MORELL, Madrid, C.S.I.C., 1950, p. 25.

Se trata de la *Nueva idea de la Tragedia Antigua*, obra de Jusepe Antonio González de Salas[2].

Este tratado es, como en su mismo título se indica, una «ilustración última al libro singular de Poética de Aristóteles Stagirita», referido como aquél fundamentalmente a la teoría de la tragedia, con algún añadido somero sobre la épica. Por ello no cabe esperar una masiva presencia de materiales horacianos, siendo en cambio más verosímil una radical y sistemática exclusión de los mismos, la cual, sin embargo, no se verifica. Horacio es citado con cierta asiduidad —por supuesto infinitamente menos que Aristóteles— como autoridad digna de respeto; con frecuencia se le da el mismo calificativo de Maestro que al gran filósofo griego, y en ocasiones no se le regatean, al margen de la cita, encendidos elogios, como en el siguiente relativo a la doctrina del coro:

> «No menos bien... instruie al Poeta en los Choros el Maestro Horacio, cuio monumento *De Poetica*, casi singular de aquella mejor Erudicion antigua, es digno de grande veneracion. Alli pues, io observo, advertidamente, siguiendo la enseñança de Aristoteles (que aqui se debe repetir) dividio la forma; que debia guardar el Poeta en los Choros: O ià fuesse, conviniendo su argumento con el de la Fabula; O ià, siendo diverso: en cuio modo fue el Principe, como dixe, Agathon. En los tres versos primeros se halla expressa la sentencia, que prefiere Aristoteles; i en los siguientes enseña, Quales seran los assumptos, que se deben eligir para el Choro, quando huvieren de ser independentes de el argumento de la Tragedia. Pues fuera desproposito, advertir al Poeta en este lugar Horacio (perdonen los Criticos, i todos sus Interpretes) *Que en los Choros Tragicos alabasse i defendiesse a los virtuosos...*», etc., etc.[3].

Naturalmente, como se apreciará en el mismo texto precedente, el magisterio horaciano aparecía siempre sometido a la superior autoridad del texto matriz de Aristóteles. Participaba, por tanto, Salas, según puede verse, de la tan inconsistente como difundida opinión renacentista de que la

2. Cfr. JUSEPE ANTONIO GONZÁLEZ DE SALAS, *Nueva idea de la Tragedia Antigua o ilustracion ultima al libro singular De Poetica de Aristoteles Stagirita*, Madrid, 1633.

3. *Ibíd.*, pp. 188-189. Véase tras la un tanto libre traducción de los hexámetros horacianos en conclusión, a propósito de la doctrina del *Ars* sobre el coro: «I en fin sobráran qualesquiera specificaciones, despues de la doctrina universal de los primeros versos, si fuera solo a enseñar el unico precepto en ellos comprehendido. *De que no introduxesse en sus Choros el Poeta Tragico, lo que no hiciesse al proposito de su Fabula.* De donde necessariamente se infiere, Que los themas i assumptos ahora referidos, se deben entender para aquellos Choros, que no siguieren, ni aiudaren a la Tragedia en su principal argumento. Con que sin duda quedan con nueva luz ià desde hoi estos versos, hallandose la verdad, de qual sea su sentido, en la Erudicion conoscida de pocos, que referimos de Aristoteles al fin, como he dicho, de la Seccion 3».

Epistola ad Pisones es poco menos que una fiel vulgarización metrificada de la *Poética* de Aristóteles. En tal sentido, descubrimos en numerosos pasajes actitudes análogas a las que se registraban en muchas obras italianas del siglo anterior, las cuales participaban del mismo prejuicio como punto de partida. Al igual que en aquellos casos, no faltan aquí tampoco las circunstancias en que Horacio es enfrentado a Aristóteles con la presuposición previa de su error, o bien porque sus razones convienen para reforzar las de la *Poética,* o incluso, aun no apareciendo en la *Poética,* se infieren con mayor o menor grado de gratuidad en Aristóteles.

Entre los ejemplos del primer tipo, se ofrece sintomáticamente el del tratamiento de las truculencias en escena, objeto de la prohibición de Horacio, y aducido —que no aprobado ni condenado— por Aristóteles como testimonio de que la imitación bien ejecutada resulta en sí misma placentera, con independencia de la naturaleza posiblemente desagradable de los objetos imitados. Como esta especie aristotélica elogiosa era tenida por contraria a la proscripción horaciana en la opinión superficial de la que participaba Salas, éste aprovecha la alusión del discordante comportamiento de la *Medea* de Séneca —manifestación artística de un teatro por excelencia apto para la lectura— para darlo como respaldo válido a la opinión de Aristóteles contra el parecer, en este punto contradictorio, de Horacio[4]. Sin embargo, como quiera que, en el fondo, la solución horaciana resultaba más sensata para los prejuicios teóricos de género y escenografía en la época de Salas, que la supuestamente aristotélica, que no lo fuera en la actualidad —por ejemplo, para las evolucionadas convicciones sobre la ya casi irreconocible verosimilitud, o para los medios de simulación escenográficos del teatro o el cine— nuestro autor acabaría concediendo la razón a Horacio de modo tácito, cuando apostilla poco más abajo:

> «Y assi podran los Interpretes de estos insignes Maestros —Aristóteles y Horacio— recoger sus fatigadas exposiciones, por convenir esta contienda; pues

4. Véase la exposición del referido parecer en González de Salas: «Esta enseña pues, que se occasiona por medio de horribles muertes, excessivos rigores i heridas, i otras semejantes representaciones, que se executan en el Theatro. En donde entra una porfiada question, sobre Si sera permittido, exponer a los ojos de los oientes aquella manifiesta execucion; o communicar solo su noticia por relaciones. I en esto es infalible verdad, que los Antiguos estuvieron mui discordes, pues manifiestamente vemos executado de unos Poetas Tragicos aquello proprio, que en sus Poeticas otros Maestros abominaron. Para cuia confirmacion serà bien sufficiente el exemplo solo de Medea, habiendo de degollar sus hijos... Horacio niega resueltissimamente, que aquella execucion se permitta en el Theatro. I despues nuestro Seneca en la Tragedia de su nombre, publicamente en los ojos de todos, executa aquel mismo horror. En donde vemos dio mas credito al grande Aristoteles, que fue de esta opinion, como de el lugar presente consta, que a Horacio, siendo de la contraria». *Ibid.*, pp. 39-40.

es sin duda cierto, que en la Antiguedad estuvo essò dudoso i opinable. Pero a lo menos no lo estuvo, Que aquella *Perturbacion*, o *Passion*, en que ahora discurrimos, era sin comparacion mas estimable, quando se contraìa por medio de la misma Constitucion de la Fabula, i no por aquellas otras fieras execuciones, que necessariamente eran fuera de la Arte. Sino que leìda solo, o escuchada la Tragedia, sin otro algùn artificio, moviesse i perturbasse los animos»[5].

Inversamente son varios los lugares donde Salas supuso concordancia entre Aristóteles y Horacio; tal es, por ejemplo, el más o menos común consejo de formar interiormente en la imaginación del poeta los afectos que se quisiera infundir a personajes de ficción o inspirar en el auditorio[6]. También declaró acuerdo, como era habitual, en el fragmento de las cuatro notas de los caracteres, que sabemos era uno de lugares favoritos en el conglomerado doctrinal aristotélico-horaciano para los comentadores del Renacimiento, tanto respecto al planteamiento general de su razonamiento como de los rasgos concretos del mismo.

—«Horacio advirtió también este precepto», para la *conveniencia;* «con elegancia nos lo repitio tambien Horacio», para la *semejanza;* «no se olvido Horacio en su Poetica de referir este mismo precepto» para la *constancia*[7]. Todo lo precedente no deja dudas de la condición secundaria y mediata, respecto a la doctrina de Aristóteles, que Salas atribuye a la de Horacio, siguiendo una tradición no muy bien fundada, de los comentadores renacentistas.

Si entramos ahora en la determinación temática de las restantes citas de Horacio en la obra, resulta obvio advertir que, por su misma naturaleza, la *Nueva idea* tomó del *Ars* casi exclusivamente doctrinas dramáticas. Muchas de ellas eran referencia a determinaciones técnicas, como las relativas al número de actos, donde por cierto se rebatía, arbitrariamente, el aserto de Horacio sobre el número de cinco[8], o bien sobre historia general de

5. *Ibid.*, p. 40.

6. *Ibid.*, pp. 60-63, Salas concordaba con la noticia de la *Poética* la tradición retórica del tópico, representado por Quintiliano, y tras ello descubría la correspondencia con Horacio, ponderándola en los siguientes términos: «I vengo a Horacio, que en su Poetica affirma lo mismo que Aristoteles, i expressamente dice al Poeta, que informa, *Que si quiere que el llore, es fuerça que haia precedido, el llorar èl primero*, siendo el arcaduz i figura intermedia entre el Poeta Tragico, i Horacio, que es aqui el Auditorio, la persona de *Telepho*, o *Peleo*... Quintiliano pues digo, que enseña los medios, con que se puedan contraer en el animo los affectos naturales: i Horacio el modo, con que despues se expriman, i signifiquen; que este es *con las palabras, siendo de las passiones interiores interprete la lengua*, pp. 62-63.

7. *Ibid.*, pp. 70-71.

8. *Ibid.*, p. 182. He aquí las poco consistentes razones de Salas por cuanto impone a Horacio una definición de acto que él no dio, para alegar contradicción en su número: «queriendo Horacio, que huviessen de ser cinco los Actos, en que la Quantidad de la Fabula se distribuiesse. Pero sin duda io juzgo, que esto tuvo poca constancia, pues habiendo de

la tragedia[9] y su lenguaje apropiado[10]; y otras de fundamentos estéticos generales, transferidos en concreto a la discusión de los géneros dramáticos; tal, por ejemplo, la cuestión de la superior conveniencia de las fábulas históricas como argumento de la obra[11], la superioridad en el énfasis trágico de los acontecimientos percibidos por la vista que por el oído[12], o el comienzo «in medias res». La exposición de todo ello iba unida al encomio de los méritos de Horacio, y a la frecuente atención con la que Salas trataba, sin duda, de compensar la mala conciencia adquirida por haberle postpuesto con tanta frecuencia a Aristóteles, en ocasiones con muy forzadas y artificiales razones. Veamos el desarrollo de este último ejemplo:

> «Horacio comprehendio todo este mi discurso en pocos versos, que quedarán desde hoi con mejor luz, como otros muchos, que de su Arte se ilustran en nuestra Poetica. De aqui advierto io ahora el ingenioso fundamento, que tuvieron los Maestros antiguos, para necessitar a los Escriptores de Tragedias i Comedias, a que dentro de el spacio de un dia o dos circunscribiessen el tiempo de la Accion en sus Fabulas. pues dexaban este precepto tan facil de executar, aunque mas dilatado fuesse su argumento, enseñando tambien a empeçarlas por lo ultimo de ellas, occasionandose juntamente, a quedar assi su Constitucion incomparablemente mas artificiosa. Doctrina que de la misma suerte hoi podra mejorar mucho nuestras Dramaticas Representaciones»[13].

Otros preceptos horacianos no pierden su condición de generalidad dentro de la *Nueva idea...*, como son el relativo a la modalidad de imitación

---

dividirse los Actos, segun las salidas de el Choro, constituiendose aquel numero de ellos, que de las vezes que repitiesse su Musica, se occasionasse; i hallando a los Poetas Tragicos Griegos, i aûn a los que hoi tenemos Latinos, varios en estas salidas, por consequencia se sigue la diversa forma de División, que pudo haber en la Quantidad Dramatica». Más adelante, sin embargo, según suele ser muy peculiar en este autor, acaba reconociendo el carácter absolutamente convencional en que se funda la división horaciana: «en abono de el prudente Maestro Horacio, i de Donato Interprete antiguo de Terencio, que sintio lo proprio, podremos decir. Que después de consideradas bien las variedades que tuvieron los primeros Poetas en la distribucion de la Quantidad, se conoscio, haber aquella forma de preferir a todas, que dividiesse en cinco Actos todo el contexto de la Tragedia; i por essa raçon observarlo assi casi siempre los mejores Poetas Tragicos de aquel siglo», pp. 182-183.

9. *Ibid.*, pp. 150-151.

10. *Ibid.*, p. 82.

11. *Ibid.*, p. 33: «I assi este como mas seguro camino siguieron los grandes Tragicos de la Antiguedad, Horacio tambien le prefiere, i hoi no tenemos Tragedia alguna Griega, o Latina, que no contenga Fabula de argumento conoscido i verdadero».

12. *Ibid.*, p. 210: «i que propriamente tiene respecto a los ojos, mueve con maiör affecto (como tambien advierte Horacio) que lo que se escucha, i solo se nos communica por el oído».

13. *Ibid.*, pp. 22-23.

no servil[14], la recomendación de que se trabaje y elabore de manera muy empeñada la creación literaria[15], o las consabidas fórmulas eclécticas sobre la finalidad del arte, de «mezclar lo útil con lo dulce», o de enseñar y deleitar simultáneamente[16].

Además de todas las anteriores menciones del *Ars*, existen bastantes más hechas a otras obras de Horacio, con noticias de contenido no estrictamente teórico-literario, o, simplemente, recuerdos generales de su autoridad en listas de autores[17]. Otras veces se trataba de referencias a doctrinas literarias, teóricas y simplemente críticas, espigadas de obras diferentes de la *Epistola ad Pisones*, como son las referencias a los orígenes de las composiciones líricas[18], a las tragedias lacrimosas del poeta Puppio[19], a los componentes de las compañías cómicas clásicas y sus funciones respectivas[20], etc...

El libro que cierra el ciclo cronológico de nuestra investigación, la *Agudeza y Arte de Ingenio* de Gracián, resulta muy clarificador sin duda para medir la estimación de Horacio por el jesuita aragonés, que era desde luego alta y libre de los prejuicios antihoracianos examinados antes; pero, por otra parte, sus siempre someras menciones no enriquecen en demasía con textos relevantes y significativos la historia del horacianismo teórico español. La causa, sin duda, reside en el muy divergente sistema de intereses estéticos que animaba ambas obras; pues ni Gracián se planteó sistemáticamente los principios generales de la estética como Horacio, ni pretendía establecer con su obra sino una caracterización, clasificación y antología de la agudeza, con especial referencia a la de poetas y oradores de su tiempo.

No obstante, decimos que, en conjunto, la obra de Gracián suponía ya un claro y cualificado testimonio en el desvanecimiento de prejuicios antihoracianos. Efectivamente, Horacio es el autor latino, con exclusión de Marcial y del renacentista Alciato —canteras habituales de material específicamente conceptuoso—, que aparece más veces citado en la *Agude-*

14. *Ibid.*, p. 246. Véase cómo se afirma, sin más, la arbitraria adscripción en exclusiva a la composición de la tragedia de esta indicación general horaciana: «i como el grande Maestro Horacio enseña en su Poetica, que se haian de trasladar las Tragedias, pues de ellas principalmente se ha de entender aquel repetido precepto: *No que una palabra corresponda rigurosamente a otra palabra.*

15. *Ibid.*, p. 93.

16. En este tipo de menciones se insistirá en el capítulo dedicado a ellas más adelante. Sus referencias son ibid., pp. 89 y 96.

17. Véanse algunas de estas referencias en pp. 12, 101, 110 y 222.

18. *Ibid.*, p. 102.

19. *Ibid.*, pp. 130-131.

20. *Ibid.*, p. 133.

za[21]. Y junto a este criterio cuantitativo, las propias palabras de Gracián, que acompañan habitualmente sus menciones de los fragmentos horacianos citados, constituyen un claro índice de dicha estimación. En tal sentido, sorprende observar la persistencia en estas breves frases de Gracián del adjetivo «sentencioso», o de construcciones similares aplicadas a Horacio, prueba inequívoca de que traducían un concepto estable de opinión —un alto concepto si se conoce la reputación que alcanzaba «sentencioso» en el sistema de valores de la *Agudeza*—. Adornado Horacio de esta cualidad, se le recuerda ya desde su primera mención en la obra: «¿Qué fuera... Horacio sin sus sentencias?», y más adelante: «el sentencioso Horacio, igualmente filósofo y poeta»; hablando de un autor, Juan de Vergara, a quien llama «el aragonés Horacio», precisamente porque se funda en «lo recóndito y sentencioso de sus Epístolas». Añádanse estos otros ejemplos: «Con mucha propiedad y censura describe las edades el sentencioso Horacio, en su célebre *Arte de Poesía*»; «Así comenzó el sentencioso Horacio sus sátiras»; «el sentencioso y magistral Horacio»[22].

La referida persistencia del adjetivo descarta la sospecha de irresponsabilidad y de repetición mecánica de una fórmula de trámite para Horacio en el caso del sesudo Gracián. Con tal indicio concuerdan los calificativos, siempre enaltecedores y conceptualmente próximos, que le dedica otras veces: «Así dijo el profundo y substancial Horacio, autor de los juiciosos»; o bien: «En las ponderaciones fue extremado, fue único Bartolomé Leonardo, entre muchas graves y de grande enseñanza, imitador en esto del antiguo Horacio». En otra ocasión exalta la condición, en cierto modo raramente protagonista de los poetas, en las grandes empresas militares y de gobierno, cuando afirmaba que Mecenas, y el círculo intelectual augésteo que presidía, pasaron a la historia no por el brillo de las espadas de los soldados de Augusto, sino por su glorificación poética a cargo de Horacio[23].

Aunque Gracián estimó fundamentalmente en Horacio, reflejándolo así en la *Agudeza*, su dimensión integral de poeta[24] antes que de teórico de

21. Dato fácilmente comprobable gracias al índice de autores de la obra en la edición que utilizamos, de Correa Calderón, sumamente útil en éste como en otros muchos aspectos. El mismo editor, distinguido especialista en Gracián, destaca esta circunstancia: «... entre los autores latinos escoge con preferencia a Marcial, por su ingenio afín al suyo —y acaso por su patria común— y a Horacio, que representa para él el "estilo natural", y en cambio apenas recuerda a Lucano, el culterano de su tiempo». Cfr. *Introducción* a la ed. de *Agudeza y Arte de Ingenio*, Madrid, Castalia, Vol. I, p. 24.

22. Cfr. Para estas menciones, *Ibid.*, Vol. I, pp. 51, 139, 143; Vol. II, pp. 11, 98 y 149 respectivamente.

23. Cfr. Estas últimas referencias en *Ibid.*, Vol. I, pp. 197, 224, y Vol. II, p. 172 respectivamente.

24 Otras menciones y ejemplos de obras de Horacio, distintas del *Ars* en *Ibid.*, Vol. I, pp. 127, 267, y Vol. II, pp. 127, 192.

la poesía; sin embargo, como era habitual, la obra del poeta latino más recordada por él fue sin duda la *Epistola ad Pisones*, que viene a alcanzar un tercio en el conjunto general de citas horacianas de nuestro primer tratado conceptista. Las menciones suelen ser de los lugares más tópicamente recordados; con lo que no podía faltar la memoria del monstruo, como ejemplo de «agudeza por semejanza», la mención de los insuperables fragmentos dedicados a la descripción de los caracteres según las edades, y los de la propiedad del estilo acomodado a varios conceptos del decoro de los personajes[25]. También, como es natural, los de la vida de las palabras, cuando, refiriéndose a una epístola de Antonio Pérez, afirmaba:

> «tiene algunas palabras anticuadas este autor, que les sucede en todas lenguas, lo que dijo Horacio de la latina. Ut silvae foliis pronos mutantur in annos..., etc.»[26].

Pero el ejemplo de más continuada presencia de la doctrina del *Ars* en la *Agudeza* es el de la disposición «in medias res», explotado precisamente en su condición habitual[27].

La *Epístola ad Pisones*, a la que Gracián generalmente llamó *Arte de Poesía*, y que calificaba con adjetivos tales como «grande» y «célebre», debía contar sin duda entre las lecturas latinas favoritas del aragonés, aun cuando la incidencia de su contenido teórico en una obra del ámbito monográfico de la *Agudeza* no pudiera ser determinante, como ya se ha indicado. Lo bien sabida que la tenía el jesuita, se evidencia de manera incontrastable en determinados fragmentos que, concomitantes temáticamente con otros muy famosos de la Epístola, adquirieron un tratamiento estilístico sumamente próximo, como serían, por ejemplo, las líneas sobre el valor modelador

25. *Ibid.*, Vol. I, p. 120, Vol. II, pp. 11, 249-250.

26. *Ibid.*, Vol. II, p. 244.

27. En este lugar se enlazan una serie de citas, no demasiado bien centradas en la exacta intención horaciana, sino libremente utilizadas «a bulto» por Gracián para su particular propósito: «Este es el principal artificio, que hace tan gustosas y entretenidas las épicas, ficciones, novelas, comedias y tragedias; vanse empeñando los sucesos y apretando los lances, de tal suerte, que parecen a veces no poder tener salida, y que entra entonces la licencia de Horacio:

Nec Deus intersit, nisi dignus vindice nodus.

Mas aquí está el primor del arte y la valentía de la inventiva, en hallar medio extravagante, pero verisímil, con que salir del enredado laberinto con gran susto y fruición del que lee y del que oye. Desta suerte saca Homero al astuto Ulises y a sus compañeros de la cueva del Polifemo, vistiéndole de pieles, y con otra astucia se libra de las engañosas voces de las sirenas». Y tras citar los hexámetros 143-149 del *Ars*, concluye: «Es uno de los sublimes y realzados preceptos que encarga el magistral Horacio en su grande Arte». *Ibid.*, Vol. II, páginas 136-137.

del «uso»[28]. Pero sobre todo resulta evidente en la muy perfecta síntesis de sus partes fundamentales, que, acomodándose a los imperativos de su «cursus» estilístico, trazó Gracián, dentro de la consideración más extensa incluida en las páginas de la *Agudeza*, sobre el valor y contenido doctrinal del *Ars*.

> «Gran lición en este punto, aquélla de Horacio, entre otras muchas muy magistrales y selectas que encarga en su juiciosa *Arte Poética*, dicha así, no porque trate en ella de lo material del metro y de las sílabas, sino de lo formal y superior de la poesía, digo de la propiedad en el decir, de la invención de los empeños, de la sublimidad de la materia, de la valentía del espíritu poético, de la bizarría del estilo, de la eminencia de la erudición, de la consecuencia en los asuntos, y de la superlativa perfección de un consumado y verdadero poeta»[29].

Apretada sinopsis a la que no pasaban desapercibidas ni las referencias horacianas a las doctrinas estilístico-retóricas de *inventio*, *dispositio* y *elocutio*, ni la canonística del *decorum*, tan persistente en la *Epistola ad Pisones*, ni sobre todo la verdadera índole y alcance doctrinal estético de esta obra —que trata «de lo formal y superior de la poesía»—. Bajo tal concepto, el mencionado ámbito del *Ars*, trascendía, en el caso de Gracián, de la opinión más generalizada, bien pedestre y manual, que lo concebía como tratado de *emendatione*, en la que era tenido incluso por los más abiertos penegiristas de Horacio, quienes no podían leer en él, como es natural, más allá de lo que les consentía la miopía estética ambiente, de la que no escaparon sino talentos realmente privilegiados como el agudo jesuita aragonés.

La presencia de Horacio en los documentos de crítica literaria del período.

Complemento del análisis de los tratados sistemáticos de teoría literaria abordados en el apartado precedente, debiera ser el análisis, deseablemente

28. He aquí uno de tales fragmentos a que nos referimos en el texto: «Por raros, por superlativos que sean los conceptos, si no tienen estrella suelen malograrse, que esto de ventura es achaque trascendiente. ¿Qué diré del uso? Que corren unos en un tiempo y arrincónanse otros, y vuelven estos a tener vez, porque no hay cosa nueva para el sol». *Ibid.*, Vol. II, p. 235.

29. *Ibid.*, Vol. II, p. 198, el ejemplo concreto que daba pie a esta especiosa digresión, era la cita del conocido *Summite materiam vestris, qui scribitis aequam/Viribus*, etc...

completo, de los documentos[30] de crítica literaria del período, así como el importante aspecto del problemático reflejo de la teoría en las obras de creación. Sin embargo, como habremos de confesar siempre llegados a este punto, dicho *desideratum* se hace impracticable para mi caso personal y circuns-

30. Abordamos en esta nota una indicación extensible a la índole de la totalidad de nuestro trabajo actual. Una investigación como ésta cubre sólo la mitad deseable de las posibilidades ilustrativas de la teoría literaria. Esta obra es una historia sistematizada de la poética explícita, de las ideas conscientes y confesadas sobre la literatura en un período de tiempo dado. Sin embargo, una poética es algo más que una especulación inerte elaborada «a posteriori». Las mismas ideas —o sus contrarias— que Lope vierte —seria o irónicamente— en su *Arte nuevo*, son las que informan, positivamente o por el contrario, su creación; y las adhesiones explícitas a ideas estéticas de Herrera, Cervantes, Quevedo o Góngora, no se deben desvincular de la crítica de sus creaciones respectivas. Muchas veces la poética de un autor, y siempre la de una época, no cuenta con la guía y respaldo de la confesión explícita. Sin embargo, consciente o inconscientemente, opera una poética en el ámbito de toda creación literaria. Tal poética implícita puede ser conservadora o revolucionaria, consciente o inconsciente, uniforme o contrastada, etc., etc. La imprescindible consideración de esta dimensión teórica de la literatura convierte los estudios de *teoría literaria*, como el nuestro, en alguno de esos raros estudios de *estética literaria*, que constituyen hoy para nosotros un «desideratum» simple.

Sin haber agotado absolutamente los requisitos de una obra sintética de tal naturaleza; pero, sin duda, como obras modélicas —y para nosotros estimulantes— en tal sentido recordemos las muchas inquietudes sembradas en los trabajos del libro de DÁMASO ALONSO, *De los Siglos de Oro a este siglo de Siglas*, Madrid, Gredos, 1968; JOSÉ MANUEL BLECUA, *Sobre la Poesía de la Edad de Oro*, Madrid, Gredos, 1960; H. HATZFELD, *El «Quijote» como obra de arte del lenguaje*, Madrid, C.S.I.C., 1949, y sus *Estudios sobre el Barroco*, Madrid, Gredos, 1964; A. RODRÍGUEZ MOÑINO, *Construcción crítica y realidad histórica en la Poesía española de los siglos XVI y XVII*. Madrid, Castalia, 1968. Algunas veces sobrenada, igualmente, esta orientación en la ambiciosa obra de OTIS H. GREEN, *España y la tradición occidental*, Madrid, Gredos, 1969 (4 vols.). Era asimismo principio inspirador de toda su actividad crítica sobre nuestro teatro clásico para nuestro amado maestro, recientemente fallecido, don ANGEL VALBUENA PRAT, recuerdo, a título de ejemplo, la firme dosis teórica que justifica sus ideas sobre la creación dramática de nuestros clásicos, en el esquema de su valiosísima síntesis, *El teatro español en su Siglo de Oro*, Barcelona, Planeta, 1969.

De todos nuestros autores clásicos, los dos que ofrecen ya un campo más ilustrado por la crítica en este sentido son, sin duda, Lope de Vega y Cervantes. Sobre el primero destaca el rastreo de desajustes entre sus ideas poéticas explícitas y su creación. Seleccionando sólo estudios modernos, previamente centrados en esa problemática, recordaríamos: G. SINICOPRI, *L'«Arte Nuevo» e la prassi drammatica di Lope de Vega*, en «Quaderni Ibero-Americani», IV, 1960, 25, pp. 13-26; e I. RATHBERG, *Lope de Vega and the Aristotelian Elements of Comedy*, en «Bulletin of the Comediants», (Chapel Hill), XIV, 1963, pp. 1-4. Entre los modernos estudios sobre teatro donde se halla particularmente enfatizado el componente poético en la valoración creativa dramática, recordemos los de F. SCHALK, *Poetik und Selbstdarstellung in Tirso de Molina*, en «Romanische Forschungen», LXXX, 1968, pp. 86-104; C. PÉREZ LUIS, *Preceptiva dramática en «El gran teatro del mundo»*, en «Hispanófila», 1967, XXX, pp. 1-6; y JUAN MANUEL ROZAS, *La licitud del teatro y otras cuestiones literarias en Cándamo, escritor límite*, en «Segismundo», I, 1965, 247-273. Igualmente recordemos la presencia de esta preocupación, patente en la estructura de la obra de conjunto de A. HERMENEGILDO, *La tragedia en el Renacimiento español*, Barcelona, Planeta, 1973.

tancias, al tiempo que confieso no haber tratado de remediarlo con positivo interés en la medida de lo posible, por estimar que en cualquier caso el «mar sin orillas» que es el campo propuesto, hubiera dejado reducido mi desvelo personal a la condición de mera «muestra». Aun en el supuesto hipotético de

---

La preocupación cervantina por las cuestiones contemporáneas de Poética resulta evidente, y a la vez sintomática, como han puesto de relieve los numerosos estudios existentes al respecto. Cervantistas de solera como FRANCISCO MALDONADO DE GUEVARA, ya lo destacaron: *Dos estudios cervantinos. I. Poética, poesía y personaje*..., en «Anales cervantinos», IX, 1961-1962, pp. 45-96; mientras que la cuestión ha merecido, por lo que respecta a la novela, la monográfica atención de E. C. RILLEY, *Teoría de la novela en Cervantes*, cit. Diversos tópicos técnico-poéticos y su incidencia en la obra cervantina han sido igualmente destacados por F. SÁNCHEZ ESCRIBANO, *Cervantes ante el problema aristotélico de la relación entre la fábula y los episodios*, en «Hispanófila», 1961, III, pp. 33, 37, de tan importante influencia en la génesis del Quijote, y las historias intercaladas. O del mismo E. C. RILEY, *Don Quixote and the imitation of models*, en «Bulletin of Hispanic Studies», XXXI, 1954, pp. 3-16. No sólo la presencia de las viejas autoridades —como la de Aristóteles, destacada por A. K. FORCIONE, *Cervantes, Aristotle and the Persiles*. Princeton, Princ. Univ. Press, 1970— sino, incluso, la importancia de la presencia en Cervantes de la teorización contemporánea ha podido ser valorada, singularmente en relación con López Pinciano y sobre distintas obras, como las *Novelas ejemplares*: W. C. ATKINSON, *El Pinciano and the «Novelas ejemplares»*, en «Hispanic Review», 1948, pp. 189-208; o bien el *Quijote*: J. F. CANAVAGGIO, *Alonso López Pinciano y la estética literaria de Cervantes en el Quijote*, en «Anales Cervantinos», VII, 1958.

No se olvide que Cervantes se debate en la sospecha universal del gran desacato aristotélico, al dar origen a un género novedoso, cfr. A. GONZALEZ DE AMEZÚA, *Cervantes, creador de la novela corta española*, cit. WALTER PABST, *La novela corta en la Teoría y en la creación literaria*, cit., y ANTONIO PRIETO, *Morfología de la novela*, Barcelona, Planeta, 1975. Sus novelas cortas van adheridas en una polémica sonada, la de los «romanzi», cfr. G. GÜNTER, *La «gitanilla» y la poética de Cervantes*, en «Boletín de la R.A.E». LII, 1972, pp. 107-134; y A. K. FORCIONE, *Cervantes, Tasso and the Romanzi polemic*, en «Revue de Littérature Comparé», XLIV, 1970, pp. 433-443. Tendrían que pasar muchos años después de Cervantes para que la conciencia del nuevo género se asentara y estabilizara; y aun así, como ha demostrado magistralmente EDMOND CROSS, en su hermosísima tesis, por caminos bien indirectos y bajo disfraz: *Protée et le Guéux, (Recherches sur les origines et la nature du récit picaresque dans Guzmán de Alfarache)*, París, Didier, 1967. Sobre la retórica cervantina, especialmente la tópica vinculada a Quintiliano, ha realizado recientemente un análisis brillante ANTONIO ROLDAN PÉREZ, *Don Quijote: del triunfalismo a la dialéctica*. Murcia. Universidad, 1974 (Discurso Apertura de Curso 1974-1975).

Esta preocupación ambivalente de la crítica, a que nos referimos en esta nota, en especial para el período que nos ocupa ahora, viene mereciendo sistemáticamente la atención de FRANCISCO LÓPEZ ESTRADA. Entre sus trabajos más centrados en la dimensión aquí insistida, propondremos: *La retórica en las «Generaciones y semblanzas» de Fernán Pérez de Guzmán*, R.F.E., XXX, 1946, pp. 310-352, y *La Bellas Artes en relación con la concepción estética de la novela pastoril*, en «Anales de la Univ. Hispalense», XIV, 1953, pp. 65-89.

También nuestra poesía épica clásica ha sido considerada con frecuencia desde el prisma de su acomodación a una canonística teórica contemporánea tan férreamente establecida, que, a no dudarlo, bien pudo protagonizar el proceso de agotamiento y desaparición —si no de evolución— del género. Un resumen previo y extenso de las teorías épicas, aunque en cierto modo sin la conexión a que nos estamos refiriendo con la crítica de las producciones artísticas, se halla en FRANK PIERCE, *La poesía épica del Siglo de Oro*, Madrid, Gredos, 1961.

haber alcanzado una imposible inducción casi completa, tras el examen de la totalidad de libros y manuscritos, su rendimiento real en este caso hubiera sido, sin duda, de muy escasa curiosidad, y de exposición y lectura intrascendente y farragosa[31].

Por tales razones he reducido arbitrariamente el material de estudio en estos apartados a las colecciones de textos de fácil y cómodo acceso para quienes, como en mi caso y circunstancias profesionales, no tenemos posibilidad de diaria visita a las grandes bibliotecas. El material de censuras y aprobaciones que se incluye en el *Ensayo* de Gallardo, nos ha servido con frecuencia en los capítulos precedentes y nos habrá de servir en algunos de los que siguen. En el mismo caso se hallan las importantes colecciones de prólogos, que el fino instinto y asiduidad de destacado especialista hicieron recopilar a Porqueras Mayo. La utilidad de publicarlos en colecciones fácilmente asequibles es digna de total aplauso, en la medida que ha contribuido a rescatarlos de la absoluta imposibilidad de ser utilizados por la mayoría, habida cuenta de que constituyen un volumen de documentos críticos de indiscutible interés. Por nuestra parte, sólo hemos añadido a este tipo de datos las noticias críticas extraídas de un sector amplio de obras teatrales de nuestro Siglo de Oro, así como los documentos actualmente conocidos de las polémicas literarias gongorinas. En este apartado concreto, comenzaremos examinando las referencias a la estética horaciana que se hallan en los prólogos coleccionados por Porqueras del Manierismo y Barroco, para

---

Otros aspectos de esta interacción en la épica de nuestro período de interés se hallan glosados en RAFAEL LAPESA, *La «Jerusalén» de Tasso y la de Lope*, en *De la Edad Media a nuestros días*, Madrid, Gredos, 1967; C. GOIC, *Poética del exordio en «La Araucana»*, en «Revista Crítica de Historia y Literatura», 1970, I, pp. 5-22; E. GLASER, *«Se a tanto me ajudar o engenho arte». The Poetics of the Proem to «Os Lusiadas»*, en *Homenaje a Rodríguez-Moñino*, Madrid, 1966, Vol. I, pp. 197-204.

Entre los estudios modernos más centrados que conocemos, sobre la incidencia teórica en la creación y valoración crítica de la praxis artística durante el Siglo de Oro, destacaríamos: C. C. SMITH, *On the use of Spanish theorical works in the debate on Gongorism*, en «Bulletin of Hispanic Studies», XXXIX, 1962, pp. 165-176; y ELIAS L. RIVERS, *Nature, art and science in Spanish poetry of the Renaissance*, en «Bulletin of Hispanic Studies», XLIV, 1967, pp. 255-266. Por último recordaremos, a título de ejemplos, algunos trabajos en los que, sin proponerse de manera consciente y sistemática el estudio de la interacción teoría-creación, ésta queda, no obstante, ilustrada a través de la correlación involuntaria poética-poesía; por ejemplo: el excelente estudio de MANUEL MUÑOZ CORTÉS, *Aspectos estilísticos de Vélez de Guevara en su «Diablo cojuelo»*, en R.F.E., XXVII, 1943, pp. 48-76, y VÍCTOR GARCÍA DE LA CONCHA, *Conciencia estética y voluntad de estilo en San Juan de la Cruz*, en «Bol. de la Bibliot. Menéndez y Pelayo», 1976, n.º 3, pp. 1-4.

31. Recordamos al respecto el ilustrativo y valioso estudio de JOSÉ MANUEL BLECUA, *Estructura de la Crítica Literaria en la Edad de Oro*, en *Historia y estructura de la obra literaria*, Madrid, C.S.I.C., 1971, pp. 39-47.

seguir con el análisis del mismo fenómeno en los documentos de las polémicas gongorinas.

El primer rasgo en el conjunto de prólogos del Manierismo y el Barroco —al menos en las muestras editadas por Porqueras— es la muy superior frecuencia de menciones horacianas que en ellos se registran, frente a las del período renacentista. No se trata de un rasgo específicamente circunscrito al caso de Horacio, sino de un elemento más en un conjunto, que marca el fenómeno general de adensamiento de las citas de autoridad en los trabajos de esta naturaleza. Entre dichas citas, la de Horacio era por lo demás preferentemente recomendable. No en balde, cuando Cervantes se quejaba en el Prólogo de su *Quijote* de la pedantería general que inundaba con remiendos de polianteas las obras de su época, recordaría, singularmente a Horacio como cantera destacada en la práctica de este rasgo[32].

Por lo general el tenor de las citas fue siempre positivo y respetuoso, hasta extremos casi de veneración supersticiosa. Sólo en algún ejemplo concreto podría descubrirse un matiz claramente irónico de desobediencia; pero entonces marcado de carácter eminentemente popular y teñido explícitamente de irrealidad esperpentizada, como es el caso del Prólogo al lector que figura al frente del *Manojuelo de Romances*, publicado en Zaragoza en 1601 por Gabriel Lasso de la Vega[33]. Sólo ya tardíamente se advierte la independencia doctrinal contra algún precepto horaciano concreto en

32. Pese a la notoriedad del fragmento y la obra, cito por uniformarlo con el resto de las referencias de estas páginas por la ed. de PORQUERAS MAYO, en su obra *El Prólogo en el Manierismo y Barroco españoles*, Madrid, C.S.I.C. Anejos de la Rev. de Lit. 1968, p. 74.

33. *Ibid.* p. 227. Véase claramente el tono de autoacusación —en el plano serio y sensato, aquí deliberadamente desplazado— que se infunde a los versos:

«Por andar con la costumbre
y deleitar algún tanto,
y porque el caduco mundo
no me note de pesado,
y también porque las veras
con graves estilos altos
están por tantos escritas
que nada por decir hallo,
he dado, lector discreto,
en florearme a mi salvo,
sin atarme a los preceptos
que enseña el divino Horacio;
y en mezclar veras y burlas
juntando gordo con magro,
para que no te empalague
que es deleitable lo vario».

un autor tan culto y profesionalmente cosmopolita como era el diplomático murciano Saavedra Fajardo; sin que se trate, empero, de una rebeldía seriamente consolidada, sino de alguna circunstanciada corrección —no frontal— a un preceptillo topificado, el *brevis esse laboro, obscurus fio*[34]. Finalmente, las citas son de índole muy variada y se extienden, como es lógico, a la obra total de Horacio; sin embargo aquí nos centraremos exclusivamente en las referencias concretas al *Ars*.

Adelantemos que de todas las referencias, quizás las más frecuentes son las que hacen relación a la finalidad ecléctica del arte, formulada inolvidablemente por Horacio y a la que atenderemos especialmente en capítulos sucesivos[35]. Por otra parte es muy explicable que así ocurra, pues este tipo de planteamiento constituía un pie forzado casi obligatorio en el balance y exposición de propósitos, que era siempre el prólogo de una obra. Las alusiones a los puntos de carácter circunstancial son por su misma índole dispersas y asistemáticas, registrándose, como era habitual, un cierto nivel de concentración en las genéricas alusiones a los tópicos más superficiales, como el «monstruo» que simboliza la impureza y torpe composición estilística[36], y el precepto de dejar reposar largamente lo escrito. Alusión esta última que, por su mismo carácter de tópica cita de memoria, acusaba en los prólogos el mismo desacuerdo y variaciones, ya generalizadas, sobre la cifra concreta de años de reposo: ocho, por ejemplo, según Trillo y Figueroa y siete según la defensa del retoque culterano que señaló Gabriel Bocángel[37].

Quizás por pura casualidad, en la selección de prólogos hecha por Porqueras no se registran alusiones a los tan constantemente recordados fragmentos horacianos de *elocutio* sobre la vida de las palabras, problemas de neologismos, etc...; concentrándose por el contrario las menciones en el terreno de los hechos de estructura de la obra, de *dispositio*. Así Gracián en el prólogo de la tercera parte del *Criticón* destacaba muy acusadamente la

34. *Ibid.* p. 127. Se trata de una confesión sobre su propio estilo, alentada por cierto en esa corriente general de entusiasmo y confianza que la práctica de la moda nacional barroca infundió, por primera vez, a nuestros artistas del XVII: «Con estudio particular —el texto corresponde al prólogo de la *Idea de un príncipe político-cristiano*, publicada en Mónaco en 1640— he procurado que el estilo sea levantado sin afetación, y breve sin oscuridad; empresa que a Horacio pareció dificultosa, y que no la he visto intentada en nuestra lengua castellana». p. 127.

35. Algunas referencias al propósito indicado en Espinel, Lope de Vega y Trillo y Figueroa, en *Ibid.* pp. 53, 70-71 y 202.

36. Aluden al «monstruo», por ejemplo, CRISTÓBAL DE MESA en el prólogo de *La restauración de España*, en 1607; y RODRIGO FERNÁNDEZ DE RIBERA en el de su obra *La Asinaria*, *Ibid.*, pp. 164 y 189.

37. *Ibid.*, pp. 202 y 259.

gravitación del precepto horaciano sobre la unidad y coherencia estructural de la obra —quizás más persistente aún, sin embargo, en Aristóteles— en su propia imagen de la constitución del libro:

> «Sola una cosa quisiera que me estimases, y sea el haber procurado observar en esta obra aquel magistral precepto de Horacio, en su inmortal Arte de todo discurrir, que dice: *Denique sit quod vis simplex dumtaxat et unum*. Cualquier empleo del discurso y de la invención, sea lo que quisieres, o épica o cómica u oratoria, se ha de procurar que sea una, que haga un cuerpo, y no cada cosa de por sí, que vaya unida, haciendo un todo perfecto»[38].

Junto al rasgo de unicidad global, se recuerda con cierta frecuencia en los prólogos de epopeyas el relativo a la disposición estructural, tan peculiarmente formulada por Horacio, del comienzo «in medias res»; por ejemplo en el de la *Jerusalén conquistada* de Lope de Vega, o en el del *Bernardo* de Valbuena. En este último prólogo se registra uno de los tratamientos del tópico más preciso e interesante, sin duda, de cuantos hemos leído. Arrancando acertadamente de la raíz filosófica del problema, acuñado en la teoría literaria renacentista como contraposición entre verdad histórica y verdad poética[39], se ofrece inmediatamente la explicación causal de dicha alteración, fundada en los imperativos centrales y razón de ser básica de la ficción literaria, el deleite y la novedosa adminiración, que, inconfesados en general por la teoría renacentista, fueron proclamados con enfática satisfacción por la teoría de la edad barroca:

> «Y así, conviene —dice en este punto Valbuena— que la narración poética no comience del principio de la acción que ha de seguir, sino del medio, para que así, al contarla toda, se comience, se prosiga y acabe artificiosamente, y traya con eso en su discurso aquel deleite que el artificio con su novedad, y la novedad con su admiración suelen causar, tanto mayor cuanto más ingenioso es, y más sutiles y menos violentas invenciones descubre. Sirve también este modo, de contar las cosas con artificio, de engañar disimuladamente el receloso gusto del lector, que siempre con la prolijidad se cansa; el cual, comenzando

38. *Ibíd.*, p. 140.
39. *Ibíd.*, p. 182. He aquí el contenido de dicho ajustado arranque: «En la narración de la fábula, de tal manera proseguí su discurso, que, sin comenzarla por el principio, quedase en el fin patente y descubierta en todas sus partes; porque, así como el mundo consta de dos géneros de cosas, unas naturales y otras artificiales, así también hay dos modos de contar y hacer relación de esas mismas cosas, uno natural, que es el histórico, y otro artificial, que es el poético; y así como sería defecto en el discurso natural no comenzar las cosas con claridad desde sus principios, siguiéndolas ordenadamente hasta los fines, así lo sería en el artificial contarlas sin artificio, y como las cuenta el historiador».

su lectura por el medio de la fábula, cominando tras los deseos de saber su principio, al encontrarlo, se halla tan cerca del fin, que no le es molesto acabar lo que resta».

Así explica el orden de composición de su epopeya, ya con la mención explícita de Horacio:

«Y esta es la razón porque mi poema no se comenzó, como dice Horacio, por los huevos de Leda, esto es, del conocimiento de Bernardo, ni de su educación y crianza, sino de los alborotos de la guerra de Francia, que ya le hallaron criado y hecho hombre valeroso en el mundo, sin dejar por eso de contar su nacimiento y origen, sus hazañas y descendencia, y cuanto dél y de sus sucesores han escrito los historiadores más graves de nuestra nación hasta ochocientos años después de su muerte...»[40].

Desde luego el volumen general de los datos encuestados no nos autoriza a construir, sobre el ámbito antes señalado, un rasgo general de época, ni siquiera circunscrito como estilema específico al género de prólogos. Pero no resultaría tampoco difícil, ni quizás inverosímil, ponerlo en contacto con la voluntad arquitectónica de la estética general del Barroco literario.

Finalmente reseñemos, entre otros recuerdos horacianos existentes en los prólogos, las alusiones de Lope de Vega al tema de la poesía como gobernadora primitiva de las leyes civiles y animadora de los espíritus patrióticos[41]; así como la relativa a la mediocridad y al tipo de defectos disculpables en el gran poeta, que figura entre las muy numerosas referencias a otras obras de Horacio en ese extraordinario documento —programa de la más alta expresión de nuestra estética barroquista—, el prólogo a su *Neapolisea* del granadino Francisco de Trillo y Figueroa[42].

40. *Ibid.*, p. 182.

41. En su elogio al licenciado Pedro Soto de Rojas, que figura al frente de la edición de 1623, del *Desengaño de amor en Rimas*, cito por Porqueras, *Ibid.*, p. 244.

42. Adviértase, siquiera sea en este pormenor, la finura y propiedad en el engaste de las referencias doctrinales eruditas que jalonan esta joyita teórica, así como la viveza e independencia de juicio de su autor respecto a las grandes autoridades que analiza: «No pretendo yo por esto decir es posible obrar sin yerros, pues en el grande Homero habrás leído cinco dilatados libros de su *Ilíada*, antes de encontrar el héroe que decanta, y en este divino poema, y en la *Odisea* hallarás luego las indecencias y impropiedades..., con otras civilidades y inconsecuencias indignas de tanto autor; causa de que dijese Horacio por él en su *Arte Poética: Quandoque bonus dormitat Homerus*. Pero aunque la disculpa, por ser sus obras tan largas y prolijas, como ni los hombres, ni los dioses, ni los teatros concedieron a los poetas medianías, sino que han de ser consumadamente grandes para merecer este nombre, como el mismo dijo:

Sed tamen in pretio est, mediocribus esse Poetis,
non homines, non Dii, non concessere columnae.

Ecos de Horacio en las polémicas gongorinas

Al afrontar el estudio de los textos críticos más importantes y conocidos en las polémicas gongorinas bajo este aspecto de la utilización concreta de Horacio, uno se puede percatar de las enormes difucultades de que adolece cualquier revisión posible del horacianismo teórico en el Siglo de Oro. En nuestro caso lo hemos prevenido ya, al tiempo que exponíamos las razones generales de haber usado deliberadamente muestrarios de textos. Pero el señalamiento de las bases que pudiéramos denominar cualitativas, llevaba aparejado el compromiso por nuestra parte de ahondar, cualitativa y cuantitativamente, el alcance de dicha penetración en la investigación exhaustiva de un dominio. Por distintas causas, entre otras la más destacada la de la trascendencia y altura científica y literaria de los documentos críticos comprendidos, hemos centrado nuestra atención en la polémica gongorina. Nuestras conclusiones en este aspecto, por tanto, funcionarán siempre como valores relativos, transferibles a la totalidad de los documentos críticos de la época, quizás con cierta reducción, bien es cierto, de interés, novedad y énfasis polémico. En tal sentido nuestras páginas sucesivas deberán extrapolarse con frecuencia a los débiles ecos reflejados en las anteriores, de este mismo apartado de investigación, sobre los documentos crítico-literarios del período.

Adelantemos que la presencia de Horacio en todos los libros, manuscritos y papeles que examinaremos, es en ocasiones aplastante y masiva, y en otros casos —los de interés más limitado y mayor brevedad— de importancia indiscutiblemente menor, pero nunca exigua. Podemos decir sin miedo a equivocarnos, que, en el conjunto general de la discusión polémica, Horacio dominó como juez máximo y más asiduamente consultado. No es que se conculcara la superioridad casi olímpica de Aristóteles, ni la asiduidad oportuna de Cicerón y Quintiliano. Pero Horacio reina al tiempo con la autoridad del primero y con la afinidad de los segundos. Era la ventaja que le concedía su triple condición de máxima autoridad teórico-poética, la dimensión retórico-estilística de extensos fragmentos de su *Ars* y, en fin, por su índole de poeta elegante —y aún con ciertos relieves *cultos* en la opinión de muchos contemporáneos de Góngora—, que en conjunto le presentaban la máxima afinidad posible entre las autoridades clásicas con los ingredientes constitutivos de la poesía gongorina, objeto de discusión.

Mal merece la disculpa quien comete tales yerros, los cuales no son menos comunes (como se pudiera dar a entender) en Virgilio, y otros grandes poetas, con que nos amedrentan cada paso, como si aquellos autores hubiesen sondado el mar de la poesía y agotado el grande golfo de la erudición». *Ibíd.*, pp. 197-198.

Las citas horacianas se registran igualmente densas en todos los participantes en la polémica, apologistas y adversarios de Góngora, dando incluso ocasión con ello a curiosos lances de enfrentamiento interno de la misma autoridad de Horacio. El interés y frecuencia de las menciones depende, naturalmente, de la entidad misma de los documentos y de su extensión; siendo mucho más frecuente en los escritos propiamente críticos que en las paráfrasis y comentarios. Díaz de Ribas, Jáuregui, el Abad de Rute, Cascales y Angulo y Pulgar son los autores de más positivo interés en esta recuperación de Horacio.

No sólo de la cantidad, frecuencia y enjundia de las citas salía robustecida la imagen de un Horacio vivo y activo en la formación teórica de nuestros humanistas de primera y segunda fila —que de todos, y hasta simples aficionados se vieron envueltos en las discusiones—; fueron también las declaraciones explícitas de muchos de sus textos las que contribuyeron a decantar nuestra imagen actual del enorme prestigio general alcanzado en la época por Horacio. Ya «el primer culto de España», Carrillo de Sotomayor, precursor y pregonero anticipado de la lírica culterana, no dudaba en proclamar a Horacio paladín y animador sempiterno de una poesía difícil, escogida y doblada en tantos repliegues hedonistas, como la que él preconizaba:

> «Diferentemente emos de hablar, y assi ha de ser algo cuydadoso el entendernos. Qual aya de ser esta diferencia, el Principe del arte en estos versos nos lo enseña —cita a continuación unos versos de Horacio, cuya traducción del mismo Carrillo se añade:
>
> Lo primero me diera à los que estudian
> Ser Poetas, ni basta hacer los versos
> Diras, ò si vulgares escrivieres,
> Mas propios à mis platicas y satira.
>
> Confessò aqui la humilde suerte de estilo, que seguia en su satira, y quanto diferente era la del docto Poeta, aclarando en estos versos mas su intención —y vuelve a citar y traducir a Horacio—:
>
> Piensa aquel ser Poeta, cuyo ingenio
> Divino, y boca, grandes cosas suene,
> Y à este de tanto nombre des la gloria?
>
> Bastarà aquesta censura; bastara confessar Horacio no merecer el nombre de Poeta solo un ordinario correr de versos, bastara (dudolo por cierto) el afirmar averse de desviar del estilo que ordinariamente usamos en nuestras conversaciones?»[43].

43. Cfr. LUIS CARRILLO Y SOTOMAYOR, *Libro de la Erudición Poética*, Madrid, Juan de la Cuesta, MDCXI, ed. de M. Cardenal Iracheta, Madrid, C.S.I.C. 1946, pp. 40-41.

Idéntico tenor recogían las declaraciones explícitas de la mayoría de los participantes en la polémica, tanto a favor como en contra de Góngora. Juan de Jáuregui, uno de los más distinguidos críticos involucrados en ella, exaltaba a Horacio en su *Antídoto contra las Soledades* como auténtico príncipe y norte de la poesía, verdadero modelo de lenguaje para dirigirse a príncipes[44]; mientras que un apologista de don Luis, Martín de Angulo y Pulgar, en su respuesta a Cascales proclamó incidentalmente a Horacio autoridad suma de la teoría poética junto con Aristóteles, Cicerón y Quintiliano[45]; e idéntico tenor se descubre en las *Advertencias* del poco respetado Andrés de Almansa y Mendoza[46].

Los elogios a Góngora, en tales casos, procedían en unas ocasiones de su alta autoridad como teórico de la poesía, citándose el *Ars* como norma indiscutible, pero no eran tampoco ajenos a esta glorificación sus propios méritos como altísimo poeta, y por tanto como perfecto conocedor con experiencia excepcional en los problemas de la lengua poética; siendo incluso destacable el hecho de que alguno de los críticos recordara, en las peculiaridades artísticas del poeta latino, una base de oscuridad que lo aproximaba de modo válido, como antecedente remoto, a la coyuntura estética contemporánea. Destaca este rasgo uno de los más fervorosos e ilustres detractores de Góngora, Juan de Jáuregui, en las siguientes líneas:

> «Con esta advertencia (alo que yo juzgo) dize Petronio del Poeta Lirico. *Et Horatii curiosa faelicitas,* porque mediante la industria i artificio de Oracio, tuvieron felicidad sus atrevimientos poeticos. Reparemos en la voz *curiosus,* que en el mas notorio sentido de los Latinos, significa el demasiado diligente en inquirir novedades. es vicio la curiosidad, vicio que excede todo limite en la diligencia, i se distingue della tanto, como la supersticion de la religión... De suerte que Petronio, atribuyendo a Oracio la *curiosa felicidad,* muestra que fue feliz en lo vicioso; que excedio venturosamente. I mas encarece el excesso diciendo *curiosa faelicitas,* que si dixera *faelix curiositas*»[47].

44. Cfr. Juan de Jáuregui, *Antídoto contra las Soledades, aplicado á su autor para defenderle de sí mismo,* editado por José Jordán de Urries, en su obra *Biografía y estudio crítico de Jáuregui,* Madrid, Tip. de Archivos, 1899, pp. 149-179, aludo a p. 151.

45. Cfr. Martín de Angulo y Pulgar, *Epistolas Satisfatorias. Una a las obieciones que opuso a los Poemas de D. Luys de Gongora el Licenciado Francisco de Cascales, Catedratico de Retorica de la S. Iglesia de Cartagena, en sus Cartas Filologicas. Otra. A las proposiciones que contra los mismos Poemas escriviô cierto Sugeto grave y docto,* Granada, Blas Martínez, 1635; véanse algunas de estas declaraciones en pp. 52 r. y v.

46. Cfr. Andrés de Almança y Mendoça, *Advertencias... para intelligencia de las Soledades,* ed. por Emilio Orozco Díaz, *En torno a las «Soledades» de Góngora,* Granada, Universidad, 1969, pp. 197-204; la referencia concreta en p. 199.

47. Cfr. Juan de Jáuregui, *Discurso Poético,* Madrid, 1624, ed. por Antonio Pérez Gómez, Valencia, Duque y Marqués 1957, pp. 48-49.

En cuanto a la índole y modalidad de las citas de Horacio, naturalmente el caso más frecuente es que funcionaran como aditivos de autoridad en desempeños doctrinales aislados. Pero no es infrecuente, dada la persistente presencia de la doctrina horaciana y la buscada autoridad de sus textos, el que encadenaran en el desarrollo de algún punto, como en el siguiente pasaje de la *Fabula de Piramo y Tisbe comentada* de Cristóbal de Salazar y Mardones, a propósito del decoro trágico:

«Y Horacio como Legislador poetico, parece que no và muy fuera desta opinión, pues dize, que muchas vezes las tragedias se escriven en lenguage comun y plebeyo —cita desde *Interdum tamen*... hasta *dolet sermone pedestum* y añade— Donde se deve advertir el adverbio *Plerumque*, que quiere dezir las mas vezes. Demas que el inventor propio de las tragedias Thespis, introduxo en ellas los Satiros que dezian gracias cerca de las costumbres del pueblo, con que se entretenia el auditorio, porque las tragedias en si son tristes, y fue menester alegrarlas con alguna cosa de gusto, como dize Horacio en su Arte —y aquí el comienzo del fragmento de la *Epistola ad Pisones* dedicado a los Satiros, para enlazarlo a su vez con la siguiente continuación— y como dize el propio Horacio, los poemas no solamente han de ser hermosos, y elegantes, sino graciosos, y dulces.

Non satis est pulchra esse poemata, dulcia sunto,
Et quocumque volent animum auditoris agunto.

Y es conforme a naturaleza, que con los tristes nos melancolicemos, y con los alegres mostremos alegria. Horacio in Arte.

Ut ridentibus arrident, ita flentibus adsunt Humani vultus.

Y para llorar basta la tristeza de la Fabula»[48].

Ocasiones que proclaman quizás aún con más énfasis el carácter insustituiblemente manual que la *Epistola ad Pisones*, y en general la obra de Horacio, tenía para nuestros ingenios, son los casos de utilización del poeta latino para empeños exclusivamente dialécticos, desconectados de la directa incidencia doctrinal. Las menciones de este tipo son realmente numerosísimas; a título de ejemplo mencionemos la del Abad de Rute, recordando con menosprecio a Jáuregui el *Versibus cantari Tragicis res Comica non vult* (sic)[49], o bien previniéndole con palabras de Horacio, contra un eventual

48. Cfr. CHRISTÓVAL DE SALAZAR Y MARDONES, *Fabula de Piramo y Tisbe comentada*, Madrid, 1836, éste es el título que figura al frente del ejemplar que he consultado de esta obra en la Biblioteca Nacional de Madrid (sign. R-14201) escrito a pluma, pues falta la portada. La obra, sin embargo, es citada por su título de *Ilustración y defensa de la fábula de Píramo y Tisbe*, pp. 85 r.-v.

49. Cfr. FRANCISCO DE CÓRDOVA, Abad de Rute, *Examen del Antidoto o Apologia por*

desenlace furioso de la paciencia del despectivo y omnipotente Góngora:

«... cada cual mire por sí, que no hará poco. nuestro Poeta, a sido, y será estimado justíssimamente a despecho de quien no quiera, por lo bien que dize, no por el mal. Sus escritos en nadie se ensangrientan sin grave causa. Quien se la diere, repare redondo, que no sé si llegará su mortificación a perdonar a su pluma.

Archilo cum proprio rabies armavrit jambo (sic).

esta podrá ser que arme de Sonetos, o décimas al autor de las Soledades, pero no sin ocasión, porque el de su estylo profesa lo que Horacio.

. . . Sed hic stylus haud petet ultro etc. . .»[50].

Hemos de advertir, asimismo, que en este trabajo no agotamos ni mucho menos la mención de la citas horacianas descubiertas en los escritos de la polémica. Nos referimos sólo, habitualmente, a las citas específicamente explícitas del *Ars,* sin dar entrada, sino en ocasiones de muy concreto interés teórico, a menciones de otras obras. Con este criterio quedan fuera de mira las obras exegéticas, como la de Andrés Cuesta, los comentarios de Salcedo Coronel, Salazar y Mardones, o las *Lecciones Solemnes* de José de Pellicer[51], en las que, si bien la densidad de citas horacianas no es en conjunto escasa, éstas se refieren a fragmentos poéticos de Horacio no estrictamente teóricos, aproximables como antecedentes de semejanza o contraste con los versos de Góngora glosados en cada ocasión[52].

---

las Soledades de Don Luis de Góngora contra el autor de el Antídoto, ed. como apéndice VII, en la obra de ARTIGAS, *Don Luis de Góngora,* Madrid, 1925, pp. 400-467; el punto cit. en p. 401.

50. *Ibid.* p. 466. La pobre obra de Cuesta registra sólo una mención de Horacio, en fol. 308 r. cfr. ANDRÉS CUESTA, *Notas al Polifemo,* Ms. de la Biblioteca Nacional de Madrid, 3906, fols. 282 r. -320 r.; en las demás obras citadas la presencia de textos horacianos es muy superior, así algunos de JOSÉ DE PELLICER, *Lecciones solemnes,* Madrid, 1630, cols. 43, 305, 372, 555, etc... etc...; y de GARCÍA SALCEDO CORONEL, sólo en *El Polifemo comentado,* Madrid, Imprenta Real, 1636; véanse unos ejemplos en pp. 315 r., 352 r., 376 v., 380 v., 381 r., 387 r., 388 v., 419 v., etc., etc...; finalmente de SALAZAR Y MARDONES, *Piramo y Tisbe,* cit. pp. 68 v., 74 v., etc...

51. He aquí algún ejemplo para ilustrar el carácter de tales citas en las obras de Salcedo Coronel y Pellicer, Tomamos los únicos casos de referencia al *Ars.* Por ejemplo, en el comentario del primero al *Polifemo,* cit. en pp. 399 v.-400 r., al glosar el «caros tejiendo estés», se nos recuerdan los archifamosos hexámetros del *Ars* horaciano referidos al coro: «En las Comedias antiguas, y en las Tragedias eran comunes los coros, los quales servian de cantar las cosas referidas, y otras a proposito de lo que se representava. Horacio en su Arte poetica refiere el oficio que avian de hazer. *Actoris partes chorus officiumque virile*», etc. Carácter muy similar, absolutamente externo y aditivo, tiene la aclaración a «coturno», con cita horaciana de las *Lecciones Solemnes,* ed. cit. de Pellicer, en col. 259.

52. Siguiendo nuestro criterio general de construcción de esta obra, hemos segregado volunta-

Por contraposición, los ejemplos quizás más enjundiosos y relevantes en este terreno de las menciones horacianas los ofrecen, como siempre, los casos de manipulación polémica de las citas de autoridad, acomodadas por cada adversario a la defensa de las propias razones. Tiene que ver este procedimiento con tantos testimonios de distorsión y acomodo de las flexibles autoridades al propio capricho, que advertíamos ya en el proceder de los más destacados humanistas italianos en los dos primeros libros de esta obra. El rasgo, en principio, no empezó siendo sino una reafirmación de la universal necesidad y devoción a las «autoridades»; pero su agotamiento y descomposición tuvieron que ver en gran medida con la moderna corriente de independentismo racionalista iniciada en toda Europa desde mediados del siglo XVI, y que ya en el XVII cobraba frutos sazonados.

Excelente ocasión de ejemplificar el caso mencionado nos ofrece la obra de Angulo y Pulgar. Allí se contesta a las suaves alegaciones del ambiguo Cascales contra la vertiente culterana de Góngora. Angulo y Cascales eran dos fidelísimos devotos de Horacio, por lo que será en torno a las formalmente intangibles menciones del poeta latino, donde se desarrolle el centro de la discusión entre ambos. Ya los mismos desplantes irónicos de Cascales —su alusión, por ejemplo, a la purga de «anticiras» como alternativa de que Góngora no vaya con su nuevo estilo «totalmente fuera de trastes»—, son hábilmente retorcidos por Angulo, casi al comienzo de la obra[53].

---

riamente, en los apartados de los diferentes capítulos dedicados a las polémicas gongorinas, la participación en las mismas de Cascales y sus corresponsales, recogidos en las *Cartas Filológicas,* considerando esta obra en su unidad, con finalidad estrictamente práctica, como uno más de nuestros tratados teóricos sistemáticos. Por ello en este punto concreto nos servimos sólo de los testimonios aportados en la discusión por las *Epistolas satisfatorias* de ANGULO, para no repetir noticias a propósito de Cascales que ya dábamos en el último apartado del capítulo anterior.

53. Reproducimos en su totalidad este curioso rasgo de ingenio y conocimiento textual de Horacio, en la imposibilidad de ilustrarlo adecuadamente sumarizándolo: «Continua V.m. su dictamen, persuadido a que don Luys no pudo escrivir por buenas estas obras, sino para prueva de su ingenio, y abobar los agenos, y dize —reproduce aquí el fragmento de las *Cartas Filológicas* resumido en el texto por nosotros—. A esta proposición disiuntiva respondiera, concediendo la primera parte, quanto a la purga, pues V.m. la confiessa de plano, sino fuera tan notorio quan libre està de la enfermedad, que Oracio... atribuye, reprehendiendo a un miserable, a quien juzga tan incurable della, que no solo era necessario aplicarle el heleboro, yerva contra su mal, que se criava en la isla Anticira, sino con toda la isla duda que sane... Pero V.m. se impone la pena de ser de los incurables deste achaque, sino fuesse don Luys *fuera de trastes,* pues le parece que avia menester para purgarse las tres Anticiras que receta Oracio en su arte a los Poetas sin aliño —cita del texto— Que este es el lugar que V.m. juntò con el primero, y assi cessarè en este intento, procurando solo, que el deste discurso manifieste quien es el que và fuera de trastes, y prueve que no es D. Luys». cfr. L. ANGULO Y PULGAR, *Epístolas satisfatorias,* ed. cit. pp. 4 r. y 5 r.

Pero entrando en términos estrictamente doctrinales, podemos advertir la curiosa retorsión del texto horaciano sobre la condición natural de la evolución del lenguaje, en el que, invocando el «parce detorta», Cascales pretende reducirlo sólo a licitud de variación en el vocabulario, pero no de la sintaxis de la frase, en la cual reprende las novedades insólitas del hipérbaton gongorino; invocando Angulo una interpretación contextual distinta, que extendiera la lícita alteración a todos los ámbitos y productos de la lengua. Véase el texto completo:

> «Si criasse Dios un hombre de tan claro ingenio, que, como D. Luys, en verso usasse hipervatos en prosa, con suavidad y elegancia... no seria justo culparle, ni es razon la que algunos dan, de *no se usa, ni se ha usado,* quando vemos la diferencia que se causa de la sucession del tiempo en los Idiomas, V.m. lo confirma... Y alega a Oracio. *Multa renascentur, quae iam ceciderunt, etc.* Y aunque quiere que por aver dicho aqui Oracio. *Parcè detorta,* solo hable de las vozes nuevas, en el verso siguiente favorece a la Frase, y a mi conclusion. *Quem penès arbitrium est, et vis, et norma loquendi.* Porque la potestad, o fuerça, y la regla, o Arte de hablar, no se termina en las vozes solas, ni en su Dialecto, sino en la colocacion dellas, que es la que forma la Frase» [54].

Análogas retorsiones se registran en otros medulares pasajes de las *Epístolas satisfactorias,* donde se debatía, a propósito de los problemas de la nueva poesía, los importantísimos tópicos de la finalidad del arte y la dimensión deleitosa del poema [55]; y lo mismo respecto a menciones relativamente ocasionales y secundarias, como la del *brevis esse laboro, obscurus fio,* uno de los alegatos horacianos favoritos, según veremos, de los participantes en la polémica [56]. De todo ello, lo de menos a estas alturas sea quizás señalar cuál de ambos oponentes acierta y cuál se equivoca; o, lo que sucede a menudo, cómo erraron ambos, o cómo la discusión estaba absolutamente fuera de lugar y sin vigencia posible para el estado actual de opiniones sobre el arte. Lo que en verdad importa, ante todo, es constatar el síntoma de la plena actualidad y vigencia del pensamiento teórico de Horacio, al extremo de superar incólume estas frecuentes manipulaciones contradictorias. Véase, para acabar, otra de tales retorsiones a cargo

54. *Ibid.*, pp. 11 r. y v.

55. Nos referiremos a ellos, en concreto, en el lugar correspondiente de los capítulos sucesivos. *Ibid.*, pp. 21 r.-v., y 30 v.

56. *Ibid.*, pp. 23 v.-24 r. Véase el final de la argumentación aludida: «Para prueva de que la Poesia de D. Luys es viciosa, alega V.m. de Oracio: *Brevis esse laboro, obscurus fio.* Y como no ha dicho, que la escuridad se causa de la brevedad, no se a que proposito viene lo alegado».

de Angulo sobre textos horacianos citados por Cascales, con la defensa de Góngora al fondo:

«La otra sea la que refiere V.m. —Cascales—..., y es del arte de Oracio. *Vir bonus, et prudens versus reprehendit inestes,* etc... Este texto es contra los versos sin arte, los duros, los sin peynar... estos defetos no los ha hallado V.m. en D. Luys: luego la autoridad no es contra el: y porque vea que es en su favor, lease, pues alega el mismo testimonio de Oracio en defensa del estilo culto, docto, y peynado, y dize V.m. inmediatamente a el. *Veys como no solamente este gran critico no vitupera el lenguage culto, sino que le alaba, y satiriza el inculto.* De donde infiero que *Tuo gladio iugulasti;* porque, si Oracio culpa los versos sin arte, y V.m. los de D. Luys porque le tienen, habla Oracio en su favor, y contra V.m.»[57].

No se redujo al caso exclusivo de la polémica entre Angulo y Cascales la existencia de este tipo de retruécanos sobre la autoridad de Horacio. Fenómenos análogos son descubribles en todos los demás enfrentamientos de autores, en ninguno de los cuales deja de asumir Horacio su papel de inapelable árbitro de certezas. Por no repetir hasta la prolijidad ejemplos de este tipo, recordemos en la polémica entre Jáuregui y el Abad de Rute, las tensiones que sufre la doctrina horaciana del tipo de errores perdonables a los grandes poetas —adscrito, como sabemos, al horaciano *quandoque bonus dormitat Homerus*— en el segundo de ambos autores[58].

57. *Ibíd.*, pp. 33 r.-v.

58. Cfr. Francisco de Córdova, *Examen del Antídoto,* ed. cit. pp. 458-59. Jáuregui había negado —con el expediente habitual de invocar el *mediocribus esse...*— que bastaran unos pocos fragmentos aceptables de las *Soledades* para dar por bueno al poema o al poeta, al tiempo que encomiaba la prudente espera y corrección de años en el poema, siempre bajo el mandato horaciano. A todo ello respondía con su conformidad el Abad de Rute; pero para reafirmar en suma que todo ello no afecta sino a poetas mediocres, no a las grandes figuras como don Luis al que, si algún defecto se le halla, le cabe bien a su vez la disculpa del mismo Horacio para los grandes creadores. He aquí el final de este ingenioso desempeño: «... ay ingenioso, que por un soneto destos suspendidos y remirados avia de estar suspendido de officio de Poeta todos los dias de su vida, siendo asi que despuès de aberle dado una y otra vuelta de podenco, sale la cuitada obra ni mala ni buena, digo propria para poblar (si le ubiera) un limbo de Poesía. Destos, destos tales habla Horacio affirmando, que ni los Theatros, ni fuera dellos merezen estima: destos, que no de los Poetas grandes de marca mayor, que no pierden crédito por descuydarse tal vez... sabemos que aquel axioma tiene lugar en materias morales, no en Poéticas: traslado a los Maestros del arte Horacio... Quandoque bonus dormitat Homerus... No dexará de descuydarse en algo don Luys, pero compense V.m. este descuydo con otros muchos cuydados, y agudeças y no diga mal de todo a carga cerrada».

Horacio presente en las apologías y los ataques a la nueva estética.

Las consideraciones precedentes sobre el indiscutible prestigio de Horacio y la frecuencia y peculiaridades de sus citas en los distintos documentos de las polémicas gongorinas, constituyen sólo el marco de presentación de los hechos de más acusado relieve teórico: la secuela más notable de la efectiva vigencia de Horacio en estos documentos no reside sólo en su número y frecuencia, sino sobre todo en que bajo su arbitrio se constituyeron las bases doctrinales en las que se fundamente la razón de ser de la nueva estética culterana. De la misma manera se justificaron y remodelaron desde ella también los fundamentos estéticos de sus adversarios. Y es de suyo representativo que en el documento de mayor enjundia crítica de cuantos movilizara la nueva poesía —su condena en el *Discurso Poético* de Jáuregui— se recordaba el horaciano *decipimur specie recti* como frontispicio aclaratorio de la tentación estética que había fundamentado con su fermento la nueva herejía:

> «Sean primer fundamento aquellas sentencias comunes del gran Lirico. *Maxima pars vatum decipimur specie recti. In vitium ducit culpae fuga, si caret arte.* Dize que a las virtudes poeticas se acercan varios vicios parecidos a ellas; i que muchos se engañan con la imagen, o especie de virtudes, que falsamente les representan: esto es, *Decipimur specie recti...* Varios son los caminos de incurrir en este engaño... —y prescindiendo de los opuestos concluye en la imagen de los culteranos—. Digo que estos se pierden por lo mas remontado: aspiran con brio a lo supremo; esta es la virtud que procuran. Pretenden, no temiendo el peligro, levantar la poesia en gran altura, y pierdense por el excesso. Lo temerario les parece bizarro... i huyendo de un vicio, que es la flaqueza, passan a incurrir en otro, que es la violencia»[59].

Pero, de la misma manera, resulta igualmente incontrovertible, y mucho más aleccionador e instructivo para este punto, el comprobar que Horacio no sólo continuaba siendo útil a los defensores de la estética tradicional, sino que también era el aliado insustituible para los apologistas del nuevo arte. En capítulos sucesivos atenderemos por extenso al fenómeno de apoyo horaciano que ilustra la renovación hedonista en las opiniones sobre la finalidad de la poesía, que constituyó la base teórica insustituible en la que se fundamentaba el nuevo arte. En alguna ocasión parece que los

59. Cfr. JUAN DE JÁUREGUI, *Discurso Poético*, ed. cit. pp. 10-11. En otras ocasiones vuelve a servirse Jáuregui también de Horacio para diagnosticar la raíz del primer impulso en la motivación del mal. *Ibid.*, p. 40.

defensores de Góngora se percataron de la fuerza que adquirían a esta luz sus apologías de lo que, para una concepción utilitario-moralista del arte, no pasarían de ser desmesuras heréticas incoherentes. Así, aun cuando en muchos pasajes concretos se puedan descubrir todavía —y no precisamente por los críticos adversos de Góngora— menciones circunstanciales y rutinarias sin función global alguna de las declaraciones eclécticas de Horacio en este dominio[60]; en otras ocasiones aparece lúcidamente destacado el perfil deleitoso del arte, ya sea indirectamente asociado a la autoridad de Horacio, como en ciertos pasajes de los *Discursos apologéticos* de Díaz de Ribas[61], ya en soluciones incluso muy próximas y directamente inspiradas en Horacio, como en el mismo *Antídoto* de Jáuregui[62].

Parte de sus defensas de la revolucionaria poesía gongorina la cifraron fundamentalmente sus apologistas en la índole individual de excepción que atribuían a su creador. Las reglas, el uso, el respeto a un sistema de valores tradicionales rezaban sólo para la masa de mediocres. Al artista genial le era dado quebrantar toda regla, toda tradición, en aras de las grandes renovaciones siempre vivificadoras para el arte. Debe el gran poeta atreverse a los mal seguros dominios de la innovación, allí donde el riesgo de errar es siempre superior a la seguridad del acierto. Pero, con Cicerón, decía ya Carrillo y Sotomayor, esta «Virtud humilde y pequeña en el orador es vicio no humilde y pequeño en el poeta», quien no teme la sanción del juez severo —añade citando el *Iudicis, argutum quae non formidat acumen*— podrán alzarse al fin con el último premio que es el deleite poético;

60. Por ejemplo, tal es el caso del *Parecer de Francisco de Cordova acerca de las Soledades*, ed. por E. Orozco Díaz, *En torno a las «Soledades»*, cit., pp. 130-145, el lugar mencionado en pp. 135-136.

61. Díaz de Ribas invoca los conocidos hexámetros de Horacio *aut prodesse volunt*, etc., a título de confesión de eclecticismo, que precede la siguiente defensa del deleite, donde se fundamentan sus mejores razones a favor de la poesía culterana: «el fin de un arte por quien se distingue de las otras, no a de ser comun a ellas, la Rhetorica enseña, la Historia y la philosophia y si la enseñança es como genero a muchas artes el fin especial dela poesia sera enseñar deleytando y el de la retorica enseñar persuadiendo. Lo cual confirma mucho el atribuirle casi todos los authores al poeta el deleytar». Cfr. *Discursos apologéticos*, cit. fol. 70 r.

62. Cfr. Juan de Jáuregui, *Antídoto*, ed. cit. p. 154; su ataque a la poesía de Góngora está formulado, fundamentalmente, en la medida que resulta, en su opinión, contrario al deleite: «Este nuevo estilo de Vmd. es tan contrario al gusto de todos, que ningún esforzado ánimo ha podido leer cuatro columnas de estos *solitarios versos* sin estrujada angustia de corazón». Y, finalmente, refuerza el perfil horaciano, que constituye el fundamento de esta aseveración, en las siguientes palabras, «Dóite al diablo el escrito, y ¡cuán lejos vas de la dulzura que Horacio alaba y todos los artistas encomiendan!». Evidentemente se trata de una marginación, dadas las circunstancias, de la segunda dimensión utilitaria del texto, que Jáuregui no considera oportuno destacar.

recordando sin duda el aliento que presta el *Sic animis natum inventumque poema iuvandis,/Si paulum a summo discessit, vergit ad imun*[63].

A esta luz, las fatigas y sudores que recomienda Horacio, adquieren una irisación distinta de la que les era habitual: la de la dificultad y el escogimiento como fruto de un desmesurado esfuerzo por parte del creador, para cubrir el mensaje poético de veladuras y galas, cuya dificultosa interpretación desencadene el asombro maravillado del lector. Así lo había proclamado el mismo Carrillo hacia el comienzo de su obra, con el fondo siempre adaptable de las palabras de Horacio:

> «... no a pie enjuto, no sin trabajo se dexan ver las Musas, lugar escogieron bien alto, trabajo apetecen y sudor: no en vano tomaron por defensa patrona tan valiente, no lo negó en su arte Horacio.
>
> *Multa tulit, fecitque puer, sudavit, et alsit.*
>
> Mucho sufrio siendo muchacho, y hizo, sudo, y padecio yelos»[64].

Tales razones se ofrecían igualmente válidas, sin embargo, para los adversarios del gongorismo. Fuente de acusaciones eran, si se contemplaba la nueva poesía como fruto impotente, capricho y retozón de una estética que escondía, tras los celajes de su oscuridad formal, una radicada incapacidad para profundizar y expresar juiciosamente su base de contenidos líricos. Así valorado el gongorismo por Juan de Jáuregui, los pasajes de Horacio que eran defensa para Carrillo y quienes pensaban como él, en manos de Jáuregui se transformaban por el contrario en acusaciones. El autor del *Antídoto* y quienes como él pensaban, censuraron los nuevos poemas, cuando menos, por caprichosamente abandonados a una desigualdad insufrible, fruto según ellos de esta ausencia de lima[65]. Así lo declaraba, por ejemplo,

63. Cfr. LUIS CARRILLO Y SOTOMAYOR, *Libro de la erudición poética*, ed. cit. pp. 53-54. Carrillo traduce así los últimos dos hexámetros citados:

«Nacido assi, y hallado para el animo
Deleitar el Poema, sino à sumo,
Vino à ser muy humilde».

64. *Ibid.*, p. 18.

65. Cfr. JUAN DE JÁUREGUI, *Discurso poético*, ed. cit. pp. 71-72: «Bien representa Oracio en muchos lugares el desvelo de purificar los escritos, especialmente en su Epístola, quando Quintilio aconsejava a los amigos. *Corregid esto i aquello: i si alguno le respondia, no lo puedo mejorar aunque lo è procurado dos i tres vezes, le mandava borrarlo todo, i que si los versos no avian salido bien torneados, se bolviessen a la fragua i yunque...* Oracio en su nombre: *El prudente varon reprehenderà los versos sin arte, culparà los duros, i con la pluma atravessada bañarà en ciego borron los mal compuestos...* Estos cuidados todos, i otros mayores i mas ocultos, escusan los que no perficionan, consintiendo desigualdades. assi no es razon que se precien sus obras, ni possible que agraden a los de buen gusto, aunque mezclen con lo mal escrito aciertos mui grandes».

Lope de Vega en su *Respuesta a las cartas de don Luis de Góngora y de don Antonio de Las Infantas:*

> «Si Vm. como lo dice fuera observante de los preceptos de Horacio dexara reposar sus obras, si no el tiempo que él aconseja, el necesario por lo menos, para que salieran libres de descuydos, que aunque es general el que en esta carta an introducido algunos poetas nuestros, deseosos mas de gozar las flores y agudeça de ingenio, que la madurez y fruto de juicio, viciandose por no praticar lo más precioso de su arte»[66].

La acusación de la desigualdad de partes en los poemas gongorinos, de la que se hacen eco los anteriores textos de Jáuregui y Lope de Vega, fue sin duda una de las objeciones más comunes a lo largo de la polémica. Era en verdad el fruto de la misma cicatería miope de que hacían gala los comentarios y paráfrasis, demasiado pegados a la letra de una lógica y una semántica crítico-poéticas que, aun en los casos mejor intencionados, habían quedado totalmente desplazadas y rebasadas por la estética poemática que trataban de enjuiciar de mala manera. La admiración de fondo, nunca bien ocultada por sus enemigos de más enjundia, y el reconocimiento poético de Góngora, pugnaban en ellos por cubrirse con esta erosión cominera de pequeños detalles, errores o descuidos, según una base crítica absolutamente inadecuada, con la cual se trataba de salvar la fachada del desprecio exterior.

Cascales y sobre todo Jáuregui insistían con verdadera asiduidad en este yunque crítico de la desigualdad de los poemas gongorinos, haciendo entrar en juego, de paso, una variada gama de menciones horacianas. Aparte de los lugares ya dados a conocer antes, Jáuregui en el *Antídoto* invocó la insufrible mediocridad que condenara Horacio, haciéndola sinónimo de desigualdad[67]; mientras en el *Discurso poético* daba entrada a una verdadera galería de textos horacianos englobados en sus propias palabras, para reforzar

66. Cfr. LOPE DE VEGA, *Respuesta a las cartas de don Luis de Góngora y de don Antonio de las Infantas*, ed. por E. Orozco Díaz, *En torno a las «Soledades»*, cit. pp. 316-326, doc. cit. p. 318.

67. Cfr. JUAN DE JÁUREGUI, *Antídoto*, ed. cit., p. 167: «Y sin esto, es sentimiento común que la poesía debe ser enteramente perfecta, y no admite moderaciones, contrapesando los yerros con los aciertos. Un poeta mediano cansa á Dios y á las gentes y á las mismas piedras. Horacio lo dice:

Mediocribus esse poetis,
Non homines, non di, non concessere columnae.

Persona de ingenio conozco yo, que por enmendar alguna menudencia en su soneto, ha suspendido un año su publicación, y así agradan mucho sus pocas obras. A esta cuenta, buenos años de estudio se ahorra el que deja sus escritos sembrados de yerros».

este importante expediente condenatorio. Partiendo siempre de la forzada asimilación del sentido horaciano de *mediocres* con su estimación de *desiguales*:

«Licito es i possible al ingenio contravenir muchas vezes a la regulada eloquencia i sus leyes comunes, sin ofender las poeticas, antes ilustrando sus fueros. aspirar deve a grandiosas hazañas, i no medianas: porque no solo la humildad i rendimiento es indigno en los versos, sino tambien la llaneza, i la mediania; (yà lo predica Oracio) i aunque sea pareja y sin vicios, —aqui deshace parcialmente la abusiva asimilación del *Antidoto*— es viciosa, i tan despreciable, que no halla lugar en poesia. Mas tampoco le tiene la grandeza y sublimidad, si es pocas vezes conseguida, i las mas alternada con precipicios».

Aunque aceptaba con Plinio que «mas vezes caen los que corren que los que andan asidos al suelo», añadiendo que «estos no cayendo, ninguna alabança merecen; i aquellos aunque caigan son dignos de alguna», establecía inmediatamente la condición relativa de dichas «caídas», no yerros continuos y graves sino pequeños «lapsus», que la autoridad de Horacio infirió en la diferencia entre *dormita* y *duerme*, referida a la muy difundida puntualización sobre Homero:

«Mas las caidas, tropieços, o lapsos que Plinio comporta en los que bien corren, se entiende que an de ser leves i pocas, i que procedan firmes en lo restante: como lo juzga Oracio donde dize: *Ubi plura nitent in carmine, non ego paucis offendar maculis*. i luego: *Opere in longo fas est obrepere somnum*. i bien que lo consiente assi, se indigna contra Homero las vezes que en sus largos poemas *dormìta*, no dize *duerme*».

Pero, tras de negar que el vicio que fustiga en los nuevos «cultos», no consiste en caídas de este tipo, leves y escasas; sino que por el contrario son tales, que en sus arrebatos y pretensiones «caen las mas vezes, i mui pocas aciertan a levantarse»; busca en Horacio la coronación del equilibrio y la ecuanimidad poética sin quiebras, creyendo descubrirlas en la irrisión horaciana del desigual y torpe poeta Cherilo:

«La igualdad enefeto es gran virtud: no porque sea suficiente para calificar humildades ni medianias, sino soberanias i grandezas: y al contrario la desigualdad es feissimo vicio, aunque en partes alcance sublimidades. Assi se reìa Orazio del poeta Cherilo, aun las veces que acertava, porque eran pocas: *bis, terque;*

bonum cum risu miror: i aunque acertasse muchas, se reiria poco menos, si errava otras tantas»[68].

También a este mismo propósito general, a las acusaciones a Góngora sobre desigualdades intolerables en su poesía se referían en ocasiones los pasajes horacianos destinados a glosar la labor del buen crítico, que denuncia la dureza e imperfección de los versos malos sin otros miramientos de amistad ni conveniencia. Se hacía esto, ya con matiz negativo, a título más genérico de disculpa ante Góngora, por las correcciones concretas en el caso de los amigos, como sucede en el *Parecer* de Francisco de Córdova[69]; ya en su dimensión favorable, de manera más entrada en el punto polémico que nos ocupa, como por ejemplo cuando Cristóbal de Salazar y Mardones hacía alusión a los versos de Horacio, diciendo que tales cuidados no habían lugar en la perfecta poesía de su admirado poeta[70].

La glorificación del poeta y de su labor, proclamada en los textos precedentes por los defensores del nuevo arte como razón fundamental para su defensa, con la que contrastaban vivamente los argumentos de sus detractores —amparados todos, unos y otros en muchas de sus más sólidas razones por las palabras y la autoridad de Horacio—; conllevaba fatalmente la consecuencia del correspondiente desprecio del «vulgo». La correlación no era nueva, sino que arrojaba su perfil bien conocido sobre las polémicas gongorinas desde todos los intentos históricos precedentes de afloramientos aristocráticos a la conciencia artística. En diversos lugares del libro II de esta obra hemos abordado ya la clarificación histórica de algunos fenómenos

68. Cfr. JUAN DE JÁUREGUI, *Discurso poético*, los textos citados y resumidos últimamente en pp. 60-64. Véase una muestra de cómo uno de los pasos horacianos de más fuerza en la argumentación adversa de Jáuregui, era aducido al fin contrario por Angulo en su respuesta a Cascales: «La proposición quinta es. *Que si leo el arte de Oracio, y Aristoteles* —cita literalmente a Cascales—... *descubriré en D. Luys muchas faltas*. Respondo sin concederlas, que fue hombre, que, *aliquando bonus dormitat Homerus*, que se deven compensar con las muchas galas y agudezas que tiene». Cfr. MARTÍN ANGULO Y PULGAR, *Epístolas satisfatorias*, ed. cit., p. 52 v. Otras menciones ocasionales del pasaje condenatorio de la mediocridad poética en Horacio se hallan en los *Discursos apologéticos*, cit. de Díaz de Ribas, fol. 71.r. —citado indirectamente— y en el *Parecer* de FRANCISCO DE CÓRDOVA, ed. cit., p. 131.

69. Cfr. FRANCISCO DE CÓRDOVA, *Parecer acerca de las Soledades*, ed. cit., p. 144: «Yo e dicho lo que e sentido sinceramente a ley de christiano, y amigo como lo e protestado y profesado en quanto alcança mi juicio, Vm... consúltelo (si lo pareciere) con hombres de letras y echará de ver lo que le aconsejo como hombre de bien y servidor suyo. Según Horacio en el arte. *Vir bonus, et prudens versus reprehendent inerteis*», etc...

70. Cfr. CRISTÓBAL DE SALAZAR Y MARDONES, *Piramo y Tisbe comentada*, ed. cit., p. 84 r.: «sin duda en esto no hay bondad, y buen animo, ò poca prudencia, pues como dize Horat. in Arte, el varon bueno, y prudente reprehende los versos floxos y sin arte, y culpa los duros, no los que están escritos con tanto estudio, y tan llenos de suavidad, y elegancia». Y cita: *Vir bonus*, etc...

de este tipo, así como la discusión de dicha conciencia aristocrática con todo su sistema secundario de secuelas poéticas concretas en el ánimo de Horacio. Al mismo gran poeta latino lo considerábamos nosotros positivamente impregnado de ellas, pese a sus afirmaciones explícitas cargadas de forzado programatismo en la *Epistola ad Pisones*.

A este respecto, resulta un indiscutible refuerzo de la precedente afirmación descubrir la aplastante unanimidad con que los comentadores de Góngora acudieron a Horacio como conspicuo representante del «desprecio del vulgo», para reforzar más la proporcionalmente semejante conciencia de la nueva estética culterana; o bien constatando otros este mismo dato con propósitos distintos de los anteriores. Naturalmente no se recurría, a la sazón, a problemáticas lecturas «entre líneas» de la *Epistola ad Pisones* para corroborar este importante extremo; estamos bien seguros de que ni el lenguaje, ni las licencias de «lectura» de la crítica del momento hubieran arrojado una solución tan unánime en decisión tan tajante y vidriosa. Pero, fuera del equilibrio de las componendas político-culturales de su *Ars*, Horacio había manifestado en otras obras perfectamente explícita la autoconciencia aristocrática de su poesía y el eco y acatamiento de la misma que le transmitía su público: la más terminante y clara de todas aquellas menciones se cifraba en el rotundo, para la mentalidad de la época, *odi profanum vulgus*. A esa proclamación escasamente problemática acudían invariablemente nuestros polemistas de la poesía barroca para reforzar sus opiniones, cuestionables como personales y circunstanciadas. Así, al juicio de Horacio apelaba ya el primer alegato consistente a favor de la renaciente estética barroca, el *Libro de la erudición poética* de Luis Carrillo y Sotomayor:

> «Engañose por cierto quien entiende los trabajos de la Poesia aver nacido para el vulgo. Mas entendieron, mas intentaron, mas alcançaron. Digalo el Lyrico.
>
> *Odi prophanum vulgus, et arceo*[71].

Hasta tal extremo resultó persistente el recuerdo de la actitud de Carrillo, que años después la recordaba uno de los ingenios complicados en la polémica del *Polifemo*, Díaz de Ribas[72]. Pero, como en la mayoría de estos tópicos vinculados a la mención y la presencia horaciana, será el *Discurso Poético* de Juan de Jáuregui la obra en la que ésta se haga más variada y plena de rendimiento. El punto de partida podemos considerarlo centrado en torno a un texto de Horacio redundante en el mismo concepto que el *odi*

71. Cfr. LUIS CARRILLO Y SOTOMAYOR, *Libro de la erudición poética*, ed. cit., p. 16.
72. Cfr. DÍAZ DE RIBAS, *Discursos apologéticos*, cit. fol. 83 v.

profanum vulgus[73]; concede después que «en esta parte están oi los ingenios de España muy alentados», enumera más tarde otros lugares horacianos en los que se trasluce evidentemente la opción aristocratizante[74], para acabar desembocando en una nueva mención de la *Epistola ad Pisones*, esta vez ya centrada en una de las alegaciones favoritas de los apologistas de Góngora, a quienes pretende desautorizar en nombre de Horacio. Si comúnmente se aducía el aplauso universal como prueba incontrovertible del valor de los poemas culteranos, la desautorización del vulgo que se encierra en las palabras de Horacio, deshace aquel argumento. He aquí el fragmento culminante de este proceso de convicción:

> «En uno i otro se fian de la insuficiencia del pueblo; que ni juzga lo oscuro, ni lo desvariado; i quando en algo repare, creera que alli se ocultan altos misterios. *No es de cualquier oyente* (dize Oracio) *juzgar las poesias mal compuestas: i assi contra toda razon* —traduce de la *Epistola ad Pisones*— *se les perdona mucho a los poetas Romanos. Mas serà bien* (pregunta) *que fiados en esta ignorancia del pueblo, escrivamos licencioso i valdio?*»[75].

Jáuregui abunda así en la misma opinión aportada ya en su *Antídoto*, desatendiendo las alegaciones en contra del Abad de Rute, quien había puesto especial énfasis en desarticular en este punto sus objeciones anteriores[76].

Procediendo ahora al examen de los defectos concretos imputados a la nueva poesía, surge en primer lugar el de la oscuridad como resultado de los cultismos, neologismos, traslaciones y otras frecuentes licencias de vocabulario; lo mismo que el hipérbaton y otras anomalías en el plano

73. Cfr. JUAN DE JÁUREGUI, *Discurso poético*, ed. cit., p. 98. He aquí el fragmento que incluye el referido texto de Horacio: «Quando Oracio con mayor desprecio escluye la muchedumbre plebeya, admite ser leido de los Cavalleros Romanos, i estima su aplauso, *Neque te ut miretur turba labores. Satis est equitem mihi plaudere.* reconoce en la gente lustrosa, por la mayor parte, suficiente caudal para oirle, aunque faltasse en muchos erudicion».

74. *Ibid.*, pp. 102-103, reinsistencia en el mismo concepto con nuevos lugares de Horacio: «Sea la primera de Oracio donde dize: *ò si agradasse yo a Plocio i Vario, Mecenas, Virgilio, Valgio, etc.* Dirà alguno que el nombrar a estos, es no desear otros oyentes i estimadores de sus obras; no passa assi. Invoca *Oracio* a los mas doctos de Roma, no porque escluya a otros muchos, que desea tambien agradar, i sabe que le an de entender, sino porque el mayor aprecio de sus versos no à de hallar entero conocimiento, menos que en los grandes maestros; en estos se logra todo el valor de lo escrito, i assi los apetece en primer lugar, cudiciando mas su aprovacion que la del resto de los hombres. i si se contentàra con solos aquellos que nombra, no dixera en otros lugarres (sic). *Conoceráme el de los Colcos, el Dace i Gelon, leeráme el Ibero.* i como aora vimos: *Suficiente me será el aplauso delos Equites*».

75. *Ibid.*, pp. 111.

76. Cfr. FRANCISCO DE CÓRDOVA, *Examen del Antidoto*, ed. cit., pp. 418-419.

de la sintaxis. A este respecto, resulta interesante observar cómo la posibilidad de encajar a veces en el discurso la única cita del *Ars* de Horacio sobre la oscuridad, *brevis esse laboro, obscurus fio,* determinó consideraciones un tanto inconsistentes sobre el rasgo escasamente relevante en el estilo de Góngora de la braquilogia o sus contrarios. Salazar y Mardones, tratando de descartar del *Píramo y Tisbe* la tacha de oscuridad, alegaba la tendencia a la amplitud, que gobierna tanto esta obra en su conjunto, como la propensión estilística general de Góngora; razones escasamente convincentes si no se cuenta como algo axiomático con la circunstanciada aseveración de Horacio:

> «La ultima obieccion es, que escrive muy largo en la narracion desta fabula, y que no ay hombre que pueda sin fastidio acabarla de leer... Demas que no es regla de derecho —lo añade a otras argumentaciones— que con brevedad ha de dezir su sentencia... Y la brevedad seria causa de obscurecerse la sentencia»[77].

Tales opiniones eran en sí mismas tan gratuitas, o por lo menos tan poco relevantes al fondo esencial explicativo de las peculiaridades estilísticas de Góngora, que otro de sus comentadores favorables, García Salcedo Coronel, elogiaba por el contrario la brevedad del poeta, exenta de oscuridad excepto en algunos lugares, como uno de los rasgos estilísticos más acusados de las *Soledades:*

> «La Brachilogia, que es la brevedad en la oracion, no solamente no es figura viciosa, pero en el juizio de los mas doctos es de grande aprecio... La utilidad que resulta de la breve oracion, propuso Horat. en su Arte Poet. cuyo precepto es *Quicquid praecipias esto brevis...* De aquí pues nace muchas vezes la obscuridad de D.L. porque es dificultoso ser breve y claro, y assi lo dà a entender Horat. en el lugar citado. *Brevis esse laboro obscurus fio.* Tiempos tiene la brevedad en que es loable, y otros donde fuera viciosa... Pero nuestro don Luis con estudio grande huye el riesgo de la nota, eligiendo solamente la ocasion en que puede lograr sin culpa la brevedad de su sentencia»[78].

Sin embargo, este generalizado tipo de disculpas, más forzado por la concurrencia misma del texto horaciano que por las propias peculiaridades del estilo de Góngora, no resistía la crítica de los exámenes más serenos y sensatos, tanto de los adversarios enconados como Jáuregui, cuanto, inclu-

77. Cfr. Christóval de Salazar y Mardones, *Piramo y Tisbe comentada,* ed. cit., pp. 86 r.-v.
78. Cfr. García Salcedo Coronel, *Soledades de Don Luis de Góngora comentadas,* Madrid, Imprenta Real, 1636. Prólogo al lector, sin número de página.

so, de los amigos ecuánimes como don Francisco de Córdova. Uno y otro, que sancionaron la oscuridad gongorina en sus justos términos, descartaban la usual disculpa de la brevedad, generada, como sabemos, más en la inercia de la conocida alegación horaciana que en la realidad del estilo de Góngora. Eligiendo nosotros aquí, por más «objetivo», el testimonio del cuerdo y leal amigo de Góngora, Francisco de Córdova, éste descarta la brevedad, y sitúa por el contrario en un rasgo opuesto, la prolijidad y aglomeración de recursos exornativos, el verdadero origen de la oscuridad. Coincidía así en este diagnóstico, además, con la caracterización estilística generalizada desde los comentadores contemporáneos hasta la crítica más reciente, que se ha planteado el problema de definir las notas diferenciales de la poesía renacentista y la lírica barroca culterana. Recogemos, en fin, las palabras de Córdova:

> «Y si esta —la obscuridad— naciera en las Soledades de brebedad fuera menos mal, pues por buscar una virtud se diera en un vicio cercano a ella; quien en vez de liberal da en pródigo pase; y quien buscando la fortaleza da en temerario;
>
> Decipimur specie recti, Brebis esse laboro
> obscurus fio...
>
> pero nace en esta composición la obscuridad de la demasía de Tropos, y Schemas, Parénthesis, Apposiciones; Contraposiciones, interposiciones, sinechdoques, Metáphoras, y otras figuras artificiosas, y vizarras cada una de por sí, y a trechos, y lugares convenientes; mas no para amontonadas»[79].

Las secuelas de la oscuridad formal del culteranismo en la óptica de sus adversarios radicaban básicamente en una endeblez profunda de los contenidos incorporados, mal encubierta tras la desmesurada hojarasca de los recursos de estilo. Un verdadero «parto de los montes», presagiado por inquietantes ruidos, del que a la postre no salía sino el humilde ratón de una trama argumental endeble o de unos pensamientos escasamente brillantes. Como puede verse, la imagen horaciana se hallaba tan próxima, y resultaba tan oportuna y alusivamente irónica, que milagro hubiera sido

79. Cfr. Francisco de Córdova, *Parecer acerca de las Soledades*, ed. cit., p. 134. El tono más duro de la crítica de Jáuregui no difiere en términos de contenido del anterior texto de Córdova. En el *Antídoto* declara: «Tienen otra cosa los versos de Vmd. que los hace más culpables, y es que su obscuridad no resulta de la brevedad, que, al fin, quien esta sigue podría decir: *Decipimur specie recti*... En efecto, yerra el hombre en seguimiento de una virtud, que es la brebedad; mas Vmd. siguiendo el vicio de la perfecta locuacidad, aun no sabe darse á entender». Cfr. J. de Jáuregui, *antídoto*, ed. cit., p. 172.

que los adversarios de Góngora no la hubieran aplicado. Lope de Vega y Juan de Jáuregui llevaron a término la referida aproximación[80].

Otro tanto se diga de aquel lugar de la *Epistola ad Pisones*, donde se alaba la aparente facilidad de las obras que encubren galanamente el esforzado trabajo de sus autores. El argumento que de ello se seguía contra los efectismos de la poesía gongorina, su oscuridad, la tensión formal, las distorsiones sintácticas, el rebuscamiento léxico y metafórico, etc..., era, por tanto, inmediato y de rigurosa oportunidad. Entre otros, lo recordarían el invariablemente cáustico *Antídoto*, armando sus más lacerantes aguijones antigongorinos en las finas aristas de las alusiones horacianas, y aquel modelo de leal y amistosa advertencia crítica que es el *Parecer* de Francisco de Córdova, cuyas son las siguientes líneas:

> «El artificio del Poeta en lo que debe emplearse es en hazer y trabajar los versos de suerte que de fáciles qualquiera piense que podrá hazer otros tales, sin descubrir en ellos el arte y cuydado, cuales los hizo Tibulo, que con ser tan culto y limado es tan suave y fácil en el dezir, que parece se estaba dicho lo que él dixo. Oracio, *In arte ex noto fictum carmen sequar,...*», etc. [81].

Más ajustadas y explícitamente horacianas son las palabras de Jáuregui en su *Antídoto*:

> «Otros se dan á creer que los versos difíciles de entender, esos cuestan mayor dificultad y estudio al escribir: notable error. No advierten que la pureza y hermosura de la elocución y su claridad, esa es la que se compra con vivas gotas de sangre —y tras citar los hexámetros que comienzan en el antes referido *ex noto fictum carmen sequar...*, añade— No está el punto en buscar extravagancias recónditas, sino en adornar lo común con mejor orden, nueva trabazón y gracia, y darlo á beber con toda suavidad».

Y, hechas estas consideraciones de índole general, se encara con Góngora para dirigirle la siguiente acusación:

> «Los versos de Vmd. son tan al revés de esta doctrina, que quien los lee siente en ellos gran dificultad, y quien experimentare componer en aquel estilo, *farfullará*

80. Lope de Vega lo aplica a ciertas promesas pomposas del apologista de Góngora, Antonio de las Infantas, cfr. *Respuesta a las cartas*, ed. cit., p. 320; Jáuregui en su *Antídoto*, cit. p. 159, se refiere en concreto a determinados rasgos del estilo de las *Soledades*: «Parece á veces que va Vmd. á decir cosas de gran peso, y sale con una bagatela ó malpare un ratón, como cuando el navegante echó en la roca el madero... etc.».

81. Cfr. Francisco de Córdova, *Parecer acerca de las Soledades*, ed. cit., pp. 137-138.

fácilmente la obra que quisiere, porque allí no hay cuidado si la oración va recta ó corcobada, si se entiende ó deja de entender, si las palabras son humildes ó soberbias...» [82].

Emparentadas como lo anterior con la crítica de la endeblez de los contenidos y el supuesto descarrío formal de Góngora, se muestra toda una serie de acusaciones de evidente tono menor sobre la impotencia creadora del poeta cordobés, las cuales toman su base en la crítica del *Ars* horaciano al detallismo y la minucia, que desenfocan, por contraposición, la imagen global de la representación. El recuerdo de la demora desajustada en la pintura del ciprés, dentro del cuadro del naufragio, animaba las quejas de Francisco de Córdova y las observaciones de García Salcedo Coronel [83]. Análogamente, el caso del estatuario que no sabe ejecutar bien sino los cabellos de su obra, es recordado con propósito aproximadamente análogo por Salazar y Mardones [84].

Es conveniente advertir que no pretendemos demorarnos en hacer la crítica de enjuiciamientos contra Góngora tan duros, como algunos de los últimos registrados. Juzgamos que a cualquier lector actual de los mismos le resultará clara su absoluta falsedad, contando con la perspectiva de su lección histórica, los avances del gusto artístico en los dominios de las estéticas abstractas y, sobre todo, ausente ya el complejo de obcecaciones e intransigencias personalistas de que hacían gala los participantes en nuestras polémicas barrocas. Sin olvidar que nuestro propósito, en los apartados actuales referentes a las polémicas gongorinas, se inscribe sólo en la investigación del modo y asiduidad con que Horacio resultó usado y mencionado en las mismas. No obstante, no deja de maravillar aún hoy la ceguera de ingenios tan agudos y bien proporcionados como el de Jáuregui, que, sin embargo, era capaz de asimilar con indudable convicción la tensa creación formal de Góngora a la hojarasca enmascaradora del parto de los montes.

No menos sorprendente resulta actualmente la estrechez de miras a que obligaban los prejuicios teóricos determinantes de la praxis crítica de aquel tiempo, en otra muy difundida acusación contra Góngora: la que resulta de la irreductibilidad de sus obras a la clasificación tradicional de los géneros literarios. Las descalificaciones de poemas como el *Polifemo,* o las *Soledades,* proceden en gran número de esta fuente, el absurdo de cuya interpretación

82. Cfr. JUAN DE JÁUREGUI, *Antídoto,* ed. cit., p. 170.

83. Cfr. GARCÍA SALCEDO CORONEL, *Soledades... comentadas,* ed. cit., p. 23 r.; FRANCISCO DE CÓRDOVA, *Parecer acerca de las Soledades,* ed. cit., p. 141, dice el autor que Scalígero que tanto fustigó las reiteraciones en escritores clásicos... «*et fortasse cupressus/scis simulare...* siendo Vm. tan rico y abundante desta mercancía.»

84. Cfr. CHRISTÓVAL DE SALAZAR Y MARDONES, *Píramo y Tisbe, comentada,* ed. cit., p. 28 r.

irreversible género-obra no escapa hoy ya a nadie. Pues bien, también en el desarrollo de este tópico encontraron la vía del refuerzo en el *Ars* horaciano las cavilaciones de apologistas y detractores. Para el Abad de Rute, por ejemplo, las *Soledades* eran poesía lírica porque coincidían con la caracterización que, según él, hiciera Horacio del género, adelantándose al diagnóstico y determinación modernas del mismo que no había llegado sino con Minturno[85]. Y de la misma fuente del *Ars* horaciano, bien que estrafalariamente atribuida en concreto, infiere también el osado e ignorante Almansa y Mendoza la naturaleza lírica del referido poema[86].

En cierto modo incluible en las especulaciones generales sobre el género de los poemas gongorinos, resulta también una de las más frecuentes acusaciones a Góngora que fue favorita de Cascales. Consistía en considerar como error absoluto la práctica de la poesía culterana en obras como el *Polifemo*, tanto más dolorosamente cuanto que Góngora habría abandonado la buena senda, que Cascales identificaba con las poesías anteriores del vate cordobés, de corte más tradicional y conservador, donde ningún contemporáneo le regateaba elogios. Entre semejantes razones, el oportuno acierto horaciano de Jáuregui discierne la idoneidad del consejo de que cada cual no tome sobre sí sino la materia adecuada a sus fuerzas; aplicándolo a la situación descrita con indiscutibles oportunidad y agudeza:

> «al cabo de cinquenta años que Vmd. ha gastado entre las musas *líricas* y *joviales*, que se le hubiese pegado tan poquito de las *heroicas*, y ya que esto fué, nos maravilla menos que Vmd. se conozca tan mal y no tiente sus fuerzas para nivelar con ellas la materia creyendo al Poeta: *Sumite materiam vestris...*, etc. Digno es Vmd. de gran culpa, pues habiendo experimentado en tantos años cuán bien se le daban las burlas, quiso pasarse á otra facultad tanto más difícil y tan contraria á su naturaleza, donde ha perdido gran parte de la opinión que los *juguetes* le adquirieron»[87].

85. Cfr. Francisco de Córdova, *Examen del Antidoto*, ed. cit., p. 425, tras de mencionar el fragmento horaciano correspondiente, *Musa dedit fidibus*, etc..., refiriéndose a Jáuregui arguye: «Todo esto por vida de V.m. ¿no le parece, que quadra bien a las Soledades y se halla en ellas?».

86. He aquí sus curiosas razones: «Dicen lo primero que a usado en las Soledades y Polifemo desiguales modos en su composición, y que devia el polifemo ser poesía lírica y las Soledades Heróyca, y que cambió los modos; pésame que he de entrar por objeción tan fragil. El Polifemo, si de su naturaleça el poema eroyco se destinó a narraciones, allí él se introduce por musa, que canta una narración de un episodio que Virgilio como paréntesis delectable puso a la prolija navegación de Ulises; y las Soledades por ningún camino podian ser heroicas, que dando Horacio modos en su poética qué materias se avian de descubrir en verso lírico dijo pinta un delfin el mar, una soledad». Cfr. Andrés de Almança, *Advertencias para intelligencia de las Soledades*, ed. cit., p. 199.

87. Cfr. Juan de Jáuregui, *Antidoto*, ed. cit., pp. 177-178.

Con los ejemplos ofrecidos, juzgamos ya suficientemente ilustrado nuestro propósito —muchos más hubiéramos podido aducir, extraídos de las páginas de los documentos polémicos y los comentarios y paráfrasis gongorinas— en este proceso de horacianización en los alegatos críticos de las polémicas gongorinas. Pero con los examinados, creemos haber dejado suficiente constancia de cómo Horacio constituía el sustento de autoridad teórico de los «antiguos», los conservadores, aquellos que sólo apreciaban —con palabras del mismo Horacio recordadas por el Abad de Rute[88]— como buenos los logros de los clásicos. Pero al mismo tiempo también Horacio podía constituirse, como hemos visto, en el mejor valedor de los innovadores. En este difícil gozne, en esta doble pendiente sobre cuyas vertientes irradió por igual su señorío teórico y su prestigio poético, Horacio probaba con éxito, una vez más, los filos de su capacidad de penetración en el eterno arcano de la sublimidad artística.

Las discusiones sobre la renovación lingüística culterana y el apoyo del «Ars» de Horacio

Examinadas en su conjunto las polémicas sobre las obras gongorinas, resulta evidente que la discusión del tópico central de la oscuridad fue tan sólo el punto de partida del debate, la cuestión teórica-abstracta. Así, cuando se procede a individualizar cuestiones concretas dentro de aquélla, advertimos que, en la inmensa mayoría de los casos, nos hallamos ante observaciones y discrepancias en el orden lingüístico-estilístico encasillables, a su vez, en una triple agrupación: léxica, sintáctica y del lenguaje metafórico. Efectivamente, en el nivel de la realización lingüística de los contenidos, y no en el de los contenidos mismos, —sentimentalidad poética o idiosincrasia general— es donde se resolvía la voluntad renovadora del gran poeta cordobés en el plano de la ejecución real. Esto suponía, a su vez, una toma de posición teórica ante la poesía muy importante y revolucionaria; pero no cabe duda que, como en otros casos semejantes por los mismos años, no fue éste el móvil sino la consecuencia.

Las discusiones y críticas de los comentarios de Góngora sobre contenido, género literario en que encuadrar las obras, etc..., se nos antojan hoy absolutamente artificiosas y desplazadas del centro de la cuestión. El gran mérito de Góngora, contemplado desde una perspectiva crítica de nuestro tiempo, fue innovar y descubrir en la palabra poética su semántica metarracional, su intransitividad como objeto poético, la autonomía del universo sémico

88. Cfr. Francisco de Córdova, *Examen del Antídoto*, ed. cit., p. 426.

de la poesía respecto de la lógica comunicativa habitual, en la que muchos de esos mismos términos se ahogan angostando la riquísima variedad de su plurisentido.

La primera nota que sorprendía a los contemporáneos de Góngora en el léxico del poeta cordobés, era la novedad de grandes sectores del mismo. Fueran razones puramente cuantitativas —como ya la mayoría de los críticos contemporáneos de Góngora diagnosticaron y la moderna crítica gongorina, desde Dámaso Alonso, ha repetido con unanimidad—, o ya sea por el número de sus efectivas innovaciones concretas; lo cierto es que la sensación de novedad léxica en los poemas culteranos «se metía por los ojos» de los contemporáneos de Góngora, como no otra era la intención del genio de Córdoba, quien provocaba en sus lectores el impacto de lo peregrino y la sensación, grata o ingrata según los gustos, de lo virgen e ignoto. De ahí que todos sus apologistas al defender los derechos de las lenguas a su actualización, llevada a efecto de manera prócer por los mejores poetas, no dejaron de recordar la que sin duda era la más difundida y elegantemente acertada defensa de la renovación del vocabulario, las archifamosas tiradas metafóricas del *Ars* de Horacio sobre la peculiar vida del léxico. En este punto se suceden las citas horacianas en las *Epístolas satisfactorias* de Angulo y Pulgar:

«... que sea tolerado a los Poetas el uso destas vozes —peregrinas—, lo dà a entender el mismo Aristóteles... No hallo menos defensa en Oracio, pues dize:

Ego cur acquirere pauca
Si possum, invideor? cum lingua Catonis et Enii
Sermonem patrium dictaverit, et nova rerum
Nomina protullerit? liruit semperque licevit
Signatum praesente nota producere nomen.

Y en apoyo de que se deven usar vozes nuevas, alega entre otros este exemplo:

Ut silvae foliis pronos mutantur in annos...» etc.

concluyendo en la doctrina común referida en la carta del Licenciado Cascales:

«*Multa renascuntur, quae iam cecidere cadentque...* etc.»[89].

89. Cfr. MARTÍN DE ANGULO Y PULGAR, *Epístolas satisfactorias*, ed. cit., pp. 47 r.—v.

Y de tenor análogo eran las menciones al respecto de otros apologistas, como el atrevido Almansa y Mendoza[90], o el ponderado Salazar y Mardones. Este último llegó a establecer, encadenando citas horacianas, una cumplida defensa de las innovaciones léxicas, más centrada en la contemplación global del fenómeno en la lengua, que en el caso concreto de la poesía de Góngora. La admisión de nuevas voces, troqueladas sobre la base materna del latín y controlada por prudentes cautelas, la proclamaba Mardones no ya como una licencia utilitaria, sino como el decoro fundamental de la lengua[91], recordando la autoridad de las palabras horacianas: *Licuit, semperque, licebit, signatum praesente nota producere nomen.* Con tales presupuestos no resulta sorprendente incluso la desautorización del léxico de Garcilaso de la Vega, considerado generalmente con justicia, aun en las fechas del comentario de Mardones, como autoridad indiscutible de la lengua española:

> «Dexemos aquellas vozes antiguas de que usa Garcilasso, no aprovadas por sus Comentadores, como son alimañas, escurriendo, y otras a este modo, y hagamos rica nuestra lengua con las dictiones de las otras, pues mientras mas inusitadas, hazen mas ilustre y grave la oracion, que no ha de estar el lenguage Español sin mudança, como las demás cosas, no pueden dexar de tenerla».

Para tan alto atrevimiento, sólo resultaba condigno el refuerzo de alguna autoridad como la de Horacio; y, en efecto, los consabidos lugares de la *Epistola ad Pisones* fueron convocados al propósito:

> «Que assi confiessa Horacio se mudan como las hojas de los arboles de un año para otro, las palabras por mas estables que parezcan.
>
> *Ut Sylvae foliis pronos mutantur in annos,* etc...

90. Cfr. Andrés de Almança y Mendoça, *Advertencias para intelligencia de las Soledades*, ed. cit., p. 199: «Lo 2.º oponen que usa de bocablos nuevos, y pésame que cosa tan moderna como dialogos de Justo lipsio no ayan visto, y si visto olvidado, y Horacio reprehendiendo a Caton que avia dado essa misma culpa a Virgilio los defiende con sus versos Ovidio: «*Ut silvae foliis pronos mutantur in annos*, etc.».

91. Cfr. Christóval de Salazar y Mardones, *Píramo y Tisbe, comentada*, ed. cit., p. 79 v. He aquí las razones iniciales a que nos referimos en el texto: «Demodo que si en todas, ò las mas lenguas ay mezcla de diferentes vocablos, còmo se ha visto en los Poetas referidos, no serà culpable en nuestro Texto —la *Fabula* gongorina— introducir vocablos Latinos (como no sea tan amenudo, que se convierta su modo de hablar en locución puramente Latina,) lo qual juzgaria yo en estos tiempos por grande elegancia, como sean las vozes significativas, magnificas, convenientes, numerosas, y que declaren la voluntad del que dize». Véase igualmente la defensa de ciertas novedades léxicas con la acostumbrada invocación de Horacio, en el *Examen del Antídoto*, del Abad de Rute, ed. cit., p. 446.

Y si en esta mudança se quedara la lengua Española, aun parece que fuera atrevimiento querer variar sus palabras con otras diferentes, mas no ha de parar aqui, que adelante ha de parecer el lenguage moderno, y mas cortesano, grosero, y rustico aun mas que el que oy usan los mas incultos labradores, como consta destos versos de Horat...

Ne dum sermonum stet, honos, et gratia vivax: Multa renascuntur, quae iam cecidere, cadentque;... etc. [92]».

En tales procesos de renovación léxica la fuente fundamental de Góngora, y la más frecuentemente debatida, por tanto, a lo largo de sus polémicas eran, como es sabido, los llamativos cultismos derivados del latín. También a la defensa de este expediente concreto se acudía con algún testimonio similar de Horacio quien, según se recordará, proponía el griego como cantera y «norma» —casi estrictamente en el sentido actual del tecnicismo lingüístico acuñado por Coseriu— de los procesos lingüísticos renovadores del latín. El razonamiento y la autoridad horacianos se extrapolaban inmediatamente del caso del latín al del castellano. En alguna alusión, hemos visto indicado ya el ejemplo de los textos antes citados de Salazar y Mardones, y más explícitamente aún lo descubrimos en otros pasos de la misma obra, como el siguiente:

«Ya que los poetas Latinos puedan usar de vozes Griegas, dizelo Horat. en el Arte.

Et nova, fictaque super habebunt verba fidem si
Graeco fonte cadant parce detorta

Con cuya licencia Lucrecio entre una palabra Latina pone otra Griega» [93].

Entre los objetores de Góngora el argumento horaciano no dejaba de producir su efecto; no sólo por la autoridad de su autor, jamás discutida pero siempre acomodable al propio intento, sino por el fondo de sensata razón que algunos apologistas de Góngora pretendían introducir en el razonamiento, so capa de la autorización de Horacio:

«Las que admitio Virgilio con mas licencia, i otros Latinos, fueron las Griegas, como parientas de su lengua, i muy conocidas, assi lo consiente Oracio, con

92. *Ibid.*, pp. 80 r.—v.
93. *Ibid.*, 78 r. Idéntica razón, pero expresada en términos más vagos, aduce el ABAD DE RUTE, *Examen del Antídoto*, cit. p. 430.

escaseza: *Si Graeco fonte cadant, parce detorta.* Lo mas pues, que nosotros podemos, a imitación de los Latinos, es valernos principalmente de algunas vozes suyas; por la cercania i parentesco de su lengua i la nuestra, aun mas parientas que el Latin y Griego».

Hábilmente, pues, destacaba Jáuregui, como puede verse, el carácter de licencia limitada a su concesión de libertad en los préstamos léxicos. Aparte del acierto en la interpretación textual de Horacio, no cabe duda del que también asume en la raíz de desmesura léxica que subyace potencialmente en el nuevo estilo, cuyos apologistas trataron de cubrir con la autorización del *Ars*[94]. Tal desmesura se ve controlada, positivamente, con las prudentes cautelas propuestas por el autor del *Discurso poético*[95].

Todavía no hemos abordado la consideración de cómo se utilizó un importante filón horaciano por parte de los apologistas de Góngora; nos referimos a la persistente presencia en la *Epistola ad Pisones* de textos que glosan las distintas vertientes del «decoro» poético. En especial el decoro verbal según los géneros más encumbrados —que venía a ser en la consideración del sistema estético clásico sinónimo también de poetas, personajes y asuntos del más alto relieve artístico y social—, del que existían tan abundantes referencias en el *Ars* de Horacio, era campo abonado para su aplicación al caso de las composiciones culteranas de Góngora. Si se proclamaba hiperbólicamente la soberana alteza del poeta cordobés y del empeño de sus poemas, resultaba consecuente, por tanto, reclamar en el mismo orden todas las bizarrías de estilo y los efectos más peregrinos del lenguaje poético para tales obras, en estricta aplicación de los principios del «decoro». A este expediente recurrían, con mayor o menor asiduidad, todos los apologistas de Góngora y sus detractores; estos últimos para negar sus atrevimientos por desproporción. Pero entre todos ellos, nadie como el Abad de Rute llegó a ofrecer un perfil tan compactamente consistente en la frecuentación de los auxilios horacianos. No faltan en su *Examen*

94. Cfr. JUAN DE JÁUREGUI, *Discurso poético*, ed. cit., p. 25. A diferencia, quizá, de lo que constituye su actitud más encasilladamente polémica en el *Antídoto*, Jáuregui no dudó en esta otra obra en establecer distingos y concesiones, si le parecían razonables, aun sabiendo que podían ser revueltos contra sus tesis generales anticulteranas. Uno de estos casos lo ofrece, a continuación del texto antes citado, la siguiente concesión de licencia en los cultismos, insólitos en la alta poesía: «I no solo podemos usar esta licencia, sino devemos en las composiciones ilustres; porque si bien nuestra lengua es grave, eficaz i copiosa; no tanto, que en ocasiones no le hagan falta palabras agenas: para huir las vulgares, para razonar con grandeza, i con mayor expresión i eficacia.»

95. La aparición de tales cautelas constituye un dato de positivo interés para nuestra Historia de la lengua en el Siglo de Oro. Aquí, sin embargo, resultaría ocioso demorarnos en ello. *Ibid.*, pp. 26 y ss.

del Antídoto ejemplos al propósito general antes descrito[96]; pero en su caso, la gama de matices extraída de los textos de Horacio referidos al «decoro» cubre más variados fines.

El primero de ellos se orientó a defender a Góngora de la frecuente acusación de desigualdad estilística, de las caídas de la altura y la tensión de su alta poesía en bajíos de vulgaridad. Contra este tipo de acusaciones, Córdova defendía a su amigo aplicando el principio de la correspondencia decorosa entre palabras y conceptos con los acontecimientos descritos. Cuando el desarrollo de la trama general hacía obligada la aparición de un concepto bajo, el estilo no había de encumbrarse, a menos que se quisiera pecar contra las leyes del decoro. Horacio acompaña indefectiblemente al apologista de Góngora a lo largo de todas sus razones en este discurso:

> «Uno de los cuydados maiores, que debe tener el Poeta, es del decoro pintando cada cosa con los colores de palabras que se le deben: encárganoslo en su arte Horacio.
>
> Singula quaeque locum teneant sortita decenter:
>
> lo grande con estilo, y palabras de su tamaño, y lo pequeño con palabras más claras y vulgares, mediante lo qual tiene lugar la energia...; porque como quiera que las palabras no solo son señales de los conceptos, conforme al Philósopho; sino vestiduras dellos, an de ser ajustadas a su talle: el que a un gigante cortase ropas de enano, y al enano de gigante, al cortesano de rústico, y al rústico de cortesano, mal sastre sería. El que para movernos a misericordia nos atronase los oydos con bravatas, amenazas y vanidades, necio andaría.
>
> Telephus, et Peleus cur pauper, et exul uterque
> Proficit ampullas, et sesquipadalia verba,
> Si curat cor spectantis tetigisse querela?
>
> Tócale tal vez a nuestro Poeta describir cosas muy caseras de personas humildes, ¿de qué suerte manda V.m. que las diga?
>
> Fortunam Priami cantabo, et nobile bellum»[97].

96. Cfr. Francisco de Córdova, *Examen del Antidoto*, ed. cit., p. 430.
97. *Ibid.*, pp. 431-432. Aún prosigue con nuevos argumentos sobre la licitud de la variedad estilística, diversos del razonamiento estrictamente decoroso, pero sin abandonar las menciones del *Ars:* «La Poesía principalmente lyrica tomó el nombre del instrumento y del canto, que por eso se llama Mélica... y así deve imitar en todo a la Música, en la qual el que más diestro es, nunca hace pie mucho tiempo en un tono por difficil y artificioso que sea, sino procura de variarlo... que de otra suerte granjearía lo que dice Horacio... *Et citharaedus Ridetur, chorda, qui semper oberrat eadem.* esto es quanto a lo general de variar estilo dexando a vezes el alto y magestuoso y acomodándose al más humano y casero».

Este expediente, repetido de modo análogo en varias ocasiones a lo largo de la obra, y con frecuencia asociado también a menciones de Horacio[98], desemboca en sus conclusiones de mayor alcance y generalidad al ser aplicado por Córdova a la cuestión, tan empeñadamente debatida, del género literario en que se encuadran el *Polifemo* y las *Soledades*. Para Córdova, sin duda pertenecen ambas obras al lírico, decidiéndose por él, precisamente, en función de la amplia gama de tonos estilísticos que decorosamente son susceptibles de ser acogidos en las obras de este género. Por todo lo cual, afirma:

«las que V.m. llama viles —se refiere a las «maneras de hablar»—, por puras y proprias, las no vulgares, por artificiosas y grandes cada qual en su lugar conveniente y persona apropósito nada desto desdize de la Poesía lyrica y menos deste Poema de la fábula no simple, sino varia, y mezclada a modo de Romance, probádose a con buenos autores; pero pues a V.m. le queda resto buelvo a tomar el naipe y a un Quintiliano y un Horacio digo, y hago con otro Horacio y otro Quintiliano... La prudencia del Poeta consiste en acomodar su lenguaje y estilo al que verisimilmente usarían las personas, de quien trata.

Descriptas servare vices, operumque colores
Cur ego si nequeo ignoroque Poeta, salutor?»[99].

El análisis que acabamos de realizar sobre la totalidad de los textos mayores comprometidos en las polémicas gongorinas[100], nos ha deparado la oportunidad de constatar la poderosa influencia del *Ars* horaciano en

98. *Ibid.*, p. 456, en esta ocasión, invocando el símbolo antidecoroso del «monstruo» mixto.

99. *Ibid.*, pp. 456-457. De paso, había establecido la índole decorosa correspondiente al estilo de la tragedia y la comedia, citando los correspondientes fragmentos del *Ars* horaciano.

100. Se observará que nos hemos ceñido de manera casi exclusiva, en nuestro análisis precedente, a los hechos de naturaleza estrictamente léxica comprometidos en la polémica. Obviamente los problemas lingüísticos que, ya en su día, suscitó entre los polemistas y comentadores el estilo gongorino, abarcan muchos otros factores o niveles, de tipo sintáctico, metafórico, etcétera... No obstante, nuestra omisión de los mismos en este apartado —que no lo será en los de otros capítulos— se debe, como resultará fácilmente imaginable, a que en la discusión de tales aspectos no se hacía uso de las referencias horacianas, pues éstas se ajustaban sólo a los problemas estilístico-verbales en que los hemos visto incidir. Sólo raramente asistimos a alguna mención de Horacio para los referidos problemas, pero en tales casos se trata de rasgos ocasionales y forzados. Para ofrecer alguna muestra de lo que decimos, recordaremos la siguiente incidencia horaciana en la discusión de un problema sintáctico —la acusación de Jáuregui a Góngora de escribir períodos largos— en el *Examen del Antídoto*, de FRANCISCO DE CÓRDOVA: «Reprehende V.m. luego los periodos largos no sin autoridad de Quintiliano (no sé quán a pelo) y en éste y otros lugares afea la loquacidad, la demasía de palabras... y aunque se cumpliera por ven-

los documentos críticos de nuestra literatura barroca. La guía teórica de Aristóteles dominó la teorización española de otros géneros, los dramáticos y la épica, donde las consideraciones pertinentes eran relativas a la estructura de la trama y a su desencadenamiento dramático, así como el correspondiente decoro de los personajes. Por su parte, Horacio predominaba como autoridad suma en las discusiones críticas de nuestra poesía lírica, merced a la ventaja que su *Ars* hacía a la *Poética* en lo tocante a consideraciones estilísticas. Un error muy generalizado, hasta el presente, en la escuálida historiografía española de nuestra teoría literaria del Siglo de Oro consiste en atribuir una desmesurada diferencia entre Aristóteles y Horacio, en cuanto a su vigencia y valor de impulsión, en favor del primero de ambos. Esta imagen de los hechos ha venido en gran parte prejuzgada por determinantes externos, entre los que los principales han sido el generalizado prejuicio universal en la depreciación de Horacio como teórico de la poesía, que alcanzó su más alta cota en la estimación renacentista desde Scalígero, y, por parte exclusivamente española, el que sólo sean las polémicas del teatro, las que hayan constituido objeto de interés para la historiografía literaria desde presupuestos teórico-poéticos. Faltaba —para mencionar sólo los grandes temas— desplazar la atención del análisis teórico-estético a los documentos de la polémica gongorina, por lo cual hemos dedicado atención preferente en esta obra a ellos, esperando ensanchar considerablemente la imagen efectiva de nuestra teoría literaria en el Siglo de Oro. A esta luz ampliada, el caso de Horacio es el de su robustecimiento indiscutible como primerísimo mentor del sustento teórico-estético de nuestra literatura áurea; pero, adviértase desde ahora, se trata sólo de uno de los frutos de dicha apremiante y justa expansión.

Poesía y predicación. Ecos horacianos en obras teóricas sobre los problemas de la concionatoria barroca.

Aunque la proximidad entre la poesía de Góngora y la oratoria de Paravicino ha sido reiteradamente destacada, y, en general, sea ya desde hace años absolutamente innegable la interacción entre la oratoria del siglo XVII —efectista, cargada de lugares conceptuosos y estilo culterano— y la literatura barroca en sus dos principales ramas tópicas, culterana y conceptista; no obstante, al menos en los años de la primera mitad del aludido siglo XVII,

---

tura con responder que *Omne supervacuum pleno de pectore manat*, según el lyrico con todo le probaremos a V.m... ser antes dignos de alabança que no, los períodos largos», op. cit., pp. 463-464.

las diferencias fundamentales entre concionatoria y poesía se mantuvieron estables. Por más que se exageren las tintas, alentadas sin duda por la anomalía real en el comportamiento festivo —casi de corral de comedias— de predicadores y público en los sermones; lo cierto es que la predicación venía obligada a guardar unas últimas formas de recato piadoso, reducidas al mínimo si se quiere, que no eran obligatorias para la poesía.

De ahí que, en las obras de teoría concionatoria que vamos a examinar en este apartado, que corresponden cronológicamente con la mayoría de los documentos antes estudiados en las polémicas gongorinas, la presencia de ocasiones de asociación con las situaciones teóricas abordadas en la *Epistola ad Pisones* no sean tan elevadas como en aquéllas; pese a que podemos destacar en ambas una voluntad estética unitaria, moldeada sobre el principio común de una enraizada conciencia renovadora de las bases estéticas en que se fundamenta la comunicación literaria.

Por lo que respecta a la interdicción de las citas de Horacio en los sermones y el correspondiente abandono de sus alusiones en las preceptivas, observamos que sin duda en la época a que nos referimos, la situación había cambiado ya, pues en las obras más destacadas del género que examinamos: de Quintero, Pérez de Ledesma, etc..., se registran citas del poeta latino y menciones de su poesía. No obstante, al tratarse de obras de positivo mérito, escritas por autores de talento y prudencia encomiables, no sustituyen el exceso antipoético de los tradicionales por la demasía opuesta. Horacio está presente en las obras con absoluta naturalidad, sin excesos, como corresponde en definitiva al equilibrio áureo que ha de existir en la prudente utilización de un poeta —y más de un poeta pagano— en un medio, en principio, tan opuesto como es un sermón de piedad y edificación. El solo punto en común entre ambos mundos, el lenguaje florido y convincente, merecía una ponderada colaboración entre la preceptiva de un campo y la del otro. Esto es lo que aceptaban de Horacio, Cicerón y Quintiliano aquellos prudentes exámenes y preceptivas de nuestra más digna predicación nacional durante el período barroco.

Antes de proceder al examen del horacianismo en los mencionados tratados, queremos poner como frontispicio de los mismos las consideraciones extraídas al examen de una obra bastante anterior al período cronológico que estamos estudiando en los diferentes apartados de este capítulo; se trata de la *Monarquía mística de la Yglesia,* publicada por Lorenzo de Zamora en 1604. La hemos querido reservar para introducir en este capítulo el apartado de predicación, porque con ella se manifiesta claramente la continuidad del problema horaciano. El tratado de Terrones del Caño significaba la denuncia resignada al alejamiento del ámbito de la predicación, de poesía y ciencia humana, que alcanzaba muy singularmente a Horacio y a su

Ars, sin duda por la superior vigencia de ambos en otros sectores anejos de la misma «serie» general en que se encuadraba la oratoria; la obra de Lorenzo de Zamora, de importancia y talento muy inferiores a los de la *Instrucción de Predicadores,* marcó ya el comienzo de una actitud de reclamación francamente polémica. A vueltas con sus no siempre poderosos argumentos y silogismos, a menudo defectuosos, traducía con toda resolución el propósito no encubierto, en un amplio sector de nuestros predicadores y teóricos de concionatoria, de franquear la propia apologética cristiana a todos los refuerzos y honestas bellezas que pudieran brindarle la poesía y la ciencia clásico-pagana, admitida y asimilada en tantos otros sectores contiguos de la cultura por la sociedad a la que iban dirigidos los sermones.

Lorenzo de Zamora dedicó exclusivamente la primera parte de su obra a debatir el problema de si resulta lícito aceptar en los sermones las citas de poetas clásicos y, en general, de la filosofía y la ciencia greco-latina; se trata de un extenso discurso de casi noventa páginas que titula, *Apologia contra los que reprehenden el uso de las humanas Letras, en los sermones y comentarios de la santa Escritura*[101]. Para dar comienzo a su argumentación, establece un resumen inicial de las consabidas acusaciones que se propone rebatir, donde las más graves de las que solían formularse en concreto contra los poetas, figuran sumarizadas en las siguientes líneas:

> «los Poetas que tantas mentiras inventan, como se les ha de dar credito? Y si no ha de darseles, en la escuela de Iesu Christo nuestro Dios, sera bueno que se acrediten sus mentiras? Sera bueno, que la suma verdad, que en la ley Evangelica se professa, se apoye con fabulas y novelas? Sera bueno, que por traer un dicho de Ovidio, de Virgilio, o de Persio, se dexen los santos?»[102].

Las arremetidas de Zamora contra el generalizado prejuicio recorren una amplia escala de vías. Las hay, desde la de espíritu moderno y razonable de que las obras de la gracia, concedidas a los teólogos, padres de la Iglesia, concilios, santos, etc..., no son contrarias a las de naturaleza, que suelen brillar en las obras de los filósofos y poetas clásicos[103]. Entre los

101. Cfr. LORENZO DE ZAMORA, «*Monarquia Mistica de la Yglesia hecha de hieroglificos, sacados de humanas Letras, en los sermones y comentarios de la santa Escritura*». Madrid, por Luis Sánchez, MDCIIII.

102. *Ibid.*, p. 7.

103. *Ibid.*, p. 15: «Los dones sobrenaturales de la gracia, que el autor della sin merecerlos nos comunica, no destruyen, ni pervierten los que el mesmo nos da, como padre de la naturaleza, antes son como esmalte y adorno de la naturaleza, que la engrandezen y subliman. De aquí nacen dos cosas. La una, que si en el hombre resplandecen dos lumbres, una de

argumentos menos verosímiles figura la peregrina pretensión de que los clásicos «hurtaron» conceptos de la Sagrada Escritura[104], aceptable sólo, como es lógico, aunque se reduzca de hecho a la anterior, si se hablara de coincidencia y no de hurto. Para abundancia de ello se recurre, entre otros, al difundido argumento de que San Pablo citó en sus escritos con frecuencia versos de los poetas griegos[105]. Lógicamente no aboga Zamora, como no lo hicieron ni Terrones ni los demás autores de esta misma cuerda, por la entrada masiva e indiscriminada de poetas y filósofos paganos en el sermón; en un lugar pone como condición previa la selección de lo menos vulgar entre las obras de los gentiles[106], en otro acusa, como responsables en no pequeña parte de la reacción adversa de los intransigentes con las letras clásicas, a aquellos predicadores efectistas e ignorantes que llenaban sus sermones hasta el intolerable abuso de la paganización, a base de sus citas de polianteas poéticas. Contra los excesos viciosos de esta índole no deja de clamar Zamora:

> «...las letras humanas pueden usarse, para declarar los lugares de la Escritura, o para ponderarlos; pero ha de ser de quando en quando. Que verdaderamente la variedad deleyta y agrada a los oyentes, y haze que con atencion oygan los sermones, y lean los libros, y se aprovechen de sus doctrinas»[107].

Una razón de gran efecto lógico leemos todavía en esta *Apología,* y es que, si el demonio inspira a los gentiles y enemigos de la religión católica para que éstos se sirvan de las propias armas de ella, adulterándolas con interpretaciones torcidas. ¿Cómo no ha de ser lícito inversamente a los católicos usar de las pocas armas buenas que tienen aquéllos en sus arsenales?[108]. Finalmente, Zamora apunta a los propios defectos de la predicación contemporánea, encasillada en el cómodo ejercicio de consulta de las numerosas polianteas piadosas existentes, para destacar la raíz viciada de la crítica habitual a la inclusión de letras profanas, donde la erudición exigía una costosa y fundada preparación:

Fè, y otra natural, la de Fè no turba ni destruye la natural, sino que la perficiona, y levanta. La otra, que aunque la natural, no sea possible con sus resplandores arribar al conocimiento de los misterios sobrenaturales, pero las verdades que ella manifiesta, es impossible ser contrarias a las sobrenaturales que la Fè enseña».

104. *Ibid.*, p. 28.

105. *Ibid.*, p. 40.

106. *Ibid.*, p. 23.

107. *Ibid.*, pp. 42-43,

108. *Ibid.*, p. 61: «Si el demonio —dice— usa de nuestras armas para hazernos guerra, que justicia ay, para que nosotros no usemos contra el de las suyas propias?»

«Digan lo que quisieren los que desto murmuran, que muy licito es este uso; y para mi tengo, que si ellos hallassen estos puntos en el papel que ha trezientos años que anda en el Vademecum del estudiante pobre, en perpetua venta a las puertas de los monesterios, que no ay tabla donde no se aya predicado, ellos tambien lo aprobáran, y dixeran que es bien hecho: pero como no lo hallan en el libro de su aldea, esto es la causa que murmuran de los buenos y virtuosos estudios, y letras de humanidad, que, como se ha visto, son tan importantes»[109].

Pese a la decidida defensa de las letras humanas que acabamos de descubrir en la *Apologia* de Lorenzo de Zamora, la obra no supone, ni mucho menos, una rica cantera de menciones del *Ars* horaciano. Dos sólo hemos leído concretamente en las páginas de dicha apología, y éstas de naturaleza además muy genérica o desvaída[110].

En el conjunto de obras dedicadas a la crítica reformadora de la predicación, aparecidas por estos años del segundo cuarto del siglo, queremos destacar, sin duda como la más interesante que nos ha sido dado conocer, la del doctor Benito Carlos Quintero, natural de Salamanca, con el título de *Templo de la eloquencia castellana*, publicada en la patria de su autor en 1629[111]. Esta obra, que no deja de condenar los excesos de las citas de poetas y filósofos paganos en la predicación contemporánea[112] —pero en términos de razonable mesura, asimilables sin violencia a los antes mencionados de Lorenzo de Zamora—, suponía fundamentalmente la ilustración de una tesis central, el injusto desprecio de los *vivos* en la medida que existe una supersticiosa supervaloración de los *muertos*. Afloraba así, una vez más, esa categoría del aprecio a la pátina «monumental» que glorifica y esteriliza las obras del pasado, según el uso, cargado de prejuicios reverenciales, de ciertos sectores de la opinión en todas las épocas. Por ello, la obra se proponía la tarea de exaltar las glorias de la oratoria de su tiempo, censurando sus defectos y valorando, de paso, los nuevos horizontes de la poesía contemporánea, en el propósito único de establecer la cumplida alabanza de las galas de nuestra lengua, la cual había alcanzado ya, a

109. *Ibid.*, p. 89.

110. Se trata de una alusión a la «común licencia de fingir» de los poetas en p. 6, y otra de un elogio a Homero en pp. 69-70.

111. Cfr. Benito Carlos Quintero, *Templo de la eloquencia Castellana. En dos Discursos. Aplicado el uno al uso de los predicadores*, la portada escrita a pluma, por falta de la original, en el ejemplar de la Biblioteca Nacional de Madrid que manejo (sign. 2-64787) da como fecha y lugar de edición, Salamanca 1629, con letra más moderna, tachando la indicación manuscrita original que daba por lugar Sevilla y la misma fecha.

112. *Ibid.*, pp. 37-v.-40 v. y 47 v.-48 v.

su juicio, una dignidad tal, que bien podía contemplar y afrontar sin desdoro propio el contraste con las más florecientes culturas del pasado.

Para confirmar esta misma tesis central, se servía Quintero del fragmento horaciano sobre la natural evolución de palabras y cosas, que suponía la condena implícita al inmovilismo fatalista de los veneradores del pasado. Transcribimos aquí la extensa cita de esta mal conocida obra para dar cuenta, al mismo tiempo, de la tersa galanura de su estilo lleno de clasicidad, de curso natural y elegante; otro de los méritos esenciales del libro:

> «Deven pues advertir los que asi veneran la eloquencia con canas, y el lenguaje sin dientes, que este tiene la sucesion hermosa de los tienpos; donde ai su hibierno, en que mueren las flores a la gala del canpo, las ojas al anparo de los arboles, y las iervas al vestido de la tierra; y a este tienpo, y ojas, suceden en nueva Primavera nuevo aseo, nuevas voces, y lenguaje, como advirtio el Poeta Lirico en su Arte Poetica:
>
> *Licuit, semperque licebit*
> *Signatum praesente nota producere nomen*
> *Ut Sylvae foliis pronos mutantur in annos,...*
>
> ... Porque si aun los echos gloriosos de los Heroes mueren a las memorias, si los edificios se acaban, y padecen ruina... porque la ponpa del lenguaje, y su gracia inconstante no ha de desmaiar, sucediendo otra nueva hermosura de voces cultas, propias, y sonoras? como pondera Horacio.
>
> *Mortalia facta peribunt...* etc.»[113].

Concorde con este espíritu, Quintero se manifestaba decidido partidario de la constante necesidad de renovar el vocabulario con un generoso criterio frente al neologismo, puesto de relieve ya en el punto primero del primer discurso, bajo el título de «En la Eloquencia no se ha de reparar la novedad, sino la mejoría». Pero, al mismo tiempo, se preocupó de no alentar excesos; de ahí que, como compañero del anterior, añada un segundo punto con el expresivo título «Que el no usar con propiedad, y cordura de las nuevas voces, hace ofensas al lenguaje castellano». Y si Horacio facilitó el refuerzo autorizado del *Ars* para los atrevimientos de antes, proveía también en esta ocasión —debidamente manipulado por Quintero— a las nuevas cautelas:

> «Y de la misma enfermidad nace el segundo vicio... que es introducir voces nuevas sin necesidad. *Fingere cinctutis non exaudita Cetegis/Continget.* Pero sin advertir lo que previno Horacio luego. *Dabiturque licentia sumpta pudenter:*

113. *Ibid.*, pp. 4 v.-5 r.

> Que aunque es cierto, se pueden introducir voces nuevas, como en el Punto pasado alave, y traer de otras lenguas vecinas, o derivar de la propia; pero con cordura, y pocas veces, donde lo pide la necesidad, no el gusto, y afectacion a la novedad. Y voces que sean mas sonoras, mas dulces, mas significativas, mas graves, y de maior adorno»[114].

El franco elogio de la innovación que alienta en las páginas de Quintero, no resulta promovido, sin embargo, por la apología inmoderada de cualquier novedad indiscriminada, poética u oratoria. Más bien se nos ofrece este autor revestido de una sensata dosis de razonable desconfianza en las modas novedosas; aunque no se le oculten a su talento los verdaderos quilates del innovador realmente revolucionario y productivo. Prueba irrefutable de ello es que se ensalce a Góngora, mientras se denigra el gongorismo ambiente. Su ideal de realización estilística es claramente opuesto a todo género de efectismos: la dificultad debe ser advertida tras el análisis detenido y experto de cualquier proceso, no imponerse como presentación previa, provocando la estupefacción impotente o el abandono indignado. Una vez más, al pie de esta básica confesión de su ideario teórico, hallamos el estribo de Horacio:

> «O ignorancia nacida del saber presumido de los que doctamente han tomado demasiada licencia en esta introduccion de voces Latinas, y estranjeras poniendo el cuidado no en la propiedad, sino en la novedad! no advirtiendo, que toda la Eloquencia consiste en sacar de voces publicas galas particulares; y de tal suerte engañar a los que la oien, que les parezca su artificio imitable, y llegando a su execucion, reconozcan en la inposibilidad sus dificultades. Horacio de los versos arte poetica.
>
> *Ex noto fictum carmen sequar, ut sibi quivis*
> *Speret idem: sudet multum. frustraque laboret*, etc...
>
> Parece que recive estimaciones, y glorias, el lenguaje, que constando de voces caseras, plebeias, y tratadas, está tan artificiosamente colocado, y unido, que suda el que procura imitarlo, y no lo alcança»[115].

También concurre Horacio con la misma puntualidad para autorizar las invectivas de Quintero contra quienes dificultan y oscurecen la nítida

114. *Ibid.*, pp. 10 v.-11 r. Más adelante reitera el recuerdo horaciano al insistir en idénticas cautelas: «Pero a esta introducion importa, que no todos se atrevan, sino los mui entendidos, y con la cordura que encomienda Horacio. Por eso los Romanos sintieron mal de esta licencia de introducir voces nuevas los Griegos, asta llegar a llamarla, libertad; y entre ellos era una nota grande hacer esto sin causa.» *Ibid.*, p. 12 r.

115. *Ibid.*, p. 13 r.

captación del fondo de sus obras; concepto éste complementario del parecer antes examinado, y que se descubre en la base de su ataque a las demasías pedantes del lenguaje de «cultos y críticos», que Quintero fustiga con gracejo y elocuencia insuperables en su obra:

> «Y pienso que esta oscuridad nace, como en el mal pintor, de miedos, de que sus sentimientos poco cultos, no descubran a la luz de las palabras su desmaio, como la pintura inperfecta sus inpropriedades; y asi en aquella poca luz, quiere ganar el aplauso, que a la clara se conviertiera en risas: Horacio arte Poetica.
>
> *Ut pictura poesis erit, quae si proprius stes...* etc.»

Y del alojamiento concreto de tales dardos en la situación contemporánea, no ofrece duda la continuación de las anteriores en estas otras palabras:

> «Y lo peor es, que estan ia persuadidos muchos ignorantes presumidos, a que solo aquel lenguaje es Critico, y elegante, que trae vinculada la noche de la obscuridad, tan dificultosa que su magestad, y artificio consiste en hacer del Letor Interprete, y tener explicaciones encontradas o diversas, en la corteça de una misma letra» [116].

La proclamación positiva de sus ideales verbal-estilísticos coincide en gran medida con el tenor de esta crítica negativa; incluso en sus apuntalamientos horacianos. La norma clásica del decoro de las palabras, según la índole particular de cada hablante o escritor y de cada auditorio [117], se arriesga a veces en formulaciones de tono quizás excesivamente anacrónico, por su fidelidad última a la letra horaciana. En la obra de Quintero, en suma, no se puede contabilizar una desmesurada densidad de citas de Horacio; pero sí se consigue, desde luego, seguir con ellas las líneas maestras del importante pensamiento crítico de su autor, sereno testigo de una situación

116. *Ibíd.*, pp. 24 v.-25 r.-v.

117. *Ibíd.*, pp. 31 v.-32 r.: «Ultimamente inporta, que el Republico hable como tal, el Anciano grave, el Mancevo loçano, la Muger blando, el Villano humilde, y el Oficial tenplado, que es lo de Horacio arte poetica.

Interit multum Davus ne loquatur, an Heros, etc...

Lo demas es barbaria, que quiera el çapatero hablar, como el Critico Letrado... El mismo reparo ha de aver mirando con quien hablamos: *tum audienti*, pues quien habla a un villanaje, aunque sea culto, inporta para darse a entender, no que use sus barbarias, y voces toscas, sino que facilite las suias, que use las comunes, y se mida con la capacidad de los que trata, procurando del humo de las voces comunes sacar luz particular, no humo que ciegue de la luz de las Cultas: como el mismo Horacio advierte:

Non fumum ex fulgore, sed ex fumo dare lucem
Cogitat: ut speciosa de hinc miracula promat».

literaria, oratoria y poética, realmente decisiva en la consolidación del movimiento barroco. Sea esto el testimonio más elocuente de la acertada interpretación del salmantino Quintero al debatido problema de la penetración de las autoridades clásicas en las obras modernas de predicación: no fárrago, sino escogida esencialidad.

En los años finales de la primera mitad del siglo —límite permanente de nuestra investigación en esta obra— se publicó un libro de positivo relieve en la historia de nuestra predicación barroca; se trata de *Censura de la eloquencia,* de José de Ormaza, que apareció en 1648, en Zaragoza, bajo el sudónimo de Gonzalo Pérez de Ledesma, Canónigo Dignidad de la Santa Iglesia de León[118]. El más reciente y destacado de los historiadores de nuestra retórica y concionatoria áureas, Antonio Martí, ha destacado adecuadamente ya los muchos méritos de este libro, conocido sólo en un ejemplar de la Biblioteca Universitaria de Barcelona. La obra es, desde luego, la más perfecta atalaya para contemplar el estado de nuestra predicación barroca a mediados del siglo XVII, es decir, cumplido ya totalmente el ciclo de las influencias culterana y conceptista y en el momento de iniciarse el irreversible proceso de su degeneración barroquista.

Sin embargo, pese a su decidida apertura al enriquecimiento dentro de límites sensatos, tanto del conceptismo como del verbalismo cultista, y en términos más amplios a las letras humanas, no ofrece Ormaza un material de citas horacianas excesivamente cuantioso. Incluso en ellas destaca un rasgo característico, y es la imprecisión de las referencias y el que, cuando se citan o parafrasean fragmentos del *Ars,* no se acompaña, con frecuencia, la mención de su autor. Así sucede, por ejemplo, cuando Ormaza se sirve de Horacio a propósito de la variabilidad del vocabulario[119]; o bien cuando, sobre el defectuoso estilo «misceláneo», cita el *simplex, duntaxat et unum,* aunque a continuación se alude a Horacio a propósito del monstruo[120]. En cuanto a la materia en que se distribuyen las citas horacianas de la obra, aparece toda centrada en el tratamiento de las palabras. Ya sea de modo general, para afirmar su obligado equilibrio con el contenido,

118. Cfr. GONZALO PÉREZ DE LEDESMA, pseud. de José de Ormaza, *Censura de la Eloquencia para calificar sus obras y señaladamente las de pulpito.* Zaragoza, Hospital Real y General de Nuestra Señora de Gracia. MDCLXVIII.

119. *Ibid.*, p. 10: «Y advierte que son las palabras hojas que se caen, ò renacen, segun los tiempos; oi es coscoja, lo que poco ha pareciò verdor. Parece se diò por entendido de aquella grande advertencia: *Ut sylvae foliis pronos mutantur in annos, prima cadunt: ita verborum vetus interit aetas*».

120. *Ibid.*, p. 53: «Mucho han dicho, especialmente Latinos, contra esta ensalada de todas yervas, pero aun no basta para malquistarla con nuestro verdor. *Denique sit quod vis simplex dumtaxat, et unum.* La conformidad es gran prenda, y en faltando, sale el monstruo de la tabla de Horacio».

estableciendo el principio de equivalencia en la dualidad *res-verba*[121], ya para ilustrar detalles concretos; así en los ejemplos antes citados u otros sobre la licitud para el español de los préstamos lingüísticos del latín, como para los romanos, según Horacio, eran lícitos los del griego[122]. Encuadrable en este mismo tipo de citas, recordaríamos la del difundido testimonio sobre el valor del «uso» como norma idiomática, cuya mención le sugiere las siguientes consideraciones:

> «Los eruditos no pueden dudar, que el uso es arbitro de las palabras, y que ha mudado en todas las lenguas mas trages que en el vestido. El primer inventor de un trage causa risa, va poco a poco introduciendose, y es luego necessidad de todos, lo que al principio fue antojo de uno. Assi sucede en los estilos; paciencia ancianos, y yà que no vistàis al uso, no lo condeneis. Fuera de que ya poco tendràn que gruñir en las palabras, pues solo quien sea mui inmoderado podrà apetecer mas, que las yà propias, y admitidas. A quien essas no le bastan, dexenle por incorregible. Hora.
>
> *Multa renascentur, quae iam cecidere, cadentque*», etc.[123].

La situación que señala la *Censura de la elocuencia* es, como se ve, de absoluta moderación respecto al empleo de Horacio, correspondiendo al tenor general de los ya caducos tratados de Retórica y obras generales sobre predicación que florecían por aquellos mismos años. En realidad, Ormaza sigue al pie de la letra los preceptos ya estabilizados en la teoría de la predicación sobre la mención de autores, que aconsejaban, como sabemos, la parquedad en su uso, al tiempo que la ausencia de énfasis en su mención; concretamente recomendándose la mención indirecta o el motejo, en alguna medida despectivo, como a algo trivial y poco edificante. En una obra de cierto interés, publicada en la misma fecha que la de Ormaza, el *Arte de orar evangélicamente* de Agustín de Jesús María, hallamos explícitamente formulado el espíritu que inspira la *Censura de la eloquencia*. Su autor se quejaba del extremismo rústico que se sigue de la abstención

121. *Ibid.*, p. 55. Se cita el *dixeris egregie...*

122. *Ibid.*: «Pero aunque pide Horacio religioso en palabras al buen estilo, no juzga profanidad que las tome el Latino del Griego, quando para explicarse le falten en su Idioma: con tal, que en esta licencia aya gran modestia. Y si al Latin, que no se derivò del Griego concede esta licencia, quanto mas la permitirà del Español al Latín, que es su fuente?» *Ibídem*, p. 55.

123. *Ibid.*, p. 56. Obsérvese, por lo demás, la concentración de casi todas las citas horacianas de esta obra en unas pocas páginas de la misma, las que se ocupan fundamentalmente de las consideraciones de tipo verbal. Fuera de ello sólo en una ocasión vuelve a hacerse una referencia vaga e incidental a ideas literarias de Horacio en p. 90.

a ultranza[124], y recomienda una economía prudente en la dosificación de las citas poéticas —«No quiero dezir que se ponga en ellos toda la confiança, sino que no se desprecien como inútiles para conseguir los intentos de la predicacion evangelica»— que él mismo ejemplifica con su parquedad en ellas[125].

Horacio contaba poderosamente, sin duda, en la formación de nuestros oradores, Francisco Novella, autor por aquellos mismos años de un tratado de Retórica del que hicimos mención ya en su lugar oportuno, nos testimonia cómo el poeta latino era uno de los modelos habituales en los ejercicios usuales de las escuelas retóricas del momento[126]. Pero en la práctica de los autores sensatos, sus menciones aparecían siempre distribuidas con parquedad prudente. En cuanto a la norma de los insensatos, no constaba; puesto que la correcta erudición clásica, de poetas y filósofos, no era fácilmente reducible a erudición de polianteas, único pasto propicio para tal género de menguados ingenios.

124. Cfr. Agustín de Jesús María, *Arte de Orar Evangélicamente*, Cuenca, Salvador de Viader, 1648. Al respecto mencionado, afirmaba: «algunos citan por anparo de su rusticidad santa, diziendo se enerva la virtud evangelica en predicar con arte, y traen en su favor a San Pablo... y a Sta. Teresa», p. 9 v.

125. Concretamente del *Ars* de Horacio se registra una sola alusión en el libro, si no nos ha escapado alguna, en p. 60 r.-v.; se alude al parto de los montes, y es sólo como ejemplo estilístico de la acomodación del sonido y el sentido.

126. Cfr. Francisco Novella, *Rhetoricae Institutiones ex variis eiusdem artis scriptoribus*, Valencia, S. Esparza, 1641, p. 16 r.: «Y assi la propriedad, la pureza, la mayor parte de la frase, el ornato, la copia, la elegancia, y todo lo culto, y perfecto de la lengua Latina a la Classe de Retorica pertenecen, donde se interpretan las Oraciones de Ciceron, y los Comentarios de Cesar, y elegantes fragmentos de otros Oradores, los pedaços mas curiosos de Virgilio, Horacio, Ovidio, y de otros Poetas elegantes, y doctos».

CAPITULO V

La ambigua y pobre utilización de Horacio en la doctrina española sobre las tres dualidades causales

Consideraciones generales y exigua representación de las doctrinas horacianas en los tratados españoles de Retórica y Predicación.

El primer punto que debemos aclarar en este capítulo es por qué incluimos aquí los enunciados sobre el sistema triple de causas de la poesía, precisamente en este orden, que resulta indudablemente anormal en la estructura general de nuestra obra. El contenido de este Libro III está destinado a estudiar la penetración de las doctrinas horacianas en la teoría literaria de nuestro Siglo de Oro. Sin embargo, hemos procurado también ir dejando constancia paralela, al filo del horacianismo, de la imagen y valoración generales que nos merecían las obras comprometidas en dicha teoría, tanto Poéticas y Retóricas como documentos críticos y testimonios literarios de muy variada índole. Pero resulta mucho más clarificador, a nuestro juicio, demorar hasta ahora nuestra consideración de los tópicos referentes a las tres grandes causas o parejas conceptuales que constituyen la espina dorsal del sistema estético.

En el caso de Italia, en el libro II de esta misma obra, procedíamos a una integración de las distintas tendencias tradicionales convocadas por tales tópicos: aristotélica, platónica, ciceroniana, etc..., en el seno de la doctrina general de Horacio, que para la correspondiente incidencia española no nos ha parecido aconsejable ni rigurosamente exacta. En la Italia del siglo XVI —con una tradición de paráfrasis horacianas no menos importantes y desde luego más numerosa que la de comentarios aristotélicos, y doctrinalmente mucho más influyente que la de glosas a los autores clásicos de Retórica —hemos estimado siempre, con absoluta convicción, que se podía organizar verosímilmente la estructura general causal de la doctrina estética en torno a las tres dualidades que habían encontrado su esquema de plasmación y formulación más conocido en las palabras de la *Epistola ad Piso-*

nes. Hablamos ahora de «rendimiento histórico objetivo», descontando el que la popularizada fórmula de Horacio posiblemente hubiera podido ser inferida de otras tradiciones, aristotélica, alejandrina y sobre todo retórico-latina, que fueron sin duda, históricamente, fuentes de las cuales bebió Horacio. El gran maestro de la poesía latina fue quizá en cuanto al fondo de ideas en teoría estética poco más que un divulgador afortunado, cuyos mejores títulos no deben ser buscados probablemente nunca en el terreno de la *invención*; pero el hecho histórico indiscutible es que, como hemos probado ya en el libro segundo de esta obra, por oscurecimiento o complicación de las restantes vías, a la tradición horaciana debe adscribirse, sustancialmente, la definitiva fisonomía moderna de la doctrina sobre las tres grandes dualidades estéticas en el Renacimiento, concebida de manera insistente sobre la base de la estructuración orgánica y la expresión verbal en que acertara a encerrarla Horacio. No negamos con ello la poderosa incidencia de las restantes tradiciones doctrinales en la constitución de la teoría estética renacentista de Italia sobre el sistema de las tres grandes dualidades causales. Nuestra conclusión se funda en que hemos constatado la supremacía horaciana, ni mucho menos su exclusivismo.

El caso español, sin embargo, ofrecía notables divergencias que, en cierto modo, han causado esta distorsión del orden interno en nuestra obra. Heredada en gran parte de Italia, muy escasamente representada en tratados mayores de Poética durante el siglo XVI, y por tanto poderosamente hipotecada a los préstamos doctrinales retóricos, la teoría literaria española recogió la doctrina de las tres causas ya formulada en un bloque compacto, sin haber conocido ese largo período de elaboración minuciosa que registrara en el «cinquecento» italiano. Era, por así decirlo, un bloque hecho y conducido fundamentalmente a través de la tradición de nuestra Retórica, en la que Horacio no gozó, por razones bien conocidas, del asiduo predicamento que Aristóteles, Cicerón o Quintiliano. De ahí que, a diferencia del caso de Italia, en España el tratamiento de la doctrina estética de las tres causas duales pueda ser establecido sin problemas de espaldas al papel organizador de Horacio.

No obstante, el que en España la teoría horaciana no pueda constituir como en Italia el principio central organizador del triple sistema de coordenadas estético-causales, no quiere decir tampoco que Horacio se hallara absolutamente ausente en la discusión española sobre los tópicos de la índole del creador literario, de la finalidad del arte y de la precedencia contenido-forma en la constitución de la obra artística. Por el contrario, las difundidas afirmaciones de Horacio constituyeron una de las fuentes más importantes con las que nuestros ingenios reforzaban y autorizaban sus personales opiniones durante los siglos XVI y XVII. Teniendo en cuenta, por tanto, las especiales circunstancias que determinaron el comportamiento divergente respecto a Horacio de las teorías respectivas de Italia y España, a las que acabamos de aludir, podríamos establecer, en términos generales, que la responsabilidad y la presencia explícita de Horacio en la organización doctrinal del sistema de las tres causas fue algo superior a la de Aristóteles y Platón, estando por debajo de la de las autoridades retóricas, Cicerón y Quintiliano. Esto, dicho como estimación global no rigurosamente cuantificada, y sólo a título de establecer un valor medio de todos los documentos tenidos en cuenta. Obviamente, la inferioridad horaciana respecto a las autoridades retóricas se agudizaba en las obras españolas de esta misma disciplina, paliándose muy notablemente —y llegando hasta invertirse en determinados casos— en los tratados más estrictamente de teoría poética.

¿Cuál era, de otra parte, el tenor prevalente en la utilización de Horacio para tales noticias y refuerzos? La respuesta categórica en términos unívocos se hace aquí absolutamente imposible. Recordemos que, en el caso de Italia, Horacio ostentaba quizás en todas las opiniones de autores el arbitrio supremo; pero tal condición arbitral servía a los pareceres más opuestos, según las particulares conveniencias de las opiniones sustentadas por cada uno de los tratadistas que recababan el subsidio de autoridad del autor de la *Epistola ad Pisones*.

Análogamente en el caso de nuestro país, Horacio sirvió tanto a las más generalizadas actitudes eclecticistas, que proclamaban la lectura estrictamente literal de sus fórmulas disyuntivas sobre la condición didáctico-deleitosa e inspirada-aprendida de la poesía, como a quienes patrocinaban los pareceres cerradamente didáctico-contenidistas, con su idea asociada del poeta como artífice conocedor de un instrumento técnico preceptivo perfectamente dominado. Se seguía así, en sus más depuradas manifestaciones, una tradición de integrismo doctrinal moralizante que pretendía monopolizar, con notable abuso, la concepción grecolatina del arte, filtrada a través del tamiz antihedonista del Cristianismo. Pero al mismo tiempo, y al igual que observábamos ya en el despliegue de los despuntes teórico-manieristas italianos hacia finales del siglo XVI, al consolidarse en nuestro país la estética manierista y triunfar rotundamente el Barroco español, se ofrecía la ocasión de descubrir también a Horacio invariablemente convertido, por exigencia de las propias tesis personales, en un eficaz valedor de la nueva estética. Sin embargo, al no constituir fundamento suficiente para permitirnos montar sobre él un esquema doctrinal ordenador de las tres grandes dualidades, hemos preferido reservar, para estudiarlo en este capítulo de modo especial, el juego de la autoridad de Horacio, importante siempre aunque no fuera decisivo, en el desarrollo de estos tópicos durante los siglos XVI y XVII.

Si comenzamos por la Retórica, como la disciplina cuyo cultivo se ofreció antes en nuestro país, las noticias horacianas que se descubren en este ámbito, constituyen desde luego la tasa menos importante. Entre los textos clásicos más rigurosamente construidos como tratados retóricos, sólo las obras de Luis Vives, por tantos conceptos acertadísimas, asociaron el nombre de Horacio al tratamiento de los tópicos causales. Sorprende, además, la poderosa intuición viviana que anticipaba en más de cien años las decididas iniciativas de alguno de nuestros más atrevidos teóricos del Barroquismo, como Trillo y Figueroa, e igualmente las correspondientes tentativas de la Poética italiana de las postrimerías del siglo XVI. Para corroborar su defensa de la alta condición inspirada del creador poético, inasequible a explicación racional y a una cominera regulación de la preceptiva:

> «furor est poema, et instructus quidam, ut ait Plato in Jone, et cuius sententia Horatius:
>
> *Ingenium misera quia fortunatius arte*
> *Ducit, et excludit sanos Helicone poetas*
> *Democritus...*
>
> Quod si a Deo immittitur, circa res Deo gratas versari eum congruent, alioqui non sacer erit instinctus, sed profanus»[1].

Sin embargo, en lo que respecta a la utilización del testimonio horaciano sobre la finalidad del arte, podemos apreciar en el proceder de Vives un interés mucho menor, ya que, en la valiosa intuición hedonista por él sustentada, Horacio cumplió sólo la función ocasional de una cita para ponderar la solución ecléctica, incluso cargando las tintas sobre el aspecto del arte didáctico. Es decir, Vives, como tantos otros contemporáneos, leyó a la letra la *Epistola ad Pisones*, frente a su más libre, aventurada y, en nuestra opinión, fructífera tentativa de interpretación reseñada antes a propósito de la índole del poeta[2].

Como quiera que sea, Vives constituye no obstante una auténtica excepción dentro del campo retórico. Entre sus continuadores, aun los más destacados y asiduamente horacianos parecen olvidar las doctrinas del poeta latino en las noticias relacionadas con estos tópicos. El *Fedro* platónico constituía la fuente de autoridad en el problema de la índole del creador para García Matamoros y Furió Ceriol, mientras que en tratados muy difundidos, como los de Miguel de Salinas y de Fray Luis de Granada, era el conocido

1. Cfr. JUAN LUIS VIVES, *De ratione dicendi*, en *Opera*, ed. cit. Vol. II, Libro III, p. 219.
2. *Ibid.* p. 220: «Eapropter scenicaé fabulae proponant sibi tamquam album, commendationem virtutis, insectationem vitiorum, doceant usum rerum, et prudentiam communem, nihil, exprimant unde molles animi flecti possint in peius: recte Horatius: *Omne tulit punctum, qui miscuit utile dulci*».

argumento del *De Oratore* ciceroniano el que venía a ilustrar las decisiones de naturaleza ecléctica sustentadas por sus autores. También las *Oratoriae Institutiones* del hispano-latino Quintiliano alcanzaron notable favor entre nuestros teóricos en punto a reforzar el fin persuasivo de la Retórica y en general de las artes del discurso, destacando su poderosa influencia sobre todo en Andrés Sempere.

Acaso sea Juan de Guzmán el único de nuestros tratadistas mayores de Retórica en el siglo XVI que asoció la mención explícita del *Omne tulit punctum*... de Horacio a las doctrinas sobre la finalidad de la Retórica; incluso con ciertos visos de pretender confirmar su propia defensa tímida de una determinada dosis de hedonismo dentro del formalismo.

> «Y que desde el exordio començasse nuestro Christiano orador a echar las semillas o rayzes, de lo que adelante ha de tratar en el discurso del sermon, todo el qual querria que fuesse bien travado y encadenado, lleno de clausulas candidas y rodadas, y de tal suerte sonantes, que pareciessen una concertada musica. Digo que los sermones desta suerte viviran para siempre, y se podra dezir dellos, lo de Horacio. *Omne tulit punctum qui miscuit utile dulci*»[3].

Las espectativas de descubrir un Horacio proclive a la propensión formal-hedonista, fiel aliado de los teóricos de la predicación barroca española en el siglo XVII, que en principio podrían quizás alimentarse fácilmente, pensando en el descarrío barroquista en que se abismó con carácter de auténtica pionera nuestra predicación sagrada, están de antemano descartadas, si se tiene en cuenta, como demostramos en especial en los dos capítulos precedentes, la actitud general moderada y conservadora de nuestros tratadistas de predicación, así como la condición siempre parca de las menciones horacianas en sus obras. En el tratado de Agustín de Jesús María es quizás la única ocasión en que encontramos una referencia a Horacio en punto relativo a la condición del poeta, y aun así lo hace para recordarnos el esfuerzo que supone su labor, abundando en la concepción tradicional y conservadora del *poeta faber*[4]. Análogo era el propósito con que Francisco

3. Cfr. JUAN DE GUZMÁN, *Primera parte de la Rhetorica*, ed. cit., p. 63 r.

4. Cfr. AGUSTÍN DE JESÚS MARÍA, *Arte de orar evangélicamente*, ed. cit. p. 8 v.: «No dudo sino que en primer lugar es menester se suponga natural a proposito, i que sin el sera menos crecido el fruto: pero tambien, sè, i conozco (dize Afranio) que no ay natural tan bronco, que si con perseverante paciencia se deja cultivar del arte no de frutos crecidos de mejoria. Y asi aconseja Oracio, que aunque unas vezes intente sudando en vano, sin conseguir el ser perfecto orador, no desespere el que lo desea, sino vuelva otra, i muchas vezes a intentar lo mismo, que al fin lo conseguira, i sino fuere tan elocuente como el que tiene natural mui a proposito, lo serà mas que el mismo, i aun que otros de natural, mui bueno fueron sin arte, particularmente si añade el egercicio i la imitacion».

Terrones del Caño, recurriera al testimonio de Horacio para abundar en su tesis del esfuerzo y ejercicio en las causas naturales que el orador sagrado precisa asociar a la inabdicable dosis de divina inspiración y santidad, a cuyos fatales designios se confiaban los predicadores pensando justificar así su mal disimulada ausencia de esfuerzo, propósitos de estudio y sensata laboriosidad[5].

El autor del por tantos conceptos encomiable *Templo de la Eloquencia Castellana*, Benito Carlos Quintero, obra que, como es sabido, llegó a marcar un prometedor grado de comprensión, en 1629, para el prudente enriquecimiento del léxico poético y aún, en medida proporcionadamente distinta, de todo el lenguaje concionatorio, movilizó las citas de la *Epistola ad Pisones* de manera sistemática, como medio para reforzar sus prevenciones más conservadoras contra los despuntes de cualquier manifestación de descarrío formal-hedonista en el sermón:

> «Inporta dar alguna vez freno a la eloquencia, no tirarsele sienpre, quebrando los ingenios en las vueltas, porfiadas del adorno, y pensar que la lei del orador es mas ancha, y menos escrupulosa que la del Poeta; ni es raçon sean todas dulçuras, ni todas amargores. El Punto de Horacio se ha de guardar, que solamente se le da a la Oracion, el que sabe saçonar lo util con lo dulce.
>
> *Omne tulit punctum, qui mixcuit utile dulci*
>
> Lo demas no es querer aprovechar con el lenguaje, sino entretener con sus lisonjas»[6].

La popularizada fórmula horaciana que proponía la mezcla de dulzura y utilidad, la esgrimirá reiteradamente en su obra como la más quintaesenciada expresión de la inolvidable mesura concionatoria adecuada a la difícil tesitura del momento: solicitada por las galas exornativas del lujuriante

5. Cfr. Francisco Terrones del Caño, *Instrucción de predicadores*, ed. cit. p. 162: «después de todo cuanto queda dicho, lo que importa es tener natural de predicador, y con el natural a propósito, estudiar el arte y reglas que se han dicho o que mejor parecieren, no fiándose de lo uno sólo.

Ego nec studium sine divite vena
Nec rude quid prosit video ingenium,

dijo Horacio».

6. Cfr. Benito Carlos Quintero, *Templo de la Eloquencia Castellana*, ed. cit. pp. 17 v., 18 r. El fragmento figura incluido dentro de un interesante y elocuente alegato contra los excesos verbalistas en la predicación, los cuales en poesía no le suscitaron sino entusiasmo. Véase al respecto algún fragmento de la continuación: «Lenguaje, que su dulçura es tanta que roba la atencion, y el gusto, sin permitirla al concepto, que es alma de la voz, no es conposicion retorica, sino armonia de musico lascuamente (sic) inutil; solo tira a el deleite, no al provecho de los atentos: antes pierde la fuerça de la persuasion el mismo descubrirse el artificio: y en lugar de asechanças burla su diligencia», pp. 18 r.-v.

léxico culterano, pero obligada, de otra parte, a la efectividad ejemplar de la indeclinable edificación moralizadora. Casi al final de su tratado aludió nuevamente a ella para proclamar con toda rotundidad su ideal de mesurado equilibrio ecléctico:

> «Sea pues el premio de mi persuasion, mezclar en el sermon lo util con lo dulce; la agudeça con la persuasion: no dejandola, sino remitiendola; dando lugar a estas sucesiones de sutileça a persuasion, y de persuasion a dotrina, haciendo el artificio milagroso de la flor con la espina que la anpara, la mura, y la defiende, guardando siempre el decoro; que se deve a la Escritura, y declarandola, no al antojo proprio, sino al cuidado de los Padres: siguiendo sus pisadas fielmente»[7].

Idéntica función conservadora y retardataria cumplen las escasas menciones horacianas de los temas que nos ocupan, en la importantísima *Censura de la Elocuencia* de José de Ormaza. Esta obra que, si bien no deja de ofrecer perfiles de comprensión y hasta de entusiasmo para las nuevas corrientes de hedonismo verbalista, popularizadas por un amplio sector de nuestros poetas y críticos barrocos, defendió sin embargo la sensatez equilibrada en el campo concreto de la predicación. Y, precisamente para reforzar los planteamientos eclécticos o aun decididamente antiverbalistas, movilizaba Ormaza habitualmente la opinión de Horacio, despegando incluso las recomendaciones al equilibrio entre dulzura y utilidad de su genuino origen para convertirlas en consejos universales de prudencia[8].

Convencido Ormaza de la oportunidad de la misión asignada a Horacio, no reparó en el carácter tangencial de muchas de las afirmaciones de la Epístola respecto al problema del verbalismo. Cualquier indicación le bastaba como sustento para reiterar, desde su imagen general del «valor» Horacio, sus ataques, en ocasiones escasamente matizados e injustos, contra la creciente difusión del verbalismo cultista en la predicación:

> «Es pues, el buen estilo, el que con decencia de locuciones, pone en la razon la fuerça, y no en las vozes, procurando novedad en la sentencia, y no en las palabras. Deste sentir fue, el que con mas comprehension nos definiò el

7. *Ibid.* p. 45 r.

8. Cfr. José de Ormaza, *Censura de la Eloquencia*, ed. cit. p. 15; véase un ejemplo de tal asimilación generalizadora: «deliran sin duda los que quando se arde el mundo en vicios, se paran a coger flores. Si lo caduco les enamora, mas á la mano lo tienen en tantas cenizas. Pero assear el discurso, no solo lo que baste para dar nervios, y energia briosa a la persuasion; aunque llegue al deleite, y a sobornar la voluntad, nadie cuerdo dexarà de alabarla. Esto es, juntar lo util con lo dulze, que como dizen los discretos, es dar en el punto».

buen estilo, *Dixeris egregie notum. si calida verbum, reddiderit iunctura novum.* La sagaz junta, ha de hazer propias, y nuevas las palabras comunes, y esto no puede ser sin agudeza, ò en el concepto, ò en el uso de vocablo, ò en la metafora. De unos mismos troncos el grande artifice, levanta estatua a su memoria, y el malo padron a su afrenta; y solo està la diferencia en la juntura, en el corte con que uno dio vida al leño, el otro a su infamia. De aqui se vè, quan excluidos quedan por Horacio de la aprobacion de estilo, los que le buscan en la novedad de las palabras, y sonoras frases. Sino las anima la razon, seràn afeites en cuerpo muerto: y aun quando dizen con alma, la suelen deslucir, con resplandores de oropel, como se vè en Apuleyo, y en nuestra lengua ai muchos Apuleyos»[9].

Poco brillante fue, según queda testimoniado, el papel que jugara Horacio como mentor de la Retórica y la predicación españolas durante los siglos XVI y XVII, especialmente en lo que se refiere a las ideas motrices de las tres grandes dualidades. Y quizás lo más triste del fenómeno no consistió en la misma exigüidad cuantitativa de las menciones, sino en el dudosamente glorioso destino que, a través de ellas, se le asignó a Horacio. Evidentemente, como hemos hecho constar a lo largo de los dos primeros libros de esta obra, existía siempre la posibilidad más cómoda y segura de acercarse a las doctrinas de la *Epistola ad Pisones* interpretándolas con infiel literalidad. De esta opción, generalizada en la teoría literaria europea del siglo XVI, participaron masivamente, con la excepción parcial de Luis Vives, la totalidad de nuestros teóricos de Retorica y predicación. De la mencionada interpretación ecléctica y elusivamente conservadora surgía la contradictoria imagen de un Horacio altísimo poeta, al mismo tiempo, convencido defensor de la «prefabricación» preceptiva del acierto poético mediante el empleo automatizado por los ciudadanos de un *arte* normativo de operatividad infalible, que exigía como únicos requisitos nativos una cierta dosis de buen gusto y pujanza social. Bajo esta óptica resultaba ser Horacio un contenidista convencido hasta el antiverbalismo, y un defensor del didactismo-moralizador hasta el fervor universalmente antihedonista.

Por fortuna, en este caso, nuestros ingenios no constituyeron excepción en la moda intelectual europea del versátil acomodo de autoridades. De ahí que, si en la teoría retórica Horacio ofrecía la poco vitalizadora imagen que acabamos de contemplar, en otras diversas parcialidades de nuestra ciencia literaria recortaba nítidamente perfiles distintos y aun opuestos. En los sucesivos apartados estudiaremos la significación que arrojó Horacio para el desarrollo de los importantes tópicos que nos ocupan, en la teoría poética y en los más notables documentos de la recién nacida estética

9. *Ibid.* p. 55.

barroca, culterana y conceptista. En tales ámbitos, desde luego, no reinará el monocromatismo que hasta ahora hemos advertido, ofreciéndose por el contrario, como en el caso de Horacio era habitual, a las más contrapuestas experiencias y actitudes con la invariable condición de base de su buscado y acatado magisterio.

Influencia horaciana sobre el desarrollo doctrinal de los tres grandes tópicos causales en nuestros tratados sistemáticos de Poética.

Ya hemos indicado en el apartado precedente cómo el conjunto de tratados sistemáticos de teoría Poética superó con mucho, en la densidad de citas horacianas y en el interés y modernidad de su aplicación, la exigua representación de las mismas referencias existentes en los tratados de Retórica. En cuanto a la índole de sus decisiones individuales, resulta muy variada, pero responde absolutamente a la que, respecto al valor general del horacianismo de cada obra, hemos descubierto ya en los capítulos precedentes. Una vertiente, que podríamos denominar ecléctica, la representaban Díaz Rengifo, López Pinciano, Cascales y González de Salas. Apuntándose entre ellos notables matices diversificadores que van desde el agil interés de Pinciano, bordeando en ocasiones posturas formal-hedonistas, al cerrado contenidismo didáctico-moralizador de Cascales. Pinciano es también de todos los autores de Poéticas el que manifiesta más extensa permeabilidad a la utilización de Horacio, frente a las mucho más exiguas notas de González de Salas, por ejemplo.

La vertiente más interesante, moderna y renovadora viene ofrecida sin duda por quienes utilizaron a Horacio como refuerzo de actitudes claramente diagnosticables de formal-hedonistas. Sólo dos nombres se ofrecen limpiamente en esta vía: uno fue Fernando de Herrera, siempre en afirmaciones de no absoluta rotundidad, habida cuenta del carácter discontinuo y fragmentario de la forma de sus *Comentarios,* que no le consentía el desarrollo discursivo, sistemático y orgánico, posible en una extensa y sistematizada doctrina estética. El segundo de los tratadistas aludidos al respecto es Luis Alfonso de Carvallo, cuyo *Cisne de Apolo* supuso, como ya hemos tenido ocasión de demostrar, la más alta cota alcanzada por el horacianismo —no meramente superficial como las *Tablas* de Cascales— y la más pura expresión de la esforzada vanguardia formal-hedonista registrada en nuestros tratados de teoría Poética.

Procediendo ahora al análisis sistemático de las peculiaridades de ambas vertientes, debemos destacar en primer término la positiva significación horaciana del *Arte Poética española* de Díaz Rengifo que, pese a ser un tratado fundamentalmente métrico, se interesó frecuentemente, de la mano de Horacio, por las cuestiones generales de teoría estética, que incluyen de modo preeminente el análisis y discusión del sistema de las tres grandes causas. Horacio le dictaba a Rengifo sus inclinaciones de signo didáctico-moralizador en cuanto el problema de la finalidad del arte, pese a que el sentido confesado de dicho fin en un tratado de la naturaleza del suyo era fundamentalmente el de hacer versos[10].

La enseñanza horaciana quedaba plasmada en la hábil invocación de Rengifo de la peculiar capacidad de mover que tiene la poesía, precisamente como medio de ensamblar orgánicamente la indiscutible —si bien sospechosa— capacidad de deleite con las tradicionalmente aceptadas consecuencias didáctico-moralizadoras del arte. Actitud que queda de manifiesto, con claridad, en el siguiente fragmento anotado al margen con la mención precisa de la *Epistola ad Pisones* y la más genérica de Virgilio.

> «Es tambien la Poesia buena para enseñar, y mover: porque en ella se pueden decir verdades, y dar avisos, y consejos saludables: los quales por ir en aquel estilo se quedan mejor en la memoria, y le imprimen en los corazones... Quien no ha experimentado en sì los afectos, que se despiertan en el corazón, quando oye cantar alguno de los Romances viejos, que andan de los Zamoranos, ò de otros casos lastimosos? Los quales, si los oyera en prosa, sin duda no le movieran. Quantas veces la Poesia bien concertada ha sacado agua de los duros pedernales, hecho parar los rios, detenerse los Tigres, y Leones en medio de su carrera, è inclinarse las ramas de los altos arboles para oir, y finalmente edificarse los Pueblos, y Ciudades? Muchos efectos de estos se atribuyen à los sabrosos, y elegantes versos, que Orpheo, y Amphion cantaban. Y à la verdad no hicieron ellos estas cosas, assi materialmente como suenan; pero hicieron lo que por ellas se significa, que es mover los hombres duros, y amansarlos, y quitarles la fiereza natural, con que se habian criado, y hacerles parar en medio del furor de sus passiones, y finalmente componerlos, y ordenarlos entre sì, y hacerles que se juntassen à vivir dentro de unos mismos muros»[11].

10. Cfr. Díaz Rengifo, *Arte Poetica Española*, ed. cit. p. 6: «El fin intrinseco de la Arte Poetica es hacer versos. Y à este fin se ordenan los preceptos, y reglas, de que usa el Poeta: y quanto mas se ajusta, y conforma con ellos, tanto la Poesia sale mas perfecta, y acabada. Los fines extrinsecos pueden ser muchos. Porque unos hay que componen por su recreacion: otros por servir à la Republica, escriviendo Historias de los Varones Ilustres, que en santidad, letras, ò armas se han señalado: y algunos hay que gustan de emplear el tiempo en hacer Canciones, Sonetos, Octavas, Lyras en alabanza de los Santos, con quienes tienen particular devocion».

11. *Ibid., p. 11.*

Respecto a la cuestión de la índole del poeta, dentro de un eclecticismo caracterizado por su inocultable estima para la inspiración, Horacio fue igualmente la autoridad directriz en una estructura de razonamiento de signo marcadamente ciceroniano:

> «Y esta es la causa, porque son tan raros, no digo, los perfectos (que de essos por ventura no ha havido alguno) sino los tolerables Poetas, como Tulio confiessa de los Oradores. Pero dirà alguno, que la naturaleza hace los Poetas, y no el Arte: y traerà aquel dicho tan celebrado entre los antiguos..., dando à entender, que para la Eloquencia importa el Arte, pero para la Poesia basta el buen natural. Yo confiesso que hace mucho al caso para ser un Poeta, y buen Poeta, la inclinación natural, y aquella aficion, y aplicacion con que nacemos: pero no se puede negar, que un buen natural perficiona grandemente el Arte, lo que sigue el Principe de los Filosofos politic. 7. diciendo, que el Arte suple los defectos de la naturaleza... Necessaria es la vena; y si del todo faltasse, por demàs serìa porfiar. Pues (como dixo Tulio) ninguna cosa se ha de emprender contra el propio natural... Por esso dixo bien Horacio, que el Arte sin la vena, ni la vena sin el Arte aprovechan: sino que ambas à dos cosas se han de juntar, y ayudar para que uno salga Poeta»[12].

De Cascales ya conocemos en qué medida exhaustiva citaba su propia traducción de la *Epistola ad Pisones* en las *Tablas Poéticas*; pero la verdad es que, en el complejo mosaico de retazos y añadiduras que constituyen la influyente obra del preceptor murciano, los textos horacianos no funcionaban en la mayoría de los casos sino con finalidad estrictamente decorativa, hallándose incluso, con mucha frecuencia, desconectados del razonamiento al que iban adosados. Concretamente la mención del texto horaciano más socorrido e invocado como decisión del poeta latino en la doctrina de la finalidad del arte, el *omne tulit punctum...*, servía para reforzar una concepción inicialmente ecléctica[13], complicada después y especializada en términos más bien inequívocamente didáctico-morales, al conectarse con la definición de la finalidad catártica de la tragedia.

También se hacía referencia a los conocidos textos horacianos en torno a la finalidad del arte en el tratado aristotélico sobre la tragedia de González

12. *Ibid.* pp. 3-4.

13. Cfr. FRANCISCO DE CASCALES, *Tablas poeticas*, ed. cit. pp. 17-18. «El fin de la Poesía es agradar y aprovechar imitando: por este fin dixo Horacio:

Todos los votos se llevó el poeta
Que supo ser de gusto y de provecho:
Ya alegrando al lector, ya aconsejando.

De manera que el Poema no basta ser agradable, sino provechoso y moral: como quien es imitación de la vida, espejo de las costumbres, imagen de la verdad».

de Salas. Horacio, invocado a la letra de su eclecticismo, servía estrictamente a una función de refuerzo, dentro de los alegatos del teórico español en favor del deleite producido por la claridad. Es decir, no se trataba de una defensa progresista del hedonístico formal comportado por el sector culterano-barroco, sino por el contrario más bien fue un alegato contenidista de signo conservador y voluntad tradicionalista [14]. Reiterándolo en otros lugares en términos más generales:

> «Y assi io fenezco este discurso, con que no de otra manera tendra el lugar primero en la Locución el Poeta, que juntare la *Alteça* con la *Perspicuidad*, que le tendra en la Poesia, el que juntare lo *Util*, i lo *Deleitoso*, como dice Horacio» [15].

Ya advertíamos cómo dentro del grupo de nuestros teorizadores de Poética que adoptaron fórmulas eclécticas, o al menos no abiertamente formal-hedonistas, fue López Pinciano, como en la inmensa mayoría de los casos, nuestra personalidad de más acusado relieve e interés dentro de la tratadística poética. Horacio sirvió a Pinciano razones de inestable eclecticismo —«aunque Horacio dize que él no sabe quál es más importante a la Poética, la arte y estudio o la vena natural» [16]— en un razonamiento sobre la índole del poeta bastante personalizado por el médico de Valladolid, dentro del denso juego de autoridades tópicas entretejidas en torno al tema. En cuanto a la cuestión de la finalidad del arte, Pinciano conectó en reiteradas ocasiones el recuerdo horaciano de las «Socraticae chartae» como una positiva apelación al didactismo moralizador, que era quizás el polo al cual podía hallarse verosímilmente más próximo el propio Pinciano, pero desde luego sin llegar a suscribirlo íntegramente [17]. He aquí un típico alegato de dicho signo, asociado a la mención de lugares de la *Epistola ad Pisones:*

> «Materia de la Poética es el universal, digo, que principalmente lo son las tres artes dichas, entendidas debaxo la Philosophía moral, Etica, Económica y Política; y esto quiso dezir Horacio quando dixo en su Arte: "El officio de los poetas es apartar a los hombres de la Venus vaga; dar leyes a los maridos; fundar repúblicas"; como quien dize: aunque toda cosa es materia

14. Cfr. Jusepe Antonio González de Salas, *Nueva idea de la Tragedia antigua*, ed. cit. Ya nos hemos referido a este lugar de la obra de Salas en el capítulo precedente; la referencia al texto horaciano, *Lectorem delectando, pariterque monendo*, en p. 89.

15. *Ibid.* p. 96.

16. Cfr. Alonso López Pinciano, *Philosophia Antigua Poetica*, ed. cit. Vol. I, p. 221.

17. Algunas de estas menciones al lugar horaciano tan frecuentado por Pinciano pueden verse en *Ibid.* Vol. II, pp. 115 y 205.

de poética, quanta está en las hojas de Sócrates, más especialmente lo es la Philosophia moral; que, pues Sócrates dexó las demás sciencias por yr en prosecución della, es mejor, y lo mejor deve siempre buscar el poeta»[18].

Con semejante tipo de recuerdos, poco era, en verdad, lo que se venía a adelantar en punto a interés y novedad; tanto en lo que se refería a la renovación de la imagen del pensamiento teórico horaciano, como, incluso, para la de la propia fisonomía del sistema estético literario. De mucha mayor enjundia y modernidad estimamos nosotros el interés de las declaraciones formal-hedonistas que tomaban pie —con mayor o menor grado de licitud, que no es ésta la cuestión actualmente debatida— en declaraciones de la *Epistola ad Pisones* o de la obra general de Horacio.

Ni por el momento, extremadamente inicial, de nuestra teoría Poética, ni por la misma índole y estructura de la obra que los incluye, poco propicias ambas para rupturas contra convencionalismos ya muy estabilizados, resultaba fácil coartar el alto vuelo del pensamiento y la sensibilidad poética de Herrera, quien supo romper con los prejuicios del ambiente y con la tónica más conservadora de las lecturas en curso sobre Horacio. Su aclaración a la fórmula horaciana, habitualmente mal interpretada o simplemente pasada por alto, «non satis est pulcra esse poemata, dulcia sunto» constituye un verdadero modelo de interpretación, fundado en la perfecta intuición de la realidad formal-hedonista de la poesía. Insuperablemente ajustada es la siguiente descripción de la actividad de dichos mecanismos deleitosos:

> «Y la fuerza de la variedad y nobleza y hermosura de la elocucion sola es la que hace aquella suavidad de los versos que tan regaladamente hieren las orejas que los oyen, que ninguna armonia es más agradable y deleitosa. Y bien se deja ver, que por la fuerza de la elocucion virgiliana halagan sus versos con tanta suavidad y dulzura a quien los escucha, lo que no se siente en los otros heroicos latinos; los cuales, aunque sean bien compuestos y cuidadosos, no se llegan y apropian al sentido de quien los lee, porque les falta la pureza de la frasis, que es elocucion en la habla latina; y no labraron la oracion con aquel singular artificio de Virgilio, y asi escribe prudentemente Horacio:
>
> non satis est pulcra esse poemata, dulcia sunto.
> et quocumque volent animum auditoris agunto.
>
> Entendiendo lo primero por el ornamento, o de las figuras o otras cosas semejantes con que se visten los pensamientos, y lo ultimo por la conmocion de los afectos; porque las palabras suaves, llenas de afecto traen consigo la dulzura. Pero

18. *Ibid.*, Vol. I, p. 219.

asi como nace aquella agradable y hermosa belleza, que embebece y ceba los ojos dulcemente de la eleccion de buenos colores que, colocados en lugares convenientes, hacen escogida proporcion de miembros, asi del considerado escogimiento de voces, para explicar la naturaleza de las cosas (que esto es imitar las diferencias sustanciales de las cosas) procede aquella suave hermosura que suspende y arrebata nuestros animos con maravillosa violencia»[19].

Pero lo que en el *Comentario* de Herrera no pasaba de ser el afloramiento ocasional y asistemático de una bien formada conciencia formal-hedonista de la poesía, nutrida doctrinalmente por Horacio, se organiza y robustece en el caso de Luis Alfonso de Carvallo dentro de un sistema congruente y organizado en defensa del deleite como finalidad exclusiva o al menos primordial del arte. Al horacianismo de su persistente modelo, Diodoco Badio Ascensio, debe mucho sin duda la orientación radicalmente horaciana de Carvallo. Con los textos de Horacio servidos por su comentador italiano, se va reforzando y agilizando la tradicional proclamación platónica de la supremacía inspirada del poeta, cuyos productos —para ser dignos— deben exceder totalmente las fuerzas imaginables de la humana naturaleza:

«... que si las alas del ingenio, al entendimiento comun de los hombres no sobrepuja y excede, impossible es ser Poeta. Porque de su diffinicion consta que ha de hazer cosas que sobrepujen otro, no mas que humano entendimiento. Como dexo referido, y tomè de Ascensio. Y si en propria causa se deve dar credito a persona que en esto tan acreditada estava, que para honrarse pudiera escusar el dezirlo, mirad quien dize Horacio que se puede llamar Poeta.
Ingenium cui sit, cui mens divinior, atque os, des nominis huius honorem Hor. I. serm. y traduce:

Al que su entendimiento, ingenio, y lengua
mas divina tuviere que otro hombre,
le daras el honor de aqueste nombre»[20].

La unilateral aplicación del parecer horaciano se hace particularmente sensible en aquellos lugares donde se ven directa e inmediatamente confrontados ambos principios, los del ingenio y el arte, proclamando invariablemente, sin la menor vacilación, que Horacio había sustentado la prioridad absoluta de la naturaleza sobre el aprendizaje[21]. Exageraba de este modo Carvallo,

19. Cfr. Fernando de Herrera, *Comentarios a Garcilaso*, ed. cit. p. 398.
20. Cfr. Luis Alfonso de Carvallo, *Cisne de Apolo*, ed. cit. Vol. I, p. 68.
21. *Ibid.* Vol. II, p. 185. Se descubre lo que afirmamos, por ejemplo, en la siguiente asimilación inmatizada de dos puntos de vista manifiestamente diversos, como eran los de

evidentemente, el grado de radicalismo de las afirmaciones concretas de Horacio, en las cuales dicha conclusión no podía sino, en todo caso, inferirse mediante razonamiento intuitivo, ya que el gran poeta latino no abandonó jamás en sus proclamaciones a la letra el moderado eclecticismo que convenía a la naturaleza programático-política de su documento teórico.

En el proceso de deformación y acomodación parcializada de los puntos de vista horacianos, recordando con frecuencia Carvallo afirmaciones teóricas de Horacio no exclusivamente pertenecientes a la *Epistola ad Pisones*, llegaba incluso a entresacar fragmentos que pudieran ser considerados válidas asimilaciones de la doctrina misma del *furor* platónico. Lo cual resultaba sin duda mucho más exacto al desmentir que la furia vulgar y simulada de los malos poetas, ridiculizada por Horacio en la *Epistola ad Pisones*, tuviera que ver con la realidad de la inspiración de los grandes creadores, explicada por Platón como furia divina[22]; que al pretender parificar como conceptos análogos las opiniones de Horacio y Platón en torno a la índole del poeta y de su proceso creador. Como sin duda resulta de la opinión contenida en el siguiente fragmento:

> «Mas como està organizada en este cuerpo de barro subjeto a tantas influencias, passiones, y mudanças, por su causa y disposicion, viene a estar unas vezes mas apta y prompta para obrar, que otras, y mas en esta arte, que con el calor del cuerpo, y su inflamacion, viene a obrarse en tanto grado, que si uno naturalmente no fuesse Poeta con el calor que le procediesse de la ira, y colera, vendria a hazer versos, como ya dixe atestiguando a Oracio. Si natura negat facit indignatio versus»[23].

El contorno doctrinal de este postulado básico era establecido por Carvallo merced a la asidua frecuentación de otras afirmaciones de Horacio; como por ejemplo en el caso del reajuste, hábilmente realizado por el autor del *Cisne*, en el tópico tradicional de la universal pericia exigida al poeta en todas ciencias y artes, donde se partía de la proclamación horaciana del *saber* como principio y fuente de la dignidad poética, para introducir después las matizaciones oportunas sobre la naturaleza y el alcance

---

Cicerón y Horacio: «Y no con menos cuydado que Tulio estudio, Socrates, los preceptos, todos desta arte, y jamas pudo hazer un solo verso, de donde vino a dezir aquel tan comun dicho, Los Poetas nacen, y los Oradores se hazen, y Oracio confiessa que sin la rica vena el estudio aprovecha poco».

22. *Ibid.* Vol. II, p. 193: «Y no es mucho que los que este sutil embeleco no experimentaron, lo tengan por locura, y de los que ansi entienden este dicho de Democrito, se rie Oracio en su Poetica».

23. *Ibid.*, Vol. II, pp. 218-219.

de dicho *saber*. Todo ello tutelado por recuerdos procedentes del tan difundido lugar tópico horaciano de que no tomen los poetas sobre sus hombros materia que exceda el poder de sus fuerzas[24].

A propósito indiscutiblemente más moderado, y por tanto no tocado de la distorsión unilateral de las afirmaciones horacianas antes reseñadas sobre la índole del poeta, respondía su utilización de las glosas a la finalidad del arte. La característica más insistentemente destacada en todo el *Cisne de Apolo* fue, sin duda, la defensa de la *vena* o inspiración poética, que se correspondía perfectamente en esta obra con la condición de fervorosa alabanza de la poesía, en cuya tradición de discursos y tratados cabría integrar con pleno derecho la obra de Carvallo. Obviamente, la defensa de la dimensión científica del contenido, así como el señalamiento para la poesía de un elevado propósito de didactismo moral, eran principios ambos que no venían a dañar, en modo alguno, la encumbrada imagen del *arte* a cuya glorificación se había consagrado Carvallo con su *Cisne*.

De ahí que apareciera frecuentemente aludido el contenidismo, estrictamente didáctico-moral, junto al deleite de base estilístico-formalista, como finalidades ambas complementarias de la poesía; y que en este punto se registrara la mención del *omne tulit punctum* de Horacio en términos equilibradamente eclécticos[25]. Sin embargo en estricta correspondencia con sus convicciones sobre la índole del poeta, no deja de percibirse en la actitud de Carvallo respecto a la finalidad del arte, como señalábamos ya en el capítulo precedente, una evidente proclividad a favorecer y sobrevalorar la importancia de la vertiente deleitosa; e incluso resulta también sumamente ilustrativo que

24. *Ibid.*, Vol. I, pp. 76-77. Había partido en este punto Carvallo de la definición y delimitación de la materia poética: «Lo primero que el Poeta haze es imaginar lo que se ha de dezir y la materia de que ha de tratar. Esta materia no puede faltar a los Poetas Christianos grave y excelente, de la qual carecieron los Gentiles, a cuya causa su arte, y no su materia, fue extremada, y ansi de procurar el fiel Poeta, imitarles en la arte, y no en la materia... La qual materia dize Oracio ha de tomar cada uno conforme sintiere sus fuerças y talento, acomodandose con su ingenio y ciencia». Después pasaba a plantear en el diálogo entre el aprendiz Zoylo y la magistral Lectura la cuestión de límites en la pericia universal exigida al poeta: «Zoylo.—Si ningun Poeta puede tratar sino de la facultad que professa, necessario sera que sepa de todas las sciencias, y officios, para tratar dellos, ò todos los professores, y officiales han de ser Poetas para tratar cada uno de su profession.—A lo que responde la Lectura en los términos siguientes—Lect.—De que es necessario saber el Poeta algo de cada profession, no ay duda. Y que en quanto supiere de las agenas serà en la propria mas aventajado, es muy llano. Porque el principio y fuente de escrivir, es el saber, dize Orazio. Mas no con tanta necessidad està obligado a saber todas professiones, que esto sea forçoso, porque el Poeta que no es Theologo si le es forçoso tocar algo desta facultad, puede comunicar aquel punto, con quien lo sepa, y siendo instruydo en el, entra en su officio de ponerlo en verso, y aplicarlo a su obra».

25. Para testimonios eclécticos bajo la autoridad del *omne tulit punctum* horaciano, *Ibid.* Vol. II. pp. 6-7.

fuese casi siempre el testimonio concreto de Horacio el que estableciera el refuerzo que significaría dicha preferencia. Véase, por ejemplo, una muestra de dicho doble comportamiento en el fragmento que copiamos a continuación:

> «... como el fin del Poeta es dar contento y aprovechar juntamente, segun lo que dize Oracio, et prodesse volunt, et delectare Poetae. Quisieron enxerir las cosas provechosas en las fictiones y figuras deleytosas... Y de que nos da mas gusto lo que se dize con figuras y semejanças que lo que en proprios y ordinarios terminos se dize, la experiencia nos enseña. Que muy mas contento nos suele dar ver un rostro retratado, y con propriedad, imitado, que el propio rostro. Y assi los que sus poesias adornan con estas gracias y doctrinas, son tan extremados, que por ellos se dize aquel comun y celebrado dicho: "Omne tulit punctum, qui miscuit utile dulci.
>
> *Llego al punto excelente y sumo grado,*
> *quien con gracias lo util ha mezclado*"» [26].

A la índole más común en las aplicaciones precedentes de Horacio según los tratados de Poética, es decir al refuerzo de actitudes eclécticas didáctico-deleitosas, correspondía también el tenor más generalizado en las referencias horacianas al tópico de la finalidad artística que se registraba habitualmente en los prólogos de obras, documentos críticos de indudable importancia como sabemos, al tiempo que de fácil acceso actual en los casos más representativos merced a la iniciativa de su editor Porqueras Mayo. Lope de Vega por ejemplo, al frente de *El peregrino en su patria* [27], proponía la cita automatizada del *omne tulit punctum*... entre otros testimonios de autoridad, para justificar la compatibilidad que podía existir, en su opinión, entre deleite y provecho moral en la poesía; mientras que Bernando de Balbuena en su *Grandeza Mejicana* había aludido también, a través de la misma expresión horaciana, a la doble finalidad lúdico-didáctica de

26. *Ibid.* Vol. I, pp. 115-116. En otros lugares queda igualmente corroborada la utilización de Horacio, conscientemente sistemática, que lleva a cabo Carvallo para esforzar unilateralmente la importancia del elemento deleitoso. Véase un ejemplo más: «Porque atraer el animo del oyente a lo que desseamos, no solo se ha de procurar escrivir en estylo galano y docto, sino tambien como vamos diziendo ha de ser agradable, como Oratio significa. Asc. I.
Non satis est pulchra esse Poemata dulcia sunto,
Et quocunque volent animum auditoris agunto.
La poesía basta ser hermosa,
sino para mover tambien sabrosa». *Ibid.* Vol. I., p. 168.

27. Cfr. PORQUERAS MAYO, *El Prólogo en el Manierismo y Barroco*, ed. cit. pp. 70-71: «éste es el Peregrino, no carece su historia de algún deleite, porque Tulio dijo: *Lectionem sine ulla delectatione negligo*, ni de algún provecho por obedecer a Horacio: *Qui miscuit utile dulci*».

la poesía, ponderando de pasada las dificultades para hacerla realmente efectiva en la práctica como totalidad[28]. En tanto que el traductor, ciertamente más voluntarioso que feliz, de la *Epistola ad Pisones*, Vicente Espinel, hacía su propia confesión de propósitos en el prólogo de *Marcos de Obregón*, siguiendo fielmente la pauta ecléctica, didáctico-deleitosa, trazada por su reverenciado maestro:

> «El intento mío fue ver si acertaría a escribir en prosa algo que aprovechase a mi república, deleitando y enseñando, siguiendo aquel consejo de mi maestro Horacio; porque han salido algunos libros de hombres doctísimos en letras y opinión, que se abrazan tanto con sola la doctrina, que no dejan lugar donde pueda el ingenio alentarse y recebir gusto; y otros tan enfrascados en parecerles que deleitan con burlas y cuentos entremesiles, que después de haberlos revuelto, aechado y aun cernido, son tan fútiles y vanos, que no dejan cosa de sustancia ni provecho para el lector, ni de fama y opinión para sus autores»[29].

Idéntica invocación de la fórmula horaciana servía a la expresión del parecer ecléctico de Cristóbal de Mesa:

> «Ya tiempos usadas las figuras Poeticas,
> Mezclando cosas dulces con las utiles,»[30].

El caso de testimonios como los precedentes era, desde luego, lo más común en las breves menciones ocasionales registradas en documentos críti-

28. *Ed.* por Porqueras, *Ibid.*, p. 161: «Unos se agradan de donaires, otros los aborrecen y tienen por juglar a quien los dice. Si a los graves enfadan las burlas, ¿a quién no cansan las ordinarias veras? Horacio quiso que se hiciese una mezcla de todo de lo útil con lo dulce. Pero eso, ¿quién lo sabe? ¿Quién sino Dios lloverá Maná que a cada uno sepa a lo que quisiere? Esta misma razón y discurso, que un tiempo pudo desaficionarme a escrebir, es quien hoy me ha convencido a salir a luz con mis obras».

29. *Ibid.* pp. 53-54. Y continúa en su abierta y elocuente ponderación de la importancia parificada de ambos fines, deleitoso y docente-moralizador: «que ni siempre se ha de ir con el rigor de la doctrina, ni siempre se ha de caminar con la flojedad del entretenimiento; lugar tiene la moralidad para el deleite, y espacio el deleite para la doctrina; que la virtud —mirada cerca— tiene grandes gustos para quien la quiere, y el deleite y entretenimiento dan mucha ocasión para considerar el fin de las cosas».

30. Cfr. CHRISTOBAL DE MESA, *Compendio del Arte Poética*, incluido en su obra *Valle de lágrimas y diversas Rimas*, Madrid, Juan de la Cuesta, MDCVII, ed. por M. Newels, *Die dramatischen Gattungen*... cit. p. 92. Aunque en algún contexto determinado del *Compendio* parezca perfilarse una actitud de cierto contenido hedonista, —«y de la Poesia el fin legitimo/Es deleytar por vario modo el animo,» *Ibid*, p. 90— el eclecticismo gobierna por lo general las decisiones de este texto intrascendente. Además de la cita en el texto, véase la siguiente solución equilibrada a la dualidad *res verba:* «Las palabras que siempre son imagenes/de los concetos, no han de ser inutiles», *Ibid.* p. 92.

cos, no comprometidos directa ni fundamentalmente en el debate de las tres causas esenciales de la poesía. Decenas de ejemplos de lecturas eclécticas, a la letra, de los fragmentos correspondientes en la *Epistola ad Pisones* podría ofrecerse con facilidad, extrayéndolas de alusiones análogas a las anteriores que pueblan nuestros documentos críticos y obras literarias. Mucho más raras resultaban, sin embargo, las alusiones a la autoridad horaciana en los casos en que se trata de defensas unilaterales del deleite formalista, unidas, como es lógico y usual, a la exaltación de la índole inspirada del poeta. Entre los documentos coleccionados por Porqueras, tan sólo hemos encontrado una brillante y decidida actitud en este sentido renovador a que aludimos, en el importantísimo prólogo, auténtico manifiesto barroquista, de la *Neapolisea* escrito por el granadino Francisco de Trillo y Figueroa.

Para defender su renovadora concepción de la literatura, Trillo se percató claramente de que tenía que hacer frente a un inveterado cúmulo de tradiciones tópicas, entre las cuales y respecto a la importantísima cuestión de la finalidad concreta de la poesía, se contaba la utilización de aforismos horacianos absolutamente desconectados de sus correspondientes contextos. De ahí que, en cierto lugar, responda:

> «Alegan que: *Omne tulit punctum, qui miscuit utile dulci.* Mas no saben cómo se consigue aqueste fin; mayormente que como enseña el Filósofo...: *Consilium non est de fine; sed de his quaesunt ad finem.* Y yo no sé cómo consiga este fin, quien escribe claro y llano, con vulgar inteligencia, si es eso lo que pretenden estos doctos, a costa de poca costa»[31].

La protesta de Trillo no se centraba en una gratuita lectura de carácter dogmático, a la que positivamente dejaba poco espacio la explícita evidencia textual de las proclamaciones horacianas. Estas, con su naturaleza invariablemente ecléctica y conservadora, constituían el válido sustento de unos módulos y una ideología técnica literaria absolutamente opuestos a los que empezaban a alborear con los poemas gongorinos, y en general con el naciente gusto artístico que protagonizaba el mismo Trillo. El atrevido poeta granadino reclamaba una lectura de las máximas programáticas del *Ars* más íntimamente enraizada en el contexto artístico general de Horacio, en su significación de alto poeta inspirado y en el dulce y marcado artificio de su poesía, contra quienes trivializaban sus afirmaciones, circunstanciadas dentro de

31. Cfr. FRANCISCO DE TRILLO Y FIGUEROA, *Neapolisea*, prólogo ed. por A. Porqueras, en *El Prólogo en el Manierismo y Barroco*, ed. cit. p. 210. Sobre Trillo, cfr. A. GALLEGO MORELL, *Francisco y Juan de Trillo y Figueroa*, Granada, Universidad, 1950. Sobre el activo grupo granadino, NICOLÁS MARÍN, *La Poética del humanista granadino Baltasar de Céspedes*, en «Revista de Literatura», 1966, n. 57-58, pp. 123-219.

un contexto y una condición programática dadas en el momento de escribir la *Epistola ad Pisones*. A tales circunstancias que habían condicionado poderosamente la ideología estética del *Ars*, no se acudía jamás, pasados los siglos, para relativizar y valorar de manera global la significación de la preceptiva estética horaciana en el caso de su incidencia concreta en la situación contemporánea. De ahí el sentido de sus acusaciones al fariseísmo rutinario de los ingenios de su época, en sus consabidas y renovadas peregrinaciones a los lugares tópicos de la *Epistola ad Pisones*[32].

La proclamación formal-hedonista de la poesía y de la inspiración del poeta en las apologías de la nueva poesía gongorina y su empleo de la autoridad horaciana.

Máximo es el interés que ofrece la especial coyuntura creada a la opinión teórico-crítica con las polémicas de las *Soledades* y el *Polifemo* gongorinos y la utilización en las mismas de la autoridad de Horacio. Ya hemos tenido ocasión de examinar, en el ámbito previamente estudiado de los tratados de Retórica y Poética, cómo por lo general había prevalecido la lectura a la letra del eclecticismo horaciano, e incluso, cuando de alguna elección parcializada se tratase, la solución quedaba reducida más frecuentemente con la aplicación de las difundidas máximas teóricas del poeta latino a la vertiente didáctico-moralizante y contenidista, asociada a la maestría en la bien aprendida normativa del «arte». Sólo en determinados casos de precocidad genial, como el de Luis Vives, o de tardía maduración consolidada del pensamiento barroquista, como el de Trillo y Figueroa —sin olvidar la más importante y sistemática explotación del tópico por Carvallo, el cual quizá se había movido en un puro sistema de fuentes e influencias muy concretas—, la vertiente formal-hedonista en la concepción del arte se ha consolidado, manifiestamente, esforzando en su apoyo con más o menos propiedad y acierto el pensamiento estético horaciano.

La tónica no cambia sustancialmente al incidir la cuestión en el ámbito

32. Ya hemos aludido en el capítulo precedente a esta iniciativa crítica de Trillo. Recordemos aquí alguno de los puntos más sobresalientes de su razonamiento: «sin obligarme a aquello que por de Horacio refieren los escritores de erudición descansada que la poesía ha de ser deleitar aprovechando, queriendo de aquí inferir, que ha de ser clara y no demasiado pomposa... Lo cierto es que no se entienden estos príncipes del Parnaso graz ni locuente, porque ni Horacio, ni Persio con haber afectado en la sátira primera, que sus versos eran: *Nisi carmina molli, nunc demum numero fluere*. Ni otro alguno de no vulgar opinión quisieron jamás ser con facilidad entendidos, ni manoseados del vulgo. Y bien lo dicen las obras de todos los poetas ilustres, con tan diversos comentos cada día, mas ¿quién ignora que lo fácil y común sólo para el común sirve?», ed. cit. p. 202.

más favorablemente abonado del culteranismo barroco. No ya los adversarios de Góngora, sino ni aun siquiera sus propios defensores, osaban asociar el criterio de la actitud ecléctica de Horacio en la cuestión de la finalidad del arte con alegatos más o menos tímidos, examinados ya en el capítulo precedente, en favor del hedonismo de base formalista, con los que creían defender en buena medida las irregularidades e innovaciones de la naciente escuela.

Un hombre francamente conservador, como sin duda lo era Francisco de Córdova, amigo y leal admirador de Góngora, que participaba de opiniones plenamente didáctico-moralistas, sin excluir el deleite pero sólo a título de intermedio secundario, se refería a Horacio como preconizador quintaesenciado del eclecticismo[33]; coincidiendo en tal estimación y uso del poeta latino con la de ciertos apologistas de Góngora decididamente defensores de la finalidad formal-hedonista, como Díaz de Ribas[34] y, sobre todo, Martín de Angulo. Este último recababa universalmente los más sazonados frutos en todas las esferas para su admirado Don Luis de Góngora, a cuyo fin la más compendiosa proclamación era sin duda la que había realizado Horacio, en especial cuando no se tratara de hacerla salir de su solución más paladinamente ecléctica:

> «Y como lo es, la que ha sacado de vulgar la Poesia Castellana, y realçado la lengua a grado superior, pues ya no ay quien para acertar no le imite, y se ufane, si lo consigue? La que en quitandole a lo dificil de la letra lo misterioso que encierra, tanto deleyta al letor con su gala y novedad, como es inutil? Aquella dotrina lo es, que le falta prueva, y sobran ambiguedades, y que ni mueve, ni enseña, ni deleyta. Nunca Oracio dixo con mas propriedad, que por D. Luys aora, el verso de su arte, que V.m. cita, y en el antecedente, *Omne tulit punctum...*» etc.[35].

Sólo por excepción, a lo largo del desarrollo general de las polémicas, alguno de los ingenios comprometidos en las mismas invocó la autoridad de Horacio como uno de los pilares tradicionales en la defensa del deleite

33. Cfr. Francisco de Córdova, *Parecer...*, ed. cit. pp. 135-136.

34. Cfr. Pedro Díaz de Ribas, *Discursos apologéticos...*, ms. cit. fol. 70 r.: «Varios fines asignaron los authores ala poessia unos el enseñar, otros el deleytar, otros el enseñar y deleytar juntamente. los quales significo Oracio en su arte poetica.

Aut prodesse volunt aut delectare poetae
Aut simul et idonea et iocunda dicere vitae

Y algunos modernos dicen que aunque pretenda deleytar la poesia su principal fin es enseñar, opinion no asiento».

35. Cfr. Martín de Angulo y Pulgar, *Epistolas satisfatorias*, ed. cit. p. 30 v.

poético. Recordaremos aquí el único testimonio en este sentido que conocemos, que es el de Cristóbal de Salazar y Mardones; con la advertencia, además, que la suya no es una declaración razonada y firme, sino una indicación incluida en un inciso parcial y que compromete al mismo tiempo los pareceres, según Mardones totalmente identificables, de Cicerón y Marcial[36].

Respecto al papel de Horacio dentro de las polémicas gongorinas en lo que hace al desarrollo de las discusiones sobre cuestiones de prioridad en la dualidad *res-verba;* conocido es ya, por haberlo estudiado en el capítulo precedente, que fueron en verdad poco frecuentes entre nuestros críticos y literatos los planteamientos teóricos en torno a este tema como dualidad abstracta e irreconciliable —no así en sus secuelas estilísticas concretas a cuyo importantísimo desarrollo en nuestro país dedicamos todo el Libro V en el tercer volumen de esta obra—. Por tanto no deberá extrañarnos que fuera muy escasamente aludido Horacio en los documentos gongorinos. Y eso que su autoridad brindaba un testimonio explícito de inconfundible precedencia contenidista a los adversarios del verbalismo culterano, merced a su difundida reformulación del principio estoico, *cui lecta potenter erit res, nec facundia desert nec lucidus ordo.* Pero sólo el agudo y culto Jáuregui, en su *Discurso poético,* supo invocar oportunamente este argumento entre todos los detractores del verbalismo gongorino:

> «El que possee buen assunto i sentencias, se emplea bien enlas palabras: i como aquello alcance, esto no se le niega. El principio y fuente del recto escrivir (dize Oracio) es el saber. Sabidas i prevenidas las cosas, despues no haze resistencia al dezirlas i exponerlas el estilo de las palabras —y tras la cita textual del texto horaciano que acaba de parafrasear, añade—... Son tanto mas essenciales las cosas, en todo escrito; que a quien las possee, parece que no le falta nada»[37].

36. Cfr. CHRISTÓVAL DE SALAZAR Y MARDONES, *Píramo y Tisbe, comentada,* ed. cit. p. 69 v.

37. Cfr. JUAN DE JÁUREGUI, *Discurso poético,* ed. cit. pp. 93-94. No obstante debe advertirse que el propio Jáuregui, a su vez fervoroso poeta de delicado corte formal-hedonista, distanciado circunstancialmente de Góngora y, por sensibilidad y buen sentido, de las evidentes demasías del gongorismo ambiente, no deja de acusar la paradoja de ponderar en tales términos las «apariencias» creadas por la fuerza de la *res,* que llega a obnubilar la radical preferencia de las *verba,* esencial en la poesía. Y asi, añade tras el texto citado que cortábamos artificialmente: «i la verdad es que sì falta, *Porque si bien es primero* (dize Tuberon) *i mas poderosa la mente del que habla, que la voz; con todo esso nadie sin voz diremos que habla...* En poesia se dira propissimamente, que no habla ni tiene voz el que en las palabras no usa admirable elegancia».

Más abundantes muestras de menciones horacianas, pero tampoco excesivamente esforzadas, son las que se encuentran diseminadas en los razonamientos de los defensores de la *vena* poética, en cuanto que a través de ella y de su libre actividad resultaba posible defender las frecuentes bizarrías para la óptica tradicional de los adversarios de la poesía gongorina. Recordemos simplemente que a este punto se refería Díaz de Ribas en algunos lugares de sus *Discursos apologéticos*[38]; y que, según era habitual en él, había sido afirmado de manera muy imprecisa por Angulo y Pulgar, aduciendo junto a Horacio como defensores del *furor* una lista de autoridades tan incongruente como forzada, pues en ella cabían también, Ovidio, Virgilio, Tibulo, Cicerón, Aristóteles y Séneca, por este orden[39]. Finalmente, no son siquiera dignas de ser tenidas en cuenta las alusiones a la vena hechas, a través de Horacio, por el autor del *Opúsculo inédito* en defensa de Góngora contra Jáuregui, quien se esforzaba seriamente en probar que el nacimiento de Góngora en Córdoba constituía una firme garantía poética y un como fatal numen de acierto artístico, frente al origen sevillano de Juan de Jáuregui[40].

En conclusión, con el desarrollo casi exhaustivo que hemos realizado en los tres ámbitos centrales de nuestra investigación —teoría poética. Retórica y documentos críticos, especialmente los referidos a las polémicas gongorinas— en torno a la incidencia horaciana en las doctrinas generales de las tres grandes causas de la teoría estética, creemos dejar ya suficientemente justificada la indicación inicial de este capítulo. Escaso fue en verdad el fruto que nuestros ingenios quisieron extraer de los textos horacianos, para reforzar con su autoridad algunos de los debates teórico-estéticos más importantes en la evolución de ramas muy distintas, englobadas todas ellas en el arte general de la palabra.

38. Cfr. Pedro Díaz de Ribas, *Discursos apologéticos*, ms. cit. especialmente en fol. 70 v.-71 r.

39. Cfr. Martín de Angulo y Pulgar, *Epistolas satisfatorias*... ed. cit. p. 20 r. El texto a que nos referimos, lo hemos citado ya en el capítulo V de este mismo Libro III.

40. Cfr. *Opúsculo inédito*, ed. cit. p. 397.

CAPITULO I

La poética en la periodología de la edad renacentista. Intento de una determinación de los límites teórico-poéticos de los períodos manierista y barroco.

Manierismo y Barroco. Épocas y estilos o estilos de épocas.

Hasta ahora hemos examinado las teorías literarias de los siglos XVI y XVII, españolas y europeas, sin conceder una atención explícita, ni prioritaria, a las etiquetas artísticas y culturales que subyacen a este período de tiempo. Por lo regular hemos adoptado, en un dominio de opinión ciertamente controvertido, el criterio a nuestro juicio más generalizado y aceptado en cada caso concreto. Sin embargo, hora es ya, al iniciar el estudio de las peculiaridades manieristas y barrocas en el desarrollo del arte español, que nos detengamos con algún pormenor para tratar de hacernos eco sumario del estado de la ya casi secular polémica sobre la naturaleza y límites de las artes renacentista, manierista y barroca. Claro está, que no nos proponemos aquí comprometernos de lleno en un debate que, por lo dilatado e irresuelto ha entrado ya, en estos años, en un cierto abandono tedioso. Para nosotros, que hemos analizado el dominio de la teoría literaria, lo que cuenta como resultado, es la impurificación o complicación de todas las etiquetas rotundas, como consecuencia de las casi siempre irreductibles actitudes particulares, causadas en parte por deficiencias en los análisis críticos, pero también por la complejidad objetiva de los procesos analizados. Lo que pretendemos no es tanto enriquecer con una voz más el malconcertado orfeón de los historiadores[1] de los períodos, historiadores de mayúsculas,

1. Sobre la complejidad de los hechos históricos y culturales en el dilatado período en torno al que gira nuestro análisis en esta obra, y más explícitamente en este capítulo, han prevenido los más serios y avezados historiadores del mismo, como poniendo en guardia contra la fácil tentación de esquematismos drásticos, pretendidamente ilustrativos. Así, respecto de la edad global renacentista, advertía uno de los más importantes historiadores culturales

sino orientar, en la medida de lo posible, nuestros propios hallazgos en Poética y la andadura de los lectores, poniéndolos a contraste —y que se encajen los que buenamente quepan— con nombres de períodos y categorías estéticas sobradamente conocidos.

---

del Cinquecento, G. Weise: «Il Rinascimento e la sua efficacia spirituale e culturale non si lasciano racchiudere in una formula unica ed esclusiva. Mi sembra difettosa l'idea che un fenomeno storico, svoltosi nel tempo e in contatto continuo con la totalità delle manifestazioni europee, possa spiegarsi come realizzazione di un solo principio fondamentale, nettamente delimitabile sia per ordine cronologico sia in quanto alla sua natura o provenienza». Cfr. GEORG WEISE, *L'ideale eroico del Rinascimento e le sue premesse umanistiche*, Nápoles, Edizioni Scient. Italiane, 1961, p. 57. Claro está que el reconocimiento de tal complejidad no es incompatible con la consecución de una fórmula de explicación coherente y congruente, precisamente en la medida que semejante fórmula permita descubrir la dimensión integradora última de las divergencias, como reclamaba de las tentativas tradicionales de estudio de Spingarn, Trabalza o Toffanin, otro de los más agudos intérpretes del período, Riccardo Scrivano: «Ciò che accomunava dentro un limite preciso queste ricerche era che mancava ad esse una visione unitaria della civiltà che il maturo Rinascimento o tardo Cinquecento aveva espresso; ed è proprio questa visione unitaria che è necessario perseguire e cogliere, anche se è di un'unità no compatta, ma fatta di un mosaico complesso e vario, sfumato in colori e toni diversi, tessuto da un disegno che pare disporsi in zone varie, spesso contrastanti negli oggetti che vengono di volta in volta accostati, eppure non meno evidente nei suoi rilievi più essenziali, non meno animato da una comune dimensione umana che ha i suoi interpreti totali e parziali, che ha i suoi ideali diversi, eppure partecipi di uno stesso tempo». Cfr. RICCARDO SCRIVANO, *Il Manierismo nella letteratura del Cinquencento*, Padua, Livinia, 1959. (Cito por la Antología de textos de AMEDEO QUONDAM, *Problemi del Manierismo*, Nápoles, Guida, 1975, pp. 266-267).

Precisamente los primeros en pretender caracterizar al Manierismo como única peculiaridad estilística de la centuria, que fueron, como es sabido, los críticos de las artes plásticas, han sido también los primeros —seguramente traicionados por la inercia de su descubrimiento inicial— en verse forzados a abdicar de la útil y objetiva categoría creada, en la medida que su generalización indiscriminante a demasiados datos a lo largo de todo el siglo había acabado convirtiendo sus bases categoriales en criterios excesivamente planos, sin relieve distintivo, para dar cuenta de las peculiaridades fuertemente irreductibles de la centuria. Un texto muy sintomático de la época de tal situación de crisis —escrito con anterioridad a 1965—, el de Jan Bialostocki, reclamaba atención sobre la condición relativamente contradictoria de la objetiva complejidad de los hechos historiados, necesitados por tanto del establecimiento de algún nexo común como rasgo de edad, y del fracaso pernicioso de las tentativas de tal búsqueda para un dominio temporal y geográfico a todas luces desmesurado: «Las características señaladas anteriormente aparecen con bastante frecuencia en el arte del siglo XVI, pero a menudo lo hacen de forma separada o en conexión con obras que se diferencian mucho en lo que se refiere a su forma». Y añade poco después: «La diversidad de las observaciones nos muestra lo rico que es este arte, pero también lo difícil que es descubrir una fórmula para convertir a un denominador común todos estos fenómenos tan diversos que son considerados como manieristas. La falta de claridad de las características del manierismo —en este contexto, como sabemos, se refiere Bialostocki a la plástica de todo el siglo XVI— es una consecuencia de los esfuerzos tendentes a crear categorías únicas, donde puedan encontrar su lugar todos los fenómenos artísticos del siglo». Cfr. JAN BIALOSTOCKI, *Estilo e iconografía. Contribución a una ciencia de las artes*, Barcelona, Barral, 1973, p. 63.

En cualquier caso, hemos renunciado programáticamente a enriquecer por nuestra cuenta los inventarios de categorías estilísticas —ya abundantes hasta el fárrago y divergentes entre sí hasta la sospecha más vehemente— atribuidas impresionistamente al Manierismo o al Barroco. Estamos persuadidos que, desde nuestra perspectiva, la más efectiva aclaración a tales problemas que nosotros podemos aportar, pasa por la constatación y organización de los testimonios explícitos contemporáneos más próximos al producto literario analizado. Es decir, las ideas literarias, no interpretadas nuevamente desde problemáticas perspectivas implícitas en la creación de los autores, sino leídas en los textos donde nada se quería ocultar, a saber, los tratados de Poética y Retórica, los discursos académicos, las cartas y epístolas polémicas. En suma, el copiosísimo depósito documental de la Poética del siglo XVI, donde se agotaron, gestaron e insinuaron las tres grandes corrientes de la monumental Edad Renacentista.

El volumen de datos de nuestra propia investigación nos permite, de esta manera, cumplir con relativa facilidad —y creemos que honestidad— un desiderátum, que es exigencia crecientemente sentida en un buen número de investigadores sobre la teoría del arte manierista y barroco, tanto en el dominio de las artes plásticas, cual sería el caso de Bialostocki[2], como, sobre todo, en el de las ideas literarias. En tal sentido, no nos han faltado propuestas estimulantes. Séanos permitido, por ejemplo, recordar aquí la de un distinguido historiador italiano del Manierismo, como Riccardo Scrivano:

> «Ricerche di poetica o preestetica, cultura, storia, poesia sono gli elementi di un'indagine che ha come suo ultimo fine la percezione di quest'ultima nella sua sostanza intima, nella sua realtà artistica: il sentimento di come l'opera di poesia scaturisca dalla storia concreta di un'età non si può ottenere che attraverso una varia e sucessiva rottura e riunificazione degli elementi che presie-

2. Cfr. JAN BIALOSTOCKI, *Estilo e iconografía*, cit., pp. 94 y 95: «Al parecer sólo nos queda un medio eficaz para no rechazar desde un principio este tipo de consideraciones, que aparecen a menudo como una debilidad intelectual de los filósofos de la cultura —nos referimos a la búsqueda desesperada de un esquema que ponga en entredicho los progresos de nuestros conocimientos exactos de los hechos y de las situaciones históricas—. Este medio es el análisis exacto de las ideas filosóficas y teórico-artísticas de la época que tuvieron una misma importancia para todas las artes, sin limitarse a las particularidades de cada una de las disciplinas artísticas». E inmediatamente, bajo la mención de Argan, procede a referir a términos concretamente retóricos esas ideas teórico-artísticas generales: «Las investigaciones más recientes, llevadas a cabo sobre todo por italianos como Giulio Carlo Argan, han demostrado la extraordinaria importancia que tuvieron para la cultura barroca las ideas basadas en el concepto de la retórica: de ahí procede una nueva versión del *barroco como forma artística de la retórica*, y de la importancia admitida que tiene el concepto de *persuasio*».

dono all'opera poetica singola come all'età che la esprime. Con la realizzazione dell' opera del Tasso il secondo Cinquecento ottiene la definizione di se stesso, della propria sostanza storica, della propria *poetica*»[3].

Quede, sin embargo, bien entendido que nuestra investigación poética sobre los fundamentos definidores y discriminadores del Manierismo y el Barroco se ofrece como una vía de fundamentación de especulaciones, más comprometidas a nuestro juicio pero no menos necesarias e importantes, sobre la fisonomía estilística de la producción artística en dichos movimientos. No trata de discutir su licitud, ni de suplantarla, sino sólo de apuntalarla y reforzarla desde unos datos de teoría poética, cuya difícil obtención ha ido haciendo que hasta el presente hayan sido tan sólo supuestos sobre la base de generalizaciones triviales[4]. En tal sentido, nos desentendemos también de algunos antecedentes en la utilización de la Retórica o la Poética —de tal o cual autor o tradición— para definir exclusivamente una cierta edad, generalmente la barroca. En la medida y forma en que utilizamos nuestros materiales en este libro, se puede suponer que para nosotros toda y cada una de las edades —el Barroco, el Renacimiento o el Romanticismo— se hallan recorridas por un pensamiento estético subyacente, que reviste su manifestación explícita en las obras de Teoría estética, literaria o artística contemporáneas.

No pretendemos, sin embargo, atacar aquí la vieja tesis que, sobre todo desde Toffanin, ha caracterizado al Barroco como un estilo o una

3. Cfr. RICCARDO SCRIVANO, *Il Manierismo nella letteratura del Cinquecento*, cit. (A. QUONDAM, *Problemi del Manierismo*, cit., p. 267). Y añade, sobre el efecto real modelador de la entidad poética en el proceso literario: «Tale *poetica* è il criterio che potrà legare e accomunare gli esponenti del pensiero e della letteratura tardo cinquecenteschi, al di là dei contrasti che essi nutrono e che del resto spesso avvertono anche con intensa partecipazione. Perché sia evidente come la ricerca di una sistemazione sia l'obiettivo di questi scrittori, della società che li esprimono e di tutta la civiltà che rappresentano, è necessario raffigurarsi e concretamente recuperare il sentimento che essi avevano del momento storico», p. 268.

4. Recientemente, Amedeo Quondam, sin mencionar específicamente los fundamentos teóricos retórico-poéticos, confluía, a nuestro juicio, en la propuesta de una investigación de bases sólidas para la definición estable de la etiqueta «manierismo», que incorporaba datos tan próximos a nuestros intereses como la «cuestión de la lengua» o el «debate teórico sobre los géneros literarios». Véase, por ejemplo, tal tipo de postulaciones explícitas en textos como el siguiente: «Non è tanto questione di ripetere empiricamente una serie più o meno estesa di eventi da etichettare con arbitrarie, in questo senso, e ontologiche targhette: *manierismo*, *antirinascimento*, eccetera. La ricerca non è alla cieca, su un campo non determinato, senza direzione, senza obiettivi precisi. La ricerca si fonda su di una rilevazione essenziale, empirica e insieme teorica, collegata cioè ad un avvio di descrizione analitica di quel campo ma organizzata subito dopo in una linea complessiva di indagine, in una ipotesi di ricerca. Questa rilevazione consiste fondamentalmente nell'avvertimento delle *trasformazioni* specifiche degli statuti classicistici», cfr. AMEDEO QUONDAM, *Problemi del Manierismo*, «Introduzione», cit., pp. 36-37.

época preponderantemente definible desde la Retórica; o una cierta retórica, la aristotélica[5]. Para nosotros, en nuestra tesis actual, cualquier edad es tan retórica como todas las demás, porque aún no conocemos un tipo de discurso artístico «sin su retórica». Sin embargo, indudablemente, las viejas tesis de Toffanin, y sobre todo las modernas actualizaciones de Morpurgo Tagliabue o de Argan[6] sobre la retórica del Barroco, refuerzan y documentan, desde perspectivas distintas, nuestra intención de fundar las definiciones y límites estilísticos de la Edad Renacentista sobre sólidos criterios explícitos y contemporáneos. Lo que es decir retórico-poéticos.

En el diagnóstico sobre la inutilidad de debates globales y abstractistas de Filosofía histórica del arte coinciden ya las más brillantes personalidades que han frecuentado la polémica. Tras el examen exhaustivo de criterios y opiniones en torno al debate del Barroco, concluía René Wellek que este nombre ha venido ya a significar tantas y tan variadas intuiciones que, en suma, como concepto unitario, no significa nada[7]. Y en la misma línea de desaliento relativo se mueven algunos de los mejores cultivadores actuales de la historiografía barroca, como Raimondi, Macrì, Raymond, etc.[8]. Todos ellos, además, proponen como única salida del círculo vicioso

5. Por esta vía se llega a generalizaciones tan evidentemente exageradas como la que testimonian las siguientes líneas del útil libro de Bialostocki: «De acuerdo con todo lo dicho hasta ahora, el criterio común a todas las formas artísticas de aquella época —el Barroco— se encuentra en el mundo del pensamiento de Aristóteles, en oposición al Renacimiento —aquí crece más la exageración—, cuyas raíces se hallan en el pensamiento de Platón. Pero esta época impresionante del arte europeo —reconoce— sólo podía tomar forma en un mundo tan rico en modos de comportamientos, ideas y creaciones artísticas tan diversas entre sí». Cfr. JAN BIALOSTOCKI, *Estilo e iconografía*, cit., p. 98.

6. Cfr. MORPURGO TAGLIABUE, *Aristotelismo e Barocco*, en *Atti del II Congresso di Studi Umanistici*, Roma, Bocca, 1955; GIULIO CARLO ARGAN, *La Retorica ed il Barocco. Il concetto di persuasione come fondamento della tematica figurativa barocca*, en «Kunstchronik», VIII, 1955, pp. 91-93; y sobre todo en su aportación a *Atti del III Congresso di Studi Umanistici*, cit. *La «retorica» e l'arte Barocca*, pp. 9-14.

7. Cfr. RENÉ WELLEK, *The concept of Baroque in literary scholarship*, en «Journal of Aesthetics and Art Criticism», V, 1946, pp. 79-109. A lo largo de este capítulo tendremos ocasión de descubrir, en todos los grandes historiadores de este período cultural, la conclusión constantemente reiterada de la imposibilidad de establecer categorías demasiado terminantes para un fenómeno, que, como decía el distinguido historiador Riccardo Scrivano, resulta esencialmente inasequible y poliédrico, cfr. RICCARDO SCRIVANO, *Il Manierismo nella letteratura del Cinquecento*, p. 5: «Pure, anche nell' avvertirla come una proiezione storica del Rinascimento in dissoluzione, costellata di sparsi elementi che saranno poi barocchi, c'è il sentimento di un particolare ruolo storico ch'essa giocò. In tale situazione, non è in una formula che si può compiutamente rappresentare ciò che fu il secondo Cinquecento nella storia letteraria e civile: per sua natura è questa un 'età poliedrica e multiforme, ad ora ad ora riassuntrice del passato e anticipatrice del futuro, cosicché sentire prevalente l'uno o l'altro è pressoché uno svuotarla di contenuto proprio».

8. Por ejemplo, refiriéndose al caso de la historiografía sobre el Barroco español, por

en que han caído las discusiones, proceder al examen cuidadoso de las obras concretas, evidenciando su sistema de rasgos estilísticos e ideológicos, para realizar «a posteriori» el contraste con los arquetipos conceptuales clásicos, y proceder a su modificación y perfeccionamiento[9]. Con razón decía Marcel Raymond que, como etiquetas abstractas, en la medida en que se fueran desdibujando en su confrontación elucidadora de la realidad, habrían cumplido su misión[10].

Hasta este momento de reflexión «a posteriori» —escrito, por lo demás, en los últimos meses de la redacción de esta obra, cuya elaboración y redacciones parciales han durado diez años— he ido encajando mis cualificaciones estilístico-históricas de las obras poéticas, en un esquema lo más simplificado posible que, como mis trabajos anteriores[11], debe mucho a la organización cuatripartita —Renacimiento, Manierismo, Barroco y Barroquismo— de Hatzfeld, la cual estimo todavía bastante útil, al menos para el caso de la evolución artística española, aunque ahora ya discrepe de ella en puntos sustanciales, sobre todo de criteriología estilística y de inserción de autores. Si bien mantengo un criterio máximamente abierto, al que en último término no creo opuesto ni siquiera al propio Hatzfeld, de considerar tales etiquetas compartimentos de desarrollo simultáneo y paralelo, para los distintos grupos nacionales, y aun para el caso de ciertas personalidades concretas, típicos exponentes de la transición. Mi establecimiento de sucesividades estilísticas,

---

parte de sus más gloriosos cultivadores, protestaba, con razón, Oreste Macrì, en los siguientes términos: «Tale visione storiografica —la de Curtius—, sprovista di storia e di valori, riduce il Siglo de Oro a un'accozzaglia di formalismi e contrasti senza tempo e senza qualità... Il manierismo di Curtius, infine, non è meno vorace del barocco di D'Ors e di Hatzfeld; una sacco senza fondo». Cfr. O. MACRÌ, *La storiografia sul Barocco letterario spagnolo*, en *Manierismo, Barocco e Rococò: Concetti e termini*, Roma, Academia Naz. dei Lincei, 1962, pp. 149-198, el texto referido en p. 158.

9. Cfr. EZIO RAIMONDI, *Per la nozione di Manierismo letterario*, en *Manierismo, Barocco e Rococò*, cit., pp. 57-79; «Il fatto è che ogni tentativo di interpretazione globale del Manierismo sembra destinado all'insuccesso di un'inflazione eclettica sino a quando non si siano esperite quelle analisi specifiche delle singole tradizioni nazionali, che sole possono dare alla varietà del fenomeno un riguroso, preciso fondamento storico», p. 64. He aquí la acertadísima, y sólo en apariencia descorazonadora, afirmación de Raymond: «Au mouvement qui va du particulier au général —donnat naissance au commun dénominateur qu'est l'idée du baroque— il faut que réponde un mouvement de sens inverse. L'idée du baroque n'est pas un éon, une hypostase, un X trascendent».

10. «Inventée à partir de la réalité, c'est dans cette réalité qu'elle doit avoir sa justification. Elle perdra sans doute de son utilité, son pouvoir d'explication s'affaiblira à mesure que nous avancerons plus loin dans la connaissance des oeuvres singulières. Alors, elle aura pleinement accompli son office.» Cfr. MARCEL RAYMOND, *Le Baroque littéraire français*, en *Manierismo, Barocco e Rococò*, cit., pp. 107-126. Texto cit. en p. 126.

11. Especialmente en mi tesis, *España e Italia ante el Conceptismo*, y en mi temprano artículo, *Sobre los orígenes del Barroco literario: España e Italia*, cits.

sobre todo después de una investigación como ésta, no tiene nada que ver con las líneas rotundas, infranqueables y excluyentes. Antes al contrario, se cifra en la ósmosis cultural y la cristalización lenta y progresiva; quiero decir: que, si se hace difícil quizás establecer minuciosamente la línea de separación entre Renacimiento y Barroco —o Manierismo, según se quiera—, resulta evidente, sin embargo, que Garcilaso y Góngora, por ejemplo, pertenecen a dos mundos distintos, a dos momentos artísticos bien diferenciados, en los que una amplísima serie de rasgos diferenciales han *cristalizado* o se han condensado en dos *sistemas* distintos[12]. Y lo mismo se diga, en teoría poética, para el sistema de ideas que sustenta los *Comentarios* de Herrera y la *Agudeza* de Baltasar Gracián.

12. A lo que se pretende aludir en tales términos no es tanto a una negativa absoluta para los intentos de delimitación y división, sino a una evidente prevención contra fronteras tajantes y simplificadoras. En tal sentido, querríamos concordar con don Américo Castro en su postulación del Barroco, como un conjunto internacional de fenómenos muy diversos y sin una posibilidad fija de ser marcados unitaria y orgánicamente a partir de un momento preciso: «... no es posible —decía al respecto Castro— reducir a unidad definible lo *Barroco*, por ejemplo, de la *Comedia* lopesca, y lo *Barroco* en la literatura de otros países europeos. Lo internacionalmente caracterizable en esas obras literarias no era, como más tarde sería, lo neoclásico... Lo barroco literario no funcionó del mismo modo, porque tras lo así llamado no hubo ningún principio, previo y afirmativo, que hiciera perceptible lo hoy manejado como abstracto e impreciso comodín». Cfr. A. CASTRO, *De la Edad conflictiva*, cit., p. 228. Evidentemente, sin embargo, nuestra discrepancia sería más firme frente a aquella vertiente de la afirmación anterior que proclama la carencia de una base conceptual e ideológica desde la que definir lo barroco. Tesis que queda también de relieve en las palabras anteriores, y que se intensifica en otros pasajes de la obra de Castro, como el siguiente, muy próximo por cierto al antes citado: «No creo, por consiguiente, que la realidad de la más valiosa literatura, desde finales del siglo XVI a mediados del XVII sea captable mediante conceptos tales como *manierismo y barroco*, vagos y nada unívocos. Porque *barroco* no es un concepto análogo, precisamente hablando, a *románico, gótico, neoclásico*, todos ellos respaldados por creencias y filosofías bien conocidas; tras el *manierismo* y el *barroco* no hubo bases teóricas, como las que suscitaron el movimiento románico. No obstante lo cual, muchos doctos usan barroco como una razón explicativa, y como algo que existiera independientemente del fenómeno que pretenden calificar y aclarar». *Ibid.*, p. 229.

Evidentemente no podemos partir de un hito o voluntad confesional explícita del Barroco en la conciencia social o artística de la época. En tal sentido no discreparemos demasiado de quienes mantienen la tendencia a hablar de un solo y grande período renacentista, cruzado de momentos o tendencias evolutivas de unas mismas bases doctrinales, por lo demás nunca conculcadas explícitamente. Creemos que la ideología estética del período, explícita en la Poética, puede al fin testimoniar en torno a qué puntos y en qué términos cuantitativos se produciría la definición posible de las fidelidades inmutables y de los cambios operados. En tal sentido las bases práctico-retóricas con que debutó el Renacimiento no registraron ninguna remodelación profunda y esencial para llegar a la explicación del estilo manierista o del barroco. Sin embargo, ese síntoma vago de progresión estilística dentro de la gran edad renacentista, que los historiadores de la literatura han detectado y que han sentido la necesidad de encasillar en las categorías —ciertamente hasta el presente intuitivas y escasamente homogéneas— de Manierismo y Barroco, nos parece a nosotros también una realidad inocultable, de rendimiento metodológico histórico innegable.

De ahí lo verdaderamente constructivo y, al mismo tiempo, perturbador de los trabajos filológicos, como es el nuestro, para la Historia de la Cultura, que tiene que construirse, en último término, como historia de síntesis culturales. En cada teorizador del arte hemos visto pasos muy rápidos hacia el hito futuro, progresivo, y zonas de su teoría ancladas en el pasado, en lo recibido cómodamente. Sólo algún caso genial, como Luis Vives, podría ser invocado a título de excepción. Y si esto es así en el caso de la congruencia personal, piénsese lo que se complica la realidad y se impurifican y desdibujan las demarcaciones de fronteras con las discrepancias, fuertes y esenciales, de los contemporáneos. Las grandes síntesis, el aire de esas cristalizaciones lentas de las que venimos hablando, es percibido a rachas desiguales por los coetáneos de una generación. Lo que sucede, y es cierto, es que paso a paso —y como sin saber cómo— los hombres nos despertamos cada día inexorablemente más cerca del mundo de ideas del mañana, e irreversiblemente más alejados del de ayer. El móvil de tan implacable ley es sin duda el esfuerzo colectivo, el irrefrenable intelecto social.

El período de nuestra zona acotada de interés, 1500-1650, está recorrido por tres, o cuatro, categorías periodológicas. Su arranque parece claro, según todos los criterios lo constituye el Renacimiento. Esto resulta cierto en un doble sentido, en primer lugar el cronológico, y en segundo el de la índole de los materiales artísticos. Es una idea bastante común, que tampoco conculca nuestra investigación sobre la Poética, que el Renacimiento provee de bases esenciales a las edades sucesivas, hasta el Barroco. Si Dámaso Alonso podía definir con toda justicia a Góngora como un «tradicionalista»[13], y Orozco ha extendido la característica al dominio general del ámbito

---

Así pues, no opondremos Barroco, ni mucho menos Manierismo, a Renacimiento, en la medida que le opondríamos Neoclasicismo, y mucho más marcadamente Romanticismo. Pero, dado que, en tal convencimiento, la Edad renacentista agruparía movimientos y épocas de complejidad y fecundidad sin parangón posible en la historia cultural de nuestra civilización, creemos que se hace imprescindible hablar de estilo y período manierista y barroco, como realidades evolutivas y progresivas del arte renacentista. Creemos que la evolución de la práctica artística determinó fenómenos como el gongorismo y marinismo, el conceptismo español, italiano e inglés, la maduración de la novela, el teatro sin unidades, etc., que precisan y exigen categorías de enjuiciamiento bien distintas que las que satisfacen en toda Europa la producción artística de los primeros años del siglo XVI. En nuestro recorrido por la Poética, en especial en la tópica poética vinculada al sistema de las tres grandes dualidades, creemos que se registran los cambios objetivos que atestiguan e ilustran incontrovertiblemente las diferentes etapas estilísticas de la Edad Renacentista. Si bien, concordamos en ello, los límites de tales períodos, o los presupuestos de conciencia que los animaron, no se pueden trazar —especialmente en una perspectiva global europea— de modo estrictamente preciso.

13. DÁMASO ALONSO, *La lengua poética de Góngora*, Madrid, R.F.E., Anexo XX, 1935, p. 215: «Góngora, pues, no se nos manifiesta como un innovador, como un revolucionario,

barroco[14], explicado como evolución lenta de unas formas que acabaron desmenuzándose[15]; no otra es la actitud unánime de los especialistas extranjeros más destacados.

Quizás haya sido el gran teorizador francés del Barroco Victor L. Tapié, quien haya conseguido matizar más agudamente este punto de acuerdo. Así, la evidente —y más sobresaliente— diferencia entre la serenidad superficial del Renacimiento y la tormentosa angustia del Barroco ha sido reconducida por Tapié al dominio de las latencias renacentistas:

> «À la joie de comprendre que reflétait la serenité d'oeuvres calmes et harmonieuses, aurait succedé un temps de douleur et d'angoisse dont l'expression ne pouvait que devenir sévere ou tourmentée. Mais la Renaissance avait été trop profondément humaine pour ne pas accueillir, même à sa plénitude, au-delà des clartés des certitudes et de la joie, aussi la douleur et l'angoisse».

El mejor testimonio de ello lo descubre Tapié en el talante de tolerancia con la cultura renacentista de los padres conciliares de Trento, nutridos, después de todo, en el humanismo renacentista[16]. Fue una perjudicial confusión en todo caso, piensa este autor, la que presentó superficialmente un sector barroco que ha podido ser definido en nuestros días como anticlásico, o, incluso, como antirrenacentista[17]: el equívoco creado por el jesuitismo

---

sino como un verdadero tradicionalista». También para A. Hauser el de Góngora se trata de un arte enraizado profundamente en el pasado literario y en la tradición de su propio país», cfr. *Literatura y manierismo*, Madrid, Guadarrama, 1969, p. 89.

14. Cfr. E. Orozco Díaz, *Lección permanente del Barroco español*, Madrid, Ateneo, col. «O crece o muere», 1952, p. 19: «Inicialmente la materia, la sustancia, las formas a través de las cuales se expresa el nuevo estilo, son las mismas renacentistas, sólo que progresivamente se desmesuran, se agigantan y se retuercen, al mismo tiempo que lo ornamental rompe sus cauces e incluso llega a ocultar lo constructivo. El Barroco, pues, se expresa con formas ajenas entablando una lucha con ellas.»

15. Cfr. E. Orozco Díaz, *Manierismo y Barroco*, Salamanca, Anaya, 1970, p. 25: «El Barroco no es una degradación, sino un cambio violento de las formas del espíritu renacentista». Actitud con antecedentes en otros sectores de la historiografía española, recordemos la opinión no discordante de Joaquín de Entrambasaguas, por ejemplo: *Lope de Vega, símbolo del temperamento estético español*, Murcia, Universidad, 1936; o, más recientemente, del mismo Entrambasaguas: *La transformación española del Renacimiento al Barroco*.

16. Cfr. Victor L. Tapié, *Baroque et Classicisme*, París, Plon, 1972, pp. 85-86: «Le Concile de Trente lui-même a retenu de la Renaissance plus qu'on ne l'a dit. Ses théologiens avaient trop d'affinités avec l'humanisme pour declarer l'homme déchu sans retour, privé de responsabilité dans l'entreprise de son salut. En admettant qu'à celui-ci pouvaient contribuer des grâces extérieures, ils préservaient le rôle des belles-lettres et des arts dans la formation spirituelle et dans la vie des chrétiens».

17. Cfr. N. Borsellino, *Gli anticlassicisti*, Bari, Laterza, 1973; y R. O. Jones, *Renaissance butterfly, Mannerist plea. Tradition and Change in Renaissance poetry*, en «Modern Language Notes», LXXX, 1965, pp. 166-184.

entre su propio espíritu y el del Concilio, cuidadosamente cultivado por éstos como la mejor piedra de toque de sus seguridades[18].

Cierto es, sin duda, que un cambio vino operado del principio al final de la edad. Ello resulta evidente; y en nuestro campo nadie sensato sustentaría como realidades contiguas el primer comentario a la *Poética* de Robortello y el *Canocchiale aristotelico* de Tesauro, ni en los problemas teóricos que interesaban a sus autores ni en el tono de su metodología de tratadistas. Sin embargo, a un siglo de distancia, ambas obras operan dentro de una realidad poética unitaria. La teoría manierista y barroca —concediendo por ahora que pudieran aislarse así, nítidamente, obras que las representen— hipertrofiaron ciertos puntos doctrinales de la tradición común, sobre todo la teoría de la metáfora, tal y como figuraba en Aristóteles, como punto de partida. Pero hasta esa misma teoría, dimensionada y ponderada con menos énfasis, había sido habitualmente abordada en la tradición teórica de los siglos anteriores, y contaba, desde luego, como realidad consciente en la práctica de los artistas europeos.

La barroquización o el amaneramiento fueron, por tanto, procesos reales e indiscutibles[19] captables en obras, autores y momentos generales del arte[20]; pero su misma condición de deformaciones o intensificaciones parciales de una base común proclamó, tácitamente, su encarnación original en dicha base. Si con un conocido, y discutido, teorizador de la época para la

18. V. L. TAPIÉ, *Baroque et Classicisme*, cit. p. 86: «Une réaction parfois brutale s'est exercée, en son nom, contre l'esprit sensuel ou païen de la Renaissance. Il n'en demeure pas moins vrai que si dans la société et dans la vie artistique un nouveau style s'est élaboré, il s'est trouvé l'héritier à la fois de la Renaissance et de l'idéal religieux du Concile. Il devait découvrir ce qui, dans la première, favorisait les succès du second. Cette diversité à l'origine du baroque rendrait bien surprenante l'adoption générale du style dont un seul ordre religieux aurait défini les caractères. Sur des apparences mal interprétées, on a longtemps identifié art baroque et art jésuite.»

19. Un ejemplo impecable de este análisis es el estudio cervantino de ALESSANDRO MARTINENGO, *Cervantes contro il Rinascimento*, en «Studi Mediolatini e volgari», IV, 1956, pp. 177-223.

20. Tras un período de entusiasmo por la delineación de grandes constantes culturales e históricas, manifiesto en las teorías del Manierismo de Hocke, o en otras de más amplios horizontes aún como las de Eugenio D'Ors, todo parece encaminarse hoy hacia el interés por la determinación, en sentido opuesto, de apartados periodológicos muy concretos —quizás en muchos casos excesiva y forzadamente concretos—. En ellos, la exigencia creciente de una visión integrada de los más variados factores: humanos, artísticos, económicos, etcétera, va creando la conciencia de edades. En nuestro dominio actual, por ejemplo, la configuración de los hechos barrocos en una edad viene a ser un desiderátum generalmente proclamado. En el ámbito de la historiografía de las artes plásticas, el camino vino abierto por trabajos como los de Carl Friedrich y W. Stechov. Al reclamar este último la atención al comportamiento humano en general y no a una analítica estilística visual concreta, en la definición de una categoría plástica del Barroco, cfr. W. STECHOV, *The Baroque. A Critical Summary of the Essays by Bukofzer, Hatzfeld and Martin*, en «Journal of Aesthetic and Art Criticism», XIV,

literatura inglesa, Wylie Sypher, podemos hablar de los distintos períodos como cuatro etapas sucesivas del «estilo» renacentista[21]; con otro crítico norteamericano del Barroco, Warnke, podemos reafirmar, más recientemente, una idea aproximada empezando por el otro extremo: el Barroco, en su condición de «final de la edad antigua»[22], se presenta vinculado a todos los estilemas y las ideologías estéticas del mundo anterior que cierra, y por tanto muy íntimamente fundido con las canteras renacentistas. Sobre todo si lo pensamos, en tanto que torcedor de edades, en la dialéctica de la crisis sucesiva. Aunque, personalmente, no compartamos nosotros con Warnke, en el dominio de la estética literaria por lo menos, la convicción del bloque Renacimiento-Barroco como final de una «edad antigua» —configurándola, por tanto, como incomunicada con las edades posteriores—, sino todo lo contrario, su diagnóstico de esa solidaridad de raíces Renacimiento-Barroco, vinculados a una misma edad, sí lo suscribiríamos sin reservas

---

1955, (2), pp. 171-174. El arranque de esta tendencia se ha de fijar según Bialostocki, en los trabajos de Nikolaus Pevsner de comienzos de los años cuarenta, como reacción a la tradición de categorías demasiado aislacionistas e ideologizantes generalizada desde Viëtor y Weisbach (cfr. JAN BIALOSTOCKI, *Estilo e iconografía*, cit., pp. 92-94), y que ha merecido retoques y críticas, como las de JOHN H. MUELLER, *Baroque —is it datum, hypothesis or tautology?*, en «Journal of Aesthetic and Art Criticism», XII, 1954, 4, pp. 421-437. Naturalmente, con la creciente tendencia integradora del sociologismo histórico en los tiempos actuales, la postulación de conceptos de edad se hace cada vez más frecuente. Un criterio equilibrado, entre todas las tendencias extremas que concurren, es el que anima la obra de JOSÉ ANTONIO MARAVALL, *La cultura del Barocco*, cit. Véase, por ejemplo, alguna de las postulaciones de una óptica de edad para el Barroco, fruto de la evidenciación unitaria geográfico-temporal de un conjunto de rasgos culturales, históricos y, estilístico-artísticos aislados: «Si elementos culturales, repitiéndose, aparecen una y otra vez en lugares distintos, consideramos, sin embargo, que tan sólo articulados en un área geográfica —y en un tiempo dado— forman una estructura histórica. Eso que hemos llamado *concepto de época* abarca, pues, los dos aspectos. Y esa conexión geográfico-temporal de articulación y recíproca dependencia entre una compleja serie de factores culturales de toda índole es la que se dio en el XVII europeo y creó una relativa homogeneidad en las mentes y en los comportamientos de los hombres. Eso es, para mí, el Barroco», p. 39.

21. Cfr. WYLIE SYPHER, *Four Stages of Renaissance Style*, Garden City, N. Y., Doubleday and Co. 1956.

22. Cfr. FRANK J. WARNKE, *Versions of Baroque. European Literature in the Seventeenth Century*, New Haven-Londres, Yale Univ. Press, 1972: «As Nicolson has observed —cita la obra de M. H. NICOLSON, *The breaking of the Circle*—, the world of tradition did in fact die before the end of the seventeenth century, and the modern world was born to replace it. The Baroque, in its varied manifestations, was the last age to sustain a mode of vision —poetic, symbolic, theologically centered— which had lasted for more than a thousand years». Warnke coincide así, curiosamente, con la tesis del sociólogo e historiador Lewis Mumford, que centraba en el Barroco el momento de estabilización de una edad social, cuyos antecedentes y primeros síntomas históricos y económicos se remontarían al Renacimiento. Véase, al respecto, la crítica de J. A. MARAVALL a este tipo de extremistas inversiones, en *La cultura del Barroco*, cit., p. 30.

—en la línea suprema de sus principios organizativos— para el caso de la Poética.

Esta comunidad de base renacentista de los tres o cuatro estilos, o estilos de época, sucesivos, desdibuja notablemente los perfiles tajantes en el diagnóstico de las obras de creación artística, camuflándose aún más en el dominio de la teoría poética. Sin llegar al extremo de que se trate de un puro confusionismo o plétora de denominaciones[23], mucho es, no obstante, lo que a nuestro juicio es obligado atribuir al empeño de todos por no ponerse de acuerdo en esta cuestión polémica que viene agrandándose durante cerca de cien años ya. Sin ser, por lo demás, el peor de los inconve-

23. En el dominio de las «denominaciones» del Manierismo y el Barroco, lo primero que resulta necesario tener en cuenta es la propia historia del origen de los nombres, en torno a la cual se han engarzado, con mucha frecuencia, las discusiones sobre los posibles orígenes de la palabra barroco: básicamente, perla defectuosa, o modalidad compleja del silogismo. Aparte del resumen de la cuestión en obras generales de Hatzfeld, Cioranescu, y Tapié, (ver especialmente una larga exposición en *Baroque et Classicisme*, cit. pp. 17-36), pueden consultarse, entre los más recientes, los trabajos especializados de O. KURZ, *Barocco: storia di una parola*, en «Letteratura italiana», XII, 4, 1960, pp. 414-440; y de BRUNO MIGLIORINI, *Etimologia e storia del termine Barocco*, en *Manierismo, Barocco e Rococò*, cit. pp. 39-49. En cuanto a la generalización del término entre los historiadores de la literatura y su especialización moderna, la bibliografía es abundantísima; reseñemos como trabajos más frecuentados por nosotros: R. WELLEK, *The concept of Baroque in literary scholarship*, cit. R. A. SAYCE, *The use of the term Baroque in French Literary History*, en «Comparative Literature», X, 1950, 246-253; F. J. WARNKE, *Versions of Baroque*, cit. pp. 2 y ss., capítulo «Terms and Concepts»; y sobre todo, HELMUT HATZFELD, *A critical survey of the recent Baroque theories*, en «Boletín del Instituto Caro y Cuervo», IV, 3. 1948; *Bibliografía crítica de la nueva Estilística*, Madrid, Gredos, 1955, singularmente pp. 207-219, 369-76; *A clarification of the Baroque problem in the Romance literatures*, en «Comparative Literature», I, 1949, pp. 113-139. Resumen muy claro y completo de todos los datos de los trabajos anteriores lo hizo HATZFELD, en sus *Estudios sobre el Barroco*, cit., especialmente en el cap. I, pp. 11-50. Destacable también la síntesis crítica de GIOVANNI GETIO, *La polemica del barocco*, en su obra *Letteratura e critica nel tempo*, Milán, Marzorati, 1951. Para el caso concreto del Barroco español, aparte de algunas notas parciales en trabajos como J. L. ALONSO-MISOL, *En torno al concepto de Barroco*, en «Revista de la Univ. de Madrid», XVI, 1962, n.º 42-43, pp. 321-347; destacan los apartados correspondientes en la revisión bibliográfica de ORESTE MACRÌ, *La storiografia sul Barocco letterario spagnolo*, en *Manierismo, Barocco e Rococò*; cit. pp. 149-198. En lo que se refiere a la historia paralela del debate sobre el Barroco, en el campo de la historiografía artística, podremos remitir a resúmenes útiles como los de HEINRICH LÜTZELER, *Der Wandel der Barockauffassung*, en «Deutsche Vierteljahrschrift für Literatuwissenschaft und Geistesgeschichte», XI, 1933, pp. 618-633; HANS TINTELNOT, «Zur Gewinnung unserer Barockbegriffe», en *Die Kunstformen des Barockzeitalters*, Berna, 1956, pp. 13-91. LUCIANO ANCESCHI, *Del Barocco e altre prove*, Florencia, 1953, pp. 49-87. Otros estudios sobre el problema terminológico y categorial del Barroco en las artes plásticas son: BENEDETTO CROCE, *Storia dell'età barocca in Italia*, Bari, Laterza, 1929; J. H. MUELLER, *Baroque — is it datum, hypotesis or tautology?*, cit. pp. 421-437; JOHN RUPERT MARTIN, *The Baroque from the point of view of the art historian*, en «Journal of Aesthetic and Art Criticism», XIV, 1955, 2, pp. 164-170; BERNARD C. HEYL, *Meanings of Baroque*, en «Journal of Aesthelic and Art Criticism», XIX, 1961, pp. 275-288.

nientes para alcanzar acuerdos, el que desde su génesis wölffliniana[24] ha condicionado el debate sobre la movediza base del cotejo y traslación categoriales entre artes diferentes[25], singularmente pintura y literatura, o el de la extensión de estas categorías artísticas a rótulos de edades o de facetas

24. Recordemos los monumentales puntos de partida de la discusión en HEINRICH WÖLFFLIN, desde sus insustituibles *Conceptos fundamentales en la historia del arte*, Madrid, Espasa-Calpe, 1970 (5.ª ed.), o el más monográficamente próximo a nuestro a nuestro interés actual, *Renaissance und Barock. Einige Untersuchungen über Wesen und Entstehung des Barocks in Italien*, Munich, Bruckmann, 1925, adaptación de Hans Rose (recientemente ha aparecido edición española, en Ed. Comunicación, Madrid, 1977, por la que citaremos). Una de las más recordadas contraposiciones originales del maestro entre Renacimiento y Barroco es la siguiente, auténtica página de antología: «El concepto central del Renacimiento italiano es el concepto de la proporción perfecta. Esta época intentó ganar en arquitectura lo que en la figura: la imagen de la perfección descansando en sí misma. Obtener cada forma como una existencia terminada en sí misma, ágil de coyunturas; sólo partes que alientan por sí mismas... El barroco se sirve del mismo sistema de formas; pero ya no da lo completo y perfecto, sino lo movido y en génesis; no lo limitado y aprehensible, sino lo ilimitado y colosal. Desaparece el ideal de la proporción bella: más que al ser, el interés se atiene al acaecer. Las masas entran en movimiento: masas graves, articuladas pesadamente. La arquitectura deja de ser lo que fue en el Renacimiento en sumo grado: un arte ágil. La organización de los cuerpos constructivos, que antes daban la impresión de máxima libertad, cede el paso a un apelotonamiento de partes sin verdadera independencia» *(Conceptos*, pp. 12-13). La conocida sistematización de rasgos binario-antitéticos de Wölfflin —véase una síntesis y paráfrasis muy acertada de los mismos en HATZFELD, *Estudios sobre el Barroco*, cit. p. 15— tempranamente aplicada entre otros por TEOPHIL SPOERRI, *Renaissance und Barock bei Ariosto und Tasso. Versuch einer Anwendung Wölfflinscher Kunstbetrachtung*, Berna, Haupt, 1922; o por A. HÜBSCHER, *Barock als Gestaltung antithetischen Lebensgefühls*, en «Euphorion», XXIV, 1922, pp. 517-562 y 795-805— continúa presente y válida en muchos aspectos, como impulso fundamental, sobre todo tras de los útiles retoques y reajustes, imprescindibles para la traslación de lo literario: algunos tan radicales y profundos como el reexamen de FRANCO SIMONE, *I contributi europei all'identificazione del barocco francese*, en «Comparative Literature», VI, 1945, pp. 1-25.

25. Con todas las ventajas del método de las traslaciones, la verdad es que en el desarrollo de las complejísimas discusiones sobre Manierismo y Barroco, gran parte de los errores aceptados y ya casi indesterrables proceden de dichos desplazamientos. En su valiosísima obra, *La littérature de l'âge baroque en France. Circé et le paon*, París, Corti, 1945 (8.ª reimpr.), JEAN ROUSSET prevenía elocuentemente contra este peligro, en p. 231: «il faut résister à la tentation des fausses fenêtres; les analogies ne doivent pas faire oublier les différences qui séparent des arts hétérogènes; les techniques, et les matières, donc les conditions de création, sont autres, comme les intentions et les traditions; beaux-arts et arts littéraires ne se développent pas toujours selon un rigoureux parallélisme; il convient donc de ne pas tomber dans de trompeuses symétries». Sin embargo la comunidad innegable de «rasgos constantes» se abre paso, inmediatamente, en la advertencia de Rousset: «Mais un fait est là, qui semble maintenant indéniable: à parcourir le champ souvent peu connu des oeuvres jouées ou publiées dans les deux premiers tiers du XVIIe siècle français et étranger, on décèle un certain nombre de traits constants en intime accord avec les caractères généraux de l'architecture et de la peinture baroques». Entre nosotros, la tradición de proyecciones categoriales de Valbuena Prat o Lafuente Ferrari han cristalizado muy singularmente en un historiador literario con permanente atención a temas pictóricos, EMILIO OROZCO, de quien destaca, en esta orientación, su libro *Temas del Barroco (De poesía y pintura)*, Granada, Universidad, 1977, desgranados

de edades muy alejadas del campo original artístico para el que nacieran[26].

Advertido todo lo que antecede, la progresión en el examen de las categorías de Manierismo y Barroco, para tratar de orientar en ellas los resultados de nuestra investigación poética, no resulta desde luego facilitada por el estado de los debates[27]. Ninguna línea nítida de separación estilística

---

después, insistentemente, en libros posteriores. Entre la bibliografía española que frecuenta estos criterios de contraste, recordemos: José López Rey, *Idea de la imitación barroca*, en «Hispanic Review», X, 3, 1943, pp. 253-7; J. Babelon, *Pintura y poesía en el siglo de Oro*, en «Clavileño», 2, 1950, pp. 16-21; Everett W. Hesse, *Calderón y Velázquez*, en «Clavileño», 10, 1951, pp. 1-10; R. Osuna, *Bodegones literarios en el Barroco español*, en «Thesaurus», XXIII, 1968, pp. 206-217. Singularmente brillante, aun cuando puedan ser discutibles sus conclusiones, son los cotejos trazados por H. Hatzfeld entre Santa Teresa y el Greco, Cervantes y Velázquez, en la definición de los estilos manierista y barroco, respectivamente, basándose en el paralelo de las dos artes. Cfr. H. Hatzfeld, *Textos teresianos aplicados a la interpretación del Greco*, en *Estudios literarios sobre mística española*, Madrid, Gredos, 1955, y *Artistic paralels in Cervantes and Velázquez*, en *Estudios dedicados a Menéndez Pidal*, Madrid, 1951, Vol. III, pp. 265-297.

26. La extensión del Barroco a términos muy latos, e incluso desorbitados, ha sido muy frecuente. Un análisis en tal sentido, pero de resultados positivos, sería entre nosotros el de J. A. Maravall, *La cultura del Barroco*, cit. Los estudios sobre política barroca, matemáticas barrocas, etc., son bastante numerosos. Recordemos, entre otros, Carl Gebhard, *Rembrandt und Spinoza. Stilgeschichtliche Betrachtungen zum Barockproblem*, en «Kant Studien», XXXII, 1927, pp. 11-181, sobre la religión barroca. Sobre la política del Barroco, recordemos la monografía de Francisco Murillo Ferrol, *Saavedra Fajardo y la política del Barroco*, Madrid, Instituto de Estudios Políticos, 1957. Aspiraciones de síntesis de todos estos aspectos de expansión tiene el estudio de J. Bialostocki, *El Barroco, estilo, época, actitud*, en «Boletín del Centro de investigaciones históricas y estéticas», IV, 1966, pp. 9-36.

27. El problema del origen del término Manierismo, mucho más claro y bien documentado desde el tecnicismo pictórico contemporáneo de «maniera», ha movilizado también una extensa bibliografía. Hay que advertir el punto de partida muy sólido, que —a diferencia de Renacimiento, o Barroco— representa la notoriedad y difusión contemporáneas de *maniera*, *manierista* y *manierismo* como tecnicismos de moda; caso equivalente a *concepto* y sus derivados. Georg Weise, lo ha destacado, en *La doppia origine del concetto di manierismo*, en los *Studi Vasariani*, Florencia, Sansoni, 1952, pp. 181-185: «Mi sembra altamente significativo —advertía— il fatto che proprio a partire del tardo Quattrocento e durante tutto il Cinquecento la parola *maniera* abbia goduta una tale voga, in modo da poter essere considerata quasi parola di moda».

Recordemos, entre los trabajos clásicos sobre el origen del término, los de Marco Treves, *Maniera, the history of the Word*, en «Marsyas», I, 1941, pp. 69-88; L. Colleti, *Intorno alla storia del concetto di manierismo*, en «Convivium», VI, 1948, pp. 801-811. Georg Weise, *Maniera und pellegrino. Zwei Lieblingswörter der italienischen Literatur der Zeit des Manierismus*, en «Romanistiches Jahrbuch», III, 1950, pp. 321 y ss.; también su estudio: *La doppia origine del concetto di Manierismo*, arriba citado; por último, del mismo Weise, *Storia del termine manierismo*, en *Manierismo, Barocco, Rococò*, cit., pp. 27-38. A. M. Boase, *The definition of mannerism*, en «Actes du III Congrès de L'Association int. de Litt. Comparée», Utrecht, 1962, pp. 143-165; Craig Hugh Smith, *Mannerism and maniera*, en *Studies in Western Art.* (Acts of the Int. Cong. of the History of Art, vol. II, Princeton, Yale Univ. Press, 1963,

categorial es aceptada por la totalidad de los estudiosos del tema; y sus discrepancias los complican hasta tal punto, que ni siquiera podemos escindirlos en el grupo de los prestigiosos y los menores, para seguir el parecer de los primeros[28]. Para proceder, de alguna manera, a descartar las opciones,

---

pp. 190 y ss); E. BATTISTI, *Storia del concetto di manierismo in architettura*, en «Bolletino del centro intern. di studi di archit. A. Palladio», 1967, X, pp. 204-210. En cuanto a estudios y revisiones bibliográficas de la amplia crítica sobre el Manierismo, recordemos los planteamientos más antiguos de WALTER FRIEDLANDER, *Die Entstehung des antiklassischen Stils in der italienischen Malerei und 1520*, en «Repertorium für Kunstwissenschaft», XLVI, 1925, pp. 49-86, y *Der antimanieristische Stil um 1590 und sein Verhältnis zum Übersinnlichen*, en «Vorträge der Bibliothek Warburg», 1928-1929, pp. 214-243; y MARGARETE HOERNER, *Manierismus*, en «Zeitschrift für Ästhetik und allgemeine Kunstwissenschaft», XVII, 1924, pp. 262-268. Por parte italiana destacaron inicialmente los trabajos de E. BATTISTI, tanto *Lo spirito del manierismo*, en «Letteratura», 21-22, 1956, pp. 3-10, como el capítulo «Sfortune del manierismo» del libro, *Rinascimento e Barocco*, Turín, Einaudi, 1960, pp. 216-237. Recordemos sobre todo su tesis clásica, *L'antirinascimento*, Milán, Feltrinelli, 1962, singularmente dedicadas al estado del problema las páginas 19-45. Otros trabajos de las mismas características y orientación de aquellos años son: el de GIUSTA NICOLO FASOLA, *Storiografia del manierismo*, en *Scritti di storia dell'Arte in onore di Lionello Venturi*, Roma, 1956, vol. I, pp. 429-447; R. SCRIVANO, «La discusione sul manierismo», en *Cultura e letteratura del Cinquecento*, Roma, Ed. dell'Ateneo, 1966, pp. 229-284; y O. DELLA TERZA, *Manierismo nella letteratura del Cinquecento*, en «Belfagor», IV, 1960, pp. 462-466. Síntesis más recientes y completas, al hilo del declive mismo del interés por la cuestión del Manierismo, son las de F. ULIVI, *La querelle del manierismo*, en «Nuova Antologia», 1972, (2062), pp. 203-211, y, sobre todo: G. WEISE, *Il Manierismo. Bilancio critico del problema stilistico e culturale*, Florencia, Olschki, 1971, singularmente pp. 143-169. Del mismo momento de plenitud es la útil bibliografía crítica sobre el Manierismo incluida por C. OSSOLA en *L'autunno del Rinascimento*, Florencia, Olschki, 1970, pp. 291-299. Entre las contribuciones editoriales italianas posteriores, aparte de los trabajos de Raimondi y Quondam, destacaremos el capítulo de E. H. GOMBRICH: «Il manierismo: lo sfondo storiografico», en el libro *Norma e forma. Studi sull'arte del Rinascimento*, Turín, Einaudi, 1973, pp. 145-155; J. E. TADDEO, *Il manierismo letterario e i lirici veneziani del tardo Cinquecento*, Roma, Bulzoni, 1974; especialmente el apartado «Il manierismo letterario nel Cinquecento», pp. 11-35. El interés reciente en otros países es positivamente inferior, entre las actas de reuniones, equivalentes a las italianas citadas: *Retorica e Barocco*, o *Manierismo, Barocco, Rococò*, recordemos los *Studies in Western Art*, cit., o las actas de la onceava reunión de Tours, tituladas: *Renaissance, Maniérisme, Baroque*, París, Vrin, 1972. Otros resúmenes del estado de la cuestión son el de C. H. SMITH, *Mannerism and maniera*, cit.; P. MISSAC, *Le maniérisme existe-t-il?*, en «Critique», 209, 1964, pp. 895-904; o bien, C. DUMONT, *Le maniérisme. (État de la question)*, en «Bibliothéque d'Humanisme et de Renaissance», 1966, XXVIII, 2, pp. 439-457. Finalmente recordemos la útil síntesis de J. SHEARMANN, *Mannerism*, Middlessex, Penguin Books, 1967, y las indicaciones de A. BLUNT, en *Le teorie artistiche in Italia*, Turín, Einaudi, 1972.

28. Pese al relativo confusionismo categorial y terminológico en que lo ha sumergido la crítica, e incluso a los propios problemas objetivos para su establecimiento, el tecnicismo manierista nos sigue pareciendo —aún en nuestros días, que su notoriedad como categoría crítica reviste positivo declive— una noción clarificadora y útil, en la medida en que es un hecho incuestionable la cantidad y densidad de los datos históricos del proceso de transformación que motivó en su día la interposición de Manierismo entre las clásicas categorías wölfflinianas

no diremos a estas alturas que menos ciertas, pero sí menos productivas para nuestros fines, nos desentenderemos, por inoperantes para nuestro trabajo actual, de todas aquellas opiniones que no se refieren a las categorías respectivas como estilos de época, sino como constantes estilísticas. No es que desacreditemos totalmente, como es característica demasiado generalizada en los últimos tiempos[29], las tesis de Curtius, Hocke[30], o Hauser[31],

---

de Renacimiento y Barroco. Esta evidencia la siente igual que nosotros, afirmados en el hecho incontrovertible de una Poética literaria evolucionada, un teórico de las artes plásticas como BIALOSTOCKI: «Así pues, opinamos que el *triunfo del manierismo* no fue totalmente justificado, pero también creemos que el *crepúsculo* del manierismo no debe acabar en su ocaso definitivo. El interés despertado por el manierismo ha aportado cosas muy valiosas, abriéndonos los ojos hacia muchos de los aspectos del arte del siglo XVI que no habían sido observados hasta el momento. Y ello ocurrió cuando el desarrollo del arte moderno dirigió la atención de los historiadores del arte en este sentido. Hoy, el concepto de Manierismo nos parece poco claro. Pero no por ello debemos desecharlo, no abandonando tampoco el propósito de darle un contenido bien definido y limitado». En definitiva, como hemos señalado en numerosas ocasiones a lo largo de esta obra, un trabajo filológico —como básicamente creemos que es el nuestro— cuestiona y desbarata la historia de categorías generales y lindes demasiado precisos. Sin embargo, también resulta evidente, que hasta la misma filología en su búsqueda y análisis de los hechos concretos y discretos, necesita partir y terminar en unos criterios generales, lo suficientemente flexibles y generalizadores para orientar el análisis sin forzarlo. En nuestro propio trabajo, no cabe duda, que la hipótesis del Manierismo resultó inicialmente prometedora y ha acabado siendo útil y corroborante. Tal es, por lo demás, el criterio sostenido de la opinión paralela de Bialostocki, que venimos citando: «Las generalizaciones superficiales pueden ser tan peligrosas como una limitación a la investigación pura y al ordenamiento de hechos aislados, y no en el caso de la historia del arte, sino también en el de cualquier otra ciencia histórica». Cfr. J. BIALOSTOCKI, *Estilo e iconografía*, cit.

29. La crítica al eternismo estilístico de constantes se ha ejercido en los últimos tiempos más bien como simple abandonismo de tesis. Sin embargo, conviene matizar la nueva moda surgida y sobre todo justificarla, en todo caso, no en función del mayor error de la precedente —que quizás no sea tal—, sino en el de las necesidades historiográficas que la han producido. Cuando un historiador actual del Barroco, JOSÉ ANTONIO MARAVALL, proclamaba su renuncia «a servicios del término *barroco* para designar conceptos morfológicos o estilísticos, repetibles en culturas cronológicamente y geográficamente apartadas» (cfr. *La cultura del Barroco*, cit., pp. 24-25), lo que estaba tratando de proponernos, sin duda, era la urgencia de rellenar un vacío periodológico indudable, el del período histórico europeo barroco. No se proponía Maravall, a buen seguro, negar la validez a los análisis de constantes. Por nuestra parte estamos persuadidos de la eterna ósmosis individuo-grupo, que vendría a justificar lo mismo la constante que la edad, o mejor dicho la edad por la constante; siendo así que las edades histórico-culturales o artísticas son seguramente cristalizaciones del triunfo de alguna de las tendencias constantes en que se descompone dialécticamente la cosmovisión eterna, cultural o artística del hombre. En la convocatoria de las edades, no creemos tanto en algún tipo de magia nouménica poco verificable distribuidora de turnos u oportunidades, ni en esquematismos pendularistas, hoy ya obsoletos. Pensamos que no existe incompatibilidad mayor entre el fenómeno, tal como nos lo explicamos nosotros, y las condiciones económico-sociales —nuevo dogma de nuestros días— como mecanismo desencadenante y determinante de la cristalización o triunfo histórico en edad de la constante correspondiente.

ni siquiera la conocida y atractiva, cuanto desprestigiada, formulación d'orsiana[32], sobre el Manierismo o el Barroco como alternativa estilística del clasicismo permanente en la historia de las artes. Creemos, por el contrario, que, en principio, se trata de una verdad incontrovertible, implícita, además,

---

Peor es, desde luego, la crítica a las tesis de Curtius y de Hocke que les ha venido, genéricamente, por su condición de historiadores de la literatura que han utilizado rezagadamente categorías paralelas surgidas en facultad distinta. Concretamente la de los críticos de arte. Como testimonio más absoluto —y por tanto, injusto— de tales descalificaciones, recordemos las siguientes líneas de Jan Bialostocki: «Los historiadores de la literatura aún han formulado otro manierismo, desde el momento en que lo vieron en los ojos de la experiencia del surrealismo, y lo escucharon con los oídos que estaban acostumbrados a los sonidos de la poesía del siglo XX. Para algunos de estos historiadores, el manierismo no es más que un sinónimo de todo lo que no es clásico, ni racional, ni ordenado, de todo aquello que es voluptuoso, fantástico y misterioso. En su libro *Literatura europea y Edad Media latina*, el romanista Ernst Robert Curtius identifica prácticamente el manierismo con el barroco... Un profeta y defensor de esta concepción es el periodista y escritor Gustav René Hocke, cuyos dos libros han introducido la confusión en las mentes no profesionales, y han contribuido a que los historiadores del arte hayan vuelto a emplear este concepto de forma tan comprometida». cfr. JAN BIALOSTOCKI, *Estilo e iconografía. Contribución a una ciencia de las artes*, cit., p. 69. Evidentemente la acusación de aposteriorismo forzado contra la historiografía literaria por parte de los críticos de las artes plásticas, no es ni nueva, ni absolutamente carente de buenas razones. La sustantividad estilística de las artes es por lo menos un hecho tan verdadero como lo son su conexión recíproca y su dependencia última a móviles de la serie cultural y social histórica. Quizás haya que mediar en esto, afirmando que el negar para la literatura un movimiento y período manieristas de renovación estilística y poética paralelos a los de la pintura, y no forzosamente plagados de identidades estilísticas con ella, hubiera supuesto un evidente empobrecimiento historiográfico. Los frutos del concepto manierista en la Historia de la literatura constituyen hoy ya, por encima de equívocos efectivos y de actitudes y momentos de confusión, un estado científico que no dudamos en juzgar como muy positivo. Lo que sin duda sí puede que haya sido más irresponsable en nuestro dominio literario, es quizás la frecuente caída en la tentación de analizar los hechos poéticos con categorías estilísticas aceptadas de la crítica de la pintura o la arquitectura. Por eso nosotros proponemos en este libro ir aún más allá de un examen estilístico estrictamente ceñido a la creación literaria manierista y barroca. A la postre siempre resultaría ya inevitablemente entorpecido tal examen por los riesgos de una tradición de análisis viciada de la que se acusa enérgicamente a los críticos de la literatura, y que, en su dosis de acierto, reconocemos. Estamos persuadidos de que hay que acrecer las bases histórico-literarias de análisis futuros que alienten tales objetivos. Dicha ampliación, o mejor cimentación, reviste para nosotros muy variados aspectos, como la revisión analítica de las estructuras formales de la poesía en la gran edad renacentista; pero, en esta obra, nuestra tentativa se centra sólo en la atención a la realidad y peculiaridades de las propuestas de la Poética, después de todo la única explícita confesión de intenciones contemporánea salida de la producción literaria.

30. En la línea de las constantes, destaca la defensa de la actitud permanente manierista en la tradición artística occidental, insinuada por CURTIUS en *Literatura europea y Edad Media latina* (ed. cit. Vol. I. Capítulo XV), y secundada, brillantemente, por su discípulo HOCKE en la atractiva obra, *El mundo como laberinto* (lo utilizo en la versión española, *El manierismo en el arte*, Madrid, Guadarrama, 1961). Vale la pena recordar, contra tanta simplificación de la crítica posterior, las matizadas ideas de Curtius, quien, sin embargo,

en la naturaleza de todos y cada uno de los hombres y de los artistas[33]. Pero nosotros nos proponemos historiar un período de la teoría literaria marcado por una lenta y tortuosa, pero incontrovertible, realidad de progreso; y lo que necesitamos, son hipótesis categoriales concretas, hitos cronológicos precisos, sobre los que ajustar nuestros propios hallazgos, para confirmarlos o proponer nuestras tentativas de retoque.

---

desenfocaba a nuestro juicio las razones tácticas de conveniencia a la hora de preferir Manierismo a Barroco: «... el manierismo es una constante de la literatura europea; es el fenómeno complementario del clasicismo en todas las épocas. Hemos visto que la pareja conceptual clasicismo-romanticismo es de alcance muy limitado; como instrumento intelectivo, el contraste clasicismo-manierismo es mucho más útil...» Y añade: «Muchos de los fenómenos que designamos con el nombre de *manierismo* se incluyen hoy bajo el término *barroco;* pero esta palabra ha dado lugar a tantas preferencias, que será mejor prescindir de ella», cfr. E. R. CURTIUS, *Literatura europea...*, cit. Vol. I. p. 385. La preferencia terminológica de Curtius es muy objetable. Personalmente creemos que, de existir una noción relativamente estabilizada, comúnmente aceptada y tradicional, es la de Barroco. Como botón de muestra, ofrecemos las razones de un distinguido estudioso actual del Barroco, Frank J. Warnke, absolutamente paralelas a las de Curtius, pero para probar lo contrario: «My choice of the term *Baroque* in preference to the term *Mannerism* can, I believe, be justified in two bases. An enormous body of twentieth-century scholarship, in all the Western languages, has employed the term and the concept *Baroque* and, despite numerous individual differences of emphasis, with suficient agreement to have created a useful and coherent historical concept. Furthermore, the chaotic divergence in the applications of the term *Mannerism* by its various champions makes the *querelle du maniérisme* for outstrip the *querelle du baroque* in the proliferation of mutually exclusive individual formulations», cfr. F. J. WARNKE, *Versions of Baroque*, cit. p. 9. Sin embargo, la crítica contra estas actitudes, especialmente la de Hocke, ha sido absoluta. Por ejemplo: «Le livre de M. Hocke se classe dans un type de speculation mi-philosophique, mi-culturelle», cfr. M. PRAZ, *Maniérisme et Anti-maniérisme*, en «Critique», 137, 1958, p. 828.

31. Moviéndose desde presupuestos distintos a los de Hocke, la investigación sociológico-artística de Hauser sobre el Manierismo roza con mucha frecuencia la tentación de las constantes, aunque el agudísimo autor de *El Manierismo*, salva brillantemente los riesgos de tal actitud mediante la afirmación simultánea de un Manierismo-constante y un Manierismo-período, cfr. ARNOLD HAUSER, *El Manierismo. Crisis del Renacimiento y origen del arte moderno*, Madrid, Guadarrama, 1965. Con Hauser compartimos la convicción de esta doble vertiente, permanente y circunstanciada, de la categoría, que por nuestra parte no designaríamos tan inmatizadamente de manierista. No obstante, como Rousset, sentimos a la hora de nuestras necesidades actuales, la urgencia de resistir a la tentación de las categorías poco concretas: «Mais il faut résister à la tentation de le poursuivre —las características barrocas, en este caso— en tous lieux, et de l'y trouver, même quand il n'y est pas. Si volatil et ondoyant qu'il soit de sa nature, si apte qu'il soit peut-être à former una catégorie permanente de l'esprit, il a pourtant son armature propre, il est localisable dans le temps et l'space». Y definiendo la impronta de edad, añade: «Le Baroque baigne una époque de la culture européenne d'une lumière qui n'appartient qu'à lui, il la plonge dans un état de sensibilité qui la révèle à elle même, il lui impose una image de l'homme paré, multiforme et inconstant qu'il est seul à avoir élaborée avec tant de pureté, il la marque d'un accent original, fait de gravité tourmentée et d'allégresse sensuelle dont nul autre ne sut réussir le contradictoire dosage», cfr. JEAN ROUSSET, *La littérature de l'âge baroque*, cit. pp. 252-3.

32. Iniciador originalísimo de las doctrinas de constantes, audaz hasta la desmesura, pero

Igualmente, descartamos ya por insostenibles los anticuados recelos croceanos sobre el Barroco o el Manierismo como períodos de oscuridad y degradación estética, concomitantes con un concepto monista de la perfección artística vinculado al ideal clasicista[34]. Queda también fuera de nuestro interés primordial en este caso, contra lo que fue finalidad prioritaria en algunos de nuestros trabajos juveniles[35], definir el peculiar sesgo ocasional de los movimientos comprometidos en el período que estudiamos[36], y defen-

---

dentro de una sugestiva brillantez que nadie le niega, fue EUGENIO D'ORS, menos discutido contemporáneamente que tras de su eclipse. Sus ideas sobre el Barroco-constante, se recogieron especialmente en *Du baroque*, Paris, Gallimard, 1935, y en *Las ideas y las formas*, Madrid, Paez, 1928. Entre las críticas modernas más comprensivas, al tiempo que rotundas y autorizadas, frente a este género d'orsiano de las constantes, recordaremos la de EZIO RAIMONDI, *Per la nozione di Manierismo letterario*, en *Manierismo, Barocco e Rococò*, cit. pp. 57-80; especialmente esta cuestión en p. 62.

33. Recordamos aquí, por su proximidad, una conclusión ocasional del conocido artículo de WELLEK, *The concept of Baroque in literary scholarship*, cit., en el sentido de que el Barroco sea, aún más que un estilo, un estado del espíritu.

34. Campeón de esta actitud de recelo, de tan dilatadas consecuencias en Italia y Francia, fue BENEDETTO CROCE, a partir de una obra muy valiosa, aunque llena de errores de valoración estética y animada de prejuicios nacionalistas, en la que destacamos sobre este punto, su *Storia della età barocca in Italia*, cit. La revalorización italiana del Barroco, con tan autorizados principios adversos, ha sido una tarea ejemplar de grandes figuras de la crítica italiana moderna, como PRAZ, GETTO y más recientemente EZIO RAIMONDI (singularmente, a partir de su *Letteratura barocca*, Florencia, Olski, 1961); pero no cabe silenciar la dificultad y el mérito de los primeros pasos de la rehabilitación, señalados por la estimulante obra de CARLO CALCATERRA, en su inolvidable libro, *Il Parnaso in rivolta: Barocco e Antibarocco nella poesia italiana*, 1940, ed. actualizada por E. Raimondi, Bologna, Il Mulino, 1961.

35. Singularmente nuestra tesis boloñesa, *España e Italia ante el conceptismo*, cit.

36. En esta línea de identificaciones nacionales de la idiosincrasia barroca, centrándonos en el caso español, se abren paso distintas opiniones. Aparte del parecer ya señalado de Eugenio D'Ors, o de los de Américo Castro, Vossler o Hatzfeld, que examinaremos más en detalle por sus enriquecimientos y expansiones a otros rasgos, recordemos aqui la iniciativa de MENÉNDEZ PIDAL, tributo a la pasión de época de las constantes, en *Caracteres primordiales de la literatura española*, de su obra, *Los españoles en la historia y en la literatura*, Buenos Aires, Espasa, 1951. Rotundamente señalaba Menéndez Pidal: «Durante las corrientes internacionales de artificiosidad, la literatura española, lejos de ceder, excede a las otras.» También Guillermo Díaz-Plaja ha tentado la explicación del Barroco como constante nacional, implicada con fermentos étnicos semíticos; bien que con muy escaso eco y aceptación de la crítica especializada pese al atractivo de su positiva brillantez en muchos puntos. Para él: «... lo estable es, en la literatura y el arte de España, lo que lleve fermentando en su intimidad esa sensación de vuelo o de caída. Lo pasajero es lo equilibrado... Entre nosotros todo clasicismo está como a precario, difícilmente huido de lo que fue y amenazado de lo que va a venir, y aun minado por los secretos microbios de lo personal, de lo torturado y de lo insatisfecho.» cfr. G. DÍAZ-PLAJA, *El espíritu del Barroco*, Barcelona, Apolo, p. 11. Véase también, más recientemente, su síntesis, *El barroco literario*, Buenos Aires, Columba, 1970. Más fiel a la línea pidaliana se nos ofrece el pensamiento de Dámaso Alonso, quien en la interpretación del estilo de Góngora invoca el contraste tradicional español entre las tendencias popular-realista-localista, y etilista-antirrealista-universal, para personificar en Góngora

der el papel —seguimos pensando que primordialísimo— de España como impulsor europeo del cambio de gusto desde los presupuestos clásico-renacentistas[37].

En principio, nuestro objetivo se centraría en la delimitación, dentro de la creación artística y de la planificación teórica del período, de dos líneas de demarcación cronológica; estableciendo simultáneamente los criterios ideológicos y estilísticos en que se sustentan dichas demarcaciones.

---

un acto más de reimplantación de la segunda. Cfr. D. ALONSO, *Escila y Caribdis de la literatura española*, en *Estudios y ensayos gongorinos*, Madrid, Gredos, 1955, pp. 11-28. Sin tanto énfasis en factores históricos ancestrales, y menos en determinismos étnicos, Arnold Hauser apunta hacia la solución nacional española, quecompartimos: «Aquí, donde en siete siglos de lucha contra los árabes, los dogmas de la fe y las máximas del honor se habían difundido indisolublemente con los intereses y el prestigio de la clase señorial, donde las guerras de conquista contra Italia, las victorias sobre Francia, la fabulosa colonización de América y la explotación de sus tesoros se había convertido en una propaganda para la clase militar, aquí, en España, no sólo brilló de la manera más viva el nuevo espíritu caballeresco, sino que fue también donde más intensa iba a ser la desilusión al ver que las virtudes caballerescas no resistían el choque de la realidad práctica. Este es uno más de los motivos por los que España creyó ver su propio lenguaje en el manierismo, el arte nacido de aquel conflicto.» Cfr. A. HAUSSER, *Literatura y Manierismo*, cit. p. 109.

37. Muy próxima a la línea de constantes hispánicas señalada en la nota anterior, podríamos reseñar la que señala confluencias históricas concretas en la común defensa del protagonismo español en la modificación europea del gusto artístico aceacida en el último tercio del siglo XVI, que unos llaman manierista y otros barroca. En ella destacaríamos las inolvidables tesis de HELMUT HATZFELD, que desarrollaremos en detalle más adelante, especialmente, *L'Italia, la Spagna e la Francia nello sviluppo del barocco letterario*, en *La critica stilistica e il Barocco letterario* (Atti del II Congresso Intern. di Studi Italiani), Florencia, Le Monnier, s. a., pp. 214-218; y sobre todo *El predominio del espíritu español en la literatura europea del siglo XVI*, en R.F.E., III, 1, 1941, pp. 9-23; ambos trabajos incorporados con retoques en su libro fundamental, *Estudios sobre el Barroco*, cit. Hatzfeld recoge e intensifica el espíritu vossleriano en este punto, tardía pero entusiástamente abrazado por el maestro de la estilística alemana, cfr. KARL VOSSLER, *Trascendencia europea de la cultura española*, en *Algunos caracteres de la cultura española*, Buenos Aires, Espasa-Calpe (Austral), 1944, pp. 93-162; también en su *Introducción a la literatura del Siglo de Oro*, Buenos Aires, Espasa-Calpe (Austral), 1945. Estas tesis, que en lo fundamental coinciden con nuestra propia y antigua convicción, se ven con frecuencia indirectamente contestadas por afirmaciones que atribuyen la modificación antirrenacentista —manierista, barroca o manierista-barroca, según las distintas teorías— a influjo prioritariamente italiano. El contraste se produce por dos razones fundamentalmente, la primera y obvia, porque muchos de los sustentadores de esta actitud desconocen, sencillamente, la aportación española, valorándola simplemente a través de fuentes tópicas generales y de segunda mano. En algunos otros casos, menores en número, donde no se puede hablar de la ignorancia anterior, concurre el hecho de que lo que se defiende, no sin razón, es la prioridad de la modificación manierista, o barroco-manierista, para el caso de la pintura o la arquitectura, lo cual es muy cierto. O bien, en fin, se trata de muy sutiles venas de manierismo precoz, casi indistinguibles de un renacentismo evolucionado, cuya adscripción italiana no ofrece, efectivamente, mayores problemas; pero tampoco conculca la tesis del protagonismo español en la difusión del Barroco literario. Finalmente, entre los muchos estudios

En primer término, la línea que separa el Renacimiento de su modificación manierista o barroca —según las tesis que indistinguen, en favor de uno u otro, entre ambos movimientos[38]—. En segundo lugar, para las tesis que admiten los tres períodos o movimientos de espíritu, la demarcación entre Manierismo y Barroco.

Situación de la historiografía en torno a las categorías de Manierismo y Barroco.

Claro está que ni es nuestra aspiración, ni nuestro compromiso en esta obra, trazar bajo propia responsabilidad dichas líneas en el dominio mayor de las artes en los siglos XVI y XVII. Para cumplir con nuestra responsabilidad, nos bastaría con ajustar al esquema general y a sus líneas maestras, que deberían sernos dados nítidamente tras un largo y multitudinario cultivo de los especialistas, los hallazgos en la teoría literaria. El problema es

---

generales que se encuadrarían en la tesis global pidal-vossleriana, recordemos los de ANGEL VALBUENA BRIONES, *El Barroco, arte hispánico*, en «Thesaurus», XV, 1960, pp. 235-246; GUILLERMO DE TORRE, *Sentido y vigencia del Barroco español*, en *Studia Philologica. Homenaje a D. Alonso*, 1963, III, pp. 489-507. Así como varias aportaciones de EMILIO CARILLA, *El Barroco literario hispánico*, Buenos Aires, Nova, 1969; y *Sobre el Barroco literario hispánico*, en «Revista Iberoamericana», 78, 1972, pp. 143-149.

38. Entre las indistinciones es preciso diferenciar las que son producto de la consciente eliminación de uno de los dos movimientos renovadores, bien programáticamente como las de Hocke o Hauser, o simplemente prácticas, como consecuencias de la especialización en un campo sólo, como la reciente y muy distinguida actividad de A. Quondam sobre el Manierismo. En otro caso se encuentran las que fundaron, en realidad, la oposición en categorías dualistas. En tal sentido, Wölfflin recogió una tradición radicada en la estética alemana desde Schiller. Ciertamente, en tales contraposiciones entre conservadurismo clasicista y progresismo anticlásico se descubre el fondo de verdad más absoluto, en la medida en que se contrastan las dos situaciones-resultado, sin atender todavía a los pasos intermedios entre ambas, dominio en verdad donde se suelen agudizar los problemas. El hermoso libro juvenil de WÖLFFLIN, *Renacimiento y Barroco*, glosaba magistralmente tales contraposiciones; proponemos, como testimonio bellísimo, el recuerdo traducido de uno de los pasos más brillantes en este proceso: aquel punto en que se establece la contraposición limitado-cerrado, frente a ilimitado-abierto, como marca respectiva del espacio constructivo renacentista y barroco: «El espacio, que el Renacimiento iluminaba de manera regular y que no podía representarse de otra forma que como espacio tectónicamente cerrado, parece aquí perderse en lo ilimitado, en lo indefinido. Ya no se piensa en absoluto en la forma exterior: desde todos los lados seguía la mirada hacia el infinito. El fondo del coro desaparece en el deslumbramiento dorado del edificio del altar mayor, en el destello del «splendori celesti»; en los lados, las capillas oscuras no permiten distinguir nada preciso; pero en lo alto, allí donde en otro tiempo un techo liso cerraba apaciblemente el espacio, redondea una inmensa bóveda (esquifada), o acaso no: es demasiado abierta: olas de nubes descienden, cohortes de ángeles pasan, un destello celeste resplancede. Mirada y pensamiento se pierden en los espacios inconmensurables», cfr. E. WÖLFFLIN, *Renacimiento y Barroco*, cit., p. 118.

que tales líneas no existen trazadas con claridad, ni establecido acuerdo, consecuentemente, sobre los criterios que debieran sustentarlas.

Comenzando por el Manierismo, ni siquiera la relativa unanimidad en su aceptación como entidad real y categoría útil que reina entre los tratadistas modernos de las artes plásticas, anima el dominio de los historiadores de la literatura. El entusiasmo de Curtius, Hocke o Hauser por la denominación, es compartido sólo en parte por Sypher, Hatzfeld, Raimondi, Orozco[39], y, en general, por quienes, sin negarlo, lo aceptan como un período más, inserto en la tríada Renacimiento-Manierismo-Barroco[40]. Para la mayor parte de los tratadistas generales de literatura, no involucrados directamente en el debate, la categoría de Manierismo es poco más que un concepto útil pero carente de perfiles concretos. Sobre el Barroco tiene la ventaja-inconveniente de su modernidad y novedad como categoría historiográfica; careciendo, por tanto, del peso organizador de aquél. Por último quienes han hablado de una «edad barroca» en exclusiva —bien por no estar persuadidos

39. Cfr. E. Orozco Díaz, *Manierismo y Barroco*, cit. p. 39: «No es extraño —es un texto revelador de nuestra opinión al respecto— que el criterio formalista exaltado en la teoría de la pura visibilidad haya contribuido, por la necesidad de marcar una etapa de la evolución del Renacimiento al Barroco, a considerar el Manierismo sólo como un paso entre ambos estilos. La abstracta consideración de los estilos clásico y barroco encontraba cómoda la inclusión de esta tendencia en un estado intermedio con el que, en parte —sólo en parte—, venía a coincidir cronológicamente.»

40. En su estudio «El Manierismo entre el triunfo y el crepúsculo», *Estilo e iconografía*, cit. pp. 5 y ss., Jan Bialostocki, ha señalado la decadencia que como tecnicismo y categoría viene sufriendo el Manierismo en la crítica de las artes plásticas. Para la crítica de las artes plásticas él señala el 1961 como origen del crepúsculo; es decir, la fecha del XX Congreso Internacional de la Historia del Arte. Mencionando trabajos muy consistentes, en los años posteriores, que evitan sistemáticamente la denominación, como la monografía sobre Miguel Angel, de James Ackermann, de 1961, el tercer volumen de la historia de la escultura italiana de John Pope-Hennessy, de 1963; o el famoso catálogo de 1963, escrito por Kurt Martin, de la Alte Pinakotek, sobre la pintura holandesa y alemana del XVI. En el dominio de la Historia de la literatura, la reacción antimanierista fue quizás posterior, tal vez en la misma medida que su implantación y difusión habían sido más tardías que en el campo de la crítica de las artes plásticas. Sin embargo, tras del *Congresso dei Lincei*, de 1960, y la atención en estudios de famosos especialistas en las letras cinque y seicentescas, como Raimondi, Scrivano, Weise, etc..., diríase que la atención al Manierismo literario se ha diluido también muy notablemente, quizás con la excepción, a partir de 1975, de las entusiastas aportaciones de Amedeo Quondam. No obstante, quizás lo que hace que se observe en los últimos tiempos como abandono sean más los debates en torno a la definición y delimitación de la noción misma —o su aparición en títulos de estudios— que su efectivo rendimiento como categoría estilística o histórica. En la misma medida en que se podría decir que no están tampoco de moda sobre una categoría tan bien establecida y asimilada como el Barroco. A nuestro juicio, la razón reside tanto en un lícito convencimiento en las mejores cabezas de que tal tipo de estudios y debates han alcanzado todo el rendimiento de que eran susceptibles, por haberse agotado el análisis de todos los tópicos y perspectivas posibles; pero también, sin duda, en un quizás indudable «snobismo» científico, quizás justificable en la razón anterior.

de sus características diferenciales con el Manierismo, o por juzgar los rasgos manieristas de poca entidad y seguridad para la perturbación que crean en la nitidez de las categorías organizativas del período— rechazan el concepto y la denominación[41]; siendo los más tolerantes de entre ellos quienes aceptan con muchas reservas el Manierismo como período de la transición renacentista-barroca en las artes plásticas[42], lo que viene a suponer,

41. Entre las más prestigiosas y radicales negativas a la categoría de Manierismo recordaremos la de GIULIANO BRIGANTI, *Il Manierismo e Pellegrino Tibaldi*, Roma, 1945; y más recientemente la de Frank J. Warnke. Haciéndose eco del estado general de la cuestión, Warnke niega categóricamente que el Manierismo pueda ser aplicado a un estilo de época, aceptándolo sólo en cierta medida como una tendencia estilística: «although the term *Mannerism*, used as a literary concept by a number of recent scholars, has some utility as the designation of a kind of stylistic option found recurrently during the Baroque, it does not designate a clearly discernible literary period intervening between Renaissance and Baroque», cfr. F. J. WARNKE, *Versions of Baroque*, cit. p. 2. Argumenta Warnke que la falta de unidad estilística observable en el período cronológico postrenacentista, no debe inducir a desdoblar el arte barroco en varias tendencias calificadas como extrañas a él, pues tan compleja es la edad barroca, como cualquier otra de las aceptadas en la Historia del arte como unitarias: «if *Baroque* designates the style of an entire period, it is parallel in its level of designation to such terms as *Renaissance*, *Neoclassicism*, and *Romanticism;* none of these refers to a single, unified, and simply definable style, and yet their utility as conceptual internal consistency to make a comparable period term desirable, and *Baroque* has already established itself as such a term», p. 4. Actitud en la que coincide con Jean Rousset, quien definía cronológica y temáticamente el Barroco, precisamente como sistema de variantes en unidad, J. ROUSSET, *La littérature de l'âge baroque*, cit. p. 176: «Quoi qu'il en soit des dossages et des influences variables, on peut dire que l'art européen dans son ensemble, non sans à-coups, reculs et résistances ici ou là, est soulevé par une vague baroque au cours d'une période qui s'étend, avec des décalages de région à région, des bavures en deçà et au delà des limites chronologiques, de la dernière génération du XVIe siècle jusqu'au début du XVIIIe siècle. Une vague baroque, c'est-à-dire, sans préjuger de ce que peuvent être les mouvements de culture qui la nourrissent: un foisonnement exceptionnel, dans le domaine plastique, de formes baroques, qui autoriserait l'emploi de l'expression: âge baroque». Cerrando su razonamiento apuntado más arriba, Warnke prevenía, a la vista de todo lo anterior, de los peligros que para la claridad y rigor historiográficos suponía la desmembración conceptual y los intentos de escisión temporal del Barroco: «But the fragmentation of the concept of the Baroque as a period is attended by perils. To posit a Mannerist *period* in literature is, in a sense, to undo the valuable work of a great many writers on the Baroque during the earlier part of this century and to leave us, finally, in a position rather similar to the one we were in before they performed their labors —a position in which the earlier episodes of the Baroque are assimilated to the Renaissance and the later episodies to Neoclassicism», p. 5.

42. A esta aspiración limitada se acogió, entre los primeros críticos de las artes plásticas, Hoerner, *Manierismus*, cit. pp. 262 y ss., y después no pocos. Sin embargo, Mario Salmi ha criticado la falacia e indecisión del concepto de «época de transición», cuando no va unido a la determinación clara y sin ambigüedades de rasgos específicos distintivos, cfr. MARIO SALMI, *Tardo Rinascimento e primo Barocco*, en *Manierismo, Barocco e Rococò*, cit. pp. 305-317. Concretamente él prefiere considerar al Manierismo pictórico como Renacimiento tardío, por las razones antedichas: «E proprio entro l'àmbito del tardo Rinascimento, ed entro confini cronologici piuttosto lati, potremo distinguere la corrente cosiddetta manieristica volta al

más que su aceptación, su desintegración como simple «estilo amanerado» del Renacimiento tardío, o como precoz tentativa del Barroco[43].

El mismo comportamiento de los que hemos definido como más entusiastas, no contribuye tampoco a la clarificación que precisaría nuestro proyecto de asignación segura. De una parte porque los rasgos definidores del estilo, relativamente estabilizados en el caso de las artes plásticas[44], no han sido unánimemente señalados aún para la literatura[45]; por no hablar de las

---

fantastico. da un'altra classicheggiante, operose entrambe in Italia in coincidenza col movimento della Controriforma. E che il Manierismo, ben distinto dal concetto di maniera, non sia una corrente di transizione (termine ambiguo che dovrebbe essere cancellato dal nostro linguaggio) dal Rinascimento al Barocco, bensì s'inserisca entro la Rinascita —a mio vedere— non è dubbio; anche se i suoi contorni risultino per le discussioni tuttora in atto alquanto sfocati; ed i teorici e gli scrittori del passato, cui sovente si ricorre oggi dai critici, non abbiano al proposito idee sempre chiare.», p. 307.

43. Tal sería el caso de la concesión de Marcel Raymond, cuando en su intervención en el trascendental congreso de la Academia dei Lincei, de 1962, decía: «Ainsi, le plein baroque a été préparé, pendant la seconde moitié du XVIe siècle, par des oeuvres présentant certains caractères du maniérisme, sous les deux formes que nous avons distinguées —sans qu'il soit loisible pour autant de délimiter de façon rigoureuse des zones qui lui appartiendraient exclusivement. En outre, il faut souligner le fait très important que le maniérisme (système de figures) peut entrer comme élément en divers styles». Cfr. M. RAYMOND, *Le Baroque littéraire français (Etât de la question)*, en *Manierismo, Barocco, Rococò*, cit. p. 115. Análoga asimilación entre «estilo de transición» e «indefinición» o «evanescencia» es el criterio aplicado por CARL J. FRIEDRICH, *The age of the Baroque, 1610-1660*, Nueva York, Harper, 1953, pp. 38 y ss.

44. Una exposición sumaria de los diez principales rasgos del manierismo pictórico, la ofrece HATZFELD, *Estudios sobre el Barroco*, cit. p. 265. A la fijación de características en la pintura manierista contribuyó fundamentalmente MAX DVORÁK, autor de la monumental *Geschichte der italienischen Kunst im Zeitalter der Renaissance*, Munich, 1929. Vol. II; así como en algún estudio específico sobre el Greco, *Über Greco und den Manierismus*, en «Jahrbuch für Kunstwissenschaft», 15, 1921-22, pp. 24-48.

45. Refiriéndonos sólo a la literatura española, el panorama dista mucho de estar definitivamente aclarado. Las interpretaciones de Dámaso Alonso y Orozco sobre rasgos estilísticos, como el desplazamiento del centro temático en el segundo, o las plurimembraciones y correlaciones del primero, aparte de verse proyectados a veces sobre autores como Garcilaso (D. Alonso) que nos conducirían otra vez al ineficaz manierismo-constante o estilo-amanerado, no son predicables ni mucho menos en exclusiva a artistas del período manierista, sino que se extienden, desde las raíces petrarquescas de tal tipo de «suspensiones» y correlaciones a través de frecuentados cauces italianos y españoles —como para las correlaciones y Petrarca analizó el propio Dámaso Alonso—, muchos años y aun algún siglo antes de que en cualquier lógica se quiera hablar con rendimiento de Manierismo. Lo que no resta importancia al oportuno acercamiento de Orozco de un estilema sintáctico-semántico de los sonetos de Góngora, al rasgo quizás más unánimemente evaluado de la composición pictórica manierista. Cfr. DÁMASO ALONSO, *Primer escalón en los manierismos del siglo XVI. Plurimembración y correlaciones de Garcilaso a Gutierre de Cetina*, en «Asclepio» XVIII-XIX, 1966-67, pp. 61-76; y E. OROZCO DÍAZ, *Estructura manierista y estructura barroca en poesía*, en *Manierismo y Barroco*, cit. pp. 169 y ss. Por otra parte la adjudicación de la etiqueta manierista en algunos estudios no ha contado, por lo general, con la imprescindible analítica estilística de fijación, tal el caso de E. MORENO BÁEZ, *El manierismo de Pérez de Hita*, en *Homenaje al Prof. Alarcos García*, Valladolid,

atribuciones de autores a uno u otro movimiento. Y, en segundo lugar, y quizás como causa de lo anterior, porque quienes por su talento y entusiasmo podrían haber aportado más nítidos criterios, los han obscurecido, indirectamente, en su intento de expansionar el Manierismo al período barroco o a constante universal y eterna[46].

Si pasamos revista a los rasgos generales, intelectuales y estilísticos, del Manierismo, según nos los ofrecen los críticos más famosos y actuales del movimiento, podremos apreciar que, tras de una cierta diversidad en aspectos secundarios, se nos ofrece una relativa unanimidad de intuiciones, nacidas por lo general como categorías de contraste con el Barroco[47].

Universidad, 1965-67. Vol. II, pp. 353-67. Más ambicioso es el intento de E. CALDERA, *El manierismo de San Juan de la Cruz*, en «Prohemio», I, 1970, pp. 333-355; ver como referencia complementaria la analítica y andamiaje categorial del excelente estudio de DÁMASO ALONSO, *La poesía de San Juan de la Cruz (Desde esta ladera)*, Madrid, C.S.I.C., 1942. En otros casos, por el contrario, adscripciones muy controvertibles encuentran su clave en corrientes de opinión, como la que atribuye al Manierismo y no al Barroco el impulso básico del conceptismo artístico, a la que obedecen las categorías orientadoras del libro de G. SCHRÖDER, *Baltasar Gracians «Criticón». Eine Untersuchung zur Beziehung zwischen Manierismus und Moralistik*, Munich, W. Fink, 1966. Válida orientación general para futuras soluciones del problema ofrece el artículo de HORST BAADER, *Zum Problem des Manierismus in der spanischen Literatur des goldenen Zeitalters*, en *Studia Iberica* (Festschrift für Hans Flasche), Berna, Francke, 1973, pp. 47-62.

46. Un buen teórico del Manierismo como Hocke no disimula su discrepancia, aunque acata la realidad del hecho, ante la conversión de Manierismo en estilo de época: «A pesar de ello, resultará naturalmente imposible el prescindir de los conceptos de *barroco* y *manierismo* en un sentido temporal *más estricto*. Han tomado carta de nacionalidad y no queda otro recurso que aceptarlos». G. R. HOCKE, *El manierismo en el arte*, cit. p. 18. La inoperancia histórica del manierismo-constante ha sido insuperablemente destacada por Georg Weise, quien la considera, y no sin razón, como la supervivencia anacrónica de la vieja antítesis apolíneo-dionisíaca. Refiriéndose a la línea Curtius-Hocke afirmaba, fundamentándose en el acertado antecedente de Briganti: «In sostanza, con queste distinzioni mi sembra si sia giunti a nient'altro che all'eterna contrapposizione tra periodi classici e romantici, tra spirito apollineo e dionisiaco, tra mentalità soggettivistica ed oggettiva, tra poesia ingenua e sentimentale, per dirla con lo Schiller. Dal compito di un'indagine storica, dal problema di fissare il carattere unico e non ripetibile di una determinata fase della civilità, ci troviamo quanto mai lontani», cfr. GEORG WEISE, *Storia del termine «Manierismo»*, cit. p. 31. A nuestro juicio fueron las peligrosas generalizaciones como «arte de transición», que se inician en la primera obra de K. M. Buse, de 1911, la clave de la invasión estilística de las edades contiguas, contaminación insalvable, pese a piruetas tan ingeniosas como la de Spahr, quien especializaba «manierismo» como el estilo de época que caracteriza el Barroco-período, cfr. B. L. SPAHR, *Baroque and Mannerism: Epoch and Style*, en «Colloquia Germanica», I, 1967, pp. 78-100. Entre nosotros, Orozco ha detectado y condenado la extensión contaminante: «En general se tiende a extender el concepto Manierismo prolongándolo hasta abarcar fenómenos y artistas considerados como barrocos. La confusión, pues, es muy frecuente y los términos se manejan con distinto valor, según los críticos: sobre todo en lo que respecta al concepto de Manierismo referido al fenómeno literario», cfr. E. OROZCO, *Manierismo y Barroco*, cit. pp. 13-14.

47. Numerosos, desiguales y a veces contradictorios son los inventarios existentes de recursos

En primer lugar se presenta al Manierismo como un arte reflexivo, subjetivista e intelectualizado[48]. Así, Emilio Orozco ha acertado con el fondo del problema, en su persistente reiteración —casi hasta el exceso— de la dualidad reflexión-espontaneidad como base de la oposición manierista-barroco[49]. En Hauser, a quien junto a Pevsner sigue y cita frecuentemente Orozco, la nota de reflexión intelectualista, se abre como criterio definidor, si bien el móvil básico social de la crítica de Hauser, le lleva a insistir, como determinante en la oposición, no totalmente desvinculada de ésta, elitismo-popularismo:

---

característicos del Manierismo. De todos los trabajos que conocemos relativos a tal colección de estilemas manieristas en el dominio literario, destacaríamos el importante artículo de GEORG WEISE, *Elementi manieristici e prebarocchi negli scritti religiosi di Pietro Aretino*, originalmente publicado en alemán en 1957, y recogido después en el volumen antológico de este autor, *Il Rinascimento e la sua eredità*, Nápoles, Liguori, 1969, pp. 513-564, y parcialmente reproducido en la antología de QUONDAM, *Problemi*, cit., pp. 295-312. Básicamente los rasgos destacados en el análisis se resumen en los siguientes términos: «Ci pare lecito, tutto sommato, rilevare nelle peculiarità finora trattate l'elemento comune che possiamo qualificare come uno sconfinare dall'atteggiamento classico dell'oggettività concreta del pieno Rinascimento, come un'aspirazione ad effetti sempre più potenti ed a una nuova soggettivistica libertà d'interpretazione; elementi tutti quanti contenenti sia i germi del Barocco con la sua pompositá, il suo pathos espressivo, i suoi effetti chiaroscurali, sia i germi del Manierismo con la sua tendenza all'interpretazione bizarra ed arbitraria del contenuto ed alla ricercatezza della dizione» (cit. por QUONDAM, *Problemi*, cit., p. 305).

48. Condiciones todas aceptadas, en las que ha ejercido su análisis con magistral profundidad Erwin Panofsky, a propósito de su doctrina intelectualista de la copia manierista interpuesta de la realidad, a través de la *idea:* «La Idea artística en general y la Idea de la Belleza en particular, después que el pensamiento del Renacimiento, contento con la naturaleza y a la vez seguro de sí mismo, las había *empirizado* y *aposteriorizado*, volvieron a recuperar por poco tiempo su carácter apriorístico-metafísico en las teorías artísticas del manierismo... ambas volvieron a expresarse en los pensamientos y en las representaciones de inteligencias sobrenaturales, de las que el hombre sólo puede tomar parte mediante la concesión inmediata de la gracia divina», cfr. ERWIN PANOFSKY, *Idea. Contribución a la historia de la teoría del arte*, Madrid, Cátedra, 1977, pp. 91-92.

49. Cfr. E. OROZCO, *Manierismo y Barroco*, cit. p. 16. Por ejemplo, una de tales afirmaciones, sobre las *Soledades:* «El hecho estilísticamente supone la superación de una postura predominantemente manierista, de intelectualismo estético, por otra de mayor libertad y exaltación sensorial en la que se impone sobre aquélla su creciente barroquismo». Naturalmente, persistente reafirmación de esta base se recubre de fórmulas léxicas variadas. Como en el siguiente caso, una de las formulaciones más rotundas de este principio, donde entra en juego la contraposición entre «ultraconsciencia manierista» y «vitalismo barroco»: «El Manierismo se produce como un fenómeno que arranca de lo puramente artístico y literario, en una postura —diríamos con Pevsner— *ultraconsciente*, como una búsqueda de novedad y complicación que impulsa esencialmente la inteligencia... El Barroco nace a impulsos de necesidades vitales y anímicas, por exigencias expresivas de la realidad y de la vida, de la inquietud y lucha interior; y aunque, confundido en su arranque con los recursos expresivos del Manierismo, los utiliza y vitaliza, sustanciándolos de acuerdo con esos ímpetus de espíritu y vida». *Ibid.*, pp. 72-73.

«El manierismo es —y de este rasgo dependen más o menos todos sus demás caracteres— un estilo refinado, reflexivo, lleno de refracciones y saturado con vivencias culturales, mientras que el barroco es, en cambio, de naturaleza espontánea y simple»[50].

Esta característica del intelectualismo reflexivo del manierismo queda tanto más evidenciada, cuanto que se afirma por doquier como criterio esencial[51]. Tanto en reputados teóricos de las bellas artes como Dvorák[52],

---

50. Cfr. A. HAUSER, *Manierismo y Literatura*, cit. p. 18.

51. Así, por ejemplo, en la teoría de las artes plásticas, encabeza la nómina de las características más usuales en el artículo-revisión sobre el Manierismo del libro de JAN BIALOSTOCKI, *Estilo e iconografía*, cit. pp. 67-68: «Se trataba simplemente de la categoría de un arte subjetivo, que no se esforzaba por ser fiel a la naturaleza y que se apartaba conscientemente de las normas clásicas del alto renacimiento, un arte que expresaba un contenido espiritual, por medio de las formas no clásicas, de la deformación de la naturaleza, y de los modelos de composición abstracta; un arte que seguía el principio de una libertad *absoluta*, y no un arte que perseguía el ideal de *licenzia* de la propia *maniera*, y que se movía en los espacios estrechos y convencionalmente elegantes de la *regola*». Incluso en la propia denuncia de la exagerada aplicación de tal principio básico por los críticos de la pintura manierista, queda de manifiesto la notoriedad y generalización del rasgo. Así, continúa Bialostocki: «La mayor parte de las inexactitudes han aparecido como consecuencia de haber elevado sobre todo lo demás los elementos subjetivos y expresivos que aparecen en realidad en el arte de un Pontormo, de un Tintoretto, o de un El Greco, pero que en la imagen total del siglo XVI se difuminan al margen casi ya del siglo».

Puede comprobarse el paralelismo categorial de tales textos con los que animan el análisis literario, por ejemplo en el estudio de GIULIO FERRONI, *Gli «Straccioni» di Annibal Caro*, en «La rassegna della letteratura italiana», III, 1967, pp. 341-363: «Il riferimento ad un'operazione che trova la sua novità nello stravolgimento e nella distorsione interna di tutta una cultura rinascimentale, nel senso di una rottura con la realtà naturale e di una costruzione di risultati puramente intelettuali, dove la realtà appare solo come distanziata, ridotta a pura forma...», etc.

52. Entre las características del manierismo pictórico, Dvorák seleccionaba las de fantasía vs. copia, y subjetivismo cristiano vs. objetivismo pagano. Cfr DVORÁK, *Geschichte der italienischen Kunst*, cit. Vol. II, pp. 144 y ss. Sigo el análisis y referencias de GEORG WEISE, *Storia del termine «Manierismo»*, cit. p. 30.

Conviene, no obstante, prevenirse contra tales categorías rotundas y demasiado convincentes para una óptica moderna. De una forma global, se ha señalado la indudable coincidencia entre las características atribuidas a los pintores manieristas, y los rasgos de estilo objetivamente cultivados por los artistas modernos, contemporáneos de esa crítica. Así, la estilización subjetivista señalada por MAX DVORÁK en su famoso estudio clásico sobre el Greco *(Über Greco und den Manierismus*, pp. 22 y ss., ha sido ya adecuadamente justificada en las coordenadas del arte contemporáneo por Jan Bialostocki, cuyas palabras recordamos, porque tienen un valor de advertencia general —y no sólo de este caso concreto— inolvidable a la hora de establecer los análisis estilísticos, siempre en último término subjetivistas, del conglomerado artístico de la Edad Renacentista: «En el manierismo visto por Dvorák resuenan los tonos de los movimientos contemporáneos suyos: el expresionismo sobre todo, y el estado de ánimo de una atmósfera en la que apareció el arte moderno, opuesto a las normas posibles, así como al principio de la representación, que se esfuerza por crear un nuevo mundo del arte,

cuanto en campeones entusiastas del movimiento como Hocke, y en rotundos negadores del mismo como Warnke, quien selecciona estas categorías, contra Hatzfeld, precisamente para objetar desde ellas la licitud del Manierismo como período literario[53].

Intimamente vinculada al intelectualismo subjetivista del Manierismo, se suele reseñar como una de sus notas definitivas la tendencia a la estilización artificiosa y al refinamiento formalista[54] no opuesto a los recursos de efectismo y desfogamiento representativo[55]. Hocke ha significado insuperablemente el análisis de este efecto al reconstruir la génesis del manierismo pictórico italiano, como un arte nacido no de la copia de la realidad vista de otro modo, pero en definitiva directa, sino originado por otro arte[56]. O, en la conocida tesis de Panofsky, la condición intermediaria de la *idea* o modelo interior[57]. Siguiendo la introspección emocional del manierista italiano Zuccari, Hocke lo parafrasea en los términos siguientes:

---

y por conseguir una expresión libre de la personalidad artística. Por todo ello, el manierismo descubierto por Dvorák se convirtió en un estilo anticlásico, espiritualista, fantástico y expresivo. En la actualidad está claro que el juicio positivo de Dvorák estuvo condicionado tanto por los fenómenos artísticos de su época, como por el juicio negativo de Bellori y de Agucchi», cfr. JAN BIALOSTOCKI, *Estilo e iconografía*, cit. pp. 68 y 69.

53. Cfr. FRANK J. WARNKE, *Versions of Baroque*, cit. pp. 8-9.

54. Cfr. G. WEISE, *Elementi manieristici e prebarocchi negli scritti religiosi di Pietro Aretino*, ed. cit., p. 307.

55. *Ibíd.*, p. 301.

56. Rasgo éste que aproxima al manierista a la condición de metalenguaje artístico, destacado muy generalmente tanto en el campo pictórico como, derivadamente, literario. Entre sus más recientes y elaboradas exposiciones recordemos aquí la de A. Quondam, encuadrada en sus consecuencias sociológicas: «La caratteristica della letteratura sulla letteratura, propria del Manierismo, è riferibile a un mercato che si esaurisce, che si chiude, che non conosce più lo scambio e si adatta a vivere di quello che ha, anche sul piano delle esperienze intellettuali...» Y en otro lugar llega a muy precisas y modernas formulaciones que parafrasean, ellas a su vez, conocidos «slogans» de la «novelle critique»: «La frattura dell'equilibrio (proprio della retorica classica e di tutte le arti liberali) tra arte e natura determina il carattere intellettualistico, di raffinata citazione in codice, di letteratura sulla letteratura, che diventa essenziale all'attività letteraria di questa fase di critica storia. Ma è importante ancora osservare —añade— come ogni operazione di scrittura poetica si realizzi consapevolmente all'interno della tradizione, protraendone al limite, stravolgendone le caratteristiche originarie, ma senza mai scavalcare nettamente, e quindi rifiutare quel patrimonio», cfr. A. QUONDAM, *La parola nel labirinto, Società e scrittura del Manierismo a Napoli*, Bari, Laterza, 1975, pp. 11 y 56-57.

57. Tesis del capítulo sobre Manierismo en la obra de Panofsky, que recogemos en una de sus formulaciones: «En el Renacimiento el concepto de Idea, aún no meditado consecuentemente por la teoría artística de aquella época, que no lo consideraba demasiado importante, había contribuido a ocultar el abismo entre naturaleza y espíritu; en cambio ahora revela ese abismo y, destacando vigorosamente la personalidad artística, reclama la atención sobre el problema *sujeto y objeto*, pero después resuelve la dificultad dándole su propia interpretación metafísica y elevando la oposición entre sujeto y objeto a una unidad superior y trascendente». E. PANOFSKY, *Idea*, cit. p. 77.

«Primeramente surge, según Zuccari, *un* arte de la Naturaleza, luego *otro a partir del arte mismo, sin relación alguna con la Naturaleza, limpio* de todo indicio de origen material. No la Naturaleza, sino el arte mismo es quien alimenta el arte *a sus pechos... Ese* arte, escribe él, pinta con sus *chiari* y *scuri cosas invisibles*, sólo conocidas por el *sentido interior* o por el entendimiento desprovisto de la figura de las cosas. Por este decidido visionarismo e intelectualismo de una mística racional se alabará al artista, que crea *cosas artificiales*»[58].

Tal refinamiento, que se traduce estilísticamente para Hauser en la artificiosidad manierista propia de una cultura elitista[59], en desmesura de lenguaje, vagamente formulada por Weisbach[60], o en elegancia mundana, según la feliz expresión de Weise[61], entra en los esquemas clásicos de valoración, como el que aplica Orozco, para sufrir un proceso de discriminación y subordinación al Barroco, impregnado en suma de la sospecha de superficialidad intrascendente[62].

Junto a los dos rasgos centrales y genéricos antes aludidos[63], son numerosas, y a veces contradictorias, las características secundarias señaladas por

58. Cfr. G. R. HOCKE, *El manierismo en el arte*, cit. p. 92.

59. Cfr. A. HAUSER, *Manierismo y literatura*, cit. p. 35: «El manierismo es *arte* radical que transforma todo lo natural en algo artístico, artificioso y artificial. La resonancia natural, la materia prima de la existencia, todo lo fáctico, espontáneo e inmediato es aniquilado por el manierismo y transformado en un artefacto, en algo conformado y hecho que —por muy próximo que esté al *homo faber*, y por muy familiar que le sea— se halla siempre a distancia remota de la naturaleza. La arquitectura, lejana formalmente de las artes figurativas e imitativas, reviste ya de por sí un carácter abstracto, inanimado e innatural. El manierismo, empero, intensifica todavía más este carácter abstracto y esta distancia de la naturaleza.»

60. Cfr. WEISBACH, *Der Manierismus*, en «Zeitschrift für bildende Kunst», LIV, 1919.

61. Cfr. GEORG WEISE, *Storia del termine «manierismo»*, cit. pp. 33-34: «Mi sembra fuor di dubbio che nelle manifestazioni artistiche del Manierismo e nella genesi di tale termine sia presente fin dalle origini questo elemento, valutato positivamente, di mondana preziosità ed eleganza. Nell'arte del Parmigianino, in contrasto con la terribilità eroica ed il *dinamico atletismo* di Michelangelo e dei suoi seguaci, si può ravvisare l'espressione più tipica di questo indirizzo artistico e spirituale, teso ad un raffinamento manierato e ad una delicatezza ipersensitiva.»

62. Orozco remite este juicio de valor al contraste que crea en las dos épocas la recepción del mensaje trentino: «Por ello consideramos la distinción de Barroco y Manierismo, subrayando cómo en general éste fue expresión del movimiento tridentino sólo en lo que en él había de limitación y norma, mientras que las formas del Barroco fueron las que verdaderamente expresaron lo positivo y más elocuente del nuevo sentimiento religioso». Cfr. E. OROZCO, *Manierismo y Barroco*, cit. p. 15.

63. He aquí una acertada recapitulación de los rasgos manieristas realizada por Georg Weise: «Partendo dalle peculiarità artistiche radicate nella visione eroica del pieno Rinascimento e comuni con *l'arte classica*, la nostra indagine ci ha condotto a un genere di connotati che esorbitano dal carattere normativo, dal ritegno espressivo e dall'idealità purificata e semplificata tipica della fase classica del Rinascimento. I tratti caratteristici dell'andamento evolutivo

los historiadores del Manierismo en pintura y poesía[64]. La más conocida marca estilística en las dos artes antes mencionadas del desplazamiento de la óptica, de la anécdota haciéndose dueña del centro del cuadro y del poema, y del repliegue consecutivo del centro semántico a situación desplazada, constituye una vieja observación de Ortega y Gasset para el Barroco[65], que ha venido a ser reivindicada por los especialistas, con justicia, para el arte en competencia, el Manierismo[66]. Sin embargo, si de todo ello queremos sacar consecuencias para la Literatura, o para el dominio de la estética literaria, nos encontraremos en la mayor desorientación. A veces un análisis aventurado, un rasgo de agudeza analítica de un gran crítico, como el de la oscuridad manierista como trasunto del dato social contemporáneo de la crisis de autoridad[67], facilita la asociación, por un momento prometedora, con la doctrina literaria de la oscuridad y la dificultad. Pero la vacilación se plantea pronto irresoluble al nivel de qué calificativo, manierista o barroco, y en virtud de qué razones, ha de colocarse a la

---

che porta al Barocco si possono riconoscere, oltre che nella crescente introduzione di elementi realistici, nel soggettivismo dell'interpretazione e nell'aspirazione a un progressivo intensificarsi degli effetti e della resa figurativa». Cfr. G. WEISE, *Elementi manieristici e prebarocchi... in Pietro Aretino*, ed. cit., pp. 306-307.

64. Como consecuencia del conjunto de rasgos peculiares referidos, se destaca a veces como razón de novedad más extensa y global la condición insólita del carácter y la personalidad de los nuevos artistas. Rasgo este muy reconocible en temperamentos como el Pontormo. Por ejemplo, F. WÜRTENBERGER, *El Manierismo. El estilo europeo del siglo XVI*, Barcelona, Rauter, 1964, p. 6: «La aparición en escena del Manierismo estuvo acompañada de un hecho de importancia decisiva: fue creado y practicado por un tipo completamente nuevo de personalidad artística, dotado de facultades individuales propias».

65. Se trata del famoso fragmento del «gesto velazqueño»: «Velázquez, con una audacia formidable, ejecuta el gran acto de desdén —¡cuánto de Ortega mismo hombre hay en este Velázquez desdeñoso!— llamado a suscitar toda una nueva pintura.» Cfr. ORTEGA Y GASSET, *Sobre el punto de vista en las artes*, en *Obras completas*, Madrid, Rev. de Occidente, 1955, Vol. IV, p. 452.

66. Cfr. E. OROZCO, *El teatro y la teatralidad del Barroco*, Barcelona, Planeta, 1969, p. 16. Para Hauser, por su parte: «Lo decisivo... para la diferenciación de los dos estilos, y lo que hay que subrayar en el barroco frente al manierismo, es el desplazamiento de lo paradójico, complicado y refinado, es decir, de aquellas peculiaridades formales que derivan de la voluntad artística intelectiva y abstracta del manierismo». Cfr. A. HAUSER, *Manierismo y Literatura*, cit. p. 18.

67. Cfr. G. R. HOCKE, *El manierismo en arte*, cit. p. 16: «Este tipo humano que recela de toda inmediatez, que ama la oscuridad y que no admite la imagen sensible sino rebozada en abstrusas metáforas, que intenta prender la maravilla sobrenatural en la red de un sistema de signos intelectuales de un idioma extraordinariamente estilizado, no constituye tanto histórica como sociológicamente ninguna excepción y mucho menos una figura original. Aparece siempre de nuevo en ocasión de una crisis en la jerarquía de los valores religiosos y políticos y, a saber, siempre en conexión con círculos de cultura más o menos «alejandrinos», en las cortes, en los salones de sociedad o en los conventículos de la bohemia.»

teoría de la obscuridad, dado que la crítica histórica lo ha aplicado, indistintamente al Barroco y al Manierismo. Otro tanto se diga de muchos más rasgos, como el invocado por Hauser del Manierismo como arte de relaciones[68], por desprecio de la realidad objetiva concreta, que parece estar reclamando a gritos su implantación sobre la teoría literaria del *concepto* como relación de extremos, o metáfora catacrética. Pero nuevamente es lícito preguntarse por las razones que tienden a vincular el conceptismo al Manierismo, como quiere un sector de la crítica más especializada —Curtius, Hatzfeld, Hauser, Hocke— y no al Barroco, etiqueta bajo la que viene figurando desde hace decenios para los historiadores de la Literatura.

A la vista de todo ello, lo que se señala como evidente es que, si no se constituyen unos claros relieves y fronteras de época, toda otra distinción, que ha de pasar por la casuística incierta de desplazamientos categoriales entre artes distintas, de implantación de tales categorías en el nuevo dominio, de catalogación y separación de autores y obras contemporáneas en virtud de series contrapuestas de categorías; se hace sencillamente impracticable. Cada nuevo ejercicio de seriación, como opera desde prejuicios y actitudes personales, supone un acto de discrepancia renovado, en mayor o menor grado, frente a los anteriores.

Si pasamos ahora a la consideración del Barroco como categoría fronteriza del Manierismo, el panorama resulta más o menos idéntico al examinado hasta aquí. Obviamente la confusión se aclara un tanto en los casos en que el Barroco se ofrece como actitud y estilo contrapuestos simplemente al Renacimiento. Con ello, para España como para Italia, el límite de los siglos XVI y XVII marca una frontera artificial, pero mucho más que aceptablemente sólida, entre Renacimiento y Barroco. Consideración que comprende la aceptación obvia de que el tránsito se produjo a través de los años conexos de un Renacimiento tardío pre-barroco y un Barroco

68. Realmente sugestiva —y tentadora— es la descripción correspondiente en Hauser, una de las mejores páginas del tan importante libro: «El metaforismo era el producto de un relacionismo, es decir, de una concepción del mundo en que todo era comparable con todo, y todo sustituible por todo; el principio de la sustituibilidad constituye el fundamento de ambos, tanto de la metáfora como de la tendencia general a la neutralización». Y añade, extrapolando plenamente esta consideración literaria: «La concepción del mundo que se halla en la base del metaforismo significa un desprecio y un menosprecio de la realidad concreta, la desvalorización de los hechos y la desintegración de la objetividad inequívoca». Concluyendo: «El relacionismo general significa un relativismo general, y no sólo en el sentido de que todo está en conexión con todo, sino también en el de que nada está centrado en sí mismo, y de que la totalidad no posee en ningún sitio un centro seguro. En parte, todo puede ser explicado por todo, pero, a la vez, nada puede ser explicado plenamente con nada. Todo se convierte en clase, y en esta escritura cifrada cada signo alude siempre a otro». Cfr. A. HAUSER, *Manierismo y literatura*, cit. pp. 59-60.

incipiente muy vinculado aún al post-renacimiento. Todo ello lo afirmamos como una iniciativa de simplificación no trivial, sino, como veremos, imprescindible para lograr algún grado de viabilidad y eficacia en la transposición a estas grandes categorías histórico-culturales posteriores, de los datos de la Poética contemporánea.

Con ello no pretendemos desestimar aquí la tendencia, más bien reciente en este tipo de debates, a cimentar en categorías histórico-sociales estables y objetivas las últimas razones de los estilos y corrientes culturales de época. Con un joven historiador del Manierismo, particularmente proclive a resolver en la clave social muchos de los interrogantes estilísticos de este período artístico y cultural, Amedeo Quondam, estamos persuadidos de la necesidad de abandonar criterios apriorísticos y disputas nominalistas[69] al revisar la historia del debate sobre las edades y corrientes culturales vinculables a los siglos XVI y XVII. Pero una cosa es definir rasgos reales de una edad, y otra muy distinta encontrar, como nosotros precisamos aquí, las características diferenciales de ese momento respecto a los momentos sucesivos. En tal sentido, los rasgos sociales atribuidos por Quondam acertadamente al Manierismo, como las secuelas de la invención y divulgación de la imprenta en la constitución de un nuevo público[70], o el de la tendencia al vulgarizamiento idiomático imputada por Dionisotti al mismo acontecimiento histórico-social[71], no dejan de ser, en efecto, rasgos aclarativos muy válidos del conglomerado de circunstancias históricas del Manierismo; pero evidentemente no constituyen elemento diferencial, por cuanto que un largo paréntesis del período precedente, y sobre todo en el caso que ahora nos ocupa, toda la edad sucesiva y las siguientes cuentan con ese mismo rasgo característico, no ya tanto de una edad sino de una civilización.

69. Cfr. A. QUONDAM, *Problemi del Manierismo*, cit., p. 40: «non interessano nominalistiche dispute, categorializzazioni ontologiche; interessa, molto più semplicemente, cercare di restituire un senso storico reale, non più mistificato o manipolato da quell'ideologia, a una serie formidabile di eventi, a un processo di crisi, di trasformazione, a una ricerca di differenza nel sistema chiuso del classicismo».

70. Véase uno de los análisis más brillantes de esta cuestión: «Se l'intervento della trasmissione del testo per mezzo della stampa modifica nettamente lo statuto del pubblico e l'area del letterario, non c'è dubbio che trasforma anche e in modo ancor più sottile lo statuto della produzione letteraria. E la trasformazione diventa tanto più netta quanto lo stampatore diventa editore. Se può apparire fondato l'avvertimento di trovarsi di fronte a un primo fenomeno di *riproducibilità tecnica* dell'opera d'arte, si tratterà di verificare coerentemente le implicazioni dirette di questa riproducibilità non solo sull' *aura* del testo ma anche sulle funzioni della scrittura, estetica, sociale e ideologica». *Ibid.*, p. 38.

71. Cfr. CARLO DIONISOTTI, *La letteratura italiana nell'età del Concilio di Trento*, en *Il Concilio di Trento e la Riforma tridentina* (Atti del Convegno Storico Intern.), Roma, 1965, pp. 317-343. (En A. QUONDAM, *Problemi*, especialmente nos referimos a p. 288).

Respecto a rasgos más circunstanciadamente histórico-políticos y limitados en el tiempo, como la *refeudalización* señalada seguramente con todo acierto por Quondam para el caso del Manierismo napolitano[72], o los tradicionalmente atribuidos al Barroco español, como conciencia crítica[73], masificación social[74], o aplastante modalización monárquica de la sociedad[75], proceden más bien de actitudes que no tienen en cuenta, o no se la plantean específicamente con tales argumentos, la diferenciación nítida entre Manierismo y Barroco a base de tales supuestos sociales, que, obviamente, si es que fueron caracterizadores efectivos del período cronológico del tránsito Manierismo-Barroco, no pudieron ser en consecuencia circunstancias discriminantes recíprocas entre los mismos.

Realmente las razones asociadas a la desmesura del «gesto barroco», como la crisis económico-social, objetivas de época[76]: inestabilidad, desasosie-

72. Cfr. A. QUONDAM, *La parola nel labirinto*, p. 10: «L'età del Manierismo è caratterizzata da una situazione di crisi verticale, con massicci fenomeni di spostamento di forze sociali ed economiche. Una fase di transizione che soltanto nei primi decenni del secolo diciassettesimo troverà un nuovo assetto istituzionalizzato e si realizzerà nel diverso ordine politico di consolidamento della feudalità nuova, ma che nei margini cronoligici che competono al Manierismo è di processo, *in fieri* quindi, di rifeudalizzazione».

73. Para un análisis correcto y actualizado de algunos de estos tópicos historiográficos tradicionales, remitamos el reciente libro de JOSÉ ANTONIO MARAVALL, *La cultura del Barroco*, cit. Por ejemplo, la vinculación de la demesura barroca al mutismo crítico social impuesto, en p. 457: «Y la pasión por la extravagancia, en aquello que se le permite, se desarrolla monstruosamente en pueblos que tienen cerrado el acceso a una crítica razonable de la vida social».

74. Otra de las características de la sociedad barroca, relativamente más novedosa, entre las analizadas por MARAVALL en relación con la pasión artística por el kitsch: «... yo llegaría a decir —y quizás eso ayude a explicar lo difícil de descubrir que ha sido el Barroco, precisamente en la grandeza de sus obras culturales— que apenas hay en él una obra de alta calidad, desde la *Santa Teresa* del Bernini, a la *Pastoral* de Poussin, a *La vida es sueño* de Calderón, que, junto a su nivel de más elevada exquisitez, no lleve pegado un elemento *kitsch*. Porque todo lo propio del Barroco surge de las necesidades de la manipulación de opiniones y sentimientos sobre amplios públicos». *Ibíd.*, pp. 197-198.

75. Factor básico en la explicación histórico-social del Barroco, en J. A. MARAVALL. Abundan en el libro diversas formulaciones explícitas de dicha tesis. Por ejemplo, en términos generales: «En el Barroco español, tal vez no sería extremado decir que en todo él, hay que atribuir el mayor peso a la parte de la monarquía y del complejo de intereses monárquico-señoriales que aquélla encubre». O esta otra, más explícitamente conjugados el hecho histórico con sus secuelas culturales: «El mundo del Barroco organiza sus recursos para conservar y fortalecer el orden de la sociedad tradicional, basado en un régimen de privilegios, y coronado por la forma de gobierno de la monarquía absoluta-elemental». *Ibíd.*, pp. 46 y 288.

76. *Ibíd.*, p. 29: «Es así como la economía en crisis, los trastornos monetarios, la inseguridad del crédito, las guerras económicas y, junto a esto, la vigorización de la propiedad agraria señorial y el creciente empobrecimiento de las masas, crean un sentimiento de amenaza e inestabilidad en la vida social y personal, dominado por fuerzas de imposición represiva que están en la base de la gesticulación dramática del hombre barroco y que nos permiten llamar a éste con tal nombre».

go, crisis de autoridad[77], afloramiento de una clase de nuevos ricos con tendencia desenfrenada a la ostentación suntuosa, al lujo y a la exornación desenfrenada[78], etc., no constituyen por sí mismas razones que permitan distinguir el Manierismo del Barroco[79], cuando no sean, incluso, peculiaridades remontables a etapas muy anteriores[80]. En los años del difícil límite

77. Tesis bastante insistida, sin análisis histórico-social consistente, por ALEJANDRO CIORANESCU, *El Barroco o el descubrimiento del drama*, Universidad de La Laguna, 1957, ver ejemplos en pp. 45 y 49.

78. La ornamentación barroca como efectismo social de las nuevas clases enriquecidas ofrece base a la intervención de BELLONCI, en el Coloquio de la Academia dei Lincei, *Manierismo, Barocco e Rococò*, cit. p. 104. Por otra parte Víctor L. Tapié justifica, complementariamente, el lujo de las iglesias como un fenómeno de igualitarismo social, o al menos de consuelo a los pobres, dada la condición de las iglesias como «casa de todos». Cfr. V. L. TAPIÉ, *Baroque et Classicisme*, cit. p. 55. Chispeante y rigurosa es su descripción de este mecanismo en las iglesias mediterráneas, de Nápoles y Venecia: «D'humbles gens à qui le beau temps rendait agreable la vie au-dehors (en même temps qu'il les incitait à la paresse du moins les détournait de l'effort qui eût pu vaincre leur pauvreté) s'accoutumaient aux spectacles renouvelés de la lumière dans le ciel ou sur la mer et ils en venaient à aimer, comme une autre libéralité de la nature, l'oppulence du décor artistique, profane ou religieux. La richesse des sanctuaires les faisait participer à sa joie». Este análisis resulta persistente, y se convierte quizás en uno de los postulados sociales básicos de la tesis de Tapié. Véase, referido a España, en p. 421; y en general, encabezando la conclusión de la obra, en pp. 451-2.

79. La turbulencia social y la contestación a la apatía social imperante durante el Renacimiento, ha sido invocada invariablemente, con la misma justicia, para ilustrar la infraestructura social manierista y barroca. Respectivamente, véanse, entre muchos otros, para el Manierismo, STAMM. «Englische Literatur» en la obra por él editada, *Die Kunstformen des Barockzeitalters*, Berna, Dalp, 1956. Para el caso del Barroco, recuérdense las brillantes razones de Jean Rousset, referidas a Francia: «Il y a là une attitude assez générale parmi les hommes de la dernière génération du XVIe siècle, celle des pires troubles civils. Le monde qui leur est offert, ils le voient passager et n'y trouvent pas leur joie, car le spectacle est cruel; ils ne le décrivent que pour s'en délivrer; nostalgiques de la permanence, c'est l'inconstance de toutes choses qui les mène à la constance; loin de s'immerger délicieusement dans le cours fugitif du monde, ils ne font que le traverser pour s'en échapper». Cfr. J. ROUSSET, *La littérature de l'âge baroque*, cit. pp. 120-121.

80. Un caso típico, y de los más importantes, pudiera ser el del papel atribuido a la burguesía inmadura dentro del fenómeno cultural del Barroco. Maravall ha detectado el síntoma con razón innegable para el siglo XVII. Cfr. JOSÉ ANTONIO MARAVALL, *La cultura del Barroco*, cit., p. 86: «Pensemos —dice— que la pérdida de la fuerza y abandono de la burguesía, en la primera mitad del siglo XVII, más que a una crisis de ella misma, más que a una retracción de su papel, se debió a un intencionado fortalecimiento del poder de la nobleza, que para ayudarse arrastró consigo a los enriquecidos, y otros grupos ascendentes se vieron frenados».

Pero el síntoma —y José A. Maravall no dice lo contrario— está bien atestiguado desde el planteamiento medieval de nuestra estructura castellana de clases sociales. Baste recordar la monográfica atención que al problema dedicara CLAUDIO SÁNCHEZ ALBORNOZ (capítulos XII, XIII y XV, de *España, un enigma histórico*, Buenos Aires, Ed. Sudamericana, 1971). El último de los cuales concluye glosando la situación en el XVI de un proceso iniciado en los lejanos siglos de la insegura Reconquista, que hizo crisis con las riquezas americanas

no se produjeron modificaciones suficientes a nivel europeo[81] que justifiquen las razones de distinción entre ambos estilos; aun cuando resulten más fáciles de determinar, como es lógico, al restringirse al área española[82]. Ni siquiera el dato histórico más marcadamente insistido para explicar la génesis histórica del Barroco: su alianza de servicios a la Contrarreforma católica y, como una consecuencia de ella, su poderoso fermento jesuítico[83];

---

y la sangría de la gloriosa política europea de Carlos V; en los siguientes términos: «El espíritu caballeresco, el hidalguismo había penetrado hasta el tuétano de la sociedad castellana, había reblandecido su potencia nerviosa, había frustrado el cuajar de una burguesía y el madurar del espíritu burgués, con todo lo que éste significaba de mirar de tejas abajo. Con todo lo que significaba de gusto por la observación de la naturaleza, de inclinación hacia el conocimiento empírico, de devoción por la experimentación y la técnica, de ruptura con la concepción teocéntrica de la vida y de atracción hacia el libre juego del pensar y del querer». Vol. II, p. 347.

81. Sobre la extensión uniforme o las peculiaridades nacionales y regionales del Barroco europeo, cfr. PIERRE FRANCASTEL, *Limites chronologiques, limites géographiques et limites sociales du Baroque*, en *Retorica e Barocco*, cit. pp. 56-60. Frente a la tesis de la Europa barroca unida de Francastel, véase la crítica de HATZFELD, en *Estudios sobre el Barroco*, cit. pp. 73 y ss.

82. Si pensamos, por ejemplo, para el ámbito español, en los cambios entrañados por la dialéctica monarquía-estamentos sociales, con la transferencia de la corona producida en el cambio de los siglos, de Felipe II a los Austrias menores, resulta evidentemente más fácil establecer conexiones entre Barroco y absolutismo monárquico, que si hubiera que tomar en cuenta dominios nacionales más diversos. La conocida metáfora de la clave de la bóveda, la puede aplicar Maravall, con toda propiedad a la peculiarización de la monarquía y la sociedad españolas del siglo XVII: «Así, la monarquía absoluta se convierte en principio, o tal vez mejor, como en otra ocasión hemos dicho, en clave de bóveda del sistema social: estamos ante el régimen de absolutismo del Barroco, en el que la monarquía culmina un complejo de intereses señoriales restaurados, apoyándose en el predominio de la propiedad de la tierra, convertida en la base del sistema». Cfr. J. A. MARAVALL, *La cultura del Barroco*, cit. p. 71.

83. La asimilación del Barroco al jesuitismo, recorre una larga y bien conocida galería de razones que satisfacen las posturas más opuestas. Entre los estudios más próximos a nuestro campo de la literatura hispano-italiana, el distinguido estudioso del problema, padre Batllori, ha insistido terminantemente en la injusticia de la asimilación total, bien que en razón de la coincidencia cronológica de ambos fenómenos y de la inocultable pujanza y protagonismo de los jesuitas, ellos alentaron y hasta protagonizaron, directa o indirectamente muchos de los elementos de auge. Véase entre la amplia bibliografía de MIGUEL BATLLORI sobre este punto, *Gracián y la retórica barroca en España*, en *Atti del III Congresso Internazionale di Studi Umanistici*, Roma, Bocca, 1955, concretamente en p. 30, la siguiente afirmación terminante: «Tengo para mí que los jesuitas ni crearon el Barroco ni lo utilizaron como simple instrumento propagandístico. En todo el seicento, la cultura de los países católicos se identifica en gran parte con la cultura de los jesuitas. Cuando llega el momento de la reacción antibarroca, ellos se pondrán también a la cabeza del neoclasicismo por el mismo motivo de que también en el siglo XVIII ellos serán parte integrante de la cultura general europea». Sin embargo, Hatzfeld, sin contradecir en ningún momento al autorizado Batllori, parece más propicio a reservar para los jesuitas protagonismos, en su opinión muy honrosos, no sólo sobre la expansión, sino, además, sobre la génesis del Barroco. Así él invoca a San Ignacio y a sus *Ejercicios* como clave desencadenante del movimiento frente a las afirmacio-

nos sirve para distinguirlo en puridad del Manierismo. Ya que el grado de indistinción, estilística e intelectual, rigurosa entre ambas grandes corrientes permitiría con frecuencia extender al Manierismo[84] las razones dadas —es cierto que con prioridad y cierto carácter exclusivo— para asociar el Barroco como arte de la Contrarreforma[85].

Caracterizado el Barroco, ya desde las tesis wölfflinianas, como un arte de seriedad antilúdica y grandeza impositiva[86]; la tentación de asociar

---

nes de la línea liberal que atribuyen esa responsabilidad a otros orígenes, cfr. H. HATZFELD, *Estudios sobre el Barroco*, cit. pp. 44-45. A nuestro juicio existe un cierto partidista desenfoque, en este punto, en las apreciaciones, por lo demás siempre clarividentes, del maestro Hatzfeld. En el dominio de la arquitectura, particularmente recordado en el debate, Tapié coincide y refuerza la opinión antes recogida de Batllori: «Il en résulte que l'expression *style jésuite* ne saurait répondre à la réalité de l'histoire. Elle est, au contraire, largement démentie par les faits. Il n'y a pas eu de style jésuite, telle est la verité. Si, néanmonins, bien des églises jésuites ont présenté entre elles des caractères de parenté, cela tient à la période pendant laquelle elles ont été construites», cfr. TAPIÉ, *Baroque et classicisme*, cit. p. 84.

84. Frente a la conocida actitud tradicional de Weisbach que asocia la Contrarreforma al Barroco, Nikolaus Pevsner lo hacía respecto al Manierismo. La actitud de Hauser, bien conocida, es inestable, dubitante en este punto: «la actitud de la Contrarreforma no coincide exactamente ni con la voluntad artística del manierismo ni con la del barroco, aunque —concede a los partidarios de Weisbach— encuentra en esta última una expresión mucho más adecuada». Cfr. A. HAUSER, *El Manierismo. Crisis del Renacimiento y origen del arte moderno*, cit. p. 102. Nuestra opinión —por razones ajenas al debate intrínseco que ocupa a estos autores, manifiesta en la actitud general que sustentamos en estos apartados— se aproxima más, desde luego, a la tesis más generalizada de Weisbach. Un resumen claro de este notable debate en E. OROZCO, *Manierismo y Barroco*, cit. pp. 70-71, nota 11. Cita y elogia el estudio de Paolo Prodi, interesado en este punto concreto, *Ricerche sulla teoria delle arti figurative nella riforma cattolica*, en «Archivio italiano per la storia della pietà», III-IV, Roma 1962-1965, pp. 121-212.

85. Cfr. la tesis clásica que asocia Barroco a Contrarreforma de Werner Weisbach, *El Barroco arte de la Contrarreforma*, Madrid, Espasa-Calpe, 1942. Una verificación centrada en el caso español la constituye la muy apreciada introducción al libro, de Enrique Lafuente Ferrari. Por cierto que las tesis de Lafuente sobre los orígenes góticos del Barroco encuentran eco en diversos estudios españoles, tanto de bellas artes, como el de MARÍA LUISA CATURLA, *Flamígero y Barroco*, en «Revista de ideas estéticas», I, 1943, pp. 13-20; cuanto literarios, como en el casi simultáneo de A. DE APRAIZ, *San Juan de la Cruz, entre el gótico y el barroco*, en «Revista de ideas estéticas», I, 3, 1943, pp. 1732. Por su parte, Hatzfeld carga el tono más en las notas españolas del Barroco europeo que en el mismo espíritu general contrarreformista. Tesis que, en verdad, no excluyen la síntesis del contrarreformismo español. Cfr. H. HATZFELD, *Estudios sobre el Barroco*, cit. pp. 29-30: «No es la contrarreforma, sino España como tal, la responsable de la difusión del Barroco histórico en Europa; como lo es también de esta misma contrarreforma, tanto la jesuítica como la de Trento».

86. Características que pueden tomar pie en textos wölfflinianos como el siguiente: «Se vuelve a encontrar esta gravedad en todos los lugares —bajo el Barroco incipiente—: la religión preconiza un retorno sobre sí mismo, el mundo laico se opone de nuevo al mundo eclesiástico y sagrado, la alegría de vivir ingenua termina, el Tasso escoge, para su epopeya cristiana, a un héroe que está cansado de este mundo; en las relaciones sociales domina un tono acompasado y mesurado, la gracia libre y ligera del Renacimiento termina, gravedad y dignidad la reemplazan, en el lugar de la serenidad ligera y jovial se instala un pomposo

tales características al fenómeno histórico más caracterizado de la contradicción integrista y conservadora que fue la Contrarreforma, resultó una tendencia temprana en la historiografía alemana heredera de Wölfflin, desde Weisbach, y en la italiana desde Toffanin. Generándose, incluso, por inercia confusionista, idéntica actitud frente a un arte como el Manierismo, cuando surgió después a la conciencia crítica moderna[87]. Este, si bien puede hacerse coincidir cronológicamente con la Contrarreforma, según el criterio caracterizador que se le aplique, perdía evidencia y relieve distintivo respecto del Barroco, al aplicársele de manera automática la misma asociación que a aquél con el didactismo integrista y el efectismo de masas de la Contrarreforma[88]. Nosotros haríamos aquí nuestras las palabras de Scrivano sobre la Edad Renacentista; pensando más bien en la Contrarreforma como un hecho relativamente aislado y concreto, pese a sus innegables condiciones de complejidad e importancia —recordemos en frase afortunada de Maravall que fue más una cuestión de Iglesia que de[89] Religión— como acontecimiento histórico, dentro de conjuntos de acontecimientos tan amplios y densos,

---

aparato, en todos los sitios se exige una grandeza impositiva», cfr. E. WÖLFFLIN, *Renacimiento y Barroco*, cit. p. 146.

87. Ejemplo característico de la tendencia mencionada sería el trabajo muy temprano de WERNER WEISBACH, *Der Manierismus*, cit. pp. 161-183. En la misma tradición wölffliniana: NIKOLAUS PEVSNER, *Gegenreformation und Manierismus*, en «Repertorium für Kunstwissenschaft», XLVI, 1925, pp. 243-262.

88. Tal es la corriente que subyace, a nuestro juicio, en la iniciativa de un libro sobre el arte manierista tan difundido como el de Würtenberger, en su proclamación en tal arte de un didactismo radical, de progenie, según este autor, contrarreformista: «Las obras de arte se convirtieron en medios de lucha para imponer los valores ideológicos y morales entre los hombres. Hubo que esperar a aquel siglo de enconadas controversias religiosas e ideológicas para que el arte asumiese una misión propagandista tan importante. A ello se debió que el arte manierista adquiriese un carácter tan notablemente moralizador y didáctico. El arte podía convertirse también en un instrumento de la política. Fue un fenómeno nuevo en la historia de la cultura el hecho de que la asamblea eclesiástica, el Concilio de Trento, elaborase un plan detallado acerca de cómo podían y debían utilizarse las obras artísticas para hacer de ellas armas ideológicas, culturales y religiosas», cfr. FRANZSEPP WÜRTENBERGER, *El Manierismo*, cit. p. 35.

89. Cfr. JOSÉ A. MARAVALL, *La cultura del Barroco*, cit. p. 47. Poco más adelante añade en coincidencia con nuestra propia opinión: «Digamos que, no la Contrarreforma, término, hoy, insostenible, sino los factores eclesiásticos de la época que estudiamos, son un elemento de la situación histórica en que se produce el Barroco. Y que si a alguno de esos factores, por razón de su nexo situacional, lo calificamos con el adjetivo de *barroco*, a todos aquellos que, como la economía, la técnica, la política, el arte de la guerra, etc., estuvieron tan enlazados a esa situación y tuvieron sobre ella tan fuerte acción condicionante, con no menor fundamento hemos de tenerlos como factores de la época del Barroco. Sin aquéllos, ésta no puede entenderse, como ellos mismos no se entienden tampoco si, al contemplarlos en las alteraciones que experimentaron y que tan eficazmente contribuyeron a configurar la nueva época, separamos de ellos ese mismo calificativo de barrocos», pp. 47-48.

como aquellos a los que se trataría de aludir mediante las categorías histórico-culturales de Renacimiento, Barroco o Manierismo[90].

Desde un punto de vista rigurosamente histórico e ideológico, pero con fuerte respaldo, a nuestro juicio, en razones estilístico-literarias, la línea de separación entre Renacimiento y Barroco trazada especialmente para el caso español por la llamada «tradición laica liberal», se ajusta mejor a los datos que, como veremos pronto, nos ofrece la teoría literaria, al no forzar sino la distinción simple entre un Renacimiento humanístico[91] con proyecciones progresivas hedonistas y formalistas bien marcadas, y un Barroco contrarreformista, definido contradictoriamente por la «seriedad» de intenciones y un progresivo arraigo de la desmesura formal y el deleite admirativo. Recuérdese al respecto la rigurosa esquematización de esta tesis en palabras de Macrì, criticando las complicaciones, siempre peligrosamente fundamentales, de la tesis católica, representada ventajosamente por Hatzfeld:

90. Cfr. RICCARDO SCRIVANO, *Il manierismo nella letteratura del Cinquecento*, cit.: «...neppure un greve e grosso fatto come la Controriforma modella quest'età: prima di tutto perché motivi ed opere importantissime o si formano ai margini di essa o addirittura al di fuori; in secondo luogo perché è fenomeno storico che impregna di sé un tempo più vasto, più vario e più impreciso; che occupa infine uno spazio geograficamente più esteso» (cit. por la antología de A. QUONDAM, *Problemi del Manierismo*, cit. p. 272).

91. El trazado nítido de las diferencias entre la aquí aludida tradición historiográfica laica, de Bataillón y Castro, frente a la católica de Hatzfeld, lo hace Macrì en los siguientes términos: «per questi studiosi cattolici la realtà rinascimentale è platonico artificio, modellino fragile e transeunte di vagheggiate perfezioni, motivo di nostalgia dentro lo stesso barocco; per i laici è costruzione umana intenzionalmente adguata all' oggetto naturale e umano; donde la contraria disposizione verso il barocco, che instaura un reale vero per gli uni, un prospettivismo illusionistico, una mostruosa irrealità per gli altri». Cfr. O. MACRÌ, *La storiografia sul Barocco letterario spagnolo*, cit. p. 182. Definen la línea laica, las obras capitales de MARCEL BATAILLON, *Erasmo y España*, cit. y el conjunto específico de libros y artículos de AMÉRICO CASTRO, entre los que recordamos, como más directamente implicados en el debate: *El pensamiento de Cervantes*, cit. (ed. ampliada por Julio Rodríguez-Puértolas) y *Las complicaciones del arte barroco*, en «Tierra firme», I, 1935, pp. 161-168, estudio a nuestro juicio en el que se justificaba, en verdad, las críticas de Hatzfeld sobre el relativo menosprecio estético del Barroco. Entre las consecuencias analíticas, literarias, de esta orientación, destacaremos como modélicos dos estudios cervantinos, de Joaquín Casalduero, *Sentido y forma del «Quijote»* Madrid, Insula, 1949; y STEPHEN GILMAN, *El falso «Quijote». Versión barroca del «Quijote» de Cervantes*, en «Rev. de Fil. Hisp.», 2, 1943, pp. 148-157. Estudio que ilustra perfectamente el contraste o transición en el seno del propio caso del Quijote, donde el de Cervantes marca aún su vinculación a un universo de mitos humanísticos, mientras que el de Avellaneda supone sólo la barroquización estilística de tales mitos al servicio ya de una degradada moraleja contrarreformista. Recuérdese, además, del mismo GILMAN, su conocido análisis global de estos temas, *An introduction to the ideology of the Baroque in Spain*, en «Symposium», I, 1946, pp. 82-107. En la línea de respeto a esta actitud de Américo Castro, destacaríamos la clarísima aportación de RAFAEL LAPESA, «Góngora y Cervantes: coincidencia de temas y contraste de actitudes», en *De la Edad Media a nuestros días*, cit., pp. 219-241.

«La motivazione segreta della storiografia barocca di Hatzfeld sta nel curioso tentativo di trasformismo del fronte laico antibarocco di Baldensperger, Peyre, Castro, Bataillon, ecc., i quali sostanzialmente sono d'accordo... nel separare nettamente l'umanesimo-rinascimento cristiano erasmiano (fino al 1556 ca.) dal barocco cattolico-tridentino e ignaziano, con conseguente distinzione di un'età di umano irenismo da un'età di temperato moralismo gesuitico, favoreggiatore di pagano edonismo poetico, distraente dai quesiti profondi della critica e della coscienza»[92].

Naturalmente, no aceptamos ni participamos de ningún género de valoración peyorativa subyacente a los cultivadores de la tradición laica sobre el Barroco de la que les acusa Hatzfeld[93]. Pero reinsistimos en que, en general, desde nuestra personal intuición de las formas literarias, y, sobre todo, desde los datos que nos ofrece la no tan despreciable como despreciada —quizás sólo por desconocida— consciencia teórico-poética contemporánea, resulta muy difícil apoyar con rasgos marcados y contundentes las sutiles divisiones cronológico-estilísticas entre Manierismo y Barroco literarios en España; igual que no encontramos libres de prejuicio sino ensombrecidas de apriorismo, las razones del reparto de escritores —por lo demás tampoco unánimes, ni siquiera entre los partidarios de la escisión estilística— entre el Manierismo y el Barroco, a cuya dificilísima tarea se arrojó, coherentemente con sus tesis, con todo su talento y cultura Hatzfeld, sin llegar a conquistar definitivamente la aquiescencia de muchos especialistas sumamente cualificados[94].

92. Cfr. O. MACRÌ, *La storiografia*, cit. p. 155.

93. Cfr. H. HATZFELD, *Estudios sobre el Barroco*, cit. p. 28, «Ni Bataillon ni Castro pueden concebir los valores de una cultura que no admite que la sola razón humana pueda resolver todos los problemas de la vida y que un giro metafísico colectivo del espíritu de una nación pueda ser un fenómeno espontáneo y no impuesto. Además, en la medida en que Castro y Bataillon escriben exclusivamente como historiadores de ideas, desdeñan por completo los problemas de estilo artístico, posiblemente revelador de lo que ellos prejuzgan».

94. Respecto a la atribución fundamental hecha por Hatzfeld de Cervantes al Barroco y de Góngora el Manierismo, que no deja de ser sorprendente, incluso desde un examen puramente cronológico, Macrì parafraseó intencionalmente los rasgos, a su juicio más débiles e inaceptables de la argumentación de Hatzfeld: «Insomma, il vero barocco deve essere quello di Cervantes, dovuto a dignità postridentina, *ejemplaridad* e moralità; laddove, Góngora, giocando con cattiva coscienza cristiana intorno alla forma della bellezza periferica dell'edonismo tardorinascimentale, non è barocco, ma manieristico». Cfr. O. MACRÌ, *La storiografia*, cit. p. 156. No obstante la atracción de las tesis de Hatzfeld está muy lejos de ser definitivamente desterrada. Recordemos al respecto las coincidencias, no causales, con los estudios de CASALDUERO, especialmente *Sentido y forma de las «Novelas ejemplares»;* así como con los de otros distinguidos cervantistas, como P. M. DESCOUZIS, singularmente, *Don Quijote, catedrático de teología moral*, en «Romanische Forschungen», LXXV (1963), pp. 264-272.

El difícil deslinde Manierismo-Barroco

Esta inseguridad y evanescencia de criterios no se ve ahuyentada, ni mucho menos, cuando, como hemos hecho páginas adelante con el Manierismo, analizamos los rasgos estilísticos e ideológicos más sobresalientes atribuidos tradicionalmente al Barroco, como criterios distintivos de un tercer arte interpuesto entre él mismo y el Renacimiento, el Manierismo. Comenzando por los ideológicos, en el examen de datos y criterios en la que hemos aceptado como tradición católica, apenas si presentan elementos de consideración sobre el Manierismo [95]. Cuando Villoslada y Ornedo intentaron convertir las tesis laicistas de Bataillon y Américo Castro a una valoración positiva del Barroco, lo que contemplaron ellos como base humanística antecedente no fue sino un conjunto de fenómenos renacentistas [96]. Claro está que los trabajos a que nos hemos referido, proceden, los extranjeros, de un período en que la conciencia crítica sobre el Manierismo no se hallaba aún normalizada, y, en el caso de los españoles, el atraso ambiental era todavía mucho más notorio.

Por último, consideramos allegable a nuestra propia opinión la de Amedeo Quondam, quien en la medida de haber afrontado ún temprano conceptismo manierista, aún durante el siglo XVI, en el napolitano Camilo Pellegrino, establecía la distinción entre tal tipo de conceptismo manierista, vinculado a la tendencia creciente a la «locuzione artificiosa», pero sin abandonar aún la sinonimia de «concetto»-significado; creando así la diferenciación con el «concetto»-signo global, propio ya de la posterior etapa de desarrollo barroco del conceptismo. Cfr. A. QUONDAM, *La parola nel labirinto*, cit., especialmente, pp. 40 y ss. También G. FERRONI-A. QUONDAM, *La locuzione artificiosa. Teoria ed esperienza della lirica a Napoli nell'età del manierismo*, Roma, Bulzoni, 1973; especialmente pp. 13-32.

95. Considérese el caso de WERNER WEISBACH, no sólo en su obra capital, sino en artículos monográficos como *Barock als Stilphänomen*, en «Deutsche Vierteljahrschrift über Kunst und Geistesgeschichte», II, 1924, pp. 225-226. Y la opinión sobre el Manierismo es la misma en la línea de trabajos, a favor y contrarios, que le siguieron. Por ejemplo: P. WERNER, *Late Renaissance, Baroque and Counter Reformation*, en «Journal of English and Germanic Philology», XLVI, 1947, pp. 132-143; o, en la linea de los opuestos a Weisbach, el trabajo de HERBERT CYSARZ sobre el origen protestante del Barroco, *Zur Zeit und Wesenbestimmung des dichterischen Barock-stils*, en «Forschichte, und Forschungen», XI, 1935, pp. 409-411. Idéntica es la situación de la historiografía española al respecto. Recordemos, aparte de la actitud weisbachiana de Lafuente, F. MALDONADO DE GUEVARA, *El período trentino y la teoriá de los estilos*, en «Rev. de Ideas estéticas», XIII, 1946, pp. 65-98. La tónica se mantiene en estudios posteriores, con enfoques ideológicos y valorativos muy distintos, como E. TIERNO GALVÁN, *Notas sobre el Barroco*, en «Anales de la Univérsidad de Murcia», 1954.

96. Cfr. F. GARCÍA VILLOSLADA, *Humanismo y Contrarreforma*, en «Razón y Fe», CXXI, 1940, y RAFAEL MARÍA DE ORNEDO, *¿Hacia una desvalorización del Barroco?*, en «Razón y Fe», CXXV, 1942, pp. 47-60, 361-374, 545-558; y CXXVI, 1942, pp. 37-52.

Sin embargo, ni aun en los más destacados estudiosos actuales del Barroco, con una tradición de contrastes con el Manierismo —un Manierismo, téngase bien presente, previamente diferenciado estilísticamente del Renacimiento— ya casi sofocante, las notas ideológico-estilísticas distintivas llegan a ser estables e incontrovertibles. Y ello ni siquiera en la crítica de un arte mejor objetivable, como la pintura. El gran estudioso de la plástica barroca Giulio Carlo Argan, en su preciosa intervención del Congreso de los Lincei, intentó trazar, a título de presupuesto, la línea distintiva entre Barroco y Manierismo, primero bajo el concepto de consciencia de su compromiso contrarreformista-contemporáneo:

> «Ormai circoscritta all'ambito del tardo Manierismo la poetica figurativa della Controriforma, nel suo sviluppo europeo, si presenta, come infatti la qualifica il Bellori, come arte consapevolmente moderna. Con questo termine si vuol dire che l'arte non aspira più, come nel Rinascimento, ad essere *antica* e neppure, come nel tardo Manierismo, *senza tempo;* anzi di proposito vuole inserirsi nel proprio tempo storico e rappresentarne gli ideali e positivamente concorrere a mutare l'aspetto del mondo».

No cabe duda que la indiscutible brillantez de la andadura intelectual y verbal de Argan, nos ofrece un rasgo deslumbrante, pero de generalización difícil. Tanto más cuanto que, inmediatamente, entre nuevos testimonios de agudeza, como la definición del Barroco como arte de hipótesis, ofrece la contraposición parcial entre Barroco y Manierismo sobre la base de los rasgos: *exceso-justo medio.* Tales categorías, si bien son aceptables por lo que al concepto tradicional barroco extremoso se refiere —aun con discrepancias tan sensibles como la de Hatzfeld—, no lo son en su otro extremo; ya que la diferencia entre Manierismo y Renacimiento sería muy difícil de establecer —en general como en términos de teoría poética—, si se atribuye en exclusiva como rasgo distintivo del primero, como hace Argan, la propensión al «justo medio»:

> «Non più preoccupata del manieristico *giusto mezzo,* l'arte barocca mira spregiudicatamente proprio a quegli *eccessi* che le saranno rimproverati dai critici neoclasici. Questi *eccessi,* per altro, non dipendono da un gusto della ricerca e della sperimentazione, dacché il ciclo del naturalismo cinquecentesco è chiuso e la natura non è più l'oggetto primo dell'interesse intellettuale —y añade—: l'arte barocca è piuttosto l'arte dell'ipotesi, sul terreno formale come su quello tecnico, com'è scienza dell'ipotesi —cioè scienza per la quale l'esperimento non è procedimento d'indagine, ma verifica a posteriori— la scienza del tempo; ed è appena necessario avvertire che il concetto di ipotesi, per la scienza, è

l'equivalente del concetto di *verosimile* o di *possibile*, nelle poetiche letterarie e figurative»[97].

Quizás en este sentido, aun coincidiendo con la fiable autoridad de Weise[98] en reconocer todas las dificultades que entraña el planteamiento global del problema de límites Manierismo-Barroco, la Poética nos pueda ofrecer la línea segura de separación, considerando algún síntoma parcial aislado, como lo es el tratamiento de ciertos recursos literarios. El testimonio de Quondam viene a reforzar una vez más, con su propia experiencia, los resultados de nuestra investigación —sobre los que nos demoramos en una nota en este mismo capítulo—. El desbordamiento formalista de la lírica barroca, de Góngora o Marino, apoyado en muy concretos recursos de neologismo, *amplificatio* y metáfora conceptuosa, viene a ofrecer una pauta clara del límite; dando por supuesto, claro está en discrepancia con Hatzfeld, la condición barroca y no manierista de los poemas gongorinos mayores como las *Soledades*. En la medida en que el *concepto*, recurso básico de la poesía barroca, gana estatuto de *signo solidario* como expresión generada y no sólo manifestada por las palabras, frente a la condición tradicional de *significado-sentencial discreto* que había empezado a alcanzar en el período manierista[99], o de *elemento integrado del significado textual*, que tenía dentro de la tradición

97. Cfr. GIULIO CARLO ARGAN, *Il Barocco in Francia, in Inghilterra, nei Paesi Bassi*, en *Manierismo, Barocco e Rococò*, cit. pp. 329-336, los textos cit. en p. 329.

98. Cfr. GEORG WEISE, *Il Rinascimento e la sua eredità*, cit., pp. 513-564. No obstante lo cual, la espectativa de Weise —empezando por los resultados de su propio trabajo de deslinde en el Aretino— es esperanzadora en torno a una línea de fractura que en Italia vendría a coincidir con la divisoria de los siglos: «Già ora si può peraltro accennare al fatto che anche la critica letteraria constáta, nello sviluppo della letteratura italiana, un chiaro punto di rottura verso la fine del Cinquecento e distingue il periodo del Barocco vero e proprio dagli stadi precedenti di trapasso e, come mostra appunto l'Aretino, di un'anticipazione degli elementi baroccheggianti. Manierismo e Barocco sembrano quindi divergere anche in questa sede e intorno allo stesso periodo, e il tentativo di discriminare con maggior precisione i loro tratti distintivi può forse sperare in un risultato relativamente soddisfacente», p. 564.

99. Véase una concisa formulación de tal tesis, enormemente precisa: «Se, come si è detto, complessa risulta una procedura di separazione del Manierismo dalla lunga durata classicistica del Cinquecento, e se l'esperienza manieristica è storia interna al classicismo stesso (con quel senso lùcido di reclusione che rende alienata la condizione dell'intellettuale manierista), il Barocco si presenta come radicalmente altro rispetto alla tradizione. E tanto per utilizzare strumenti di misurazione interni al testo, basterà osservare come per il Barocco la condizione dell'esercizio poetico risulti integralmente fondata sull'utilizzazione di un tratto specifico della retorica classica, quello dell'*ornatus in verbis singulis*, che assegna una funzione autonoma ed assoluta, di preminente capacità di gestione del fatto poetico ai *tropi* (e ovviamente privilegia metafora e metonimia), sui quali si concentra in modo esclusivo l'attenzione del letterato-produttore che attribuisce loro ogni capacità d'espressione sia concettuale che di comunicazione semiologica». Cfr. A. QUONDAM, *La parola nel labirinto*, cit., p. 7.

poética —y por lo mismo en la reflexión teórica— clásico-renacentista[100]. Esperamos que el minucioso análisis de esta cuestión que introducimos en el Libro V de esta obra, justifique plenamente el compromiso de nuestras palabras actuales. No obstante, insistimos, el caso del concepto es sólo un aspecto, importante pero parcial, de la línea de separación entre Manierismo y Barroco, por supuesto insegura y absolutamente impurificada cuando se piensa en la totalidad de aspectos poéticos, artísticos y culturales comprendidos y atribuidos a las dos nociones.

Centrándose fundamentalmente en los fenómenos literarios, pero sin excluir exámenes muy válidos en el campo de la pintura[101], Helmut Hatzfeld representa quizás la actitud más extremosa y compleja —no por ello absolutamente desestimable, dada su sagaz defensa— por cuanto que, en torno a la noción de Barroco sitúa las de Manierismo y Barroquismo, lo que le obliga, doblemente, a perfilar un concepto de Barroco quintaesenciado, quizás hasta el exceso. En efecto, Hatzfeld no puede oponer a la etapa renacentista y manierista el desequilibrio, el gestismo, la desmesura formal encubridora tras las apariencias del contraste de fugacidad tradicionalmente atribuido al Barroco[102]; por cuanto que tales elementos de distinción le

100. Obviamente, el gran paso en la evidenciación privilegiada del *concepto*, y por tanto en su transformación y extracción del uso integrado dentro del código clasicista, se produjo bajo el Barroco. El conceptismo manierista —cuya fijación teórica podría ser situada —como propone Quondam— en el diálogo *Del concetto poetico* del napolitano Pellegrino— destaca bien a las claras sus intenciones y progenie integrada en el inventario de recursos de exornación de la retórica clásico-renacentista. Así lo advierte el propio Quondam, glosando el texto de Pellegrino: «Questo estremo tentativo di una nuova codificazione normativa, che non si assegna il compito di saltare nettamente i legami con l'istituzione classicistica e anzi si sforza di dimostrare che tutto sommato è ancora all'interno del codice retorico-tradizionale, assegna la posizione del Pellegrino in un contesto storico-culturale che difficilmente potrebbe trovare una connotazione diversa da quella del Manierismo: e questo soprattutto per il suo sforzo di protrarre al limite massimo di elasticità le categorie della retorica cinquecentesca, provocandone in realtà un'irreversibile lacerazione dell'organico rapporto, fondamentale nella tradizione classicistica, tra *res* e *verba*, tra arte e natura, e quindi sciogliendo il circolo organico del *docere/delectare*. Ma nello stesso tempo decisivo per l'assegnazione del Pellegrino all'area manieristica è il primato del carattere tutto letterario... che egli attribuisce alla scrittura poetica». *Ibid.*, p. 43.

101. Aparte de sus estudios sobre el Greco y Velázquez, destacaríamos nosotros como cumbre de su penetración en el estudio cultural de la pintura, su análisis intelectual de «Las Hilanderas», puestas en relación con el tratamiento realista a través del que Velázquez incorpora la mitología pagana a la realidad contemporánea; no cometiendo con ello desacato paganizante, sino por el contrario, como demuestra Hatzfeld, cumpliendo, con incalculable talento, la recomendación de Trento.

Cfr. H. Hatzfeld, *Estudios sobre el Barroco*, cit. pp. 88-89. Poseída la clave interpretativa general de Hatzfeld, no es difícil descubrir el camino a la interpretación del mundo clásico y mitológico de Velázquez: «Los borrachos», sus filósofos mendigos, etc...

102. Este rasgo invariablemente concordante en la crítica tradicional ha sido inteligentemente

serán necesarios para deslindar entre Barroco y Barroquismo[103]. Por ello construye un «Barroco impresionista», de Velázquez y Cervantes[104], frente a un «Barroquismo prismático», de Quevedo, Gracián y Calderón. Y, aun aceptando las diferencias bien expresadas por Hatzfeld, no consideramos viable que una diferencia personal o individual de escritores —incluso justamente establecida— pueda romper las peculiaridades fundamentales y estables que exige la contraposición estilística de épocas, y mucho menos de épocas internacionales. Así es como, pese a su carga de bien concertados argumentos, no dejan de sorprender al lector habituado a las tesis sobre el Barroco, definiciones de Hatzfeld sobre dicha edad, como la siguiente.

> «Como quiera que estas líneas juguetonas del Barroco incipiente carecen de inspiración ideológica interior que les dé un significado, no pueden mostrar aún la armoniosa fusión de fondo y forma que se aprecia en las obras del grande o perfecto Barroco. En éste, aquellas formas derivadas del Renacimiento-Manierismo, llegan a equilibrarse y se someten a la inspiración de nuevas ideas: las de la Contrarreforma.»[105]

---

simbolizado por Rousset en su emblemático «pavo real», símbolo de la ostentación barroca: «Voilà donc—dice en una de las formulaciones más afortunadas de su tesis-símbolo —une équivalence du Baroque hors des beaux-arts—: l'ostentation et le montre, valeurs décoratives qui transportent la domination du décor sur la structure. Dans la querelle de l'être et du paraître, ceux qui sont du côté du Baroque se reconnaissent à l'accent qu'ils font porter sur le paraître. Le monde se présente à eux comme une grande façade mouvante, et l'homme comme un beau paon constellé de miroirs: le monde de la *montre* —recuérdese el reloj como obsesión de la plática barroca— et l'homme de l'ostentation». Cfr. J. ROUSSET, *La litterature de l'âge baroque*, cit. p. 228.

103. Cfr. H. HATZFELD, *Moderate and exagerate Baroque in the Golden Age*, en *Studia Iberica*, 1973, pp. 215-228. En este trabajo recoge Hatzfeld atentamente una tradición anterior de sus propias categorías, con la periodología cuatripartita de Hatzfeld viene a coincidir, E.B.O. BORGEHOFF, *Manierism and Baroque: A simple plea*, en «Comparative literature», V. 5, 1953, pp. 323-331. Bastantes años antes L. MONGIÓ había considerado conveniente establecer nítidamente el deslinde periodológico y estilístico entre Barroco y Barroquismo, en *Contribución a la cronologia de «Barroco» y «Barroquismo» en España*, en «Publications of the Modern Language Association of America», LXIV, 1949. He aquí la formulación más sintética de la dialéctica entre los distintos períodos, que ha hecho Hatzfeld: «Este Manierismo vulgar se corresponde en el tiempo con el de Góngora, mucho más refinado, que es como un tardío Manierismo renacentista deslumbrante... A éste sigue el barroco impresionista de Cervantes (el Velázquez de la literatura), que a su vez se dispersa en el barroco prismático de Quevedo, Gracián y Calderón, con sus fabulosas y simbólicas transmutaciones, basadas en los «conceptos», que habían llegado a ser una forma de pensamiento», en *Estudios sobre el Barroco*, cit. p. 60.

104. Una informada puesta al día de la situación de los estudios sobre Cervantes y el Barroco la ofrece Julio Rodríguez-Puértolas, en sus notas al libro de AMÉRICO CASTRO, *El pensamiento de Cervantes*, cit. nota 39, pp. 307-309.

105. Cfr. H. HATZFELD, *Estudios sobre el Barroco*, cit. p. 54.

Creemos que lo realmente sucedido, en gran parte, es que, sumergidos en la polémica, se han ido debilitando los rasgos globales e indiscutibles, destacados unánimemente como punto de partida, en la necesidad de progresivas sutilizaciones[106]. No es por tanto, que a nosotros no nos parezca bien establecida la distinción entre un Góngora conceptuoso-manierista, un Cervantes barroco-impresionista y un Gracián prismático-barroquista. Pero, por otra parte, creemos que se equivoca la dirección de la marcha, cuando, en lugar de buscar los rasgos comunes hacia la definición de un estilo de época, que no podría ser otro que el Barroco —con todos los pre, post, o ismos que se quiera—, se viene profundizando y extrapolando a categorías periodológicas los inevitables rasgos específicos de los artistas individuales. Y tal es la razón, como veremos, de que al pasar a otra estructura contemporánea diferente —como, en nuestro caso la Teoría poética— las posibilidades de proyección se vean mejor reforzadas, como es natural, en el seno de las categorías más globalizadoras, que en las más personalistas.

Por si fuera poco, el mismo Hatzfeld no acierta a distinguir —sin duda porque no ha pretendido nunca hacer violencia a la verdad sino contemplarla más nítidamente— la diferencia entre el fermento social e histórico del Barroco y el Barroquismo, ni entre el del Manierismo y Barroco[107]; frente a la nítida oposición social que descubre entre Renacimiento y Barroco[108]. Si el popularismo barroco[109], que supone simultáneamente masas de público

106. Recordemos la claridad inicial, que a estas alturas no nos parece en absoluto desdeñable, en los estudios clásicos de los teóricos de las artes plásticas. Como era el caso de la nítida contraposición de Pevsner entre armonía natural y transcendentalización meta-corpórea, para diferenciar la pintura renacentista y la barroca; cfr. N. PEVSNER. *Barockmalerei in den Romanischen Ländern*, Wildpark-Potsdam, Athenaion, 1928.

107. Consideramos muy difícil establecer diferencias histórico-sociales nítidas a propósito de la Edad manierista; sobre todo si se piensa en ella como un período muy breve que comparta sus rasgos con un Renacimiento y un Barroco inmediatos. La crisis italiana en los años centrales del siglo, 1530-1560, estudiada por Grendler, difícilmente soporta adjetivación exclusiva de manierista —aunque haya sido conectado este estudio con el Manierismo por A. QUONDAM en sus *Problemi del Manierismo*—; igualmente podría llamarse tardorrenacentista o protobarroca, cfr. PAUL F. GRENDLER, *Critics of Italian world (1530-1560)*, Univ. of Wisconsin Press, 1969.

108. Cfr. H. HATZFELD. *Estudios sobre el Barroco*, cit. pp. 92-3.

109. José Antonio Maravall ha insistido en el rasgo parcial de la masificación del destinatario del arte barroco —evidente si pensamos en la oratoria sagrada o el teatro— caracterizándola, con evidente oportunidad y razón, de tendencia al anonimato; marcando así estilísticamente uno de los móviles más radicales de este arte. J. A. MARAVALL, *La cultura del Barroco*, cit., p. 51: «Es una sociedad en la que cunde el anonimato —dice en uno de sus más elocuentes análisis de este reiterado principio—. Los lazos de vecindad, de parentesco, de amistad, no desaparecen, claro está, pero palidecen y faltan con frecuencia en una misma localidad (éste es uno de los fenómenos con más nitidez reflejados en la novela picaresca). Las relaciones presentan en amplia medida carácter de contrato... y se dan en proporción considerable

consumidoras del arte a su modo, atendidas y mimadas por los autores —los cuales, a su vez, jugaban con un metaforismo dificultoso elitista, pero de público ya positivamente numeroso— se opone, como así era, al elitismo de los cenáculos renacentistas[110], absolutamente desentendidos de las masas proletarias[111]; resulta evidente que el conjunto de las condiciones sí cuenta con fuerza de razón determinante. Y, además, y precisamente por ello, el balance del examen de conciencia, tardío si se quiere, que es la Teoría literaria, corrobora y rubrica plenamente, en este caso, el síntoma de base social.

Al intentar ganar, lícitamente, para su amado mundo barroco razones de dignidad y nobleza equiparables a las renacentistas, esgrimidas por los adversarios de un Barroco en exceso caricaturizado y globalizado por ellos mismos, Hatzfeld no resistió quizás a la tentación dialéctica de proponer

---

los desplazamientos de lugar... De tal manera, aparecen en gran proporción nexos sociales que no son interindividuales, que no son entre conocidos. Y es manifiesto que esto altera los modos de comportamiento: una masa de gentes que se saben desconocidas unas para otras se conduce de manera muy diferente a un grupo de individuos que saben pueden ser fácilmente identificados. Pues bien, socialmente esto es ya una sociedad masiva y en su seno se produce esa despersonalización que convierte al hombre en una unidad de mano de obra, dentro de un sistema anónimo y mecánico de producción».

110. La interpretación social, aparentemente contradictoria, de rasgos barrocos atribuibles a elitismo aristocratizante, como el metaforismo dificultoso en la poesía, y de otros de intencionalidad actuativa masiva como el efectismo verbalista de la oratoria o incluso la poesía barroca, creemos que cobra congruencia y sentido, si se toma en cuenta fundamentalmente el hecho indescontable de la diversidad de géneros y modalidades expresivas y actuativas a que se vinculan tales expresiones. Pero también caben explicaciones más sutiles y no menos ciertas asociadas al efectivo e irreversible crecimiento de público culto —básicamente con la difusión de la imprenta y la lectura—, que hace que, social y numéricamente, cambie mucho el alcance del elitismo que se trate de atribuir a cualquier grupo social en los albores del XVI y en los primeros años del siglo siguiente. De ahí que sean compatibles y verdaderas ambas predicaciones sociales, de elitismo y condición multitudinaria, aplicadas a manifestaciones distintas del arte barroco, del tipo de la que encontramos, por ejemplo, en un historiador del Manierismo como Quondam, preocupado permanentemente por la justificación social de sus análisis culturales. Por ejemplo, en el caso del verbalismo manierista —que serviría igualmente para el mismo rasgo estilístico mantenido en el Barroco—: «Rispetto alla condizione sociologica dell'intellettuale classicistico, lo statuto sociale proprio del manierista non risulta quantitativamente mutato: per quanto cioè concerne le proporzioni della composizione sociale dell'ambiente letterario, dal punto di vista del produttore, che l'ambito del consumatore-fruitore resta sostanzialmente invariato con la perdita in ogni caso d'un momento medio di consumo e la relativa crescita di forma di uso del fatto letterario nell'opposta direzione della selezione aristocratico-ermetizzante, da una parte, e della degradazione concettuale in prospettiva artificiosa, di semplificazione però della sentenza e privilegiamento della locuzione dell'altra», cfr. A QUONDAM, *La parola nel labirinto*, cit., p. 13.

111. Remitimos, para no repetirlos aquí, a los análisis de la situación renacentista realizados en la primera parte de esta obra —volumen I— especialmente cfr. A VON MARTÍN, *Sociología del Renacimiento*, Méjico, Fondo de Cultura Económica, 1974, (4.ª impresión).

un Barroco tan equilibrado y olímpico en su tensión de contrastes como el mismo Renacimiento[112] —que él creyó descubrir en su Cervantes barroco—; al mismo tiempo que cedía, a la dosis de verdad de los argumentos de sus oponentes, un Barroquismo de rasgos extremosos[113]:

«Por lo que hace a la Literatura, el Manierismo se traduce en una retórica de fuegos artificiales, distorsiónes preciosistas, un eludir lo decisivo y evitar lo dramático, junto con una especie de miopía, y un notable virtuosismo en el manejo de las formas convencionales... El verdadero Barroco encierra una auténtica tensión psicológica, a la vez que un anhelo de paz espiritual, un gusto depurado en la expresión, sencillez en el enredo, nobleza y discernimiento en el estilo». Y concluye: «Si hubiéramos de señalar las características del Barroquismo diríamos que son: una hiperbólica *pointe* o rasgo de ingenio rebuscado; proliferación exagerada de agudezas y adornos sin función estructural alguna; abuso de las descripciones por el placer de hacerlas; la combinación absurda

112. Reproducimos a continuación la página magistral de Hatzfeld, donde nos presenta su sueño del Barroco-heroico: «en todo Barroco clásico o perfecto existe una definida tendencia hacia lo majestuoso, lo elevado, lo representativo, lo sublime, lo acabado. Pero, desde el momento en que la forma externa del estilo se ve en conexión con el significado, los detalles se hacen mucho más interesantes: hay detrás de la fachada sublime un vivo sentimiento religioso, por lo que atañe a la virtud y al pecado; preocupaciones morales y aun moralizadoras; fe en el heroísmo y en la grandeza. Todos estos anhelos se expresan en un estilo académico retórico, pero no afectado, lo que les da un equilibrio. El Barroco encarna así la combinación de elementos tangibles, realistas y psicológicos, más evocadores que descriptivos, en un sistema de abstracciones heredadas del Renacimiento. Este impulso realista, al encontrarse con unas normas tan opuestas a sus tendencias, el convencionalismo humanista en particular, había por fuerza de adoptar una sublime y estilizada, más bien que naturalista propensión a lo grandioso. Las tres grandes literaturas nacionales de lengua romance alcanzan este ideal: primero en la épica, con Tasso, después en la novela con Cervantes y, finalmente, en el drama con Corneille, o mejor aún, con Racine». *Estudios sobre el Barroco,* cit. pp. 62-63.

113. Quizás contra el indiscutible objetivismo histórico que denuncian tales vacilaciones de criterio y la pluralidad posible de encontradas actitudes polémicas, es por lo que proclamaba Castro sus criterios de objetividad histórica. Para él debates como el de Hatzfeld sobre el barroquismo o no de Cervantes eran sencillamente cuestiones accesorias, en cualquier caso infinitamente menos objetivables actualmente, y contemporáneamente determinantes, que el conjunto de circunstancias histórico-sociales del entorno histórico-político del autor; singularmente, como es lógico, privilegiando Castro entre ellas su socorrido complejo de la limpieza de sangre. Cfr. AMÉRICO CASTRO, *Cervantes y los casticismos españoles*, Madrid, Alfaguara-Alianza, 1974, p. 21: «Lo que haya en la obra cervantina de Renacimiento y de Barroco me interesa hoy menos que la forma singular e irreductible de utilizar la cultura accesible al autor, la anterior y la contemporánea. Más bien que hombre del Renacimiento, del Manierismo o del Barroco, Cervantes era un cristiano nuevo que escribía en la España de Felipe III —poco conocida en su intimidad hasta ahora—. Cervantes enfocó en forma específicamente suya su situación como español y el problema que a él le planteaba personalmente la literatura de su tiempo».

de los más menudos detalles con la más hinchada magnificencia; la metáfora como sorpresa y fanfarronada»[114].

Pero no cabe duda que, frente a ese Barroco insólito del equilibrio, el Barroquismo o Barroco de la tumefacción y el exceso, con una estética «sui generis» llena de logros y aciertos[115], constituye la única clara resolución dialéctica distinguible nítidamente del Renacimiento, que, en último término, viene a justificar la fragmentación periodológica.

En cualquier caso, el equilibrio era planta exótica en el Barroco; el alcanzado, según todos los pareceres, era equilibrio inestable, tenso y provisional. Estabilidad amenazada, tensión de contrarios; distaba notablemente de la pausa del Renacimiento, entonada como mesura manierista. La unanimidad existente en este rasgo antitético entre artes distintas y, en virtud de él distinguidas, constituye una constante en la tratadística del Barroco, bajo las distintas tendencias[116]. Característica que se polariza y disuena en innumerable haz de registros estilísticos conexos con ella[117]: aparencia-verdad[118], reali-

114. *Ibid*, pp. 55-56.

115. Magistralmente ha definido la perfección barroca del exceso Jean Rousset, con su acertada paradoja de que el Barroco tiene el vicio de sus virtudes. Cfr. J. ROUSSET, *La littérature de l'âge baroque*, cit., p. 253: «Le Baroque a les vices de ses vertus; ces vertus sont telles qu'un rien, un pas de trop dans leur propre sens les fait passer du côté de leurs défauts: le mouvement vers l'agitation, la métamorphose vers le désordonné, le décor vers la boursuflure, le déguisement vers l'hypocrise... Il n'en faut pas davantage pour que le spectateur de goût classique, le lecteur mal instruit, aveugles aux vertus, n'en voient que la face vicieuse et demeurent à jamais insensibles à l'ordre Baroque. Toute l'histoire d'un long discrédit est là».

116. Cfr. LEO SPITZER, *El Barroco español*, en «Boletín del Instituto de Investigac. Históricas», XXVIII, 1943-44, pp. 12-30 y E CARILLA, *La literatura barroca como contención y alarde*, en «Anuario de Letras», V, 1965, pp. 93-105. JEAN ROUSSET lo ha exagerado magistralmente como ideal de movilidad, de cambio, de inestabilidad y ruptura: «Les poètes de la vie fugitive, au contraire, s'immergent dans le monde de la métamorphose et varient avec une joie emerveillée le théme du *tout change* à travers un lyrisme de la flamme, du nuage, de l'arc-en-ciel et de la bulle, accompagnés en sourdine par le choeur de ceux qui répetent, de Montaigne à Pascal et au Bernin, que l'homme n'est jamais plus semblable à lui-même que lorsqu'il est en mouvement; c'est la devise d'un temps dans lequel la rupture et le changement semblent être à l'origin du sentiment qu'on a d'aimer, de jouir, de vivre», *Ibid*, p. 230.

117. Las llamadas urgentes de la crítica sobre la necesidad de proceder a una investigación estilística concreta, y al establecimiento de inventarios diferenciales de rasgos, no han sido atendidas satisfactoriamente aún. No obstante, por el propio peso de su naturaleza formalista retórica, quizás sea el Barroco el movimiento más ventajosamente caracterizado por las sistemáticas de rasgos. Recordemos las excelentes iniciativas sitematizadoras de MARCEL RAYMOND, *Propositions sur le Baroque français*, en «Revue de Sciences Humaines», 1949, pp. 133-144; THEODOR ELWERT, *Le varietà nazionali della poesia barocca*, en «Convivium», XXV, 1957, pp. 670-679; o, en fin, la sistemática que adopta disposición de orden de capítulos en el libro de FRANK J. WARNKE, *Versions of Baroque*, cit.

118. Constante característica del Barroco, destacada en su versión de óptica peculiar por

dad-teatro[119], arte-juego, etc., y que se enraíza en actitudes sicológicas marcadas por el signo del vitalismo y la sinestesia[120]. O bien, como en el análisis más profundo de tales inestabilidades que nos ha ofrecido Rousset, la «paradoja barroca» se refleja en el propio destruirse de «toda estabilidad», de la obra que se busca y se deshace al mismo tiempo:

Warnke: «an irritable doubt as to the precise relationship between seen and unseen worlds informs the Baroque, in both its typical works and its masterpieces. A thirst for the simple reality behind the disparate appearances of experience is characteristic; no longer content with a double vision of reality, the Baroque poets and prose writers seek not to reconcilie the two worlds but to reduce them to one». Entre las aplicaciones al ámbito español, recordemos los estudios de V. FRANKL, *El «Antijovio» de G. J. de Quesada y las concepciones de realidad y verdad en la época de la Contrarreforma y el Manierismo*, Madrid, Cultura Hispánica, 1973, y sobre todo, LUIS ROSALES, *El sentimiento del desengaño en la poesía barroca*, Madrid, Cultura Hispánica, 1966.

119. Como muy bien ha puesto de manifiesto Warnke, la metáfora del mundo como teatro alcanzó su éxito barroco porque venía a representar, más que un mero símil, la propia visión barroca del mundo, concretada en la óptica del desengaño. Cfr. F. J. WARNKE, *Versions of Baroque*, cit., p. 67: «It seems likely, however, that the thetrical metaphor enjoys its popularity during the Baroque age not only because of the availability of one particular source but also because the metaphor expresses with great cogency the concern, with the illusory quality of experience which runs obsessively through the literature of the first two-thirds of the seventeenth century». Respecto a la filosofía general barroca del mundo como teatro, cfr. E. OROZCO, *El teatro y la teatralidad del Barroco*, Barcelona, Planeta, 1969. Sin olvidar el insuperable análisis del tópico que realizara ANGEL VALBUENA PRAT, *El orden barroco en «La vida es sueño»*, en «Escorial», 6, 1943, pp. 167-192. Sobre la filosofía del engaño de los sentidos, de la verdad sincera y fugitiva, escribió páginas memorables GIOVANNI GETTO; véanse, por ejemplo las siguientes líneas sobre Campanella: «La sfilata delle cose che gremiscono le pagine di Campanella, la condizione di ogni cosa sogetta a trasformarsi, l'orrore del vuoto e l'impenetrabilità (nella comunicabilità) di ogni cosa al nostro conoscere, l'articolazione triadica dell'esistente: sono tutti aspetti che si imprimono di un sigillo autenticamente barocco. In questa visione del reale più sinuosa, più articolata, perseguita da punti prospettici diversi e molteplici, più mobile e sfuggente, si avverte il clima caratteristico della nuova civiltà, che in quanto tale non si risolve solo evidentemente in un fatto di stile e di linguaggio in genere, ma si pone inanzitutto come un'interpretazione della vita. Il mondo che si afferma nella pluralità degli oggetti..., l'oggetto che si offre nel suo volto multiforme e instabile e quindi oscuro e problematico: questo è veramente essenziale al Barocco», cfr. G. GETTO, *Il Barocco in Italia*, en *Manierismo, Barocco y Rococò*, cit., pp. 85-86. Ver la sistemática de éste y los demás tópicos conexos en J. ROUSSET, *La littérature de l'âge Baroque*, cit. pp. 182-3.

120. En España Orozco ha insistido en la nota del vitalismo barroco hasta hacer de ella la clave explicativa y animadora de la sistemática estética del complejo estilo. En *El teatro y la teatralidad del Barroco*, en una página de síntesis de sus ideas, encontramos una de las más claras afirmaciones de esta constante, en contraposición con el intelectualismo manierista: «En lo esencial el Manierismo ofrece como determinante una actitud intelectualista, ultraconsciente, del poeta y del artista que como tal artista —y no en general como hombre— busca la expresión de lo nuevo, forzadamente complicado y sorprendente, que en lo esencial tiende a actuar sobre el intelecto; pero el estilo barroco se mueve por íntimos impulsos de espíritu y vida, complica con espontánea violencia las formas, y sobrevalora y recarga el elemento ornamental y apariencial procurando actuar intensa y directamente sobre los

«Il faut bien voir qu'il existe un paradoxe baroque: le Baroque nourrit en son principe un germe d'hostilité à l'oeuvre achevée; ennemi de toute forme stable, il est poussé par son démon à se dépasser toujours et à défaire sa forme au moment qu'il invente pour se porter vers une autre forme. Toute forme exige fermeté et arrêt, et le Baroque se définit par le mouvement et l'instabilité; il semble qu'il se trouve par conséquent devant ce dilemme: ou bien se nier comme baroque pour s'accomplir en une oeuvre, ou bien résister à l'oeuvre pour demeurer fidèle à lui-même.»[121]

Vemos, pues, que si se trata de trazar centros seguros de contraste, definidos por grupos de categorías realmente sustantivas, se hace inevitable

sentidos... El Manierismo ofrece las figuras y formas como sometidas a posturas y orden impuestos; el Barroco en su natural o apasionado movimiento, cual si los hubiera sorprendido en su libre, espontáneo y fluyente actuar en la vida», p. 18. Entre nuestros jóvenes estudiosos del Siglo de Oro, una discípula indirecta de Orozco, María Pilar Palomo, ha elaborado extensamente la categoría intelectualismo-vitalismo, como clave de su comprensión de la literatura española clásica, cfr. M. PILAR PALOMO VÁZQUEZ, *La literatura clásica española*, Barcelona, Planeta, RTVE, 1976; y *La poesía de la edad barroca*, Madrid, S.G.E.L., 1975. Véase, por ejemplo, la incorporación tópica de los contrastes vitales sintetizada por esta autora en la última obra mencionada, p. 22: «Como inequívoco síntoma de la época que la configura, el panorama histórico de la lírica barroca es el desarrollo y enfrentamiento de una tensión artística —y vital— que se polariza en actitudes en apariencia contrapuestas. De una parte, la extremosidad manierista distorsiona la lengua utilizada, que se manipula refinada y exquisitamente, hasta provocar ese aspirado *asombro* y *deleite* que el *artista* produce. Pero, paralelamente, a través de ese artificio hemos visto cómo irrumpe también la *vida* —que se llama barroco— coloreando de realismo sensorial las más armónicas formas heredadas del Renacimiento. Precepto y antiprecepto o Naturaleza y Arte, que se sienten, en los grandes poetas, como dos realidades complementarias, que coexisten pacíficamente, o que se esgrimen con increíble violencia en ciegos alegatos polémicos».

En la vertiente de la nueva crítica española de las artes plásticas, Julián Gállego ponderó también la convergencia en la razón del realismo vital barroco, como elemento del contraste con el intelectualismo de la pintura manierista. Gállego procede, ciertamente, de una tradición teórica muy diferente de la literatura de Orozco, y llega a matizaciones quizás más sutiles en la interpretación de su campo pictórico de las que son habituales entre los historiadores de la literatura, Cfr. JULIÁN GÁLLEGO, *Visión y símbolos en la pintura española del Siglo de Oro*, Madrid, Aguilar, 1972, la versión original francesa es de 1968.

Por último es preciso señalar la incardinación europea de esta categoría. Por ejemplo, en el siguiente texto de VICTOR L. TAPIÉ, vemos exaltado el vitalismo emocionalista del Barroco a elemento tan central en la fisonomía crítica del Barroco, que, en alguna medida, resulta hasta responsable indirecto de las injustas incomprensiones de muchos: «On peut même dire —cela est vrai aussi— qu'en s'adressant aux imaginations et aux sensibilités, en cherchant à provoquer l'émotion plutôt qu'à satisfaire la raison et la logique, il s'est mis au service de forces diffuses et troubles de la nature humaine... De là provient, sans doute, cette confusion par la quelle on a prêté au style baroque en général un caractère de faiblesse et de féminité, une tendance au désordre, contre les quelles aurait réagi le classicisme», p. 452.

121. Cfr. JEAN ROUSSET, *La littérature de l'âge baroque*, cit., p. 232-233. Más adelante añade, en la misma línea de superación intelectual de lugares comunes vulgares, glosando

distanciarlos cronológicamente al máximo. Y aun así, los problemas no dejan, en alguna medida de presentarse. Como, por ejemplo, ha indicado Tapié para el Renacimiento, donde no dejan de encontrarse en sus reductos cronológicos y estilísticos más incontestablemente propios ciertos rasgos de inestabilidad e irracionalismo emocional, con los cuales, como acabamos de ver, se define habitualmente el Barroco[122]. A menudo son las «etiquetas» extrínsecas las que fuerzan las clasificaciones y atribuciones, más que la observación de rasgos inherentes y las posibilidades de integración de semejanzas que nos conducen a la seguridad de los bloques mayores, apoyados en los rasgos de estilo y en las contigüidades histórico-sociales. Por todo ello, sin negar la utilidad de términos y conceptos como Manierismo y Barroquismo, nos hemos inclinado en nuestro trabajo por polarizar los rasgos de la Poética hacia dos grandes centros, bastante distantes entre sí y convenientemente contrastados por sus órdenes categoriales respectivos: Renacimiento y Barroco. El Manierismo literario —objeto sin embargo de especialísima atención en nuestra obra, en cuanto desarrollo poético diferencial del Renacimiento—, aceptado como estilo de transición, con una época difícilmente determinable en España, define para nosotros más

el rasgo comentado de la inestabilidad radical del Barroco: «le sentiment enfin d'inapaisement, de continuelle remise en question des résultats obtenus, de poursuite haletante d'un point d'équilibre toujours différé, qui nous oblige à trouver notre plaisir non point dans le repos de forces enfin recueillies, mais dans cette poursuite même, dans le mouvement mêlé de ruptures qui la compose».

122. Cfr. V. L. Tapié, *Baroque et Classicisme*, cit., pp. 53-4: «Ces observations —concluye tras un examen previo— ne tendent qu'à souligner l'immense variété de la Renaissance. Elle ne peut être contenue dans les seuls catégories du rationnel, de l'équilibre et de la sérénité. D'aucuns ont redouté qu'en dénombrant chez Michel-Ange ou le Corrège des traits qu'on retrouvera nombreux chez les baroques, on n'ait tenté de les disputer à la Renaissance, avec une secrète satisfaction d'enlever à celle-ci ses grands noms pour en parer une époque qui, autrement, n'en présenterait que des médiocres. Il y a bien autres choses que des médiocres chez les baroques... La Renaissance était assez riche spirituellement pour permettre aux tempéraments les plus divers d'exprimer les ressources infinies de l'âme humaine. Elle s'ouvrait à la passion, à la violence, à l'inquiétude, à la grâce, tout autant qu'à l'harmonie, à la majesté et à la sérénité. Telle elle avait été, avant la crise, et telle, après la crise, elle continuait». Recuérdese la exaltación del rasgo análogo de «voluntad de expresión de todas las experiencias humanas», que para W. Stechow constituía la base del fenómeno barroco, *The Baroque*, cit., pp. 171-174.

Concordamos en tal sentido, plenamente, con Tapié, cuando afirmaba: «Là encore les frontières —entre Manierismo, Barroco y Rococó— sont bien difficiles à tracer et assurément le baroque constitue le phase majeure, parce qu'expressive de grands changements et de sociétés dont les ressorts d'action sont très diffèrents de ceux de la Renaissance. La pire erreur serait de se laisser éblouir par le prestige des étiquettes, et de se torturer pour savoir si telle oeuvre mérite d'être appelée manieriste, à cause de ses formes, ou baroque, parce qu'elle appartient a l'âge où les grandes réussites du Baroque étaient déjà accomplies». Cfr. *Baroque et Classicisme*, cit., p. 14.

las modificaciones formal-hedonistas de la poética y la creación renacentista italianizante, que la evidente distorsión formal del conceptismo, social y estilísticamente indistinguible, en poesía como en la predicación, de la poética multitudinario-efectista del Barroco. Por eso nos inclinamos abiertamente por el criterio de Macrì, que cifra el punto central del Manierismo en Fernando de Herrera y no en Góngora[123].

En cuanto al criterio contradictorio de Barroco clásico, que, operante indirectamente desde Wölfflin y Spoerri hasta Helmut Hatzfeld, hace símbolos barrocos a Tasso y a Cervantes[124], creemos que ha de ser manejado con sumo cuidado[125]. La categoría —la de Barroco clásico— es por sí misma

---

123. Cfr. O. MACRÌ, *Fernando de Herrera*, Madrid, Gredos, 1959. pp. 405 y ss. Consúltese el ensayo de síntesis de G. SEBBA, *Baroque and Mannerisme. A retrospect*, en *Filología y crítica hispánica* (Homenaje a Sánchez Escribano), Madrid, 1969, pp. 145, 163.

124. Cfr. THEOPHIL SPOERRI, *Renaissance und Barock bei Ariosto und Tasso*. cit. Tesis controvertida, y no sin fundamento, al menos en lo que al Ariosto renacentista se refiere, por E. RODITI, *T. Tasso: the transition from Baroque to Neoclassicism*, en «Journal of Aesthetic and Art Criticism», VI, 1947-8, pp. 235-245.

125. La tesis de Cervantes autor barroco, brillante y entusiastamente defendida a través de muchos años por HATZFELD, no nos parece, en sí misma, desestimable o desenfocada como estudio de un autor. Los peores riesgos nacen, a nuestro juicio, de su expansión o intento de conversión en categoría general de época, lo que conduce fatalmente a asimilaciones forzadas de otros autores con estilemas y rasgos ideológicos cervantinos difícilmente despersonalizables; y lo que es aún peor, a crear una mini-extensión sin entidad cronológica y de reducidísima consistencia doctrinal, a la que se llama nada menos que Barroco impresionista, o, lo que es peor, Barroco-clásico. Ello fuerza a distinguirla de otros momentos y autores del Barroco más convencionalizado —o puro, según se mire— al que hay que denominar de modo diferente, y se le llama Barroquismo: La idea nació en el ilustre maestro con su obra modélica por tantos conceptos importantes, *El «Quijote» como obra maestra del lenguaje*, cit., donde se define la obra como barroca, tanto por su ideología jesuítica, como por los efectos de musicalidad en el ritmo de su «periodare», y hasta por la estructura general de composición. Estudios posteriores perfilan su intuición inicial, como: *The Baroque of Cervantes and the Baroque of Gongora*, en «Anales Cervantinos», III, pp. 87-119. Las numerosas páginas y hasta capítulos completos destinados al tema, tesis central, en sus *Estudios sobre el Barroco*, cit. de 1964, e incluso aportaciones posteriores, como *Why is Don Quijote baroque?* en «Philological Quarterly», LI, 1972, pp. 158-176. Frente al manierismo de Góngora —dice— el Barroco de Cervantes queda definido por la consistencia de su moral y su firme sustento de los ideales contrarreformistas: «El estilo barroco de Cervantes, el impresionista, comprende de lleno los ideales morales de la Contrarreforma y se adhiere a la disciplina de Trento, en tanto que Góngora, el manierista, no hace el menor esfuerzo para abandonar el mundo muerto del Renacimiento con su resucitada mitología, limitándose a adaptarlo de modo irónico que le permita al menos entregarse libremente a sus sueños de pagana belleza». *Estudios*, p. 272. Evidentemente la comprensión de Cervantes es más matizada en Hatzfeld, a nuestro juicio, que la de un Góngora sumisamente renacentista, juzgado más por su contraste ideológico, que, para su caso, estimamos muy secundario e irrelevante; relegando el importante matiz de su inconformismo y progresividad estilística irreductibles. La reinsistencia en las razones histórico-ideológicas es el caballo de batalla de Hatzfeld; véase, otra formulación del contraste, mucho más matizada, pero que no rompe tampoco con sus principios. «Góngora, que, con

peligrosa, volátil, con propensión a trasfundirse en Renacentismo tardío; pero es que, por lo demás, ya que Tasso y Cervantes nos dejaron explícitas sus ideas teóricas sobre la literatura ¿Cómo confundirlas con las de Tesauro o Gracián? ¿No están evidentemente más próximas respectivamente, no ya a las de Castelvetro, sino aun a las de Robortello y Minturno, poco sospechosos de barroquismo, o, en el caso del español, a las de Pinciano o, como mucho, a las del mismo Herrera?[126] Por raro milagro, otra pieza

---

su mala conciencia cristiana, juguetea con las formas periféricas del último petrarquismo renacentista, no es barroco, como se cree generalmente, por presentarse estéticamente escindido y llevar esas formas al extremo. Es precisamente por esas razones por lo que es un manierista. No es barroco sino en cuanto se da uno perfecta cuenta de que, tras el Concilio de Trento, esa clase de poesía, esa morosa y poetizada delectación, ya no debe hacerse (lascivo-honesto). Al fin, acaba por abandonar su obra, que queda reducida a un torso. Sin duda comprendió, en su fuero interno, que los circunloquios, la hedonista y ya estéril poesía italianizante, carecían en aquellos momentos de toda sustancia. Cervantes, por su parte, crea un nuevo sentido de la vida, aceptando todas sus cristianas tensiones. Y lo hace así en una plena apreciación de la dignidad post-tridentina, que exigía ejemplaridad y moralidad. De las formas en este momento decadentes del Renacimiento, toma tan sólo aquellas que sirven para realizar aún más lo grandioso o pueden dar lugar a la ironía; pero incluso esto lo hace sustituyendo los decorados extravagantes por un sólido y nuevo contenido en el que casi es imposible reconocer la tradición renacentista. Crea así, extrayéndolo de la verdadera filosofía de la vida, el auténtico Barroco; el Barroco español, el de Velázquez, el impresionista, el Barroco fecundo», pp. 305-6.

La raíz ideológica de su conceptuación del barroco cervantino, central en sus tesis, nos la descubre Hatzfeld nítidamente en el capítulo X de sus *Estudios:* «El concepto de Barroco como tema de controversia: Cervantes y el Barroco». Frente a la tesis de Américo Castro, que presentaba un Cervantes erasmista-renacentista, Hatzfeld, tras denunciar la absoluta carencia de apoyos estilísticos de la tesis de Castro, estudia lo que considera puntos clave del antierasmismo cervantino. Su oposición a la máxima anticlerical de Erasmo «monachatus non est pietas», y su negativa a la libertad de conciencia le sitúan, en opinión de Hatzfeld, más bien en el extremo opuesto; es decir, como un campeón de la Contrarreforma. Por lo demás, los rasgos estilísticos —cuya ausencia de análisis en Castro cree Hatzfeld básica en su equivocación— de la novela cervantina, juegos perspectivistas y planos contrapuestos de realidad-ficción, confieren a la obra una dimensión inocultablemente barroca (p. 409). Una novela definitivamente barroca —el Renacimiento para Hatzfeld, no la tuvo— con esa tendencia que Rousset ha caracterizado de «paradoja barroca», y que en términos actuales podríamos definir como «abierta»: «El gran descubrimiento de Cervantes fue que una novela tiene que ser abierta como un cuadro barroco donde el marco parece más bien recortar un panorama que pudiera sin duda extenderse en todas direcciones. La primera parte de la historia de Don Quijote no termina con su muerte; el marco construido de modo arbitrario con la apoteosis de la pluma del autor, no impide que la acción continúe, ya que ésta se deja en suspenso y abierta para la segunda parte. Y aún en ésta, hay críticos que mantienen que sirve para poner fin aparente y profesional a una novela fundamentalmente abierta. Abierta en muchos sentidos», p. 414.

126. Creemos que Tasso, más decisivamente que Cervantes, encarna la frontera decisiva entre Manierismo y Barroco. Ni por el contrastado y torturado proceso de su evolución artística —que casi alcanza la fractura total—, ni por la amplia controversia ya existente sobre su encuadramiento, nos atrevemos aquí nosotros a ir más allá de los datos más puramente

clave del deslinde, Lope de Vega, se halla escasamente violentado. Entre Cervantes barroco-renacentista y Góngora manierista-barroco, las etiquetas de los críticos a Lope respetan bastante la inercia tradicional que lo considera puramente barroco. Condición que abonan su popularismo programático, la distorsión vital que en él experimentan los cánones estereotipados del petrarquismo lírico, así como su ruptura con los principios de la tradición

---

explícitos sobre los que hemos reflexionado. La bibliografía tassesca ha atendido preferentemente a la fisonomía de este autor, singularmente a la imagen de su *Jerusalem* en la estimativa literaria de sus contemporáneos. Recordemos: U. Cosmo, *Con Dante attraverso il Seicento*, Bari, Laterza, 1946; M. Sansone, «Le polemiche antitassesche della Crusca», en la miscelánea, *Torquato Tasso*, Marzorati, Milano, 1957. Una visión actualizada de la significación del Tasso, con especiales referencias a su perfil contemporáneo, se descubre en el claro e interesante capítulo de Walter Moretti, sobre *Tasso*, en el vol. IV de la *Letteratura italiana* de Laterza, Bari, Laterza, 1973.

Si tuviéramos que establecer un balance actualizado de las opiniones italianas, especialmente desde el crecimiento y consolidación prestigiosa del Manierismo, previos a su relativo declive actual; la mayoría refuerzan tesis contrarias a la consideración bien conocida de Hatzfeld. Refiriéndose precisamente a las ideas del gran crítico alemán, Riccardo Scrivano proclamaba contrariamente la identificación del Tasso con la Edad manierista, entrada en la segunda mitad del Cinquecento, reservando por contraposición a Marino —barroquista para Hatzfel— como expreşión, no necesariamente estilísticamente degenerativa, de un Barroco en pureza: «Tesi suggestiva —decía Scrivano de la de Hatzfeld—, ma che si oppone fra l'altro al sentimento di un Tasso non barocco nella sua sostanza poetica più vera che la critica ha anche recentemente confermato (e che è anche il suo apporto più centrale storicamente); tesi che, accettata, farebbe scomparire quella sostanza più veramente storica dell'età che porta al Tasso e che questa personalità contribuisce proprio a definire storicamente, come si è venuto accennando». Cfr. Riccardo Scrivano: «Il problema storico e critico del secondo Cinquecento», en su obra *Il Manierismo nella letteratura del Cinquecento*, ed. cit., p. 274.

A la afirmación actual de un Tasso manierista en la historiografía literaria italiana ha contribuido, sin embargo, sobre todo la obra de Ferruccio Ulivi, *Il manierismo del Tasso e altri studi*, Florencia, Olschki, 1966. Para Ulivi, en el caso del vacilante Tasso, «si tratta di un singolare manierismo; un manierismo, innanzi tutto, come punto di arrivo, e non punto programmatico di partenza», que presta su explicación al atormentado itinerario vital y estético del gran poeta: «L'importante, per quanto concerne il giudizio sul poeta, è che proprio l'attribuzione d'un senso manieristico al risolvimento della sua opera sembra coglierne, alla fine, l'effeto storico a distanza: quel carattere di poetica ansiosa e preoccupata che non mancava tuttavia di alimentare una straordinaria dovizia di germi per il futuro; quel senso come di una virtualità compressa; tutto ciò insomma che, se a una cultura sembra riferibile, non può essere che ad una che, nell'atto stesso di cercare un più solido attestarsi, veniva meno alla sua presenza storica per trovar rifugio in un travaglio inesaurito e segreto», p. 297.

Precisamente en la contraposición polémica de la *Gerusalemme* y el *Furioso*, sentida en términos de extrema agudeza por los contemporáneos del Tasso, se ha creído descubrir en los últimos tiempos la base de la reflexión teórico-estética que desembocó en unas actitudes de adhesiones y repulsas, según los casos, de los postulados clasicistas de la Poética del Renacimiento. Véase por ejemplo: P. M. Brown, *The historical significance of the polemics over Tasso's «Gerusalemme liberata»*, en «Studi Secenteschi», 1970, pp. 3-23. Con el antecedente del estudio de R. Battaglia, *Note sul dissolversi della forma rinascimentale. Dall Ariosto al Tasso*, en «Cultura neolatina», II, 1942, pp. 174-190. Con Amedeo Quondam, que ha

dramática[127].

Quede bien entendido, sin embargo, que toda la argumentación precedente, establecida preponderantemente al hilo de nuestra revisión crítica de la historiografía pasada sobre conceptos y límites entre Manierismo y Barroco, no pretende negar razones de existencia, ni mucho menos de utilidad al mantenimiento del rasgo estilístico manierista. Y no ya en la dimensión general y universalista de Hocke, sino aun en términos propios de edad[128]: o mejor, en nuestra opinión, de componente de edad[129]. La inconsistencia,

---

estudiado con todo pormenor las consecuencias de la polémica en uno de sus escenarios privilegiados, Nápoles, concordamos plenamente en atribuir a la toma de conciencia técnica que supuso este debate poético, la más alta responsabilidad en el desencadenamiento de los procesos reflexivos sobre el arte literario en el momento culminante de la divisoria de convergencias entre Manierismo y Barroco, cfr. AMEDEO QUONDAM, *La parola nel labirinto*, cit., p. 25: «L'episodio che permette di stabilire il termine *a quo* d'una scansione non solo cronologica ma che cerchi d'individuare i nuclei essenziali d'una cosciente presa di posizione teorica, nell'ambito della complessa condizione di fine Cinquecento, è certamente il sorgere della polemica Tasso/Ariosto».

127. Manuel Durán ha hecho hincapié, precisamente, en el colectivismo estilístico de Lope, frente a la ilusión utópico-elitista de Góngora, para caracterizar a aquél en el fiel de las edades. Cfr. MANUEL DURÁN, *Lope de Vega y el problema del Manierismo*, en «Anuario de Letras», II, 1962, pp. 76-98. Durán ha reflexionado largamente sobre el problema de la catalogación manierista o barroca de nuestros ingenios del Siglo de Oro; véase, *Manierismo en Quevedo*, en *Actas del Segundo Congreso. Int. de Hispanistas*, 1967, pp. 301-308. Precisamente el contraste Góngora-Lope mereció la atención de Joaquín de Entrambasaguas, al contraponerlos, con justicia, no sobre bases apriorísticas siempre inestables, sino sobre hechos histórico-políticos que marcaron un profundo abismo generacional: el triunfo de Lepanto y la derrota de la Invencible. Cfr. J. DE ENTRAMBASAGUAS, *Góngora y Lope en la coyuntura del Renacimiento y el Barroco*, Madrid, Universidad (Discurso de apertura del curso 1962-3), 1963. El firme criterio de DÁMASO ALONSO en fin, con buen sentido, ha contribuido a preservar un Lope aproblemáticamente atribuido, *Lope de Vega, símbolo del Barroco*, en *Poesía española*, Madrid, Gredos, 1950. Sobre la atribución de categorías a otros autores de nuestro Siglo de Oro —barroco-barroquismo—, recordemos, entre otros: M. A. PEYTON, *Some baroque aspects of Tirso de Molina*, en «Romanic Review», XXXVI, 1945, pp. 43-89; y ALEXANDER A. PARKER, *The allegorical drama of Calderón*, Oxford, Dolphin Books, Co., 1968.

128. En tal sentido son estimulantes y confortadoras las siguientes líneas de Riccardo Scrivano: «Né il fatto letterario sarà isolato in una sua dimensione assoluta, sottratto ai rapporti e ai contatti con tutte quelle manifestazioni che valgono a disegnare con segno ricalcato e sicuro la fisionomia di un'età di cultura e di civilità: non certo meccanicamente, né con una corrispondenza cronologica immediata, né con attacchi sempre uguali dall'uno all'altro caso, pure ciò che avviene nel campo delle arti figurative e della letteratura, avviene anche nel mondo del costume e spesso della stessa interiorità religiosa, avviene nella storia del pensiero politico, sia che esso si esprima in definite forme teoriche, sia che semplicemente si manifesti in casi ed azioni umanamente circoscritte, avviene perfino nei rapporti sociali ed economici, che spesso sono estremamente interessanti e centrali nel definire la direzione dei movimenti di tutta l'età». Cfr. R. SCRIVANO, *Il Manierismo nella letteratura del Cinquecento*, ed. cit., p. 275.

129. Juzgamos prudente, en este punto, reconfirmar nuestra convicción de la necesidad de partir de conceptos periodológico-estilísticos seguros, lo que quiere decir necesariamente

creemos que probada en las páginas precedentes, de límites estrictos e indiscutibles *a priori*, en la cronología y los inventarios estilísticos, entre el Manierismo y las otras edades inmediatas, no hace desaconsejable contar con el Manierismo como útil hipótesis de investigación para ir consolidando *a posteriori* los resultados de investigaciones concretas, como la nuestra. Saludable nos parece, no obstante, recomendar que la índole de tales investigaciones verse sobre grupos de fenómenos esencialmente artísticos, o sobre causas evidentemente próximas de tales fenómenos artísticos.

Se consolidaría así el Manierismo —pese a la existencia de una tradición especulativa sobre él tan dilatada y compleja, o precisamente por esas mismas razones— como una referencia conceptual muy concreta de límites cronológicos, en cambio, difuminados por la casuística de las distintas artes y países, en un período amplio de tiempo, según cada arte entre 1520 y 1600[130]. Pensamos que su existencia se hace imprescindible en trabajos como el

---

amplios, como hitos más estables, que puedan dar pie y enmarcar, en todo caso, los debates sobre sub-edades. En tal sentido invocamos —pese a muchas divergencias de detalle y diferencias de intereses— la tesis clásica de W. SYPHER, *Four stages*, cit., no incompatible, por supuesto, con el aspecto complementario del caso de las artes plásticas, como testimonia el resumen de Bialostocki: «Al igual que el *estilo gótico internacional* no fue más que una parte de un orden superior —el gótico tardío—, el manierismo entendido de esta forma debe ser incluido en el marco mucho más amplio del renacimiento o del renacimiento tardío; no se trató de un estilo predominante en todas partes, ni hizo imposible la aparición simultánea de otros fenómenos artísticos». Cfr. JAN BIALOSTOCKI, *Estilo e iconografía*, cit., p. 71.

130. Las fechas más tempranas del Manierismo histórico detectadas por la historiografía artística son relativas a fenómenos de manierismo en artes plásticas. Nos basamos para señalar el término inicial, hacia 1520, en la coincidencia de fuentes clásicas y modernas. Entre las primeras, Wölfflin —prolongado después por Walter Friedlander— quien señalaba en dichas fechas los primeros tanteos de la transformación estilística sensible del Renacimiento, hacia lo que él juzgaba como Barroco —obviamente muchos años antes de iniciarse la polémica sobre el Manierismo—, cfr. *Renacimiento y Barroco*, cit., p. 44 y 45: «Pero el punto de partida sigue siendo ese grupo de obras que la administración posterior ha designado desde hace mucho tiempo como las creaciones de la edad de oro. Este estado de suprema perfección es efímero. Después de 1520 no ha debido existir una obra completamente pura. Ya aparecen aquí y allá los signos precursores del nuevo estilo; estos se multiplican, adquieren la preponderancia, arrastran todo tras de sí: el barroco ha nacido». Y añade: «Se puede decir que hacia 1580 el estilo ha llegado a su plena madurez». Por su parte Sypher ha recogido posteriormente las fechas, inical de 1520 y final de 1620: «Quando si tenta di dare una data a questa fase di instabilità nelle arti si trova che il manierismo appare subito dopo l'alto rinascimento, come un sintomo di irresolutezza. Un movimento privo di senso di sicurezza, equilibrio, unità e proporzione espressi dallo stile rinascimentale; si manifesta in un periodo di interregno proprio mentre le energie di fede della Controriforma si cimentano al Concilio de Trento (1545-1563), per poi subito espandersi nel pieno splendore del barocco. Si potrebbe dire che in Italia il periodo manierista cade fra il 1520 e il 1620». Cfr. WILLIE SYPHER, *Four stages of Renaissance style*, cit. (Cito este texto, concretamente, por A. QUONDAM, *Problemi del Manierismo*, cit., p. 143).

nuestro, para orientar el indiscutible proceso de progresismo poético y de rupturas artísticas[131] que —bajo la evolución autoconsciente de diversificación de la *maniera*[132]— caracteriza los últimos cincuenta años de la Poética europea del XVI[133], con los primeros cincuenta años de ese siglo anclados

131. A menudo se asiste, respecto a la inevitable caracterización del Manierismo en relación con el Renacimiento, a dos actitudes en apariencia contradictorias, la de quienes plantean la génesis del primero como un anticlasícismo o, lo que es lo mismo, antirrenacentismo; y, en segundo lugar, las opiniones muy generalizadas que ponderan la base renacentista en el desarrollo del Manierismo. Obviamente un proceso de evolución, o incluso de ruptura, se caracteriza siempre en relación con el modelo inicial con el que pretende romper. Así pues, como decíamos, dicha contraposición es sólo aparente, y deja a salvo —e incluso implica como momentos sucesivos del mismo desarrollo— la realidad de los dos tipos de hechos señalados: reacción contra el clasicismo renacentista, y larga dependencia del mismo. Respecto al concepto de *anticlasicismo* con el que se ha identificado la evolución manierista (téngase en cuenta el libro de E. BATTISTI, *L'antirrinascimento*, cit.), su génesis nos parece más vinculada a la historiografía de las artes plásticas. Su planteamiento fue casi simultáneo del nacimiento de los debates sobre el propio Manierismo, como testimonia el trabajo temprano de WALTER FRIEDLANDER, *Die Entstehung des antiklassischen Stil in der italienischen Malerei um 1520*, cit. pp. 49-86. Y su análisis, como tal, mantenido hasta nuestros días. Ecos del mismo concepto, como en suspensión, se descubren dentro del importante análisis del entendimiento de lo clásico, de ERNST H. GOMBRICH, *Norma e forma*, o en su Introducción en los *Studies in Western Art*, cit., Vol. II, pp. 163-173.

132. Entre los estudios modernos más significativos de la «maniera» en la encrucijada que nos ocupa, entre el anticlasicismo y el post-renacentismo del arte manierista, cfr. CRAIG HUGH SMYTH, *Mannerism and maniera*, cit., pp. 190 y ss. Las coincidencias con su explicación de la maniera como compromiso entre *regla* y *licencia* tienen evidentes parecidos con la válida definición del Manierismo literario establecida recientemente por A. QUONDAM: «Il Manierismo dunque come manifestazione della differenza, di un discorso altro, a volte esplicitamente e coscientemente alternativo nei confronti della Norma dell'istituzione e che in ogni caso tenta di contraddirne, se non rovesciare, il ruolo egemone». A. QUONDAM, *La parola nel labirinto*, cit., pp. 2-3.

133. A propósito de la fisonomía dependiente del período manierista respecto al clasicismo del Renacimiento, que hemos definido en una nota anterior como afirmaciones sólo aparentemente contradictorias, A. Quondam ha acertado con una exposición-síntesis muy inspirada y correcta: «Cosicché parte notevole d'una storia del Manierismo diventa la ricerca e l'analisi di tutti i modi in cui la lunga durata del classicismo si scompone per protrarsi attraverso mutazioni in cui la differenza non assume sempre le proporzioni di rigoroso altro. Il meccanismo costitutivo dell'esperienza manieristica è infatti la variazione: entro gli opposti termini della mimesi del classicismo e della sua mascheratura». *Ibid.*, p. 4.

En Wölfflin se imponía ya la inocultable continuidad de unos rasgos estilísticos de época fuertemente marcados en la transición del Renacimiento al período siguiente —Barroco para Wölfflin, Manierismo en nuestros días—: «No estamos —precisaba el juvenil Wölfflin— ante un estilo de malos imitadores, que sustituye al genio que desfallece; hay que decirlo en seguida: los grandes maestros del Renacimiento han introducido ellos mismos el barroco. Este ha surgido de un estilo en pleno apogeo». Y más adelante: «El segundo Renacimiento no se pierde en un arte decadente, específicamente distinto, sino que desde su apogeo el camino conduce directamente al Barroco. Toda innovación es un síntoma del estilo barroco naciente», cfr. *Renacimiento y Barroco*, cit., pp. 42-44. Modernamente Riccardo Scrivano ha matizado muy agudamente la naturaleza del tránsito sin ruptura, en tanto que proceso de

sólidamente en una continuidad alto-Renacentista. En la teoría literaria, la Poética de la segunda mitad del siglo XVI, moviéndose sobre el conjunto tópico más articulado de sus doctrinas, el de las tres grandes dualidades causales —*ingenium-ars, docere-delectare* y, menos explícitamente, *res-verba*— va distanciando la tópica del integrismo didáctico-reglado, o, cuando mucho,

---

elaboración, como principio opuesto igualmente al simple rechazo y a la continuidad aproblemática: «In particolare si potrà riconoscere come il secondo *Cinquecento* accetta e non rifiuta il Rinascimento; e caratteristico e rilevante sarà il fatto che non lo accetta né come un complesso di ideali eterni e astorici, né come un fatto tecnico, di pensiero e di pratica, ma che elabora tutto questo, lo matura in una propria nuova esperienza e lo trasforma», cfr. R. SCRIVANO, *Il Manierismo nella letteratura del Cinquecento*, ed. cit., p. 274. Y, últimamente, Amedeo Quondam ha establecido de manera análoga la naturaleza de tal asunción, reelaborada a propósito de la aceptación de la dualidad discreta renacentista sentencial-elocutiva, en la forma sintética manierista de la locución artificiosa: «Ma è importante ancora osservare —concluye en uno de los pasos de su argumentación— come ogni operazione di scrittura poetica si realizzi consapevolmente all'interno della tradizione, protraendone al limite, stravolgendone le caratteristiche originarie, ma senza mai scavalcare nettamente, e quindi rifiutare, quel patrimonio. E questo potrà essere elemento —certo arbitrario e contraddittorio— di discriminazione tra Manierismo e Barocco, almeno nelle rispettive fenomenologie napoletane». Cfr. *La parola nel labirinto*, cit., p. 57.

Obviamente, el establecimiento de la base de partida renacentista y el inventario ordenado de las transformaciones hacia el Manierismo, ni es fácil en términos exhaustivos, ni se ha realizado rigurosamente. Ya hace bastantes años que Panofsky prevenía de esta debilidad historiográfica, proponiendo su remedio: «La actitud serena y sin problemas que fue característica de la teoría del arte renacentista y que también corresponde a la tendencia, patente en todas las manifestaciones de aquella época, de armonizar las antítesis más evidentes, va creciendo paulatinamente ante otra actitud totalmente distinta en los escritores teóricos de la segunda mitad del siglo». Pero advierte: «Por otra parte, es muy difícil extraer del conjunto especulativo de aquellos escritos las tendencias totalmente nuevas, y resulta casi imposible resumirlas en un solo concepto, porque precisamente es característico de la conciencia cultural de la época el ser a la vez revolucionaria y tradicionalista, el sentirse impulsada al mismo tiempo a la separación y a la unificación de las normas artísticas del pasado». Fragmentada, complejamente, en diversidad de tendencias, que dificultan su consideración global, la conciencia teórica del Manierismo en sus diferentes vertientes manifiesta, no obstante, como rasgo aglutinador de su misma diversidad ese, en opinión de Panofsky, común acuerdo a mantener viva la base renacentista. Tal tendencia, en el caso de la Poética, se evidencia bajo un tenor de respeto formal a las mismas autoridades del Renacimiento, como mantenimiento de las estructuras problemáticas básicas de la organización teórico-sistemática de la Retórica y Poética renacentistas —es decir, la tópica mayor causal—, y en la repetición como soporte idéntico, en realidad aproblemático y casi irrelevante, del conjunto tradicional de tópicos clasicistas secundarios; es decir, la que en este libro hemos denominado tópica menor. Recordemos, finalmente, las propias palabras de Panofsky: «Si el Quattrocento pretendía la ruptura incondiconal con la Edad Media, la segunda mitad del Cinquecento apunta a la superación y también a la continuidad del período renacentista; y mientras que antes habían existido varias *escuelas*, diferentes en los métodos prácticos, pero acordes en su finalidad teórica, ahora comienzan varias *tendencias*, todavía procedentes de aquellas escuelas, a arremeter unas contra otras con escritos programáticos, y, a pesar del eclecticismo renacentista[134], para alcanzar en las postrimerías del siglo una situación de mal disimulado, cuando no palmario, entusiasmo por las soluciones teóricas deleitoso-inspiradas de fuerte ensamblaje formalista. Dicho cuadro se complicará evidentemente, pero, por lo general, de manera no abrupta, sino integrándose paulatinamente en combinatorias de rasgos muy variados, en las distintas soluciones del Barroco —pensando sólo en el español: didactismo propagandista masificado del teatro y la oratoria barroca, conservadurismo contenidista fuertemente efectista del conceptismo doctrinal, elitismo formalista del culteranismo poético de fuerte estructura metafórico-conceptista, etc.—; pero su existencia y condición diferencial, compatible con su estatuto cronológico transitorio, no nos ofrecen ya dudas tras nuestro estudio de la Poética de los siglos XVI y XVII, de la gran Edad

---

de ello, guardan entre sí más analogías en determinadas premisas fundamentales que las escuelas de las que proceden», cfr. E. PANOFSKY, *Idea*, cit., pp. 67-68.

También en este punto hemos de invocar la insuperable analítica de Georg Weise, no sólo como la más perspicaz, sino también como la más completa y comprehensiva en asumir la determinación concreta del inventario de transferencias y variaciones de la Edad Renacentista en el movimiento del Manierismo. Una síntesis de las muchas enseñanzas deducidas de sus trabajos sobre estos problemas y la época nos la ofrece en su estudio *Elementi manieristici e prebarocchi negli scritti religiosi di Pietro Aretino*, cit. Concretamente en tres grandes líneas sintetiza Weise la corriente Renacimiento-Manierismo: «... mi pare lecito distinguere tre stati culturali riconducibili alle correnti spirituali e artistiche del tempo. In primo luogo l'eredità del pieno Rinascimento, cioè della visione eroica di stampo anticheggiante affermatasi in Italia col passaggio allo stato classico del Rinascimento, il cui tratto peculiare è rappresentato dall'esaltazione del magnifico, del sublime, del dignitoso e del solenne, e che poi, col passaggio al Barocco, di cui essa rimane uno degli elementi costitutivi, subirà un processo di intensificazione, nel senzo dello sfoggio del pomposo e del cerimonioso». La segunda, la propiamente anticlásica: «... presenta la tendenza a un rifiuto della semplicità, chiarezza, oggettività e ritegno espressivo dell'attegiamento spirituale e della produzione artistica classica: tendenza chè trova il suo parallelo in quella *reazione anticlassica* divenuto patrimonio comune nelle arti figurative nel corso degli anni intorno al 1520». Por último, el componente específicamente manierista: «... è da vedersi nella ricercatezza e nell'artificiosità dei mezzi espressivi e inventivi, nella prevalenza di una sofisticheria di tipo intelletualistico che viene a sostituire la libera irruzione del pathos e l'esuberanza di una concezione sensualistica, e inoltre nella soggezione a particolari schemi di carattere ornamentale della stilizzazione», ed. cit., pp. 309-310.

134. En el remontar las bases de la Poética manierista al período anterior, no han faltado las indicaciones de cómo se vincularía, incluso, con las constantes más primitivas de la Edad Renacentista, hasta sus limites mismos con el gótico-medieval. Recordemos a tal propósito JOHN SHEARMANN, *Maniera as an aesthetic ideal*, en *Studies in Western Art*, cit., pp. 211 y ss. Para Weise las bases medievales rastreables en el manierismo se configuran especialmente en torno a la estilización preciosista del comportamiento: «nel concetto di manierismo subentra ancora un altro elemento, proveniente da lontane origini medievali e valutato in senso positivo. Mi riferisco alla predilezione per la parola *maniera*, che ci offre in particolar modo la letteratura del Cinquecento, servendosi di questo termine per qualificare una certa artificiosità e preziosità del comportamento umano. I primi esempi ci riportano alla letteratura francese del Duecento e del Trecento». Cfr. GEORG WEISE, *Il Rinascimento e la sua eredità*, cit., p. 182.

de la filología renacentista[135]. Y la naturaleza de esa realidad poética no es incompatible, sino por el contrario perfectamente asimilable a la poliédrica noción de Manierismo[136]. Creemos que nuestras experiencias y propuestas podrían resumirse, gráficamente, diciendo que todos los caminos llevan al Manierismo desde el análisis de la realidad tardo-renacentista, sólo que estamos firmemente persuadidos de que, a diferencia de los años del entusiasmo pasados, es preciso invertir, estrictamente, el sentido de la marcha.

Determinación de los conceptos de Renacimiento, Manierismo y Barroco en Poética: Estatuto del creador e índole de la creación.

El examen anterior de las actitudes más conspicuas dentro de la polémica del Barroco y el Manierismo nos ha llevado a estimar la mayor idoneidad de las categorías más globalizadoras como estilos de época, Renacimiento y Barroco; aunque reconozcamos la oportunidad en razón a corrientes estilísticas y actitudes individuales de los conceptos de Barroquismo y sobre todo Manierismo. Como hemos indicado ya en el curso del análisis con frecuencia, y ahora glosaremos sistemáticamente, la historia de la teoría poética del período corrobora el estado medio de opiniones que hemos tratado de establecer a través del densísimo mosaico de opiniones comprometidas en una polémica que pronto será centenaria. La teoría literaria italiana hasta mediados del siglo XVI puede considerarse uniformemente renacentista. Durante la segunda mitad del siglo se ha fraguado el nuevo edificio teórico manierista, definido por la lenta, pero persistente, afirmación de una línea progresista, hedonista-formal, en la concepción del arte[136], y por la quiebra len-

135. El desarrollo contrastado de la estética manierista, esbozado en el conjunto de sus características poéticas, como paso fantástico y liberador de un conjunto de ideas artísticas mucho más estricto y, a través del didactismo artístico, bajo control social, puede evocar algo semejante a una cierta revolución paleorromántica en la segunda mitad del Cinquecento. El paralelo no es fantástico, remoto o ilusorio —como quizás tampoco injusto—. De hecho, un eminente historiador del período como Weise ha utilizado explícitamente la comparación; por ejemplo en el iluminador estudio, tantas veces aludido, sobre Aretino: «I numerosi riferimenti ad aparizioni luminose e la loro descrizione minuta offertici dagli scritti religiosi dell'Aretino, autorizzano a fare un parallelo non solo con la frequenza di effetti notturni o altri fenomeni romantici». Cfr. G. WEISE, *Elementi Manieristici e Prebarocchi in Aretino,* ed. cit. p. 304. Análogamente, FERRUCCIO ULIVI ha establecido frecuentes paralelos entre el Tasso y la estética romántica en *Il Manierismo del Tasso e altri studi,* cit., p. 259: «Il così detto *romanticismo* tassiano (a volere parlare) si avvera nell'attimo in cui il poeta sfugge alle maglie della costrizione estetica, morale, stilistica del sistema rinascimentale, e si abbandona a un'irequietudine, a un *disordine* dove sembra già d'intravedere le forme più sciolte del gusto barocco».

136. Una de las mejores descripciones de esta dialéctica entre tendencias simultáneas, es la que realizara WEISE en su famoso estudio *L'ideale eroico del Rinascimento e le sue*

ta del didactismo moralizante y contenidista, al servicio de un hedonismo y una unilateralidad en la hipertrofia formal plenamente estabilizadas en los tratados de finales de la centuria. Dicho de otro modo, en palabras de Scrivano[137], por un característico cuestionamiento sistemático, que llega a definir como rasgo la cultura del siglo. Pero quede advertido, de antemano, que estas notas de cambio renacentista, que para consonar con la atribución más habitual sobre la práctica literaria del período llamaremos manierista, no supuso en ningún caso en teoría poética un cambio radical y proclamado de las doctrinas renacentistas, sino una paulatina evolución de algunos de sus supuestos básicos, desde luego no masiva, ni siquiera mayoritariamente aceptada por los teorizadores[138]. Por otra parte, y esto nos interesa destacarlo, dicha evolución manierista constituye una etapa sin obstáculos abruptos en la evolución de la Poética renacentista hacia la Retórica del Barroco. Manierismo y Barroco no se oponen, por tanto, a Renacimiento en teoría literaria como dos dimensiones autónomas del arte, relativamente desasidas entre sí, como la mayoría de los defensores de la dualidad de ambos estilos o épocas han tratado de representar.

Por lo que a España y al siglo XVI se refiere, la relativa inferioridad cuantitativa y cualitativa de los documentos poéticos en relación con la ubérrima Italia hace que los síntomas teóricos del Manierismo adelgacen hasta casi difuminarse en unas pocas personalidades aisladas: Vives, Herrera y Luis Alfonso de Carvallo. El Barroco, subrayado en nuestro país por un hito social importante, el adensamiento de la intransigencia en las postri-

premesse umanistiche, cit. Las dos corrientes hunden sus raíces en edades anteriores: «Come era lecito parlare di un filone naturalistico e paganeggiante sviluppatosi dall'occamismo e dal *Roman de la Rose* fino alle manifestazioni di indole epicurea e libertina, entro e dopo il Rinascimento, così vien fatto di rilevare la continuità dell'orientamento etico, assertore della forza regolatrice della ragione, quale fattore specifico dovuto all'Umanesimo, in sviluppo dal Petrarca al Salutati e rafforzatosi via via fino ad informare il clima generale col trapasso alla fase classica del 1500», (ed., cit., pp. 218-219).

137. Cfr. RICCARDO SCRIVANO, *Il Manierismo nella letteratura del Cinquecento.*: «Intanto tutto ciò che diviene oggetto di discussione in questa età è tutt'altro che definito e certo: Aristotele non è testo inalterabile, anzi è in tutti un'urgenza di interpretarlo; il linguaggio, anche attraverso le discussioni sulla lingua, viene portato a giustificazioni e a risultati estremamente importanti nella storia della lingua; perfino il Concilio di Trento viene discusso e interpretato, dove e quando ciò sia possibile, e cioè ora attribuendogli un significato negativo, ora tentando un dimensionamento pratico dei principî che ne scaturiscono», (ed. cit., p. 270).

138. La expresión más elocuente de este rasgo bien pudiera ser, como siempre, su exageración. Para muchos historiadores de la literatura barroca, en general poco familiarizados —por razones fácilmente disculpables— con el conocimiento de la teoría literaria precedente, la Poética barroca no innova nada de la renacentista. Veáse, entre los más recientes, FRANK J. WARNKE, *Versions of Baroque*, cit., p. 159: «Baroque writers were generally unaware of how radically their literary assumptions and activities departed from those of their Renaissance predecessors. Literary theory and criticism remained primarily classicistic».

merías del reinado de Felipe II y la fuerte presión del teocratismo efectista de la Contrarreforma, marca firmemente su tránsito, también en Teoría literaria, desde los primeros decenios del siglo XVII, con la evolución completa, del sistema estético, ya tanteada bajo el estilo manierista, que en principio resulta determinante como hipertrofia de los recursos actuativo-formales. Por último, la subversión casi total del sistema estético didáctico-equilibrado del Renacimiento, patente en los seguidores de Calderón y en poetas como Trillo y Figueroa, define la degeneración de las formas, relativamente contenidas del Barroco, en los excesos del Barroquismo hacia 1650, fechas en las que nosotros hemos puesto el «terminus ad quem» de nuestra investigación.

Este bosquejo, que ilustraremos y pormenorizaremos después, permite desmentir un prejuicio bastante generalizado, del que nosotros mismos hemos participado hasta hace relativamente poco, sobre la condición relativamente ociosa de la teorización en la evolución del arte. Ciertamente que, al menos durante el período que nos ocupa, la crítica no fue de manifiestos, sino reflexiva y «*a posteriori*»; pero no menos cierto resulta también que su examen ofrece una pauta bastante fiel en la evolución de la creación estética, y que fue desde luego profundamente activa, sobre todo a través de las polémicas italianas y españolas, en la formación de un estado social de opinión para la recepción de novedades artísticas; fuertemente determinante, en fin, de las reacciones creadoras sucesivas. Por otro lado, al hablar de la reflexión teórica como «acto superfluo»[139], quizás no se destaca suficiente-

139. En tal sentido, la siguiente explicación de Macrì exageraría la verdad inmatizada, que equivale a una desorientación efectiva: «L'attenzione alle teorie letterarie secentesche, particolarmente per la Spagna, non deve superare una mera funzione di verifica della priorità delle opere creative, anzi del fatto creativo; Vilanova ha dimostrato, a conferma di un canone menendezpidaliano, che le poetiche e rettoriche barocche sono atti superflui, giammai determinanti, del legislatore letterario; insomma, la letteratura barocca spagnola è extraaristotelica, di deduzione empirica, di modelli testuali e personali interpretazioni; ma non improvvissata». Cfr. O. MACRÌ, *La storiografia sul Barocco letterario spagnolo,* cit., pp. 196-7. Aunque el caso español, por las peculiaridades antedichas, facilita más que el italiano estas generalizaciones; lo que sucede, además de todas las restricciones indicadas en el texto, es que afirmaciones como ésta rebasan en todas las restricciones inimaginables, incluso la de no contar como documentos de teoría literaria más que los tratados sistemáticos de Poética y los manuales escolares de Retórica. No, por ejemplo, los documentos de polémicas, las aprobaciones, prólogos, cartas literarias, etc.. Cautamente Vilanova, en el texto de referencia de Macrì, tuvo muy en cuenta la distinción entre teoría literaria y preceptiva, aludiendo, en su caso, a la segunda: «Es un hecho irrecusable que todas las innovaciones estéticas que arraigan en la literatura española de los siglos XVI y XVII, se desarrollan con absoluta independencia de las teorizaciones italianas». A. VILANOVA, *Preceptistas de los siglos XVI y XVII,* en *Historia General de las literaturas hispánicas,* cit., pp. 567 y ss. Téngase en cuenta, por lo demás, que la propia precaria situación de estudios rigurosos sobre la Teoría literaria clásica, facilita y hasta justifica

mente el valor de la misma como transmisora de un sistema estable y por tanto responsable de la tesis conservadora. Lo que no fue desde luego, ni podía serlo, la crítica de los siglos XVI y XVII, fue proyectiva y progresista, porque, como decíamos antes, la teoría-manifiesto se abrió paso algunos siglos después. En la época que consideramos, la estructura socio-cultural no propiciaba, ni en los casos más renovadores como Lope de Vega o Góngora, el reconocimiento explícito, veleidoso, de las alteraciones al orden; antes al contrario, servía a los renovadores para enraizar y prestigiar de clásicos sus atrevimientos. Con tales matices, sin embargo, seguir afirmando pura y simplemente la absoluta inoperancia de la teoría, o su desfase de un siglo del que ha hablado Hocke, respecto de la práctica, es fruto sencillamente del desconocimiento real o del conocimiento globalista y apresurado de la historia de la teoría literaria.

Con todos los atisbos originales y geniales que el Renacimiento amortiguado y filológico del Cinquecento italiano pudo haber tenido en cuenta en sus gloriosos antecesores, partiendo de Dante y Petrarca, lo cierto es que durante la primera mitad de la centuria, la teoría literaria había amortiguado y normalizado todo extremismo bajo la fórmula global de un didactismo siempre reticente con el deleite, al que se reconocía de mala gana un plano de igualdad teórica, y que en el dominio de los recursos de actuación no admitía, en el más avanzado de los casos, sino un compromiso ecléctico entre expresión y contenido, al servicio del didactismo. Consecuentemente la imagen del artista dominador de un arte, reflexivo y sobrio, había arrumbado en la práctica todos los restos de la tesis platónica del poeta enfurecido y maníaco.

Hacia mediados de siglo, como antes hemos anunciado, comienzan a advertirse en los teorizadores las primeras tensiones en el perfecto y calmoso equilibrio conservador renacentista. Al síntoma del nacimiento en la épica de un gusto por lo fantástico y «romanzesco», que al amparo de Ariosto ha detectado Warnke[140], se corresponden las primeras defensas del *ingenio* en Grifoli y Luisini, de 1550 y 1554, respectivamente, a las que es preciso asociar en el caso del segundo autor mencionado la incipiente, aunque audaz y convencida, defensa del *delectare*. Si Hocke ha señalado como rasgos determinantes del movimiento manierista esa exaltación de los poderes individuales del hombre sobre la Naturaleza, o más precisamente —concor-

---

prejuicios como éste, que nosotros mismos hemos tardado en superar más de diez años de monográfica atención al tema, y, desde luego, aceptando la exactitud de las afirmaciones de Macrì y Vilanova, con los matices a nuestro juicio necesarios e importantes que hemos propuesto.

140. Cfr. FRANK J. WARNKE, *Versions of Baroque*, cit., p. 164.

dando con el otro gran teórico del movimiento, Hauser—; como él mismo dice «la conversión de la manera en manía»[141], no cabe duda que los síntomas del rasgo se encauzan a través de la progresivamente afirmada defensa del ingenio sobre el arte. Como se pone de relieve en las páginas de esta obra, el último cuarto del siglo XVI comienza a verse sembrado de defensas del furor, defensas racionalistas depuradas de ingredientes paganos del mito. A las apologías de la poesía y el ingenio de Antonio Maria dei Conti en 1582, y de Tomás Correa en 1586, es preciso añadir la línea de tratados sistemáticos sobre el «furor» de Lorenzo Giacomini en 1587, el *Parere del medesimo sopra l'aiuto, che domandano i Poeti alle Muse* de Ludovico Castelvetro, y sobre todo la trilogía de Agnolo Segni, Girolamo Frachetta, cuyo *Diálogo del Furor poético* se publica en 1581 marcando la cima en la adhesión entusiasta del tópico, y el octavo de los *Discorsi* de Summo, publicados en 1600.

En la periferia del tópico, y en la cresta misma de la ola del entusiasmo, las cuestiones conexas con la doctrina platónica del furor, sobre todo la cuestión de la inmoralidad y desvarío de los poetas y su expulsión de la República, ganan rápidamente notoriedad a través de una nutrida serie de incidencias en documentos teóricos. Encendidas defensas de la libertad y dignidad del ingenio furioso se registran ya en el, por tantas razones, precoz —y poco conocido— representante de un nítido pensamiento teórico manierista, Grifoli en 1577, junto a Tomás Correa y a Jacopo Mazoni, ambos bastantes años más tarde; sin olvidar las tempranas remodelaciones racionalistas del tópico abordadas en 1564 por Lionardo Salviati, y extendidas a los debates literarios con el tratado de Giordano Bruno *Degl'eroici furori* y numerosos prólogos, apologías y discursos polémicos de Giraldi Cinthio. Aunque sería en el famoso y animado debate sobre Ariosto, donde el tópico del furor rindiera sus mejores servicios a la defensa de la libertad del autor del *Furioso* contra la férrea normativa, pretendidamente inmutable y aristotélica. Desde la aportación al debate de Giorgio Bartoli, en 1573, a las *Difese dell'Orlando Furioso dell'Ariosto* de Orazio Ariosto, en 1585, o el *Parere in difesa dell'Ariosto,* del mismo año, aportado por Francesco

141. Cfr. G. RENÉ HOCKE, *El Manierismo en el arte*, cit. Veáse especialmente el apartado «La divinización del sujeto», pp. 82 y ss.; y otros lugares en pp. 258 y 327, en esta última se lee: «Al final del Manierismo incluso esa nota de la personalidad creadora quedará absolutizada y secularizada. De la *manera* irá quedando poco a poco sólo una *manía*. Al artista se le considerará como verdaderamente productivo cuando se ha hecho maniático. Su obra es auténticamente artística *sólo* cuando es obra «de locura». La locura se convertirá con ello en expresión extrema de lo manieristico». También para Hauser este rasgo de la manía o inspiración irá unido a la revolución manierista, como una de sus notas más características, Cfr. HAUSER, *Literatura y manierismo*, cit., p. 41.

Patrizi. Sin mencionar otras muchas apologías del furor como la de Francesco Caburacci, de 1580; testimonios todos ellos convocados a la defensa de un entendimiento de la índole del poeta y de la naturaleza de su función que reconocían y legitimaban los poderosos cambios de la práctica literaria verificados por aquellos años, y que contaron, según los pareceres, como Renacimiento tardío, Manierismo, o Barroco precoz.

El desenvolvimiento del tópico en España no es menos interesante. Un desarrollo precoz de la doctrina del ingenio, del rasgo de talento innato como explicación de las singularidades de la creación literaria, y en general artística, recibió el impulso muy temprano de un español genial, figura señera del pensamiento europeo, Luis Vives. Tras él, esa primera generación liberal de tratadistas retóricos acogía invariablemente, quien con más entusiasmo y persuasión quien más de pasada, esta avanzada doctrina. Repárese, por lo demás, en lo temprano de las fechas: Miguel de Salinas en 1541, Matamoros con su *De ratione dicendi* en 1548; y por aquellos mismos años, hasta la fecha crucial de 1575: Antonio Llull, Fox Morcillo, Arias Montano y Fray Luis de Granada, entre otros menores que seguían el ejemplo de estos colosos de nuestra Retórica humanística.

En 1575 la defensa manierista de un tipo singular de creador, no mero artesano, sino inspirado, elegido artístico por obra de un talento excepcional o ingenio nato, encontró en nuestro país páginas de sustento excepcionalmente válidas en el *Examen de ingenios* de Huarte de San Juan. Curiosamente, por los mismos años en que la pujanza del tópico se advierte nítidamente en Italia, entre 1575 y 1590, el forzado declive de nuestra tradición retórica produce un retroceso en la afirmación de esta doctrina. Nota discordante, pues, que bien puede servir para advertirnos del incuestionable cariz diferencial de nuestros rasgos artísticos a partir de entonces. Cierto es, sin embargo, que la adhesión al tópico progresista, contrastando bien es cierto con el tedio conformista de la mayoría de las monótonas defensas retóricas del arte para todos, salta a hurtadillas a las páginas de las obras de Pedro Juan Núñez de 1575, Diego Valades en 1579, Pérez de Valdivia y Bartolomé Bravo, ya en 1596.

Por aquellos mismos años, nuestros primeros tratados de Poética, dentro del tono general de su tímida falta de pretensiones, ofrecen una unanimidad casi continua en su adhesión al tratamiento, cuando menos respetuoso y prioritario, del ingenio como causa eficiente de la poesía. Tal línea va desde las fugaces advertencias en 1580 de Sánchez de Lima y Díaz Rengifo, al reconocimiento implícito del Pinciano y a la explícita y entusiasta defensa de la *vena* en ese gran tratado manierista de la poesía que es el *Cisne de Apolo* de Luis Alfonso de Carvallo, publicado en 1602. Curiosamente, si la defensa del *ingenio* o del *furor* fue en cierto modo el detonante de toda una estética desenfrenada, manierista o barroca[142], el análisis de las opiniones sobre el mismo de Cervantes y de Lope de Vega, piezas clave, como hemos visto, en los debates sobre el Barroco español, ofrece sólo decepcionantes testimonios de un desolador conservadurismo renacentista. Lope, al menos, cuenta en su disculpa con el sutil juego de su consciente contradicción entre teoría y práctica[143]; pero no hay hipocresía que pueda enturbiar en Cervantes, como con justicia percibe Riley[144], su permanente tónica de sumisión de las reglas al talento, que si no lo excluyen de la ambigua condición de barroco-impresionista que le atribuye Hatzfeld, es más bien por la ambigüedad forzada de dicha categoría, sólo intencionalmente distinta del clasicismo renacentista[145].

Si prosperase la diferencia entre el conceptismo metafórico y colorista de Góngora —manierista para Hatzfeld— y el más severo y opaco de Gracián —barroco para el mismo destacado crítico— sería desde luego pasando por alto la unanimidad de categorías estéticas que compartían uno y otro, y con ellos sus admiradores y hasta adversarios. Entre ellas el ingenio, fuente de agudezas para Gracián y Quevedo, y de suspensiones maravillosas en Góngora, se alza como estrella guía de la constelación barroca. El ingenio, la vena excepcional, es lo que en opinión de todos, Gracián incluido, situaba al Góngora de las tinieblas por encima de la crítica vulgar y cicatera,

142. A los testimonios anteriores de historiadores del Manierismo, añadimos ahora la opinión coincidente del estudioso de las formas barrocas F. J. WARNKE, *Versions of Baroque*, cit., pp. 19-20: «If *ingenio* theory emphasizes poetic individuality (and, at least implicitly, modernity), it emphasizes also the form of the work of art rather than its narrative content of moral significance. One implication of this emphasis is that Baroque poetry, in both its Mannerist and its High Baroque versions, is more specifically form-conscious than is Renaissance poetry. How this formalism relates to individualism is a question which these theorists scarcely raise, but it is of interest to the modern student of the age». Warnke se apoya para sus conexiones con el ámbito de la Poética en el libro de J. A. MAZZEO, *Renaissance and Seventeenth-Century Studies*, Nueva York, 1964.

143. En el dominio de las confesiones explícitas sobre la dualidad ingenio-arte, Lope se manifestaba absolutamente conservador y cauto, como lo ha documentado el libro de FEDERICO SÁNCHEZ ESCRIBANO, *Afirmaciones de Lope de Vega sobre preceptiva dramática*, cit.

144. Cfr. EDWARD C. RILEY, *Teoría de la novela en Cervantes*, cit.

145. En tal sentido nos encontramos más próximos a la opinión de don Américo Castro, que proclama en Cervantes el triunfo de lo *razonable reglado*: «Cervantes —dice Castro— pugna por descubrir el módulo que rija la vida de los seres desde fuera a dentro, a manera de ley o norma; o de dentro a fuera, a manera de impulso vital. Su obra consiste esencialmente en ofrecernos el poema de la armonía o el drama de la incongruencia: plegarse a la norma, adaptarse y comprender el impulso vital que rige a los demás son hechos que brotan en la gama armónica; salirse de la norma, errar en la conducta o en el pensar son resultado de no comprender, de no colocarse en la inclinación necesaria para que el destello de lo real llegue debidamente a nuestra retina. En el fondo, Cervantes está impregnado del amor a lo razonable». Cfr. A. CASTRO, *El pensamiento de Cervantes*, cit., p. 43.

que le exigía cuentas menudas en nombre de una tradición de lenguaje puramente retórica.

Simultáneamente a los debates sobre el ingenio y el furor, se discutía en Italia la licitud de las reglas bajo la forma de una antinomia establecida entre la autoridad de Aristóteles —y la eternidad por tanto de sus reglas— y la libertad de los ingenios de ir acomodándose a razones cambiantes de dialéctica con su arte y su público. Algunos estudiosos, desde Toffanin a Tagliabue y Hatzfeld, y en otro sentido Raimondi considerando el caso italiano, han asociado el afirmarse de la poética barroca, especialmente la dramática, como descubrimiento de Aristóteles. Para otros, españoles sobre todo o que atienden al ejemplo de España, el Barroco —piénsese en el teatro clásico desde Lope de Vega— representa ante todo la liberación de cualquier tipo de normativa [146], un ir «perdiendo el respeto a Aristóteles»,

146. En este sentido creemos que EMILIO OROZCO, glosando la tesis aristotélica de Hatzfeld, ha situado adecuadamente el fiel de la situación: «Encontramos, pues, como rasgos dominantes de época esa elaboración y apoyo de la doctrina literaria en la poética aristotélica, pero precisamente, lo esencial y característico es algo que, arrancando de lo más hondo de la realidad de la época, de la naturaleza y de la vida, se enfrenta con violencia con ese cuerpo doctrinal», cfr. *Manierismo y Barroco*, cit., p. 31. Veáse el examen completo de este problema en pp. 30-37. Sin embargo, para reajustar su esquema de oposiciones, carga Orozco el énfasis peligrosamente sobre un Manierismo poderosamente reglado, quizás justificable en el caso de la lírica, pero que, desde luego, no lo era específicamente tal en el general de la literatura. Aquí, ni la praxis artística mostró un cambio profundo en el sentido de la rigidez reglada en contraste con el Renacimiento, ni la teoría poética renovadora de la renacentista evidencia sino en todo caso lo contrario, como lo atestigua nuestra verificación de la misma en esta obra; al menos durante el único período verosímilmente manierista que se extiende de 1550 a 1620 aproximadamente. Creemos que Orozco centra más precisamente su observación cuando apunta al difundido fenómeno del adensamiento de la endoestimulación literaria, la «imitación de modelos», que se produjo desde mediados del siglo XVI: «El Manierismo se produce por un exceso de intelectualismo e individualismo, es decir, por una búsqueda de nuevas y extrañas formas de Belleza. Cuando Herrera declara que hay que buscar con el entendimiento nuevos modos de expresión, está afirmando una postura manierista. Sus teorizadores no admiten la imitación directa de la realidad, sino a través de la imitación de los antiguos poetas y artistas. De ahí también que su doctrina estética sea la interpretación de los tratadistas clásicos; sobre todo Aristóteles, Horacio y Vitrubio. Hay una postura intelectual, esteticista y técnica en su orientación que les hará buscar la consciente complicación, la dificultad por la dificultad; esto es, el acomodamiento de la expresión artística o poética a esquemas compositivos previos».

No obstante, quizás conviniera expresar más explícitamente las diferencias que sin duda existen entre el estímulo de los modelos y el reticulado rígido de reglas, más limitativas siempre que estimulantes, que producen las poéticas. Fenomeno que, como tal, no fue conocido en Europa hasta la expansión del clacisismo francés puro; es decir traspuesto el Barroco tardío de Francia. Pensamos en afirmaciones que podrían prestarse a la ambigüedad como ésta: «Como una transformación de lo clásico renacentista, de acuerdo con esta actitud formalista y esteticista, hay que considerar como típico del Manierismo el gran desarrollo de la teoría artística y literaria de carácter normativo. El sujetar la creación artística a unos límites y

como garbosamente dijera Blecua. Por nuestra parte creemos que ni la poética del Barroco se muestra tan medularmente penetrada de aristotelismo como han señalado unos, ni es tan libre como dicen otros. La *Poética* de Aristóteles era ya una realidad plenamente adquirida en el Renacimiento; algunos de sus principios básicos —doctrina didáctico-moralizadora de la catarsis, teoría de la metáfora, etc.— fueron situados por la dinámica de los tiempos barrocos o manieristas en el pináculo de la actualidad; de la misma manera que otros muchos tópicos —doctrinas del equilibrio, teoría cerrada de los géneros, etc.— se vieron relativamente relegados al olvido.

Evolución de la Poética renacentista. Manierismo y Barroco ante el problema de la finalidad del arte.

Más directamente incidente que la cuestión del ingenio en los resultados concretos de fisonomía de la obra era la controvertida noción de su finalidad. Otro de los grandes temas de la Poética, la historia de cuya evolución en el período que nos interesa, puede corroborar o poner en entredicho las categorías clasificatorias deducidas del análisis de intenciones generales, estilísticas o ideológicas de obras y autores encuadrados en el referido momento. Dos actitudes extremas se marcan, al respecto. De una parte, se ha señalado en ocasiones el incremento de la tendencia lúdico-deleitosa en las intenciones del arte de la edad[147]. En las antípodas, otra actitud

---

modelos, es consecuencia de esa general postura del manierista que ve la obra de arte como fruto del saber y de la idea y no del impulso natural y de la práctica» (p. 176). Nos parece imprescindible salvar el hecho que nos enfrentaría, por una vez, a la paradoja —entre otras— de la teoría adelantándose a la práctica literaria. Ya que el período de afirmación de tal poética manierista ultrarreglada coincidiría exactamente en Italia y en España con el desencadenamiento de la encendida polémica sobre la liberación de las reglas. Reglas y usos que ni sus defensores, ni sus adversarios dejaron nunca entrever como productos de ninguna moda recien impuesta, sino todo lo contrario. Una ingente copia de textos están ahí para probarlo. Por otra parte, si el Manierismo es la quintaesencia de lo reglado, y el Barroco de lo libre, ¿qué fue el Renacimiento? Sencillamente, creemos que el subsistir y alternarse de opiniones contemporáneamente contrarias también en éste, como en los demás puntos del sistema teórico, es una realidad que obliga a contemplar con mucho escepticismo los intentos de fracturar irreconciliablemente los bordes de las edades estéticas, confundiéndolas con cambios de gustos, o con decisiones individuales de un artista concreto, por genial y modélico que éste sea.

147. Cfr. Frank J. Warnke, *Versions of Baroque*, cit., p. 91: «It is difficult to respond as fully as is desirable to a great many characteristic Baroque works of literaty art if one has not developed a sense of the very mode of artistic being of those works, a mode of being which has little to do with simple didacticism and still less to do with simple mimesis.

muy generalizada desde Toffanin, a la que ha venido a reforzar inesperadamente, y desde vías muy distintas, el talento y erudición de Hatzfeld[148], señala la irrupción de un Barroco marcadamente didactista, moralizante, aliado de la Contrarreforma en unos casos y tendente a impresionar activamente el «entendimiento» en todos[149]. Señalado su origen aristotélico en términos algo ambiguos por Toffanin[150], con posterioridad Morpurgo Tagliabue ha pormenorizado con gran rigor todo lo que dicha corriente puede tener de aproximable al sentido moralista y social de la catarsis aristotélica; y, en general, de la más superficial e inmediata estructura didáctica en la concepción estética[151]. Otra línea coincidente con la anterior en sus notas de aristotelismo y didactismo entronca el Barroco con la tradición retórica aristotélica, explicando desde las necesidades persuasivas del Barroco el triunfo de los tratados retóricos registrado en los siglos XVI y XVII, tanto en Italia como en España[152].

It has, I believe, a great deal to do with the phenomenon of *play*—that vast and crucial area of human activity of which *a* play is a particular local division».

148. Cfr. H. HATZFELD, *Estudios sobre el Barroco*, cit., p. 108: «En todas las artes, el período barroco, que se extiende aproximadamente de 1580 a 1680 —véase claramente concedida la necesidad de considerar el Manierismo, independiente según Hatzfeld, más bien como un estilo de época de la edad barroca—, es un intento de sustituir el humanismo renacentista por unos valores más serios y espirituales, así como una ruptura de los estrechos límites del humanismo antropocéntrico por medio de un trascendentalismo paradójico que tiene que ver con el espacio y con el tiempo».

149. Esta antigua tesis, basada en último término en la evidencia de la función social-directiva atribuida a los aspectos sobresalientes del arte barroco, viene siendo revisada y actualizada, con pocas modificaciones, en los estudios modernos sobre el período de parámetros explícitamente sociales. Por ejemplo, JOSÉ ANTONIO MARAVALL, en el capítulo «Una cultura dirigida» de su libro *La cultura del Barroco*, cit., añade interesantes precisiones sociológicas al tópico del didactismo barroco: «Si por este camino el arte se convierte en una técnica de persuasión que va de arriba abajo, en la misma dirección que van la imposición autoritaria o la orden ejecutiva, hemos de matizar esta observación: primero, extendiendo la comprobación de este carácter, en su doble sentido persuasivo y autoritario, a todas las manifestaciones de la cultura, y, segundo, haciendo observar que una diferencia se da, sin embargo, entre mandato y persuasión: a saber, la de que esta última exige una participación mayor del lado del dirigido, requiere contar con él, en parte, atribuyéndole un papel activo», cit., p. 166. O las siguientes anotaciones de sicología social, montadas por cierto sobre la base de las añejas doctrinas wölfflinianas: «A diferencia de la serenidad que busca el Renacimiento, el Barroco procura conmover e impresionar, directa e inmediatamente, acudiendo a una intervención eficaz sobre el resorte de las pasiones: así lo observaba ya Wölfflin, recordando que muchos de los artistas barrocos tuvieron manifestaciones de neurosis», pp. 167-168.

150. Cfr. GIUSEPPE TOFFANIN, *Storia dell'Umanesimo*, Bologna, Zanichelli, 1943. Tesis más monográficamente abordada en su libro, *Il Tasso e l'età che fu sua*, Nápoles, Libreria Scientifica, 1945.

151. Cfr. GUIDO MORPURGO TAGLIABUE, *Aristotelismo e Barrocco*, cit., pp. 119 y ss.

152. A tal orientación, muy bien centrada por lo demás, corresponde la actitud ante el Barroco de Giulio Carlo Argan, en las siguientes ingeniosísimas interpretaciones del innegable dato

Naturalmente la conciliación en el Barroco de ambas líneas extremas, lúdica y didactista, dependerá mucho de la decisión que se adopte sobre la fragmentación periodológica[153]. Obsérvese, en tal sentido, cómo quienes sostienen la tesis de la finalidad lúdica en exclusiva con aquellos que, en favor del Barroco, indistinguen Manierismo y Barroco, atribuyendo al segundo una nota que evidentemente cuadra mejor, por razones cronológicas y de congruencia categorial con el primero. Lúdico será el Barroco en tal caso, a condición de que se incluyan en él los poemas más personales y antitradicionales de Marino y Góngora. Por otra parte, la tesis didactista se abrirá paso con dificultad entre quienes engloban exclusivamente como manierista el gran período que en literatura se inicia en la segunda mitad del siglo XVI. Por último, quienes, como Hatzfeld, aceptan y distinguen entre Manierismo y Barroco-impresionista como estilos de época inmediatos entre sí, adscriben la nota lúdica al primero y la didáctico-moralista al segundo.

Por nuestra parte, no vemos inconveniente en atribuir a manierista la línea, muy marcada, de afirmación lúdico-deleitosa detectable en la crítica italiana de la segunda mitad del siglo XVI; no entrando a determinar si se trata de una tendencia tardía del Renacimiento o el criterio sustantivo de una nueva edad. Pero si en la economía y generalización de tendencias y denominaciones que nos parece más prudente y aconsejable, se quiere conectar dicha opción estilística con el período siguiente, con el Barroco, tampoco advertimos en ello ninguna contradición insalvable. Ante todo,

---

objetivo: «Come arte del credibile, indipendentemente dalla verità comprovata della cosa creduta, il Barocco è l'arte della persuasione e della rettorica, nel senso proprio della Rettorica di Aristotele che, con la Poetica, è fonte essenziale della cultura barocca. La decadenza di cui parla, per il Barocco italiano, il Croce, riferendosi specialmente agli ideali religiosi e morali, appare così, invece che avvilente scadimento, tramutazioni di valori: poiché, se è vero che il pensiero religioso non si esprime più in una concezione del mondo e si attua piottosto nella prassi morale e nella propaganda che nella contemplazione, è anche vero che prassi e propaganda presuppongono la fiducia nella comunicazione umana e che il mobile, vario, animato teatro della vita sociale ha ormai preso il posto dello scenario immovile e solenne della natura». Cfr. G. C. ARGAN, *Il barocco in Francia, in Inghilterra, nei Paesi Bassi*, cit., p. 329.

153. La violencia recíproca de ambas líneas, con la paulatina afirmación de la progresista, recorre y caracteriza la creación artística y también la reflexión teórica del siglo, acentuada sobre todo en su segunda mitad. Al respecto, GEORG WEISE, *L'ideale eroico del Rinascimento e le sue premesse umanistiche*, cit. Concretamente, en la oposición entre maquiavelismo y moralismo humanístico, afirma: «Nel cosiddetto *machiavellismo* del Cinquecento e del Seicento e nel concetto della *ragion di stato* non solamente l'idea dell'amoralità e del carattere autonomo della politica, ma anche la visione dell'uomo come individuo libero da ogni legame etico e dipendente solo dai suoi impulsi ed istinti naturali rimasero in auge come eredità del Rinascimento. Al polo opposto sta l'ideale morale caldeggiato dagli umanisti, concepito sul modello della virtù romana, esaltata su di un piano di eroica sublimazione».

una solución de este tipo, que no habría inconveniente en considerar como *estilísticamente* manierista si no se prestara ya a tantos equívocos tomar a estas alturas una decisión, hoy tan comprometedora como en principio inocua e indiferente no deshace la identidad y congruencia del período en que incide, como en principio pudiera parecer; porque no resulta totalmente desconectada, ni en profundidad incompatible, con la tesis del didactismo. No es sólo, aunque bien pudiera invocarse, que en la amalgama de tendencias caracterizadora de uno de los grandes estilos de época, hay lugar para propósitos y convicciones discrepantes de muy distinto tipo. Pero, aun sin apelar a esto, sino invocando la explicación profunda de la mecánica poética en el gran bloque estético barroco, el didactismo de Gracián y el hedonismo lúdico de Góngora presentan, sobre sus divergencias de intuición, la más poderosa identificación del procedimiento estilístico seleccionado: la tensión, la innaturalidad, el retorcimiento estilístico formal[154]. Incluso, ya en la

154. A propósito de esta precisión, conviene detenerse un momento a examinar los términos de una afirmación bastante generalizada, a la que se suele dar dos soluciones contradictorias. Se trata del problema de la adscripción al estilo manierista o al barroco del conceptismo literario, al que nosotros, en el texto, consignamos como valor estabilizado en moda literaria plenamente barroca. Hatzfeld, como en tantos otros casos, con su enorme prestigio, sustenta en este punto la opinión adversa a la nuestra —o al menos en apariencia adversa— a la que prestamos un interés inmediato. En él, no hay duda, la nota manierista está automática y sistemáticamente vinculada a la conceptuosidad, y Góngora, conceptista por excelencia para Hatzfeld, resulta, en función de ello, encuadrado como manierista, (*Ensayos*, cit., pp. 71 y 72). Determinante en tal atribución es la coincidencia de la condición de intelectualismo reflexivo y artificioso predicada habitualmente con unanimidad del Manierismo y que, teóricamente, parece alcanzar su más perfecta encarnadura literaria en el recurso literario del *concepto*. Un juego intelectual antes que nada, basado, como se sabe, en el cotejo intelectual inesperado entre dos realidades habitualmente discretas y nunca aproximadas ni identificadas. Este hábito de asimilar sobre tales bases es absolutamente constante en Hatzfeld, como se dijo, y se extiende, por citar sólo el nombre de grandes historiadores del período, a Giovanni Getto o a Georg Weise. (Cfr. G. GETTO, *Il Barocco in Italia*, cit., pp. 93-4; y G. WEISE, singularmente, *Manierismo e letteratura*, en «Rivista di letterature moderne e comparate», XIII, 1960, pp. 5-52, concretamente p. 51).

Los grandes teóricos modernos del Manierismo, como arte unitario en la alternativa al clasicismo, han atendido con sumo cuidado, una y otra vez, a establecer la definición intelectualista del *concepto*, en la medida que, a través de ello creen recuperar el recurso literario más idóneo para justificar su intuición definidora del Manierismo como arte intelectualista, cuyo centro es «esa posibilidad ilimitada de trasponer lo real —dice Hocke— en lo ideal basándose en medios intelectuales». Así eleva Hocke la nota típicamente conceptuosa a especificación técnica de la intuición global caracterizadora del arte manierista, no solo en literatura, sino en pintura; presentándonos el arte de un pintor marcadamente manierista, Zuccari, como verdadero «conceptismo pictórico» (Cfr. G. R. HOCKE, *El Manierismo en el arte*, cit., pp. 24-25 y 88-90, respectivamente). Por su parte, Hauser, que había proclamado que «la metáfora desempeña en el manierismo un papel mucho más importante que en cualquier otro estilo literario» (p. 57), y que: «La distancia del lenguaje corriente no se constituye en el manierismo por el tono, sino por medio de la imagen» (p. 50), desmenuza y proyecta con toda minuciosidad

vía de las intenciones y las finalidades en la que se establece la aparente antinomia que estamos intentando resolver, la primera intención común a las dos artes es la de la admiración mediante la «ponderación maravillo-

---

la mecánica intelectual conceptuoso-metafórica, como vehículo de comprensión y de interpretación del mundo. Cfr. A. HAUSER, *Literatura y Manierismo*, cit., pp. 59-60).

Observese, sin embargo, que la identificación de un recurso literario real y objetivable, el *concepto* —mecanismo metafórico centenario puesto de moda y multiplicado consciente y progresivamente en la literatura española del siglo XVII— con una categoría de denominación estilística, Manierismo, es producto de una pura convención, que atribuye a posteriori a la segunda algunas de las notas del primero. Pero habría que demostrar, contra toda la evidencia histórica contemporánea, que el conceptismo seicentesco, italiano y sobre todo español, no es tal, sino metaforismo degradado; o, lo que es aún más difícil, que el uso de *conceptos* desaparece paulatinamente a partir de 1600 —lo que resulta, precisamente, contradictorio con la pormenorizada investigación de la conciencia histórica en la sociedad literaria española del siglo XVII que hemos ilustrado en el Libro V—, para poder identificar el conceptismo con un recurso específicamente manierista, y no, como lo prueba toda la conciencia histórica y la simultaneidad cronológica más palpable, con el procedimiento estilístico central del Barroco y del Barroquismo, a todo lo largo del siglo XVII.

Sólo de esta manera se podrán deshacer contradicciones histórico-literarias tales como considerar manierista a Góngora fundamentalmente en razón de su conceptismo, y enjuiciar a Quevedo y a Gracián como escritores barrocos o barroquistas, no sabemos bien en atención a qué principios. Siendo así, por lo demás, que si la consideración que no discutimos del poeta cordobés como escritor conceptista, es una exhumación feliz pero laboriosa de la crítica reciente —de Sarmiento y Parker a Monge y Collard—, lo que no se ha alterado, ni va a alterarse, es la nunca discutida estimación de Quevedo y Gracián —por no hablar ahora de Calderón— como escritores genuinamente conceptistas. Con toda razón, Riccardo Scrivano ha distinguido entre el manierismo artificioso de la segunda mitad del Cinquecento, al que de algún modo podemos llamar hoy conceptuoso y manierista, y el de Seicento, denominado ya desde un mismo nacimiento conceptista (cfr. R. SCRIVANO, *Il manierismo nella letteratura del Cinquecento*, cit).

Respecto a la consideración tradicional del conceptismo como modalidad estilística del Barroco, sin afrontar, ni plantearse debate alguno al respecto, ni siquiera sobre una parcial o aproximada participación en él del Manierismo, recordemos la opinión de uno de los historiadores modernos del problema más elogiados por Hatzfeld, pese a la evidente discrepancia —seguro que inconsciente e involuntaria— que con las ideas del gran investigador alemán puedan arrojar textos como el siguiente: «Cualquiera que fuese la posible variación de su esquema fundamental, el concepto, de todos modos, es un traje nuevo sobre un cuerpo ya conocido. Se trata de las diferentes asociaciones de ideas que despiertan las paronomasias o las homonimias, o de las que brindan las operaciones lógicas que conducen la imaginación en direcciones cada vez más abstractas, el concepto es una nueva traducción de la preocupación constante y general del Barroco», cfr. A. CIORANESCU, *El Barroco o el descubrimiento del drama*, cit., p. 238. El mismo aserto para otros ámbitos de la literatura barroca lo asume ROCCO MONTANO, *Metaphysical and verbal arguzia and the essence of the Baroque*, en «Colloquia Germanica», I, 1967, pp. 49-65. Recordemos finalmente la elevación del conceptismo a rasgo básico del estilo barroco europeo, en uno de los más profundos conocedores de este recurso histórico-literario, ALEXANDER A. PARKER, *La agudeza en algunos sonetos de Quevedo: contribución a la estética del conceptismo*, en *Estudios a M. Pidal*, V, 1952, pp. 345-360.

Téngase en cuenta, por último, que más allá de la comodidad ocasional con que un rasgo histórico de época como el *concepto* pueda ser sobrepuesto a una categoría apriorística,

sa»[155]. Pero, incluso, no cualquier tipo de admiración —término muy vago, que sin embargo era bien unívoco como tecnicismo literario de la época—, es, en principio, distribuible sobre realidades artísticas muy diversas; sino una y la misma mecánica de sorpresa, basada en lo inesperado del sobresalto ingenioso, y no en ningún tipo de serena y pausada captación progresiva. Y no olvidemos que, a la hora de las decisiones, al acomunamiento debido a un recurso estrictamente técnico-literario debe concedérsele mucho más alto valor resolutivo, que a la discrepancia internacional, globalmente artística.

Por lo demás, somos conscientes de que estamos debatiendo el tema en el terreno mismo que se han fijado, por más favorable, los principales encartados en el planteamiento de las irreductibilidades. Así, el testimonio de Hatzfeld, más directo y global conocedor de la literatura barroca que ninguno de los campeones del didactismo aristotelizante desde Toffanin, resulta muy aleccionador. En efecto, aunque la tesis del didactismo es un servicio en bandeja foráneo a su distinción entre Barroco-clásico y Barroquismo, sin embargo no se excluye a partir de ella toda carga lúdico-hedonista en el Barroco; sin duda porque Hatzfeld tiene muy presente y clara la común raíz en los mecanismos literarios de fondo que acabamos de exhumar, como vehículo de puesta en contacto y congruencia entre las dos actitudes reseñadas:

> «La perfección formal del humanismo siguió siendo admirada —en el Barroco— como lo más valioso de esos principios morales de la antigüedad que, a través de ella, se expresaban. Estos principios, sin embargo, se revisan a la nueva luz de la religión.»[156].

El mismo Hauser, cuando por excepción habla en alguna ocasión del Manierismo literario como momento, como edad seguida de otra, innomina-

---

el Manierismo en principio será siempre atribución sospechosa de capricho. En el caso de la moda conceptuosa, no cabe duda de que si se puede hablar de ella como rasgo manierista —y no discutimos aquí la propiedad ni oportunidad de tal atribución—, deberá ser, meramente a título de extensión a tal período de un hábito estilístico consagrado por la poesía, la oratoria sagrada, y el sistema de tecnicismos críticos en que cristalizó, obsesivamente, el Barroco a lo largo de la totalidad del siglo XVII.

155. Warnke lo ha afirmado fuera del plano estrictamente formal-estilístico, en el dominio global de la mitología del héroe barroco, dentro de su novedoso capítulo «The sacrifical hero»: «The hero of Baroque drama, like the texture of Baroque poetry and prose in general, exists in large measure to excite our wonder rather than to elicit our pleasure at seeing reality well imitated. In this way he exemplifies both the extravagance and the trascendence of the mundane toward which the age was so obsessively compelled», cfr. WARNKE, *Versions of Baroque*, cit. p. 194.

156. Cfr. H. HATZFELD, *Estudios sobre el Barroco*, cit., p. 64.

da, pero que o debe ser, por exclusión, un clasicismo preñado de alta retórica barroquista, o de barroquismo simple; reconoce en la perfección expresiva manierista, a través de la cual ha definido una de las características más evidentes de su estilo[157], un valor de pálido reflejo titubeante de los aciertos expresivo-formales de la edad siguiente:

> «Pese a todo su aparente virtuosismo y a toda su riqueza de palabra, el manierismo no es elocuente; comparado con el impulso y la adecuación del estilo literario de la época siguiente, el manierismo nos parece más bien que tartamudea»[158].

El examen sumario del desarrollo de los acontecimientos teórico-literarios, historiados pormenorizadamente en esta obra, puede ilustrar sin titubeos, cómo desde mediados del siglo XVI se produjo en Italia una defensa empeñada del deleite, basada esencialmente en mecanismos de actuación formales, como fin sustantivo del arte. Téngase en cuenta para valorarla, que tal iniciativa, absolutamente paralela e interrelacionada con la marejada de proclamaciones del ingenio innato como condición diferencial del creador artístico, no contaba con los apoyos doctrinales que ésta; no tenía el profundo enraizamiento de la doctrina del furor o la manía en tópicos de la tradición platónica, e incluso en determinados pasajes de Aristóteles y Horacio. Sin pretensión, ni disimulo, tan necesarios en una edad agobiada de prejuicios, la defensa del hedonismo formalista rompía fuego en medio de una tradición artística medieval apesadumbrada por la condena del arte pecaminoso. De ahí que la defensa del precoz, originalísimo y progresista Luisini sea en este caso tenue, aunque absolutamente perceptible frente al mayor entusiasmo que había desarrollado en la defensa del ingenio. Y bajo su ejemplo, y

157. Véase, como muestra de esta caracterización tópica, las siguientes palabras de Alejandro Cioranescu: «...el barroco viene a ser un amaneramiento, una intención consciente de sobrecargar las líneas simples y puras del arte clásico, con el objeto de ocultar la repetición y de hacer interesantes unos tópicos del arte que sólo puede salvar la originalidad de la expresión». Cfr. A. CIORENESCU, *El Barroco o el descubrimiento del drama*, cit., p. 370. Este formalismo lúdico, desbordante, que invade y en cierto modo reconvierte la religiosidad misma, a la que sirve de instrumento de propaganda —Cfr. F. J. WARNKE, *Versions of Baroque*, cit., p. 130— se apoya singularmente en la metáfora, en las más atrevidas e insólitas, más que en la orquestación verbal, cfr. A. HAUSER, *Literatura y manierismo*, pp. 40-72, el apartado «El lenguaje como forma constitutiva». La exaltación de la retorsión expresiva como clave del movimiento barroco —para Hauser, naturalmente, Manierismo— es para él, como para Hocke, una realidad indiscutible: «La literatura del manierismo no es sólo, como toda otra, un arte vinculado a la palabra y cuyas raíces se hallan en el lenguaje, sino, además, un arte que surge del espíritu del lenguaje; un arte que no tanto aporta un contenido al lenguaje, cuanto lo extrae de él», p. 40.

158. Cfr. A. HAUSER, *Literatura y Manierismo*, cit., p. 49.

quizás más determinantemente con el poderoso refuerzo del *De voluptate* de Valla, la línea previa a las defensas mayores de Castelvetro, Frachetta y Summo, a partir de 1580, se perfila tímida y atormentada en los atisbos de Partenio, Pigna, Bernardo Tasso y Trissino.

Al igual que en el caso del furor, la defensa del deleite formalista encontraba campo más propicio, y más justificada libertad de acción en la polémica del *Furioso*. Nuevamente las actitudes progresistas en el temprano *Discorso intorno al comporre dei romanzi* de Giraldi Cinthio, de 1554, se alinean con las posteriores de Francesco Caburacci, quien, como en el punto del ingenio, basa también su *Breve discorso in difesa dell'Orlando*, de 1580, en la proclamación prioritaria del deleite, fin último, si no único del poeta. Ejemplo seguido, años después, en 1596 y dentro de la misma polémica, por Giuseppe Malatesta en su tratado *Della poesia romanzesca*.

En el campo de las defensas más conscientes sistemáticas y progresistas del ideal formal-hedonista, vuelve a configurarse nuevamente el mismo panorama que en el caso del *ingenio*. Se produjo así un sólido bloque renovador dentro de la estética literaria italiana renacentista, al cual por su tono intelectualista y su positiva mesura de términos no tendríamos inconveniente en titular de manierista; siempre que con ello —lo repetimos una vez más— se piense más en una variedad estilística, todo lo sólida que se quiera, y no sirva para una multiplicación de los estilos de época, que favorecen la floración inmensa de microedades. Vuelve a darse la repetición de Castelvetro, Frachetta y Summo como paladines centrales de las propuestas renovadoras. Y si, frente a la tradición de defensas del ingenio, se advierte aquí el vacío de las *Lezioni intorno alla poesia* de Agnolo Segni —no por otra razón que porque en la naturaleza monográfica de tales lecciones no entró la cuestión de la finalidad, y, por consiguiente no existe pronunciamiento explícito a favor o en contra—, es preciso advertir en este caso un alza importante y muy cualificada, la de Fracastoro. Decimos importante, no sólo por el prestigio y la autoridad que el autor del *Naugerius* presta indudablemente a la iniciativa, sino sobre todo por la sintomática prontitud, 1550, con que Fracastoro ponía sobre el tapete del enjuiciamiento teórico uno de los tabúes artísticos más descreído en el fondo de su conciencia íntima por la élite social de artistas y consumidores de arte renacentistas. Pero al mismo tiempo, como ha señalado von Martin, uno de los convencionalismos más celosamente respetado en el terreno de las apariencias por un grupo restringido de creadores y gustadores exquisitos, poco propicios al escándalo de la masa proletaria, convidada de piedra al festín oligárquico del arte renacentista.

Muy sintomático resulta, en el dominio de nuestras presuposiciones actuales, el atento examen de los tratados teóricos del principal comprometido por la crítica moderna en el torcedor de las edades, Torquato Tasso. Del frecuente cotejo de sus tratados realizado por nosotros en esta misma obra, se deduce una intencionada fluctuación, al menos en el dominio de las proclamaciones explícitas, que viene a traducir en principio una ausencia de voluntad de compromiso muy aguda. Como en el caso de Cervantes en España, otra figura capital en la encrucijada de la definición estilística de las edades, las afirmaciones de Tasso sobre la finalidad de la literatura son poco terminantes. En sus palabras no se registran propuestas para ninguno de los polos de la dualidad, que definen las etapas inicial y final del debate entre 1500 y 1650. Donde Cervantes hablaba vagamente, como el propio Lope, de entretenimiento, que ni pasa por la «maravilla» admirativa, ni desde luego entra en los términos del deleite formal manierista-barroco[159], Tasso plantea un eclecticismo de fines, en el que difícilmente se decanta nota alguna en favor de ninguna de las soluciones unitarias.

Pasando al recorrido correspondiente a estos tópicos en el dominio español, advertimos en nuestro país el fenómeno paralelo al que hemos destacado en Italia: decaimiento relativo en el fervor de las apologías del deleite frente al tono más marcado en las del furor-ingenio. Es decir, que puede afirmarse en términos globales que en el desencadenamiento del sistema literario renacentista, hasta su transformación en el complejo teórico manierista-barroco, el detonante inicial y el componente más activo fue sin duda el fermento platónico de la doctrina del furor, racionalizado en la época. Las causas de este desequilibrio relativo ya las indicábamos antes para el caso de su explicación italiana, y aún serían mucho más de acentuar pensando en nuestro país, tan aherrojado desde la segunda mitad del siglo XVI por ese doble sistema de inquisiciones peculiarmente españolas, que magistralmente ha recordado el maestro Bataillon mencionando a Unamuno: la exterior del poder teocrático y su reflejo en la «inmanente» del carácter individual y social de los españoles[160].

159. La clara conexión del rasgo con el movimiento contrarreformista fue ya destacada por AMÉRICO CASTRO, en *El pensamiento de Cervantes*, cit., p. 30: «La Contrarreforma... afectará, pues, a la técnica misma de la obra literaria, y en ese sentido conviene ahora tener presente su influjo dentro del siglo XVI. Los tratadistas procuraron definir y justificar el juego de la fantasía y la sensibilidad en las obras profanas, a fin de protegerlas contra la crítica de sus adversarios».

160. Una figura literaria clave del periodo y situación aludidos fue sin duda Fray Antonio de Guevara. Innovador estilístico, con firme conciencia formal hedonista, que sin embargo procuró disimular en el dominio de la exhibición de pretensiones. En tal sentido su figura y voluntad estilística han sido analizadas acertadamente, a nuestro juicio, por Francisco Márquez Villanueva. Un cambio de público, la aparición —gracias sobre todo a la imprenta— de una poderosa minoría letrada, animó a Guevara a su aventura estética: «El *gran público* acaba de nacer históricamente y Guevara es el primero en reconocer su existencia y darle

Así, dentro del coro relativamente nutrido de defensores entusiastas del ingenio que teníamos ocasión de reseñar antes, al dar cuenta de los primeros momentos prometedores en la apertura de la retórica liberal y progresista de comienzos del siglo; ahora sólo prácticamente en Luis Vives y Antonio Llull podemos espigar y ver afirmada una nítida conciencia hedonista. Lástima grande fue que tan temprano y clarividente ejemplo fuera esquilmado en sus raíces. Ni Matamoros, ni Fox Morcillo, ni Arias Montano en la retórica civil; ni Miguel de Salinas o Fray Luis de Granada en la eclesiástica, animosos defensores de la preponderancia de la *vena*, se arrojan aquí a seguir el ejemplo de Vives. Sólo una línea marginal, firme pero poco significativa, de nuestra Retórica decaída recogió la herencia de Luis Vives. Se trata del grupo valenciano de preceptores menores, Lorenzo Palmireno y Andrés Sempere, quienes, sin duda por razones de tradición didáctica regional, apuntan una vibrante línea de defensa del hedonismo formal. Pero, aun esto, más bien en la vertiente menos sospechosa dentro de la Retórica; es decir, defendiendo la prioridad del elemento verbal sobre el contenido en el específico cometido del *retor*. Vives había sido, como en todos los demás aspectos, un abanderado genial en las avanzadas de la más rara de las defensas barroco-manieristas, la del elemento formal expresivo sobre el contenido.

Por lo demás, con tan menguados principios en la edad dorada de nuestra Retórica, más que explicable resulta el hundimiento absoluto del

---

una literatura a su medida, fundada por completo en el arte de entretener y divertir, no de enseñar. Guevara no se atreve, desde luego, a proclamarlo así, pero encarga a su habilidad el deslumbrar a los lectores y hacerles creer, en difícil *trompe-l'oeil* que les vende filosofía moral y no mero entretenimiento, muy al contrario de las Celestinas y Amadises de que oficialmente abomina». Y, más adelante, atribuirá Márquez precisamente a este recurso de hipocresía estético-hedonista el gran éxito de Guevara entre sus contemporáneos: «Su éxito fue posible, en gran parte, por el disfraz arcaizante con que cuidadosamente arropaba el sabroso tósigo de su personalidad innovadora, por todo aquel follaje ascético-moral que le protegía de la hostilidad ambiental contra toda literatura de imaginación y entretenimiento». Por lo mismo, concluirá Márquez, pasada aquella transición de hipocresía forzada, los recursos de Guevara perdían razón de ser y poder de transparencia: de donde se justifica su índole de escritor de transición y el irremediable olvido de su notoriedad contemporánea: «Cuando se consolidaron los géneros modernos que él ayudó a nacer, el público lector se acostumbró a dosis más copiosas, a un producto más depurado y, en lógica consecuencia, lo olvidó completamente. Transparentaba demasiado el autor de transición, la hilaza gótica, los disfraces y los lastres que antes le ayudaron a triunfar», cfr. F. MÁRQUEZ VILLANUEVA, *Espiritualidad y Literatura en el siglo XVI*, cit., pp. 63 y 65. Véase, como coincidente con este orden de consideraciones, el trabajo de JUAN MARICHAL, «La originalidad renacentista en el estilo de Guevara», en *La voluntad de estilo*, Barcelona, Seix-Barral, 1957. Aquí se pone quizás más énfasis que en el libro de Márquez, en la defensa de la modernidad renacentista de Guevara, sin presentarnos, por el contrario, su sistema de disimulos y cautelas.

interés del tópico en las épocas de postración de la disciplina. Eclecticismo cuando mucho, didactismo machacón en casi toda propagación de las verdades oficiales; tal es el desolador panorama de más de un siglo de Retórica muy activa, si al número de tratados y cartillas de escuela quisiéramos referirnos. Respecto al hedonismo, sólo Juan de Guzmán y Jiménez Patón, ya en el siglo XVII, rompen con afirmaciones de cierta importancia la monotonía del desierto general.

En el terreno de nuestras Poéticas, preciso es registrar, de entrada, la firme defensa que se halla en los *Comentarios* de Fernando de Herrera, tanto más cualificada cuanto permite rescatar a este manierista puro de la sospecha de falta de visión o prudencia timorata, a lo Cervantes, en que le habían situado sus cualificadas omisiones en la defensa del ingenio. Por lo demás, sucede que los menores, como Sánchez de Lima y Rengifo, sucumben a las prudencias del naufragio general. Pinciano mantiene también aquí su eclecticismo conservador, y Alfonso de Carvallo —pero ya en 1602— vuelve a realizar, con toda convicción, una defensa más entusiasta que inteligente del hedonismo formal literario, en correspondencia congruente con la que también realizaba del ingenio. Pero con Carvallo se disipaba sin remedio la defensa del tópico en nuestros tratados sistemáticos. Ni de Cascales, ni de González de Salas, ni de otros eruditos anacrónicos de su corte, cabe esperar nada. Lope y los lopistas, en mejor posición que nadie para defenderse, sin complejos, desde tales atalayas teóricas, renunciaron en término general a hacerlo. Vencidos sin duda de la fuerte presión oficial que por boca del jesuita Mariana tronaba contra toda suerte de deleite como pecaminoso, la posible ironía de Lope y sus seguidores proponiendo tímidamente sucedáneos pacatos y sutiles como el «gusto» o el «contento del vulgo necio», se ahogan en la turbamulta de los púlpitos como la voz de una niña entre el fragor de un escuadrón de caballería.

Fueron sin embargo los gongoristas, que por no aspirar a la notoriedad de los corrales de comedias y mentideros, resultaban menos peligrosos, y por tanto operaban desde la menguada libertad de sus escaños de eruditos, quienes en papeles privados y en apariciones públicas invocaron más libremente el deleite formal en defensa de su ídolo. No es sorprendente que tal fuera el partido asumido y muy frecuentado sobre todo por Salazar y Mardones, Díaz de Ribas y el Abad de Rute; más curioso resultaría, si no conociésemos el propio talante de sus gustos literarios y las razones ocasionales de su entrada en la polémica, que el más consciente, preparado y brillante de los oponentes de don Luis, Juan de Jáuregui hiciera con frecuencia de los argumentos del deleite la mejor de sus armas, con la que maniobra muy sueltamente en todas direcciones.

La línea progresista, precaria a veces, cualificadamente minoritaria siempre, pero en razón de su condición excepcional y revolucionaria —y por consiguiente fuertemente modificadora de la masa no activa— decisiva en todo caso, descubre un compacto hito de cambios profundos que, apoyando sus bases en 1550 se extiende con cierta congruencia por lo menos hasta 1625. En el dominio de la Teoría literaria dicha evolución —etiquetable y etiquetada con muy distintos rótulos— cobra perfiles unitarios muy concretos y perfectamente definibles por la transformación de la oficial trilogía tradicional clásico-renacentista *ars-docere-res*, en la correspondiente alternativa *ingenium-delectare-verba*, bajo cuya orientación habría de encaminarse hasta nuestros días la evolución del arte en Occidente[161]. Claro está que,

161. Se observará que en esta síntesis de datos, que responde fielmente a las argumentaciones e inventarios de materiales distribuidos en los apartados correspondientes de toda la obra, no nos hemos referido al desarrollo del pensamiento sobre el conjunto de los componentes, formal y contenidista, de la obra de arte. La razón es que ni en los documentos cinquecentistas italianos, ni siquiera en los textos críticos del siglo XVII español, se dio explícitamente la discusión sobre la precedencia de *verba* o *res* en los términos de extensión y diafanidad dialéctica de los otros dos componentes teóricos, finalidad del arte e índole del proceso creador. Las razones de ese silencio, o falta de consciencia en torno al problema, las hemos indicado: básicamente la tradición clásica inquebrantada —a diferencia de las otras dos dualidades— que señalaba la claridad y la concisión como rasgos estilísticos positivos, frente a cualquier tipo de complejidad estilística —reducido caricaturalmente a exceso verbalista— y oscuridad señaladas como expresión viciosa. No obstante, como hemos destacado ya —y como lo haremos sobre todo en el libro V de esta obra—, conciencia teórica y realidad artística presentan en esta ocasión quizás el caso de dislocación más absoluto; pues, frente a la relativa parquedad de documentos críticos que se planteen la progresiva precedencia del elemento formal en la obra, la radicalización literaria de la «locución artificiosa», marca, como recientemente ha señalado eficaz y persistentemente Quondam, el indicador más seguro para seguir, a través de él, las modificaciones de la experiencia literaria del Renacimiento al Barroco. Una síntesis de las enseñanzas de Amedeo Quondam, básicamente coincidentes con nuestras deducciones en este libro, se encuentra en la introducción a *La parola nel labirinto*. Dada la importancia de la cuestión, y la ausencia, impuesta por las razones indicadas, de la misma en estas páginas, remitimos al texto de Amedeo Quondam, que reproducimos aquí en sus líneas más vinculables al problema que nos ocupa: «Di fronte al complesso coerente elaborato dalla trattatistica retorica e di poetica del primo Cinquecento si ha quindi l'abbandono della problematica su *inventio* e *sententia*, col netto privilegiamento d'un settore della retorica, quello della *elocutio*, risolta in locuzione artificiosa». Obligado resulta matizar en tal afirmación, precisamente para reforzar nuestro asentimiento básico a la misma, que en el extensísimo y central sector de la teoría poética, cuyos documentos hemos analizado en esta obra, no es perceptible tal desplazamiento en términos explícitos de precedencia, como se puede observar —por contraste— en las demás dualidades. Además se trataría fundamentalmente de una cuestión de género de tratados. De una parte, Quondam parece referirse más que a obras de Poética como las de Trissino y Robortello o Minturno, a tratados de Retórica en sentido estricto —que en el caso de Italia no hemos atendido en este libro por su condición de marginalidad relativa para la teoría literaria frente a la tradición de grandes comentarios y tratados de Poética—, o bien a determinados documentos de crítica y polémica, muy próximos a las circunstancias de la producción artística, cuyo enorme número

no bien afirmada, tuvo que superar el bache parcial del sector didactista del Barroco, y de los neoclasicismos más pedantes; así como numerosas otras involuciones del didactismo pretendidamente clasicista, como el de ciertos sectores de sociologismo materialista que, hasta ahora, han prosperado poco en Estética. Ellos siguen proclamando la inmediatez de un forzado paraíso sin el arte tradicional; dicen que el arte será otro..., tendrán que demostrar que sea arte, y lo que es más difícil, inventar otro. Casi imposible, tantos siglos de delicias, proclamados o soterrados, garantizan que negándolos, no se puede salir por otro sitio que a través de la parodia, lo que viene a ser seguir donde estábamos ...pero mal.

Conclusión: carácter longitudinal y simultáneo de las varias tendencias estilísticas en el siglo XVI. El Manierismo, una conglomeración cierta de rasgos con límites inciertos dentro de la gran Edad Renacentista.

La fecunda claridad que en el denso bosque de los debates historiográficos sobre el período tardo-renacentista y barroco (1500-1650) ofrece, a nuestro juicio, la desatendida reflexión teórica de la Poética y la Crítica literaria contemporáneas, corre el riesgo de esterilizarse —y todavía más en el caso de un debate tan complejo como éste, peligroso en tantos sentidos— si se atiende sólo a la línea progresista y novedosa, dejando a un lado la realidad incontrovertible y tremendamente productiva en el plano dialéctico, de la masa conservadora y tradicional. Con ser muy numerosos, los nombres y datos ofrecidos hasta ahora en nuestra nómina de la renovación, no deben hacernos olvidar que simultáneamente no eran menos, ni con mucho,

---

no nos permite conocer, en verdad, si las muestras de Amedeo Quondam y la nuestra coinciden básicamente.

Con todo, insistimos en nuestro acuerdo básico con Quondam con la matización indicada —que nos viene impuesta por los documentos desde los que hemos extraído nuestras conclusiones— de que el desplazamiento no es explícito ni establecido en los términos dialécticos acostumbrados en los otros dos grupos de problemas. Así, suscribimos la pormenorización de aspectos de la locución artificiosa que, inmediatamente, establece Quondam: «coerentemente, assumono il ruolo di strutture formali decisive sul piano dell'organizzazione del testo, quelle *figurae* specifiche dell'*ornatus in verbis coniunctis*, e in modo particolare le *figurae elocutionis:* cioè le figure della ripetizione, dell'accumulazione, dell'elencazione (e soprattutto le forme della pluralità, della correlazione, dell'anafora)». Para concluir: «L'esercizio poetico si dispone come gioco chiuso rigorosamente all'interno d'un codice dato, e cerca rispondenze, stabilisce collegamenti, senza mai mediare conoscenza, esclusivamente in quel dentro». Cfr. AMEDEO QUONDAM, *La parola nel labirinto*, cit., p. 6.

quienes discrepaban y, con frecuencia, se les oponían. No se olvide que la evolución del ideario estético, de la que es síntoma incontrovertible la profunda y persistente traza dejada por el grupo renovador, no era ni mayoritaria, ni, dentro de sí misma, uniforme. A esos desarreglos de la uniformidad es muy necesario atender. Por otra parte no deben descorazonarnos, ni resultar sospechosos: mala cosa es cuando una evolución histórica, complejísima por la intervención de millares de protagonistas sobre centenares de situaciones de cambio, puede parecer reducible a la cadencia uniforme de una progresión sin accidentes, excepciones o giros anómalos sobresaltados.

En tal sentido volvemos nuevamente a invocar nuestra propia imagen explicativa de los cambios estilísticos como cristalización[162]. No podía ser de otra manera, tratándose de un complejo sistema de principios variados y de factores de cambio innumerables. Es algo equivalente a la evolución diacrónica de los sistemas de lengua. Tal como en el plano de los sonidos se lo plantea la Fonología histórica.

A tal respecto, la crítica ha puesto a menudo en guardia sobre las fáciles generalizaciones. Así Riccardo Scrivano[163] ha enfatizado, con razón, el indescontable aspecto de las peculiaridades singulares que los diferentes personajes aislados señalan en la imagen del conjunto, que viene a ser poco más que una síntesis o común denominador de ellos. Queda claro, por tanto, que las manifestaciones que hemos llamado progresistas, que en Poética como en la creación artística definirían el síntoma del tránsito al Manierismo, coincidieron geográfica y cronológicamente con fenómenos de pensamiento y de creación marcadamente retardatarios. Cuanto más

162. Nos complace marcar la correspondencia casi exacta entre nuestra propia experiencia de la «cristalización» de rasgos de edad en un momento dado, tardío siempre en cuanto a los primeros síntomas de su desarrollo, y las ideas de José Antonio Maravall. La nuestra es una idea deducida a través de muchos años desde los hechos de realidad de la Teoría poética del período; no obstante, la coincidencia final con la experiencia de tan ilustre historiador nos gratifica y confirma en nuestras propias impresiones. Ofrecemos el diseño general de esta idea en *La cultura del Barroco*, cit., pp. 23 y ss.: «Las épocas históricas no se cortan y aíslan unas de otras por el filo de un año, de una fecha, sino que —siempre por obra de una arbitraria intervención de la mente humana que las contempla— se separan unas de otras a lo largo de una zona de fechas, más o menos amplia, a través de las cuales maduran y después desaparecen, cambiándose en otras, pasando indeclinablemente a otras su herencia».

163. Cfr. RICCARDO SCRIVANO, *Il Manierismo nella letteratura del Cinquecento*, cit., pp. 5-6: «Non basta, insomma, misurare quanto in essa rimaneva degli ideali rinascimentali e quanto essa dichiarava, che potesse poi essere utilizzato dall'età barocca: nè basta, per altro verso, mostrare come Platone riaffiori attraverso il linguaggio aristotelico. Tutti questi contrastanti elementi occorre avvertirli circolanti in individuate personalità: si scoprirà allora quali furono i suoi storici approdi, non posti in soluzioni che solo un tempo diverso poté trovare, ma sicuramente insiti in essa; si potrà allora valutare il significato che ebbe nel complessivo moversi della storia letteraria e umana».

se centre la idea de la progresión y el triunfo del ideal manierista dentro del conjunto de ideas de la Edad Renacentista, en un grupo concreto y circunstanciado de intelectuales y artistas[164] que evolucionaron dentro de una sociedad u hostil o indiferente, creemos que se estará más cerca de una imagen ponderada y veraz del fenómeno. Una idea general que viene a coincidir con la que nosotros hemos constatado en el dominio de la teoría poética, como conglomeración de impulsos simultáneos hacia adelante y hacia atrás[165], en la que, si hoy decimos que acabaron prevaleciendo las iniciativas progresistas, es porque sin duda valoramos más el resultado que el proceso y primamos con nuestro interés esa misma idea.

Para la época que nos ocupa, el examen de las teorías literarias nos ha demostrado la coexistencia de antítesis y las distintas velocidades de marcha incluso entre los miembros de cada facción. Las clasificaciones realizadas con los artistas, por otra parte, evidencian este mismo hecho. Por ejemplo, en la famosa de Hatzfeld, que menciono como la más elaborada e inteligente de las que conozco[166] pese a mis discrepancias personales de detalle, no sólo todos los artistas citados en las tres columnas nacionales se sobreponen de dos o incluso de tres en tres en sus períodos de vida,

164. Para la crítica de las artes plásticas —quizás donde más lejos se ha llegado en la generalización y extensión del Manierismo al «estilo internacional» de todo el siglo XVI europeo, lo que fatalmente debía precipitar, como así fue, la inutilidad de la categoría— determinados historiadores como Bialostocki o John Pope-Hennesey han señalado, con evidentes excesos en el caso de este último, la necesidad de limitar la idea de Manierismo «a un grupo concreto de artistas florentinos que produjeron en unas coordenadas temporales concretas, para devolver al concepto de estilo manierista unos rasgos categoriales que ha perdido evidentemente tras su generalización abusiva». Cfr. JAN BIALOSTOCKI, *Estilo e iconografía*, cit., pp. 60-61.

165. Tesis general que ratifica uno de los más prestigiosos investigadores actuales del Manierismo, Amedeo Quondam: «La differenza della fenomenologia manieristica si situa direttamente al suo interno, ne caratterizza costantemente e ritmicamente ogni evento: cosicchè si è cercato di analizzare soprattutto le trasformazioni, i momenti di rottura, le spinte dinamiche, le resistenze. Il quadro che si è cercato di delineare risulta pertanto contraddittorio, fortemente frammentario, non riconducibile a unità precostituite, ma percorso da slittamenti progressivi del codice, come pure da conservazioni, ma anch'esse differenti, della sua regolarità». Cfr. A. QUONDAM, *La parola nel labirinto*, cit., p. 64. Por su parte, Riccardo Scrivano ha llamado la atención, a nuestro juicio muy sensatamente, sobre la importancia que tiene la mesuración de los síntomas de contradicción y desacuerdo para crear un perfil más real del período manierista, en el que los avances se sitúan siempre en línea dialéctica con las tensiones conservaduristas: «Naturalmente occorrerebbe anche cercare di definire le posizioni in cui l'età si attarda e che, se non danno magari un risultato calcolabile positivamente, nel complesso del panorama non sarebbero meno significative. E a mio parere su un provare linee a file di rapporti a di disaccordi che concretamente si può giunger ad avere il senso preciso del panorama che un'età storica offre. L'età che abbiamo dinanzi è su una tale rete che fonda la propria contrastante unità». Cfr. RICCARDO SCRIVANO, *Il Manierismo nella età del Cinquecento*, cit., p. 23.

166. Cfr. H. HATZFELD, *Estudios sobre el Barroco*, cit., p. 71.

sino que en algunos casos se producen hasta paradojas. Por ejemplo, Cervantes, representante para Hatzfeld del estilo barroco (1600-1630), muere en 1616; mientras que Góngora, que simboliza la época anterior manierista (1570-1600), nacido catorce años después de Cervantes, muere en 1627.

En este sentido se impone ilustrar la comprensión del fenómeno de las edades o estilos en el período 1550-1650, invocando las clarividentes explicaciones de Georg Weise. Fundamentándose en ejemplos un tanto remotos, que recuerda con gran generosidad, Weise propone para el Manierismo la condición de fuerza longitudinal y simultánea que recorre la totalidad del Cinquecento —dato explicable desde la perspectiva usual en las últimas tendencias de la crítica de artes plásticas, pero para nosotros, en teoría literaria, reorrería sólo la segunda mitad—. Como elemento concomitante no sofoca a los demás estilos, ni protagoniza en exclusiva un fragmento horizontal del Cinquecento; eso sí, como recorrido longitudinal engrosa y adelgaza, tiñendo e informando más activamente determinados períodos cronológicos. Por ejemplo, en la poética italiana, los años de la década de los ochenta. Veamos el precioso texto de arranque de la importantísima propuesta de Weise:

> «In contrasto con i tentativi di interpretare il Manierismo come fatto globale abbracciante la produzione artistica di quasi tutto il Cinquecento, mi sembra sia prevalsa negli studi più recenti una concezione piuttosto longitudinale, la distinzione, cioè, di diversi filoni stilistici e spirituali, sviluppatasi in evoluzione parallela nel corso del secolo. Lungi dal costituire un insieme stilistico valido per tutta l'epoca, il Manierismo nel senso di artificiosità leziosa e manierata venne accompagnato, già dall'inizio, da un attegiamento più libero e più sciolto precorritore del Barroco» [167].

Recordando a Pinder y su tesis de las dos grandes líneas que en la pintura del siglo XVI desembocan en el Greco y en Rubens —manierista y barroco, respectivamente[168]—, afirma, no ya la concomitancia artística en la pintura del Cinquecento entre las formas clásico-renacentistas y las

167. Cfr. GEORG WEISE, *Storia del termine «Manierismo»*, cit., pp. 34-35.

168. Se refiere Weise a la obra fundamental de PINDER, *Die Deutsche Plastik vom ausgehenden Mittelalter bis zum Ende der Renaissance*, Wildpark-Potsdam, 1929, Vol. II, así como a trabajos inspirados directamente en el libro anterior, como el de DECKER, *Barockplastik in den Alpenländern*, Viena, 1943. Precisando los términos en que se resuelven ambos libros con las palabras siguientes: «Connotati tipici di quest'ultima sono la forza esuberante, l'impetuosità, e l'ampiezza dei movimenti, l'aumentato volume dei corpi; mentre nella corrente manieristica predomina la *subordinazione delle figure entro linee prestabilite*, nonché un carattere impacciato, coibito e contorto delle movenze, imposte quasi dal di fuori alle persone esili e allungate», p. 35.

manieristas; sino incluso, más allá, la inserción simultánea de la primera levadura barroca. Opinión que, por razones variadas, suscribiríamos nosotros plenamente para el caso de la teoría literaria, singularmente la española:

> «Mi pare indubbio il fatto che già dai primi decenni del Cinquecento e dall'ambito della stessa *reazione anticlassica* partano degli spunti precorritori del **Barocco** che, sebbene temporaneamente soverchiati dalle tendenze manieristiche, apportarono anch'essi elementi decisivi alla futura sintesi seicentesca.»

Y, precisando en términos de artes plásticas, añade:

> «Accanto al coefficente pittorico ed alla tradizione naturalistica si deve dare un particolare rilievo all'ideale plastico di salda e poderosa corposità, ispirato non solamente al modello di Michelangelo ma proseguito in ugual modo dal già menzionato *classicismo accademico* del Cinquecento» [169].

Como inmediatamente advierte Weise, la necesaria adopción de los concurrentes impurificadores, que a él, como a nosotros, le parecen no sólo inocultablemente reales, sino, incluso, garantes de la condignidad entre explicación y realidad compleja, no supone ni la disolución de la categoría de Manierismo, ni la negación de su prioridad en la información estilística de un amplio trecho cronológico del siglo:

> «Non voglio eliminare —añade en tal sentido— con queste constatazioni il concetto di Manierismo né limitare il suo significato storico. Al contrario: il tener conto dei vari filoni stilistici e spirituali svoltisi lungo il Cinquecento mi sembra **indispensabile** per cogliere con esattezza il carattere ed il valore storico del Manierismo. Neppure si nega che quest'ultimo sia stato il fenomeno predominante per una gran parte del Cinquecento, in un netto contrasto con le sfumature prebarocche e la loro aspirazione a grandiosità ed esuberanza. Non solo carattere intrinseco, per gli elementi nuovi, cioè, che sorgono in

169. *Ibid.*, pp. 35-36. Existen numerosos paralelismos entre la consideración estilística de este manierismo intelectualizante y los fermentos barrocos del XVI, marcados por la reacción clasicista de la Contrarreforma, con caracterizaciones literarias paralelas, como la de Hatzfeld. Véase, invocada para la escultura española del XVI, la doble definición de Weise: «A una prima fase soggettivistica ed estatica iniziatasi con la diffusione del Rinascimento e corrispondente per il suo carattere artistico e spirituale al fenomeno del Manierismo, segue in Ispagna, dopo la metà del secolo e promossa dalla Controriforma, una reazione classicheggiante improntata a maestà e compostezza e che conduce in linea diretta al Seicento. Collegata spiritualmente con la Controriforma, questa rivincita di grandiosità e di austerità anticheggianti si inserisce, a mio avviso, in un più ampio movimento spirituale comune a tutta l'Europa intorno alla metà del Cinquecento».

un determinato momento, mi pare opportuno definire un fenomeno storico quale il Manierismo: di uguale importanza mi sembra il rendersi conto dello scomparire di certi elementi costitutivi alla fine dell'epoca in esame».

El rasgo límite de los estilos, que contrapone grandiosidad sensible a cerebralismo artificioso, se percibe, intensificado, en las postrimerías de la centuria:

«In questo senso appare decisivo il fatto che nella nuova sintesi barocca, formatasi col traspasso al Seicento, si pongono in primo piano quel gusto di grandiosità già menzionato ed un rinnovato ed intensificato contatto con la natura, mentre, d'altro canto, vanno scomparendo l'artificiosità cerebrale e l'astrattezza manierata rilevate come elementi goticheggianti»[170].

Tras todas las anteriores precisiones, se arroja Weise a la tesis extrema en la que le acompañarían un Salmi, al que cita, o incluso, en último término, un Sypher[171]— de negar al Manierismo, como al Barroco, condición de épocas estilísticas, reservándolos por el contrario como estilos en parte concomitantes y en parte sucesivos de una sola gran edad, el Renacimiento, que cubriría ampliamente tres siglos, del XV —y en muchos casos antes— al neoclasicismo del XVII. Tesis sorprendente, que en gran medida compartimos, y que no juzgamos ni siquiera incompatible con las más matizadas expresiones de quienes han sustentado, en el otro extremo, las más minuciosas particiones periodológicas dentro de esa gran edad, como el siempre magistral

170. *Ibid.*, pp. 36-37. Al traspasar su análisis a la literatura aparecen de nuevo afirmaciones de Weise perfectamente homologables con las definiciones clásicas de Hatzfeld. Véase algún ejemplo, a nuestro parecer poderosamente coincidente: «Anche rispetto ai possibili fenomeni paralleli riscontrabili nella letteratura sarebbe opportuno, a mio avviso, accentuare il contrasto tra Manierismo e Barocco. Credo che si possano distinguere, da una parte, una reviviscenza di concettosità e di manierosità goticheggianti —nella lirica petrarchista per esempio e nei romanzi che continuano l'*Amadigi*, specchio fedele del culto delle *maniere*— e dall'altra, accompagnato del senso di grandiosità e di decoro, un risorgere di sensualismo e di ispirazione naturalistica sintomatici del Barocco». Sobre la asimilación, manifiesta en el texto precedente, de conceptuosidad intelectual a Manierismo, convicción absolutamente generalizada y capitaneada por Hatzfeld, a la que nosotros hacemos, como se sabe, ciertos retoques de matiz, aproximándola más bien a fenómeno manierista —o «amanerado», según se quiera— de la edad barroca, cfr., específicamente, G. WEISE, *Manierismo e letteratura: Gongora e il Gongorismo*, en «Revista de Literatura Moderna», XXII, 1969, pp. 85-112.

171. Véase, por ejemplo, el siguiente fragmento: «We must hardly presume that the stages in this sequence —renaissance, mannerist, baroque, laterbaroque— everywhere follow in exact chronological order. For example, the renaissance in Engalnd happened belatedly and very swiftly, with overlappings in history, so that, inconveniently enough, different phases can at moments be seen running concurrently in Jacobean or Caroline literature, when Donne follows hard on Spencer, Milton hard on Donne, and Beaumont and Fletcher almost contemporary with the others».|Cfr. W. SYPHER, *Four stages of Renaissance style*, cit., p. 32.

Hatzfeld[172]. Reproducimos, una vez más, este importantísimo texto, del para nosotros modélico estudio de Weise:

> «...al Manierismo non conviene la qualifica di stile nel senso adoperato per i grandi periodi della storia dell'arte; nel senso, cioè, di un insieme di elementi formali originati da un mutamento fondamentale delle premesse spirituali, e determinante, quale presupposto nuovo ed esclusivo, la produzione artistica per un corso di vari secoli. Di stile in questo senso, secondo me, si può parlare soltanto riferendosi alla nuova sintesi stilistica e spirituale realizzata dal Rinascimento e valida fino al neoclassicismo del tardo Settecento. Nell' ambito di questa parabola evolutiva, sia il Manierismo sia il Barocco hanno soltanto il carattere di diramazioni, cronologicamente e geograficamente circoscritte, sorte sulla base del linguaggio comune instaurato dal Rinascimento ed affiancate costantemente dal continuarsi della tradizione classica.»

Somos conscientes de que la anterior propuesta, con la que concordamos absolutamente, puede resultar demasiado atrevida o, incluso, decepcionante para quienes, absorbidos en el fervor de las discusiones historiográficas sobre estos temas en los últimos ya casi cien años, vean en ella una cancelación simplista de todos los importantes logros —en muchos casos objetivamente sólidos e incuestionables— de la tradición historiográfica[173]. Obviamente,

172. Con gran frecuencia ha expresado Hatzfeld matizaciones que permiten armonizar, sin violencia, su organización fuertemente compartimentada del período 1550-1650, con las tendencias unificadoras como la de Weise. Por ejemplo, la distinción entre Manierismo, como característica general de una edad concreta, y *amaneramiento* como rasgo individual concurrente en distintos casos de todas las tendencias: «En los tres estilos existen obras y autores sencillos y obras y autores afectados. Estos últimos son amanerados personalmente, no generacionalmente. Al estudiar sus *estilos individualmente*, nos encontramos de modo lógico, en todas las generaciones, con un manierismo amanerado, un Barroco amanerado y un Barroquismo amanerado», cfr. HATZFELD, *Estudios sobre el Barroco*, cit., p. 71.

173. Entre nosotros, OROZCO se ha hecho eco en ocasiones de esta realidad histórica incontrovertible de la sincronía manierista-barroca. Véase el siguiente texto de *Manierismo y Barroco*, cit., pp. 174-5: «Los dos movimientos artísticos están en relación directa como continuación de la tradición formal y temática del Renacimiento; y si en general la actitud manierista precede a la barroca no puede hacerse, repetimos, una regular delimitación, sino sólo marcarse un general proceso, que puede producir en algún caso la reacción barroca en un arranque individual inmediato a lo clásico renacentista, y asimismo un coincidir sincrónico de ambas actitudes. En consecuencia, la delimitación cronológica no puede establecerse con fijeza y regularidad, y —por otra parte— la simultaneidad de lo manierista y lo barroco ha de darse a veces; y lo mismo el enlace y fusión de elementos. La delimitación y caracterización que podemos intentar es la determinada por la diversa naturaleza de los distintos impulsos estético-psicológicos». En el caso de Italia, una memorable lectura del barroco literario italiano de Giovanni Getto asumía, como uno de sus principios y advertencias fundamentales, la imprescindible noción de verticalidad y simultaneidad de actitudes distintas; Getto lo expresó

ni Weise niega, como antes hemos demostrado, la realidad estilística de Manierismo y Barroco como corrientes internas de época, ni deja de solicitar reclasificaciones dentro de la gran Edad Renacentista, como las que se proponen, por ejemplo, para el Medievo, de alto y bajo[174].

Por nuestra parte, dentro de la aceptación general de su tesis, con todo el caudal de matizaciones que Weise establece y que la enriquecen y complican hasta garantizar el fracaso de cualquier simple paráfrasis caricaturizante[175], las principales dificultades que opondríamos, en principio, se refieren a las necesarias modificaciones que es preciso hacer a una tesis global de la índole de la anterior, pensada fundamentalmente sobre los datos de una reflexión en las artes plásticas, para su traspaso a la literatura. Son éstas, en primer lugar, nuestra relativa reserva a incluir el Barroco-edad —no alguna de las corrientes estilísticas concretas, Barroco-impresionista velazqueño cervantino, conceptismo-manierista gracianesco, exuberancia barroco-mari-

---

agudísimamente en algunos pasos de su disertación: «Insomma l'orologio della storia non segna sempre la stessa ora per tutte le personalità. Di qui l'importanza di non dimenticare, per la necessità indiscutibile di un procedimento storiografico di distinzione e di caratterizzazione sviluppato in senso orizzontale, il vantaggio evidente offerto da una ricognizione in senso verticale», cfr. G. GETTO, *Il Barocco in Italia*, cit., p. 82.

174. Así, Weise propone englobar el conjunto general de tendencias simultáneas, manieristas y barrocas, dentro de la consideración de tardo-renacentismo, cfr. G. WEISE, *Storia del termine Manierismo*, cit., pp. 37-38: «Dato che anche nel Cinquecento i fenomeni manieristi sono accompagnati dal filone classico e non dominano con assoluta esclusività, mi pare in un certo modo giustificata la proposta del Salmi di designare tutto il periodo col nome di *tardo Rinascimento*, rinunciando a qualsiasi discriminazione di valori positivi e negativi contenuta nel termine di Manierismo». Bien que los criterios que deberían gobernar a su juicio la investigación de sus peculiaridades, estarían fuertemente orientados al establecimiento de rasgos discriminadores: «Da parte mia, in vece di cercare una definizione globale per l'attività artistica di tutto il periodo in questione, mi pare utile partire piuttosto dai diversi elementi stilistici e spirituali, cercando di cogliere il carattere specifico, l'origine e l'evoluzione, e tenende conto nello stesso tempo, del duplice significato dato alla parola *maniera* già nel Cinqueccento». Ideal genérico que se corresponde con la metodología concreta de muchos de sus trabajos precedentes. Recordemos, especialmente a este respecto: *Maniera e pellegrino: zwei Lieblingswörter der italienischen Literatur der Zeit des Manierismus*, cit., pp. 321-403; y *Manieristische und frühbarocke Elemente in den religiosen Schriften des Pietro Aretino*, cit. En este trabajo la tendencia diacrítica le lleva a veces a rozar en sus conclusiones actitudes que bien pudieran mirarse como contradictorias de su propuesta de 1962.

175. Entre los trabajos más importantes de WEISE, que marcan nítidamente la evolución de su pensamiento a la madura tesis de 1962 en que hemos centrado básicamente nuestra conclusión de este capítulo, mencionaríamos dos artículos poderosamente sintéticos: *Considerazioni di storia dell'arte intorno al Barocco*, en «Rivista di Letteratura moderna e comparata», III, 1952, pp. 5-14, y *Manierismo e letteratura*, cit. Sobre las doctrinas de Weise existe el estudio de conjunto de R. SCRIVANO «Gli studi di G. W. sul Rinascimento e sul Manierismo», en *Cultura e letteratura nel Cinquecento*, cit., pp. 287-313. Una útil colección de textos es la editada por P. Giannantonio y F. P. Carrateli, con el título, *Il Rinascimento e la sua eredità*, cit.

nista, barroquismo-tardío hispánico, etc.; sino el conjunto de todas ellas— dentro de la Edad Renacentista. Y ello, no por un cotejo superficial de la cronología respectiva; sino porque, hoy por hoy, no sabríamos pronunciarnos sobre la entidad y trascendencia de las indudables mutaciones artísticas introducidas en la tradición renacentista por el Barroco literario, especialmente por el Barroco inglés y español. Debo advertir que tengo muy acrecida idea del volumen de tales modificaciones barrocas al esquema clásico-renacentista de la Poética y la práctica literarias; pero también, como creo que prueba el contexto de todo este capítulo, que me resisto, con muy altas exigencias, a la concesión gratuita de los cambios de edades. Estos deben pasar, desde luego, por la teoría y la praxis literarias, por su incardinación global en las corrientes de estética general, de inquietud espiritual, de evolución general del pensamiento y la tecnología; y, sobre todo, de los cambios de la sustancia social e histórica en que viene desleída cada existencia individual. Porque a nuestro juicio, en definitiva, toda reflexión sobre un artista concreto o un movimiento, lo suficientemente amplia para hacer obligado —y era el caso de la nuestra— el planteamiento de la aceptación o modificación de la periodología historiográfica tradicional, tiene que asumir la responsabilidad y el riesgo, a partir de ese momento, de considerar la evolución de las ideas sobre el arte de un modo genérico y global, sin exclusiones. Es la única manera de conjurar el peor de los riesgos en empresas de esa índole: la desproporción y asimetría.

En segundo lugar, y por los mismos escrúpulos, estableceríamos una reserva, de sentido contrario a la anterior, a la propuesta de Weise. Si se acepta el Barroco como estilo englobado, no vemos demasiado fundamento, pensando en literatura y no en pintura, para excluir, bajo la indicación de Weise, al denominado neoclasicismo literario de la gran edad renacentista, dentro de la cual, seguramente, funcionaría como descarrío paródico. En todo caso, son más fuertes, a nuestro juicio, las transformaciones reales del Barroco respecto al clasicismo renacentista más puro, que las del Neoclasicismo. En caso de englobar el Barroco como primer gran latido arrítmico del clasicismo renacentista, no veríamos mayor inconveniente en extender, consecuentemente, la gran Edad renaciente un siglo o medio siglo más adelante, hasta que el Pre-romanticismo imprimiera a la ideología artística ese segundo gran impulso de los tiempos modernos en el deterioro de la poética mimética, a partir de cuyo derrumbamiento en Goya y Picasso, en Baudelaire y Guillén sí que estamos ya bien seguros que es preciso contar definitivamente con una nueva gran edad del arte en Occidente.

Piénsese, en definitiva, que lo que estamos contrastando, es una gran edad que, si se acepta que fuera el Renacimiento, se opondría al Medievo, alto y bajo, y a la Clasicidad griega y romana, con todas sus divisiones internas, cronológicas, nacionales y estilísticas. Y quizás lo que tras de la propuesta Edad Renacentista fuera congruente mencionar, sería sólo la edad de la abstracción, la ruptura con el ideal mimético central de la Poética antigua. En suma, prácticamente desde el Romanticismo o quizás, incluso, desde alguna de las roturas simbólicas posteriores, ya casi en los albores de nuestro siglo.

CAPÍTULO II

LA PROCLAMACIÓN MANIERISTA DE LA INSPIRACIÓN POÉTICA, SOBRE LA DUALIDAD TÓPICA RENACENTISTA «INGENIUM-ARS».

La Edad de Oro de la Retórica española: Comienzos prometedores y amortiguamiento tópico.

Como indicábamos en el capítulo inicial del Libro Tercero, la fecha de especulación válida en la teoría poética española del siglo XVI puede ser adelantada con toda justicia, gracias a las interesantes noticias deducibles de las Retóricas de algunos de nuestros humanistas más grandes y mejor conocidos de la primera mitad del siglo, como Vives, el Brocense y Arias Montano; e incluso —y a nivel muchas veces superior al de aquéllos— en autores oscuros o prácticamente desconocidos como Antonio Llull o Furió Ceriol. En el caso que nos ocupa ahora, además, la doctrina sobre la naturaleza del poeta había adquirido en algunos de ellos, como Vives y Llull, tal grado de lúcida modernidad, —fruto sin duda del triunfo de un sano espíritu europeísta que fue rápidamente combatido[1]— que, tras

1. Con toda la simpatía que suscite hoy —desde muchos aspectos— la causa comunera, lo cierto es que, pese a los episodios negativos de pillaje cortesano que desencadenó la llegada del joven Carlos de Europa, la invasión del Norte en España, como ha dicho Bataillon, a través del fenómeno erasmista y de los absentismos intelectuales disindentes, predispuso para una positiva floración intelectual. Son sus frutos retóricos los que estamos palpando aquí; y sus resultados en el ámbito de la liberalización del examen de conciencia, los destacó incomparablemente Bataillon: «¿Cómo llegó este cristianismo erasmiano a florecer en España más brillantemente que en otras partes? —es la pregunta a través de la cual Bataillon trata de explicar lo que para él, como para Castro, es una paradoja milagrosa y afortunada—. ¿Cómo pudo la libertad religiosa, aliada a un fervor místico, expresarse tan vigorosamente en este país en que la Inquisición estaba consolidando su poder? El enigma no es insoluble. Hay que dejar aquí, seguramente, su lugar al destino... La elevación al trono de Carlos V significó de manera decisiva, para España, la irrupción del Norte, o la atracción del Norte. El saqueo de España por la corte flamenca, y la conquista de Carlos V por España; el Rey-Emperador, brazo secular de la ortodoxia en Alemania, pero en lucha con el Papa y obstinado en proseguir su política de los Coloquios de religión hasta el día en que, vencido,

de ellos, no puede hablarse sino de amortiguamiento tópico. En especial, cuando las consideraciones estéticas comenzaron a discurrir por las frecuentadas vías del eclecticismo, o bien por las del elogio del *ars*, de la enseñanza y la técnica bien aprendida —con detrimento explícito o tácito del *ingenio*—

---

ha de retirarse en Yuste: tales son las grandes imágenes con las cuales hay que asociar, en el orden de la cultura, la de un Vives adoptado por la ciudad de Brujas y la de un Erasmo ídolo de España», cfr. M. BATAILLON, *Erasmo y España*, cit., pp. 802-803.

Evidentemente el destino —invocado en este texto por Bataillon— es el gran móvil último de los acontecimientos históricos. Sin embargo, en las peculiaridades de la enorme difusión española del erasmismo, jugaban, a nuestro juicio, la misma situación invertebrada de nuestra cultura, dispersa en círculos, desorientada en iniciativas casi individuales. Una vez más, como en tantas otras ocasiones, posteriores o recientes, la discontinua condición del riego europeo, hizo que el torrente espiritual que algunas iniciativas individuales condujeron a nuestro suelo, se desmesurara y desbordase, no tanto por preferencias conscientes como por ignorancia del contorno. En tal sentido hemos de reconocer que nuestros erasmistas del XVI operaron con más instinto que nuestros beneméritos ilustrados o nuestros esforzados krausistas; pero el síntoma es idéntico, y los resultados, en último término, también muy parecidos —recordemos al respecto, la comparación lícita entre ambos movimientos en J. L. ABELLÁN *El erasmismo español*, cit., pp. 87-88—. Por eso creemos que la interrogante abierta por Bataillon al preguntarse sobre las causas de la peculiaridad española del erasmismo, la cerró con gran acierto don Américo Castro, al apuntar, entre otras muy acertadas causas históricas, a la naturaleza individual y elitista de los cenáculos erasmistas en nuestro país: «El llamado erasmismo español fue más un fenómeno de voluntad que una ideología; pero a la vez fue más una posición crítica frente al cristianismo tradicional que una creencia religiosa con límites y fines precisos. De ahí la dificultad con que se choca al pretender incluir ese gran fenómeno de la historia española en un marco de conceptos rigurosos. En el erasmismo se siente con más viveza lo que no quería ser que lo que decía ser. En realidad, nos hallaríamos frente a un conjunto de actitudes y posturas más bien que de tesis. Las de Lutero crearon un sistema de principios religiosos, que, triunfantes o vencidos, siempre habrían continuado existiendo como tales principios. El ardor erasmista de los españoles, por el contrario, pese a diferencias de contenido y de nivel de cultura, semeja en su contorno vital más al movimiento de Savonarola que al de Lutero. Por lo demás, fue el erasmismo una actitud espiritualmente lujosa, adoptada por quienes sentían su vida bien sostenida por la cultura o por la posición social, y sin pensar abiertamente en atraerse numerosos partidarios», cfr. AMÉRICO CASTRO, *Aspectos del vivir hispánico*, Madrid, Alianza, 1970, p. 14.

No es, por otra parte, que Bataillon, como gran historiador, desconociera la condición elitista y minoritaria del fenómeno por él historiado. Pero Castro, quizá como español dolorido, alcanzaba a medir acaso mejor que el gran sabio francés las consecuencias y peculiarismos de tal característica en una historia cultural como la nuestra. Recordemos, al respecto de BATAILLON, un magistral y animado pasaje sobre la responsabilidad individual del erasmismo hispánico: «... hay un exceso de clérigos, así seglares como seculares. Y la reforma no ha eliminado a un numeroso proletariado espiritual, obligado a vivir de limosnas o gracias a otros expedientes, y que no siempre ofrece un espectáculo del todo edificante. Por otra parte, en contraste con el materialismo de esta plebe, las tendencias evangélicas que constituyen el vigor de la reforma franciscana o de la reforma dominicana se encarnan en una minoría monástica entregada a la espiritualidad. Esta minoría simpatizará con Erasmo, y aun llegará a hacerse sospechosa de luteranismo. Vanguardia del catolicismo, tendrá con la Reforma protestante afinidades profundas que fácilmente pueden quedar olvidadas si nos limitamos a emplear el rótulo de *Contrarreforma*», *Erasmo y España*, cit., p. 10.

en las rutinarias apologías y elogios del arte respectivo, que solían ser incluidas al comienzo de todos los tratados[2].

El universal Juan Luis Vives llegó a la formulación de una sola vez, en genial anticipo, de un estadio muy avanzado de opinión hacia la conciencia manierista del arte; o, quizás mejor dicho, a la adaptación a los nuevos tiempos y desarrollos de la praxis artística de una virtualidad, siempre presente en una faceta de la estética clásica. Prudentemente afrontada desde Platón, los hedonistas y Longino, la referida constante concede su distinguida dosis de acierto tanto a los mitos de la divina inspiración como al contenido hedonista del arte, expresado merced a la potenciación máxima de su vertiente formal. El talento excepcional de Vives no podía dejar de constatar la falacia prudente de los elogios del *ars* sin *ingenium*. Sin el concurso de *natura*, nada puede aquél; así lo declaraba abiertamente en numerosos lugares, citando el testimonio de Platón y Horacio[3], incluso marcando resueltamente la procedencia:

> «dulcior multo est rhythmus absque metro; natura primorum inventorum rhythmum est secuta, ars metrum fecit ex rhythmo, ¿quanto porro est arte potior natura»[4].

Evidentemente Vives se percataba de las razones positivas que se ofrecían en el generalizado extremismo defensor del *arte*: la prudente prevención

2. El debate racional y directo sobre la problemática del ingenio es uno de los capítulos cruciales en cualquier historia de la Teoría Literaria renacentista. Hathaway lo ha propuesto como uno de los debates característicos del espíritu de aquella edad. Cfr. BAXTER HATHAWAY, *The Age of Criticism. The Late Renaissance in Italy*, Cornell Univ. Press., 1962 (reimpresión Greenwood Press, Westport, Connecticut, 1972), p. 400: «The myth and the new movement should have been antipathetic, for giving lip service to the notion of divine furor is and was a way of disposing of a difficult psychological question without inquiring into it, and during ages of criticism men inquire into things. The men of the Age of Criticism in the late Renaissance were, as shall be seen, quite conscious of the opposition. The late Renaissance was characterized both by the spirit of scientific rationalism and by the desire to find a trascendent force in poetry. To avoid either characteristic is to misinterpret the period».

3. Cfr. LUIS VIVES, *De ratione dicendi*, lib. III, en *Opera*, ed. cit., Vol. II, p. 219.

4. *Ibid.*, p. 222. La cuestión de las denominaciones, de la que nos hemos hecho eco en el libro II de esta obra, fue objeto en el caso de *natura* de importantísimas precisiones, por ARTUR O. LOVEJOY en «*Nature*» *as Aesthetic Norm*, en «Modern Language Notes», XLII (1927), pp. 444-450. Derivado de tal orientación y centrado en el período renacentista es el trabajo de HAROLD S. WILSON, *Some meaning of* «*Nature*» *in Renaissance Literary Theory*, en «Journal of History of Ideas», II (1941), 4, pp. 430-438. Respecto al período manierista, HIRAM HAYND, *Il Controrinascimento*, Bologna, Il Mulino, 1967; especialmente sobre el problema de la definición de *natura*, pp. 687-822. Sobre el problema de la fluctuación terminológica de los tecnicismos críticos, en general, RICCARDO SCRIVANO, *Intorno al linguaggio della critica del Cinquecento*, en *Renaissance Studies in honor of Hans Baron*, Florencia, Sansoni, 1971, pp. 467-498.

y limitación de los caprichos del *ingenio,* la más pronta y fácil potenciación de los productos del mismo, etc... etc.., de ahí que, en ocasiones, destaque él también sus beneficios y su positiva necesidad, quizás en la línea de su defensa relativizada en Cicerón; pero sin olvidar nunca la conciencia, antes expresada, de prioridad del talento natural. Condición que queda puesta de manifiesto en elogios del *arte* como el que, a propósito del arte de hablar, consta en la «Epistola nuncupatoria» a Don Francisco de Bobadilla, obispo de Coria, que figura al frente del *De ratione dicendi:*

> «Non enim est aliud tantopere hominis prudentis, ac sermone apte uti, et dextre, ut quemadmodum oporteat, cum multis, cum paucis, cum eruditis, cum rudibus, cùm pari, cum inferiori, cum minori quoque tempore ac loco, de re quaque ita loquatur, et dicat. Neque opus ullum aliud acumen exigit mentis subtilius, iudicium acrius, rerumque usum diuturniorem; ut merito quis non aliam dixerit debere tradi rationem dicendi, quam ingenium Dei beneficio praestans, rerumque experimentis praeditum atque adiutum: quin et arti huic eiusque opifio nihil est adeo inimicum, ut stultitia cordis, et ruditas vitae; tametsi ignoratio corrigi potest industria, experimentis, arte: stultitia si naturalis sit, tam ei proderunt hae praeceptiones, quam surdo musica»[5].

El positivo acierto y modernidad de la concepción de Vives no se reduce exclusivamente a la sanción explícita del tópico central, sino a la modernización racionalista, con buena lógica, de la tópica conexa[6], dictada por la naturaleza de los tiempos contra la anacrónica pervivencia de prejuicios seculares[7]. Al mismo tiempo, refuerza y presta organicidad al acierto de

5. Cfr. LUIS VIVES, *De ratione dicendi,* en *Opera,* cit. Vol. II, p. 90.

6. En el *De causis corruptarum artium,* por ejemplo, deshace con razones de buen sentido, apoyadas en la evidente contradicción que arrojan figuras históricas de grandes oradores, como Cicerón y Demóstenes, la tan arraigada imagen tópica del orador como «vir bonus», desplazada como sabemos paralelamente a la definición del poeta, arquitecto, pintor, etc. A su más conspicuo difusor, Quintiliano, acude para sus objeciones VIVES: «... quemadmodum Quintilianus colligit, *nec oratorem quidem esse posse nisi virum bonum,* quod Cato velut ex oraculo protulerit *oratorem esse virum bonum dicendi peritum:* in quo ita laborat, et sudat, dum contendit planum facere Ciceronem, ac Demosthenem, qui inter oratores primi habeantur. bonos fuisse viros, ut me gravissimi viri misereat, qui res tam diversas natura voluerit coniungere, et ex duabus invitis et reluctantibus unam facere». Op. cit., Vol. VI, part. I, lib. I, cap. I, pp. 157-158.

7. Conectada con la actitud de Vives, habría que pensar en la descalificación de los prejuicios sobre normativa, vinculable a la crisis europea de Aristóteles. En tal sentido resulta sintomático destacar que el catedrático de Retórica de la Universidad de Alcalá de Henares, HERNANDO ALONSO DE HERRERA, proclamaba ya en 1517, en su *Breve disputa de ocho levadas contra Aristotil y sus secuaces,* un razonado ataque contra el prestigio del normativismo autoritario, centrado en el propio prestigio de Aristóteles; donde, contra el método de las universidades

textos como los anteriores el paralelismo exacto de la opinión de su autor que descubrimos invariablemente en su momento, con los demás tópicos centrales del sistema estético.

Distinta, pero complementaria de la anterior actitud de Vives, era la que se ofrecía en la poco conocida obra *De Oratione Libri septem* del mallorquín Antonio Lulio. Su defensa de la prioridad del *ingenio,* nutrida en el recuerdo del difundido argumento ciceroniano[8], si no decantaba la andadura, de simples apariencias, del sentido común de Vives, se ofrecía bien arropada de razones en el mismo sólido convencimiento básico de aquél. Convencido Lulio de la inoperancia absoluta para su época de la noción mítico-platónica del ingenio como *furor,* trató de verificar sus fueros mediante una reducción racionalista al plano del *arte:* el volumen total de preceptos que deberían integrar un modelo hipotético automatizado de su empleo para la obra perfecta, sin el concurso del mecanismo simplificador e intuitivo del ingenio, resultaría tan denso y complejo, que, a su sola idea, desmallarían los más voluntariosos propósitos de confección de obras. Un razonamiento de reducción al absurdo de este tipo se descubre en determinados textos de Lulio, donde vemos traducido su convencimiento sobre la necesidad de reducir racionalmente la multitud de preceptos que compondrían el, en sí mismo, inabarcable esquema teórico del «arte de Retórica» exclusivamente operado en cuanto tal[9].

«que están sobre el Norte, que las más de las veces que disputan es por autoridades», proponía una forma más libre y abierta, desprovista de prejuicios formales de autoridad, y quizás por ello más profundamente respetuosa con las mismas autoridades. Cfr. MARCEL BATAILLON, *Erasmo y España,* cit., pp. 14-15. Además, sobre este sintomático humanista español, A. BONILLA, *Un aristotélico del Renacimiento: Hernando Alonso de Herrera y su «Breve disputa...»* en «Revue Hispanique», L (1920).

8. Cfr. ANTONIO LLULL, *De Oratione Libri Septem,* ed. cit., p. 13: «De Cicerone autem quid ego sentiam, frequens in sequentibus viri mentio declarabit. Interea tamen hunc contendo aliter quodam in loco affirmasse, quam esset sibi conscius, cum dixit: Quidam ingenio plus valuerunt quam doctrina, itaque dicere melius quam praecipere potuerunt: nos contra fortasse possumus. Nam si doctrina multum potuit Cicero, omnia tamen divino illo ingenio, quo pollebat, potuit. Cuius felicitatem cum agnosceret, eam ocio aut inertia torpere nequaquam passus, assiduo labore atque studio ita semper exercuit, etiam ad extremum usque spiritum, ut spem omnem posteritati ademerit ex eloquentia nominis atque gloriae».

9. *Ibid.*, p. 260-261: «Siquidem quem natura ad bene dicendum, et ad gubernacula reipub. iam inde a principio formavit: si bene dicendi pariter et eius virtutis quam natura dedit, artem documentaque percalleat, quae nam putas editurus est miracula eloquentiae? Sed quia sit plerunque, ut propter difficultatem, multitudinemque praeceptorum, multi ab hoc studio deterreantur: prudentis erit doctoris, viam statim et initio planam atque expeditam docere: atque eo modo in docendo praeire, ut nunquam ab oculis recedat auditoris: nec amplius pergat, quam quatenus possit eum discipulus imitari ac referre. Nec aliter nos, ut existimo, sumus ingressi. Nam ex generalibus nostris partitionibus per certa compendia duci poteris: quin etiam ex facilitate paradigmatum, praeceptorum difficultatem et multitudinem (quae certe

En el terreno estricto de la poesía, la opinión de Lulio fue similar a la antes manifestada para la Retórica. Reconocía y confesaba la condición furiosa de muchos poetas —más que por otra razón, por la autoridad de Demócrito y Platón a quienes no se atrevía a contradecir directamente—, pero dudando sistemáticamente de la «utilidad» de tales ingenios furiosos[10] El ideal actualizado en la función de la poesía cristiana, que él preconizara en su época, reclamaba un sólido y equilibrado ingenio, bien reglado por los preceptos, los cuales le aseguraran un permanente control de encauzamiento moral y estético:

> «Caeterum quia in hoc genere clarissimi quidam extitere aliquando viri pii et graves, qui vel ipsi animum relaxantes, fabulas moresque hominum finxere: vel salubria praecepta suavitate carminis intingentes, posteritati bene sapienterque consuluere: et quia nulla unquam fuit adeo immanis efferaque natio, quae poetas non suspexerit, carminaque cum voluptate panxerit, atque edidicerit: praeterea etiam, si orationis velit aliquis omnis modos et anfractus nosse, quia nusquam maior copia figurarum se offert, aut expressius artificium invenitur, ductusque sententiarum lucidiores, quam in poesi et poemate: idcirco de poesi, eiusque decoro... nostra erit ultima tractatio atque institutio, et veluti extremus actus»[11].

La confianza de Lulio en los poderes de su propia capacidad sintetizadora y organizativa de los preceptos; aunque adolecía sin duda de una demasiado optimista —y hasta ingenua— presunción viciosa, no obedeció, sin embargo, a la consabida y tradicional modalidad de la defensa del *arte,* que venía a conculcar altas aspiraciones de la poesía inspirada o de *natura,* irreductible a la verificación de una canonística dada. Pruébalo, aparte del tenor de algunos de los textos ya reproducidos, la misma pretensión de Lulio de dar cuenta, en su propio sistema explicativo, de la inefable consecución de la «sublimidad» poética. Adelantando una pretensión que abordarían, a propósito de los productos de ingenio, Gracián y Tessauro en el siglo

---

non parva est) metiri: etsi plura a nobis congesta esse videantur, et difficiliora quam quae capi possint a rudi adhuc et tenello puero».

10. *Ibid.*, p. 515: «Neque enim poetae nomen statim meretur, qui quomodocunque versum pedibus metitur, sensumque numeris claudit (hoc enim puerile est) sed opus, inquiunt, veluti divinitate quadam est, et enthusiasmo, sine quo Democritus et Plato esse ullum poetam negabant: sine furore, inquam, et afflatu quodam numinis. Ego quidem magnam esse vim furoris in poetis et agnosco, et confiteor: utilitatem vero magnam non puto: secli potius incommoda pessimos poetas, qui fere contraria iis docent suis fabulis, quae a legislatoribus iustis et sobriis praeceptoribus traduntur... ego nec castum nec pium esse censeo talem poetam, cuius animun ocii plenum, cogitatio impudica, impiaque detinet ac delectat. Nec laudi esse debet furoris passio et insania, cum vel insaniat homo, vel versus faciat...».

11. *Ibid.*, p. 515.

siguiente, destacaba Lulio que el Pseudo-Longino cometió el error de no reducir a preceptos la posibilidad de alcanzar la sublimidad en poesía[12]; y tras de ensayar un elaborado e ingenioso esfuerzo clasificatorio, obviamente insuficiente, llegaba al absoluto convencimiento de haberlo logrado él por vez primera[13].

Con el parecer del olvidado gran humanista mallorquín coincidían, a grandes rasgos, las opiniones generalizadas en otros tratados de la época. La prometedora vía iniciada por el incomparable sentido común de Vives, y la independencia de su pensamiento frente a la nube de prejuicios reinantes, se vio frenada por las no infundadas concesiones de obras como la de Lulio, acabando por precipitarse, arruinada, en los monótonamente reiterados elogios de las *reglas*.

Modelo de esta actitud, y de las de mayor dignidad y voluntad renovadora, bien pudo ser el elogio tópico del arte que se halla en la primera Retórica del siglo escrita en castellano, salida de la pluma de Miguel de Salinas en 1541. En esta temprana obra, el buen sentido de su autor y la lozanía de sus aún no marchitos razonamientos prestaron indudable atractivo a lo que, bajo el modelo de Cicerón, comenzó siendo una declaración de precedencia del *ingenio* sobre el imprescindible *arte*, para acabar convirtiéndose, en realidad, en una empeñada defensa de los beneficios del segundo y del conocimiento de sus *reglas*, circunscritas, como es lógico, al caso de las retóricas. Pues, al antes aludido reconocimiento de corte ciceroniano sobre la primacía del *ingenio*[14], se añade la siguiente inequívoca concesión que privaba a aquél de toda virtualidad:

12. *Ibíd.*, p. 432: «Quod enim ille —Longino— de sublimitate scripsit. . . non unius figurae praeceptum videtur, etsi exigua quaedam et puerilia praeceperit: sed omnis prorsus orationis politicae: et ineptus quoque illud in universum definit: sublime genus dicendi illud esse, quod per omnia placeat. quasi non per omnia placeant scripta Vergilii in Bucolicis, et Ciceronis in Officiis, aut Platonis aliquid a Longino iure reprehendi possit. Sed Platonem hic reprehendit: quam iuste, alii viderint. nos in singulis formis dicendi suum esse decorum asserimus, nec magis unam quam aliam probari, si in tempore adhibeatur. Magnitudinem ergo in primis faciunt duae aliae, dignitas et circuitio: deinde asperitas, splendor, vigor, et vehementia».

13. *Ibíd.*, p. 453. Tras el desarrollo de los recursos antes señalados, viene a concluir: «Atque hactenus quidem de peribole, acme, vehementia, splendore, asperitate, et dignitate: de quibus dicere proposueramus, ut orationi amplitudimem et pondus addere, et omnino magnitudinem addisceremus, quam Cicero copiam nominavit: alii, ut Longinus, sublimitatem. neque enim aliis rationibus constat sublimitas, quam quibus partes magnitudinis fieri demonstratum est».

14. Cfr. Miguel de Salinas, *Rhetorica en Lengua Castellana*, ed. cit., prólogo, fol. 2 v.: «No niego que el buen natural es de mucho valor para este effecto y que con el solo muchos sin aver deprendido el arte porque no teniendo cogidas en uno las circunstancias que se requieren para el bien hablar... assi coxquean sin sentir lo: ni saber lo remediar. Comun escusa es de la floxedad lo que dizen que todo es burla si no el buen natural y la Rhetorica que cada uno de suyo tiene. yo digo que bueno es esto y lo mas substancial. Pero tambien

«Tambien el que no tiene buen natural con el arte remediaria su flaqueza: y menos desabrido sera lo que dixiere con mediano estilo y alguna orden que no yendo del todo floxo y desatado»[15].

Opiniones similares a la mantenida por Salinas eran las que, cada una con sus peculiaridades, ofrecían otras importantes obras de Retórica en torno a los años centrales del siglo. Así el *De Ratione Dicendi* de Matamoros, publicado en 1548, proclamaba, bajo la influencia del *Fedro* platónico, la prioridad del «ingenio» sobre los otros dos componentes del perfeccionamiento retórico, *ars* y *exercitatio;* pero lo hacía con tan escasa resolución, y ponderando tanto la necesidad y el poder de perfeccionamiento del *arte,* que en definitiva éste acababa siendo el componente destacado[16]. Mucho más acusado fue el énfasis puesto en postular la necesidad del *ingenio* sobre el *arte,* como elemento constitutivo del perfecto orador, en las *Institutionum Rhetoricarum libri tres,* de Fadrique Furió Ceriol, publicadas en 1554[17], aunque no se aborde explícitamente en este tratado la cuestión de las prioridades relativas, y en la conclusión del debate se ofrezca un limpio y equilibrado eclecticismo:

«Itaque animi propensionem, et quasi impetum, quo ad res quasque ferimur, naturae: auxilium et certitudinem, doctrinae: absolutionem autem ac perfectionem, exercitationi acceptam feramus necesse est. Quod ego sic explico, ut natura

---

digo que no ay natural por bueno que sea que no pueda ser mejor ayudandole con el arte y diligencia: y que por el contrario dexando le sin labrar le no se haga aspero y de menos provecho».

15. *Ibid.*, fols. 2 v.-3 r. Además Salinas refuerza la insustituibilidad de este criterio con otras varias razones. En primer lugar: «es necesaria —el conocimiento de las reglas del «arte»— para saber juzgar entre lo bueno y no tal». Después: «si sabemos el arte no nos engañara quien quiera para persuadirnos lo que no es tal / y esto es provechoso». Y por último: «no se alaba facilmente lo que no es de alabar. porque uno sobre buen natural bien instructo en la rhetorica podra (como lo hemos visto) persuadir una opinion: y despues tornar a persuadir lo contrario: aun que sean hombres avisados los oyentes / especialmente si la materia tiene pro y contra», fols. 3 r.-3 v.

16. Cfr. A. García Matamoros, *De Ratione Dicendi,* ed. cit. Véase el juego respectivo concedido a ambos principios en su definición de la Retórica, p. 248: «Rhetorica est scientia bene dicendi, quae naturae ipsi, a qua primum eloquentia nata esse dicitur, ratione praeceptorum moderatur, dum fusas illas et vagas sententias, quas vis ingenii ubertasque naturae fundunt, recta intelligentia et definita moderatione animi gubernat, limat et corrigit».

17. Cfr. F. Furió Ceriol, *Institutionum Rhetoricorum,* ed. cit. Véase, por ejemplo, la descripción de las operaciones adscritas por Furió a la «naturaleza», dentro de la constitución del caudal de saberes y aptitudes de nuestro espíritu: «Impressit enim natura parens in animis nostris, tanquam in cera, omnium rerum imagines, atque formas: quarum obtutu, et ad quas intuens animus, multa per sese intelligit, multa conatur, multa molitur, et, quod mirum est, multa per sese mirabiliter efficit atque absolvit», p. 2.

nos rerum admoneat, ars consilium det, munia exercitatio exequatur: vel rudiori Minerva, ut natura in nobis quasi sementem faciat, ars irriget, usus ad messem usque perducat»[18].

De las restantes obras retóricas publicadas con anterioridad a la fecha de 1575 —hito de relieve indudable en la historia española del tópico, pues en este año se publicó el *Examen de Ingenios* de Huarte de San Juan—, sólo en las tres más importantes hallaremos datos de verdadero interés que hagan relación al tema que nos ocupa; así como una moderada supervaloración del ingenio sobre los restantes ingredientes: arte, ejercicio... etc... Nos referiremos por tanto, a continuación, a las obras retóricas de Fox Morcillo, Arias Montano y Fray Luis de Granada; omitiendo la mención de otras publicadas durante el mismo período de tiempo, como las de Lorenzo de Villavicencio, Palmireno, Andrés Sempere, etc..., en las que la discusión del tópico se despachaba reiterando, en las páginas introductivas, las ya archisabidas defensas tópicas sobre la beneficiosa utilidad de las reglas del *arte*[19], para complemento y tutela del siempre menesteroso *ingenio*. Tal expediente, como sabemos, venía a apuntalar la razón de ser misma para tales obras de índole didáctica.

Comenzando por el examen de la cuestión en la obra de Fox Morcillo, sorprende descubrir, precisamente en un tratado *de imitación*, un elogio tan encendido de los poderes y la autonomía creadora del *natural*. El valor determinante que Fox concedía a las peculiaridades del *ingenio*, es tal que, incluso a la hora de determinar la lícita imitación, elevaba como primer requisito uno, a primera vista tan evanescente como la coincidencia en el natural entre el imitador y el imitado, sin el cual, de nada servía según él, conocer las reglas del arte ni el continuado ejercicio del mismo:

«Nam id imprimis in omni imitatore requiro, ut ingenium eius cum illo, quem imitetur, aliqua ex parte congruat, siquidem ei semper oratio accommodata est. Et quidem, ut quosdam sponte vel semel conspectos, naturae nescio qua similitudine, benevolentia prosequimur, alios nulla de causa statim odio habemus dissimilitudine quadam, ita quoque de styli, ac sermonis forma statuendum censeo, illam ipsam similitudinem unius cum altero efficere, ut imitari recte eum possimus, dissimilitudinem contra, ut aegre, aut nullo modo possimus: sed inductione cuncta, et exemplis apertius intelligentur»[20]:

18. *Ibid.*, p. 4.

19. Efectivamente, tal amortiguamiento tópico podría brindar base a extremismos relativamente insostenibles sobre la índole de nuestra cultura en el siglo XVI. Cfr., a tal respecto, V. KLEMPERER, *Gibt es eine spanische Renaissance?*, en «Logos», XVI (1927), pp. 129-161.

20. Cfr. S. FOX MORCILLO, *De imitatione seu de informandi Styli ratione*, ed. cit., pp. 14 v. - 15 r.

Para dicha decisión se basaba el personaje del diálogo de Fox, en cuya boca son puestas las razones anteriores, en la condición determinante de los «humores» físicos y sus secuelas psicológicas. Ante tal carácter intransgredible y determinado, se comprenderá la subsidiaridad de los demás fenómenos de aprendizaje e imitación[21]. Y esta constitución general del pensamiento de Fox Morcillo quedaba recogida en los suaves matices con que se subraya la primacía del *ingenio* frente a las demás operaciones, dentro de la exposición ecléctica del participante en el diálogo que cubre dicha dimensión de mesurada síntesis y concordia:

> «Ego vero, inquit Envesia, aliud in hac parte naturam, aliud praestare artem, atque usum arbitror, neque naturae omnia subiicio. Siquidem ingenii hanc docilitatem ad imitandum usque adeo conferre censeo, ut qui ea sit praeditus, facile quidvis imitetur, qui careat, difficile. Nec tamen huic rei multum et studium, et exercitationem conducere negarim, quippe qui in arte, atque observatione non minus, quam in natura positum esse putem»[22].

Es bien notorio que el mérito fundamental de la Retórica de Benito Arias Montano, publicada en 1596, no consistió en la renovación doctrinal aportada, sino en el poder propulsor de su elegante forma metrificada sobre los preceptos retóricos tradicionales, presididos siempre por la equilibrada selección de su autor. Respecto al punto que ahora nos ocupa, no diverge de la línea de Llull, Furió y Fox Morcillo. Es decir: ponderada valoración de todos los factores que concurren en la perfección artística, pero destacando la prioridad del *ingenio* por lo que se refiere a la Retórica En cuanto a la poesía, su proclamación de la magna libertad y autonomía del *ingenio* poético, cargada de influjos platónicos, merece ser colocada al lado de los memorables juicios de Vives[23]. Antonio Martí ha destacado en toda su importancia el valor de los siguientes versos de Arias Montano:

21. *Ibíd.*, pp. 15 r. - 16 v.

22. *Ibíd.*, pp. 18 v. - 19 r. Incluso en las moderadas defensas del *arte* y la *exercitatio* se perfila, invariablemente, la confesada prioridad del *ingenio* como elemento determinante: «Nam ut in acie, et quocunque in certamine non qui robusto sunt corpore, sed qui magno animo, dignum aliquod laude facinus gerunt: ita in studiis literarum, qui cuncta labore se consequuturum sperat, nec difficultate rerum, aut ignoratione deterritus animum abiicit, is facile, quo virium nervos intenderit, perventurus mihi videtur», pp. 17 v. - 18 r.

23. Cfr. B. ARIAS MONTANO, *Rhetoricorum Libri IIII*, ed. cit., p. 7:

> «Tum longo studio, tumque usu et munere divum
> Pacta tibi, si non de pectore copia fandi
> Affluat, has steriles normas inopesque fatemur».

En otros lugares se señalaba la misión controladora de las demasías que cubren los preceptos del arte, verdadero producto, *ergon*, de la energía natural si es recto arte:

Libera sed vatum mens est, nec legibus illa
Paruerit semper nostris: namque altius audent
Transferri, quocumque animum sacra Musa vocarit,
Ducuntur stimulante Deo, et transcendere limen
Saepe solent, nec natura, nec iam ordine sese
Includunt, medias interdum spiritus in res
Arripitur subito, atque movet penetralia cantu
Intima, et incipiens ex gestis ultima tractat»[24].

Finalmente el caso de la *Rhetórica eclesiástica* de Fray Luis de Granada, publicada en 1575, el mismo año que la madura reflexión sobre el *ingenio* de Huarte de San Juan, no es otra cosa que la fiel transcripción de la doctrina ciceroniana sobre el valor complementario del *arte* respecto a la *naturaleza*[25]. Sin embargo, el carácter religioso de esta obra retórica presta a tales razones, escasamente originales, ciertas peculiaridades dignas de consideración. Una de ellas es el mantenido reforzamiento del valor de las normas del arte, contra la opinión de quienes veían en las mismas un modo de afirmarse la ciencia humana frente al ejercicio espontáneo de la oratoria, como trasunto de la fuerza intrínseca de la palabra divina.

«Aemula naturae ratio, quam dicimus artem,
Has sequitur leges, cuncta haec vestigia servat,
Ambitiosa adeo, ut numquam sibi monstra putarit
Effingenda, magisque legit pulcherrima quaeque,
Haecque refert totis studiis, haec sola frequentat,
Si modo culta sit ars, et munere fungier illo
Si cupit, ut ponat nomen famamque disertae», p. 74.

24. Cfr. B. Arias Montano —*Rhetoricorum Libri III*— ed. cit., p. 86. He aquí el juicio de **Martí** respecto de estos versos: «Su pensamiento sobre la naturaleza de la inspiración es de un platonismo totál, expresado, además, de un modo altamente poético. Aboga por la libertad total del poeta en la expresión externa de la idea bella captada internamente: la inspiración es como la fuerza de un dios, a la que no se pueden poner cotas ni leyes. Las leyes no pueden dictarse de fuera, deben nacer con la poesía misma. Por eso, dice Montano, la misma sucesión temporal podrá ser cambiada libremente por el poeta». Cfr. A. Martí, *Preceptiva retórica*, cit., pp. 130-131.

25. Cfr. Fray Luis de Granada, *Rhetorica eclesiástica*, ed. cit., p. 2. Véase la fiel interpretación de la doctrina central del *De Oratore* en las siguientes líneas de Fray Luis: «De aquí dimanó aquella sentencia de todos bien recibida: *Con el arte se perficiona la naturaleza*, porque esta dio el principio: pero el arte la perfeccion, y como que añadió forma a las cosas, dandolas la ultima mano. Por tanto se ha de tener por muy verdadera la sentencia de Fabio, que dice: *No hay cosa perfecta, sino donde el arte ayuda a la naturaleza.* Y viendo que hombres rudos con solo su natural entendimiento hallan razones, con que persuaden y convencen una cosa, hasta atraher a su dictamen a los que antes la contradecian; fueron inventando los hombres mas sabios un Arte de decir, con que esto mismo pudiera conseguirse mas perfecta y comodamente».

Siguiendo un consciente y deliberado programa, Fray Luis defendió la oratoria culta y reflexivamente instruida contra los desafueros que le pudieran advenir de su práctica libre a cargo de los osados rudos, que no faltaban en la época como en todos los tiempos. Pero con esto no venía a reforzar una más de las mecánicas apoteosis del «arte». Antes al contrario, las *reglas* empiezan a ser realmente fructíferas sólo cuando se incorporan naturalmente automatizadas al *ingenio:*

> «...estos preceptos del Arte Oratoria algo pueden entibiar al principio el fervor del espiritu: pero una vez que esta Arte ha pasado con la costumbre a ser en algun modo naturaleza, los excelentes Artifices llegan a hablar tan rhetoricamente, como si habláran con solas las fuerzas de la naturaleza. A la verdad el habito, radicado con el mucho egercicio, al qual los Filosofos llaman simple calidad, y no multiplicada, se convierte de modo en naturaleza, que parece innato, y no adquirido»[26].

Así, concebido como una segunda naturaleza, el arte no tenía que interponerse entre el predicador y su permanente atención, prioritaria, hacia las verdades predicadas y los frutos morales de la predicación. Desde esta base, Fray Luis defendió sus puntos de vista contra las objeciones más habituales de quienes atacaban la entrada de las «letras humanas» —tanto como decir la reflexión autoconsciente del arte oratoria sobre sus propias galas elocutivas— en la predicación católica[27]. Y, precisamente por esta concepción integrada de *arte* y *naturaleza,* pudo hablar Fray Luis en otros lugares de su obra de la preeminencia del primero sobre la segunda, no en términos de entidades discretas sino de progresión acumulativa, donde «arte que supone naturaleza» es superior a «naturaleza sin arte»[28].

26. *Ibíd.*, p. 14. Recordemos a este respecto cómo Panofsky interpretó muy acertadamente el síntoma de la crisis renacentista de las reglas, no como un proceso de revolución, sino de interiorización, cfr. E. PANOFSKY, *Idea,* cit., pp. 69 y ss.: «La misma época que defiende tan denodadamente la libertad artística en contra de la tiranía de las reglas hace del arte un cosmos organizado racionalmente, cuyas leyes debe conocer tanto el artista más genial como el menos dotado», p. 72.

27. Véase por ejemplo, entre otros varios, el argumento tradicional de la inteligente licitud de usar contra los adversarios de la fe católica las mismas armas efectivas que ellos usaban contra ésta: «Y si bien algunos dicen, que los infelices hereges de nuestro siglo impugnaron la Fe Catholica con solas las armas de la eloquencia, este argumento está ciertamente por nuestra parte. Porque si tan grande es la fuerza de la eloquencia, que puede persuadir las mentiras mas descaradas; quanto mas esta misma fuerza, o energia podra defender las certisimas, y santisimas verdades de la Fe Catholica, y descubrir los engaños, e impiedad de los hereges», Cfr. FRAY LUIS DE GRANADA, *Rhetórica eclesiástica,* cit., pp. 15-16.

28. *Ibíd.*, pp. 52-53: «Son pues menester los preceptos del Arte, lo primero, para juzgar no solo de los escritos de los Varones eloquentes, que nos proponemos imitar, sino tambien

Desde este planteamiento de Fray Luis, avanzando un punto en el estricto ámbito de la formulación del valor de arte, sobre el que alcanzara en su genuina expresión ciceroniana, no se puede hablar de ningún tipo de solución en la debatida dualidad tradicional «ingenio-arte», sino antes bien de una fórmula integradora que la supera y que, al no entrar en la discusión de fondo, resultaba absolutamente ajena a ella y por tanto inutilizable. Si acaso, en la medida que supone una virtualidad autónoma de la *naturaleza* que no puede alcanzar el *arte* en ningún grado, implícitamente se podría entender que se concedía un margen de ventaja para aquélla. Tan lógico, pues, como el argumento prioritario de la *naturaleza* de Vives, resultaba el de Fray Luis en defensa del *arte integrado;* pero, en tal caso, no se debe olvidar que se opera con dos diferentes espacios y sistemas de magnitud. Lo que Fray Luis sostenía: que un cierto todo es superior a una cierta parte, sólo resulta admisible en el supuesto previo —que es el de Fray Luis— de que dicha parte sea una de las contenidas en el todo considerado.

En el escaso medio siglo que separó la publicación del *De ratione dicendi* de Luis Vives de la *Rhetórica eclesiástica,* tenemos ocasión de ver afirmados en la teoría retórica con poderosos argumentos de razón y buena lógica, tanto la prioridad del *ingenio* como la del *arte.* Es decir sobre la consideración del artífice de la palabra, poeta u orador, se fue perfilando una ágil, depurada y modernísima conciencia manierista —por no llamarla romántica— con las precoces intuiciones de Vives, y una madura ponderación del principio clasicista del aprendizaje en arte con Fray Luis de Granada. Se trataba, en cuanto conceptuaciones teóricas, de dos puntos de partida igualmente razonables y admisibles, cuyas consecuencias estéticas discreparían ampliamente entre sí. Pero las consideraciones de esta índole escapan ya al alcance e interés de nuestro trabajo actual. Lo que viene a destacar en definitiva en la teoría del período, a propósito de éste y de la mayoría de los tópicos, no es la unanimidad de pensamiento existente, sino la firme andadura y la finura discursiva con que nuestros grandes tratadistas abordaron los postulados diferentes, contrapuestos en muchos casos, que caracterizan siempre cualquier época de balance final de una cultura, que otea simultáneamente el futuro y arriesga inmaduros tanteos. Pero del acierto de unos y otros —que vino a acordarlos a todos en las últimas convicciones de base— no fueron sólo responsables los tiempos de indiscutible conglomeración

de nuestras mismas producciones: lo segundo, para ayudar a la naturaleza, la qual, sino es muy buena, a lo menos puede algun tanto corregirse: y, como escrive Ciceron, aunque algunos dotados de grandes talentos consigan sin reglas gran facundia; no obstante el arte es guia mas segura, que la naturaleza: porque lo que haces con sola la luz natural, eso mismo con el arte lo haras con mucho mas acierto, y primor».

nacional o de positiva y coherente disciplina intelectual. Mucho jugó el acaso, que repartió, bien o mal para ellos, pero indiscutiblemente por fortuna para el humanismo de nuestro país, los nombres inmortales de Vives, Lulio, Fox, Arias Montano, Fray Luis de Granada, etc... con la misma misteriosa lógica fatal por cuya virtud, más tarde, había de negarnos otros semejantes; quizás también, en buena parte, porque la hidra de la intransigencia, que tantos siglos ha enseñoreado nuestra patria, los había ahogado en sus cunas[29].

29. De todo este proceso resulta ilustrativo —y mucho mejor conocido— el desarrollo análogo del erasmismo. La base común a ambos era el principio de la tolerancia, como dijera Castro, la renuncia a todo dogmatismo, lo que venía a potenciar en consecuencia el despliegue de todo principio tradicional aceptado. «Erasmo —decía Castro— es el máximo representante de esa inquietud, de ese afán inquisitivo, que en él es *método y no contenido cerrado;* por eso repugnará las soluciones dogmáticas, tanto las de los teólogos católicos como las de los protestantes; por eso será odiado y perseguido en ambos campos. Pero ha dejado a lo largo del siglo, a la vez que mística emoción, una estela de criticismo y de insatisfecha inquietud; de exigencia racional y de espíritu de protesta». Y añade una secuela, que aún con exageración, podríamos quizás transferir nosotros —cambiando por supuesto el móvil concreto, pero no el espíritu— al ámbito de los documentos liberales de Poética y Retórica: «Sin Erasmo, Cervantes no habría sido como fue», cfr A. CASTRO, *El pensamiento de Cervantes*, cit., p. 300. En tal sentido, recuérdese, EUGENIO ASENSIO, *El erasmismo y las corrientes espirituales afines*, en «Rev. de Filol. Esp.», 1952, XXXVI, pp. 31-99. Tal espíritu fascina a unas minorías selectas, que por aquellos mismos años, alcanzan una vida, siempre amenazada, pero de creciente afirmación. Bataillon ha precisado el deslinde social elitista del suelo en que las ideas liberales, las erasmistas como —en nuestro caso— las estéticas, se abrían paso: burguesía urbana, y clérigos universitarios: «Pero si el erasmismo encuentra terreno favorable entre la burguesía urbana cuyos portavoces son los procuradores a Cortes, es en otras partes donde tiene sus núcleos, en la porción más selecta de los clérigos mismos, en particular en las Universidades», cfr. M. BATAILLON, *Erasmo y España*, cit., p. 157.

La decadencia del espíritu liberal, precipitada ya insalvablemente hacia 1550 por la reacción de las masas hostiles a la política imperial (cfr. F. BRAUDEL, *El Mediterráneo en la época de Felipe II*, cit.), significó el comienzo de una edad de discrepancias, en todo caso resignada a la pasividad y a la impotencia. Mero testimonio de existencia letárgica son las tímidas presiones que nosotros en nuestro campo, como MARAVALL en el suyo (cfr. *La oposición política bajo los Austrias*, cit.), hemos ido exhumando en diferentes momentos y en conductas de ciudadanos privados, o pareceres de organismos públicos, en los que la sorpresa, no nos engañemos, viene en función de su rareza de testimonios excepcionales, disidentes de la enajenación colectiva. Bataillon ha reflejado, elocuentemente, el precipitado sucederse de síntomas en este proceso tras el retiro de Carlos V: «Después de la derrota del Emperador, a raíz de la promulgación de los cánones de Trento, se lleva a cabo una polarización, lo mismo para España que para el resto de Europa, definitivamente dividida entre católicos y protestantes. La inquisición sabe, desde ese momento, lo que tiene que hacer. Y lo hace inflexiblemente. Constantino, después de haber sido la gloria del púlpito sevillano, es quemado en efigie como luterano. Bajo la misma inculpación, Carranza, Arzobispo de Toledo, pasa dieciseis años en la cárcel. Fray Luis de Granada tiene que rehacer radicalmente sus manuales de oración para que pueda escapar a la sospecha de iluminismo, de la cual no se verán libres ni Santa Teresa ni San Juan de la Cruz», cfr. *Erasmo y España*, cit., p. 804.

La racionalización del «ingenio» en el doctor Huarte de San Juan.

El paso de mayor trascendencia durante todo nuestro siglo XVI en la doctrina concreta que estamos considerando, no fue dado por ningún tratadista de Poética ni de Retórica, sino por un médico en un gran libro de psicología diferencial, el doctor Huarte de San Juan, que publicó en la floreciente villa de Baeza, en 1575, el *Examen de Ingenios para las Ciencias*[30]. Esta obra, cuya trascendencia en todas las esferas de nuestra cultura fue realmente singular, lo fue también, y muy distinguidamente, para la teoría literaria[31]. La razón de este hecho, por lo que se refiere a nuestro campo, nacía de la fervorosa urgencia, sentida desde distintas esferas, de acomodar a las necesidades y al nivel científico de los tiempos los mitos y las vagas formulaciones sobre la peculiar naturaleza psicológica del poeta y el artista geniales.

Ya conocemos, por habernos ocupado de ello en el Libro Segundo de esta obra, las peripecias y tensiones por las que en la Poética y la crítica literaria italianas del Renacimiento habían pasado los tópicos platónicos de la inspiración, de la invocación a las Musas, etc... Dos tipos de consideraciones restaban credibilidad, en Italia como en España, a las míticas explicaciones de la clasicidad greco-latina: la primera, el rechazo cristiano a las divinidades del Olimpo pagano, comportadas inseparablemente por dichos mitos, las cuales no quedaban desarraigadas ni siquiera con la tentativa contemporizadora de su cristianización, a través del expediente simple de la sustitución de Dios y sus santos en lugar de los moradores del Panteón clásico. La segunda razón residía en la incredulidad general hacia tales

30. Cfr. JUAN HUARTE DE SAN JUAN, *Examen de Ingenios para las Ciencias*, lo utilizamos en su edición de la B.A.E. Tomo 65, pp. 403-520. Madrid, Atlas, 1953.

31. Sobre la influencia del *examen* en las disciplinas médicas y fundamentalmente en la psicología conocemos el documentado estudio de conjunto de M. DE IRIARTE, *El doctor Huarte de San Juan y su «Examen de Ingenios»*. Madrid, C.S.I.C., 1948, 3.ª ed. El paciente esfuerzo de este autor compiló, igualmente, un interesante conjunto de noticias sobre su influencia en el ámbito de la Poética y de la literatura, analizando con especial énfasis su poderoso influjo sobre Cervantes, ver pp. 300-332. Rasgo que puso igualmente de relieve AMÉRICO CASTRO, en su obra *El pensamiento de Cervantes*, cit., véase especialmente todo el capítulo IV «La naturaleza como principio divino e inmanente», pp. 159 y ss. Las semajanzas resplandecen de la siguiente sinopsis, muy exacta, de las ideas cervantinas sobre la naturaleza, llevada a cabo por Castro: «La naturaleza, mayordomo de Dios, ha formado los seres, poniendo en ellos virtudes o defectos, que imprimen en cada individuo huellas imborrables y determinadoras de su carácter, cuya realización será el tema de la vida de cada cual. Esa varia condición establece afinidades y disconformidades, dentro del individuo mismo ante todo, ya que la voluntad o la razón pueden favorecer o contrariar esa originaria disposición de la persona. Cada uno ha de conocerse a sí mismo, y no intentar romper su sino natural, su inmanente finalidad», p. 169.

explicaciones míticas, precisamente cuando la humanidad, habiendo abandonado ya hacía muchos siglos para su comprensión del mundo la peculiar semántica de la mitología, se disponía a acatar el racionalismo de Erasmo, Bacon y Descartes. Entre ambas, la primera era la más poderosa objeción formal, la antirracional coerción de la Iglesia Católica, especialmente intensificada en la epifanía concreta de su acuerdo con el poder temporal en la España de la segunda mitad del XVI. Pero no era, desde luego, la que despertaba las reservas más fundadas en lo íntimo de las conciencias; por el contrario era la ausencia de verosimilitud, enumerada en segundo lugar, la que constituía la fuente más poderosa de descrédito en la quiebra de los mitos sobre el ingenio del creador poético, para una conciencia cebada en el racionalismo cientificista. Así se explica el éxito de la obra de Huarte, que en el terreno concreto de la teoría poética contaba en Italia con buen número de iniciativas similares que ya conocemos; antecedentes, contemporáneas y sucesivas.

Preocupaba sin duda a Huarte la incidencia de las explicaciones providencialistas, a las que en aspecto más concreto aludíamos antes, que podían dar al traste con las razones de licitud aducidas por su explicación de base racional[32]. Hábilmente, sin embargo, supo retorcer la posible objeción de fatales consecuencias, anticipándose y ocupando, incluso, hasta los tonos de más hipócrita casuística de tales objeciones al uso. Numerosas páginas del *Examen* están consagradas a desacreditar tales argumentos y objeciones; y tan asidua y sagazmente lo hizo Huarte que, incluso, alcanzó el difícil acierto de ponerlos en ridículo, para regocijo del lector sofocado por el farisaísmo y la crueldad de los procesos, que dejaron en la cuneta muchas de nuestras mejores iniciativas intelectuales y desde luego, en su totalidad,

32. El mito del furor y la inspiración ha recorrido las distintas etapas de la experiencia mítica y científica desde su nacimiento. En Huarte de San Juan lo encontramos adaptado a su peculiar sistema racionalista. Cfr. ESTEBAN DE TORRE, *Ideas lingüísticas y literarias del doctor Huarte de San Juan*, Sevilla, Publicaciones de la Universidad, 1977, pp. 100-102. Como ha señalado con gran acierto Hathaway, es preciso realizar un poderoso esfuerzo desde la mentalidad actual, positivista, de nuestra civilización, para comprender el grado de sinceridad y seriedad que atribuía el Renacimiento a la explicación causal de la condición diferencial en la creación poética. Cfr. BAXTER HATHAWAY, *The Age of Criticism*, cit., p. 402: «Our natural tendency today to treat the *furor poeticus* as a convenient fiction leads us to underestimate the willingness of Renaissance man really to believe in it. The man of the Renaissance believed in astrology —in an actual causal relation between the macrocosm and the microcosm and in the influence of stellar bodies on our lives. He believed God had spoken through the prophets, and to cast doubt on the intervention of God in human affairs was almost heresy. In the face of these forces generating belief, the writers of the sixteenth century nevertheless subjected the concept of inspiration to extensive scrutiny and tended to reduce its area of applicability, even if most often they were in no mood to question it entirely. We would be most wrong to assert it was an item of naïve belief with them».

el moderno espíritu de apertura científica de nuestro pueblo. Huarte puso siempre en boca del vulgo ignorante —evitando invariablemente la mención de los prebendados que fomentaban en él los hábitos supersticiosos de explicación simplista, con achaque de providencialismo misterioso— la defensa de la panacea explicativa antirracionalista[33]. A propósito de lo cual, afirmaba en un capítulo casi monográficamente destinado a la apología de sus principios científicos contra tal tipo de acusaciones:

> «Así nosotros los filosofos naturales (como letrados desta facultad) ponemos nuestro estudio en saber el discurso y orden que Dios hizo el dia que crió el mundo, para contemplar y saber de qué manera quiso que sucediesen las cosas, y por qué razón. Y así como sería cosa de reir si un letrado alegase en sus escritos de bien probado que el rey manda determinar tal caso, sin mostrar la ley y razón por donde lo decide, así los filósofos naturales se rien de los que dicen: esta obra es de Dios, sin señalar el orden y discurso de causas particulares de donde pudo nacer»[34].

La doctrina sobre la índole y alteza del ingenio poético la incluía, naturalmente, en el estudio general de la facultad intelectual del hombre y de su selección e idoneidad para el cultivo fructífero de diferentes ciencias, artes y oficios, objeto central de la obra. Pero, en verdad, las disciplinas de Poética y Retórica fueron abordadas siempre con un mantenido interés en el *Examen,* de la misma manera que sus respectivas teorías ofrecieron pautas frecuentes al propio discurso de Huarte. En consecuencia, el plantea-

33. Maravall ha conectado este criterio básico de Huarte con una actitud que, generalizada en el grupo de grandes médicos humanistas: Villalobos, Laguna, Vallés, Pedro Mexía, Pedro Ciruelo y Miguel Sabuco, alcanza hasta la famosa proclamación ignaciana popularizada por Gracián de que «hanse de procurar los medios humanos como si no hubiesse divinos y los divinos como si no huviesse humanos», cfr. J. A. MARAVALL, *La oposición política bajo los Austrias,* cit., pp. 204-9. Recupera y amplia aquí el contenido de su estudio *Las bases antropológicas del pensamiento de Gracián,* en «Rev. de la Univ. de Madrid», VII, 27.

34. Cfr. J. HUARTE DE SAN JUAN, *Examen de Ingenios,* ed. cit., p. 419. El capítulo a que nos referimos dedicado casi monográficamente a tratar de este problema es el IV, titulado: «Donde se declara cómo la naturaleza es la que hace al muchacho hábil para aprender». En él, entre otras pruebas y razones de variado cuño, refiere jocosamente el cuento de un hortelano que, al preguntar por el modo en que fructifican en su campo las cosechas, recibe por toda respuesta de un *gramático,* «que aquel efecto nacía de la divina Providencia, y que así estaba ordenado para la buena gobernación del mundo», y tiene que acabar siendo ilustrado por el filósofo natural. Lo triste es que, pese a las risas del «filósofo natural» y a los esfuerzos de hombres como Huarte, los «gramáticos» acabaron dejando nuestro país sin «filósofos naturales», y los pobres hortelanos durante siglos hubieron de seguir trabajando al dictado rutinario de los «gramáticos» sin la salutífera explicación de las santísimas causas inmediatas por lo que todo aquello fructificaba y crecía.

miento del problema del *ingenio* se realizó en la concreta referencia a su exposición dual con *arte;* y ya, incluso desde el prefacio mismo de la obra, aparecería impregnado de ese lozano, fértil y en el último término ingenuo optimismo, propio de las cervices humilladas de los súbditos españoles, al ofrecer sus arbitrios a la monumental y tenebrosa fortaleza del Imperio. Cuando con el *Examen* —argumentaba Huarte— cada uno conozca la índole precisa de su *ingenio,* le será posible aplicarse al aprendizaje del *arte* adecuado. Con caudal de súbditos tan bien aprovechado se seguirá indefectiblemente la sempiterna bienandanza de la monarquía española [35].

Sin embargo, todas las ilusiones de dictadura y redencionismo masivos del pobre y engañado lector actual, chocan en seguida con la evidencia de la inexpugnable conciencia oligárquica de la sociedad del siglo XVI, que a la sazón tenía que retocar siquiera su lenguaje, en la medida en que se ven forzados a hacerlo para su pastoreo masivo los atribulados oligarcas actuales. Huarte proponía su fórmula sin disimular la verdad, siempre insoslayable, de que el número de ingenios dignos de entrar en el escrutinio del examen era, por razones de naturaleza, muy restringido [36].

Y, si el planteamiento del *ingenio* se ofrece habitualmente en la obra dentro de su alternativa dualista con *arte,* siguiendo el modelo usual en los tratados de Retórica y Poética, la precedencia en el equilibrio dialéctico de la dualidad era atribuída invariablemente por Huarte al *ingenio;* ya fuera en afirmaciones taxativas y categóricas [37], ya en formulaciones más matizadas. Pero en cualquier caso el *ingenio* era el ingrediente constante del feliz resultado, mientras que el *arte* constituía la simple variable. Huarte recordaba el parecer de Cicerón, en el sentido de que sólo al cultivador

35. Se registran tales declaraciones en el Proemio de la obra al rey Felipe II: «Porque considero cuán corto y limitado es el ingenio del hombre para una cosa no más, tuve siempre entendido que ninguno podía saber dos artes con perfección, sin que en la una faltase; y porque no errase en elegir la que a su natural estaba mejor, había de haber diputados en la república, hombres de gran prudencia y saber, que en la tierna edad descubriesen á cada uno su ingenio, haciéndole estudiar por fuerza la ciencia que le convenía y no dejarlo a su elección. De lo cual resultaría en los estados y señoríos de vuestra magestad haber los mayores artifices del mundo y las obras de mayor perfección, no más de por juntar el arte con la naturaleza». *Ibid.*, p. 403.

36. En el Proemio al lector se evidencia ya su concepción aristocrática de la *naturaleza* o ingenio digno, cuyo mejoramiento se propone Huarte. Se dirige, según explícita confesión, a un hombre de ingenio alto y diferente del vulgo, pues éste no puede asimilar el *arte* o la disciplina notable que se le quisiera enseñar; de hecho Huarte no trata en su obra sino del examen para estados elevados de la sociedad. El mismo ejemplo de Platón que propone, habla claramente de un alto esoterismo en su concepción del *ingenio. Ibid.*, pp. 404-405.

37. *Ibid.*, p. 403: «Todos los filósofos antiguos hallaron por experiencia que donde no hay naturaleza que disponga al hombre á saber, por demás es trabajar en las reglas del arte».

de la poesía le es preciso caudal de *ingenio* además de arte, para negarlo categóricamente, proclamando la universal necesidad del primero para que al hombre pueda alcanzar el aprendizaje de cualquier tipo de *arte*:

«Pero en esto —es la respuesta de Huarte al texto de *Pro Archia*—, no tiene razón Cicerón, porque realmente no hay ciencia ni arte inventada en la república que si el hombre se pone a estudiarla faltándole ingenio, salga con ella aunque trabaje en sus preceptos y reglas toda la vida, y si acierta con la que pedía su habilidad natural, en dos días vemos que se halla enseñado. Lo mismo pasa en la poesía sin diferencia ninguna, que si el que tiene naturaleza acomodada para ella se dá a componer versos, los hace con gran perfección, y si no, para siempre es mal poeta»[38].

Contra la opinión antes mencionada de Cicerón, la poesía se diferencia, según Huarte, de las restantes artes y disciplinas; no tanto, como dijera el gran orador romano, por tratarse de la única de todas ellas donde el *ingenio* resulta imprescindible, sino porque el *arte* o aprendizaje puede ser absolutamente inexistente en el gran creador, que trabajará así sólo a impulsos de su instinto poético, diciéndose de él, en tal caso, que está inspirado[39].

Pero más que la simple toma de posición en problema tan debatido, que revelaría en todo caso acierto, pero no originalidad, el mérito del *Examen* reside en haber aventurado un conjunto orgánico de explicaciones racionales de este hecho. Las menos rigurosas, desde la perspectiva actual, son sin duda sus atribuciones mecanicistas de un carácter dado, según la prevalencia de determinado humor. Las consideramos menos fundadas científicamente, no porque invoquen un fundamento somático a las variedades sicológicas del ingenio, sino en cuanto al detalle de su atribución concreta. Como es sabido, Huarte se sumó en ellas a la difundida doctrina médica de los humores y la preponderancia de un tipo concreto de ellos, que daría como resultado el concreto carácter poético[40].

38. *Ibid.*, p. 407.
39. La tipología de artes, según este criterio, la desarrolla Huarte en pp. 411-412.
40. Recuérdese la siguiente explicación humoral de los tres tipos esenciales de ingenio: memoria, entendimiento y fantasía: «La memoria para ser buena y firme..., pide humedad, y que el celebro sea de gruesa sustancia; por el contrario, el entendimiento que el celebro sea seco y compuesto de partes sutiles y muy delicadas; subiendo, pues, de punto la memoria, forzosamente ha de bajar el entendimiento y si no, discurra el curioso lector, y dé una vuelta por los hombres que él ha visto y conocido de memoria muy excesiva, y hallará que en las obras que pertenecen al entendimiento son casi furiosos. Lo mismo pasa en la imaginativa cuando sube de punto, que en las obras que son de su jurisdicción engendra conceptos espantosos, cuales fueron aquellos que admiraron a Platón». *Ibid.*, p. 412.

Resulta evidente que, en esta vía, ni la psiquiatría, ni la genética o la biología actuales están todavía en situación de ofrecer una información rigurosa; menos aún la psicología médica en el nivel sumario de conocimientos de que participaba Huarte[41]. Pero el fracaso evidente del dispositivo en el cual el eminente médico humanista depositó sus más esperanzadas y orgullosas espectativas, iba aparejado —como suele ocurrir con frecuencia— al acierto positivo de su sentido común y de su capacidad enjuiciadora sobre la causa esencial de las distintas disciplinas, en las que, por contraposición, no puso nunca Huarte un énfasis especial. La vía definitiva de acierto se coronó con la distinción entre disciplinas intelectuales, como la teología, fundadas en la peculiaridad intelectual del ingenio y caracterizadas por la discursividad; disciplinas de memoria, como la gramática o la erudición filológica; y disciplinas de la imaginación o fantasía[42].

Esta separación entre poesía y ciencia, entre el poema como mensaje artístico y el texto de comunicación moral o científica, entrevista desde Filodemo y el Pseudo-Longino a Luis Vives, no había alcanzado quizás nunca una formulación explícita tan orgánica, rigurosa y al mismo tiempo directa e incontrovertiblemente elemental como en el caso de Huarte de San Juan. El nuevo planteamiento suponía la quiebra definitiva de la concepción preponderante en la estética clásica oficializada de la poesía y su semántica lógico-racional, como estuche o guante de artificiosa hermosura para el endulzamiento de la actuación moral o de la información científica. En lo referente al artífice traducía la imagen moderna del poeta como fantástico creador de complejos deleitosos, dotados de finalidad práctica precisamente en función de las vertientes intelectuales y sentimentales cubiertas por el deleite formalista y el regalo imaginativo; no tratando de imponerse como un mero doblete a los procesos intelectuales de comunicación de verdad. Era, definitivamente, el destierro del poeta-sabio[43], sustituido por la imagen del fantaseador artístico que ha dominado hasta nuestros días, como axioma sólo superficialmente alterado en la teoría del arte.

41. Cfr. M. DE IRIARTE, *El doctor Huarte de San Juan y su «Examen de Ingenios»*, cit. Otros aspectos, próximos al que nos ocupa, en R. SALILLAS, *Un gran inspirador de Cervantes, el doctor Juan Huarte de San Juan*, Madrid, Col. de Médicos, 1905; C. A. JONES, *Tirso de Molina's «El melancólico» and Cervantes's «El licenciado Vidriera». A common link in Huarte's «Examen...»*, en *Studia Iberica*, 1973, pp. 295-305. Finalmente un estudio de conjunto sobre estas cuestiones doctrinales es el de L. SÁNCHEZ GRANJEL, *Vida y obra del doctor Andrés Laguna*, en «Estudios segovianos», XII, 1960, pp. 25-44.

42. Cfr. J. HUARTE DE SAN JUAN, *Examen de Ingenios*, ed. cit., pp. 447-449.

43. Principio proclamado por Huarte era el de la unívoca especialización de cada tipo de *ingenio* en una sola de las tres grandes ramas de disciplinas, con la secuela de que, quien es eminentemente apto para una de ellas, está, por lo general, temáticamente descalificado para las otras. Esto descarta la imagen tradicional del poeta como sabio universal, ya que

La renovadora proclamación de la primacía del ingenio llevada a cabo por Huarte de San Juan, no se traduciría en efectos para la Retórica[44]. De las varias obras de este género del último cuarto del siglo XVI que hemos examinado, sólo una, la de Juan de Guzmán, descubre alguna proclividad a conceder primacía al *ingenio* sobre *arte*[45], al tiempo que se hace eco también de la teoría de los «humores» para explicar las

---

tal supuesto comprendía conjunción y preminencia en las tres modalidades de *ingenio*. Al mismo tiempo explicaba la atribución platónica del furor al creador poético, tan falto del *ingenio* necesario para las operaciones especulativo-racionales como propicio para las fantásticas. Huarte describió y razonó el proceso histórico de agotamiento en la identificación gratuita de elocuencia con saber universal, en *Ibíd.*, pp. 453-454.

44. No fue recogida la iniciativa de Huarte en el terreno de la ciencia médica aplicada a la descripción de las peculiaridades ingeniosas del creador literario. Pese a la notoriedad de las mismas, este tipo de referencias fue patrimonio casi exclusivo de teóricos de la Poética y de literatos durante el Siglo de Oro. En los tratados de la época sobre medicina y psiquiatría que hemos consultado, bajo la indicación de la guía de publicaciones mencionadas por Iriarte en su obra sobre el *Examen*, no hemos hallado alusiones precisas a nuestro tema. Sólo algunas noticias curiosas hemos encontrado en la obra del doctor ESTEBAN PUJASOL, *El Sol solo, y para todos Sol, de la Filosofía sagaz y Anatomía de Ingenios*, Barcelona, por P. de la Cavallería, 1637; el resumen en el mismo título de la obra descubre curiosas coincidencias generales muy lejanas con la especulación de Huarte: «Es obra muy util y provechosa —se dice—, quanto sutil e ingeniosa en la qual, mirandose cada uno a su espejo, o un amigo a otro su rostro, podra venir a colegir, y rastrear por el color, y compostura de sus partes, su natural complexion y temperamento, su ingenio, inclinación y costumbres y no menos como podra obviar la continuacion y perseverancia en los vicios, y escusar enfermedades». Quizás las referencias más próximas que hemos podido hallar, han sido en tratados muy tardíos, en los que, siguiendo las noticias de Huarte de San Juan, se insiste en la facilidad innata para ciertos rasgos de entendimiento, como el aprender latín, para los enfermos de melancolía, cfr. TOMÁS DE MURILLO Y VELARDE, *Aprobación de ingenios y curación de hipochondriacos con observaciones y remedios muy particulares*, Zaragoza, por D. de Ormar, 1672; y ANDRÉS VELÁZQUEZ, *Libro de la melancholia, en el qual se trata de la naturaleza desta enfermedad, asi llamada melancholia, y de sus causas y simptomas. Y si el rustico puede hablar latín o philosophia estando pherenetico o maniaco, sin primero lo aver aprendido*. Sevilla, Hernando Díaz, 1685; hay especiales referencias al tema, bajo la mención de Huarte, en pp. 69 r.-70 r. La superstición de los humores llevaba verdaderamente demasiado lejos a estos autores, que admitían fabulaciones fantásticas. Véase por ejemplo Murillo y Velarde: «y por esta ocasión entre gravisimos Autores y diversas opiniones, acerca de asignar la causa de las obras y efectos de los Melancolicos; porque a quien no admirará y pondrá confusión ver un rústico pastor material, y basto, criado en el campo, o una mugercilla ignorante hablar latin, sin lo aver aprendido y philosophar sin averle enseñado maestro, y tratar de Planetas y sus influencias, sin ser Astrologo? estas, y otras obras semejantes a estas veremos obrar muchas veces a los maniacos; o melancolicos, o insanos» (pp. 5 r. - v.)

45. Cfr. JUAN DE GUZMÁN, *Primera parte de la Rhetorica*, ed. cit. Las peculiaridades reseñadas se ofrecen a título de pequeña excepción a la norma general imperante de contenido opuesto, a la que Guzmán no opuso, ni mucho menos, formal resistencia. Así por ejemplo en la apología del arte, recogida, como era usual, en su Prólogo, no hacía la menor indicación respecto a la posibilidad de acierto autónomo del orador dotado sólo de buen natural, p. 2 v.; y más adelante le descubrimos haciendo partícipe a su orador de universal sabiduría,

peculiaridades de ingenio del orador[46]. En el caso de los restantes tratados, pocos son los datos verdaderamente interesantes que nos ofrecen. Así en las *Institutiones Rhetoricae* de Pedro Juan Núñez, en 1575, se hacía más frecuente aprecio del aprendizaje del *ars* que de las capacidades autónomas del *ingenio*[47]. Diego Valades, en 1579, al dividir la Retórica en natural y artificial con predominio y atención del *ars*, proclamaba indudablemente sus preferencias por la artificial[48]; bien que de tal modo regida que en ella no se haga ostensible el artificio[49]. El tratado de Jaime Pérez de Valdivia presenta indudables peculiaridades en el tema que nos ocupa; diríase que, con su ensalzamiento de las cualidades inspiradas por Dios en el orador sagrado, pretendía componer Valdivia un elogio paralelo al tradicional del *ingenio*. Sin embargo esta obra —más bien un libro de piedad para oradores que un verdadero tratado de concionatoria—, dados sus puntos de vista y finalidad muy peculiares, excede toda posibilidad de encasillamiento en los esquemas habituales[50]; ya que la confianza en

p. 16 r. Y cuando, finalmente, hizo concesiones al acierto del natural lego de ciertos oradores, lo atribuyó a simple casualidad, generalmente irrepetible: «... la mesma naturaleza que procura siempre llegarse a la perfeccion de las cosas les suele dictar a essos lo que han de hazer, del modo que les succede a algunos hombres que tiran una piedra sin pensar donde daran con ella y meteseles en un agujero, y si quisiessen despues meter alli otra no acertarian: mas aquello vino por caso contingente. Por quanto la Rhetorica natural que esta en nosotros acerto, mas por ventura que por sciencia, y arte cierta, en que ella fuesse confiada», p. 96 v.

46. *Ibid.*, pp. 124 v. - 126 r. Transcribimos algunos fragmentos de esta curiosa aplicación de la doctrina de los humores a las variedades de estilo y su traslación a figuras de la oratoria contemporánea: «Quiero dezir por esto que los stylos son conforme a los ingenios, y los ingenios corresponden a los humores que reynan en el cuerpo, y aun conforme a las edades... Y assi seria acertado considerasse el Orador el humor que en el reyna, porque si es sangre, ternia por acertado sus platicas y doctrina oliessen a aquel humor, siendo festivas y alegres, como lo es la mesma sangre. Y si fuesse su humor phlegma, converniale usar del estylo que el dia de oy usa el padre Castro Augustino: el qual si corresponde a su humor, el lo sabe admirablemente aprovechar. Y aun el padre fray Hernando del Castillo, y otro que se me offrece a la memoria fray Placido de Salinas, los quales son placidos en lo que tratan... Si reynasse pues colera, consideraria tratar siempre cosas de espiritu, la qual tambien si fuesse demasiada, procuraria mitigarla de pura industria, porque no me dixessen que hablava siempre echando mano a la espada. Mas si la melancholia en mi predominasse, entenderia ser humor para cosas agudas, en las quales ternia alguna eminencia, y assi me daria a ellas por ser cosa cierta ser rara avis pretender un hombre ser lo que fue Pico Mirandulano: y también porque las cosas que no son de nuestro humor, nunca las representamos de la suerte que no nos son naturales».

47. Cfr. Pedro Juan Núñez, *Institutiones Rhetoricae*, ed. cit., por ejemplo en p. 157.

48. Cfr. Diego Valades, *Rhetorica Christiana*, ed. cit., pp. 51-54.

49. *Ibid.*, p. 237: «Ille enim perfectus est orator, qui ita secundum artem loquitur ut non appareat artificium».

50. Para Valdivia antes que ninguna especulación sobre las fuerzas de nuestra naturaleza o el poder de la erudición y conocimiento del arte, figura el hecho de la inspiración divina:

la inspiración divina desplaza a término secundario toda vertiente especulativa sobre las propias fuerzas de la naturaleza humana, así como del saber y arte alcanzables desde ella[51]. Finalmente Bartolomé Bravo, en 1596, manifestaba una invariable fijeza del criterio ecléctico entre *ingenio* y *arte* a lo largo de toda su obra[52]; manteniéndose de este modo en el fiel menos comprometido en la balanza de fuerzas que, como acabamos de ver, era tónica casi general de todas estas retóricas decadentes, concebidas ya por sus autores bajo la convicción absoluta de ser meros manuales de escuela sin voluntad renovadora alguna de una ciencia sin ejercicio, largamente extinguida.

Téngase en cuenta, sin embargo, que los testimonios que venimos ofreciendo en las páginas precedentes, a propósito de la doctrina del *ingenium-ars* en las obras de Retórica, se referían, —a menos que se haya precisado lo contrario específicamente— a la índole del orador, no del poeta. En el caso del primero de ambos, nunca se había especulado sobre la naturaleza sobrenatural de su inspiración, considerándolo, antes al contrario, como hombre de inteligencia abierta y realista, especialmente cortada a la pronta captación de la realidad en torno. Por efecto de esta inveterada opinión tradicional, fueron raras en este tipo de obras retóricas las proclamaciones de la supremacía del *ingenio* sobre el *arte*, que en España encontraremos

---

«Inspiciamus Latinos Doctores atque Graecos, qui litteris et concionandi peritia nobilissimi fuerunt, quique nobis magistri, et duces dati sunt: exquiramusque quibus instructi armis praedicandi munus obierint. Nam quod in illis observaverimus, quos ad concionandi munus a Deo vocatos intelligimus, id pro ratione et regula haud dubie habendum est». Cfr. JAIME PÉREZ DE VALDIVIA, *De Sacra Ratione Concionandi*, ed. cit., p. 11. Más adelante reclamó, por partes iguales, saber doctrinal y santidad como requisitos del orador, pp. 12-13. Como puede advertirse, la abierta actitud de Valdivia sobre la inspiración de Dios hacía que, en su opinión, se debiera también a ella el acierto de los oradores paganos. Así debía suceder, por ejemplo, en el caso de Cicerón, de quien afirma Valdivia que tenía «impresa» la retórica por obra de Dios, p. 195.

51. *Ibid.*, p. 303: «Quemadmodum enim neque in proprio labore, et diligentia, fiducia collocanda est; cum non semper propriae voluntati exitus respondeat, ita neque de concionis fructu desperandum est, si minus quae excogitata sunt, probentur. Quare humiliter nos in hoc gerere debem: hoc est, quod nostri muneris est, accurate praestare: reliqua vero omnia Deo praestanda relinquere».

52. Cfr. BARTOLOMÉ BRAVO, *De Arte Oratoria*, ed. cit., p. 1 v. - 2 r: «Natura igitur sive media, sive praeclara illa, et excellens arte indiget: haec ut perficiatur; illa ut iuvetur, et corrigatur. Neque vero satis est vel praeclaris quidem ingeniis dicendi artem tenere ad eloquentiam comparandam: sed exercitatione opus est et diuturna, et diligenti, quoad ars naturae vim obtineat, eumque usum afferat, ut iam artificiose dicere, vel scribere sine artis ipsius observatione possit quis ipso exercitatae naturae impetu, et consuetudine. Haec igitur tria necessaria illi sunt, qui ad eloquentiam rem praeclarissimam contendat. Ac de natura quidem quae diximus, satis sint: de arte vero, qua iuvari illa, corrigi, et expoliri potest, agendum iam nobis est: postremo autem loco de exercitatione dicemus».

con mucha más frecuencia en los textos contemporáneos de teoría poética, incluso en los de los momentos más tradicionales y conservadores. Tales documentos poéticos renacentistas preanunciaban y habían de proveer de razones a las proclamas barrocas sobre la irregularidad y la condición excepcional de la poesía.

La moderada defensa del «ingenio» en los tratados sistemáticos de Poética.

Frente al tenor observado en los tratados españoles de Retórica del siglo XVI, los documentos equivalentes de Poética ofrecían, con diferencias sensibles naturalmente según cada caso, un balance general de defensas del *ingenio* bastante mantenido. No es que se tratara, sin embargo, de una corriente positivamente avanzada y renovadora, en corroboración decidida de la ideología que sustentaba la práctica artística contemporánea, manierista y barroca; pues se ha destacado ya sobradamente la condición de relativa autonomía doctrinal y el fuerte anacronismo del sector más sistemático de la teorización poética renacentista, en relación con los problemas reales de la práctica artística contemporánea[53]. Sin embargo, sería injusto dejarse ganar completamente por la exageración del prejuicio, igualando y no reconociendo la profunda diferencia que existe entre muchas páginas verdaderamente activas y renovadoras de nuestras olvidadas Poéticas y el carácter tradicionalista y conservador de las Retóricas contemporáneas. Incluso, como hemos observado ya, el contraste con la tónica general de la mayoría de documentos italianos de finales del siglo XVI refuerza, en favor de los nuestros, el predomi-

53. En circunstancias como ésta conviene desplazarse a las verdaderas categorías de una época llena de prejuicios para medir el alcance exacto de los tímidos movimientos renovadores, y para justificar, asimimo, tantos retraimientos timoratos. No es menor prejuicio el que, desde nuestra época, se complace en imaginar al humanista del Renacimiento como un intelectual rebelde y siempre autónomo. Cierto es que ha avanzado mucho frente a la actitud del *sabio* renacentista, como gusta de advertir Maravall: «Es comprensible —dice— que la figura del humanista que desde los siglos de la baja Edad media se está multiplicando en los países europeos hasta alcanzar toda su fuerza en el Renacimiento, se aproxime mucho más al tipo de intelectual moderno que al sabio anciano de los apólogos medievales». Sin embargo, tales afirmaciones sobre el grado de libertad y de espíritu de rebeldía en el humanista clásico, respecto del intelectual moderno, no nos parecen rigurosas, sino en su condición de estimaciones relativas. Como el propio Maravall aclara en seguida: «... el humanista, aunque estima en mucho su obra personal, y por esa razón hay en él elementos muy caracterizados de la función intelectual moderna, sin embargo carece de la última audacia —y de las primeras, incluso, añadiríamos nosotros, en los casos no excepcionales— de presentar su pensamiento como producto de una libre crítica personal», cfr. J. A. MARAVALL, *La oposición política bajo los Austrias*, cit., pp. 16-17.

nio del matiz renovador en este punto, destacándose la relativa libertad de prejuicios entre los españoles para elogiar abiertamente el *ingenio,* frente a las concepciones de signo didactista que depositaban su confianza en la defensa de los preceptos del aprendizaje artístico[54].

La razón de todo ello creemos que radica, aparte de la conjunción en muchos casos, como el de Luis Alfonso de Carvallo, de factores puramente individuales y ocasionales, en la condición tardía de nuestros tratados de Poética —que en su mayoría fueron publicados entre los años de 1580 y 1617—, lo que les ofrecía la ocasión de entroncar con los documentos italianos más evolucionados. Pero tampoco debemos desestimar, asimismo, su obligada permeabilidad a acontecimientos artísticos de altísima índole y novedad revolucionaria, que se estaban desarrollando contemporáneamente en nuestro país. Entre nosotros la tensión previa a las polémicas sobre el teatro, la novela y la poesía culterana depositaba en estos documentos teóricos, aun con las reducciones que siempre supone el conservadurismo casi general de los tratados del género, los indicios más claros de la larvada evolución del gusto. La accidentada evolución que vamos a seguir en este apartado a través de los tratados de Poética constituye por tanto el pórtico o antecedente obligado de la suprema proclamación de la primacía poética de la agudeza, el talento y la genialidad, como razones máximas e inexplicables de la alta poesía.

Resulta altamente revelador que un poeta de ingenio tan encumbrado y exquisito como Fernando de Herrera, en sus *Comentarios* a otro adelantado del talento poético innato como era Garcilaso, no se hiciera eco explícito de la imprescindible singularidad de *naturaleza,* es decir del «ingenio innato», en los grandes creadores. Bien que no se nos oculte el verdadero alcance que se proponen sus ponderaciones de la *admiración*[55], y que en sus elogios del *arte* se descubra regularmente un ideal del mismo en positiva integración superior con el *ingenio.* La causa de tal ausencia de referencias debe atribuirse, sin duda, a la temprana fecha de 1580, en la que ni la teoría ni la práctica poética españolas se hallaban aún en grado de marcar singularidades respecto a las líneas generales más tradicionales del pensamiento crítico y la práctica artística clasicistas.

Razones análogas sospechamos en la poco resuelta actitud de Sánchez de Lima sobre estos tópicos, manifiesta en su *Arte Poética,* obra que se publicó el mismo año que los comentarios de Garcilaso. No obstante,

54. Véase al respecto el estudio monográfico —aunque algo desenfocado de nuestros intereses— de HIRAM HAYND, *Il Controrinascimento,* especialmente relativas al problema de la definición de la *naturaleza,* son las pp. 687-822.

55. Cfr. FERNANDO DE HERRERA, *Comentarios,* en *Garcilaso de la Vega y sus comentadores,* de A. Gallego Morell, cit., pp. 399-400.

como en el caso de Herrera, los contados lugares donde el autor se refirió a la índole del poeta, bastan para descubrirlo como un convencido defensor de la condición excepcional y la alta índole del *ingenio* poético, incluso en su versión más mitificada y prerracional de *vena*[56]. Esta condición innata, piensa Sánchez de Lima, ha resultado repartida en muy diversa proporción, habiendo hombres que carecen absolutamente de ella; mientras han existido, por el contrario, algunos poetas totalmente legos en el *arte* que sólo con la posesión de un *natural* poco común han sido capaces de notables logros poéticos[57]. El tono de este elogio de la *vena* en la Poética de Sánchez de Lima, con la que se inauguró nuestra tradición efectiva de este tipo de obras, está claramente determinado por la índole de sus fuentes, donde predominaban las invenciones fabulosas de Ovidio y otros poetas[58]. También influía, sin duda, el evidente tono panegírico de la poesía que preside el tratado, al que convenían, obviamente, tales referencias divinizadoras. Sin olvidar que este es el tono general, bajo el cual se deben examinar afirmaciones ocasionales muy encendidas, como la siguiente:

> «Esta —'la Poesía'— no haze habitacion en pechos baxos, porque su officio es hazer levantar muy altos los pensamientos, y alos que enella se exercitan,

56. Por ejemplo, Herrera elogia el *saber* necesario para la adecuada ejecución de la forma poética sobre el proceder de los que siguen simplemente los dictados del *ingenio:* «Y es clarisima cosa, que toda la excelencia de la poesia consiste en el ornato de la elocucion, que es en la variedad de la lengua y terminos de hablar y grandeza y propiedad de los vocablos escogidos y significantes con que las cosas comunes se hacen nuevas, y las humildes se levantan, y las altas se tiemplan, para no exceder segun la economia y decoro de las cosas que se tratan. Y con ésta se aventajan los buenos escritores entre los que escriben sin algun cuidado y eleccion, llevados de sola fuerza de ingenio». *Ibíd.*, p. 398. Obsérvese sin embargo, que lo que en este texto se contrasta en realidad no es *ingenio* y *arte*, sino dos tipos de *ingenio*, alto y descuidado. La definición abstracta de *ingenio*, como capacidad previa al *arte*, está recogida en estos *Comentarios*, en p. 514.

57. He aquí un texto que hemos tenido fundamentalmente en cuenta para esta valoración: «A esso respondo, que lo que el vulgo llama vena, no es otra cosa, sino un natural bueno è inclinado ala Poesia, y este natural tienen qual mas, qual menos: y otros no tienen ninguno. Y a lo que algunos dizen, que la Poesia se adquiere con el estudio delas letras, y que de otra manera no puede ninguno ser Poeta: a esso respondo, que Monte mayor fue hombre de grandissimo natural, porque todo lo que hizo fue sacado de alli, pues se sabe, que no fue letrado, ni mas de Romancista». Cfr. MIGUEL SÁNCHEZ DE LIMA, *El Arte Poética en Romance Castellano*, ed. cit., pp. 37-38.

58. Pese a la voluntad racionalista y anti-mítica que describen determinados fragmentos de la obra, en uno de ellos se rechazan de modo manifiesto tales noticias: «Y con todo holgaria en estremo que me dixessedes lo que sentis de las excelencias dela Poesia, con tal condicion, que no me conteys fabulas de Ovidio, ni me digays el cuento del cavallo alado que entre los Poetas es llamado el Pegaso, ni la fuente Cabalina, ni me trateys delas ninfas... porque no puedo suffrir oyr essas ficiones..., que contino los Poetas traen entre manos». *Ibíd.*, p. 36.

les enciende un divino furor, de suerte, que sus obras son mas divinas que humanas. Y assi dize Ovidio. *Est Deus in nobis agitante calescimus illo*»[59].

El *Arte Poética Española* de Juan Díaz Rengifo participaba de la misma indecisa valoración preponderante del *ingenio* que apuntó la Poética de Sánchez de Lima; sólo que en este caso la moderación, tendente al eclecticismo, resultaba todavía más patente, al calcar Rengifo su moderada formulación sobre las afirmaciones horacianas, decididas mediante la solución de Cicerón: el *ingenio,* potencia de resultados artísticos superiores a los del *arte,* si se consideran aisladamente uno y otro, sólo puede llegar a los límites de la perfección colaborando con éste último[60].

Al considerar ahora el bloque que forman las dos poéticas españolas publicadas en torno a la divisoria de los dos siglos XVI y XVII, la del Pinciano de 1596 y la de Luis Alfonso de Carvallo de 1602, dejamos atrás ya el proceso de tanteos teóricos en la doctrina del *ingenio-arte,* para acceder a obras con una sólida y bien formada conciencia explícita de la importancia de sus resoluciones ante la dualidad. Estas son, desde luego, distintas, como lo son los fundamentos doctrinales y los presupuestos teóricos de que partieron sus autores; pero una y otra moldearon perfectamente los límites del tópico, al tiempo que constituyeron un sólido indicio de la renovación de opiniones que sobre el mismo se iba operando en la conciencia estética del país.

El sistema estético del médico Pinciano goza fama de equilibrado realismo, cortado en la medida de una saludable elección de las doctrinas más equilibradas de la Antigüedad, a través del filtro renacentista de Scalígero y del baño racionalista de Huarte de San Juan[61]. Por ello, quizá la ausencia de soluciones extremas y detonantes haga que se pueda pensar en un eclecticismo total, libre en el fondo de compromisos, para todas las encrucijadas teóricas de la obra. Una conclusión de este tipo, fruto posible en una lectura apresurada y superficial de la *Philosophia,* contrastaría, sin embargo, con la impresión global existente del innegable valor de la obra, que ha hecho de ella, con razón, el tratado de teoría poética más importante de nuestro Siglo de Oro. Concretamente en la cuestión de la índole del poeta, que con gran acierto conecta el Pinciano con la finalidad de la poesía en la común condición de *causas* que incluye a ambas[62], la solución, respetuo-

59. *Ibid.*, p. 40.

60. Cfr. JUAN DÍAZ RENGIFO, *Arte Poética española,* ed. cit., pp. 3-4.

61. R. J. CLEMENTS, *Lopez Pinciano's «Philosophia» and the Spanish contribution to Renaissance Literary Theory. A review article,* en «Hispanic Review», XXIII, 1955, pp. 48-55.

62. Cfr. ALONSO LÓPEZ PINCIANO, *Philosophia Antigua poetica,* ed. cit., vol. I, p. 221: «porque, aviendo dicho de la forma, fin y materia poética, restava el efficiente, que agora acabays de dezirme, que es el natural ingenio».

sa con la vertiente razonable de las salidas eclesiásticas tradicionales[63], constituyó el reconocimiento implícito del *ingenio* del alto poeta en toda la misteriosa e irrepetible singularidad de su figura para la operación poética.

Desestimada la viabilidad de la declaración ecléctica, a la letra, de la *Epistola ad Pisones,* incluso sólo a la vista de otros textos del propio Horacio, la atención preferente del Pinciano se concentró en precisar términos ante el problema del *furor*. Partiendo de la desautorización de las doctrinas míticas de Demócrito y Platón, el médico de Valladolid se orientó decididamente, de manera muy semejante a su admirado colega Huarte de San Juan, hacia una racionalización realista de los mitos:

> «Toda mi vida fuy amigo de no yr a mendigar al Cielo las causas de las cosas que puedo aver más acá abaxo; y assí esto destos furores divinos de Platón no me satisfaze»[64].

En su resolución pecaba Pinciano del mismo primitivismo psicológico de la solución somática de Huarte, el ingenio furioso de los poetas como simple fruto de un tipo de humor en ellos predominante:

> «Ingenio furioso es el del poeta, que es dezir, un natural inventivo y machinador, causado de alguna destemplança caliente del celebro. Tiene la cabeça del poeta mucho del elemento del fuego, y assí obra acciones inventivas y poéticas. Esto es lo que deviera dezir Platón y lo que dixo Demócrito y aun Cicerón, que es que ninguno puede ser poeta sin inflamación del ánimo y sin espíritu del furor»[65].

Pero siempre en esta misma línea, cuando acertaba a salirse de la panacea de moda de los humores, apuntó a términos de aclaración real del mito del furor poético, como la proclividad erótica y onírica de los poetas, etc...[66], que en último término constituían válida referencia, si no a las causas, al menos sí a consecuencias indudables en la incontrovertible verdad de la singularidad psicológica del artista excepcional.

63. Pinciano adoptó por ejemplo, como término, la solución formal de compromiso propuesta por Cicerón, aunque él la cite a través de la referencia en Quintiliano. Pero obsérvese, sin embargo, que su planteamiento lo establecía desde la base, para él indiscutible, de la prioridad del *furor:* «Y assí como el que tuviere arte y natural, será bueno para la poética, el que tuviere las dos partes del ingenio natural, digo, versátil y furioso, será más perfecto». *Ibid.*, p. 226.

64. *Ibid.* p., 223.

65. *Ibid.*, p. 224.

66. *Ibid.*, pp. 226-227.

Todas las cautelas prudentes y las cuidadas concesiones al eclecticismo no obscurecen sus doctrinas en torno al tópico concreto que nos ocupa, las cuales son, sin duda, las más atractivas y completas que produjo la especulación teórica de nuestro Siglo de Oro. Como Pinciano, no participaba Carvallo de un irracionalismo mítico absoluto en su concepción del poeta, sino que defendía la necesidad del *arte* como fundamento de una disciplina fundamentalmente activa y con necesidad de desenvolver sus productos según un método[67]. Sin embargo, desde la misma definición de poeta, casi recién iniciada la obra, destacó Carvallo el rasgo determinante de su peculiarismo psicológico sobre cualquier otra consideración:

> «Poeta aquel se llama propriamente, que dotado de excelente ingenio, y con furor divino incitado, diziendo mas altas cosas, que con solo ingenio humano se pueden imaginar, se llega mucho al divino artificio. De todo lo qual consta la excelencia deste nombre, y su cierta diffinicion»[68].

La aclaración, depurada, de este rasgo mítico de la poesía vino a hacerla Carvallo siguiendo las huellas de Pinciano, es decir sobre la doctrina del *Examen de Ingenios,* con su exaltación de la peculiar singularidad del *ingenio* poético como producto de la *fantasía*[69]. Se definía así la operación poética y sus productos en términos de absoluta preferencia por la *vena,* llegando incluso en sus frecuentes elogios de la misma a omitir por completo cualquier alusión al *arte,* extremismo evidente en el que nunca había incidido Pinciano:

> «La materia del Poeta —dice en un punto— es tratar de cosas verdaderas, ò fingidas, las quales ha hallar y buscar la invencion primera parte de la

67. Cfr. Luis Alfonso de Carvallo, *El Cisne de Apolo,* ed. cit. Por ejemplo, en la siguiente precisión a la definición platónica de poesía: «Es assi que en esta diffinicion solo se comprehenderan los que por su natural, y sin arte quisieron hazer versos de los quales uvo muchos, y aun ay en nuestra España, de donde vino a dezir Democrito, que los Oradores se hazen, y los Poetas nacen y a los tales agora dara esta diffinicion, que verdaderamente no es de la arte, sino de la natural inclinacion, la qual aunque nos inclina al arte no por esso es arte, ni tan cierta guia como la arte, aunque ayude a la arte, y la arte a la naturaleza... Quanto y mas que esta arte no es de las que solo consisten en el entendimiento, contentandose solamente con entender su objecto, antes consiste en hecho, y practica, como de toda ella consta». Vol. I, pp. 48-49.

68. *Ibid.,* p. 47.

69. *Ibid.,* pp. 69-70. Reproduce muy escueta y acertadamente las doctrinas de Huarte. Enunciando las diferencias entre *imaginativa* y *entendimiento,* dice: «son cosas distintas y differentes, de donde viene que puede uno tener bonissimo entendimiento, como dixe, y no ser Poeta por faltarle la imaginativa». Como en el caso de la misma doctrina que le servía de base, menos actual y más endeble es la deducción de rasgos somáticos que concurren en el poeta. Vol. I, pp. 72-73.

poesia, y esto con la imaginativa... y assi el que lé faltare ymaginativa, le falta potencia para obrar en este arte elegantemente, aunque sepa sus preceptos, como hizo Tulio. Y quanto mejor y mas sutil ymaginativa tuviere, sera mas excelente Poeta. Porque inventara mas sutiles y subidas cosas, mas raras y admirables, como affirma Ascensio»[70].

Todas estas consideraciones introductivas no eran sino el anticipo de los amplios fragmentos consagrados exclusivamente a la doctrina de la *vena,* que ocupan casi la totalidad del último de los cuatro diálogos en que la obra se divide. El tenor, sin embargo, de este bloque de doctrinas venía a coincidir, a grandes rasgos, con el del anticipo que reseñábamos antes. No obstante, ahora se redondean y perfeccionan tales datos con una gran densidad de notas adicionales; como por ejemplo la acomodación al ámbito cristiano de la inspiración configurada como una modalidad especial de las gracias divinas[71]. Especialmente se insiste en el valor relativo de la *vena* y el *arte* para la producción poética en el capítulo noveno de este diálogo, consagrado a tratar «De la vena y natural inclinacion, que ha de tener el Poeta, y si vale mas que la Arte», apartado que ofrece la oportunidad de comprobar la afirmada intuición de Carvallo sobre el valor preponderante del *ingenio.* Aunque en él se esfuerzan las razones de necesidad del *arte,* precisamente como justificación autoexigida del autor por haber compuesto un tratado sistemático de la disciplina, es decir un *arte*[72], abundando en numerosos argumentos[73]; no obstante, el resultado definitivo es un abrupto corte de los mismos para acabar proclamando, tras la simple mención de la autoridad de Horacio, la supremacía absoluta del *ingenio* sin otro tipo de argumentación frente a las razones adversas que él mismo acaba de ofrecer.

70. *Ibíd.* Vol. I, pp. 73-74.

71. *Ibíd.* Vol. II, p. 184: «una alentada gracia, y natural inclinacion, que Dios y la naturaleza dan al Poeta, como se dan otras gracias gratis datas».

72. El ignorante en el juego del diálogo, Zoylo, plantea abiertamente la paradoja a la Lectura, en términos muy estrictos: «para que nos aveys cansado con tanta doctrina, y preceptos, pues solo con la naturaleza, inclinacion, y vena, puede uno ser Poeta»; y más adelante, tras la respuesta invariablemente favorable al *arte* de la Lectura —«Mas vezes vale sin doctrina la naturaleza, que sin naturaleza la doctrina»— insiste: «Pues para que nos aveys molido las entrañas hasta agora con tan superflua doctrina». *Ibíd.* Vol. II. pp. 186-187.

73. Las razones de Carvallo dejan a salvo quizás deliberadamente la inatacabilidad de la cuestión de base, la inspiración de la altísima poesía. Carvallo apunta, entre otros beneficios del *arte,* el de poder asegurar y mantener más dilatadamente los aciertos momentáneos y exclusivos de la inspiración: «la obra que naturalmente se haze sin arte, si acierta a ser buena, es pocas vezes»; o razones próximas a la anterior: «es muy corta la vida de un hombre para ello, y en una ora enseña mas el arte que la naturaleça, y uso pueden enseñar en toda la vida». *Ibíd.* Vol. II, pp. 187-189.

Ya serían notables las novedades y aportaciones teórico-poéticas hasta aquí reseñadas, si no vinieran a sumarse, además, muchas otras interesantes puntualizaciones en la obra de Carvallo. Sobre las explicaciones racionalizadoras del mito del furor ofrecidas por sus antecesores españoles, Huarte de San Juan y el Pinciano, él brinda soluciones más verosímiles y satisfactorias. El *furor* es interpretado como «salida de sí», es decir excepción momentánea por la que la imaginación y el entendimiento humanos de determinados seres excepcionales, alcanzando límites de extraordinaria tensión, arrancan frutos a la ficción verbal de la realidad, que son inéditos para la contemplación de la misma desde la óptica normal:

> «el que no saliere de si, —dice Carvallo tratando de convertir a la explicación racional válida para su momento las afirmaciones veladamente míticas de Platón y Demócrito— esto es el ordinario juyzio, y no se levantare a otro mas alto juyzio, y no se trasportare en otro mas delicado seso del que antes tenia, sacandole este furor como de si, y transformandole en otro mas noble sutil, y delicado pensamiento, elevandose y embelesandose en el, de tal suerte, que pueda dezir, que esta fuera de si, y no sabe de si, como dizen los Philosophos alegados»[74].

Una vez enmarcado el furor justamente en su definición de estado psicológico excepcional, da un segundo paso Carvallo para su última precisación, al invocar una cuádruple clasificación de los furores: los que producen el amor, el sentimiento de misterio y religión, la profecía y la tendencia a construcciones de varia índole dominadas por el sentido de proposición y armonía[75]. Este último tipo es el que propiamente ha de considerarse como furor poético. Así lo define:

> «El ultimo furor con que el que el Poeta haze sus obras consiste en el concento, sonido, proporcion y correspondencia, con que las cosas se travan, proporcionan y corresponden que podemos llamar armonia, lo qual aprehendiendo el Poeta con su imaginativa, viene a inflamarse el cuerpo, como con la ira y con esta inflamacion, y ardiente furor, casi desasido del espiritu, y como fuera de si, viene a traçar y componer tanta variedad, no solo de versos y coplas, pero mil invenciones altas y subidas, todas con sonora y admirable correspondencia y perfecta proporcion»[76].

74. *Ibid.* Vol. II, p. 192-193.
75. *Ibid.* Vol. II, pp. 203 y ss.
76. *Ibid.* Vol. II, p. 216. El síntoma de la racionalización del furor corrobora la estimación de Hathaway sobre la polarización radical de los debates renacentistas del tópico clásico,

Profundizando en la esencia de este furor de armonía y proporción, apuntaba vagamente Carvallo hacia la euritmia numérica y cuantitativa que había despertado el sentimiento estético del artista medieval, traduciendo en la proporción objetiva de los seres por él creados, poemas, pinturas o catedrales, el encuentro y fusión de su ser concreto con el Ser Universal, con su identificación posterior como criatura y criador. Algo de todo ello iba intuido en la aclaración de Carvallo, donde se aludía a «la armonía y correspondencia de toda la materia y su sentido»[77].

Cerrado el ciclo que representan las obras del Pinciano y de Carvallo, nuestros tratados sistemáticos de Poética decrecen en número e incluso en interés. Las *Tablas Poéticas* de Cascales, única obra que cumple en verdad dicho carácter, se ofrece con decidida voluntad de anacronismo —y en todo caso de arcaísmo—, con lo que el tenor de su juicio en estos casos se inclina por las fórmulas eclécticas, testimoniando incluso una alta potenciación de la importancia del arte. Claro está que, como hemos advertido ya en este libro y en otros trabajos, las afirmaciones de Cascales en las *Tablas* deben ser siempre acogidas con profunda reserva, por cuanto que sus decisiones con frecuencia incoherentes y hasta en ocasiones contradictorias dependen en definitiva del modelo, italiano por lo general, que está plagiando. Así, el fragmento de la obra con más clara incidencia en este punto concreto, no debe ser tenido en cuenta más que a título de establecer las preferencias de Cascales como lector, pues se trata de una traducción literal de *L'Arte Poetica* de Antonio Minturno[78]. Por lo demás, sólo se ofrece en estas páginas una rápida solución inicial de la dualidad *ingenio-arte,* más bien favorable al segundo de ambos componentes; pues el texto, mal sacado por Cascales de su contexto, que en la obra de Minturno correspondía al debate sobre la licitud de los «romanzi», era en realidad un alegato más en favor de la perennidad inmutable de la normativa artística, frente a los comunes argumentos en contra difundidos en la época para favorecer las razones del cambio estético, que se fundaban en la variabilidad y carácter acomodaticio del *ingenio* al gusto imperante en cada edad[79].

---

especializado en la dualidad arte-furor. Cfr. B. HATHAWAY, *The Age of Criticism,* cit. p. 437: «The suspended opposites in the sixteenth century were not art and nature —that opposition was always readly reconcilable— but art and furor».

77. *Ibid.* Vol. II, p. 216-218.

78. Hemos aludido a este extremo, al tiempo que señalamos la fuente directa de la mayoría de los lugares y doctrinas importantes de las *Tablas,* en nuestro artículo, *La decisiva influencia de la Teoría italiana, en la Poética española, cit.* Concretamente para el lugar a que nos referimos. Cfr. A. MINTURNO, *L'Arte Poetica,* ed. cit., pp. 32-34.

79. Ofrecemos el comienzo del fragmento aludido de las *Tablas Poéticas,* fiel traducción del ya mencionado de Minturno: «¿Vos no sabeis cómo todos afirman, que la naturaleza humana sin arte no puede hacer obra perfecta? Y si hay algunos que estudien en inventar

A partir de las *Tablas poéticas,* podemos decir que se extinguieron en nuestro país con la excepción casi insignificante del breve *Discurso* de Soto de Rojas[80], los documentos sistemáticos de teoría poética. Existen muchos otros escritos de variada índole a los que todavía no nos hemos referido; tres de ellos, incluso, de condición bastante aproximable a la de los tratados sistemáticos que hemos estudiado en este apartado: el *Exemplar Poético,* de Juan de la Cueva, *El Arte Nuevo de hacer comedias* de Lope y la *Idea nueva de la Tragedia antigua* de Jusepe Antonio González de Salas. Sin embargo, los escritos aludidos, así como otros integrados en polémicas distintas, se proyectan sobre el tema del *ingenio* y el *arte* desde una perspectiva diferente a la de los hasta ahora estudiados. Se trata en todos los casos de piezas críticas encuadradas en diversas polémicas: la del teatro, la de la novela y la de la lírica gongorina fundamentalmente, que de manera concreta, por el pie forzado que comportan, arrojan sobre el tópico que nos ocupa imágenes en cierta medida predeterminadas. Sin embargo, todos coincidieron en su modernidad de opinión y en el acentuado vitalismo que supieron inyectar a lo que, sin la tensión que ellos venían a crear, amenazaba convertirse en un tópico momificado más, movido sólo a impulsos de artificiales vigencias críticas.

Para hacer un balance final de lo aportado en nuestro país por los tratados sistemáticos de Poética al tópico de las discusiones *ingenio-arte,* cabe señalar que, sin ser tan abundante ni de nivel de discusión tan generalizado como en Italia, el dabate teórico constituye un conjunto de positivo interés. Habiendo partido sin los titubeos iniciales de la Poética italiana, por ser más tardía, la doctrina española venía a representar un poderoso refrendo en la definitiva consagración del postulado de independencia y autonomía estética del arte, cimentado, como otros principios igualmente medulares, en la defensa de la irrepetibilidad de la creación poética, casual, misteriosa, fatalmente vinculada a tipos imaginativos excepcionales. La conciencia del creador, ser único, inspirado, inaccesible, no el mero versificador pedagógico

nueva arte Poetica, me parece que van buscando frondosos arboles y verdes jardines en las arenas de Ethiopia. Y ciertamente no es otra cosa esto, que buscar ley en gente enemiga de la razon, y la verdad en la variedad, y en el error la certeza. Y si bien essos por mostrar que valen mucho, con su ingenio y doctrina pretenden introducir nueva Poetica en el mundo, al fin no seran de tanta autoridad, que se deba creer antes a ellos que a Aristoteles y Horacio. Y si el arte enseñada de estos viene bien con la Homerica y Virgiliana Poesia, yo no veo por qué se haya de llamar una diversa de otra: porque la verdad una es, y lo que una vez es verdadero, conviene que lo sea siempre, y la diferencia de tiempos no lo muda», op. cit. p. 42.

80. Cfr. P. Soto de Rojas, *Discurso sobre la poética,* ed. cit. p. 26. Tan sólo desgrana, de pasada, la siguiente alusión al tópico que examinamos: «La eficiente —causa— es, en el que escrive el ardor natural, el *quid divinum* el *est Deus in nobis,* ayudado del arte».

de buen gusto, supone el verdadero umbral renacentista por el que desemboca con total lucidez la autoconciencia artística moderna.

Para completar nuestra imagen de las circunstancias del tópico en la situación contemporánea, cabe preguntarse brevemente por el estado del debate en los tratados de Retórica más o menos cronológicamente coincidentes con las Poéticas que acabamos de estudiar. Ya señalábamos el carácter anodino de los anteriores a 1600; en los posteriores a esta fecha destacaremos ahora solamente la obra de dos autores que, por razones muy diversas, ofrecen ambos un perfil semejante de independencia de criterio y sensatez realmente respetable. Nos referimos al famoso predicador real fray Francisco Terrones del Caño, que ya viejo publica, en 1617, su *Instrucción de Predicadores;* y al preceptor lugareño Bartolomé Jiménez Patón, notable en condición de ingenio pueblerino, en quien concurría, además, la muy estimable circunstancia de no ser clérigo.

Respecto a Terrones del Caño, en su perspectiva de la predicación religiosa, no dudó en romper abiertamente con lo que sería el equivalente para la Retórica cristiana del soplo furioso en la mitología poético-pagana. Autores piadosos de buena fe y pícaros oportunistas venían a señalar, por razones obviamente muy distintas, la confianza total en la ayuda de Dios; en la inspiración divina para ejercer con acierto el oficio de la predicación. Frente a este ingenuo o cómodo providencialismo inmovilista levantó Terrones bandera de rebeldía, proclamando la necesidad del estudio, del saber y el ejercicio continuo como virtudes inamovibles del orador cristiano[81]. No se trataba, sin embargo, de un caso de defensa teórica desvinculada de los argumentos de razón del *ars;* por el contrario lo que se ponderaba en este razonamiento era, salvando las distancias, el mismo principio de racionalización de la Providencia y el *furor* de la mitología pagana, del corte de Huarte de San Juan y quizás más realista que el de Carvallo. Si éstos no eran amigos de «ir a mendigar al Cielo» las razones que el esfuerzo del hombre puede descubrir en la tierra, no distinta venía a ser la propuesta de Terrones para interpretar el sentido de la ayuda de Dios:

> «... como las medicinas —dice a este respecto— no sanan sino al que Dios quiere dar salud, y no por ello se ha dejar esto a sólo el querer de Dios, sino curarse; así el predicador, si mueve y persuade a los oyentes, por don y merced de Dios lo hace, pero no por eso ha de dejar de estudiar, que

81. Cfr. F. Terrones del Caño, *Instrucción de predicadores,* ed. cit. pp. 17-20, divididas las cualidades en naturales, infusas y adquiridas, todas las reclama como necesarias Terrones para el alto ministerio de la predicación.

no da Dios ciencia de predicar fuera de casos de extrema necesidad, si no es a los que estudian, aunque no todos los que estudian salen con ello»[82].

Jiménez Patón, por su parte, representaba un claro exponente de cómo se habían ido filtrando en la anquilosada teoría retórica tradicional elementos renovadores de la sin duda más viva y, pese a todo, permeable teoría poética. Sin participar, al igual que Terrones, de ningún tipo de providencialismo o irracionalismo mítico sobre la inspiración, que rechazaba en términos muy semejantes a los antes registrados en la *Instrucción de Predicadores*[83], y con su anteposición de corte claramente ciceroniano del *ingenio* sobre los demás principios del orador, *ars* y *exercitatio*[84], Patón trató de permanecer fiel a una tradición de respeto con la concepción intelectual y moralista de la disciplina, aun en su dimensión de arte verbal[85]. En ello alcanzó los límites de flexibilidad que su sentido de la realidad consentía a este

82. *Ibid.*, p. 27.

83. Al respecto proclama Patón que «el Espíritu Santo se acomoda à la manera natural que tiene de proceder cada uno». Cfr. BARTOLOMÉ JIMÉNEZ PATÓN, *El perfecto predicador*, ed. cit. Prólogo al lector, sin páginas.

84. Véase algún testimonio de ello en el *Mercurium:* «Illa enim naturae sunt, quae cum ipso —el orador en este caso— nascuntur, —lengua, voz, figura, etc...— Quae tamen ab arte limari possunt, et quae bona sunt fieri meliora possunt doctrina et quae non optima aliquo modo acui, et corrigi possunt, Neque si quid naturale forte non habes, dicendi studium relinquas, magni enim facere debes illam ipsam quamcumque habueris mediocritatem... Ars habet hanc vim non ut aliquid, cuius ingeniis nostris pars nulla sit, pariat, et procreet; sed ut ea, quae sunt orta iam in nobis, et procreata, educet, atque confirmet. Quae de causa studiose colenda est, ut quae viam, et rationem dicendi doceat. Et si enim magnis ingeniis prediti quidam dicendi sine arte copiam sunt consequuti: ars tamen certior est dux, quam natura, et maximi momenti, ac ponderis ad Eloquentiam... Ideo haec cum natura, quae optima est, et cum arte, quae a natura profecta est, —obsérvese ya a estas alturas el tono generalizador de *arte* y *natura*, absolutamente diverso de la incidencia casi exclusivamente física y corporal de *natura* al que se refería al comienzo de estas mismas palabras— quia natura habilem, ars facilem, exercitatio potentem studiosum cuius facultatis facit; et nemo his qui hanc optimum esse magistratum neget; nec ideo erit, qui aliquam ex his tribus partem Eloquentiae esse fateor». Cfr. BARTOLOMÉ JIMÉNEZ PATÓN, *Mercurium Trimegistum*, ed. cit. pp. 44 r.-v.

85. Es éste un riesgo sobre el que no nos hemos cansado de prevenir a lo largo de esta obra. Nuestra insistencia en los términos más novedosos o inexplorados de los diferentes grupos de problemas no debe inducir al indiscutible error de desestimar, o, incluso, olvidar la gran corriente de datos o de opiniones conservadoras, casi siempre menos extensa y atentamente considerada por nuestra parte. En general, respecto al problema *natura-ars*, no olvidemos la condición general nunca desestimada del segundo elemento como base directiva dentro del pensamiento renacentista. Tal es el tenor que recoge, por ejemplo, un estudio monográfico como el capítulo VIII del libro de HYRAM HAYND, *Il Controrinascimento*, cit.: «Tale era, in breve, il retaggio degli umanisti rinascimentali sul tema della controversia Natura-Arte. Richiamandosi a Platone, ad Aristotele, a Cicerone e agli stoici, essi sostennero l'efficienza dell'arte (o "conoscenza", o "dottrina", o "istruzione") al fine di completare l'opera della natura».

buen amigo y admirador del genial Lope de Vega. Por los derroteros contemporáneos del arte, tanto en la oratoria sagrada como en la poesía lírica o el teatro, Patón sabía bien que el acierto no podía ser fruto seguro de una fantasía simple, bien nutrida de preceptos previos; sino, por el contrario, consecuencia de un alma escogida y de un espíritu fuera de todo adocenamiento vulgar. Bien en claro dejaba estas ideas —y refiriéndose sólo a la alta maestría retórica— en la Introducción de su *Mercurium Trimegistum*:

> «Haec enim est una res, quae omni populo, maximeque in pacatis, tranquillisque civitatibus praecipue semper floruit, semper dominata est. Nihil equidem est tam admirabile, quam ex infinita multitudine hominum existere unum, qui id, quod omnibus natura sit datum vel solus, vel cum paucis facere possit».

Sin embargo, de las no escasas retóricas españolas del período, sólo a las obras citadas se ve reducida, en síntesis, la mención de doctrinas de interés durante el primer cuarto del siglo XVII. Fuera de ellas, no se descubren sino pasadas rápidas y superficiales sobre el tópico, por lo general resuelto en la fórmula del más opaco eclecticismo, al hilo del esquema inerte y habitualizado en los tratados escolares de carácter crecientemente manual. Un ejemplo, y no de los peores, nos lo ofrecerían al respecto en 1619 la *Rhetoris Christiani Partes Septem* del jesuita Pablo José de Arriaga[86]. Andando los años no se alteraría la fisonomía general del fenómeno y la del tópico que nos ocupa en concreto. Fuera de las obras comprometidas en las polémicas sobre el lenguaje de la concionatoria, como la de José de Ormaza por ejemplo, los manuales retóricos —incluso los más acertados como pudiera serlo el de Francisco Novella[87]— no llegarán nunca a mucho más que a trazar asépticamente los límites y precedencias recíprocas de ambos principios, *ingenio y arte*, en términos de un estricto eclecticismo sin compromiso. Solución ésta que, al mismo tiempo, carecía de todo interés por presentarse totalmente desligada de los problemas más acuciantes de la poética y aún de la misma concionatoria barrocas, donde el debate sobre la índole del creador artístico constituía, como veremos inmediatamente, uno de sus basamentos teóricos más importantes.

86. Cfr. PABLO JOSÉ DE ARRIAGA, *Rhetoris Christiani Partes Septem*, ed. cit. pp. 6-7. Concede a *Natura* su ya habitual significado en estos manuales retóricos de cualidades estrictamente físicas; en cualquier caso el tratamiento relativo de *ars* ilustra cumplidamente sobre la interconexión entre ambas: «Ars, quam notatio naturae peperit, et quae dat rationes, et praecepta faciendi aliquid, ea quae a natura concessa sunt, limat et excolit; si qua desunt, addit; si qua supersunt, et luxuriant in oratione, amputat».

87. Cfr. FRANCISCO NOVELLA, *Rhetoricae Institutiones*, ed. cit. pp. 27-28.

CAPITULO III

LA DEFENSA BARROCA DE LA «VENA» POÉTICA EN ESPAÑA

La imagen del poeta en los documentos críticos españoles de la nueva estética barroca. Generalidades sobre aspectos ya estudiados.

La incidencia del tópico que nos ocupa, en la evolución de las polémicas sobre el arte nacional del período barroco, cuenta entre sus soportes teóricos más importantes con el de la novedosa ponderación de la imagen del creador artístico y de otros tópicos conexos con este tema central, como la libertad del *ingenio* frente a la condición imperativa de las *reglas* derivadas de la autoridad de Aristóteles. De todos es hecho ya bien conocido y aceptado, que con la imagen del poeta barroco acuñada en España, con la ponderación de su libertad de ingenio en las polémicas del teatro, con el elogio de su agudeza y su incontrolable capacidad para sorprender al oyente o lector a través de los recursos conceptuosos o las galas formales del culteranismo, se daban los primeros pasos decididos en la ruptura con el ideal del artista de taller, imperante durante el Renacimiento, y en la progresión hacia la imagen en rebeldía revolucionaria del artista romántico. De hecho nuestra poesía y nuestro teatro barrocos significaron un poderoso estímulo para algunos de los más granados intentos europeos en la literatura de la edad romántica [1].

Este rasgo ha sido muy destacado entre nosotros por la crítica tradicional para el caso de los nuevos géneros, el novelístico y sobre todo el naciente sesgo de irregularidad que ofrecía nuestro teatro nacional. Por todo ello, nuestra atención a estos aspectos la reduciremos aquí a la imprescindible sinopsis, remitiendo en cada caso a los estudios que nos han precedido.

1. Concordamos, aun con nuestra formulación, con el juicio de Riley que establece la diferencia que va entre lo inconsciente y lo consciente, como base diferencial entre la imagen barroca de la personalidad poética y la del Romanticismo alemán. Cfr. EDWARD C. RILEY, *Teoría de la novela en Cervantes*, cit., pp. 38-39.

Nuestra atención se centrará preferentemente, en éste y en los dos siguientes capítulos de esta obra, sobre el análisis del tópico a la luz renovadora de los documentos de las polémicas gongorina y de la oratoria barroca. Precisamente porque ofrecen un panorama complementario, relativamente inédito, del que proporciona el estudio de los documentos teatrales y de la polémica sobre la novela. Nos preocupa, sin embargo, que pueda desenfocarse con ello la imagen objetiva de las dimensiones relativas en los problemas abordados[2]. Nuestras referencias sumarias a ciertos sectores, frente a la atención específica a otros, justificada por las razones anteriores, no ponen una valoración real, proporcionada, de las cuestiones omitidas o superficialmente tratadas. Por el contrario, sin duda posible la polémica que marcó con más insistencia y nitidez en España el nuevo sesgo y la renacida imagen de la libertad del ingenio poético frente a las reglas, fue sin duda el extendido debate sobre la irregularidad de nuestro teatro nacional.

Con respecto a nuestro problema actual, en lo relativo a la polémica de la novela, Riley lo ha abordado adecuadamente[3], enriqueciéndolo con enfoques complementarios que contribuyen a enmarcarlo en el seno de la teoría general española, e incluso ampliando sus referencias de modo benemérito y con aguda comprensión de su urgencia e importancia al ámbito más general de la teoría italiana. Fiando en la valoración de Riley para el caso concreto de Cervantes, apuntemos que el gran creador de la novela española no reflexionaba en abstracto extensamente sobre la índole ingeniosa del novelista. «En Cervantes, dice Riley, parece tratarse de una de esas *idées reçues* que, aunque ocupan sin duda un lugar en su teoría, no están sometidas a un examen crítico demasiado riguroso»[4]. Refiriéndose con ello al contenido de algún fragmento del *Persiles* y al alegato de don Diego en el *Quijote*, en ocasión del discurso de Alonso Quijano sobre los versos de los caballeros de la edad pasada. Y no es que le faltaran a Cervantes lecturas teóricas, como ha probado —quizás con algún exceso de celo—

2. El cual, a su vez, completa y presta organicidad teórico-poética a las interesantes noticias que a este respecto nos brindaba ya en sus análisis previos la rica obra de AGUSTÍN GONZÁLEZ DE AMEZÚA, *Cervantes creador de la novela corta española*, cit.

3. Advirtamos a este respecto que la acepción que adquieren en Riley enunciados como *arte* y *naturaleza*, es absolutamente diferente de la que constituye nuestro objeto de estudio. Riley se refiere a los problemas de verosimilitud creados por la ficción artística, al proponerse asimilar la realidad de la parcela de la naturaleza incorporada a una novela. Contrástese al respecto en la op. cit. de Riley las páginas 101-107 con nuestro manejo habitual del tópico. Riley la resume así, sin establecer matices: «En el centro de la teoría literaria de Cervantes se halla la antigua dicotomía entre el arte y la naturaleza. El gran problema que ésta encierra consiste en cómo crear una obra de arte con los abundantes y desordenados materiales de la vida».

4. *Ibid.* p. 119.

Américo Castro[5], éstas eran más profundas que numerosas, tales como las probadas de Huarte de San Juan o López Pinciano[6]; lo que sucede es que él contemplaba la cuestión desde un punto de vista práctico y de mayor vigencia, como introductor en nuestro país de un género que, desde Italia, contaba con la cerrada animosidad de todos los devotos estrictos de las reglas aristotélicas. En tal sentido, Cervantes, que ofrece por lo común un perfil más bien favorable a un realismo teórico desmitificador[7], se inclinaba en esta cuestión por la sumisión de las *reglas* al talento. Riley lo ha establecido así valorando la inalterable ponderación del autor manchego:

> «Para Cervantes, que ridiculiza toda clase de pedantería, las reglas, si no van acompañadas del talento, no producirán arte. No pierde mucho tiempo, sin embargo, en burlarse de las reglas mismas»[8].

Si Cervantes centraba en nuestro país la atención en punto a la imagen del novelista por excelencia, Lope de Vega personalizó, a su vez, de modo preeminente, la delicadísima situación del dramaturgo rebelde a las «normas» tradicionales. En tal sentido, la polémica en torno a Lope fue mucho más llamativa y notoria, porque la modernidad revolucionaria de sus intentos era, con mucho, superior a la de Cervantes, el cual, sobre poco más o menos, la halló ya planteada y definitivamente resuelta en Italia en dualidad

5. Tal es el punto central de la temprana tesis, siempre insistida y completada, del maestro en su obra, *El pensamiento de Cervantes*, cit. Véase, por ejemplo, una de las afirmaciones explícitas de su propuesta con pretensiones más ambiciosas: «Cervantes ha leído la literatura de su siglo, los tratadistas de poética y tal vez libros de carácter filosófico o ideológico. Sus ideas no son, como veremos, elemento adventicio que se superponga a la labor de su fantasía y de su sensibilidad, sino, al contrario, parte constitutiva de la misma orientación que le guiaba en la selección y construcción de su propia senda. La teoría y la práctica son indispensables aquí; en Lope de Vega podemos, en cambio, distinguir muy a menudo la exornación erudita del cauce central por donde va lo típico y originalmente lopesco», p. 27.

6. Recuerda en este punto Riley la gravitación sobre Cervantes de las ideas teóricas de Huarte de San Juan a las que ya se refirió R. SALILLAS, *Un gran inspirador de Cervantes, El Doctor Juan Huarte de san Juan.* Cit. Posteriormente el tema mereció la monográfica atención de M. DE IRIARTE en su libro: *El doctor Huarte de San Juan y su «Examen de Ingenios»*, cit. pp. 311-332. Para López Pinciano, recuérdese J. F. CANAVAGGIO, *Alonso López Pinciano y la estética literaria de Cervantes en el Quijote*, en «Anales Cervantinos», VII, 1958.

7. Téngase presentes, al respecto, datos tan reveladores y conocidos como su ridiculización de las citas pedantes en los libros, y, en otro campo, de toda una progenie de novelas fantásticas. Riley recordaba, por su parte, la prudente, pero sólida, adhesión de Cervantes a la doctrina del saber universalista del poeta. Cfr. RILEY, *Teoría de la novela*, cit. p. 128.

8. *Ibid.* p. 41.

irreductiblemente definitiva de opiniones. Pero si satisfactoriamente estudiadas están al presente las disputas críticas en torno a la novela, mucho más asiduas todavía han sido las contribuciones críticas e historiográficas a la polémica sobre nuestro teatro. Al menos en las referencias que pudiéramos ofrecer desde su inclusión en una obra de la índole y tema de la nuestra, no conseguiríamos aportar nuevas soluciones sólidas encaminadas a organizar los problemas sobre bases rigurosamente teórico-poéticas muy amplias, como las que quizás continúe reclamando el tema. Por ello optaremos por representar aquí, simplemente, la importancia de la polémica a través de una esquemática sinopsis centrada en los puntos teóricos que nos ocupan en este apartado.

En primer lugar cabe recordar cuáles eran los pareceres de los más importantes teorizadores de la teoría dramática española en torno a los presupuestos iniciales de la cuestión: la precedencia recíproca de los términos en la dualidad *ingenio-arte*. Lope de Vega ofrece siempre al respecto esa actitud ambigua por la fuerza misma de su situación, en la que, aun cuando resulte siempre obligatorio leer entre líneas, lo cierto es que el respeto formal a las *normas* decanta afirmaciones que, en pura objetividad, no pueden ser interpretadas más que en el sentido de parificarlas con los poderes y libertades del *ingenio;* si no de proclamar su primacía [9]. Recordemos simplemente los conocidos versos del *Arte Nuevo:*

> «Y que dezir cómo será agora
> Contra el antiguo, y que en razón se funda
> Es pedir parecer a mi esperiencia,
> No al arte, porque el arte verdad dize,
> Que el ignorante vulgo contradize» (vss. 136-140).

9. Como en la mayoría de los puntos de su ideario poético-dramático, la asignación de un juicio sincero a Lope está, en este caso también, en función de la interpretación que se haga como punto de partida de su ironía o convicción profunda en el *Arte Nuevo.* En capítulos anteriores expusimos nuestros puntos de vista globales al respecto, tomando en cuenta la extensa gama de opiniones críticas que nos han precedido. La iniciativa de objetivación de Luis C. Pérez y F. Sánchez Escribano arroja el resultado de poderosas alternativas de opinión por parte de Lope en este punto, que procuraba acomodarse al mejor talante del contexto y situación que se ofrecían. Cobrando conciencia con ello de la falta de compromiso de Lope con estas declaraciones generales de principios, que no incidían de manera directa sobre sus auténticos problemas prácticos en la creación de una dramática revolucionaria. Según la encuesta aludida de Pérez y Escribano, el tono más generalizado parece inclinarse por el reconocimiento del superior respeto debido a las normas del *arte* y la subsiguiente sumisión a ellas de las iniciativas del *ingenio,* principio justamente opuesto a lo que constituía lo más llamativo de su práctica artística cotidiana. Cfr. LUIS C. PÉREZ y F. SÁNCHEZ ESCRIBANO, *Afirmaciones de Lope de Vega sobre preceptiva dramática,* Madrid, C.S.I.C. Anejo de la Rev. de Lit. 17, 1961, p. 36.

Palabras con las que Lope venía a reafirmar el espíritu insinuado de modo más tímido en el *Ejemplar Poético* de Juan de la Cueva, aparecido algunos años antes, y que se iniciaba precisamente con un rotundo testimonio de clara preocupación centrada en el tópico:

> «Sobre el ingenio y arte disputaron
> Palas y el fiero hijo de la Muerte
> a quien del cielo por odioso echaron».

Quedando afirmado en esta obra, por lo general, el «statu quo» donde lo dejaron los primeros acercamientos italianos y españoles a la cuestión:

> «Ha de tener ingenio y ser copioso,
> y este ingenio, con arte cultivallo,
> que no será sin ella fructuoso»[10].

Y finalmente el testimonio más tardío del valioso examen de González de Salas, donde resuenan ecos habituales en las polémicas paralelas desarrolladas años antes en Italia, en el sentido de someter una perniciosa preceptiva universal e inmutable a los dictados concretos de cada situación histórico-artística reglamentada por el *ingenio*:

> «Es pues, que no crean haber de estar necessariamente ligados a sus antiguos preceptos rigurosos. Libre ha de ser su spiritu, para poder alterar el Arte, fundandose en Leies de la Naturaleça, ia sea el que lo intentare con prudencia ingenioso, i bien instruido tambien en la Buena Litteratura. Assi como el primero Aristoteles, despues de haber considerado las Virtudes, i Vicios, que se hallaban en las Tragedias todas de sus Griegos (cuia contextura habia dictado la Naturaleça) pudo, escogiendo las unas, i reprobando los otros, formar segun su juicio excelente una Arte, que despues siguiessen los venideros; no de otra manera en qualquier tiempo el judiciosaménte Docto con su madura observacion, podra alterar aquella Arte, i mejorarla, segun la mudança de las edades, i la differencia de los gustos, nunca unos mesmos. Las Artes para dirigir, i (si ansi puede decirse) mejorar las acciones de la Naturaleça se inventaron, pero no por esso quedò destituida la misma Naturaleça de poder alterar el Arte; siendo su Magisterio, ansi como mas antiguo, muchas vezes forçosamente necessario, pues fue la propria Naturaleça primero Maestra de la Arte»[11].

10. Cfr. Juan de la Cueva, *El exemplar poético*, ed. cit., pp. 117 y 120, versos 1-3 y 97-99.

11. Cfr. Jusepe A. González de Salas, *Nueva Idea de la Tragedia Antigua*, ed. cit., pp. 5-6. Las consideraciones inmediatamente anteriores, y algunas de las que han de seguir,

Mucho mayor era el interés del debate, por tratarse de puntos teóricos de más inmediata proximidad a los hechos de creación artística, cuando se descendía a la discusión del tópico conexo sobre la competencia entre la licitud innovadora del *ingenio* del escritor, sirviendo el dictado cambiante del gusto de los auditorios, y la invariabilidad sempiterna de la normativa artística, asimilada por muchos como sinónimo de la razón infalible. En este punto existen ya validísimas exposiciones de conjunto, y cualquier iniciativa nuestra tendría que ceñirse a reiterar textos y opiniones sobradamente conocidos. Entre los estudios más valiosos, resulta obligado destacar la actualidad y plena validez que aún siguen teniendo las numerosas páginas dedicadas hace años por Romera Navarro a glosar las distintas vertientes de la polémica de las *reglas,* dentro y fuera de los textos sobre poesía dramática, en su ensayo sobre la preceptiva de Lope[12]. Más recientemente, aunque con propósito explícito más general, es también útil y rigurosa guía para seguir los avatares del conflicto *ingenio-reglas* la síntesis diacrónica sobre poesía dramática incluida por Porqueras Mayo en su antología, en

a propósito de la discusión sobre el alcance de las «normas» y de la teoría de la tragicomedia, han sido extraídas —dada la índole de sumario esquematismo que procuraremos mantener en la revisión de estos puntos, sobradamente abordados ya por la crítica precedente— de nuestro libro *Introducción a la Poética clasicista. Cascales,* cit.

12. Cfr. M. ROMERA NAVARRO, *La preceptiva dramática de Lope de Vega,* Madrid, Yunque, 1935. El conjunto de noticias que nos interesan en pp. 22-59. Romera sistematizaba su selecta antología de testimonios en una bien discriminada serie de apartados, que destacan los pasos teóricos más notables en que se desgrana el problema general de las *reglas.* Así, en el del ataque a la autoridad de los antiguos, reúne opiniones en tal sentido del P. José Alcázar, Pinciano, Saavedra Fajardo, Ricardo de Turia, Cervantes, Villegas, etc..., destacando quizás por su rotundidad, la del siempre poco respetuoso Suárez de Figueroa, que transcribimos aquí: «Ni es bien juzgar aya concedido la naturaleza a unos quanto tenía de una vez, para dexar en lo porvenir estériles los sucessores. Si produxo tiempos atrás insignes personages que manifestaron muchos de sus secretos, es de creer podrá también produzir otros que por influencia de clima, por singular inclinación, por viveza de ingenio y perseverancia de estudio lleguen donde la experiencia larga, la curiosa observancia y la razón más sutil hasta oy no pudieron penetrar. Ella es la misma que fue en los más ilustres siglos: con el ser que antes, se halla el mundo. . .: los hombres son formados de la propia materia, y en el propio modo dispuestos que eran antiguamente». Cfr. SUÁREZ DE FIGUEROA, *Varias noticias importantes a la humana comunicación,* Madrid, fol. 233 v. cit., por Romera, p. 23. En segundo lugar, destaca una serie de testimonios de González de Salas, Castillo Solórzano, Gracián, etc..., que representan una segunda línea de razones habitualmente dadas por los defensores de la innovación: las variaciones de los tiempos conllevan independencia artística y alteraciones de la normativa del arte, y los españoles eran muy sensibles a esta clase de cambios. Entre los testimonios de este tipo señalaremos el de Bartolomé Leonardo de Argensola, precisamente en la medida, también destacada por Romera, de su condición de espíritu forjado en la veneración clasicista y saciado habitualmente en los más cuidados convites de la «severa elegancia». Sin embargo, en punto a presión de su ingenio por las reglas, inmóviles e inalterables, reaccionó decididamente: «Yo, señor, toda la vida he respetado estas leyes por ser justas y por la autoridad de sus autores; pero he procurado que este mi

colaboración, sobre preceptiva dramática del Siglo de Oro [13]. En la mencionada antología encontramos base textual más que sobrada para ilustrar, someramente, este bosquejo sinóptico del problema que nos ocupa.

Por lo general triunfó la actitud de rebeldía antiaristotélica; o por mejor decir, la casi incontrastada reverencia a las grandes autoridades clásicas de todos nuestros teóricos y dramaturgos buscó y encontró, con diversa fortuna, la vía para convertir los argumentos intolerables e inmovilistas en sutiles razones que abonaran la mutación estética. Si bien es cierto también que, siempre en líneas generales, los miramientos con la autoridad, exquisitos casi sin excepción en los teóricos italianos del siglo XVI, fueron entre los españoles bastante más descuidados y hasta cáusticos en ocasiones, singularmente a medida que avanza el siglo XVII. Con buenas razones, sin duda, Cristóbal de Mesa, en 1612, aplicando un criterio estricto, denunciaba el generalizado desacato al otrora indiscutido Aristóteles:

> «Agora ya la simple gente moza,
> de Aristóteles hace poco caso,
> y todo lo confunde y lo destroza.»

Cervantes fue quizás entre todos nuestros grandes escritores el más serio y constante partidario del incondicional acatamiento aristotélico, pudiendo espigar en su *Quijote* afirmaciones de tono muy subidamente favorable a la inmutabilidad de la normativa artística:

> «... para que gente ignorante se admire y venga a la comedia; que todo esto es en perjuicio de la verdad y en menoscabo de las historias y aun en oprobio de los ingenios españoles; porque los estranjeros, que con mucha puntualidad guardan las leyes de la comedia, nos tienen por bárbaros e ignorantes, viendo los absurdos y disparates de las que hacemos.»

---

respeto no llegue a la superstición, porque, por una parte, es cierto que el sumo derecho es una injuria, y, por otra, algunas veces el buen escritor debe contravenir a la ley o subirse sobre ella... al paso de las alteraciones de los tiempos, altera él sus preceptos, estrecha algunas licencias y admite otras que estaban excluidas», y la razón definitiva es que tanto los antiguos como los modernos, «expresamente en mil partes aconsejan que la Naturaleza se ayude del arte, pero no que se sujete a ella», cit. por Romera, pp. 34-35. Finalmente, desde la proclamación del gusto moderno sobre los preceptos antiguos, con textos de Gaspar de Porres, Cervantes, Suárez de Figueroa, Polo de Medina, Ricardo de Turia, etc...; se pasaba, en definitiva, a proclamar la solvencia, prestigio y autoridad del arte español barroco con textos de Lope, Cabrera de Córdoba, Pellicer y otros. Rescatado así el ingenio español de una doliente tradición de complejo de inferioridad bajo los clásicos greco-latinos y la tradición de los elegantísimos prosistas y poetas italianos.

13. Cfr. ALBERTO PORQUERAS MAYO, *Algunas observaciones introductivas a la teoría dramática de los siglos XVI y XVII*, en su *Preceptiva dramática española*, en colaboración con Sánchez Escribano, pp. 9-32.

Si bien es cierto que, junto a fragmentos como el anterior, se podían también citar otros de contenido más comprensivo para con las razones de las libertades españolas, como el diálogo entre las Comedias y la Curiosidad que ocupa en el frontispicio de *El rufián dichoso:*

> «Buena fui pasados tiempos,
> y en éstos, si lo mirares,
> no soy mala, aunque desdigo
> de aquellos preceptos graves
> ....
> He dejado parte dellos,
> y he también guardado parte,
> porque lo quiere así el uso,
> que no se sujeta al arte.»

Un ejemplo realmente aleccionador nos lo ofrece la conocida actitud de Lope de Vega a propósito de los preceptos aristotélicos. El discutido problema de la hipocresía o la sinceridad de las autoacusaciones de su *Arte Nuevo,* en el que no es propósito nuestro actual terciar, constituía el más significado exponente de la preocupación de nuestros ingenios por las cuestiones del desajuste entre teoría y práctica artísticas y, en definitiva, por la cuestión de la sempiterna validez de las «autoridades». Mas, con todo, la persistencia en Lope del ideal vitalista, antes que el sometimiento riguroso a regulación muy estricta que llegó a practicar en su teatro, nos parece razón predominante y opinión estabilizada en su sistema de ideas. Por ello, en cuanto Lope, sempiterno y anonadado esclavo de la ajena opinión sobre su genio, abandona la Academia y cierra el volumen de Robortello que le acompañó en la realización de su *Arte nuevo,* reaparece el tono de juguetón deleite vitalista, que ya en 1632 permitía decir de él, en el prólogo mismo de su *Dorotea:*

> «Si algún defeto hubiere en el arte... sea la disculpa la verdad; que más quiso el poeta seguirla que estrecharse a las impertinentes leyes de la fábula»[14].

Otro insigne dramaturgo, Tirso de Molina, declaraba abiertamente en los *Cigarrales de Toledo* su adhesión al principio de innovación estética, al sustentar el siguiente presupuesto, cifra y razón de ser de su propio quehacer dramático:

14. Cfr. *Prólogo al teatro* de don Francisco López de Aguilar, ed. por A. Porqueras Mayo, *El Prólogo en el Manierismo y Barroco,* cit. p. 153.

«en las cosas artificiales, quedándose en pie lo principal, que es la sustancia, cada día varía el uso, el modo y lo accesorio.»

Secuela inevitable de tal actitud general serán las siguientes razones en el caso de la comedia:

«¿qué mucho que la comedia, a imitación de entrambas cosas, varíe las leyes de sus antepasados y injiera industriosamente lo trágico con lo cómico, sacando una mezcla apacible destos dos encontrados poemas.»

Dos defensores de nuestro teatro nacional, Ricardo de Turia con su *Apologético de las comedias españolas,* de 1616, y Francisco de Barreda en su *Invectiva a las comedias que prohibió Trajano y apología por las nuestras,* de 1622, nos han provisto quizás de los dos mejores repertorios de razones producidas durante el siglo XVII para paliar y justificar la mutación, ya que no el abierto desacato, del peculiar empleo de las leyes de las autoridades «por parte de los ingenios españoles». Con ellos se cimentaron definitivamente las razones teóricas que sustentaban la generalizada convicción de Pellicer y Tovar, expresada en los siguientes términos:

«Yo confieso que la comedia, como está hoy, es el poema más arduo para intentado y más glorioso para conseguido que tienen los ingenios»[15]

Pero en el ámbito del teatro español del Siglo de Oro, donde estalló definitivamente la tensión entre la libre posibilidad del *ingenio* de cada poeta para establecer modificaciones en su arte y la inalterable fijeza de las *normas* eternas e inmutables, fue a propósito del magno debate de la tragicomedia, especie híbrida cuyo esquema mixto de personajes, discursos y acciones de variada índole y rango acababan por conculcar todos los principios de la normativa clásica. A lo que había aún de añadirse las habituales distorsiones españolas de las unidades de tiempo, lugar e incluso, las no infrecuentes transgresiones de la de acción.

Realmente la existencia de tragicomedias, híbridos trágico-cómicos, en la antigüedad clásica quedaba bastante circunscrita a muy contados títulos; concretamente el *Anfitrión* de Plauto era la obra a propósito de la cual se observaban evidentemente concomitancias de acción trágica y cómica, señaladas ya por su autor y sancionadas con la famosa denominación de

15. Todos los textos anteriores pueden hallarse en A. PORQUERAS MAYO y F. SÁNCHEZ ESCRIBANO, *Preceptiva dramática española,* ed. cit., pp. 138, 106, 140, 185-186 y 219, respectivamente.

tragicomedia. Junto a esta relativa exigüidad de modelos tragicómicos —y en interconexión con ella— es necesario advertir el carácter absolutamente compartimentado y cerrado de las dos categorías, trágica y cómica, en el sistema clásico de ideas poéticas. A los nombres de Cicerón y Demetrio Falareo[16], aducidos con gran acierto por M. T. Herrick, junto al de Donato, como autoridades claves en la fijación de la teoría aislacionista y morfológica de los géneros dramáticos, deberíamos añadir los obvios de Aristóteles y Horacio. Hincapié especial hay que hacer en la reinsistencia de este último por marcar a todo nivel el principio de un «decorum», o principio cohesivo de los componentes, que dominaba el sistema cerrado en que se constituyó, con carácter inconfundiblemente morfológico, la fisonomía de cada género concreto.

La presión del nuevo gusto en los nuevos tiempos renacentistas, los evidentes desajustes y evoluciones en el concepto de verosimilitud artística[17] y la ahincada reflexión en los textos teóricos, llevaron a Scaligero a formular sus famosas reservas a las razones tradicionales de la incomunicabilidad trágico-cómica. Otros teóricos de su siglo compartieron tal actitud. Según Herrick —cuyo esquema, ciertamente ampliable aun sin salirse de las noticias de la *Historia* de Weinberg, resulta suficientemente ilustrativo para nuestros propósitos actuales— dos vías, horaciana y aristotélica, servían de fundamento a tal actitud, que tomaba su lugar de arranque en los conocidos textos de la *Epistola ad Pisones,* donde la glosa a la sátira dramática y la ocasional elevación de tono que, en ocasiones, puede revestir la «voz» cómica, motivaron los alegatos tragicómicos de Badio Ascensio, Giraldi Cinthio y Francesco Luisini, recordados por Herrick. Especialmente significativa de esta actitud fue la *Lettera ovvero discorso sopra il comporre le satire atte alle scene,* escrita por Cinthio en 1554, que correspondía al espíritu animador de algún experimento escénico previo del mismo autor.

La vía aristotélica arrancaba de la debatida cuestión de las fábulas dobles y las tragedias con final feliz, doctrinas incluidas en su *Poética* (52, b. 28-53. a. 39) y desarrolladas en el siglo XVI con prudencia por Robortello y Minturno. En especial Pietro Vettori en su comentario a la *Poética,* como resume Herrick, puntualizaba la coexistencia de principio a fin de dos acciones con dos finales; no una con dos finales, feliz para los buenos y desgraciado para los malos, que era el caso normal de la tragedia simple[18].

16. Cfr. MARWIN T. HERRICK, *Tragicomedy,* Publ. of University Illinois, Urbana, 1955, p. 3.
17. Cfr. en este aspecto G. GIORGIO TRISSINO, *La Quinta e la Sesta Divisione,* ed. cit., p. 3 r.
18. Cfr. M. T. HERRICK, *Tragicomedy,* cit. p. 15.

En esta situación doctrinal saltó la cuestión a España. Todavía en la fecha de composición de las *Tablas Poéticas* de Cascales —comienzos del siglo XVII— la polémica sobre la irregularidad, tragicómica ya en muchos casos, del teatro nacional no había alcanzado los vehementes y generalizados tonos que había de adquirir en los años siguientes. Pese a ello, se contaba ya con una línea anterior de conscientes planteamientos, como el de Juan de la Cueva, en cuyo *Ejemplar Poético,* de 1606, se hacía eco gustosamente de la acusación que algunos formulaban contra él:

«A mí me culpan de que fuí el primero
que reyes y deidades di al tablado
de las comedias traspasando el fuero»
(versos 505-507)[19].

o el sin duda más destacado de Lope de Vega, quien en 1609 defendía la mezcla tragicómica, por la que sentía un entusiasmo difícilmente disimulable en los siguientes versos de su *Arte Nuevo:*

«Lo Trágico y lo Cómico mezclado,
y Terencio con Séneca —aunque sea
como otro Minotauro de Pasife—
Harán grave una parte, otra ridícula,
Que aquesta variedad deleyta mucho,
Buen exemplo nos da naturaleza
Que por tal variedad tiene belleza»[20].

Por su parte Pinciano no se hizo excesivo eco de las cuestiones que bordean el problema tragicómico, ni mantuvo tampoco una actitud perfectamente definida. El médico de Valladolid comentaba el fenómeno de la mezcla social de personajes en el *Anfitrión,* y la existencia de acontecimientos luctuosos en las comedias, como fenómenos episódicos exagerados por determinado tipo de espectadores, o como auténticos deslices del autor:

«algunos oyentes ay —dice Fadrique acabando con las objeciones de sus compañeros de diálogo— tan blandos de carona, que lloran en comedias; y los que, siendo de buen juyzio y espíritu, lloran, teniendo conmiseración y lástima, será por ser la acción más trágica y triste de lo que convenía para la comedia.

19. Cfr. JUAN DE LA CUEVA, *Ejemplar poético,* ed. cit. versos 505-507. *Epístola III.*
20. Cfr. LOPE DE VEGA, *Arte Nuevo de hacer comedias,* ed. cit. versos 174-180.

> Ansí que los tales sentimientos, o son por demasiado sentido del oyente, o porque el poeta, dexando de guardar la perfección cómica resvaló en la trágica»[21].

Y más adelante, con criterio perfectamente concorde y homogéneo, superaría la objeción opuesta, la de las tragedias con final feliz, proclamando como definitivamente decisivo en la especialización clásica de los dos géneros, lo que podríamos denominar «el tono general dramático», cómico o trágico, con carácter singularizador independiente de su final[22].

Por el contrario, en la epístola undécima y a propósito de la poesía épica, el peso de la difundida autorización de Aristóteles a la mezcla tragicómica de la *Odisea* le obligaba a mostrarse conciliador con tales casos de contaminación de tonos. Sin embargo, en nuestra opinión, tenía aquí fundamentalmente presente el caso concreto del añadido episódico de liviandades a la epopeya; y nunca, de modo riguroso y consciente, el de la autorización de los «monstruos» o «hermafroditos» escénicos tragicómicos. Véase al respecto una de las fingidas epístolas-resumen de Don Gabriel a Pinciano, con las cuales se sancionaban de modo definitivo en la *Philosophia* las cuestiones polémicas suscitadas en los diálogos que las preceden:

> «Paréceme bien lo que me escrivís (y antes que vos el Philósopho) de la Ulysea: que es acción mezclada de trágica y cómica; y me he holgado mucho en saber que sea opinión de vuestros amigos, porque algunos poetas de nuestros tiempos dizen que son monstruos estas mezclas, y, aunque les he dicho que Plauto llamó a su *Amphitryón* tragicomedia, no aprovecha. ¡Enhorabuena! Que yo, con vuestro parecer y el de Aristóteles, siento que se pueden mezclar estas especies sin hazer monstruos, sino criaturas muy bellas; y pienso que no sólo a la cómica se puede mezclar la épica, mas también a la satyrica»[23].

Muy próxima a la opinión general del Pinciano se nos muestra la de Cascales en sus *Tablas Poéticas*. Resulta evidente, en primer lugar, que a su parecer era el tono general y no el final concreto lo que permitía definir de modo inconfundible la obra trágica y la cómica:

> «si la Fabula tiene materia Tragica, acabando en felicidad, será Tragedia doble; y si tiene materia Comica... será Comedia doble».

Además de esto, quedaba claro, junto al carácter inconfundiblemente sustantivo de ambas especies dramáticas, la absoluta repulsa a cualquier fórmula

21. Cfr. A. López Pinciano, *Philosophia Antigua*, cit. Vol. III, p. 24.
22. *Ibid.*, Vol. III, pp. 25-26.
23. *Ibid.*, pp. 219-220.

de transacción, como lo sería el poner «pesadumbres, desagravios, bofetadas, desmentimientos, desafíos, cuchilladas y muertes en el cuerpo de las fábulas cómicas, con lo que se confeccionaban inaceptables "hermaphroditos" o "monstruos" de la poesía». Aunque, como siempre, quizás las sugerencias dispares de los varios modelos que sin duda tuvo ante sus ojos, le hicieron incurrir en frecuentes contradicciones[24]. Por ejemplo:

> «tambien puede tener un fin felice»; junto a: «Y acabar la Tragedia en prosperidad no es de doctos poetas, sino de hombres que miran y tienen respecto al gusto del Theatro, y no al oficio de poeta. Que el fin alegre no es proprio de la Tragedia, sino de la comedia»[25].

Otro documento de positivo relieve en la teoría dramática española, que hace alusión y da por resuelta con evidente gratuidad la cuestión que nos ocupa, es la *Idea nueva de la Tragedia antigua* de González de Salas[26].

Tras de la mal disimulada defensa de Lope en su *Arte,* la deleitosa irregularidad dramática cobrará carta de naturaleza en nuestra escena, adueñándose de la favorable opinión de la gran masa de críticos y teorizadores. Así en un *Discurso sobre la Poética,* leído ante la Academia Salvaje de Madrid —lo que implicaba una muy inmediata presencia de posibles objetores, muy letrados por cierto y versados en los debates y disputas literarias de su tiempo—, Soto de Rojas no tenía inconveniente alguno en enumerar la tragicomedia en su descripción de los géneros:

> «Esto se haze —la ficción de personas o cosas— en dos maneras (según las dos partes en que se divide la poesia, por razón de sus obiectos) que son, o cosas altas, y graves, o cosas bajas y humildes: aunque tal vez son mixtas, de donde nace la tragicomedia, y semejantes escritos: y si no son mixtas,

24. Aun cuando, por lo divulgado y tópico de estos conceptos, nos resulta imposible señalar aquí con absoluta certeza una fuente literalmente tomada, apuntemos el estricto paralelismo en el desarrollo de la doctrina sobre las fábulas simples y dobles con ROBORTELLO, *Explicationes,* ed. cit., p. 145.

25. Los textos aristotélicos implicados y citados por Cascales se hallan en 53, a, 15-17; 53, a, 23-26; y 53, a, 34-36.

26. Consúltense las descripciones y colecciones de textos que ilustran suficientemente las cuestiones, como EDWIN S. MORBY, *Some observations on Tragedia and Tragicomedia in Lope,* en «Hispanic Review», XL, 1943, pp. 185-209; la obra y colección de textos de MARGARETE NEWELS, *Die dramatischen Gattungen in der Poetiken des Siglo de Oro, Wiesbaden,* Franz Steiner, 1959; así como la más accesible, *Preceptiva dramática española del Renacimiento y el Barroco,* de F. SÁNCHEZ ESCRIBANO y A. PORQUERAS MAYO, Madrid, Gredos, 1965. Muy particularmente orientador resulta el artículo previo del segundo de ambos autores, *Algunas observaciones introductivas a la teoría dramática de los siglos XVI y XVII,* pp. 9-32.

> la que mira las graves y altas, se divide en dos especies. En Aepopeya, que es la heróyca: y en Trágica, que es representación de cosas, o personas graves»[27].

Esto lo aducía a propósito de la evolución del criterio sobre la Tragicomedia en la polémica de la libertad del *gusto* y la *invención,* frente a las *reglas.*

En 1616, el *Apologético de las Comedias españolas* de Ricardo de Turia era ya un documento plenamente entusiasta que, con las consabidas razones tópicas como la mutación del gusto, etc..., etc..., y con otros argumentos ingeniosos y eruditos —examen de obras del teatro clásico, sutiles distinciones entre mixtura y composición etc...— proclamaba sin rodeos la admitida existencia independiente, así como el concepto general de excelencia en que se tenía ya al drama tragicómico:

> «Bien pudiera yo responder con algún fundamento, y aun ejemplos de los mesmos Apolos, a cuya sombra descansan muy sosegados estos nuestros fiscales, con decir que ninguna comedia de cuantas se representan en España lo es, sino tragicomedia, que es un mixto formado de lo cómico y lo trágico, tomando déste las personas graves, la acción grande, el terror y la conmiseración; y de aquél el negocio particular, la risa y los donaires, y nadie tenga por impropiedad esta mixtura, pues no repugna a la naturaleza y al arte poético». Y poco después añade: «Y los españoles no han sido inventores deste mixto poema (aunque no perdieran opinión cuando lo fueran), que muy antiguo es, y en cualquier dellos ha lucido más el ingenio del poeta por el grande artificio que incluye en sí la mezcla de cosas tan distintas y varias y la unión dellas no en forma de composición... sino de mixtura, porque va mucho del un término al otro»[28].

Surgida igualmente del cálido ambiente teatral de la Valencia de 1616, la opinión de Carlos Boyl en el fácil romance *A un Licenciado que deseaba hacer comedias,* acoge la tragicomedia entre los géneros canónicos, sin hacerse eco para nada de razones apologéticas, sino declarando el concepto más vulgar de la misma con toda naturalidad:

> «La tragicomedia es
> un principio cuya tela
> (aunque para en alegrías)
> en mortal desdicha empieza»[29].

27. Cfr. P. SOTO DE ROJAS, *Discurso sobre la Poética,* ed. cit., p. 27.
28. Ed. por F. SÁNCHEZ ESCRIBANO y A. PORQUERAS MAYO, *Preceptiva dramática española del Renacimiento y el Barroco,* ed. cit., pp. 148-149.
29. *Ibid.,* p. 154.

Finalmente, cinco años después de la publicación de las *Tablas,* en 1622, Francisco de Barreda en su *Invectiva a las comedias que prohibió Trajano y apología por las nuestras,* nos proporcionó el más completo y atinado documento en el proceso de glorificación de la tragicomedia. La razón fundamental sostenida en tal escrito era la retorsión del concepto de autoridad, adaptando una concepción rígida de las reglas a la mucho más flexible relativización del gusto con las exigencias renovadas estéticas de los nuevos tiempos. Por delante había dejado correr Barreda su franca valoración sin rodeos:

> «Las comedias que hoy gozamos dichosamente, son un orbe perfecto de la Poesía, que encierra y ciñe en sí toda la diferencia de poemas cuyas especies, aun repartidas, dieron lustre a los antiguos».

Para continuar proclamando la licitud en la mixtura de los géneros clásicos:

> «Parécele a Aristóteles que la tragedia y la comedia han de ser diferentes y apartadas, no mezcladas y conformes, como nosotros las veíamos. Hay hombres tan supersticiosos de la antigüedad que, sin más abono de que hace muchos años que uno dijo una cosa, la siguen tenazmente y sobre eso harán traición a su patria. Siendo así que debemos dar más crédito a los modernos, porque ésos vieron los antiguos y la aprobación o enmienda de los tiempos, a cuya hacha encendida debemos la luz de todas las cosas».

Verosimilitud, fidelidad, amenidad; tales eran los principios que permitían «seguir el alma de la ley, no las palabras». Deleitando y aprovechando en aquellos días, como los antiguos buscaron la forma de hacerlo en el suyo, conseguirá nuestra patria, según el ardoroso Barreda, no caer en el defecto de Italia «que, teniendo ingenios, pierde por obediente de la edad pasada la gloria que le prometía la venidera»[30].

No nos cansaremos de repetir que, a nuestro parecer, la secuela más notable que se registró en toda esta discusión teórica sobre el *ingenio,* el *arte* y la perennidad o caducidad de las *normas,* fue la de consolidar la autoconciencia en el valor de la literatura nacional española; dado que su feliz experiencia de rebeldía contra la intransgredible normativa clásica le ofrecía, al fin, un terreno firme sobre el que ellos, los españoles, habían puesto las piedras angulares. Por tales razones el autor del Apéndice a

30. Cfr. *Invectiva...* en *Preceptiva dramática,* de F. S. Escribano y A. Porqueras, cit. pp. 191-201.

la *Expostulatio spongiae*[31] no dudaba en proclamar ya, en 1618 —pese a haber partido del principio rotundamente afirmado de la precedencia de la *naturaleza* sobre el *arte*[32]—; el insoslayable derecho de los nuevos tiempos a construir la propia normativa emanada del peculiar talante de los ingenios del día, con idénticas opciones a como los clásicos griegos y latinos dieron salida al capricho del suyo en sus Poéticas particulares:

«Nonsolum ergo novam artem posse tradere ad poemata iudicio, sed omnibus eum tanquam artem, et poetices omnis regulam proponerem, quem sequi, imitarique deberint. Quae enim facit, ea hodie natura, mores et ingenia poscunt, ergo arte facit, quia sequitur rerum naturam? contra si ad regulas veterumque leges Hispanae componeret, contra naturam rerum et ingenia faceret. Quia ars ab ingenia et natura proficiscitur, ut diximus: et vetera illa non capiunt nostri saeculi ingenia. Si latine scripsisset veteres sequi iuberem, non enim nobis ius in alieno regno»[33].

La mención que acabamos de hacer, de las principales diatribas en torno a los problemas teórico-poéticos de nuestro teatro clásico, y en relación a la evolución en el mismo de los poderes del *ingenio* como fuerza decisoria, frente a la omnipotente tiranía tradicional de la *normativa*, basta para permitirnos desplegar una gama de facetas, por otra parte suficientemente conocidas de antemano, en torno al tema central[34]. Todo coincide en la ponderación

31. Cfr. *Expostulatio Spongiae a Petro Turriano Ramila Nuper Evulgata. Pro Lupo a Vega Carpio... auctore Iulio Columbario,* MDCXVIII, ed. por MARGARETE NEWELS, *Die dramatischen Gattungen,* cit. pp. 107-115.

32. *Ibid.*, p. 109. Se parte de la que se considera ley primera e innegable: la prioridad del ingenio sobre el arte. Véanse cuán lejos quedaba ya para un ingenio de la España de 1619 el eco de las defensas del equilibrio ecléctico; por no decir de las infinitamente más numerosas defensas italianas, durante el siglo precedente, de la postura contraria: «Haec igitur prima lex esto, quam nemo negat, Artes a natura profectas. Leges enim dat natura, non accipit... Constat enim homines experientia, et ratiocinando multa invenisse, ex quibus paulatim artem posteris reliquerunt, imperfectam primo et rudem, quam alii postea expoliverint, et perfecerint, et pro hominum captu, regionum temperie, temporum varietate multa disputata acute, mutata prudenter, reiecta considerate, ut quae antea multis placuerint, postea non probarint alii. Nam in eadem esse sententia profecto artibus perniciosum fuisset, posterisque efecisset plurimum, cum sic artes omnes rudes et impolitae in aevum omne permanerent, nisi quae melioribus ingeniis mutanda viderentur, fas, iusque; non mutare iussisset Pleraque; Seneca Stoicus ipse multa ab Epicuro libenter amplexus est, quod essent praeclare dicta, et nihil a quo, sed quid dicatur, referat. Id enim certe naturae, rationique expedire videtur, ut in omni re semper, quod melius est eligatur. Nam cum ars imitetur naturam, ut scriptum reliquit Aristoteles, ille melior artifex est, qui naturae proprius accesserit».

33. *Ibid.*, p. 113.

34. Entre los temas conexos con el desarrollo central del tópico «ingenio-arte» existen otros muy numerosos, cuyo tratamiento omitimos en los apartados españoles de nuestra

del libre derecho a evolucionar de la fantasía poética, creadora de ficciones; pero no nos adentra sin embargo en las médulas más íntimas de esa conciencia aristocrática y esotérica sobre la licitud de su paradójicamente intransitivo producto poético, que el artista barroco alienta y se atreve a proclamar por primera vez, haciendo saltar en pedazos los convencionalismos de la semántica poética clasicista. Ese último destello arrancado al perfil del poeta en el Barroco, no nos lo ha brindado sino la consideración de los desconcertados críticos españoles, al verse ante la necesidad de enjuiciar el altivo rasgo de soberbia del *Polifemo* y las *Soledades*. Con cuyas obras Góngora, desoyendo los ecos familiarizados de su contorno, se abismaba, posiblemente en desgarrada búsqueda, dentro de la delirante arquitectura orquestal de su propia voz, virginal e intacta todavía, a prueba de incomprensiones seculares.

La imagen del poeta en las polémicas sobre el gongorismo y en otros documentos críticos barrocos.

Cuando Góngora, despectivo y despechado en su retiro de Córdoba, daba salida al fuego de un indignado desprecio con olvido de todo juego cortés de claridades e indicios a la comprensión del público, tejiendo simplemente los invisibles hilos del deleitoso tapiz de su poesía, estaba acotando, quizás por vez primera, una parcela de la sintaxis y la semántica lingüísticas. Nacía así una nueva significativa poética, guiada por la imaginación y

---

obra por haber sido objeto ya de frecuente atención bibliográfica, pese a que hemos atendido por extenso a su desarrollo sistemático en Italia en la Primera Parte. Distinguense, entre todos, el tópico del poeta sabio y su tema derivado de la imitación de modelos. Sobre el primero de ambos es indicativa, aunque no quizás absolutamente satisfactoria dada la enjundia del tema, la síntesis de E. C. RILEY, en *Teoría de la novela en Cervantes*, cit. pp. 126-136, que es, a pesar de todo, el trabajo más exclusivamente centrado en el tópico. Referida al caso de Lope de Vega, la cuestión del saber universal del poeta es abordada asímismo por LUIS C. PÉREZ y F. SÁNCHEZ ESCRIBANO, en *Afirmaciones de Lope de Vega*, cit. pp. 26 y ss.; y también se conecta en distintos puntos con las síntesis de Porqueras Mayo, *La verdad universal y la teoría dramática en la Edad de Oro*, en *Preceptiva dramática*, cit. 2.ª ed., pp. 388-396; y *El problema de la verdad poética en la Edad de Oro*, en *Temas y formas de la Literatura Española*. Madrid, Gredos, 1972, pp. 94-113.

El desarrollo del tópico central en el sentido de la imitación de modelos, abordado entre otros por Dámaso Alonso y E. C. RILEY, op. cit. pp. 107-116. Mereció un extenso tratamiento, como fundamento doctrinal de su investigación de fuentes, en el libro de ANTONIO VILANOVA, *Fuentes y Temas del Polifemo de Góngora*, cit. Vol. I, especialmente pp. 13-33. El análisis de Vilanova pasa revista a los más destacados textos españoles sobre el problema de la imitación, mencionando las opiniones de: El Brocense, Herrera, Francisco de Medina, Francisco de Rioja, López Pinciano, Carrillo de Sotomayor, Cabrera de Córdoba, Pedro de Valencia, etcétera.

abandonada al vértigo de la cenestesia. La estética mundial presenciaba, por vez primera, una nueva poesía plenamente configurada y absolutamente divergente de la anterior en sus mecanismos de actuación; pero sin intención de variar en lo relativo a sus últimos productos en el seno de la sentimentalidad poética. Con esa poesía se estrenaba también, como es lógico, una novedosa autoconciencia del poeta, de su relación con sus materiales de palabras e imágenes, y de sus débitos al auditorio, a su público. La formulación íntima que el propio Góngora se diera de este radical proceso de su evolución, vino significada por el elocuente silencio distante de su voz y por ciertos rasgos casi imperceptibles de su biografía; pero sus apologistas, sus comentadores y hasta sus detractores no disponían de otro vehículo para exteriorizar el misterio que el que les brindaba la tradición en torno al debate secular sobre la índole del creador literario en la polaridad clásica *ingenio-arte*[35]; o, si se quiere, en su desarrollo popular de si el poeta nace o se hace[36].

En numerosos pasos de los ataques de sus adversarios era invocada la dualidad tópica como balanza de méritos. En el juego de ambos principios, *ingenio* y *arte*, se establecían invariablemente las conclusiones adversas sobre la calidad de Góngora. Los más irreductiblemente negativos, como el Jáuregui del *Antídoto*, negaban al poeta de Córdoba perfección en uno y otro polo:

> «... no nació —Góngora— para poeta concertado, ni lo sabe ser, ni escribir versos de juicio y veras, por mengua de natural y por falta asimismo de estudio y arte»[37].

Mientras, el más suave ataque de Faria y Sousa no le niega *ingenio*, aunque para desmerecer la gloria del vate español y hacer el elogio de su orgullo nacional, Camoens, aduce ausencia de *arte*. Ofreciendo de Góngora la injusta imagen de un ingenio lego, mera consecuencia de fuerza del natural y de *vena:*

> «Peor sus sequaces. Ellos seràn gustosos en parte. Pero razonables jamas lo seràn en las orejas cuerdas, y juiziosas cientificas: y el ingenio (que esse no

35. Hathaway lo indicó así para el caso general de la crítica italiana en *The Age of Criticism*, cit. p. 459. «The main arguments of the Age of Criticism on this question had reached their apogee several years before. In the following period, the age of Boccalini and Marino, interest in wit as an *élan*, or force, was to become pervasive and specialized, somewhat to the detriment of literary theory as a whole, since unbalanced concern for the *genius* of the poet took the attention of both critic and reader off the poem itself.»

36. Un estudio concreto sobre la expansión popular del enunciado del tópico, que se origina ya, como sabemos, en las letras latinas, es el de William Ringer, «*Poeta nascitur non fit*»: *History of an Aphorism*, en «Journal of the Hist. of Ideas», II, 1941, si 4, pp. 497-504.

37. Cfr. Juan de Jáuregui, *Antídoto*, ed. cit., p. 149.

se le negamos insigne) no coloca à nadie en el assiento de la verdadera gloria. Yo venero à Don Luis: y digo en lo que escriviò antes de aquel capricho, o libre del, es excelentissimo, y casi invencible en muchas cosas, à lo menos en las burlas; y esto es, porque essas no costan de ciencia; sino de ingenio, y genio para ellas: y seguramente creo que si esto faltasse en el tomo que vemos impresso de sus obras, poquissimos lo conocieran»[38].

Obviamente, la respuesta a estas críticas de Faria y de Jáuregui no se hace ya necesaria en nuestros días. Sí, únicamente, quizás puede resultar en cierta medida revelador puntualizar la negación de *arte* que a Góngora le hace el portugués. Aparte de lo forzado y espúreo de la razón de fondo ya apuntada, lo que se le discute a Góngora es precisamente la carencia de los artificios tradicionales, fundamentados en una base significativa de lógica directa. Juzgue el lector actual la enorme dosis de dominio artístico de la estética precedente, que ha de atesorar, como Góngora, todo digno renovador de una estética dada para producir la superación desintegradora de la misma. A la luz de estas consideraciones cobrarían nuevo relieve, a nuestro juicio, las discusiones habituales sobre las dos épocas, o sobre problemas de la continuidad o colapso de la tradición anterior renacentista en la poesía de Góngora.

Los planteamientos adversos precedentes, u otros similares de índole no tan directa[39], vendrían a constituir sólo el preámbulo de los más positivamente ilustrativos, que asocian el talante poético de Góngora con la defensa de la prioridad del *ingenio, naturaleza* o *vena*. Resultando curioso que ninguno de sus defensores invocaba el planteamiento que hubiera resultado, sin duda, dialécticamente más incontrovertible para elogiar a Góngora por los dos conceptos, de *ingenio* y de *arte*. Así, Díaz de Ribas, que procedía a la exaltación del *ingenio,* amparándose tanto en la diferencia entre oradores y poetas como en la intolerancia con la mediocridad para los segundos, podía justificar, precisamente en función de esta condición excepcional y alta índole de la poesía, los atrevimientos poéticos del nuevo estilo gongorino.

38. Citado en el *Apologético en favor de D. Luis de Góngora*, de JUAN DE ESPINOSA MEDRANO, ed. cit., p. 488.

39. Recordemos algún otro planteamiento a favor del enunciado de la dualidad en Cascales, respondiendo a Francisco del Villar, en *Cartas Filológicas*, ed. cit. Vol. I, p. 183; o de Antonio de las Infantas en una alusión ocasional encareciendo la conveniencia del saber: «Digno de alabança y no de vituperio o reprehensión, ayudar con arte a la naturaleça que es lo que dice Aristóteles, todo hombre naturalmente, desea saber, y esto desvanece, porque es obra de las potencias del alma indagar y rastrear, más V. m. no se desvanecerá según parece, porque no lo sabe, ni lo entiende, ni lo a de saber, ni lo quiere entender». Cfr. ANTONIO DE LAS INFANTAS, *Carta...*, ed. cit. p. 254.

Y si en ocasiones[40] lo hacía sobre un tenor general, en otras plantea sus razones en defensa de algún rasgo concreto, como en el caso de las palabras que siguen, contra las sorprendentes hipérboles de las *Soledades* y el *Polifemo*:

> «Pues las exageraciones de que usa aunque fueran viciosas en la prosa o en poema humilde son ornamento de el sublime hijas de Spiritu verdaderamente poetico que llevado de el calor suele siempre exagerar las materias que topa con grandes hipérboles»[41].

También Martín de Angulo en sus *Epístolas satisfactorias,* invocaba, si bien en términos más amplios, la base de furiosa irreflexión como fundamento de los atrevimientos estilísticos de Góngora:

> «...ya es recebido de Poetas y Oradores, que el impulso de hazer versos es un cierto furor divino (V.m. lo confiessa) con que el Poeta se inflama, y se levanta de los demas hombres: y esta inflamacion le causa el embeleso, que no le permite ser humano en su lengua, *Ni tribial, ni trobador* —eran palabras de Cascales—, *si no severo y docto,* como V.m. dize que deve ser. Y para prueva desto ay graves y muchas autoridades en Oracio, en Ovidio, en Virgilio, en Tibulo, en Ciceron pro Archia, en Aristotel. y en Seneca»[42].

La curiosa unilateralidad a que antes aludíamos, de montar las apologías y panegíricos de Góngora exclusivamente sobre la defensa del *ingenio,* sin dotarla de mayor amplitud haciéndola extensiva simultáneamente a la del *arte,* estaba justificada tácitamente en la evidencia, que se imponía de manera universal a defensores y detractores de Góngora, de hallarse frente a una manifestación radicalmente revolucionaria de la poesía. En torno a ella no cabrían discusiones en nombre de una plantilla rigurosamente cortada sobre los preceptos tradicionales del *arte*. De acuerdo con esto, lo procedente era, o bien acatar la irrenunciable vigencia universal de dicho *arte,* descalificando por tanto la poesía de Góngora; o bien aceptarla, descartando entonces el principio de inalterable perennidad del *arte* tradicional. Naturalmente, como la perspectiva adquirida en el transcurso de los años lo ha ido enseñando en todos los casos, la disyuntiva de fondo no se planteaba realmente en términos tan radicales; ya que entre la poética nueva y el arte tradicional

40. Cfr. P. DÍAZ DE RIBAS, *Discursos apologéticos por el estilo del Poliphemo y Soledades de don Luis de Góngora,* ms. cit. fols. 70 v.-71 r.
41. *Ibid.* pp. 88 v.-89 r.
42. Cfr. MARTÍN DE ANGULO Y PULGAR, *Epístolas satisfactorias,* ed. cit. p. 22 r.

fluían concomitancias notables que ni entonces, ni en tensiones actuales quizás todavía más dramáticas, han logrado establecer de modo definitivamente insoluble el colapso de la experiencia artística como fenómeno; ni siquiera, hablando en términos esencializados, en la estricta dimensión de aquélla dentro de los límites de la tradición artística occidental —solidarizando nosotros ahora los períodos «clásico» y «romántico», tal y como los concibiera Hegel—.

Lo que resulta evidente de todo ello, es que el abismo universalmente sentido por los contemporáneos de Góngora, entre arte nuevo y arte tradicional, formaba una falla efectiva y profunda incluso desde los términos de contemplación actuales, cuyos alcance y dimensión —tarea polémicamente empeñada de prestigiosos críticos que han precedido nuestro trabajo— no es propósito de nuestras cavilaciones actuales establecerlos. Nos contentamos con constatar aquí la persistente convicción, que se descubre en los críticos contemporáneos de Góngora, sobre la divergencia abismal advertida; según se decanta en el comportamiento de todos ellos respecto de los términos opuestos, en la dualidad del *arte* y la *vena.*

De todos los críticos de Góngora quizá ninguno abundó de modo más persistente en esta glorificación del *furor,* sin duda para hacer escapar el mérito del poeta a las ponderaciones usuales en la canonística clásica, como Martín Vázquez Siruela. Desde el inicio de su *Discurso* manifestaba claramente su convencimiento de que la inspiración poética en rapto furioso es la única que garantiza, a nivel de explicación condigna, el inefable milagro de la perfección poética[43]. Esta perfección del *ingenio,* en el grado excepcional del que participaba Góngora, podía bien constituir, según Siruela, la garantía de perduración y renovación del arte. Sólo después de etapas de amaneramiento y sedimentación de moldes, asimilados y amortiguados por la repetición, la aparición de un artista realmente inspirado como Góngora, puede insuflar nuevo espíritu en la monótona normativa decaída, animando los productos artísticos de una legión de epígonos que siguen al artista genial arrastrados por su ingenio, con la misma fatal necesidad de las aguas abismadas en un fuerte remolino. Al momento final de este razonamiento corresponden las siguientes palabras de Siruela:

43. Cfr. MARTÍN VÁZQUEZ SIRUELA, *Discurso sobre el estilo de Don Luis de Góngora,* editado en Apéndice por Artigas, en *Don Luis de Góngora,* cit. pp. 380-394. He aquí una de las formulaciones de dicha convicción: «i porque su obrar no es tanto con fuerzas umanas quanto por éstasis —se está refiriendo a la poesía en general— i arrebatamiento de las estrellas, que saca de sí el espíritu Poético i lo lleva donde no sabe, tan retirado de sí mismo que él propio se admira después que cesó aquel impulso, i se desconoce en sus mismas obras; como Platón escribe largamente i lo reconoció la antigüedad erudita en el pálido elogio que suscribió a la estatua de Homero». p. 381.

«I si las causas desta desigualdad se inquieren, la razón del tiempo y el mismo suceso de las cosas arguye que nació del estilo nuevamente hallado por Góngora, porque comunicadas al mundo sus composiciones, aquel espíritu que las animaba, insensiblemente, i lo que más es, repugnándolo, se imprimió en ellos i juntándose al suyo los elevó a mayor alteza que a la que por sí solos pudieran llegar. Que como lo viesen fuera de su opinión, levantando a tanta eminencia, estimulados del honor (que ansí lo quiero interpretar aunque tenga tantos visos de invidia) i deseosos de no quedarse atrás, puestos los ojos en aquella idea, esforzaron de suerte sus musas que, acercándose a él, de quien se alexaron fue de sí mismos»[44].

La invocación del furor como expresión de la fatalidad que estaba reservada a Góngora, para convertirlo en remodelador de la poesía tradicional, en el amplio nivel de generalización alcanzado entre amigos y enemigos del poeta de Córdoba, se entendía en ocasiones incluso hasta exageraciones tan populares, como las que proclamaba el autor del *Opúsculo inédito contra el «Antidoto» de Jáuregui* editado por Artigas. Frente al nacimiento sevillano de Jáuregui se exaltaba —creemos que con cierta seriedad— la patria cordobesa de Góngora como indefectible numen garante de su genio[45]; o bien se daba entrada a simples juegos de ingeniosidad verbal, como los de Lope de Vega, combinando la ambivalencia de *furor* como inspiración y enojo[46].

La evidencia de arraigo de la categoría *ingenio-arte* en los documentos comprometidos en la polémica sobre las obras culteranas de Góngora alcanzó, incluso, a sectores bastante diferentes de los habituales ya reseñados. Así, el *Discurso poético* de Juan de Jauregui nos ofrece una interesante aplicación de esta dualidad a la crítica negativa del gongorismo. Referida al caso de los lectores y críticos de las obras de Góngora, a quienes el olímpico cordobés despreciaba por vulgares, mientras los gongoristas —más sensibles sin duda en su modestia a la indiferencia y desprecio populares— achacaban incomprensión culpable, alegando que ellos escribían para un público más culto; Jáuregui fijaba los límites de aceptabilidad de dicha selección en el alcance normal de un *ingenio* bien constituido sin el auxilio del *arte* específico, estableciéndolo en proporción a los criterios de simple comprensión y de completa valoración crítica:

44. *Ibid.* p. 383.

45. Cfr. *Opúsculo inédito contra el «Antidoto» de Jáuregui y en favor de don Luis de Góngora por un curioso*, ed. por Artigas, en *Don Luis de Góngora*, cit. pp. 395-399; la referencia concreta a p. 397.

46. Cfr. LOPE DE VEGA, *Respuesta a las cartas de don Luis de Góngora y de don Antonio de las Infantas*, ed. cit. p. 316.

«Assi que es distinta noticia (como propuse) entender lo escrito, o valuarlo: esto se concede a pocos, aquello deve comprehender a muchos, que no son menos los que difieren de la plebe, i los professores de otras artes i ciencias, que aman los versos, bien que no ayan cursado escuelas poeticas. No escluye a todos estos la mas presumida poesia, antes admite su voto, no solo se obliga a que la entiendan. i por lo menos la obra que enteramente abominan, es creible que lo merece, aunque no distingan las causas, ni graduen sus demeritos»[47].

Más adelante insistía en la misma distinción, precisamente para evidenciar las lesiones de los poetas gongorinos a todo tipo de lectores:

«...en el conocimiento de los escritos ai diversos grados; el supremo es conocer por sus causas todo el valor de la obra, o bien sus demeritos todos; i el infimo es entender el sentido de lo que se habla, i agradarse dello, i para esta sola inteligencia i agrado, los mayores poetas deven admitir numeroso auditorio. Mas los escritos modernos de que tratamos, no solo se esconden i disgustan al vulgo, i a los medianos juizios; no solo a los claros ingenios, i a los eruditos i doctos en otras ciencias; sino a los poetas legitimos, màs doctos, màs artifices, mas versados en su facultad, i en la inteligencia i noticia de todas poesias en diversas lenguas»[48].

Para concluir, podemos afirmar que la opción crítica manifiesta invariablemente por los defensores de Góngora, al ponderar la condición inspirada del gran poeta cordobés con olvido de los correspondientes elogios sobre su dominio del *arte,* constituye un testimonio más de que la fuerte impresión creada por las *Soledades* y el *Polifemo* en el ánimo de los contemporáneos de Góngora fue sin duda muy profunda. Lo más destacado en ella era

47. Cfr. JUAN DE JÁUREGUI, *Discurso poético,* ed. cit. p. 107 abunda y puntualiza la idea anterior a continuación, en términos todavía más directamente alusivos: «Ay hombres de tan claro ingenio, i tanta viveza en el gusto, aunque sin estudios; que guiados solo de su natural, aciertan a agradarse más de la mejor poesía, i menos de la inferior, bien que no averiguan razones desta ventaja, ni saben los medios por donde se adquiere. Pero estos, ni otros que mas sepan, (digase todo) no an de exceder el limite de su juizio, sino creer fielmente, que algunas vivezas de particular energia, siendo inutiles i aun desabridas al gusto del mas presumido; seràn de admirable recreo para superiores espiritus». En las últimas líneas el sentido declina del pensamiento anterior que glosábamos, hacia un nuevo ataque a los gongoristas que, concediéndoles tengan singular ingenio, no es lícito que esfuercen con la configuración oscura de su poesía los talentos simplemente normales de los legítimos lectores anteriormente definidos. En este nuevo tenor continúa: «Es injusticia la de algunos, que fiados en su buen ingenio quieren que todo se ajuste a medida de su entendimiento». pp. 107-108.

48. *Ibid.* pp. 109-110.

el convencimiento firme que animaba a amigos y adversarios, de que el fenómeno —para bien o para mal— suponía, a la vez, el desafío radical a la validez del viejo arte y la simiente de nuevos horizontes en la concepción artística, pero éstos habrían de tardar aún tres siglos en consolidarse. No tenía, por tanto, la proclamación barroca de la excepcionalidad inspirada del poeta la misma índole positiva que la correspondiente glorificación en el período romántico; de ésta discrepaba fundamentalmente, desde nuestra perspectiva actual, porque nace sobre todo de una situación típicamente defensiva. Novedad improvisada para justificar la ruptura de un equilibrio de normas tradicionales, la imagen que de ella queda aún hoy consolidada, es que se invocaba sin convicción un tópico muerto para dar razón infructuosamente de la inefable e inquietante vivencia, de no bien definidos perfiles, generada por la genial estela poética de Góngora.

La evolución global del arte barroco no afecta sin embargo sólo al ámbito de las polémicas gongorinas; otros numerosos documentos críticos permiten ir constatando cómo la invocación de libertades artísticas renovadas, así como el descubrimiento de finalidades masivamente inéditas a la función artística, fueron consolidándose de modo gradual, paralelo a la proclamación de la singularidad genial del alto creador literario. Numerosos documentos de este tenor son extraíbles del material de prólogos recogido por Porqueras Mayo en el ámbito estilístico del Manierismo y el Barroco españoles. Para citar sólo de entre todos ellos algunas entusiastas defensas del *ingenio* o del *furor* poético, recordemos el prefacio de Francisco López a la edición de 1604 del *Romancero general,* donde se desbordó sin rodeos en el elogio del *ingenio,* olvidando incluso el prudente equilibrio apuntado en la solución de Cicerón y Quintiliano, de donde había partido inicialmente su razonamiento:

> «tiene en ella —la poesía españolísima de los romances— el artificio y rigor retórico poca parte, y mucha el movimiento del ingenio elevado, el cual no excluye al arte, sino que la excede, pues lo que la naturaleza acierta sin ella, es lo perfecto».

O bien junto a lo anterior, el mal disimulado entusiasmo por la *vena,* que Juan de Jáuregui podía evidenciar al frente de la edición sevillana de sus Rimas, en 1616. Pero, en fin, pocos documentos de este tipo más interesantes y ricos en sugerencias que el prólogo, ya varias veces mencionado, de Francisco de Trillo a su *Neapolisea.* Aquí el entusiasmo por el *furor* se expresó en los más inequívocos términos que se habían registrado en el Siglo de Oro. Piénsese en la fecha ya tardía, 1651, pára percatarse de la consolidación definitiva del tópico.

> «Esta facultad (aunque toda parece arte, preceptos, reglas y medidas) no ha de juzgarse por arte, ni por preceptos en cuanto al estilo, frase, imitación y arrojamiento del poeta, sólo con divino aflacto y con sagrada atención comprehensible puede ser la mente de un gran poeta».

Felizmente conducido de este esotérico entusiasmo, Trillo descubre la, en nuestra opinión, clave irónica del didactismo horaciano:

> «...sin obligarme a aquello que por de Horacio refieren los escritores de erudición descansada, que la poesía ha de ser deleitar aprovechando, queriendo de aquí inferir, que ha de ser clara y no demasiado pomposa;... lo cierto es que no se entienden estos príncipes del Parnaso graz ni locuente, porque ni Horacio, ni Persio con haber afectado en la sátira primera, que sus versos eran: *Nisi carmina molli, nunc demum numero fluere.* Ni otro alguno de no vulgar opinión quisieron jamás ser con facilidad entendidos, ni manoseados del vulgo»[49].

Testimonios frecuentemente emparentados con los de la lírica barroca culterana y los de la literatura conceptista fueron los de la oratoria sagrada en España, especialmente en el segundo cuarto del siglo XVII. Sin embargo ya hemos destacado en diferentes puntos también que, pese a las numerosas identidades que se podrían reseñar sin esfuerzo, las diferencias permanecen siempre considerables, dada la irreductible disparidad última de ambos fenómenos, que estuvieron unidos y aproximados más que nunca quizás en nuestro Barroco por razones meramente ocasionales de coyuntura artística. Un punto nuevo de divergencia lo venía a esforzar la conceptuación de la diversa índole del poeta y del predicador sagrado, en cuanto que ambos participan en tono y grado absolutamente diversos de los principios del *ingenio* y del *arte*. Recurriendo también esta vez, como los más equilibrados representantes de nuestra teoría barroca de la predicación, a las obras de Benito Carlos Quintero, de José de Ormaza y de Agustín de Jesús María, destacaremos que en todas ellas se advierte el mismo tono común de prudente eclecticismo. Lo reforzaba la tutela tradicional de la equilibrada defensa del talento nativo y el arte existente en las grandes autoridades retóricas latinas, Cicerón y Quintiliano, y, sobre todo, el aún más poderoso acicate del moralismo antihedonista cristiano, participado en la imagen apostólica del precicador sagrado.

En el *Templo de la elocuencia castellana* de Benito Carlos Quintero, obra publicada como sabemos en 1629, encontramos una prudente defensa,

49. Cfr. Para los distintos textos aludidos A. PORQUERAS MAYO en *El prólogo en el Manierismo y Barroco españoles,* cit. pp. 230, 204, 202.

junto a las virtudes innatas del *ingenio,* de la vasta cultura necesaria al predicador; razones que, si bien en sí mismas no contradecían la exaltación del *ingenio* en el creador poético llevada a cabo por los críticos de la poesía gongorina —la cual, en último término, englobaba tácitamente el acabado dominio de las condiciones sapienciales y los recursos artísticos—, suponía sin embargo una clara divergencia en su misma formulación por el énfasis explícito en reclamar dichas condiciones:

> «Pida conocimiento de las flores de tantas Artes, Ciencias, y Ocupaciones; que aunque van disimuladas en el, y como cubiertas en su cera dan una fuerça blanda, y una secreta magestad a la Oracion. Yo confiesso, que ai cuerdos, i bien hablados sin erudicion: pues lo demas fuera reducir a mui pocos la gloria del bien decir; pero Oradores eloquentes no los ai sin esta costosa abundancia» [50].

No olvidemos, en contrapartida, que los requisitos del texto anterior venían a destacar exclusivamente las condiciones exigidas al orador sagrado. Por lo que respecta al poeta, cuya imagen se perfila en la obra precisamente para destacar su contraposición al orador, Quintero participó plenamente del mismo entusiástico encomio de la *vena* que acabamos de reseñar entre los apologistas de Góngora:

> «...el Poeta pide una magestad dulce, y una dulçura trabajada mas curiosamente que el lenguaje suelto; Por lo qual el divino Platon... afirma que son hijos de los Dioses, y Padres de la Sabiduria, y sus versos inspiracion, y ardores de el fuego inconprehensible; que es, a lo que hiço alusion Ovidio... —Y tras la cita prosigue— La elegancia advertida del Poeta, su pureça de voces, y su adorno, no parece cosa humana en su artificio, sino un aliento de superior deidad; que calentando las venas hace con inpetu numeroso, facil, y elegante prorunpir en aquellos acertados metros. Sentimiento comun de Enio, repetido de Ciceron, *Pro Archia poeta:* y que por lo menos descubre, que la poesia pide un calor natural, vivo, pronto, y dispierto, que ofrezca las galas de la lengua con realces a lo comun, y vulgar de su trato» [51].

El entusiasmo y alta estima de la inspiración poética que se descubre en el texto precedente, junto al prudente conocimiento de cosas —no exento por ello de ingeniosa índole— exigido al predicador cristiano por Quintero, testimonian igualmente su participación del entusiasmado general por los

50. Cfr. Benito Carlos Quintero, *Templo de la Eloquencia Castellana,* ed. cit. p. 8 v.
51. *Ibid.* pp. 33 v.-34 r.

horizontes poéticos abiertos, inaugurado por los lectores barrocos de las poesías culteranas de Góngora. No obstante también permiten clarificar sus prevenciones y recelos ante la extensión de dicha moda poética al campo, poco idóneo para ella, de las sagradas cátedras de nuestro país. En ellas, los atrevidos émulos del feliz Paravicino empezaban a sembrar ya la irrisión con sus mal compuestos sermones culteranos.

Transcurridos veinte años desde la opinión manifestada por Quintero, observamos que ésta pervivía casi en idénticos términos en una obra sin duda más lúcida, que ilustra poderosamente la situación de la oratoria sagrada en España bajo la presión del gusto barroco, firmemente establecido ya en los años centrales del siglo XVII; nos referimos a la *Censura de la Eloquencia* de José de Ormaza. Este autor no se limitaría a reclamar automáticamente para el predicador todos los requisitos técnicos y sapienciales que repetían obras de menor empeño y temática similar por aquellos mismos años[52]; antes al contrario, la vigorosa y prudente defensa del estudio y el conocimiento de los recursos técnicos del propio arte que proclamaba el prudente Ormaza[53], se hallaban firmemente enraizados en la crítica de la alarmante situación contemporánea de la oratoria sagrada. Habida cuenta de que, a la sazón, la concionatoria estaba amenazada a partes iguales por las osadías de los atrevidos émulos de Paravicino —quienes habían prestado oído fácil, sin duda, a la frecuente exaltación del valor autónomo de la *vena* en los productos del arte *verbal*—, y, en el extremo opuesto, por las desmesuradas propuestas conservadoras de los alarmistas de turno, que, como siempre, acababan optando por el más perezoso y tosco elementalismo. Ormaza presentaba la acuciante disyuntiva en un elocuente documento, que entra, con positivo acierto, en un diagnóstico esquemático de la situación. Por su indudable interés y rareza lo transcribimos aquí extensamente:

> «Es maxima de la prudencia, que se perficione el natural con estudio; y arte, para que las humanas prendas sirvan a lo divino del Pulpito, pero con humildad

52. Pensamos en concreto en la de AGUSTÍN DE JESÚS MARÍA, *Arte de orar evangélicamente*, ed. cit. p. 8 v. donde se proclama para el predicador, frente a la inspirada felicidad ingeniosa, el ideal pretendidamente horaciano del esfuerzo continuado en el sensato y consciente aprendizaje y perfeccionamiento del propio arte, así como en la consecución de la imprescindible riqueza sapiencial.

53. Cfr. GONZALO PÉREZ DE LEDESMA (pseud. de José de Ormaza), *Censura de la Eloquencia para calificar sus obras, y señaladamente las del Púlpito*; ed. cit. p. 3.: «Quien, pues, por solo el natural, aunque sea grande, podrà advertir tantas circunstancias forçosas, para hablar con juizio, y hazerle de quien oye? Y con todo vèmos reducida esta facultad, a aver nacido en Castilla, y saber quatro vocablos mas sonoros que otros, (poca razon tiene quien la reduce a vozes) sin otro estudio dexan al natural, que siga con temeridad su destino, sin reparar, que el mas brioso cavallo corre a mas a riesgo sin freno: la mejor tierra brota

de criadas; no sea que desvanecidas usurpen el lugar de señoras. Esta que naciò regla del acierto, la tuerzen diversos genios, a opuestos yerros, nunca mas incorregibles, que cuando se doran con hipocresias de rectitud. Pues los picados de agudos, todo lo queren llevar a punta de concepto, como de lança; no huelgue palabra, todo sea trabajado a fuerça viva de razon, y ingenio. Y dizen que merecen gracias, y gloria por ello, pues sirven con todas sus fuerças a lo sagrado. Al contrario los presumidos de votos, quanto tiene agudeza les espina, enfurecense como bestias picadas del Tabano, en oyendo uno destos que llaman Tabanillos, dizen: que profanan el Pulpito, y que no les deve valer a estos ingenios la Iglesia, aunque se acogen a su sagrado, pero es para robarla, usurpando sacrilegos sus aplausos, con dissimulacion de Ministros. Aqui fulminan, quantas censuras han promulgado los Santos, discretamente enfurecidos, contra los escandalos del Pulpito. Estos, y mayores oprobios, dizen sin distinguir cuidados estudiosos, de afectaciones profanas: A todos los comprehende igualmente su enojo, o ignorancia que llaman zelo, aunque tenga otros designios»[54].

La participación proclamada por Ormaza de ambos principios, *ingenio* y *arte,* como componentes indefectiblemente solidarios en la figura del predicador, no suponía, según puede advertirse, ningún modo de regresión a opiniones conservadoras. Al contrario, venía dictada íntegramente por la razón inexorable de las circunstancias. De una parte la ciega confianza de los atrevidos, fiada su ignorancia a las fuerzas exclusivas de su poco despierto *natural* que, con tan tosco planteamiento, proclamaba ya evidentemente sus poco firmes sustentos; ésta era la causa de la precedente postulación del *arte* y el *saber* como vehículos perfeccionadores del solo *ingenio.* De otra, esforzaba igualmente el requisito del *arte* la sinrazón de los inmovilistas, torpes y perezosos, cuya confianza muy limitada en la virtualidad de su *ingenio,* antes que acicate para estimular su capacidad de perfeccionamiento a través del ejercicio y el estudio, constituía contrariamente la conciencia aceptada de una limitación insalvable.

La verdad era que en el ánimo de estos teorizadores de nuestra predicación barroca gravitaba sensatamente la conciencia de la tolerable mediocridad del orador, proclamada tradicionalmente desde Aristóteles y Cicerón en razón de la dimensión social necesaria y utilitaria de su actividad, y que, por tanto, podía salvar los mínimos del decoro casi exclusivamente a base de aprendizaje científico general y específicamente técnico-oratorio. Enfrente

---

mas malezas, si la cultura, y arte no la labran. Assi vèmos en buenos ingenios passar espinas con credito de agudezas, y ahogar entre yervas la semilla».

54. *Ibid.* pp. 12-13.

se contaba con el estímulo limitador del poeta, de la condición inexorablemente superflua o sobre-estructural de sus productos. La exigencia de *ingenio* supremo e inspirado no suponía, en modo alguno, la conciencia de una numerosa raza de tales seres superiores; sino por el contrario el asentimiento al imperativo horaciano de la estricta limitación del número de poetas dignos de tal nombre, determinado por la exclusión de todos los mediocres. Todo esto era lamentablemente olvidado entonces, con frecuencia, por críticos y poetas. La exaltación barroca del *ingenio* o *vena* poética, hiperbólica y absoluta, sólo correspondía al número muy singularizado de los artistas verdaderamente geniales, como Góngora o Velázquez; aunque la desafortunada apropiación de tales alientos para las ilusas esperanzas de los artistas adocenados permita definir este rasgo como moda o iniciativa, las cuales dejaron sus huellas, perfectamente perceptibles, sobre la práctica estilística y sus productos durante el período barroco.

Para cerrar el análisis realizado en este apartado, en torno al alcance de las discusiones sobre la dualidad *ingenio-arte* en los documentos de crítica y teoría literaria barrocas, no se ofrece obra más representativa que la *Agudeza y Arte de Ingenio*. Efectivamente, según hemos indicado en diversas ocasiones, el libro de Baltasar Gracián, considerado con justicia como la más alta expresión de la teoría del conceptismo literario, puede, a su vez, ser reputado sin error como antología general de las más notables galas del barroquismo estilístico, algunas de ellas comunes al culteranismo. Lo prueba el hecho de la devoción sin reservas manifestada por Baltasar Gracián hacia escritores tales como Marino y Góngora. Al menos por lo que concierne a nuestro tópico actual, apenas si es preciso introducir correcciones secundarias a la imagen gracianesca de *ingenio* para adaptarla, con toda propiedad, a la opinión sobre su condición de sublimes, que sustentaban los apologistas de Góngora.

El *ingenio* era para Gracián, como para los gongoristas, productor fundamental de la *maravilla* y el *estupor;* pero quizás, apurando diferencias, la causa de dichas emociones difiera en ambos casos. Producto casi exclusivo del metaforismo violento en el caso más puramente conceptuoso de Gracián, la pompa y ornamento verbales y el juego con las vertientes fónicas, sensitivas y transracionales, con que contaban fundamentalmente los culteranos, poetas y teorizadores, no fueron nunca tomados en cuenta por el jesuita aragonés[55].

55. En numerosos lugares de su obra dejó patente Gracián su denuncia despectiva por la dimensión verbalista, la más significativa sin duda del culteranismo; incluso por encima de la metafórico-ingeniosa, de la que también participaba el estilo culterano y que cuenta, en este sentido, con sus invariables elogios. Ofrecemos sólo una muestra entre los más relevantes de dichos ataques: «nótese, con toda advertencia, que hay un estilo culto, bastardo y aparente,

La palabra no era para él sino preñez de significado, juego en los flexibles márgenes del polisentido, del equívoco, la alusión, el retruécano, etc... Pero la combinatoria semántica del lenguaje no excedía nunca, a su juicio, la lógica estrictamente intelectual, ni sus efectos de sorpresa maravillosa arrancaban de otra fuente que de la resultante, imprevista y largamente latente, de un silogismo intelectual de premisas desconectadas.

No nos alargaremos ahora a describir más detalladamente la entidad del *ingenio* gracianesco en el seno de las operaciones de la *agudeza de artificio*. Todo ello es objeto de pormenorizado estudio —así como de las referencias bibliográficas pertinentes— en el Libro quinto de esta obra. Nuestra misión actual se limitará a caracterizarlo, según lo hemos hecho hasta aquí, como producto convergente del *ingenio* culterano, en cuanto que cumple la misma finalidad fundamentalmente efectista de la *maravilla*, resulte ésta del proceso que fuere. No obstante, el haber ponderado la condición más decididamente intelectualista, o contenidista si se quiere, de las operaciones del *ingenio* conceptuoso frente a la predominante condición fónica y formal del *ingenio* culterano, fuerza a recordar que, en cualquier caso, la índole intelectual de los productos del ingenio conceptuoso fue fundamentalmente artística y centró su mira en la consecución de bellos efectos sorprendentes. Fenómeno efectivamente vinculado al *entendimiento*, en cuanto que principio común de verdad científica y belleza conceptuosa, *ingenio* y *juicio* divergen en el mismo nivel de operatividad porque se fijan dos fines distintos: la *maravilla*, merced al artificio conceptuoso, y la *verdad*, merced al silogismo y a las demás variedades del discurso lógico. En tal sentido, en cuanto principios diferentes del *juicio*, se produce la asimilación en Gracián de *ingenio* a *vena* o *furor*, de la misma manera que sucedía en el caso del *ingenio* para los culteranos, con motivaciones muy distintas y desde luego mucho menos coherentemente fundadas. He aquí un texto de Gracián, de donde resulta incontrovertiblemente afirmada la índole de *ingenio* y las razones de su asimilación a *furor* o *inspiración*:

> «Es el ingenio la principal —causa—, como eficiente; todas sin él no bastan, y él basta sin todas; ayudado de las demás, intenta excesos y consigue prodigios, mucho mejor si fuere inventivo y fecundo; es perene manantial de conceptos y un contino mineral de sutilezas.»

---

que pone la mira en sola la colocación de las palabras, en la pulideza material de ellas, sin alma de agudeza». Cfr. BALTASAR GRACIÁN, *Agudeza y arte de ingenio*, ed. cit. Vol. II, p. 243.

Y tras esta descripción, menos precisa que impecablemente retórica y compendiosa, entra en el cuerpo de la distinción con *juicio,* que nos ha servido para caracterizarlo:

> «Dicen que la naturaleza hurtó al juicio todo lo que aventajó el ingenio, en que se funda aquella paradoja de Séneca, que todo ingenio grande tiene un grado de demencia. Suele estar de día y tener vez, de modo que él mismo se desconoce; altérase con las extrínsecas y aun materiales impresiones; vive a los confines del afecto, a la raya de la voluntad y es mal avecindado el de las pasiones. Depende también de la edad... etc.»[56].

Valorados ya los límites y convergencias del *ingenio* culterano y conceptista a través de los textos anteriores, centrémonos de manera definitiva en el problema básico e inicial en la discusión de este tópico, que radica en el jalonamiento de preferencias entre los dos términos de la dualidad *ingenio* y *arte.* En cuanto a una valoración absoluta e inmediata, ya al comienzo de los textos anteriores se proclamaba la primacía indiscutible del *ingenio,* como causa eficiente, sobre otras tres causas posteriores entre las que se mencionaba el *arte.*

Sin embargo, la imagen del sistema de operaciones conceptuosas que arroja el conjunto total de la *Agudeza,* denota un alto índice de la estimación

56. *Ibid.* Vol. II, p. 254. Deseamos observar en este punto el contraste, que no nos consta se haya realizado antes, con un texto similar del *Diálogo de la Lengua,* de JUAN DE VALDÉS, con propósito análogo de distinguir entre *ingenio* y *juicio.* La solución de Valdés era absolutamente divergente de la de Gracián en principio; *ingenio* y *juicio* no eran para Valdés potencias simultáneas de la capacidad general matriz del *entendimiento,* sino sucesivas. Ambas corresponderían, como causas, a los momentos retóricos sucesivos de la *inventio-ingenio,* y de la *dispositio-juicio.* Según consta en el siguiente fragmento del diálogo: «*Pacheco.*—Dezidme por vuestra fe, aunque sea fuera de propósito, porque ha muchos días que lo desseo saber, ¿qué diferencia haceis entre ingenio y juizio? *Valdés.*—El ingenio halla qué dezir, y el juizio escoge lo mejor de lo que el ingenio halla, y pónelo en el lugar que ha de estar, de manera que de las dos partes del orador, que son invención y disposición, que quiere dezir ordenación, la primera se puede atribuir al ingenio y la segunda al juizio». Sin embargo, a la hora de valorar precedencias entre ambas potencias la imagen que Valdés ofrece del *ingenio* se aproxima bastante, con orígenes diversos, a la que ofrecía Gracián en el texto precedente: «*Pacheco.*—¿Creéis que pueda aver alguno que tenga buen ingenio y sea falto de juizio, o tenga buen juizio y sea falto de ingenio? *Valdés.*—Infinitos hay dessos; y aun de los que vos conocéis y platicáis cada día, os podría señalar algunos. *Pacheco.*—¿Quál tenéis por mayor falta en un hombre, la del ingenio o la del juizio? *Valdés.*—Si yo uviese de scoger, más querría con mediano ingenio buen juizio, que con razonable juizio buen ingenio. *Pacheco.*—¿Por qué? *Valdés.*—Porque hombres de grandes ingenios son los que se pierden en heregías y falsas opiniones por falta de juizio. No ay tal joya en el hombre como el buen juizio». Cfr. J. DE VALDÉS. *Diálogo de la Lengua.* ed. cit. p. 170. Evidentemente, la sobrevaloración del *juicio* por Valdés toma en cuenta sólo el funcionamiento estrictamente racional del hombre, sin contemplar la participación del *ingenio* en los procesos artísticos.

gracianesca por los procesos de intensificación, de «ponderación» o «encarecimiento» de la agudeza inicial, según un programa perfectamente convenido de reglas fijas. La misma poderosa tendencia taxonómica que se descubre en el sistema general de la *Agudeza,* constituye el reflejo indiscutible de la intención gracianesca de ofrecer con su obra un *arte de ingenio,* una codificación y reglamentación que permitiera conocer definitivamente los impracticados límites de la agudeza. Lo proclaman magistralmente así las quejas con que se inicia la obra, formuladas contra «los antiguos» incapaces de haber hallado arte a la agudeza:

> «Hallaron los antiguos métodos al silogismo, arte al tropo; sellaron la agudeza, o por no ofenderla, o por desahuciarla, remitiéndola a sola la valentía del ingenio. Contentábanse con admirarla... No pasaban a observarla, con que no se halla reflexión, cuanto menos definición... Pero no se puede negar arte donde reina tanto la dificultad. Armase con reglas un silogismo; fórjese, pues, con ellas un concepto. Mendiga dirección todo artificio, cuanto más el que consiste en sutileza del ingenio»[57].

A lo largo de los diferentes capítulos de la obra resulta perfectamente perceptible la alta estimación en que Gracián tenía a la agudeza compleja —fruto de la ponderación mediante una canonística preestablecida de causas graduadas— sobre los más ingenuos e inmediatos hallazgos simples del *ingenio,* tales como prontitudes, equívocos y rasgos simples de agudeza nominal, ocupaciones del dicho, prontos desempeños, etc...[58]. Todo ello apuntando hacia la condigna valoración del sistema normativo del arte, como potenciador adyacente a los bríos de la naturaleza artificiosamente ingeniosa. Esta proclamación del papel del *arte,* que brilla en numerosos lugares de la obra, se ofrece inequívocamente en el fragmento que sigue:

57. Cfr. B. GRACIÁN, *Agudeza y arte de ingenio,* ed. cit. Vol. I, pp. 47-48.

58. Tal es el tenor general observable en el conjunto de la obra, e incluso el invariable proceso de adensamiento de las posibilidades de cada recurso recogido en cada uno de los capítulos. Pero, para ofrecer un texto explícito concluyente, permítasenos recordar la siguiente respuesta directa de Gracián a la cuestión de sus preferencias por la ingeniosidad simple o la compleja: «Agradable altercación: ¿Qué ingenio sea más de codicia, el pronto, o el profundo y de pensado? Consta de la diferencia, no así de la ventaja —he aquí por tanto la insolubilidad para Gracián del argumento conflictivo—. Son los ingenios reconcentrados, con fondos de discurrir, con ensenadas de pensar. Es con grande estruendo la pronta avenida de un arroyo, pero|no de dura, no tiene perenidad, con la misma facilidad desmaya —pero frente a ello, se registra más adelante el elogio de la prontitud en términos análogos—... Toda presteza es dichosa; en el ingenio sale más bien; consiste esta prontitud, ya en el natural vigor del ingenio, ya en la copia de las especies, y más en la facilidad del usarlas; despiértalas una pasión, que suele ministrar armas». *Ibid.* Vol. II, pp. 254-255.

«El artificioso, dicen sus secuaces, es más perfecto, que sin el arte siempre fue la naturaleza inculta y basta; es sublime, y así más digno de los grandes ingenios; más agradable, porque junta lo dulce con lo útil, como lo han platicado todos los varones ingeniosos y elocuentes»[59].

Con el comportamiento divergente respecto a la dualidad *ingenio-arte*, observado en este apartado entre los documentos de diferentes facciones de nuestra literatura barroca, se nos descubre una nueva base para insistir, como conclusión, en una de las tesis marginales que va aflorando de manera recurrente a lo largo de nuestro examen en profundidad de la autoconciencia teórica y crítica de los ingenios de la época: la separación de dos grandes unidades literarias en la lírica, y en general en la prosa artística y la oratoria de nuestro Siglo de Oro, la culterana y la conceptista. Las divergencias que conscientemente advertían entre sí los participantes de ambas modas, eran lo suficientemente profundas, a nuestro modo de ver, para obligarnos a replantear nuevamente las diferencias abolidas por todos —nosotros incluso— en los últimos tiempos; indistinción quizás apresurada, que se pretende basar en la consideración contemporánea o actual del fondo estilístico-metafórico, efectivamente común a las dos tendencias, así como en el conjunto de principios estéticos —maravilla, dificultad-oscuridad, ingenio, etc...— compartidos también por ambas. Pero, por lo que hace a los términos tópicos examinados en este capítulo, el énfasis puesto por Gracián y los teóricos conceptistas de la predicación en la necesidad auxiliar del *arte* no coincide —aunque no sea tampoco directamente rechazado— con la unilateral exaltación del *ingenio* latente en la conciencia estética culterana, que quedaba explícita en los documentos apologéticos de la nueva poesía.

Todo ello nos lleva a insistir aquí, adelantándola, en la que constituye nuestra permanente convicción conclusiva en el problema de la diferenciación real y efectiva, patente en la época e inolvidable hoy, entre conceptismo y culteranismo. El primero presentará siempre su indiscutible énfasis renovador, en cierto modo protegido por el enmascaramiento de sus rasgos como ideología estética conservadora, didáctico-contenidista y de un antihedonismo programático que en ocasiones alcanzaba rasgos del más puro integrismo. El cultismo, por el contrario, contando al menos con tantos y tan conspicuos antecedentes en la práctica literaria como la escuela opuesta, arrastró entusiasmos y objeciones en su papel de realidad innovadora; perfil en gran parte debido, como estamos teniendo ocasión de constatar, a la infraestructura de su lenguaje y sus fundamentos teórico-estéticos.

59. *Ibid.* Vol. II, p. 243.

Extensión y difusión de la dualidad tópica «ingenio-arte»: Reflejos en los tratados doctrinales de teoría manierista y barroca de las artes plásticas y ecos en el teatro español del Siglo de Oro.

A modo de apéndice, de manera análoga a como procederemos en el análisis de determinados términos tópicos a lo largo de nuestro examen de los mismos, ofrecemos ahora un ensayo valorativo de la difusión y participación populares que alcanzaron estos debates crítico-estéticos. Para ello, ante la imposibilidad y la infecundidad de realizar la total revisión de tales ecos en el conjunto íntegro de los documentos literarios de nuestro Siglo de Oro, hemos decidido concentrar habitualmente nuestra atención en el ámbito de la producción teatral de algunos de nuestros más insignes dramaturgos. Hemos elegido en concreto el teatro, precisamente por ser el género que puede testimoniar más fehacientemente la auténtica difusión popular de cualquier elemento que integre; dada además la índole bien conocida de peculiar universalidad y popularismo de nuestro teatro clásico. En el caso actual, además, ampliaremos nuestra imagen de la extensión del tópico con el examen del comportamiento ante el mismo de los documentos integrados en la teoría española de las artes plásticas. Una tradición teórico-artística nutrida de fuentes estéticas bastante afines a la literaria, pero que comportaba una problemática técnica de índole muy divergente y que imponía, por tanto, derroteros y soluciones en muchos casos absolutamente heterogéneos e inconfrontables con las de la teoría literaria.

En el examen concreto de la dualidad tópica que nos ocupa, la temática resulta básicamente común en ambas teorías. También en el caso de nuestros teorizadores manieristas y barrocos de la pintura se ofrecía como punto de partida básico la discusión del problema de cómo colaboran y se integran los términos en la dualidad *ingenio-arte*. Naturalmente que el mayor peso de los perfiles de índole material y manual que gravitaban en la práctica pictórica, esforzaba los requerimientos del arte; no obstante, en su inmensa mayoría, no faltaba en las obras de nuestros tratadistas áureos la proclamación de la prioridad indefectible de la *naturaleza,* del talento infuso y la predisposición. Confesión tanto más estimable, cuanto más ofuscadora podía revelarse la poderosa jerarquía indefectible del aprendizaje del arte en los talleres. El ejemplo del Vasari en este punto [60] pareció estimular las declara-

60. En el prestigioso teórico italiano, verdadero oráculo para nuestros autores, pueden encontrarse afirmaciones como la que sigue: «Cada uno debería darse por satisfecho de hacer voluntariamente las cosas a las cuales se siente inclinado por instinto natural y no intentar por emulación lo que su naturaleza no le permite, para no esforzarse en vano,

ciones de autores como Felipe de Guevara o Jusepe Martínez en defensa de la necesidad del *natural,* concebido por lo común en términos muy influidos por la psicología determinista de Huarte de San Juan. El segundo de ambos narraba, al respecto, el siguiente acaecimiento:

> «Vino a Roma un flamenco que en su manera era casi un maestro... Determinó dejarla y seguir otra manera... y siendo muy poco el fruto que sacaba... quiso enseñarlo a un maestro. —en respuesta, éste le advierte entre otras cosas— que habéis errado en mudar de estilo... y habéis echado por otro rumbo muy contrario a vuestro natural... Estad advertido y seguid vuestro natural, que no será poco si ahora lo halláis»[61].

Incluso más categóricos elogios del natural, ensalzado como «furor natural», unidos al énfasis proporcionalmente más atenuado del *arte,* se puede hallar en alguno de los más importantes tratadistas españoles, como Vicente Carducho, al que tampoco faltaban en este sentido estímulos en la literatura artística de la propia Italia[62]. Hablando de un pintor decía:

> «...conocí otro, tan osado, como favorecido de la pintura, de quien podíamos decir avia nacido Pintor, según tenia los pinzeles, y colores obedientes, o obrando más el furor natural que los estudios»[63].

Pero los testimonios de nuestros teóricos de la pintura, por razones de inmadurez y de aporías internas en su propio trabajo, resultan sorprendentemente faltos de fijeza. Así, en el propio Carducho por ejemplo, se pueden hallar alegatos absolutamente empeñados en la defensa de las razones del

---

a menudo para su vergüenza y detrimento». Cfr. GIORGIO VASARI, *Vidas de pintores, escultores y arquitectos,* cit. por LIONELLO VENTURI, *Historia de la Crítica de Arte,* Buenos Aires, Poseidón, 1949, p. 94.

61. Cfr. JUSEPE MARTÍNEZ, *Discursos practicables del nobilísimo arte de la pintura,* ed. A. SÁNCHEZ CANTÓN, *Fuentes Literarias para la Historia del Arte Español,* Madrid, Centro de Estudios Históricos, 1923, Vol. III, p. 27. MENÉNDEZ Y PELAYO, a través de cuyas citas conocemos la opinión al respecto de Felipe de Guevara, ofrece varias más del mismo tenor en su *Historia de las Ideas Estéticas.*

62. Lionello Venturi refiere entre otros el testimonio de Boschini que proclamaba que «un hombre dotado de *buen espíritu*» puede llegar a ejecutar buenas pinturas «sin la práctica», Cfr. L. VENTURI, *Historia de la Crítica de Arte,* ed. cit. p. 113.

63. Cfr. VICENCIO CARDUCHO, *Diálogos de la Pintura,* Madrid, F. Martínez, 1663, ed. de Manuel Galiano, Madrid 1865, fol. 99 v. Esta condición destacaba Carducho singularmente en Miguel Angel, del que decía: «¿Quien pintó jamás y llegó a hacer tan bien como este monstruo de ingenio y natural, casi hizo sin preceptos, sin doctrina, sin estudio, mas solo con la fuerza de su genio, y con el natural delante, a quien simplemente imitava con tanta admiración?».

ars, que en teoría de la pintura incluye teoría y práctica de la realización pictórica. Tratando, por ejemplo, de que «si el pintor fuera docto..., corregiere y enmendara el natural con la razon y docto habito del entendimiento que posseia». Y el mismo criterio cabe descubrir, como término constante, en la mayor parte de nuestros más importantes tratadistas: por ejemplo en la defensa ecléctica de la imitación y el natural que hiciera Francisco Pacheco[64]; en la de la necesidad de la práctica de Pablo de Céspedes[65]; en la ponderación del «ejercicio», relativizada por curiosos prejuicios de condicionamiento histórico y aun geográfico de la *naturaleza,* por Francisco de Holanda[66]; y sobre todo, en el autorizado testimonio del autor quizás más sólido entre nuestros críticos y tratadistas áureos de pintura, Antonio

64. Cfr. FRANCISCO DE PACHECO, *Arte de la Pintura,* Sevilla, E. Faxardo, 1649; ed. por A. SÁNCHEZ CANTON, *Fuentes...* cit., II. hablando de Rafael y Miguel Angel afirmaba su condición modélica, concluyendo: «I no presuma ninguno temerariamente, ni tener mejor juicio que ellos, ni mayor eleccion, ni mejores maestros que las reliquias antiguas y el natural». p. 160.

65. Cfr. PABLO DE CÉSPEDES, *Poema de la Pintura,* B. A. E. Vol. 32, Madrid, Atlas, 1966, p. 364. Pondera en términos similares al elogio horaciano del sudor y la asiduidad en las tareas de perfeccionamiento artístico del ingenio, el empeñado ejercicio del arte del dibujo y la pintura:

> «Un dia y otro dia y el contino
> trabajo hace práctico y despierto,
> Y después que tendrás seguro el tino
> con el estilo firme y pulso cierto
> no cures atajar luengo camino
> ni por allí te engañe cerca el puerto,
> Vedan que el deseado fin consigas
> pereza y confianzas enemigas».

66. El caso de Francisco de Holanda traduce en el campo de la pintura el mismo complejo de inferioridad ante lo italiano que nuestros poetas y literatos en general exhibían durante el siglo XVI, y del que sólo empezó a liberarlos la confianza adquirida ante la consolidación de un arte de peculiaridades nacionales indiscutibles como lo fue el Barroco: Su elogio al poder de la práctica y del ejercicio sólo parece hacer salvedad supersticiosa ante la *natura* italiana; pero aun ésta en función de su fácil propensión y respeto del ejercicio: «Primeramente la naturaleza delos italianos es estudiosísima en extremo, y los de ingenio ya traen de suyo propio cuando nacen: trabajo, gusto, y amor a aquello que son inclinados y que les pide su ingenio». Cfr. FRANCISCO DE HOLANDA. *Diálogos de la Pintura,* ed. por A. SÁNCHEZ CANTÓN, *Fuentes,* cit. Vol. I, p. 57. En Carducho, justificándolo desde luego razones de origen, se manifiesta sin reservas la misma opinión: «...algunos le han querido calumniar —a Vasari— de averse mostrado largo e escrivir de los italianos mas que de otras naciones, y en particular de los Toscanos; yo digo que fue legalisimo; porque en hecho de verdad hasta su tiempo en ninguna parte del mundo se exercitaron las Artes del dibujo con tanta generalidad, con tanto cuidado, ni con tanto aplauso ni asistencia, como en aquellas partes principalmente en Florencia, de la cual con propiedad se puede dezir lo que Plinio de la ciudad de Sicione, que la llamó Patria de la Pintura porque allí tuvo principio». Cfr. V. CARDUCHO, *Diálogos de la pintura,* ed. cit.

Palomino, quien condenaba categóricamente la intuición simple, confiada en el poder del ingenio, no sólo para la ejecución de la pintura, sino aun para el ejercicio de su crítica:

> «El que sin tener aplicación al estudio de la Pintura ni haber visto el trabajo, y especulación, que cuesta a los que ejecutan, ni leído, u oído a los que la enseñan y aplican; sino solamente guiado de su presunción, por haber leido, mucho, se persuade a entenderla y se atreve a ejecutarla; este no es solo ignorante, sino que a sí mismo se engaña, presumiendo engañar a los otros»[67].

Así pues, la opinión de nuestros teóricos de la pintura respecto a la índole del artista se vio, por lo general, afectada de un conservadurismo muy superior al que arrojaba la defensa del *ingenio* por parte de nuestros teorizadores de la literatura barroca, especialmente esforzada por los apologistas de la poesía culterana. No podía ser de otro modo si se toman en cuenta la propia tradición teórica de la pintura[68] y los peculiares condicionamientos técnicos, materiales y manuales de este «arte de taller». Con todo, sin embargo, su participación en este tipo de cavilaciones viene a testimoniar de manera incontrovertible la poderosa expansión de la base estética del tópico a todos los dominios de la teoría del arte.

Con el somero examen que acabamos de hacer sobre la extensión de la categoría teórico-literaria *ingenio* a otras ramas de la teoría artística, como la tratadística de artes plásticas, se conecta la comprobación que ahora iniciamos —de índole también forzosamente muy limitada— para ilustrar el no desdeñable aspecto de su expansión y alcance populares en el habla del pueblo español del siglo XVII. El lenguaje directo y popularmente controlado de nuestro teatro nos ilustra con millares de ejemplos, cantidad superior a toda posible ponderación, de la fortuna alcanzada en aquellos años por el término *ingenio*. Aunque la palabra no sea ni mucho menos rara en el uso español de todas las épocas, la frecuencia de sus apariciones y la rica variedad de acepciones de entrada que presenta, constituyen pruebas para nosotros inequívocas de que no existía efectivamente tanta desconexión, como en ocasiones se nos pretende hacer creer, entre el mundo abstracto de la teoría literaria y la dimensión social— popular del gusto del público. O dicho de otra manera, se demuestra cómo la proclamación gongorina de los derechos del poeta a abdicar de una rígida semántica convenida y a proclamar una

67. Cfr. ANTONIO PALOMINO, *Museo pictórico o Escala óptica*, Madrid, Aguilar, 1947, p. 639.
68. Para este tipo de noticias y juicios, aparte del manual de Venturi ya citado tenemos presente con frecuencia la importante obra JULIUS SCHLOSSER-MAGNINO, *La Letteratura artistica*, Florencia, La Nuova Italia, 1964. (Existe versión española reciente).

nueva, fundada en su personal capricho, que se respalda en el reconocimiento general de su singularidad artística, podía contar, sin duda, con el terreno abonado —previamente tanteado por él— manifiesto en la aquiescencia, quizás aún informulada pero pronta a rendir frutos, de la sociedad a la que en apariencia imponía su capricho el poeta glorioso.

Naturalmente, nuestra muestra no aspira a justificar en términos cuantitativos el eco de dicho fervor. Confiando la cuantificación al recuerdo del lector, tratamos de ofrecer simplemente aquí un bosquejo, una pauta cualitativa, de los rasgos más generales que concurrían en la caracterización popular del *ingenio,* tal como nos la ofrecen los textos teatrales de Tirso de Molina, Calderón de la Barca, Rojas Zorrilla y Agustín Moreto, tomados como base de ejemplificación en este apartado. Advirtamos ante todo, sin embargo, que la imagen ofrecida por el uso del teatro no discrepaba de manera sustancial de la base significativa incorporada por la teoría y la crítica poéticas.

El *ingenio* es desde luego una virtud o capacidad de orden intelectual, que elabora productos de modo previo a su manifestación o ejecución. En tal sentido, numerosos textos vienen a corroborarlo. Recordemos, entre otros[69], el siguiente fragmento de *El escondido y la tapada* de Calderón, en boca del galán don César:

...Si el ingenio
quisiera inventar un caso
extraño, ¿pudiera hacerlo
con mayores requisitos
fingidos, que verdaderos
están presentes?...[70].

69. Dicha antelación de la elaboración intelectual queda de manifiesto en distintos lugares de obras diversas de Tirso de Molina, por ejemplo en *El Aquiles:*

«Sentaos, prima hermana, aquí
lo que el ingenio dibuja,
matice después la abuja». (B.A.E., V, p. 23).

O cuando la duquesa en *Amor y celos hacen discretos,* manifiesta la posibilidad de comprobar el *ingenio* de un personaje por los indicios de su actuación concreta:

«Buscad, don Pedro, que ansí
vuestro ingenio probaré». (B. A. E, I. p. 158).

70. Dada la índole numerosa de estas citas en las páginas siguientes, y su condición de obras muy bien conocidas y accesibles, simplificaremos siempre al máximo las indicaciones bibliográficas de las mismas, (B. A. E., p. 459).

Se puede inferir lo mismo que por los actos, de los rasgos externos, de la fisonomía de las personas que lo tienen[71]. Es susceptible de ser actuado por situaciones o acontecimientos externos o de la propia psicología[72]; y, en general, sus manifestaciones producen admiración[73].

Como virtud intelectual pura, el *ingenio* consistía en peculiaridad del talento, una manifestación específica del entendimiento preferentemente idónea para la consecución de productos de agudeza; ya fueran éstos de naturaleza artística, como lo definía Gracián; ya de índole general, como ha pervivido en la acepción moderna del término hasta nuestros días. Sin embargo el elevado grado de difusión del tecnicismo en la terminología del campo intelectual de la época, forzaba un poderoso desgaste de perfiles significativos que reducían poderosamente su peculiaridad, desplazándolo a la sinonimia más absoluta de entendimiento o inteligencia en general. Esta acepción brilla, por ejemplo, en las siguientes palabras de Aguado correspondientes a la escena segunda del tercer acto de *La villana de Vallecas:*

> «Dejar el traje grosero
> y sólo para este rato
> has despojado una tienda
> y tres sastres ocupado.
> No hay ingenio que te entienda»[74].

71. Cfr. TIRSO DE MOLINA, *La elección por la virtud,* B. A. E., 3, p. 92.

> «Indicios he visto claros
> de vuestro divino ingenio
> en vuestro semblante sabio».

72. Se destacan numerosas circunstancias en este sentido: la *necesidad,* en *Bellaco sois Gómez,* de TIRSO DE MOLINA: «La necesidad afila/los aceros al ingenio». B.A.E., VII, p. 211. Más en concreto, se suele ponderar en el mismo Tirso la potenciación del *ingenio* por los afectos de amor, celos, etc... Así en *Amor y celos hacen discretos:* «No hay cosa que más avive/el ingenio que los celos». B. A. E., I. p. 158; en *Quien no cae no se levanta:* «que, como voy ya cantando / no hay amante sin ingenio», B.A.E., II, p. 362; finalmente en la misma comedia antes citada *Amor y celos hacen discretos,* p. 153:

> «...los amantes
> tenéis ingenios divinos;
> mas aunque volváis por él
> yo sé que escribió el papel
> con ayuda de vecinos».

En CALDERÓN, y en el caso de diversas obras, se alude a la capacidad de «adelgazar los ingenios», que tiene el hombre, aludiendo a una divulgada conseja. Recordamos este rasgo al menos en dos obras, en *El alcalde Zalamea,* (B.A.E., VI, p. 543), y *en Saber del mal y del bien:* «Para la hambre no me espanta/los injenios sutiliza».

73. Cfr. TIRSO DE MOLINA, *Bellaco sois, Gómez,* ed. cit. p. 282. versos 553-554 del acto II.

74. B. A. E. I., p. 61. Otros ejemplos de parecida índole en TIRSO se hallan en *Quien calla otorga:*

Descubriéndose también de modo semejante en diversas obras de Rojas Zorrilla[75]. También se halla por lo general algo más matizadamente especializado, pero en cualquier caso en acepción muy próxima, en distintas comedias de Moreto[76].

A este rasgo, últimamente referido, de ampliación significativa del término *ingenio* responde sin duda su empleo como designador sustantivo de hombre de ingenio, o de talento; escritor, pensador notable, etc...; muy frecuentado en la época, se ha perpetuado hasta el presente con un marcado matiz de arcaísmo. Los ejemplos de este uso son infinitos, como fácilmente puede imaginarse. Seleccionemos algunos en las obras leídas. Por ejemplo Clorindo, de *El rey don Pedro en Madrid* de Tirso, se presentaba a sí mismo en los términos siguientes, que incluyen la referida mención:

...«Soy, gran señor
un ingenio denotado
que de Sevilla ha llegado
confiado en el favor
de nuestra Alteza, a Madrid»[77].

«Preguntándole si tiene amor al conde
dice que sí y que no. ¿Qué ingenio alcanza
la paradoja que este caos absconde». (B. A. E. I, 91)

En una larga tirada de *El amor médico,* (B. A. E., I, p. 390). Act. II, Esc. III, donde con la autoridad de Ausonio, Galeno, Filón, Platón, etc..., citados en algún caso hasta en latín versificado, se defiende la condición independiente de la edad que tiene el *ingenio.* O en una carta en prosa incluida en el segundo acto de la comedia *Quien habló pagó,* (B. A. E., 7, p. 39).

75. Por ejemplo de *No hay ser padre siendo rey,* (B. A. E., p. 393): «O entero mi valor para ayudarte/o dispuesto mi ingenio a aconsejarte». O en los siguientes versos de la comedia del mismo autor, *Lo que querría ver el marqués de Villena:*

«La cátedra es vuestra, que hoy
es vuestro ingenio, entre tantos
el que por digno merece
repetidos los aplausos» *Ibid.* p. 322.

76. Sus rasgos peculiares de significación lo aproximan con regularidad a su matiz genérico de capacidad para producir agudezas, o sutilezas artificiosas, de índole en cualquier caso intelectual. En *Trampa adelante,* (B. A. E. p. 152). «¡Gran ingenio es menester/para salir de este empeño»; y en *Todo es enredos amor, Ibid.* p. 462:

«Aunque ha habido en este pleito
muy grandes dificultades
las ha vencido mi ingenio;
que aunque mujer, sé muy bien
litigar por mi derecho».

77. (B.A.E., II, p. 518). Con la misma acepción se registra en el siguiente pasaje de *La traición vengada,* de AGUSTÍN MORETO, (B. A. E., p. 646), en boca de don Diego: «Disculpadme, ingenios sabios, /pues hallo abusos y agravios/en unas mismas razones».

En su acepción más frecuente, *ingenio* se especializó en la referencia a poeta, situación en la que se descubre, naturalmente, con mayor frecuencia en las obras de nuestro teatro clásico[78]; incluso para autodesignarse el autor de las obras en la petición final de benevolencia con que se acostumbraba a cerrarlas[79]. No siendo raro tampoco observar que se alude genéricamente al *ingenio* de una ciudad[80], o al menos a la ciudad como productora de ingenios[81].

No obstante esta ampliación significativa, producto de su generalización en el uso de la época, la acepción básica que ha perdurado acotadamente intelectual y artificiosa, constituía también en las menciones teatrales del siglo XVII el caso más frecuente. En tal sentido, resulta revelador observar la asociación muy corriente de *ingenio,* como sustantivo o adjetivo, a designaciones que arrojan el mismo valor, tales como ardid, maraña, artificio, sutileza, juicio, etc...[82]; destacando singularmente la frecuencia de términos

78. Por ejemplo, entre muchos otros, en *El desdén con el desdén* de AGUSTÍN MORETO, así se alude a Lope de Vega:

«Lope, el fénix español,
de los ingenios el sol,
lo dijo en esta sentencia» B. A. E., p. 14.

79. Por ejemplo, con tales menciones concluyen *Los áspides de Cleopatra* de ROJAS ZORRILLA, (B. A. E., p. 440), y *El defensor de su agravio,* de AGUSTÍN MORENO, (B. A. E., p. 510).

80. Varias veces se alude «al ingenio de Montiel» en la obra de MORETO, *Yo por vos, y vos por otro,* B. A. E., pp. 375 y 381.

81. TIRSO DE MOLINA participa en varias ocasiones del generalizado elogio a los ingenios toledanos. Desde luego lo hace en *Cigarrales de Toledo,* ed. cit. p. 78; y también en comedias como *La villana de la Sagra,* (B. A. E., I, p. 309). Asimismo se descubren ejemplos variados en ROJAS ZORRILLA, como la siguiente referencia a Madrid, de *Lo que quería ver el marqués de Villena,* (B. A. E., p. 320):

«¿Quién habla mal de Madrid,
la patria de ingenios tantos,
cuyos valerosos hijos
son leones castellanos?».

82. Reproducimos brevemente los ejemplos en el mismo orden que han sido citados en el texto: «ardines ingeniosos», TIRSO DE MOLINA, *Amar por señas,* (B. A. E., I, p. 470); «verás de un agudo ingenio/marañas extraordinarias», TIRSO DE MOLINA, *Averígüelo Vargas,* (B. A. E., I, p. 688); «al artificio ingenioso/de vuestra doble cautela», MORETO, *La ocasión hace al ladrón,* (B. A. E., p. 419); finalmente para sutileza, TIRSO, *Bellaco sois, Gómez,* (B. A. E., VII, p. 314):

«Cuando no traigáis más dote
que las sutilezas raras
de ese ingenio que iluminan
plumas, buriles y estatuas».

Y en los *Cigarrales de Toledo:* «haviendo pasado por la alquitara de su ingenio, la quinta esencia de las burlas», ed. cit. p. 348.

tan castizos como agudeza[83], traza[84] e industria[85], que componen el centro del cortejo usual de los «actos de ingenio» mencionados por el personaje de *La fuerza del natural* de Agustín Moreto, como ingredientes habituales entre los juegos de discreteos sociales al uso:

83. La asociación de *ingenio* y *agudeza* era todo lo usual y obligada que testimonia, de manera prócer, la obra de GRACIÁN. En las piezas dramáticas la hallamos con frecuencia en MORETO; por ejemplo en *No puede ser*, (B. A. E., p. 207): «Con la grandeza más rara/que pensar pudo el ingenio/, las dejó a todas burladas»; y en *Antioco y Seleuco* del mismo autor, (B. A. E., p. 48): «Sólo tu ingenio pudiera/hallar, para conocerlo/ tan peregrina agudeza»; en *Quien habló pagó* de TIRSO:

«¡Cielos! ¿Cómo en un sujeto
caben traición y nobleza
en mal ingenio agudeza
y en fácil lengua secreto?». (B.A.E., VII, p. 50).

84. Para la asociación con *traza*, como programa o plan de sorprendente efecto caviloso, generalmente oculto, ofrecemos los siguientes ejemplos: de MORETO, *Los engaños de un engaño*: (B. A. E., p. 574): «lindamente la traza se ha dispuesto;/mi ingenio la victoria se promete»; y más estrecha vinculación entre ambos como principio y resultado en su obra *El poder de la amistad, Ibid.*, p. 26: «porque se logren las trazas/que fuere dando mi ingenio». En ROJAS ZORRILLA, *Don Diego de noche*, (B. A. E., p. 225): «Es la traza de tu ingenio»; y análogamente en *No hay peor sordo* DE TIRSO, (B. A. E., I, p. 284): «Llévanle de veras preso/por cercenador de escudos o es traza de nuestro ingenio».

85. El castizo término *industria*, hoy ya absolutamente arcaico, representaba sin embargo en el Siglo de Oro quizá la más inmediata y apropiada designación de los productos del *ingenio* y al mismo tiempo la condición de los mismos. La asociación de ambos términos es frecuente en todos nuestros ingenios clásicos, por ejemplo en *Nadie fie su secreto*, DE CALDERÓN, dice César: «Siempre una industria ingeniosa/denos la estrella cruel». Resulta particularmente habitual en AGUSTÍN MORETO, en numerosas obras como *La ocasión hace al ladrón*, (B. A. E., p. 425): «...Mis cautelas/se lograrán con la industria/de mi ingenio...»; en la obra que lleva precisamente como título, *Industrias contra finezas*, (B. A. E., p. 276): «Señora, cuando tu ingenio/con su industria no lograra/más que este conocimiento»; en *La misma conciencia acusa*, (B. A. E., p. 103): «Pues la dicha que poseo/al soborno la ha debido/a la industria y al ingenio». En *Cómo se vengan los nobles*, (B. A. E., p. 435):

«Aquí está el rey, si el ingenio
sale con el labirinto
que el interés y la industria,
desvelándome, han tejido».

Y por no dilatarnos con más ejemplos, recordemos las palabras de D. Fernando, en *El parecido en la Corte*, Act. I, Esc. VII, (B. A. E., p. 315):

«Que me ha admirado tu ingenio,
pues lo has dispuesto de modo
que el cogerme a mí de nuevo
tu industria lo ha acreditado
y me da salida de ello».

«Sería muy conveniente
que actos de ingenio distintos
como son juegos curiosos,
cortesanos silogismos...»[86].

En concordancia con esta caracterización específicamente aguda de *ingenio* se ofrece la adjetivación más generalizada que, de modo casi obligatorio, solía acompañar habitualmente. Como es natural, surgían en ciertos casos apreciaciones adversas sobre el ingenio de algún personaje concreto; pero lo más común era su recuerdo en acepción de muy esforzada índole positiva, que la adjetivación contribuye a consolidar. Los más altos adjetivos: divino, soberano, cortesano, y otras fórmulas varias, son las que habitualmente se descubren[87]. Siendo sin embargo de destacar el curioso rasgo, observable en autores como Tirso de Molina y Calderón, de la enorme fijeza que ofrecen en la calificación constante de la capacidad ingeniosa, motejada habitualmente por Tirso de *peregrina*[88], y de *sutil* por Calderón[89]; hecho éste que prueba el carácter meditadamente consciente de la utilización por nuestros clásicos de estos generalizados tecnicismos.

Redondean y precisan la imagen que del *ingenio*, como virtud o capacidad intelectual, nos deparan las citas de nuestro teatro clásico, aquellas otras referencias donde era puesto en relación con otras potencias, disciplinas y productos de naturaleza intelectual, ya sea marcando la sinonimia o

86. (B. A. E., p. 220). Otros ejemplos de MORETO que acreditan esta condición pronta, aguda y festiva del ingenio, se ofrecen en *El lindo Don Diego*, (B. A. E., p. 363), en un aparte del lindo: «No es nada el equivoquillo/mi ingenio es todo una chispa»; o en las palabras del gracioso Calepino de *La misteriosa elección de San Pío V*, (B. A. E., p. 552): «Cuantas jeringonzas hay/mi ingenio las forja y manda».

87. Ofrecemos algunos ejemplos de los calificativos mencionados en el mismo orden que hacemos alusión a ellos en el texto: «ingenio divino», aparece tanto en *Antíoco y Seleuco* de MORETO, (B. A. E., p. 41), como en *El condenado por desconfiado*, de TIRSO, (B. A. E., I, p. 186); «ingenio soberano», en CALDERÓN, *Darlo todo y no dar nada*, (B. A. E., XII, p. 151), y en *No puede ser*, de MORETO, (B. A. E., p. 202); «cortesano ingenio», en *El acaso y el error*, de CALDERÓN (B. A. E., II, p. 7); «ingenio de estima», en TIRSO, *El castigo del pensequé*, (B. A. E., I, p. 86), etc...

88. Las referencias a esta persistente adjetivación en el caso de TIRSO DE MOLINA se hallan en *El celoso prudente*, (B. A. E., I, p. 626); *El condenado por desconfiado*, *Ibíd.*, p. 186; *No hay peor sordo*, *Ibíd.*, p. 281; y *El celoso prudente*, *Ibíd.*, p. 623, etc... etc... El adjetivo, muy apropiado por lo demás en su encaje habitual con *ingenio*, se halla en muchas otras obras de autores distintos como por ejemplo en *La ocasión hace al ladrón*, de MORETO, (B. A. E., p. 410).

89. Ejemplos del invariable uso de «sutil», como adjetivo preponderantemente idóneo para caracterizar a *ingenio* en el caso de CALDERÓN, se advierten entre otras en las siguientes obras: *El maestro de danzar*, (B. A. E., II, p. 89). *No siempre lo peor es cierto*, *Ibíd.*, p. 462; *El alcalde de sí mismo*, *Ibíd.*, p. 520, etc...

simplemente la convergencia, ya, exclusivamente, contribuyendo a precisar las diferencias. En *El licenciado Vidriera,* Moreto aúna *ingenio* con valor y ciencia en el desprecio general de la opinión popular; mientras que en *Antíoco y Seleuco* lo proclama sustento del orden social, junto a discurso y prudencia[90]. Por su naturaleza matriz de ingenioso artificio, destaca la importancia de la delimitación de la capacidad ingeniosa y de sus productos respecto de las virtudes, operaciones y productos artificiosos; únanse a tal propósito los numerosos testimonios ya reseñados en tal sentido, como las siguientes alusiones de Tirso que, aun forzadas por el impulso retórico de su situación literaria y por la caprichosa sintaxis rítmica, precisan y delimitan diferencias y afinidades de ingenio con elementos de dicho campo:

> «...que nuestra alteza
> con cualquier ponderación
> que ensalce su discrección,
> no ha de igualar su agudeza.
> ¡Qué ingenio, qué sutileza!»[91].

Pero la raíz última de *ingenio,* que reconocía cualquiera de las concepciones sobre el mismo formuladas en los siglos XVI y XVII, lo englobaba como producto o capacidad peculiar derivada del *entendimiento.* Tirso de Molina así lo hace notar en diversas ocasiones, ya a título de simple homogénea yuxtaposición solidaria[92], ya con formulación mucho más explícita y matizada, como en las siguientes líneas de sus *Cigarrales de Toledo:*

> «Las tardes se les hacían cortas, ya por las apacibles conversaciones en que sirviendo los ingenios diferentes platos al entendimiento...»[93].

Participaban estas palabras de una parte de la concepción de *ingenio* como elemento previo, instantáneo, de la *inventio,* tal como la que sustentara Juan de Valdés; pero tampoco resultaban incompatibles en cuanto tales

90. B. A. E., p. 262: «Y ingenio, valor y ciencia/están en tanto desprecio»; y p. 53: «Discurso, ingenio y prudencia/que las principales basas/sois de aquesta monarquía», respectivamente.
91. Cfr. TIRSO DE MOLINA, *Amor por arte de amar,* (B. A. E., I, p. 437).
92. Por ejemplo, Cfr. TIRSO DE MOLINA, *El vergonzoso en palacio,* (B. A. E., I, p. 208):

> «¡Válgame Dios! ¡el juicio
> que tendría el inventor
> de tan confusa labor,
> y enmarañado edificio!
> ¡qué ingenio! ¡qué entendimiento!

93. Cfr. TIRSO DE MOLINA, *Cigarrales de Toledo,* ed. cit. II, p. 131.

con la opinión de Gracián sobre el mismo, en el sentido de que tales palabras no contradicen el hecho del *ingenio* como capacidad derivada del entendimiento, pues lo refieren a un orden de operatividad concreta, en el que las capacidades derivadas ordenan sus esfuerzos a las matrices, y no a la inversa, como resultaría riguroso aceptar, caso de debatir como valores en abstracto dichas capacidades en su esencialidad constitutiva.

Calderón y Rojas Zorrilla, abundando de manera explícita en esta condición intelectual, construyeron sistemas de asimilaciones con entidades complementarias, como *ciencia,* y con principios homólogos como *razón* y *discurso*[94]. Siendo *ingenio* ingrediente por lo general imprescindible en las enumeraciones de disciplinas, potencias, hábitos y virtudes de índole intelectual. Pruébelo el siguiente paso, compendioso y variado, de la obra *Lo que va del hombre a Dios,* de Calderón de la Barca:

«...por prendas del Sacramento
con el primer ser, la gracia,
la hermosura y el ingenio,
la ciencia y el albedrío,
joyas de su poco precio,
y más si añado memoria
voluntad y entendimiento
segundas prendas del alma»[95].

Por último, una importante práctica vinculada a la sazón con la máxima vigencia de la condición intelectual del ingenio, su *examen,* es decir, la catalogación y diagnóstico de su naturaleza para desenvolverse en el ámbito más adecuado, aparece recordada en diferentes obras de Tirso de Molina. Bajo tal asiduidad se manifestaba cómo una fórmula ilustrativa de su fortuna entre las masas populares autorizaba a hacer jugar, con naturalidad, un tecnicismo rigurosamente especializado en estas obras dedicadas al gran público de las representaciones escénicas[96].

Como virtud intelectual el *ingenio* solía compartir sus menciones elogiosas con las partes y virtudes morales, y hasta físicas, de los personajes aludidos. En tal sentido, resultaba ingrediente obligado en la composición de

94. Cfr. ROJAS ZORRILLA, *Lo que quería ver el marqués de Villena,* ed. cit. p. 327: «Dejad la academia de ciencias y ingenios»: CALDERÓN, *La Fiera, el rayo y la piedra;* «le ofuscan y le confunden/razón, discurso e ingenio».

95. B. A. E., VIII, pp. 276-277.

96. Cfr. TIRSO DE MOLINA, *Amar por arte de amar,* ed. cit. p. 439: «¿Para qué prueba ser bueno/tanta preñez dese enigma/tanto examen de su ingenio»; y de nuevo en *Amar por señas,* ed. cit. p. 468: «...Este aviso/es examen de mi ingenio».

la imagen acabada del gentilhombre, o simplemente del hidalgo, el labrador o el burgués prudente, en cuyo ensalzamiento subvierte nuestro teatro clásico el monopolio renacentista del modelo cortesano[97]. Por cierto que en la alternancia de que hemos hablado con virtudes físicas y morales, resulta curioso observar cómo muy comúnmente constituía el *ingenio* la denotación tópica, estereotipada, que entraba en la imagen consumada de la mujer ideal junto con la hermosura. Raramente hemos encontrado otra designación para el peculiar talento femenino, en época que tan mal pagaba los desvelos de las bachilleras, y cuya hipocresía social, dictada —públicamente al menos— por la prepotencia masculina, imponía a las mujeres un disimulo obligado de su inteligencia. El talento femenino parece que encontraba su vía de manifestación tolerada en el tipo concreto de *ingenio,* quizás en su acepción de capacidad prudente, sin cultivo científico, y cortado especialmente a la medida del acierto en decisiones de la vida cotidiana, del hogar y la conservación intacta del honor —o de la negra honrilla—. Véase cómo proclama un sentimiento muy arraigado en la cobarde conciencia masculina española hasta tiempos muy recientes, si no hasta mañana mismo, el Don Diego de la comedia calderoniana *No hay burlas con el amor*. En un diálogo con otro personaje, don Luis, que acaba de ponderar el ingenio de su dama como ingrediente virtuoso, dentro de una galería donde no falta ninguna de las razones de convencimiento espúreo en el tipo de elección amorosa que cuenta con tan dilatada vigencia:

Don Diego.—Pues no sé si lo acertáis.
Don Luis.—¿Por qué no; si en ella veo
virtud, nobleza y hacienda
gran beldad y grande ingenio?

97. Muchos de estos casos se ofrecen en los autores que hemos examinado. Así Carlos, en *El pretendiente al revés* de TIRSO DE MOLINA, proclama presuntuosamente.

«Y aunque os parezca arrogancia,
más de una vez al mirarme,
dije: "¿quién puede igualarme
en cuerpo e ingenio, en Francia?"» (B. A. E., I, p. 24).

De su alternancia con otras virtudes morales ofrece abundantes muestras el mismo autor; en *Cigarrales de Toledo,* se lee: «Contra ingenio y voluntad/no hay trofeos/que ignorantes son pigneos», ed. cit. p. 99; y en *Quien habló, pagó,* proclama el conde:

«...Nobleza
hay en el Conde de Ampurias,
demás de las excelencias
de su ingenio y sus virtudes
de su gala y gentileza»,

La peor tacha que descubre el primero de ambos, es precisamente el riesgo que se pudiera seguir de la demasía de ingenio:

Don Diego.—Porque el ingenio la sobra;
que yo no quisiera, es cierto,
que supiera mi mujer
más que yo, sino antes menos.
Don Luis.—Pues ¿cuándo el saber es malo?
Don Diego.—Cuando fue el saber sin tiempo.
Sepa una mujer hilar
coser y echar un remiendo;
que no ha menester saber
gramática ni hacer versos»[98].

No es que escaseen tampoco menciones que, de un modo u otro, respondan a la opinión anterior del Don Diego, en el sentido más aristotélico de la duda sobre la posibilidad de existencia de ingenio en la mujer, o de su compatibilidad con la hermosura[99]; pero el tenor más frecuente fue, a Dios gracias, el de su reconocimiento en las damas, al menos en las de comedias. Así lo proclama, entre otras muchas obras[100], el siguiente fragmento de la de Calderón *Amar después de la muerte o el Tuzaní de la Alpujarra:*

98. B.A.E. II, p. 311.

99. ROJAS ZORRILLA se preguntaba por boca del ingenioso Marqués de Villena: «¿Tener puede una mujer/tal ingenio y tal razón?», Cfr. *Lo que quería ver el marqués de Villena,* ed. cit. p. 330; y don César, el galán de la comedia de CALDERÓN, *El escondido y la tapada,* (B. A. E., VII, p. 459), afirmaba:

«La belleza y el ingenio,
haciendo paces en ella
(que hasta allí estaban reñidos)
el ingenio y la belleza».

100. Recordemos algunos casos de proclamación simultánea de ingenio y hermosura como virtudes de alguna dama: ROJAS ZORRILLA, en *La hermosura y la desdicha,* (B. A. E., p. 462): «¡Oh, qué ingenio singular!/¡Qué hermosura soberana!», CALDERÓN DE LA BARCA, *No siempre lo peor es cierto:* «Vuestra hermosura, señora,/al paso que vuestro ingenio,/os acredita conmigo», (B.A.E., VII, p. 463). Don Félix en la escena XXII del acto segundo de *Guárdate del agua mansa:*

«Amor no me precipites,
que aunque ingenio y hermosura
toda en ella compite
es dama de mis amigos
y adorarla es imposible».

Valor.—...y don Juan de Malec, pues,
en quien sangre ilustre dura
de los reyes de Granada
tienen una hija celebrada
por su ingenio y su hermosura.»

Hasta aquí hemos ofrecido testimonios variados de la penetración y difusión populares de la virtud *ingenio*, concordantes con su exaltación en los ámbitos más específicos de la teoría literaria. Sin embargo, nos falta establecer más en concreto la conexión con el desarrollo completo del tópico literario desde nuestra vertiente actual, a través del examen contrastado de las respectivas virtudes de *ingenio* y *arte*.

El *ingenio*, pues, en la acepción muy acotada y concreta que conocemos, constituía una parte importante, según algunas opiniones imprescindible, de la dama de calidad; compartido con la hermosura, y con virtudes varias de índole moral (Recordemos, por ejemplo, la ponderación de virtud, ingenio y partes, en doña Ana Pacheco por don Félix en la comedia de MORETO, *No puede ser*, B. A. E., p. 187; o la del ingenio, nobles virtudes y belleza de su hermana por el Rey de *La hermosura y la desdicha* de ROJAS ZORRILLA, B. A. E., p. 458), y aun con otros valores de riqueza, linaje, etc... cuya abierta confesión no debía sonrojar a los pretendientes de la época, pues formaba parte del más corriente «entendu» entre las propias damas y sus padres, como se descubre en la frecuente institución de legados para dotar doncellas pobres. El doctor de la comedia de MORETO, *Todo es enredos amor*, conversaba con naturalidad con la moza casadera, teniendo en cuenta tales presupuestos:

«Quisiera yo darte estado
igual, Manuela, a tu ingenio
nobleza, hermosura, gala
y riquezas, advirtiendo
que estos nobles tributos
en tí son tan verdaderos» (B. A. E., p. 447).

Y el personaje, Gómez, de la comedia de CALDERÓN *La niña de Gómez Arias*, construye su imagen de la mujer ideal seleccionando prendas de dos mujeres, entre las que no faltan, junto al aliño, ingenio, hermosura y otras virtudes, la mención de la «calidad y las prendas»:

Gómez.— Luego
preciso es que me concedas
que no hay tan perfecto objeto
que todo un amor merezca.
Luego querer yo el aliño
de una, de otra la belleza,
de otra el ingenio y de otra
la calidad y las prendas,
es tener perfecto amor,
pues quiero en cada una de ellas
la perfección que hay en todas» (B.A.E., VII, p. 796).

La asociación de ambos tópicos tradicionales, automatizada ya en los textos de crítica y teoría literarias, se observa idénticamente extendida a situaciones con las que dicho planteamiento matriz tendría poco en común. Por ejemplo en las palabras de don Manuel, en *La dama duende:*

> «Que ingenio y arte
> hay para entrar y salir,
> para cerrar, para abrir...»

O bien en otros momentos y circunstancias donde la asociación viene claramente dictada por la cotidianeidad del uso teórico-artístico, que no por lo que pudiera reclamar la concreta situación, ejemplos de los que se halla cierta asiduidad en obras de Moreto, como en la siguientes palabras de Elena en *Todo es enredos amor:*

> «...y otras mil curiosidades
> que con arte y con ingenio
> me han enseñado la experiencia
> porque estuvo en un convento»[101].

En otros casos, la dualidad de funciones que representan ambos principios aparecía más justificada en la estructura de la situación concreta de que se parte: Como en el caso de *Saber del mal y del bien,* en palabras de doña Hipólita: «Deme amor ingenio y deme / la industria celos y arte.» O bien en el siguiente parlamento de Celio en la obra del mismo autor, *Con quien vengo, vengo:*

> «...desde hoy
> su eterna figura soy,
> pues que no puedo rendir
> con mi buen arte y con mi
> buen ingenio y mi gallarda
> presunción una Lisarda
> de las más lindas que vi»[102].

101. B. A. E., p. 448. Otro ejemplo de no más justificada aparición, nos lo depara en el mismo autor la obra *La traición vengada,* (B. A. E., p. 654):

> «Donde el ingenio y el arte
> dirán con ejemplos vivos,
> que no hay plazo que no llegue
> aunque haya tiempo infinito».

102. B.A.E., II, p. 241.

Respecto al problema de las precedencias recíprocas entre ambos principios, que constituía, como sabemos, la secuela obligada del planteamiento del tópico en las discusiones teórico-poéticas, la índole general en la temática de las comedias y dramas ofrecía raramente ocasión para el establecimiento de tales discusiones. Acaso en Calderón podrían seguirse trazas de una sobrevaloración del *ingenio* sobre el *arte* o en general el aprendizaje, que vendría a corresponder con el estado generalizado de opiniones en una época ya de franco triunfo barroquista. En *La Sibila de Oriente* es quizás donde más rotundamente nos parece percibir la ventaja:

> «No quiero cansarte más
> con ignorancias, supuesto
> que es ignorancia mi estudio
> comparado con tu ingenio.»

O en las palabras del Pigmalión de *La fiera, el rayo y la piedra* mezclado con ecos de una cuestión diferente, la de la pérdida de nobleza por el trabajo que no alcanzaba a los casos de las artes nobles[103]. En conclusión, el tenor observado en las menciones conexas con el tópico poético en un ámbito tan distante como el de las situaciones dramáticas de la vida reflejadas en el teatro, responde plenamente al contenido de ese ambiente cargado de veneración por la capacidad y los productos ingeniosos con que se cortejaban recíprocamente un arte esplendoroso y una sociedad decaída, más necesitada en verdad de ficciones sorprendentes que de amarga desnudez de sus verdades cotidianas.

103. He aquí las referidas palabras de Pigmalión:

> «Porque hay quien presume
> que es oficio el que es ingenio
> sin atender que el estudio
> de un arte noble es empleo
> que no desluce la sangre».

En *No hay burlas con el amor*, se ofrece el perfil de colaboración necesaria de ambos principios en las siguientes palabras de Don Juan, uno de sus personajes:

> «De su ingenio es tan amante,
> que por galantear su ingenio,
> estudió latinidad
> y hizo castellanos versos».

CAPITULO IV

EL DESARROLLO DE LA VERTIENTE FORMAL-HEDONISTA EN LA CONCIENCIA ESTÉTICA DEL BARROCO LITERARIO ESPAÑOL. (LAS DUALIDADES «DOCERE-DELECTARE» Y «RES-VERBA» Y SU EVOLUCIÓN PARALELA A LA DEL «INGENIUM-ARS»)

El sistema general estético sobre estos tópicos en la Retórica del siglo XVI

La evolución de los debates sobre las cuestiones generales de la finalidad del arte y del predominio del contenido o de la forma en la obra de arte verbal discurrió por cauces bastante análogos a los que recorriera el tópico de la naturaleza del artista, examinado ya en el capítulo precedente. Las divergencias específicas en el tenor de las opiniones sobre los tres tópicos fueron, como puede suponerse, muy escasas. Por lo que hace a la Retórica renacentista, podemos adelantar que se observará en este capítulo idéntica curva de interés a la ya observada en el capítulo anterior[1]. Tras

1. En tal sentido, conviene volver a formular aquí la advertencia previa, recordada en cada momento crucial de esta obra, de que nuestra investigación, centrada en los síntomas avanzados y renovadores del sistema estético —en este caso, en las paulatinamente generalizadas defensas del hedonismo poético— corre el riesgo de inducir involuntariamente a evidentes desenfoques. En nuestro caso concreto actual, el conservadurismo didactista pugnó con el principio del hedonismo artístico a todo lo largo de la extensa Edad Renacentista —lo que viene a querer decir durante el Manierismo e incluso el Barroco—, sin entregarse nunca total y definitivamente a su oponente. Contra este tipo de desajustes valorativos previno ya, con justicia. HIRAM HAYND en *Il Controrinascimento*, cit., pp. 720-721: «Che la constatazione di codesta universale proclamazione dei diritti della carne abbia condotto molti a tracciare un quadro eccessivamente pittoresco e persino grottesco della rivolta *edonistica, pagana,* o *libertina* che ebbe luogo, nel corso del Rinascimento, nei confronti dell'ascetico Medio Evo, è cosa certamente vera. La realtà delle cose, quale è rappresentata nelle parole scritte del tempo, constituì in parte una rivolta contro l'ascetismo». Lo que no es contradictorio con las efectivas tensiones contra la sujeción estricta al arte, también denunciadas por Haynd: «Ma l'ascetismo, nel senso di un rigoroso ideale monastico cristiano, non era affatto il punto centrale contro cui la ribellione era diretta. Al più, esso constituiva uno dei cerchi esterni del bersaglio. Il vero centro di questo era la «Ragione» —o l'«Arte»—: l'eccessivo moralismo e intellettualismo, l'eccessiva fede in una prescritta educazione, in un'etica, in un'orientazione

el arranque prometedor, con un avanzado manierismo formal-hedonista en Vives, el reajuste de la Retórica peninsular fue encauzándose progresivamente en una línea falta de interés y escasamente novedosa, donde predominaba un didactismo utilitario de escasos vuelos, así como un cerrado antihedonismo contenidista sospechoso contra cualquier manifestación de desahogos formalista[2]. La fecha que, a nuestro juicio, marcó el momento de franco declinar del interés, es la de 1575, año de la publicación de la *Rhetórica eclesiástica* de Fray Luis de Granada y del *Examen de ingenios* de Huarte de San Juan.

---

filosofica circa la natura dell'uomo e del suo bene prescritte ed esclusive. Di qui il Controrinascimento, e il suo contrapporre la Natura all'Arte». Pero en último término, el número de los hedonistas puros y estrictos fue siempre limitado, aunque constituyera, como en efecto así se significó, el elemento excepcional y definitivamente propulsor de doctrina. En tal sentido, no deja de ser acertado el cómputo-balance de Haynd: «Nel campo della *filosofia della Natura* militavano degli estremi edonisti: i prolungatori di una vita esclusivamente del senso. Ma costoro erano altrettanto rari quanto lo erano, nel campo opposto, gli asceti».

Evidentemente el punto de partida real del proceso lo marcó el aplastante dominio del didactismo. Las expresiones eclécticas generalizadas en Teoría literaria, citando simultáneamente y de manera automática los dos extremos de la dualidad *docere-delectare*, no deben desorientar sobre el estado real de las opiniones. Como ha señalado Carlo Dionisotti la poesía abierta, en línea deleitosa, hubo de hacerse tolerar inicialmente bajo apariencia de escasa pretensión de dignidad, sin competir en aspiraciones de preeminencia con la literatura de seriedad didáctica, encarnada, para la opinión contemporánea, por el Humanismo: «Si erano spalancate le porte di una società letteraria ristretta e gerarchicamente ben differenziata. Condizione *sine qua non* per esservi ammessi era stata, ancora ai primi del Cinquecento, una collaudata abilità umanistica. Chi avesse avuto le carte in regola, poteva poi anche divertirsi a scrivere l'*Orlando Furioso* o le *Prose della volgar lingua* o *Il Cortegiano;* ma se in un ambito provinciale, a Firenze in ispecie, si davano condizioni di maggior apertura, al vertice restava una società aperta sì all'Ariosto, al Bembo, al Castiglione, ma non, senza forti riserve, al Machiavelli, non certo, in quel giro d'anni, a Pietro Aretino.» Cfr. CARLO DIONISOTTI, *La letteratura italiana nell' età del Concilio di Trento*, en A. QUONDAM, *Problemi del Manierismo*, cit, p. 286.

2. Pese a la abultada bibliografía sobre el Renacimiento literario español, falta quizás una estricta definición estilística del mismo, equiparable a las existentes en otros dominios artísticos. Entre los materiales más rigurosos a tener en cuenta, en espera de dicha determinación, habrá que contar con las obras de DÁMASO ALONSO, singularmente, *Poesía española,* y *De los siglos oscuros al de Oro,* cits.; así como con las de JOSÉ MANUEL BLÉCUA, sobre todo, a este respecto, «Corrientes poéticas en el siglo XVI», en *Sobre poesía de la Edad de Oro,* Madrid, Gredos, 1970. Entre las monografías, más en concreto, que destacamos como ilustrativas de nuestra pretensión, citaríamos: AUDREY F. BELL, *Notes on the Spanish Renaissance,* en «Revue Hispanique», LXXX, 1930; F. MALDONADO DE GUEVARA, *La teoría de los estilos y el período trentino,* en «Rev. de Id. Estéticas», XII; H. HATZFELD, *El Quijote como obra de arte del lenguaje,* cit.; JOSÉ CAMÓN AZNAR, *Don Quijote en la teoría de los estilos,* Zaragoza, Institución Fernando el Católico, 1949; R. M. DE HORNEDO, *El Renacimiento y San Juan de la Cruz,* en «Razón y Fe», CXXVII, 1943, pp. 513-529: H. P. GOODE, *La prosa retórica de Fray Luis de León en «Los nombres de Cristo». Aportación al estudio de un estilista del Renacimiento español,* Madrid, Gredos, 1969; J. M. RAYO, *Virgilio y la Pastoral española del Renacimiento (1480-1550),* Madrid, Gredos, 1970.

En distintos lugares de sus obras, especialmente en el *De ratione dicendi*, expuso Luis Vives su actitud llena de ponderado progresismo, sobre el justo alcance del hedonismo y el formalismo artísticos; en ella se delineaba un equilibrio entre extremos mucho más nítido aún del que ofreciera en su decidido ataque al insatisfactorio e irracionalista prestigio de la normativa artística, ejercida con notable deterioro del *ingenio* en la teoría tradicional.

Lo que se destacó por más llamativo en la teoría retórica de Vives fue su sensata reducción de la materia retórica a la sola *elocutio*, desterrando, como ya sabemos, el contenido general de la *inventio*, exagerado en muchos casos como sabiduría universal del orador[3]. De la misma manera, era condenado por superfluo e ineficaz el denso paradigma de subclasificaciones y apartados que el agudo ingenio clasificatorio de los griegos, desde Aristóteles, había introducido en la tratadística de la *elocutio*[4]. Todo ello quedaba representado, por ejemplo, en el sentido estricto y el alcance de su elogio del lenguaje, como potencia paralela a la justicia en el regimiento de la conducta del hombre, con el cual se inicia la epístola-prefacio al obispo de Coria que figura al frente de su *De ratione dicendi*[5].

Sin embargo conviene advertir que dicha proclamación viviana no debe ser interpretada nunca con olvido de la profunda dosis de inalterable clasicismo, atesorado en la equilibrada estructura de su «humanitas». La iniciativa de Vives puede significarse como modelo antecedente y estímulo de la proclamación verbalista del culteranismo barroco, pero sin compartir en absoluto la totalidad de convicciones y preferencias estéticas involucradas en dicha decisión posterior. Pues el gran humanista valenciano no dejó

3. Cfr. J. Luis Vives, *De causis corruptarum artium*, Libro IV, Cap. I, en *Opera*, ed. cit. Vol. VI, p. 157: «Praetereo innumeras rhetorum opiniones, ac sententias, aliis augentibus materiam, aliis minuentibus; Cicero varius est, et lubricus; et inconstans, ut fere in rebus philosophicis; vellet omnia subiicere oratori L. Crassus, M. Antonius non sinit, quorum apud Ciceronem disputationes notissimae sunt, nam Antonio is orator sufficit, qui verbis, ad audiendum iucundis et sententiis, ad probandum accomodatis, uti possit in causis forensibus atque communibus, quique sit praeterea instructus voce, et actione, et lepore: tales profecto fuerunt qui Athenis, et in Asia, et Romae, pro oratoribus habentur, celebranturque, decem illi Athenis, tum Romae duo illi, quos modo nominavi, et Cato, Gracchi, Galba, Sulpicius, Cotta, Hortensius, qui non instructi ac parati fuerunt a cognitione plurimarum artium, sed ingenii acumine, et solertia, usu, prudentia communi, et in sermone elegantia, et culto quodam».

4. *Ibid.*, Libro IV, Cap. II: «*Elocutio*, magis artis huius est propria, hanc vero perplexam et infinitam reddidit immodica Graecorum subtilitas, et otiosa diligentia, quae omnes loquendi formulas, sive a loquentium consuetudine alienas, atque abhorrentes, sive protritas cum primis et vulgares, tamquam schemata et orationis lumina adnotavit; stilum, sive characterem, fecerunt triplicem, *imum, summum*, et inter duos illos interiectum *mediocrem*, idque multis verbis et exemplis... ita non tria esse modo possunt genera, sed plurima, quando in unoquoque horum sunt plura quam tria», p. 162.

5. Cfr. J. Luis Vives, *De ratione dicendi*, en *Opera*, ed. cit., Vol. II, pp. 89-90.

de establecer cautelas contra los excesos vulgares del verbalismo vacuo[6], proponiendo siempre como ideal del discurso sensato y ponderado la acertada correlación entre palabras, dulces y ponderadas, y contenidos significativos incorporados, la justa proporción de palabra y mundo:

> «Tenet facile audientem oratio, quae in aure non offendit tamquam in vestibulo, lenis, mollis, sonora, numerosa, florida, variegata, succosa, carnosa, arguta, laeta, fertur etiam consuta et conferruminata, alias quoque obscura et intrincata, quin et vilis et tabernaria; sed plerique omnes et diutissime, et maxime capiuntur naturalibus, ea enim est proportio facultatis animi cum suo obiecto»[7].

Sólo como consideración extrarretórica, disculpó los excesos unilaterales del descarrío verbalista en el caso concreto de los poetas, por considerar una amplia serie de condicionantes externos a la realidad anejos a la ficción poética, y por hallarse fuertemente constreñidos los artistas en los límites expresivos artificiales del metro y la rima:

> «...iis enim qui solam captant voluptatem aurium, omnia conceduntur, modo placeant, quemadmodum scurris: videre hoc est in poetis, quos abscedere a via communi et trita excusat tum metri necessitas, tum propositum placendi; rarae atque inusitatae vel voces, vel loquendi formulae admirabiliorem reddunt sermonem, quemadmodum Aristoteles dicit, ut admirabiliorem sunt hospites, quam cives»[8].

No cabe duda, pese a todo, que, aunque las afirmaciones de Vives o sean tan rotundamente renovadoras como podrían parecer, si se hubieran presentado privadas de la consideración de su contexto; prestan sus aportaciones muy notables, de modo innegable, a la urgencia de considerar prioritariamente la olvidada dimensión verbal en las artes del discurso. Y si esta consideración era importante para la Retórica —y el objeto exclusivo de su competencia—, lo era en mucho mayor grado aún para la Poética, en atención a las inolvidables peculiaridades en la entidad misma de sus objetos de atención.

6. Véase el siguiente fragmento en una invectiva contra el vicio de la charlatanería ociosa, *Ibid.*, p. 172: «flagitiola quaedam quantopere isti nunquam ponderant, et pro magnis habent sceleribus; hoc tantum ducunt pro nihilo, quantum enim verborum dissolutis animis in otio illo profundunt, quum iudex vivorum et mortuorum denuntiet reddituros rationem nos de singulis eorum in die iudicii, nec intelligo quorsum pertineat inani verborum, et sensorum congerie sine fructu aliquo tenere auditorem: totaque haec pars eo videtur mihi referenda, ut velit profutura audire iucunditatis specie contecta».

7. *Ibid.*, p. 173.

8. *Ibid.*, pp. 172-173.

Análoga diferencia entre obra poética y obra retórica hay que tener presente en el tema concreto de la finalidad de las respectivas artes. Insiste muy oportunamente Vives en la distinción, que es preciso introducir entre deleite y retención del auditorio. Esta última compete a la finalidad verbalista en sentido estricto, no pudiendo decirse que se constituya en aquellas oraciones cuya finalidad es producir reacciones lacrimosas o amedrentadoras[9]. Dicha retención del oyente en la pieza retórica, conseguida tanto a base de la decorosa, dulce y ponderada elección de las palabras, como por el escogimiento, índole y aplicación del contenido[10], constituye a su vez, solamente, el objeto inmediato de la Retórica; siendo la persuasión del auditorio y en su caso la de los jueces el último fin de la misma. Al faltar este condicionante en la obra poética, la retención se convierte en objeto en sí mismo para la poesía, y, por consiguiente, su ingrediente imprescindible, el placer, alcanza toda su vigencia intransitiva de sujeto y término del producto poético. En distintas ocasiones de sus obras lo proclama así, rotundamente Vives:

> «...videlicet poetae, ut delectationi modo serviunt, et numeris sunt alligati, interdum ex oblivione antiquitatis ea erunt, saepe etiam arbitratu suo reconcinnant, ut aliquid adimant, vel addant, vel mutent»[11].

El modo de producirse este deleite intransitivo de la palabra poética es magistralmente explicado por Vives, como un proceso de adecuación recíproca entre la armonía exterior evocada por las palabras y ritmos del poema y la vivencia íntima del poeta, participada en el feliz acuerdo del ritmo cósmico con su ritmo interior:

> «ipsae etiam vehementes voluptates magnum sui fastidium relinquunt; nihil est in verbis, quod perinde animos nostros illiciat, ut oratio numerosa concentu suo, est enim harmonia exterior internae illi animorum persimilis; sed in concentu alii alio delectantur, ut sunt in hoc iudicando varia ingenia et diversissima, haud aliter ac in corporeis sensibus»[12].

9. *Ibíd.*, p. 171: «hoc vero cur delectare nominetur, equidem rationem non video; est enim delectatio iucundus motus in sensu sive externo, sive interno; oratio haec alias moestos dimittit auditores, alias lacrimantes, alias pavidos, ut in historiis et fabulis, itaque magis de detinendo nominetur, quam delectando».

10. *Ibíd.*: «... detinentur porro homines oratione vel propter res, vel propter verba; res quibus capiuntur, sive delectatione continentur, sive admiratione, sive concitato affectu, quem nolint pendentem relinquere; delectatur quisque iis rebus audiendis, quarum usu percipit voluptatem, tamquam si illa spectet depicta in tabula, ut agricola sermonibus de satione et fugibus».

11. *Ibíd.*, p. 96.

12. *Ibíd.*, p. 173.

Pero en último término la cuestión de la finalidad del arte literario, en la opinión de Vives, no se puede resolver sin relativizarla a la acepción concreta que del mismo arte se adopte. Ya hemos visto cómo había establecido Vives profundas diferencias entre la finalidad y los medios actuativos de la oratoria y los de la poesía. Así pues, lo único que resta por plantearse es si el concepto de poesía para Vives se identificaba con el de literatura. Que no es así, resulta evidente. Ni siquiera considera Vives un todo homogéneo a la poesía globalmente designable como lírica, a la que concede, según sabemos, un estatuto excepcional absolutamente moderno, tanto en el intransitivo hedonismo de sus fines como en el formalismo verbalista de sus medios. Pero, si didáctico-moralista se manifestara Vives en la conceptuación de los fines de la oratoria, no bajo otro tenor se ofrece respecto a los de la literatura dramática; excediendo, incluso, el moralismo de la concepción general del arte aristotélico, al negar licitud a la pulcra imitación de las fábulas deshonestas, torpes y poco edificantes. El mismo tono general de la actitud de Vives quedaba de manifiesto —sin aludir explícitamente a ello— en su superación didáctico-moralista de la misma catarsis, cuando prevenía contra el peligro de obras teatrales que de alguna manera no presenten de modo directo o inequívoco la condenación del mal y del vicio; habida cuenta, como es bien notorio, el carácter indirecto de la purgación catártica[13].

En suma, con Vives asistimos a una rotunda afirmación de los derechos de la poesía, en general, a perseguir finalidad distinta de la retórica, con medios también diversos. Su proclamación genérica del hedonismo formal-verbalista de la poesía, que reputamos de altísima manifestación de su talento lógico y su intelección estética, no se ve menoscabada —antes al contrario potenciada, merced a un evidente contraste de salutífero y sensato realismo— por la matización y distingo consiguiente entre literatura de un lado, que engloba géneros como la tragedia y hasta las oraciones retóricas, y poesía de otro.

Sin la prudente pausa y la larga perspectiva humanística de Vives, los siete libros *De Oratione,* del casi desconocido Antonio Lulio, encierran doctrinas de no inferior modernidad y acierto que las del valenciano universal. Su defensa de la licitud del deleite artístico, sin los oportunos distingos y cautelas de Vives, cumple quizás mejor que la de éste con la apremiante tarea de atacar directamente, incluso con vehemente exageración, el generalizado abuso contrario. En su defensa moviliza Lulio gran variedad de testimonios de autoridad, a menudo incluso invocados también por la parte contraria,

13. El texto que contrapone de modo explícito las autoridades de Aristóteles y Horacio en favor del segundo, se halla en *Ibíd.,* Libro III. Capítulo VII, p. 220.

unos menos famosos, como el de Eudoxia, y otros de noticia universal, como el de Platón. Todo ello para concluir que la subordinación interna de belleza y utilidad a deleite debe ser formulada precisamente en este sentido y no en el inverso[14], con lo que se venía a proclamar el deleite como finalidad última y no mediata de cualquier proceso humano[15].

La anterior convicción, pese a todo, no constituye todavía una justificación, ya que nos consta el escaso y aleatorio rendimiento de los criterios de autoridad, hasta aquí únicos invocados en su razonamiento por Lulio; sin embargo los argumentos de razón no faltan, y Lulio, consciente de la índole de estricto moralismo teológico de las más acendradas reservas al reconocimiento del hedonismo artístico, las aborda buscando en sus argumentos la contrapartida teológico-estética de tales razones. A tal fin, no dejan de ser invocados ni los rescoldos de la vieja argumentación medieval de la creación artística, como contemplación e imagen de la obra divina de la creación[16], ni otros varios argumentos ingeniosos, cuyo carácter circunstancial y forzado no escapa a ningún lector moderno, pero que sin duda constituyen razones de positiva eficacia para las sofísticas y empecatadamente timoratas razones de la argumentación contraria: si Dios se recreó en las cosas creadas, según el relato del Génesis[17], ¿por qué ha de ser pecaminoso el honesto deleite en el hombre?:

> «Ne detur ergo vitio scribentium voluntas: aeterni naturam imitantur scriptoris. Quibus divitiarum copia abundat, hos ludorum et munerum atque aedificiorum magnificentia gaudere aequum est, Dei optimi maximi summas virtutes aemulantes, potentiam, sapientiam, benignitatem: nos qui literarum tantummodo studiis

14. He aquí la taxativa declaración de Lulio: «Non enim ex voluptate utilitatem captamus, aut pulchritudinem: sed ex utilitate et pulchritudine voluptatem». Cfr. ANTONIO LLULL, *De Oratione Libri septem*, ed. cit., p. 4.

15. *Ibid.*: «Ponatur ergo prima causa omnium actionum humanarum, et meta extrema, Delectatio. Cum sint autem multa et varia genera voluptatum, aut certe rerum quibus delectantur homines», ed. cit., p. 4.

16. *Ibid.*, p. 5.: «Dixi autem divinum genus hoc oblectationis. Admiranda enim Divinae maiestatis illa opera, quae cernimus ad exemplar fabricata aeternum, in suprema intelligentia subsistens (coelum inquam, solem et lunam, caeteraque; omnia sub his collocata inferius) nihil aliud quam sapientiae ineffabilis monumenta censebimus, ideaeque, eternae prolem, quam in mundum hunc tanquam theatrum exhibuit, absque verbis loquens, et rebus ipsis pro literis utens scriptor et architectus supremus».

17. *Ibid.*, p. 6.: «Patet igitur divinum esse genus hoc oblectationis. Etsi Deus alicunde dici posset voluptatem capere, hoc certe unum est, quo se in primis oblectasse videtur; exhibitione rerum quas in mente habuit. Insinuat Moses: Vidit, inqûit, Deus omnia quae fecerat, et erant valde bona quasi dicat, Et oblectatus est suo ipsius opere pulcherrimo».

dediti sumus, sapientiam cum benignitate referemus... Quis ergo non iniuria damnet hunc conatum? Quis voluptatem honestam vitio dabit?»[18].

Junto a esta empeñada declaración, la vía que también Lulio dejó abierta para la defensa del fruto útil del deleite, apenas si se perfila de manera desdibujada[19]. No es que la postponga expresamente o que trate de regatearle importancia. Creemos, sencillamente, que Lulio se limitaba a defender aquí las razones de mayor urgencia y más olvidadas, no las de superior valor de convencimiento.

No debía sentir Lulio con la misma vehemencia la urgente defensa de la dimensión formal-verbalista, aun cuando en realidad no era ésta novedad o necesidad inferior que la defensa del *delectare*. En este punto, contrariamente a la que fuera su táctica en el debate del tópico anterior, sus soluciones tratan de responder y ajustarse a una perfecta congruencia lógica integradora, superando sí el parcialismo contenidista de mayor vigencia, pero sin proceder a la denuncia expresa de su exageración, ni siquiera forzando el tono en su defensa de los *verba*. Ecléctico se nos ofrece en líneas generales su parecer en cuantos casos se suscitó el planteamiento disyuntivo de la dualidad *res-verba*[20]; y cuando aborda el tópico bajo una contemplación integral, el elevado tono de su síntesis, presidida de manera augusta por el recuerdo de Longino, se eleva con validez eterna sobre razones de urgencia concreta para confesar la necesaria integración de principios, sustancia y forma de la obra —contenido y expresión— fundidos en la indisoluble síntesis de la *sustancia informada:*

«Neque enim sola est illa quam admirari solent homines σεμυοτηζ, aut copia: aut, cuius artem se invenisse putat Longinus, sublimitas. Sed ex varietate figurarum et verborum et sensuum, varias quoque admodum fieri formas necesse est: quas non ex uno aut duobus ex istis definiemus, sed ex omnibus simul,

18. *Ibid.*, p. 6.

19. *Ibid.:* «Voluptas haec coniuncta est cum desiderio bene merendi. Quod si fructu caret labor, aut pulchritudine noster his foetus: scito non minus verum esse, quam est tritum sermone proverbium, Suum cuique pulchrum», p. 6.

20. *Ibid.*, pp. 258-261, la inseparable doble vertiente solidaria de la dualidad la expresa Lulio, de modo magistral, al distinguir el también doble carácter que encierra todo acto humano, en el que no se ofrecen desligados la necesidad utilitaria del contenido y el colmo, también necesario, de la capacidad humana deleitosa: «In usu rerum (inquit Varro) duas natura metas posuit. ad tanquam summas contendit omnis humana industria. una est utilitatis, altera elegantiae. Non enim solum vestiri esse volumus ut vitemus frigora, sed etiam ut videamur vestiri esse honeste... Quod aliud homini, aliud humanitati satis est. Quodvis sitienti poculum homini idoneum est, humanitati nisi bellum parum», pp. 259-260.

quatenus in unam ideam convenerint. Et ut ideam aliquam certa ratione efficias, puta eam constare partim sententia, partim ductu, partim dictione atque interpretatione, partim structura. Nam pro ratione temporis (personarum inquam et rerum) modos et figuras, et omnem compositionem ab istis seligimus: quibus propositae in animo ideae sermo aut poema generetur»[21].

En la *idea,* forma ejemplar de la obra[22], se diluía el extremismo insolidario de los términos de la dualidad. En aquélla y no en éstos residía el principio realmente operativo y modelador de todas y cada una de las decisiones constructivas a lo largo de la creación. En esta alta síntesis naufragaba el planteamiento dual de la cuestión, sólo concebible en un plano de estricto apriorismo teórico, externo y ajeno al proceso mismo de la producción efectiva de la obra[23].

Transpuesto el linde de las obras de Lulio y Vives, pocas serán ya las novedades de verdadero afecto y relieve que nos depare la Retórica en lo que resta de siglo. El eclecticismo monótono en unos casos y el contenidismo didactista de la mayoría de los tratados apenas si conseguirá interesarnos con algún despunte de verdadero interés. A tal respecto conviene advertir que, aun en grado no muy superior, los debates sobre la naturaleza del creador literario —orador o poeta— deparaban algunas novedades de mayor empeño que los que proporcionaba la discusión del hedonismo y el verbalismo.

En la mayoría de las retóricas del siglo XVI predominaba el criterio tradicional de la precedencia *res-docere* sobre cualquier manifestación de hedonismo formalista. Estrictamente anclados en tales presupuestos, encontramos un buen número de nuestros mejores autores de obras retóricas. Para Furió Ceriol, por ejemplo, el problema, que no le llegó a merecer, como en casi todos estos casos, una atención precisa y monográfica, se encauzaría a través de la precedencia jerarquizada del contenido temático

21. *Ibíd.*, p. 422.

22. En términos muy parecidos define Lulio la imagen estructural-operativa de la obra como *idea:* «Est autem idea cogitata forma sermonis, ad quam imitando referimus nostri sermonis qualitatem». *Ibíd.*, p. 422.

23. No se acusa en Lulio, al menos de manera tan generalizada como en Vives, la presencia permanente de un plano de reajuste por géneros, o al menos por bloques —retórico y poético— de sus consideraciones estético-doctrinales de índole general. Mantenía Lulio muy activa y permanente su imagen de la intercomunicación, a nivel de sus principios constitutivos, de las artes del discurso. En ellas, la Poesía, con respecto a la Retórica, entre otras disciplinas, es un primer analogado si se quiere, pero de distribución íntima bastante homóloga a las demás. Véase, por ejemplo, la imagen que arroja la comparación de las disciplinas en *ibíd.*, p. 16.

sobre el factor elocutivo[24]. En Matamoros sólo algunas fugaces indicaciones destacan su opinión sobre la primacía de la persuasión sobre el bien hablar[25]. En una obra de tan acendrada espiritualidad como la de Lorenzo de Villavicencio, no nos sorprende ver atenuadas al máximo las referencias a las dimensiones de deleite profano y artificio verbalista[26]. Pedro Juan Núñez exaltó la persuasión como fin único, frente al cual, ni siquiera a título de refuerzo mediato, asociaría otro alguno; mientras que en los apartados de elocución defendía la precedencia absoluta en el sermón de las ideas sobre las palabras, sin establecer tampoco en este caso fórmulas contemporizadoras para el elemento deprimido[27].

La persistencia y penetración del tópico bajo la forma conservadora eran tan intensas, que un autor tan sospechoso de verbalismo como el facundo y anodino Valades, no dudaba en acogerse a la opinión tradicional para refuerzo de sus confesiones explícitas de precedencia del «saber» sobre la «locuacidad» en el dominio de la Retórica[28]. Pesaba en tales opciones, como es natural, no sólo la propia tradición de la Retórica clásica, sino especialmente la condición de tratados de concionatoria sagrada que concurría en la mayoría de tales obras. La rigurosa tradición de austeridad estilística dejaba sentir su peso en las decisiones de los tópicos que ahora nos ocupan. Véase, por ejemplo, cuán lejos del tono habitual de las discusiones a propósito de la finalidad de la Poética y de la Retórica laica se encuentran los siguientes juicios sobre la finalidad de la concionatoria eclesiástica, en la obra de Jaime Pérez de Valdivia:

24. Cfr. F. Furió Ceriol, *Institutiones Rhetoricarum*, ed. cit., p. 102.: «Ergo gravitas, subtilitas, mediocritas orationis, non ex ornamentis verborum manat, sed ex rebus ipsis: ornatus tamen ad res adiunctus, eas facit iucundiores, suaviores, et gratiosiores».

25. «Ut si persuadere minime contingat, modo breve et apposite dixerit, non propterea non obivit oratoris munus», referencia cit. a través de Martí, *Preceptiva retórica*, cit., p. 146.

26. Cfr. Lorenzo de Villavivencio, *De formandis Sacris Concionibus*, ed. cit. Véase, a título de ejemplo, una ponderación de las cautelas sobre el ornato verbal en el predicador sagrado: «Postremo verbis minime obscuris decet omnia exprimi. At tum quoque censetur necessaria, quando in animo habemus plures distinctosque locos pro concione excutere, vel etiam quando unus aliquis locus incidit tractandus, cuius obscuritati ac difficultati opere praecium est facta partitione lucem aliquam inferre», p. 99.

27. Cfr. Pedro Juan Núñez, *Institutiones Rhetoricae*, ed. cit. Para la defensa absoluta de la persuasión como fin estricto, puede consultarse el comienzo de la obra, p. 1 r. Con respecto a la atención preferente de ideas sobre palabras, compárense los apartados correspondientes a cada una en pp. 136 r. y ss. y 157 r., y ss. El *De ideis* lo comienza en los siguientes inequívocos términos: «Si ulla pars huius artis futuro oratori necessaria, haec omnium maxime: quod eius beneficio et de alienis scriptis iudicium gravissimum facere, et nostra quam accuratissime ad veterum exemplum componere possimus», p. 157 r. Véase el juicio coincidente con nuestra apreciación en Antonio Martí, *Preceptiva retórica*, cit., p. 185.

28. Cfr. Diego Valades, *Rhetorica Christiana*, ed. cit., p. 34.

«Concionatoris finis, ipsa est Christiani populi aedificatio, animarum conversio, consolatio, conservatio, provectio, quidquid denique ad animarum salutem constituendam pertinet, usque ad perfectam huiusce operis constitutionem»[29].

Considerado Jesucristo maestro universal de predicación, la finalidad de ésta será la que él indicó a sus Apóstoles; no debe el predicador sagrado, por tanto, andar solícito tras de los fines y las galas del orador forense o del poeta, sino aspirar sólo a difundir fielmente la palabra de Dios[30]. Con tales presupuestos sobre la finalidad del arte, no resultaba extraño que la enjundia de la instrucción técnica y verbalista que Valdivia procuraba ofrecer en su obra, fuera muy reducida; y aún así, permanente y deliberadamente privada de todo atrevimiento[31].

En las demás obras de índole más tradicionalmente retórico-laica no se advierten apenas peculiaridades de importancia. Tan notables tratados como los de Alfonso García Matamoros, Benito Arias Montano, Bartolomé Bravo, etc..., apenas si ofrecen otra cosa que afirmaciones aisladas, privadas de todo carácter innovador, surgidas al filo de las declaraciones generales sobre los grandes tópicos. Tan acendradamente conservadores y adversos a toda consideración verbal-hedonista se manifestaron en general nuestros autores de tratados retóricos, que el simple hallazgo en ellos de un planteamiento ecléctico y escasamente comprometido no deja de revelarse como síntoma de estimulante interés. Tal es, por ejemplo, el caso de las doctrinas de Fox Morcillo y de Fray Luis de Granada sobre los tópicos que estamos tratando. El primero, a propósito del tantas veces invocado conflicto de competencias entre *cosas* y *palabras,* confesaba en la carta-prefacio de su tratado *De imitatione* la deseable inseparabilidad del saber y el ornato y la propiedad expresiva[32]; a su vez, Fray Luis proclamaba un ideal de

29. Cfr. Jaime Pérez de Valdivia, *De Sacra Ratione Concionandi,* cit., p. 9.

30. *Ibíd.,* p. 24: «Non enim ut Rhetores, ita concionatores, dummodo dixerint debent esse contenti; sed impendere operam debent, ut verbum Dei fructus sequatur. Quod cum in multis scripturae locis doceatur, cumque modo, quia de hac re iam diximus, properemus ad artem ipsam, uno vel altero testimonio in re apertissima sumus contenti. Ergo constat huc dirigendam esse prorsus concionem, ut Christus Iesus glorificetur, et proximi aedificentur. Hic enim solus est finis: huc omnia media spectare debent».

31. *Ibíd.,* p. 13-14.: «Iam ad eos nostrum convertamus stylum, qui, cum tantum litterarum ornamentum non habeant, volunt tamen pro caritate, quam habent, aut proximorum necessitate ad christianum populum concionati. Quos dum iuvaverimus; et doctissimos quosque iuvabimus. Nam si hac nostra diligentia muniti etiam inermes non ignaviter pugnaverint; multo magis pugnabunt armatissimi».

32. Cfr. Sebastián Fox Morcillo, *De Imitatione, seu de informandi Styli ratione,* ed. cit., pp. 4 v.-5 r., «Ego vero nec libros hos caeteris omnibus, si alicuius ii sunt momenti, fore indignos, nec mihi etiam indecentes existimo, qui sim in eloquentia non minus, quam in philosophia, aut caeteris artibus diligenter versatus, quique illam studiose semper coluerim,

equilibrada colaboración entre ambos principios [33], justificándolo en términos de indudable novedad. Inversamente al lenguaje de los ángeles, que Fray Luis considera con capacidad de expresar sus conceptos mediante escaso caudal de voces, «al modo de los vasos de boca muy ancha» que «cuanto tienen dentro lo vacían en un instante»; el lenguaje humano precisa de gran acopio y de feliz elección de vocablos para expresar adecuadamente sus pensamientos. Tan inconsistentes y peregrinos argumentos se veían forzados a movilizar nuestros teólogos-predicadores para justificar su gustosa transigencia con las galas verbales en el ejercicio de la predicación [34].

---

et cum notitia rerum coniunxerim. Quod et reliqui libri nostri, quos brevi tempore scripsimus, declarant: in quibus etsi a me rerum, quam orationis habita sit maior ratio, non est tamen omnino dicendi genus negligendum. Et si cum scribimus conandum imprimis est, ut apte, perspicue, dilucideque scribamus, quod tota rerum cognitio in orationis perspicuitate consistat, necesse profecto est, eloquentiam philosophiae, atque omnibus bonis artibus addi, quae illas magis ornet, et reddat perspicuas, quas si horride, inepteque tradantur».

33. Cfr. Fray Luis de Granada, *Los seis libros de la Rhetorica eclesiastica,* trad. cit., pp. 520-521. Véase la primera parte de la exposición de tan peregrinos argumentos, relativa a la confesión de eclecticismo: «Es constante, que la suma de la eloquencia consiste, en que a la dignidad de las cosas corresponda una locución igual: esto es, que predicando, hagamos cada cosa tan grande como es, para que el estilo no sea inferior al peso, y dignidad de las materias. De manera que, como la sombra al cuerpo, así las palabras deven seguir la naturaleza de las cosas, y unirse con ellas».

34. Cada vez va resultando más nítido el bosquejo de fuerzas en presencia para el establecimiento de las condiciones de esta sorpresa. En la España del reinado de Carlos V misoneísmo y europeísmo libraron en alguna ocasión algún encuentro armado. Pero, una vez más en España, los vencedores de las armas fueron los vencidos de las ideas. Carlos, triunfante en Villalar, se acoge, más penitente que retirado, a las sombras de Yuste. Con el esfuerzo de su reinado se extenúa la vocación europeísta de España; bajo Carlos puede hablarse, quizás en algún sentido, de la aventura europea política y cultural de España, aguzada por Castilla. Tras él, si en algo cabe pensar, es en el yugo europeo de Castilla. La situación de punto de partida de esta corriente europeísta de España la plasmó magistralmente don Américo Castro: «Así se entiende que el erasmismo, importación intelectual de Europa, fuese acogido con ansia fervorosa por muchísimos españoles. Muchos pensaron liberarse así de lo que juzgaban tiranía sostenida por la superstición y por la presión jerárquica de la Iglesia, con lo cual Erasmo venía a ser, en lo espiritual, un a modo de Mesías, paralelamente a como antes se había esperado que los Reyes Católicos lo fuesen para la vida material de la nación. Un momento hubo en que ciertos erasmistas sintieron como posible la realización de una triple maravilla: el César Carlos V, regulador de un *imperio mundial,* guiado por la estrella de la paz cristiana, que a todos los aunara en el mismo redil, e inspirado en una *idea cristiana, definida e irradiada por Erasmo,* que alumbrara las conciencias, en otro místico imperio de libertad y distinción interiores, bajo el signo grandioso de la *renovada Iglesia de Cristo.* De ahí que la influencia del humanista holandés sobre España ofrezca caracteres que en vano buscaríamos en otros países», cfr. A. Castro, *Aspectos del vivir hispánico,* cit., pp. 25-26.

Portaestandartes de la acción retrógrada, bajo pretextos nacionalistas y xenófobos, era esa oscura legión de clérigos, ignorantes de mala fe, cuya animosidad al erasmismo —y, en general, a toda corriente de renovación europeísta— ha reflejado Bataillon, en muchos

En esta línea de rareza y parquedad de testimonios retóricos que se propusieran ponderar positivamente la dimensión hedonista-verbal del discurso, apenas si podemos destacar algunos autores que, siquiera mínimamente, participen de dicha actitud. La proximidad del ejemplo de Vives puede justificar, a juicio nuestro, que en la temprana Retórica de Miguel de Salinas, escrita en castellano, se pusiera decidido énfasis en la dimensión deleitosa del orador, y se considera que éste cumple adecuadamente como tal, si, al menos, consigue expresarse con belleza y corrección. Se cifraba así en el acierto elocutivo, y no en cualquier otra dimensión didáctica o moralizante de la Retórica, la componente última, inabdicable, de su definición esencial:

> «El fin del rhetorico es persuadir o hazer creer lo que intenta: con ayuda de enseñar lo: prouando lo: y no solamente sin pesadumbre / pero aun deleytable y apaziblemente: y en fin mover las voluntades de los oyentes. Y si algunos dixeron que son tres los officios del orador: enseñar / deleytar / y mover: y aunque el orador con lo que dize no alcance estas tres cosas no dexa por esso de hazer su officio y ser orador si alomenos hablo bien»[35].

No es que escaseen, sin embargo, las cautelas en este libro[36], en especial contra la verborrea de ciertos predicadores y contra el abuso de fórmulas

---

pasos. Veamos alguno de ellos: «El grueso de las tropas monásticas estaba animado de sentimientos completamente distintos. A los que indica Maldonado —y que se resumen en un instinto de defensa de su prestigio y de sus intereses amenazados— hay que añadir probablemente un feroz misoneísmo y una oscura xenofobia, que encuentran apoyo en el espíritu *cristiano viejo* de las masas, fieles a todas sus costumbres, supersticiosas o no. Esta asociación es la que se había manifestado recientemente en la lucha de las Comunidades de Castilla contra el gobierno extranjero de Carlos V. Maldonado, en su *De motu Hispaniae,* destaca el papel desempeñado en esta revolución por los clérigos y los frailes, de quienes nos dice que «corrían de aquí para allá, recomendaban en todas partes el partido de los populares, lo ensalzaban y predicaban, y castigaban a los perezosos e indecisos con tanto rigor como a blasfemos e impíos», cfr. M. BATAILLON, *Erasmo y España,* cit., pp. 223-224.

35. Cfr. MIGUEL DE SALINAS, *Rhetorica en Lengua Castellana,* ed. cit., fol. VII v. y VIII r. Más adelante distribuye los tres fines fundamentales de la Retórica entre los ingredientes que componen el discurso, reiterando la correspondencia del deleite con los aspectos verbalistas, tanto de *dispositio* como de *elocutio:* «También el orador de tres cosas tiene officio. Lo primero enseñar que es haziendo como la causa se entienda para que mejor se persuada. Esto se haze principalmente en la narración y división y confirmacion... Lo. II. tiene intento de deleytar y ser apazible. Esto se haze con la buena orden y con algunas cosas graciosamente dichas procurando aliviar y alegrar los oyentes. Lo final es mover que majormente se alcança con la amplificacion y affectos», fol. LI, r.

36. *Ibid.,* fol. LX v. He aquí la parte más genérica de la aludida reducción, que figura hacia el comienzo del capítulo sobre la *elocutio:* «Para la que sea por primera regla: que como quier que se aya de poner mucha diligencia no conviene que sea tanta y tan continua

y sentencias latinas en los sermones en lengua vulgar; no en balde se trataba de la primera obra de este tipo escrita en castellano. Todo lo cual contribuyó, como venimos diciendo, a configurar la imagen inestable del progreso manierista en estas obras.

Un autor que se mostró tan permeable a todo tipo de influencias como Lorenzo Palmireno, al punto de que sus razonamientos se constituían a veces en meras divagaciones sin criterio a merced del juego de las autoridades que se van sucediendo, no podía dejar de acusar también las influencias de la opinión renovadora. En especial en sus *Rhetoricae prolegomena,* tras establecer la distinción entre utilidad, saber y deleite como fines respectivos de la oratoria, la filosofía y la poesía[37]; se trasluce nítidamente el perfil del *De Ratione Dicendi* de su glorioso paisano Luis Vives. Las palabras de éste son recordadas, en concreto, para reforzar la convicción de Palmireno contra el parecer de Quintiliano de que la finalidad del orador sea el *mover*[38]. Friné movió a los jueces con su hermosa desnudez sin palabras, recordaba entre muchas otras razones de este tipo el dómine valenciano, de donde la declamación, la textura y elección verbal del discurso deben constituir el fin verdadero de la Retórica: *Declamatoris finem concedimus esse bene dicere,* tal es su conclusión. Aunque más adelante, atenuado el saludable influjo de Vives, la presión de pareceres contradictorios que afloran con nuevas autoridades, le obligaba a establecer artificiosos y más razonables criterios que acabaron por desvirtuar y desdibujar completamente el parecer anterior[39].

---

que por ella se dexe lo mas/ni se sienta affection demasiada: por que assi como es cosa galana/y provechosa hablar polidamente: assi es aborrescible quando ay ansia continua: bien es que aya cuydado/y grande quando se deprende el arte y se pone por exercicio: pero quando venimos a hablar no nos emos de detener en ello: por que no se puede dexar de perder el intento de las razones/y de lo que es de mas substancia para la materia».

37. Cfr. LORENZO PALMIRENO, *Rhetoricae prolegomena,* ed. cit., p. 6.

38. *Ibid.*, pp. 16-17: «Erit ergo Rhetoricae finis persuasio; officium vero Oratoris exquirere in unaquaque re quid sit ad persuadendum accommodatum. Ludovicus Vives finem artis constituit, Bene dicere; artificis autem, explicare quae sentiat, aut persuadere quae velit, aut motum animi aliquem excitare, vel sedare. Quintilianus inquit; persuadent alia multa absque Rhetorica: ergo Oratoris finis non est persuasio».

39. Uno de los retoques más nítidamente delineados en esta turbamulta de opiniones contradictorias era el que establece la diferenciación de fines desde el punto de vista del orador, donde se reitera el del *bien decir* ya afirmado antes por influencia de Vives, y el del juez con el que encuentra la base para introducir la persuasión: Cfr. L. PALMIRENO: *Prolegomena Rhetoricae,* cit., p. 18-19: «Quocirca Oratoris finis duplex constituendus est: alter in Oratore ipso, alter in Iudice. In Oratore, bene dicere, quod quid aliud est, quam dicere apposite ad persuasionem? In Iudice vero, persuadere». Con lo cual, por lo demás, no venía a cambiar esencialmente su criterio básico antes formulado; pero sí, indiscutiblemente, a introducir la confusión en él. Efectivamente vemos cómo más adelante vuelve a denostar en la práctica el defecto de persuasión como vicio específico de la actividad del orador

Casi un cuarto de siglo más tarde que los *Prolegomena* de Palmireno, la *Rhetorica* de Juan de Guzmán volvía a hacerse eco de las mismas objeciones que llevaron a aquél a desterrar el *movere*, con facilidad quizás precipitada, como finalidad fundamental del orador. Pero la futilidad artificiosa de tales argumentos —por no invocar directamente y sin excusas la convicción de base, como superando prejuicios hiciera Luis Vives— quedaba de manifiesto en las mismas inconsistentes razones movilizadas por Guzmán, con no poca razón, para desvirtuar las objeciones de Palmireno:

> «El officio del persuadir —afirma Guzmán— deve distinguirse, o es propria, o impropiamente: la cosa que ha de usar deste officio propriamente, deve usar de razones, de contrarios, de similes, de comparaciones, de testimonios y authoridades, que son las que propriamente persuaden. Y assi sera este officio de solo el orador, pues el solo es el que usa del en esta forma. El modo que las otras cosas tienen de persuadir, como la hermosura, y frescura, y lo demás que dixistes, también se llama persuasion, salvo que es impropria»[40].

Mas volviendo finalmente a Palmireno, conviene destacar que su positiva defensa, aunque fuera en ciertos casos titubeante, de la dimensión formal elocutiva como finalidad y especificidad últimas de la oratoria, por cuanto que es arte verbal en definitiva[41], actualiza en la ya decaída tradición retórica de la segunda mitad del siglo la eficaz llamada de atención del modernísimo pensamiento viviano.

Mucho más estimables son los hechos analizados, en cuanto que, a través de ellos, parece que se puede establecer, sin exageración, el signo de una constante de pervivencia de tales doctrinas en la patria de Vives. En efecto, en Valencia enseñó Andrés Sempere, natural de Játiva, quien, quizá por ser antes un hombre de buen sentido, sólo circunstancialmente dedicado

—y por tanto del arte— con renovados argumentos: «Nam si Orator non persuadet, non sit artis vitio; sed aut eventu, qui profecto extra Oratorem est; quare non definit esse Orator: aut propter eius culpam, quae duplex esse potest; vel in Oratione, vel in causa, quam fovet malam». *Ibíd.*, p. 19.

40. Cfr. JUAN DE GUZMÁN, *Primera parte de la Rhetorica*, ed. cit., pp. 15 r.-v.

41. Véase la persistencia y alcance del ideal verbalista de origen viviano que acapara totalmente su definición de la disciplina Retórica: «Rhetorica est bene dicendi doctrina. Nomen autem ipsius Latinum nullum reperies, nisi cum Cicerone Artificiosam Eloquentiam, aut laudem dicendi appelles. Caeterum vox Graeca a verbo, ῥεδ ρῶ, inusitato deducitur. Est autem ῥεῶ dico, eloquor, et fluo, ut inde facile cognoscas dicendi peritum eloquentem esse oportere, et fluxum Orationis in eo desiderari; id quod doctissime. I. Iliados Homerus in suo Nestore expressit. Bene dicendi doctrinam voco, ut sit bene dicere, id est, ornate, copiose, distincte, et ad persuadendum accommodate loqui: ut a Grammaticorum, et Dialecticorum sermone Rhetorum differat Oratio». Cfr. LORENZO PALMIRENO, *Rhetoricae prolegomena*, ed. cit., p. 9.

a las letras humanísticas, que un escolar cargado y cegado por los prejuicios del enrarecido ambiente de las decaídas escuelas de Retórica, no dejó de percatarse de la inocultable razón de ser última de la facultad oratoria como una de las disciplinas del arte verbal. Siguiendo el ejemplo de su prestigioso paisano Luis Vives, Sempere adelantó la *elocutio* al primer plano de intereses, identificando prácticamente con aquella parte la esencia de esta disciplina general:

> «Elocutio, cuius tanta vis est ad dicendum, ut sola ab Eloquendo nomen habeat; est prima pars Rhetoricae, quae docet Electionem verborum, et Oratoriam Collocationem»[42].

A estudio de la elocución consagró Sempere, además, la mayor parte de su obra, sin dejar de señalar en ella la inabdicable homogeneidad fundamental de la *elocutio* retórica y la práctica verbal de la poesía, como disciplinas ambas del arte de la palabra. Las numerosas referencias al uso poético existentes en la obra[43], en ocasiones propuesto al orador como modelo y cantera, constituyen el más brillante testimonio de cómo, en opinión de Sempere, en el ejercicio de la Retórica no es aconsejable volver las espaldas a las más depuradas manifestaciones poéticas del arte verbal.

Sin embargo en el caso de Sempere, como en el de Juan de Guzmán, la escasa consistencia intelectual sobre la que se fundamentaba su ideario retórico-estético, queda evidenciada por las desigualdades y falta de correlación en el desarrollo de los diferentes tópicos que, en conexión orgánica, constituyen el sistema general estético. Por ejemplo, el entusiasmo por la dimensión formalista que atestiguan las referencias precedentes de Sempere, se manifiesta en abierta contradicción con sus ideas sobre la finalidad prevalentemente didactista y moralizante de la Retórica en general, y más aún, como es lógico, de la concionatoria sagrada. Pese a que en sus declaraciones generales de principio, al establecer la diferencia entre oficio y finalidad de la oratoria, reconocía a la expresión acomodada condición instrumental en la finalidad persuasiva de dicha facultad[44]; sin embargo nada distinto de

42. Cfr. ANDRÉS SEMPERE, *Methodus Oratoria*, ed. cit., p. 5.
43. Cfr., algunos ejemplos de tales referencias en *Ibid.*, pp. 11, 14, 18..., 127, etc.
44. Véase la formulación de las mismas en *Ibid.*, p. 3.: «Proprium autem officium est, quo funguntur artifice; singuli, ut finem artium suarum privatum ac singularem tenere possint: ut accommodate dicere ad persuadendum, proprium est Oratoris officium; quo functus Orator, reperit tandem finem suum... Nam officium Oratoris non est solum accommodate dicere; nec finis, persuadere: sed utrunque in definitione alterius (ut ex Cicerone docet Victorinus) coniungendum est; ita, ut accommodate dicere ad persuadendum, sit officium; et persuadere accommodata dictione, finis».

la persuasión se mencionará en la obra como finalidad estricta de la oratoria, ni aparecerá, desde luego, alusión alguna a cualquier modalidad del deleite[45].

Mucho menos permeable aún se mostró Sempere a las realidades hedonistas, al afrontar la naturaleza de la concionatoria sagrada en un opúsculo anejo a su *Methodus*. Todos los fines generales de la oratoria antes mencionados quedaban subsumidos en este caso en el reverente culto divino, donde todo sentimiento deleitoso se identificaba con el seráfico goce de las promesas salvadoras[46].

Un fenómeno paralelo habremos de constatar en Juan de Guzmán, del cual tuvimos antes ocasión de examinar juicios poco permeables a la transigencia con el verbalismo hedonista. Sin embargo, al plantearse en su obra la cuestión de los productos sentimentales, con los que se ha de contar como objetos ideales de producción a lo largo de las distintas partes del sermón bien construído, advertimos que entre ellos se alude al *deleite* como componente indefectible:

> «ay ciertos avisos necessarios, para el decoro de lo que se deve guardar en cada parte destas quatro, y en todo el sermon por junto. El primero sea que siempre el exordio, deleyte a los oyentes. La proposición, deleyte y enseñe. La confirmación, deleyte, enseñe y mueva. El epílogo deleyte, enseñe, mueva, y procure de alcançar»[47].

45. En el capítulo introductivo «De officio et fine», se menciona sólo finalmente el *delectare*, junto al *docere y movere*, como «otros fines» a más del central de la persuasión; pero sin precisar su jerarquía interna ni su vinculación orgánica con éste. *Ibíd.*, p. 4. Sólo muchas páginas más adelante nos permite Sempere descubrir su concepto de este fin deleitoso, circunscrito estrictamente a los recursos retóricos tradicionales «de salibus»; es decir, absolutamente desvinculado de la dimensión global verbal-hedonista del discurso oratorio. Caprichosamente centra una poderosa parte de los mecanismos generales de *inventio* en la producción de estos jocosos «lugares liberales», vinculados específicamente al deleite: «Expositis duabus Inventionis partibus, una argumentorum ad docendam caussam; altera graviorum rationum ad movendos affectus: superest tertia delectationis Inventio, hoc est, ars risus et iocorum quibus nihil est saepe commodius». Por lo que hace a la identificación de los lugares liberales, productores preferentes del deleite, con las «facetiae» y «dicacitates» de la retórica clásica, ninguna duda deja establecida más adelante Sempere: «Haec de indocis illiberalibus Oratori perpetuo vitandis; nunc ad liberales accedamus. Horum duae quoque sunt formae, una facetiarum; altera dicacitatis. Facetiae sunt loci liberales aequabiliter in omni sermone et oratione fusi; qui in re tantum ac sententia collocantur. Dicacitatis vero iocus est. ingenuus, peracutus, et brevis in verbo, et genere sermonis constitutus». *Ibíd.*, pp. 169-170. La numeración está confundida en Sempere, según la numeración del texto 169-152.

46. Cfr. A. SEMPERE. *De sacra ratione concionandi libellus*, ed. con su *Methodus*, p. 257: «Officium Concionatoris est, concionari accommodate ad Deum colendum: finis, colere Deum accommodata concione. Huic autem officio praecipuo subiiciuntur alia tria, Docere, Movere, Delectare». Respecto a las mencionadas indicaciones sobre la *voluptas*, pp. 261-262.

47. Cfr. JUAN DE GUZMÁN, *Primera parte de la Rhetorica*, ed. cit., pp. 63 v.-64r.

Y, si en la exposición detallada de alguna de dichas partes se nos configura el aludido *deleite* más bien bajo un aspecto contenidista, vinculado a la novedosa sorpresa de ciertas ideas[48]; en otras lo descubrimos regularmente asociado por Guzmán al buen estilo de la pieza oratoria:

> «La segunda parte del sermon sera compuesta de deleytacion y doctrina: deleytasse con el buen estilo y gracia, y mostramos doctrina quando declaramos los misterios que tienen las cosas literales. La tercera parte yra en augmento, y assi terna tres cosas, deleytar, enseñar, mover. Deleytamos con buen estilo, enseñamos comprovando la verdad evangelica: y movemos con los argumentos, exemplos y accion de que aqui usamos... En el epilogo y ultima parte del sermon usaremos de quatro cosas, deleytar con buen estilo... etc...»[49].

Con el desarrollo de este párrafo, esperamos haber mostrado que, con excepción de las obras retóricas de Vives y Llull, escasa fue la modernidad exhibida por nuestros retóricos en cuanto a los criterios sobre finalidad y medios de actuación estilística de su ciencia, considerada como facultad del arte verbal. En el curso de nuestro análisis hemos aludido abundantemente a nuestro parecer sobre las causas de dicha evidente retracción. En cierto modo, más libre de la gravitación de prejuicios e interdicciones, más sometida por tanto a la libertad del propio arbitrio de cada uno, se nos ofrecía, para el caso de nuestras obras retóricas, la opinión de sus autores sobre la índole ingeniosa de oradores y poetas.

Desarrollo de la conciencia formal-hedonista del arte en los tratados españoles de Poética y en algunos documentos críticos.

El primer documento escrito en castellano que encerró una cierta organización sistemática de teoría estética aplicada a la literatura, fue, como ya sabemos, el *Comentario* de Fernando de Herrera a las poesías de Garcilaso de la Vega, publicado en 1580. La obra constituía además un síntoma muy revelador, dada la crucial significación de su autor dentro del tránsito renacentista-manierista de nuestro arte, en el cual las primeras modificaciones

48. *Ibid.*, p. 64 r.: «Digo que el deleytar es suave, y por esso se han de començar los exordios por el, por quanto la deleytacion, guisa y adereça mucho los gustos para lo que se ha de tratar en el discurso de la platica, y no ay cosa con que mas el oyente se entretenga y suspenda su animo, que con aquesto. El deleytar suelese hazer comenzando por cosas raras y peregrinas de las que estan mas apartadas y remotas en las historias, o en los últimos ángulos de las sciencias, y disciplinas o de algún dicho, o hecho, o cosa notable».

49. *Ibid.*, pp. 64 v.-65 r.

sensibles del sistema estético interesaron de modo sobresaliente las convicciones sobre la finalidad de la poesía y el valor de la forma poética en su relación al contenido representado. En efecto, la convicción formal-hedonista que se adivina como aliento sustentador en la poesía de Herrera, era afirmada en los *Comentarios,* sin ningún género de paliativos, como fundamento teórico de todas las operaciones poéticas. En este punto no dudaba Herrera en confesar sus ideas como hechos de universal acuerdo:

> «Y es clarisima cosa, que toda la excelencia de la poesia consiste en el ornato de la elocucion, que es en la variedad de la lengua y terminos de hablar y grandeza y propiedad de los vocablos escogidos y significantes con que las cosas comunes se hacen nuevas, y las humildes se levantan, y las altas se tiemplan, para no exceder segun la economia y decoro de las cosas que se tratan... Y la fuerza de la variedad y nobleza y hermosura de la elocucion sola es la que hace aquella suavidad de los versos que tan regaladamente hieren las orejas que los oyen, que ninguna armonia es más agradable y deleitosa»[50].

Ningún interés encierran, respecto a los tópicos ahora considerados, las páginas del *Arte Poética en Romance castellano* de Sánchez de Lima, contrastando con la importancia que asumiera este autor en los debates relacionados con la cuestión de la índole del poeta. Y, según era esperable en un tratado de métrica como el *Arte Poética* de Rengifo, la consideración de la enseñanza o el deleite como finalidad del arte se ven postpuestos ante el confesado fin prioritario de la poesía, la composición de los versos[51].

Pero la traducción al terreno concreto de los tratados sistemáticos sobre Poética de la especulación en torno a la finalidad del arte, que Riley consideró con justicia como una de las características más sobresalientes y definidoras de nuestra estética literaria barroca[52], no se realizaría en términos realmente extensos y ajustados hasta la aparición de nuestro mayor tratado de Poética, la *Philosophia* de Alonso López Pinciano. El procedimiento de debate dialogado entre interlocutores con que se tratan las cuestiones en este libro, facilitaba

50. Cfr. Fernando de Herrera, *Comentarios a Garcilaso,* ed. cit. p. 398.

51. Cfr. Díaz Rengifo, *Arte Poética,* ed. cit., p. 6; Rengifo, acuciado por la condena platónica de la poesía, distingue en varias ocasiones entre finalidad de la poesía que no puede ser sino buena, y finalidad de los poetas que puede ser viciosa, p. 7, y 12-13. En general cuando abandona el subterfugio para evacuar el compromiso de pronunciarse por uno u otro miembro de la dualidad enseñanza-deleite, Rengifo a través de la mención de las enseñanzas horacianas parece inclinarse decididamente por anteponer el sentido didáctico-moralista como finalidad de la poesía, p. 11.

52. Cfr. E. C. Riley, *Teoría de la novela en Cervantes,* ed. cit. p. 137.

el que en ocasiones, sacados de su contexto, determinados fragmentos pudieran arrojar soluciones contradictorias. Sin embargo, conocido el talante conciliador y ecléctico de Pinciano, que se reflejó en la crítica sensata de los defectos inherentes a todos los extremismos; no resulta difícil imaginar que la ponderada valoración de los dos principios que concurren en la dualidad enseñanza-deleite, deba ser elevada en su caso a solución persistente y programática.

Así, en efecto, nos es sugerido en distintas alusiones ocasionales a lo largo de la obra. Sobre todo destaca un punto de la Epístola segunda, donde, al abordar el problema de la clasificación de las artes y aludir a las «artes medias..., como la música, poética y otras semejantes», quedan éstas definidas diciendo que «fueron inventadas para dar deleyte y doctrina juntamente». Punto en el cual ataja el personaje del diálogo, Pinciano, mencionando los peligros entrañados de la defensa del deleite[53]. A todo ello, finalmente, respondería Fadrique con una inteligente exposición integradora de ambos principios, que denuncia la falsedad de los dualismos contrapuestos en el plano de la teoría:

> «El que dize que la música y poética arte es causa de más deleyte al que la tiene, no niega que no lo sea de lo util y honesto. Tres provechos traen estas artes...: el uno, alterar y quietar las passiones del alma a sus tiempos convenientes; el segundo, mejorar las costumbres; el tercero es el que agora diximos divertimiento y entretenimiento».

Pero esta atinada precisión de que la poesía sea útil precisamente en cuanto atiende a la necesidad humana del deleite, quedó inédita en muchas otras alusiones circunstanciales donde reaparece la fórmula usual, enumerándose tan sólo ambos principios, enseñanza y deleite, sin establecer a su respecto otras puntualizaciones[54].

La epístola tercera de la obra es el lugar donde se trata monográficamente el tema de las causas de la poesía, de la eficiente, planteada bajo la dualidad ingenio-arte; y de la final, en enseñanza-deleite. Aquí hallamos un recorrido de razonamiento, persistente y mantenido; en el que, desde el inicial planteamiento ecléctico, se trata de justificar la necesidad del ingrediente deleitoso en ese peculiar tipo de mensaje humano que es el literario. Para hacerlo,

53. Cfr. A. López Pinciano, *Philosophia Antigua*... ed. cit. Vol. I, p. 156: «Las artes que sólo aspiran al deleyte propio muy malas fueron acerca de toda buena philosophía».

54. *Ibid.* p. 200. Escogemos deliberadamente palabras del mismo personaje, Fadrique, que expresará la matizada fórmula anterior: «La obra que fuere imitación en lenguaje, será poema en rigor lógico; y el que enseñare y deleytare, porque estos dos son sus fines, será bueno, y el que no, malo».

se recurre a la escasamente rigurosa explicación del decaimiento de nuestra naturaleza con el pecado original, que trajo como consecuencia el que resultara obligado «endulzar la píldora» o matizar agradablemente la trabajosa enseñanza científico-moral para la mayoría de los humanos[55]. Sin embargo, por más que resulte poco moderno o riguroso este modo de «ir a mendigar al cielo» —como dijera el propio Pinciano, siguiendo de cerca a su colega Huarte de San Juan— las causas naturales, la explicación precedente no deja de descubrir un perfil aclaratorio interesante en torno a la naturaleza última del arte: su condición de complemento de la especulación científica, en cuanto que puede constituirse en vía de penetración hacia parcelas de la realidad y del espíritu humano impracticables para el raciocinio científico.

Quedaba en cierto modo transferido, según puede verse, el problema concreto de la finalidad del arte al más genérico de su naturaleza. Pero en esta progresión no se atreverá Pinciano a dar el paso decisivo, que supondría el reconocimiento de la autonomía y complementaridad de las funciones científica y artística. Por el contrario, se limitó a atrincherarse en planteamientos dualistas —basados en el concepto más tradicional y conservador del arte como *además* deleitoso de la ciencia— en los que resultaba efectivamente arbitrario decidirse por la prioridad del elemento de disfrute estético-hedonista sobre el didáctico-moralizador, como confesaría el propio Pinciano[56], reforzando además dicha actitud de indeterminación con el ejemplo y la autoridad de Aristóteles[57].

Pero en cualquier caso, lo que resulta innegable es que de la ortodoxa *Philosophia* salió definitivamente redimido de sospechas y achaques tradicionales el decorosísimo sentimiento estético del deleite, definido a veces en

55. *Ibid.* pp. 209-210: «La inclinación humana era aparejada más al deleyte que a la virtud, y a la philosophía mezcló el oro désta con la figura de aquél, para hacer más vendible su mercadería». Pocas líneas más abajo alude también al símil tradicional análogo de «dorar la píldora».

56. *Ibid.* pp. 210-211: «si estuviera averiguado quál de los dos, el deleyte o la doctrina, era el fin ultimado, no huviera dificultad en lo que dezís; mas ay questión quál sea el fin ultimo y principal, y assí ponen dos fines mientras se averigua esta causa; porque, si el poeta imita con deleyte para enseñar la doctrina, ésta será verdadero fin; mas si, como otros dizen, imita con doctrina para deleytar, el deleyte se quedará con nombre de fin».

57. *Ibíd.,* p. 111. Creemos que en este punto exageró Pinciano su juicio sobre el supuesto eclecticismo aristotélico, precisamente en función de la enmascarada tendencia a la reivindicación del deleite que, a nuestro parecer, le era característica al médico vallisoletano: «Aristóteles, dixo Ugo, más se acuerda en la heroyca del deleyte que no de la doctrina. Y luego Fadrique: Y en la trágica, de lo uno y de lo otro; y aun, dentro de la definición misma, pone limpiar los ánimos de passiones, que es enseñar; y el lenguaje suave y ornado, que es el deleytar». p. 211.

esta misma obra en términos muy refinados[58], que lo parificaban, sin el menor asomo de subsidiaridad, al ideal didáctico-moralista:

> «Dotrina y deleyte conviene tenga mezclado el que tiene el poema; que el que tiene mucha dotrina, no es bien recebido, ni leydo, y el que tiene sólo deleyte, no es razón que lo sea»[59].

Esta misma condición se acentúa, pese a las limitadas reservas que al final de la referida epístola segunda haría el corresponsal y censor del debate, don Gabriel, en la glosa a la *admiración* que, con fondo doctrinal aristotélico, se llevó a cabo en la epístola quinta. Con indiscutible acierto distinguía Pinciano en algunos lugares entre la admiración inmediata, producida por el artificio imitativo, y el deleite, como resultado o estado final mediatizado por el proceso de la admiración imitativa. Pero no dejó de reconocer, no obstante, el estrecho parentesco recíproco existente entre ambos principios; siendo conducido por él de este modo el argumento aristotélico para constituir, en último término, una razón apologética más en favor de la licitud del deleite artístico:

> «Y assí soy de parecer que el poeta sea en la invención nuevo y raro; en la historia, admirable; y en la fábula, prodigioso y espantoso; porque la cosa nueva deleyta, y la admirable, más, y más la prodigiosa y espantosa»[60].

Frente a todas estas explícitas declaraciones en torno al problema de la finalidad del arte, no se registró en la *Philosophia* un tratamiento paralelo y condigno en el debate sobre el formalismo verbalista en competencia con el contenidismo intelectual-moral. Sin embargo, de los mismos términos

58. Véase, por ejemplo, la siguiente y aguda clasificación de los tipos de deleite involucrados en el mismo acontecimiento artístico: «Ay dos deleytes, dixo Fadrique, en la Poética: el uno es el de la imitación en lenguaje, medio para la dotrina, y el otro es el fin de la misma dotrina, en cuya contemplación y acción está la felicidad humana. Quál destos dos deleytes sea el fin de la Poética, o si es el medio, que es la dotrina, quédese agora en questión; otro día se desatará». *Ibíd.*, pp. 212-213. La verdad es que no se «desataría» en toda la obra de modo terminante y explícito.

59. *Ibíd.* p. 213; y más adelante: «y digo que el fin es la dotrina y deleyte, y que el deleyte y doctrina son honestos», p. 214.

60. *Ibíd.* Vol. II, p. 58. Poco antes había aludido a la fuente de placer que recubre la admirable sorpresa inopinada, declarando sin limitaciones la consecución del deleite como razón de ser última de la labor poética: «Ugo: Ella es ésta: deleytan y duelen más las obras deleytosas y dolorosas súbitamente venidas; y assí como el fin del poeta es deleytar, tiene necesidad, quanto sea posible, dar breve tiempo a la acción deleytosa, porque quanto se va dilatando el tiempo della, se va aguando más el deleyte». *Ibíd.* p. 52.

registrados en la polémica anterior, o de otros, relativos a las interesantes notas del tratado sobre la doctrina del *concepto* y su expresión[61], que examinamos en capítulos más adelante, se concluye, sin posibilidad de error, que su concepción en este punto era quizás aún más afirmadamente dualista que la que sostuviera en la cuestión de la finalidad del arte. Precisamente por cuanto se basaba en la contemplación unitaria del lenguaje en universal; sin conceder más peculiaridad exclusiva al de la poesía que la intensificación, a título de *plus* retórico, de determinadas virtualidades de potenciación exornativa, insertas por lo demás en los mecanismos comunes de la normativa lingüística considerada de modo general.

Sin tener la firme y bien trabada encarnadura doctrinal que admiramos en la *Philosophia,* el interés y modernidad en lo que respecta a las doctrinas estéticas fundamentales, fueron sin duda muy superiores en el caso del *Cisne de Apolo* de Luis Alfonso de Carvallo. Ya tuvimos ocasión de advertirlo a propósito de las cuestiones sobre la finalidad del arte; ahora veremos confirmada aquella opinión en las decisiones teóricas en defensa del hedonismo formalista como peculiaridad esencial de los productos artísticos. Aunque en la obra no se veía conculcado el principio esencial de la colaboración de dulzura y utilidad sobre la base de la autoridad de Horacio[62], la verdad es que, en la práctica, lo que realmente quedaba puesto de manifiesto era la defensa de las razones de escogimiento estilístico y delgadez conceptuosa al servicio del deleite poético, producido, como sabemos, por autores de poderosa e inspirada *vena.* Todo ello quedó de manifiesto, de manera muy destacada, en el apartado décimo del diálogo primero de la obra, que lleva el título de «Porque causa los Poetas, usaron de fictiones y figuras, para declarar sus conceptos». La condición artificiosa, en cierta medida innecesaria y sobreestructural de la poesía, vinculada a la peculiaridad del *delectare,* empieza por definirse en el mismo margen de voluntaria oscuridad, comportada por el mensaje como superfluo y artificioso «ruido» en la comunicación poética:

> «usan de alguna obscuridad en sus tratados los Poetas, saliendo del estilo que ordinario tienen los otros scriptores..., porque sus obras se lean con mayor atencion y cuydado de entenderse, porque de ver las cosas muy claras se engendra cierto fastidio con que se viene a perder la atencion, y assi se leera un estudiante

61. *Ibid.* Vol. II, pp. 114-115. y 203-210.

62. Cfr. Luis Alfonso de Carvallo, *Cisne de Apolo,* ed. cit. Por ejemplo Vol. II, p. 7: «y no se puede mas dessear, pues su artifice avra llegado a lo que se puede llegar, que es mezclar lo provechoso con lo dulce». Una formulación ecléctica semejante constituida sobre otra referencia de autoridad horaciana en Vol. I, p. 168.

quatro hojas de un libro, que por ser claro, y de cosas ordinarias, no atiende a lo que lee. Mas si es difficultoso, y extraordinario su estilo, esto proprio lo incita a que trabaje por entedello, que como naturalmente somos inclinados, a entender y saber, y un contrario con otro se esfuerça, ansi con la difficultad crece el apetito de saber»[63].

Después de esta explicación de indiscutible fuerza, en especial si se toman en cuenta las peculiaridades de la psicología artística que el *Cisne de Apolo* preconizaba y prologaba, se sucedía una larga enumeración de variantes, más o menos convincentes, con la misma estructura argumentativa esencial: la decadencia de la naturaleza humana tras el pecado, invocada ya por Pinciano, fue lo que motivó la necesidad de «dorar con galanterías» la enseñanza de la virtud, indispensable a los hombres para su «reducción» a la vida política. Junto a la razón precedente, se daban otras, como la del aliciente que supone la imitación artificiosa calcada sobre el recuerdo del argumento aristotélico, aunque las menciones de Carvallo en este caso sean horacianas; y, en fin, la necesidad de aclarar con símiles poéticos las doctrinas demasiado dificultosas; simplemente, la de facilitar nuevas técnicas de aprendizaje. En todos los casos antes aludidos, la consistencia del elemento poético-artificioso, al que se confiaba la deleitosa ponderación, se hacía coincidir exclusivamente con la dimensión estilístico-formal, como queda de manifiesto, por ejemplo, en la aclaración del último de los puntos mencionados:

«para guardar una piedra preciosa, y traerla siempre a la vista, suelen hazerle un engaste en una sortija, ropa, ò collar. Ansi los Poetas para que no se perdiesse de la memoria la rica, y preciosa piedra de su doctrina, y anduviesse siempre a la vista la engastaron en los engastes ricos de sus figuras, y semejanças, apropriandolas, y ajustandolas a la verdad, como a la piedra el engaste»[64].

El *Cisne de Apolo* inaguró, como es sabido, la serie de tratados de Poética en el nuevo siglo. Esta obra significó abiertamente la temprana conciencia del cambio estético que se estaba operando en nuestro país. El conservadurismo, casi connatural a nuestros tratados de Poética antes y después del *Cisne,* disimulaba a malas penas la evidencia del nuevo espíritu. Aunque la presión de un mal entendido moralismo estético, flotante en

63. *Ibíd.* Vol. I, pp. 113-114.

64. *Ibíd.* pp. 117-118. Otras justificaciones que todavía se registran, son tomadas de la catarsis, refiriéndolas concretamente a poner y reflejar en personajes fingidos los vicios y defectos cuya directa amonestación no sería tolerada por los sujetos; y en fin otra reinsistencia sobre el poder de captación de las formulaciones oscuras y misteriosas.

el ambiente y perceptible de modo especial en los tratados de Retórica, forzaba frecuentes proclamaciones de didactismo moralista y contenidismo doctrinal[65] como garantías de operatividad literaria, la faz renovada del arte español, que se descubría ya rotundamente en la esfera de la creación literaria a comienzos del siglo XVII en plena sazón, adquiría en esta obra quizá su primera confirmación inequívoca en el terreno de la teoría literaria.

Pero los tratados que siguieron al *Cisne de Apolo* no continuaron su ejemplo. Liviana e intrascendente resulta la única mención registrada en el *Ejemplar poético,* obra escrita ya en la ancianidad de su autor, Juan de la Cueva[66]. Asimismo, ningún relieve especial alcanzan al respecto el *Arte nuevo* de Lope de Vega, fuera de las claves de intención secundaria que se puedan interponer[67], o el *Discurso en alabanza de la Poesía* del granadino Soto de Rojas. En cuanto a las opiniones del muy influyente

65. EDWARD C. RILEY ha puntualizado con gran acierto en nuestra opinión la irrestañable fuente del deleite, pese a las prevenciones conservadoras de las proclamaciones teóricas oficiales: «Pese a las enfáticas declaraciones que hacían los escritores sobre el carácter edificante de sus obras, no parece inexacto afirmar que, por lo general, tanto los críticos como los demás autores se fijaban, cada día con más atención, en otra de las funciones de la Literatura imaginativa: la de deleitar. Y esto implicaba, por su parte, un cambio sutil de la atención, dirigida ahora hacia el lector, hacia sus exigencias y reacciones». Cfr. E. C. RILEY, *Teoría de la novela en Cervantes,* cit. p. 138.

66. Cfr. JUAN DE LA CUEVA, *El Ejemplar poético,* ed. cit. p. 127, versos 337-339:

«El que en este propósito desea
alabanza, guardando los precetos
junte al provecho aquello que recrea».

67. Ante la sorprendente ausencia de formulaciones explícitas a los planteamientos progresistas en materia poética, que se descubren en el *Arte nuevo* de Lope, se ha hecho obligado aludir a las distintas «claves» —palinodia-ironía-estrategia, etc...— que puedan justificarla. Por mayor esfuerzo e inteligencia que derrochen sus críticos y apologistas, es evidente que con sus explícitas fórmulas de menosprecio al gusto del vulgo perdió Lope la oportunidad —como, por otra parte la perdieron, deliberadamente quizás; otros grandes artistas como Cervantes y, en grado menor el Tasso— de enriquecer el conjunto de su obra con un discurso teórico verdaderamente original y progresista; posible sin duda, aún estando circunscrito a su condición de ejercicio académico. Ello hubiera sido siempre más incuestionablemente valioso que el juego —en todo caso demasiado alambicado— de hipotéticas terceras intenciones y alusiones oblicuas que vino a escoger. En la defensa de los valores de congruencia y modernidad del *Arte nuevo,* basados siempre en intenciones implícitas más que en expresión explícita, tras la crítica de signo tradicional de Menéndez y Pelayo, destacó inicialmente KARL VOSSLER, *Lope de Vega y su tiempo,* Madrid, Rev. Occidente, 1935; especialmente pp. 144 y ss.; y simultáneamente R. MENÉNDEZ PIDAL, *Lope de Vega. El arte nuevo y la nueva biografía,* en R. F. E., XXII (1935), pp. 337-398. Más recientemente continúan esta línea JOSÉ F. MONTESINOS, *La paradoja del «Arte nuevo»,* en «Rev. de Occidente», II, (1964), pp. 302-330; y sobre todo RINALDO FROLDI, *Lope de Vega y la formación de la comedia,* Madrid, Anaya, 1968, concretamente en pp. 161, 178. Tendencia de opinión no discrepante de la sustentada en estudios generales sobre la estética de Lope, tanto implícita como explícita, como los ya citados de ROMERA NAVARRO Y LUIS C. PÉREZ-FEDERICO S. ESCRIBANO; así como de las

y famoso Cascales, nos son ya bien conocidas, de una parte su carencia absoluta de originalidad, y de otra el carácter anacrónicamente conservador de sus ideas que, escritas en los primeros años del siglo XVII y publicadas en 1617, diríase desconocen la empeñada promoción española del arte literario, que trataba de afirmarse definitivamente, alcanzando una peculiaridad de base arraigadamente nacional. Se buscaba con ello independizar relativamente las iniciativas literarias de nuestro país frente al clasicismo, de filtro inmediatamente italianizante, que parece ser la inmutable situación literaria contemplada por Cascales, ya fuera de toda posibilidad de vigencia contemporánea.

La solución al problema de la finalidad del arte en la primera de las *Tablas Poéticas*, la única quizás que en su condición de rápido y no mal trabado resumen ofrece ciertas garantías de haber salido genuinamente tal de la pluma de su autor, se busca soldando y parafraseando a la letra los textos eclécticos de Horacio, la definición de comedia de Donato, atribuida genérica y secularmente a Cicerón, que esfuerza visiblemente en la importancia del componente didáctico moral, y los textos de la *Poética* de Aristóteles correspondientes a la doctrina de la catarsis. De esta mezcla resulta un texto incierto e itinerante, cuyo norte más estable parece estar constituido por el mantenimiento de un dualismo de fines en simultánea interacción recíproca[68] que, en realidad, aportaba muy escasa —o incluso ninguna— novedad al desarrollo de las opiniones estético literarias en nuestro país.

Cascales no se interesaba, en verdad, por los grandes planteamientos pertinentes al sustento teórico de la poesía; antes bien, cuantas veces llegó

---

conclusiones de las dos obras monográficas sobre el *Arte nuevo* más extensas y recientes que conocemos: las de JUANA DE JOSÉ PRADES y de JUAN MANUEL ROZAS. Véase de este último, singularmente, pp. 32 y ss.

68. He aquí el texto de las *Tablas Poéticas* a que nos referimos, en el que se suceden y conglomeran los criterios de autoridad mencionados: «El fin de la Poesia es agradar y aprovechar imitando: por este fin dixo Horacio:

Todos los votos se llevó el Poeta
Que supo ser de gusto y de provecho:
Ya alegrando al lector, ya aconsejando.

De manera que el Poema no basta ser agradable, sino provechoso y moral: como quien es imitación de la vida, espejo de las costumbres, imagen de la verdad. ¿Quién duda, sino que leyendo los hombres las obras de Poesia, o hallandose en las representaciones tan allegadas a la verdad, se acostumbran a tener misericordia y miedo? De aqui procede, que si les viene algun desastre humano, son ya menores el dolor y espanto...». Y respecto al eco de la doctrina aristotélica del placer imitativo, tras de proponer algunos ejemplos ilustrativos de subido color efectista, concluye: «¿a quién no atemoriza ver a un toro, a un león, a un tigre, que está desmembrando y haciendo pedazos a un hombre? Pues si esto mismo lo veis pintado en una tabla o en un marmol, ¿no os agrada infinito la buena expresion y imitacion de aquel riguroso caso?» Cfr. F. DE CASCALES, *Tablas Poéticas*, ed. cit. pp. 17-19.

a empeñarse seriamente en disputas, se trataba simplemente de problemas de detalle y funcionamiento, o a propósito de verdaderas minucias sin posible cabida sino en capítulos muy menores de la filología. En el conjunto de sus *Cartas filológicas,* apenas en una ocasión volvería a referirse el preceptor murciano a la cuestión de la finalidad del arte, y lo hizo de pasada y confundiéndola con la mención habitualizada para reseñar los fines de la Retórica, en su epístola a Tribaldos de Toledo «Sobre la obscuridad del *Polifemo* y *Soledades*»[69].

Pese a la base aristotélica de su ideario general estético y de su esquema de tratamiento del tema, *La nueva idea de la tragedia antigua* acusaba en determinados pasajes y menciones ocasionales el poderoso impacto y vigencia de la crecida en las convicciones formal-hedonistas, que a la sazón dejaban sentir su influjo casi universalmente en las variadas y hasta antagónicas facciones en que andaba dividido y revuelto el mundo literario de nuestro país por el segundo cuarto del siglo XVII. Aun cuando, como es lógico, sus planteamientos sobre la finalidad de la tragedia discurrían bajo el dictado de las doctrinas catárticas, sin embargo González de Salas invocó el principio del deleite, fuera de toda contaminación con la doctrina aristotélica del placer imitativo, en su ataque a la obscuridad como causa de la anulación de cualquier tipo de secuela placentera para el lector. Poco importa, por tanto, que el deleite concebido así por Salas se hallara en los antípodas de la modalidad más vigente, o al menos más renovadora, cifrado en la estética barroca de culteranos y conceptistas precisamente en el trabajoso —en ocasiones incluso fatigoso— descubrimiento del mensaje poético a través de un enmarañado sistema sustentador de ingeniosidad conceptuosa o artificiosidad metafórica, verbalista y translativa. Lo que contaba en definitiva para el caso, era que González de Salas no se pudiera sustraer al generalizado movimiento de exaltación de la vertiente deleitosa del arte; y esto lo evidenció francamente en textos como el que sigue:

> «Io creo, no podria conoscerse Escriptor alguno, que quando determinò publicar obra de su ingenio, no intentasse juntamente, i appeteciesse la frequencia de los Lectores, i tambien el applauso... Como pues imagina, podra alcançar esto, el que Obscuramente procede en el contexto de sus Palabras? Deleitando el animo ha de ser sin duda, no atormentandole.»

Abundando en esta misma idea, cuando a continuación estableció una clasificación de los «escriptores... que professan Artes»: poetas, oradores e historiadores. Pese a que en los tres confiesa como fines específicos comunes

69. Cfr. F. DE CASCALES, *Cartas Filológicas,* ed. cit. de 1961. Vol. I, pp. 162-163.

tanto el deleite como la enseñanza, sólo, sin embargo, el deleite se alza por fin como finalidad primordial y común, siendo el que, a su juicio, debía atraer el más permanente interés de los profesionales de las artes del discurso:

> «A ninguno pues de los comprehendidos en aquellas classes, dexa de ser proprio i necessario fin el Deleitar al oiente. De el *Poeta* bien se conosce, pues la numerosa harmonia no tiene otro respecto, i assi por essa parte suele ser su enseñança mas trascendente. Bien affirma esto Horacio en su Poetica... Tulio las mismas dos obligaciones, *Deleitar*, i *Enseñar;* i añade la tercera, de que tambien necessita, que es el *Persuadir*. Igualmente el *Historiador* tiene los proprios dos fines, Lo util de la *Enseñança*, instruiendo al Lector con los exemplos, i el *Deleitarle*»[70].

La base de tal clase de deleite, por lo que ya señalábamos antes, tenía que discrepar, obviamente, del tipo de razones estilístico-verbalistas que constituían la contrapartida deleitosa de los más acrisolados tipos del hedonismo barroco. En este camino, tanto por el contenido de su tratado como por su formación, no podía exigírsele a Salas un recorrido completo. Tal es la razón de que, entre las causas deleitosas que aducía, no excediera nunca de las más estrictamente tradicionales concesiones de un contenidismo riguroso, que conseguía hacerse tolerable a base de ponderar las secuelas placenteras del remedio a la ignorancia:

> «i la raçon —aclara Salas al respecto— es clara, pues naturalmente en el animo de el hombre hai siempre un deseo de saber lo que ignora, que quando se reduce a acto, le Deleita. Pues si a todos es tan necessario el Deleitar, buscar tienen el medio, con que lo consigan»[71].

En conclusión, más que un libro activamente propulsor de la renovación preceptiva formal-hedonista que se operaba en la estética literaria global contemporánea[72], la obra de González de Salas debe ser valorada mejor

70. Cfr. J. ANTONIO GONZÁLEZ DE SALAS, *Nueva idea de la Tragedia antigua*, ed. cit. p. 89.

71. *Ibid.* pp. 89-90.

72. Uno y otro modelo cristalizaban, de hecho, en el caso de Salas en una actitud general consciente, que no podemos calificar sino de dualista y ecléctica. A la alusión específica a la doble finalidad simultánea, didáctico-deleitosa, manifiesta en alguno de los textos precedentes, podrían sumarse igualmente otras semejantes, como la que sigue: «no de otra manera tendra el lugar primero en la Locucion el Poeta, que juntare la *Alteça* con la *Perspicuidad*, que le tendra en la Poesia, el que juntare lo *Util*, i lo *Deleitoso*, como dice Horacio». *Ibid.* p. 96.

como un síntoma del indefectible alcance general de los nuevos gustos y principios, que como un elemento realmente activo en el proceso de dicha renovación.

Ningún otro extenso e importante tratado de teoría poética produjo nuestro Siglo de Oro durante el período comprendido entre la obra de Salas y la *Agudeza y Arte de Ingenio* de Baltasar Gracián. Con lo que —excluida de este apartado la *Agudeza,* cuyo estudio se realizará dentro de este capítulo en el parágrafo general de los documentos de teoría literaria estrictamente barrocos, conceptistas y culteranos— nuestra búsqueda de los ecos formal-hedonistas en las Poéticas mayores de nuestro siglo XVI y de la primera mitad del XVII queda reducida a lo que antecede. Podría completar la imagen hasta aquí ofrecida, el examen de otros documentos críticos y citas de obras literarias, con carácter análogo al que hemos realizado en distintos lugares de esta obra en torno a los tópicos correspondientes. En esta ocasión, sin embargo, dicho análisis será aún más limitado que en casos anteriores, especialmente en lo que concierne a opiniones explícitas de los autores de obras literarias manifestadas en ellas.

Motiva esta parquedad de nuestros intereses, no sólo el hecho de que dispongamos ya cómodamente de registros perfectamente realizados en dos de nuestros más importantes creadores artísticos —y desde luego quizás aquellos en quienes la compulsa puede arrojar resultados más sintomáticos y oportunamente esclarecedores— Cervantes y Lope de Vega, sino porque además el carácter global, inestable y escasamente definitivo de sus opiniones, que se deduce de los estudios correspondientes[73], coincide casi absolutamente

73. Por la propia índole del pensamiento y circunstancias de Lope de Vega, o quizás —y en gran parte nos inclinamos también a conceder positivo carácter determinante a este hecho— por las particularidades y método del tipo de encuesta aplicado, la reducción de sus opiniones a un rango general resulta mucho más inestable en su caso que en el de Cervantes, obrando en ambos sobre los datos y resultados de las opciones respectivas en la dualidad ingenio-arte que nos brindan los estudios de LUIS C. PÉREZ y F. SÁNCHEZ ESCRIBANO, *Afirmaciones de Lope de Vega sobre Preceptiva dramática,* cit., y de E. C. RILEY, *Teoría de la novela en Cervantes.* Según los resultados que se deducen en el primero de los mencionados libros, pp. 43-68, Lope arroja un estado de opinión teórica muy poco revolucionario, al menos respecto a su comportamiento en la práctica de la creación dramática. Tal es, por ejemplo, la conclusión del capítulo correspondiente de los autores citados: «El hecho de que deleite no es la única defensa que tiene la comedia. Es menester que la comedia enseñe. Debe tener su moral, su lección; aunque esta *medicina* nos la den con un jarabe: deleitar», op. cit. p. 68. En el caso de Cervantes, según es interpretado por Riley, dentro de campear en su obra una indudablemente bien valorada «visión austera de la Literatura... moralmente saludable», la renovación y agilización modernizadora venía indefectiblemente consignada a la naturaleza específica del nuevo género, la novela, que imponía y adelantaba el «entretenimiento» como homólogo radicado en el género del *delectare* en el sistema general de principios estéticos. Proclamación sensible en distintos síntomas de la actitud de Cervantes, bien apuntada

con el tenor resultante de nuestros propios tanteos y lecturas. La conciencia formal-hedonista del arte literario en nuestros creadores artísticos de todo género y carácter fue un hecho universalmente acatado, durante el siglo XVII, de mejor o peor gana, y, con mayor o menor grado de entusiasmo, adherido y participado. Pero simultáneamente, como una concesión gratuita a los prejuicios de la edad pasada, se colocaba muchas veces a su lado el principio del contenidismo didáctico-moralista. Con lo que vino a resultar en la práctica bastante difícil establecer cualquier conclusión valorativa de carácter global sobre las peculiaridades del progreso; al menos en lo que atañe a la línea de afirmación estética manierista, barroca y barroquista referida a la evolución de la conciencia formal-hedonista.

Por lo que se refiere a los documentos críticos, reduciremos también en esta ocasión nuestro caudal de referencias a unos pocos, espigados de entre los más interesantes en los prólogos de la antología de Porqueras que corresponden a los períodos del Manierismo y el Barroco. Con todas las salvedades y reservas previas que el carácter circunstancial y limitado de la muestra examinada obliga siempre a hacer en este caso, creemos, no obstante, que viene a responder muy próximamente a la evolución general de opiniones sobre el deleite artístico ya observada en los demás documentos del siglo XVII.

En los prólogos más tempranos, de comienzos de siglo, la cita ecléctica de la dualidad, realizada generalmente bajo el modelo de la autoridad horaciana, atestiguaba la tímida aunque firme confianza de nuestros autores en la recientemente proclamada razón de ser del deleite. Tal era el estado de opinión a que creemos pudo responder la pequeña concesión al hedonismo deslizada en 1604 por Lope de Vega en el prólogo de *El peregrino en su patria*, aquejado todavía el ánimo del autor de la escasamente consolidada estabilidad de dicho principio [74]. Pero ya en 1618 se ve resueltamente defendido, como positivo avance, por Vicente Espinel, bajo la forma de un limpio eclecticismo que ninguna ventaja aspira a hacer al principio del didactismo

---

por RILEY —especialmente pp. 142-143—; pero que no excluía, sin embargo, el principio tradicional del provechoso aprendizaje, según sintetizaba el mismo crítico en la siguiente fórmula feliz: «En la teoría cervantina, como en gran parte de la teoría de la época, las funciones tradicionales pierden algo de la estrechez y de la rigidez a que estaban sometidas. En la novela, el entretenimiento es lo principal, pues es claro que de él depende en gran parte la efectividad de la otra función. Hay grados de placer, lo mismo que hay diferencias de nivel intelectual entre los distintos lectores; el grado más alto lo ocupa el placer que surge de la contemplación de la belleza. El entretenimiento es provechoso e incluso necesario. Las mejores novelas son obras de arte que proporcionan placer, provecho y recreación». Op. cit. p. 148.

74. Cfr. LOPE DE VEGA, *El peregrino en su patria*, prólogo. cit. por A. Porqueras Mayo, *El prólogo en el Manierismo y Barroco*, cit. pp. 70-71.

moralizador, pero que a su vez tampoco se la cede. Veamos el fragmento correspondiente en el prólogo de la Vida de *Marcos de Obregón:*

> «El intento mío fue ver si acertaría a escribir en prosa algo que aprovechase a mi república, deleitando y enseñando, siguiendo aquel consejo de mi maestro Horacio; porque han salido algunos libros de hombres doctísimos en letras y opinión, que se abrazan tanto con sola la doctrina, que no dejan lugar donde pueda el ingenio alentarse y recebir gusto; y otros tan enfrascados en parecerles que deleitan con burlas y cuentos entremesiles, que después de haberlos revuelto, aechado y aun cernido, son tan fútiles y vanos, que no dejan cosa de sustancia ni provecho para el lector, ni de fama y opinión para sus autores»[75].

El transcurso de los años a lo largo del siglo XVII arroja en los prólogos idénticos testimonios de afianzamiento de la conciencia formal-hedonista que hemos observado y observaremos aún en distintas clases de documentos literarios. Incluso, análogamente a lo que hemos tenido ocasión de advertir en algún tratado de teoría poética como el de González de Salas, la defensa del deleite se realizó bajo circunstancias diferentes a las habituales —sobre todo bajo la presión de las doctrinas aristotélicas—, llegando incluso a desvincularla absolutamente de su dimensión más peculiar verbalista y estilística, bajo la que era concebida, por ejemplo, en el caso general de la renovación poética culterana. Este rasgo, según ya indicábamos, no debe ser interpretado en sentido negativo, como pura recesión; sino antes bien como una expansión, realizada a todos niveles y términos, del principio estético-artístico que de esta manera empezó a manifestarse definitivamente operante y prestigioso. Por ejemplo, en el prólogo a *El Bernardo* de Bernardo de Balbuena, obra aparecida en 1624, se interpreta y califica como deleitoso el resultado del complejo emocional de la catarsis[76], bajo el confesado

75. Cfr. VICENTE ESPINEL, *Vida de Marcos de Obregón,* prólogo cit. en *Ibid.*, pp. 53-54, torciendo sus consideraciones precedentes al ámbito de la licitud moral, reinsiste más adelante en el tenor ya exhibido: «ni siempre se ha de ir con el rigor de la doctrina, ni siempre se ha de caminar con la flojedad del entretenimiento; lugar tiene la moralidad para el deleite, y espacio el deleite para la doctrina; que la virtud —mirada cerca— tiene grandes gustos para quien la quiere, y el deleite y entretenimiento dan mucha ocasión para considerar el fin de las cosas».

76. Cfr. B. DE BALBUENA, *El Bernardo,* prólogo en *Ibid.*, p. 183. He aquí el mencionado texto que produce, según decimos, la conglomeración del principio del deleite con la tópica aristotélica; tanto bajo su forma del placer imitativo cuanto bajo la de la emoción catártica: «que si de la imitación poética la porción mayor de su fin es el deleite, en ningún modo le podrá dañar el enriquecerla de ese tesoro por todos los caminos posibles. Mas, porque éste con perfección no se consigue menos que moviendo las pasiones del ánimo, y éstas con ninguna cosa se mueven tanto como con la compasión y el miedo en los sucesos ajenos,

supuesto de su abierta búsqueda del deleite como una de las galas más apreciables en una obra de ficción:

«... por donde desde luego entre —el lector— haciendo anatomía, si no de la apurada observación del arte, a lo menos de un cuidadoso e infatigable deseo de acertar con la vena del deleite, para dar con ella en la de su gusto».

Otra peculiaridad que sobrevenía de manera sistemática dentro del tratamiento explícito del tópico del deleite en los tratados generales de teoría poética, queda puesta de manifiesto, igualmente, en el caso de los prólogos. Nos referimos al hecho de la inseparable mención, automatizada y enmascaradora, del *docere* como un principio complementario y respetuosamente conservador a título de previsión inocua. Sin embargo este hábito podía resultar en ocasiones no simplemente ocioso, sino positivamente activo y deformante, para los muchos que no acertaron a comprender la urgencia de despojar la apología del deleite poético de los aledaños enturbiadores que habían sofocado durante siglos su limpio afloramiento a su captación inmediata y simple.

Así es como el autor del tardío manifiesto barroquista, auténtica joya crítica en su género, que es el prólogo a la *Neapolisea,* de 1651, denunciaba la actitud de quienes, innovando las eclécticas y automatizadas máximas horacianas del tipo de *omne tulit punctum...,* etc..., se procuraban armas, espúreas pero activísimas, para atacar la oscuridad, que era fruto en aquellas circunstancias de énfasis estilístico-verbalista y de las galas y el cuidado del metaforismo conceptuoso:

«Y finalmente —dice en este importante documento— en todo he procurado delinear el sujeto de suerte que las partes conformasen con el todo en todo, sin obligarme a aquello que por de Horacio refieren los escritores de erudición descansada, que la poesía ha de ser deleitar aprovechando, queriendo de aquí inferir, que ha de ser clara y no demasiado pomposa; porque de otra suerte mal podrá deleitar, ni ser de provecho aquello que no se entiende, como si el no ver el ciego el claro esplendor de el sol, fuese defecto de el día. Lo cierto es —añade con una atrevida, pero de seguro no totalmente desacertada ni inoportuna intuición— que no se entienden estos príncipes del Parnaso graz

que mientras más lastimosos y tristes, más poderosos son a mover los presentes; hice lo posible porque este poema, en sus partes y en su todo, fuese una apurada tragedia, y que así, lo principal de su deleite le naciese de la compasión de tantas muertes lastimosas, sucesos trágicos... etc.».

ni locuente, porque ni Horacio, ni Persio... Ni otro alguno de no vulgar opinión quisieron jamás ser con facilidad entendidos, ni manoseados del vulgo»[77].

Y por si hay quien pueda pensar que Trillo alanceaba aquí[78] algún moro muerto, o que estaba inventando maniqueos, adelantemos que la práctica que critica, la hemos de hallar enormemente difundida entre los adversarios de los poemas culteranos de Góngora, los cuales la fustigaron como irrefutable razón decisiva. Pero, aún sin salir incluso del mismo ámbito de los prólogos, la podemos constatar, en la misma viciosa acepción que tan rigurosa como acertadamente criticara Trillo, aludida nada menos que por el Fénix de los ingenios, Lope de Vega, en su prólogo a los *Triunfos divinos* que se publicaron en 1625:

> «Esta claridad de sus conceptos sin fatiga —son los términos de Lope concretamente referidos a la cuestión que nos ocupa— es el fin de cuantos actos concurren en el Poeta, que siendo deleitar y enseñar, el que no se declara, ni enseña ni deleita; pues no entendido mata, y entendido es monstruo»[79].

El saldo definitivo que arroja la consolidación del espíritu formal-hedonista en los documentos no estrictamente comprometidos en las polémicas del Barroco, ilustra, como hemos visto, el largo y penoso proceso de consolidación de un principio estético ya casi universalmente admitido, antes de librarse definitivamente de las sombras y adherencias que le habían de acompañar todavía durante decenios, e incluso siglos, como residuos del revestimiento farisaico que le impusiera la estética del «antiguo régimen».

La convicción formal-hedonista en los tratados de Retórica y predicación del siglo XVII

Sólo si se tiene presente como punto de partida la atmósfera de restricción antihedonista que había impregnado los tratados del siglo anterior, podrán valorarse los datos de cierta novedosa apertura que nos han de brindar los del nuevo siglo. La situación era, y continuaría siendo desde luego, más cerradamente adversa a las novedades en el ambiente de la sofocada y añosa teoría retórica que en el de los mismos tratados de predicación. Estos últimos aunque fuera en escasa medida, no tenían más remedio que

77. Cfr. F. de Trillo y Figueroa, *Neapolisea*, prólogo cit. p. 202.
78. Reinsiste en idéntica crítica a la degradada interpretación y cómoda aplicación ya tan manoseada del *omne tulit punctum*... horaciano, en *Ibid.*, p. 210.
79. Cfr. Lope de Vega, *Triunfos divinos*, prólogo cit. en *Ibid.* p. 252.

contemplar la situación real del auditorio y sus nuevos gustos. Antecesores dignos de atención en el siglo precedente de Terrones del Caño, Benito Carlos Quintero, o José de Ormaza, fueron hombres como Diego de Estella y Fray Juan de Segovia, quienes en sus obras habían exhibido un sensato eclecticismo que, pese a la ponderable insistencia de que hacían gala en los aspectos de depuración del contenido doctrinal predicado —cuya importancia y prioridad no recedía ante ninguna otra consideración—, no desestimaron, sin embargo, la adecuada atención a los mecanismos formalistas, necesarios como plataforma válida para la fructífera actuación de los mencionados contenidos[80].

Un ejemplo que ilustra de manera muy completa la delicada situación de los predicadores, en la tensión que arrojaban de una parte sus obligaciones didáctico-moralizadoras de signo contenidista, y de otra el lícito margen inexcusable de variado deleite y exornación verbalista, lo constituía en las postrimerías del siglo precedente la obra de Juan Bonifacio, *De Sapiente fructuoso,* publicada en Burgos el año de 1589. Especialmente las epístolas novena y décima de dicho libro se refieren a las limitaciones del contenido deleitoso de la predicación, derivadas de la prudente dosificación del mismo. Igualmente se planteaba Bonifacio la razón de ser de dicho honesto deleite, en cuanto que es vehículo para mejor aprovechar a los oyentes, siempre que corra, además, por los cauces de la naturalidad, y no se constituya en pretexto simple para el lucimiento personal de las facultades del orador, sino que se utilice para potenciar la más completa y adecuada participación del público en la obra. *Omnia de re, nulla de te* fue la fórmula favorita de Bonifacio. La indicación de las más ricas y lícitas canteras para extraer el proporcionado material verbal —sobre todo metáforas y comparaciones extraídas del rico caudal de las que se mantienen en suspensión inadvertida en el habla popular— completaba el contenido de la epístola décima de este notable libro[81].

Entre las obras de Retórica más estrictamente conservadoras, aun tratándose de Retóricas eclesiásticas, la atención a los aspectos formal-hedonistas era, incluso ya en el siglo XVII, notablemente inferior al índice general que representan los documentos correspondientes de Poética. Nada de interés, por ejemplo, hemos advertido en el *Rhetoricae compendium ex scriptis Patris* de Juan Bautista Poza (1615), como no sea su bien conocida insistencia

80. Véase a propósito del ponderado tenor de los principios contrapuestos en las obras mencionadas de Fray Juan de Segovia y Fray Diego de Estella, las sinopsis críticas de los mismos hechas por el P. FÉLIX OLMEDO, en el Prólogo de su edición de la *Instrucción de predicadores*, de Terrones del Caño, ed. cit., especialmente pp. 70-71, y 86 respectivamente.

81. Tenemos en cuenta para esta sinopsis el trabajo citado de FÉLIX OLMEDO, *Ibid.*, pp. 137-138.

en los aspectos didácticos y de contenidismo doctrinal. Y bastante análogo es el balance que nos ofrece la obra de Pablo José de Arriaga, en 1619, respecto del componente deleitoso. En la exposición de fines del arte retórico con que se inicia esta última obra no se ve aludido siquiera el deleite[82], y cuando en algún razonamiento se registran alusiones al ornato y al deleite, éstas subrayan de modo invariable el difundido tenor general de prudente reserva frente a las galanuras de estilo, así como su sistemática subsidiaridad para el deleite:

> «Christiana eloquentia fortis debet esse, non mollis, et luxurians; superfluum ornatum fugiat, et omnem suspicionem levitatis» —y a propósito del carácter de subsidiaria subordinación del deleite se añade poco después— «Ad finem consequendum, auditoris mens primo docenda, deinde voluntas impellenda: delectandus est autem auditor, ut se moveri et doceri sinat, non movendus et docendus, ut delectetur»[83].

Claro está que en alguna medida tales obras tenían que revelarse permeables a los adelantos de la moda barroca difundida en el ambiente. Así, en la dimensión estrictamente formal-estilística destacan a menudo los elogios del tono altisonante y solemne, susceptible de ser alcanzado mediante ciertos recursos de dignificación y ahuecamiento estilístico como la «amplificación»[84], o esforzado en partes de abonada proclividad al efectismo como eran los exordios[85]. Sin desdeñar los símiles y asociaciones de sentido a propósito de los lugares evangélicos, que podrían muy bien constituir el anuncio de lo que empezaba a ser uno de los recursos favoritos en el conceptismo concionatorio[86]. Pero, a pesar de ello, en cuanto al problema de la competencia entre contenido y expresión, la solidez de la resolución contenidista no dejaba traslucir fisuras desde las que se pudiera especular

82. Cfr. Pablo José de Arriaga, *Rhetoris Christiani partes septem*, ed. cit., p. 1-2: «Eius OFFICIUM est dicere apposite ad persuasionem: FINIS, persuadere dictione. Persuadere autem voco, una cum motu animorum facere in dicendo fidem». Pese a ello, en otros lugares de la obra se aludía al deleite, como uno de los fines habitualmente recordados en la teoría clásica de la Retórica junto a los de enseñar y mover. Por ejemplo en la tópica distribución de los tres estilos a los tres fines: «Praeterea cum tria sint officia oratoris, movere, docere, et delectare: humile dicendi genus ad docendum, ad delectandum temperatum, ad movendum vehemens accommodabitur», p. 303.

83. *Ibíd.*, p. 362.

84. *Ibíd.*, pp. 102-103.

85. *Ibíd.*, p. 143.

86. *Ibíd.*, p. 199: «videtur plus habere gravitatis et ingenii, ac etiam commodi, si instituatur de unaquapiam re disputatio. eaque tractetur per aliquas considerationes ex ipso Evangelii contextu erutas. ad eamdem doctrinam pertinentes. Hic modus facile recipit omnem dicendi varietatem, amplificationes, ac motus animorum».

en torno a la posible estimación, siquiera fuera parificadora, de las *verba*. Véase el único punto de la obra donde se abordaba el conflicto directa y explícitamente:

> «Ornatus orationis non est, ut plerique inepte putant, exquisita quaedam elegantia, in qua magis verba, quam res laudantur... Maximam igitur —después de invocar el parecer de Quintiliano— curam orator in rebus ipsis, magnam in verbis adhibeat, si velit perfectum orationis ornatum comparare»[87].

El único autor de obras retóricas propiamente dichas que durante el siglo XVII consiguió escapar a la atonía rutinaria, ya a la sazón irreversiblemente imperante en su facultad, fue Bartolomé Jiménez Patón. Análogamente a lo que ya tuvimos ocasión de constatar a propósito de sus planteamientos en las doctrinas sobre la índole de poetas y oradores, sus soluciones a los temas de la finalidad del arte verbal y de la valoración adecuada de su componente estilístico acusaban la fuerte dosis de sensata y ponderada asimilación de la crecida de modernidad barroca que anegaba el ambiente general literario en nuestro país. Esta buena acogida se perfilaba, por lo que hace a la cordial admisión de los efectismos exornativos del estilo propiciadores de la voluptuosidad formal, en la misma descripción inicial tópica, cargada de pies forzados por su misma naturaleza, que, como glosa al tema de los poderes de la elocuencia, figura al frente de su *Mercurius Trimegistus*:

> «Nil tam iucundum cognitu, atque auditu, quam sapientissimis sententiis, gravibusque verbis ornata, et perpolita oratio. Nil tam potens, tamque magnificum, quam populi motus, iudicium religionem, senatus gravitatem unius oratione converti. Nil tam regium, tam liberale, tam munificum, quam opem ferre supplicibus, excitare afflictos...» ... etc. «Nil iucundius, et magis propriu humanitati, quam sermo facetus, recte exornatus, et nulla in re rudis»[88].

Y sobre todo se percibe la prioridad otorgada al ornato verbal, si se considera atentamente la regularizada disposición estructural de los apartados retóricos que observan las tres secciones de la obra, pues la zona destinada al tratamiento de la *elocutio* resultaba favorablemente evidenciada mediante su colocación en primer lugar. Pudiendo decirse que, con tales presupuestos, era el preceptor manchego un fiel continuador en su siglo de la iniciativa de Luis Vives, enunciada casi cien años antes en el *De causis corruptarum*

87. *Ibid.*, pp. 225-226.
88. Cfr. BARTOLOMÉ JIMÉNEZ PATÓN, *Mercurius Trimegistus*, ed. cit., preámbulo, s. p.

artium y confirmada en el *De ratione dicendi*. Hecho este tanto más digno de atención, cuanto que, hasta el momento, tan sólo había contado con ciertos ecos poco notorios y prestigiosos en las obras de Sempere y Palmireno, también oriundos de la región valenciana. Al frente de cada una de las partes del *Mercurius* —latina, española y sagrada— adelantaba Jiménez Patón las razones de su decisión, que para la española son las siguientes:

«Titule esta obra Eloquencia Española. Porque como Retorico quiere decir lo que Eloquente, asi Retorica lo que Eloquencia Española...». Y más adelante expone con mayor detalle las razones de dicha asimilación: «Porque la Invencion, y Disposicion son partes de Dialectica y no la Eloquencia. Consta de Ciceron... Y lo mismo es Eloquencia, que Retorica. La qual no incluye en si Invencion ni Disposicion. Porque la Invencion es la traça del argumento; el argumento como quiera que sea es Dialectica, ò Logica, (que todo es uno) luego no Eloquencia. Si queremos entender a Aristoteles el dice, que la Invencion, y Disposicion son propias del que hace demonstraciones, que es el Dialectico: y Platon enseña, que la Disercion (que es discurrir, y raciocinar) le pertenece a la Dialectica, esto se hace inventando y dispuniendo. Y aun Ciceron en los Officios lo mostrò mui claro: lo que le toca a la Eloquencia es adornar con tropos y figuras. De suerte que los fines son diferentes, y dellos consta la diferencia de las mismas facultades. Pues el fin de la Dialectica es hacer discursos de raçon, y el de la Eloquencia el ornato de la oracion»[89].

Procedamos ahora a examinar el estado de la teoría de la predicación sagrada en sus textos más significativos durante la primera mitad del siglo XVII, respecto a los tópicos que actualmente nos ocupan. Para hacerlo, resulta obligado comenzar precisamente considerando las propias obras de Jiménez Patón, pues la fecha de su tratado *El perfecto predicador* —1605, según Martí, o 1609 por la dedicatoria de su autor a don Pedro de Fonseca— lo sitúa entre las más tempranas muestras del género que diera el siglo. Como resulta fácilmente imaginable, el tenor de sus opiniones sobre la precedencia de la elocución se mantuvo en términos idénticos a los que habían de arrojar, años después, las páginas del *Mercurius* ya examinadas; con la única diferencia de que en *El perfecto predicador* buscaba y descubría Patón las mejores razones para defender la dignidad de la palabra en las páginas de los propios textos sagrados:

«Y el porque consta. Porque assi como la sal da sabor á todo manjar: assi el predicador da sabor à las palabras que son manjar del alma segun lo de

89. *Ibid.*, pp. 49 r. y 57 v.

san Lucas. No vive el hombre con solo pan, sino con toda palabra que procede, y sale de la boca de Dios, que es no menos que de vida. Las palabras compuestas, y bien ordenadas son un panal de miel, dulçura de el alma, y suavidad de los huessos, propiedades muy de la sal, y oficio muy de el predicador»[90].

Sin embargo el parecer de Patón que testimonian los textos anteriores, no constituía la tónica más usual en el estado de opiniones sobre la predicación religiosa. Téngase en cuenta que en el preceptor manchego concurría la condición, que hemos destacado ya en otros lugares, de auténtico espectador, en cierto modo objetivo, del fenómeno, dado su condición de laico. Quizás el único ejemplo allegable al progresismo doctrinal de Patón que tuvo su origen en el medio eclesiástico, sea la obra de Benito Carlos Quintero *Templo de la Elocuencia Castellana,* publicada en 1629. En ella se nos brinda la ocasión de descubrir la profunda simpatía con la que su autor contemplaba los efectos deleitosos en la predicación; pero, al mismo tiempo, prevenía contra los descarríos a que podría conducir el exceso unilateral de tal suerte de propósitos.

Dentro de su elogio en universal de las consecuencias hedonistas del nuevo estilo en la predicación, el recuerdo del *omne tulit punctum* horaciano suponía una firme cautela para el control de excesos. El desmedido esmero en el lenguaje, en cuanto constituye fin de deleite en sí mismo sobre la atención debida a la doctrina y al pensamiento, usurparía los verdaderos fines de la predicación sagrada:

> «Lenguaje, que su dulçura es tanta que roba la atencion, y el gusto, sin permitirla al concepto, que es alma de la voz, no es conposicion retorica, sino armonia de musico lascivamente inutil; solo tira a el deleite, no al provecho de los atentos: antes pierde la fuerça de la persuasion el mismo descubrirse el artificio: y en lugar de asechanças burla su diligencia»[91].

Todavía más estrechamente redobló Quintero su cerco y denuncia de los desvaríos de la predicación contemporánea, cuando unas pocas líneas más adelante aludía claramente al culteranismo en la predicación, negando su licitud como «elegancia costosa», tensa y antinatural. La garantía de operatividad de la palabra en la oración sagrada —parece pensar Quintero—

90. Cfr. Bartolomé Jiménez Patón, *El perfecto predicador*, ed. cit., pp. 10 r.-v.

91. Cfr. Benito Carlos Quintero, *Templo de la Eloquència Castellana*, ed. cit., pp. 18 r. y v.; y añade poco después: «Al entretenimiento del auditorio, y a la vanidad del aplauso dedica solamente la Oracion afeitada el que la trabajo, y con eso descubre infelizmente todo el artificio, que en braços del disimulo avia de dar fuerça a sus raçones; haciendo de la Espia secreta ladron manifiesto, y de las armas disimuladas inquietud publica».

radica en su propiedad y en la directa capacidad alusiva de las ideas aportadas; no en la maravilla efectista e intransitiva de la selección y tratamiento verbal, replegado sobre sí mismo, con la subsiguiente desorientación del oyente, náufrago en la complejidad de cada giro y con el norte perdido en la estructura general del discurso:

> «No es Eloquencia digna de admiracion la costosa, ganada a solicitudes, y desvelos, que atormenta, y abrasa mas a su autor inpaciente en el trabajo de volver las palabras, y mudarlas melancolico, que le alegra su facilidad acertada. Aquel es alto, florido, y rico, que govierna, como aguas dociles, las venas abundantes de su eloquencia, sin mas trabajo, que el de un surco breve, por donde las arcaduça, sirviendose el de su eloquencia, no sirviendo la ella cuidadosamente»[92].

El principal acierto de Quintero, y la cautela que también convierte su obra en auténtico manifiesto y homenaje de las nuevas tendencias del espíritu barroco consideradas en un plano general, reside en haber sabido distinguir, manteniéndola además invariablemente presente, la diferencia entre orador y poeta. A base de ella, si bien podía establecer las razonables cautelas a los excesos verbalistas del orador, le resultaba posible, igualmente, ilustrar y ponderar los rasgos de elegancia y escogimiento verbal del poeta culterano:

> «... yo le entiendo de la variedad que deven guardar en sus estilos el Poeta, y Orador: que son oficios entre si diferentes. Pues el Poeta pide una magestad dulce, y una dulçura trabajada mas curiosamente que el lenguaje suelto».

Confiando en la naturaleza inspirada y excepcional de la psicología del poeta, como señalábamos ya a propósito de Quintero en el capítulo precedente, no menos que los más refinados productos del deleite formal-hedonista pueden constituir, consecuentemente, el ideal del escogido artista de la palabra, forjado sobre la base de atrevimientos y bizarrías con el lenguaje solo consentidos en atención a sus singulares índole y oficio:

> «Pues siendo su fin deleitar y entretener; como notò Seneca... Su mira la ponen en lisonjear dulcemente los oidos, y texer, como en guirnalda, flores hermosas en el artificio de la fabula; y asi es raçon que se armen de biçarria, que se dediquen a la curiosidad de nuevas voces, pero proprias, translaciones delicadas para que con eso levanten sus versos».

92. *Ibid.*, pp. 18 v.-19 r.

Pese a tales novedad y atrevimiento, no alcanzaba Quintero todavía a proponer el formalismo hedonista como unilateral objeto de atención por parte del orador. Por el contrario, el pensamiento, la *res*, debe subyacer indefectiblemente transparentado tras del cuidadoso celaje verbal, de tal manera que ni sofoque el goce deleitoso de su contemplación, ni se oculte tras él tampoco, al punto de transformar su descubrimiento en operación indeseable y esforzada:

> «Si bien es verdad, y serà gala suia tal vez, esconder los racimos dorados del pensamiento entre las ojas, y panpanos de las locuciones floridas, y alegres: pero con el artificio que la naturaleça los esconde en la Vid, que el viento mas facil los descubre; no es menester trabajar mucho en eso»[93].

Si pretendemos transferir ahora tales licencias, galas y entretenimientos desde la creación del poeta al oficio del predicador, sobrevendrá un evidente desajuste; ya que no mediaba entre el cometido de ambos la más pequeña proporción en la índole de las dificultades que determinaban el propio instrumento y objeto de actuación[94]. Y era ello, sin embargo, que por aquel tiempo —según consideraba Quintero— muchos predicadores, por olvidarse de la peculiaridad esencial en la constitución de sus misiones específicas, hacían del púlpito verdadera cátedra de poesía. Lo más grave era, además, que su producto, el descompuesto e improcedente deleite, atentaba y deterioraba la verdadera finalidad básica de la predicación sagrada, la eficiación moral del auditorio[95], donde se conjugan y jerarquizan los fines parciales de la Retórica tradicional de enseñar, deleitar y conmover o persuadir. Quintero lo proclamó así en uno de los más inspirados fragmentos de esta verdadera joya sin tacha ni desperdicio, que es su bien razonado y mejor escrito *Templo de la Eloquencia:*

93. Véase para los textos citados, *Ibid.*, pp. 33 v.-34 v.

94. He aquí la denuncia de la extrapolación al caso del orador de los instrumentos y fines aprobados en el poeta, fundada en los divergentes naturaleza, medios y finalidad que median entre ambos: «Ignorancia es no adorno, afectacion no acierto no ajustarse a sus leies los que hablan, y juzgarse el Orador tan libre en el uso de voces, y metaforas como el Poeta licencioso, que mira solamente a deleitar, y le obliga a largarse la prision del consonante:... Y si conputan los cuerdos la modestia de estas translaciones con la libertad de las que oi se usan en los Pulpitos, conoceran que es no digno de veneraciones, sino de risa su delito». *Ibid.*, pp. 40 r.- v.

95. Pese a la modernidad y atractivo contemporáneo y mundano de muchas de sus consideraciones, Quintero sabía tener bien avizorado el verdadero norte indefectible sin el cual la oratoria sagrada se alteraba descomponiéndose por extravío de su esencia: «De lo que yo siento mal, y juzgo indigno de los pulpitos, es del cuidado demasiado en paladear los oientes: olvidando por esta gloria vana los respetos a su oficio de Oradores, a la autoridad de sus personas, y a los aprovechamientos de las almas». *Ibid.*, p. 39 v.

«nace un afan, un desvelarse en sutileças, para adorno del Sermon: comensandole con pensamientos delicados, y sin aplicalle a las costunbres, ni dar un paso en su enmienda, que es el fin proprio del Predicador; gastar tienpo, y luz, en juntar lugares, y discursos sutiles, y no pisados de las plantas diligentes de los demas curiosos: sin reparar, que el Pulpito pide una tenplança, y mixto de tres cosas diversas; que son, Enseñar, Deleitar, y Persuadir: y como es culpable en el Predicador, faltar al deleite, tanbien lo es entregarse tanto a el, que olvide la parte de enseñar al pueblo las cosas que le inportan a la salud del alma; y la persuasion, que es la mas necesaria: y a la que como a puerto seguro, mira la navegacion del discurso»[96].

La obra de Quintero, como fácilmente puede apreciarse, llegó a marcar el límite máximo de sensata flexibilidad que podían alcanzar las concepciones más avanzadas sobre la predicación religiosa, desde la base del más indiscutible entusiasmo por los logros poéticos del espíritu y la sensibilidad estética barroca. Entre la libre actividad del poeta y el comprometido oficio del predicador se perfilaba una intransgredible línea de demarcación, constituída sobre la base divergente en finalidad y procedimientos verbales, incorporada a la actividad de cada uno de ellos. Dicha línea trató de ser quebrada en no pocas ocasiones, y de hecho lo fue con muy diversa fortuna para sus autores, pero con balance siempre adverso para la misión apostólica de la predicación sagrada, y, en cualquier caso, con muy dudosos resultados para el desenvolvimiento próspero del arte verbal. Pese a todos los esfuerzos, las aludidas transgresiones no cristalizaron nunca de manera sintomática en una nueva filosofía de la oratoria manifiesta en un tratado. Dictadas la mayor parte de las veces por un irreflexivo e ignorante afán de notoriedad y efecto, repugnaba, por esencia, a tales autores una reflexión pormenorizada y consciente sobre los fundamentos de sus decisiones, que sin duda les habría conducido a abdicar de sus pretensiones, o por lo menos a cambiar de campo, pasando de la oratoria al cultivo puro y simple de la poesía.

Por todo ello, el conjunto de obras sobre predicación de la primera mitad del XVII a que podemos pasar revista, está cortado sobre el patrón común de su prudente conservadurismo retórico. No obstante, por tratarse sus autores de ingenios no vulgares, permiten columbrar en general un grado de comprensión ciertamente entusiasta por los numerosos aspectos positivos de la renovación del gusto barroco, cuyos destellos beneficiosos en la esfera formal-hedonista se dejaron filtrar gustosamente en los preceptos doctrinales sobre la predicación. Pero tal impregnación se realizaba siempre, no lo olvidemos, hasta los límites de flexibilidad que podía soportar el

96. *Ibid.*, p. 43 v.

esqueleto, ya bastante anquilosado por la carga tradicional de exigencias estructurales inabdicables, de la predicación sagrada.

Buen testimonio de dicha mentalidad lo constituye sin duda la *Instrucción de Predicadores,* obra tardía —publicada en 1617— de un orador renombrado, Francisco Terrones del Caño, en quien concurrían la bien formada conciencia técnica, con sus cautelas restrictivas correspondientes, junto a inteligencia sutil y penetrante agudeza intuitiva, capaces de columbrar los senderos del gusto estético general por los que comenzaba a arrojarse impetuosamente el afán renovador de los jóvenes predicadores. El integrismo conservador de su ideología retórica se manifestaba en su cerrada defensa de los fines didáctico-moralizadores de la oratoria; pero su comprensión para la transigencia con lo que tienen de positivo los recursos deleitoso-exornativos se dejaba sentir, así mismo, en determinadas recomendaciones de marcada índole conceptista:

> «Verdad es que como en el mesmo banquete, tras de los platos, se da para postre algunas frutas o dulces, también en el sermón parece bien, después de haber reprehendido y descalabrado los vicios, untar el casco a los oyentes con dos o tres bocaditos agudos y dulces, porque acabar con la aspereza de la reprehensión es parar el caballo en la furia de la carrera, y sobre las manos, debiendo parar poco a poco y haciendo corbetas»[97].

La *Instrucción de predicadores* resulta ser un notable índice de información para testimoniar las causas de la, en principio, relativamente tolerada difusión de la oratoria conceptista, en contraste con la abierta intransigencia que desde sus comienzos conoció la predicación culterana. Precisamente, en lo que de base contenidista existe en el conceptismo oratorio, encontraba éste la venia para pasar siempre más fácilmente desapercibido que el extremismo culto, que exaltaba la vertiente predominantemente verbal formalista, siempre sospechosa, si no proscrita, en la teoría tradicional de la Retórica y singularmente de la predicación sagrada. La unilateral prevención de Terrones del Caño —una auténtica gloria de la oratoria tradicional que vivía ya su lúcida ancianidad en el primer cuarto del siglo XVII— contra los excesos verbalistas suponía, por tanto, de una parte la confirmación de la línea de austeridad formal, impuesta tradicionalmente en la más gloriosa tradición concionatoria; pero, de otra, representaba el anuncio de la continuidad operante de dicha tradición en la oratoria barroca bajo la condena del culteranismo, un episodio más de intensificación de la parcialidad *verbal.* Contando con su fenómeno correlato en la constante de relativa tolerancia al conceptismo, el cual suponía, en grandes líneas, la potenciación deformada

97. Cfr. FRANCISCO TERRONES DEL CAÑO, *Instrucción de predicadores,* ed. cit., p. 114.

de la *res*. En la *Introducción* menudean los ataques de Terrones contra los excesos verbalistas, que debían contar ya con no pocos adeptos en la predicación de su época, como constituían en el fondo una tentación extremosa latente desde los orígenes mismos de la oratoria:

> «¡Qué bueno es esto —exclamaba en cierto punto— para los habladores que, con elocuencia vana y gran follaje de palabras, hacen perderse lo que quieren decir, desvaneciéndose la sustancia y derramándose por el multiloquio!».

Todo lo cual no era sinónimo indiscriminado de ataque contra cualquier manifestación de atento verbalismo, como lo proclamaba Terrones, adscribiéndose de este modo a la línea de moderación y eclecticismo verbal-contenidista:

> «Pero no por esto se ha de despreciar la moderada elocuencia, pues sabemos que, a fuerza de elocuencia, se han hecho grandes efectos, como poco ha decíamos de Hércules. San Jerónimo y San Crisóstomo con mucha elegancia y elocuencia escribieron; y Crisóstomo tenía tanta en sus sermones que por eso le llamaron boca de oro; pero ambos con gravedad, sin verbosidad ni rebosando retóricas»[98].

Tales declaraciones, de lo que daban cuenta en concreto era de la manifiesta intolerancia contra la extremosidad verbal cultista que se empezaba a extender sobre el país, haciendo de los púlpitos —como claramente apuntaba Terrones— academias de ingeniosidad poética o tablados de corral de comedias[99]. Curiosamente esta última acusación la veremos abundantemente reiterada por los defensores españoles del casticismo concionatorio, contra los frecuentes excesos de culteranos y conceptistas filtrados entre las gentes de sermón.

Idéntico carácter de prudente conservadurismo, con ciertas inflexiones en una línea de hedonismo formal que les aportó sin duda el contagio de la cultura barroca, fue la tónica apuntada por las más notables obras de predicación sagrada de mediados del siglo. Por ejemplo, el *Arte de orar evengélicamente* de Agustín de Jesús María respondía a la misma línea hasta ahora revisada en Terrones. No se desdeñan las mesuradas galas estilísticas en la medida que puedan ayudar a esforzar los fines salvadores de la predicación:

98. *Ibíd.*, los dos últimos textos citados en pp. 126 y 128-9.

99. *Ibíd.*, p. 130: «De lo dicho queda condenada para el púlpito la elocuencia poética y de los tablados... Esto mejor es para farsa que para sermón».

> «... la Retorica, pues se ordena a formar un perfecto Maestro de la Verdad, el cual a de ser elocuente, pues como se dize en el prologo de la retorica de Cicerón: sabiduria, y magisterio sin eloquencia poco aprovecha: y el mismo añadio, que nada por bueno que sea escapa al peligro de adulterarse: que aunque es verdad, i la dixo Seneca, que el oficio proprio del Orador, y mas el que aqui pretendemos instruir, que es evangelico, solo atiende a curar las costumbres enfermas del auditorio, y el enfermo no busca medico elocuente en dezir, sino diestro en sanar; pero si lo allasse todo suavidad, y eloquencia mejor seria, y mas facilmente se sugetara al buen recibo de los medicamentos amargos que le aplicase»[100].

Por tanto, el límite que marca el grado de consentimiento al adorno verbalista vendría establecido en el nivel de permeabilidad de las palabras del texto a la comprensión, al menos básica, de su contenido por parte del auditorio; con lo que quedaban consiguientemente descartados en la intención de este autor los peligrosos jugueteos barrocos que esforzaban el grado de dificultad de los mensajes hasta el punto de rozar, en ocasiones, las mismas márgenes del sinsentido, a cualquier escala de especulación que se quiera considerar a éste. No obstante, no deja de ser problemático e incierto el difícil equilibrio de opiniones que se manifiesta en estos autores combatidos de tan contradictorias tensiones, entre el didactismo realista tradicional y la presión del hedonismo-formalista, predominante en la literatura del ambiente. Ante tan inestable fiel quedaban las decisiones exclusivamente abandonadas a la libérrima prudencia del predicador, pues los consejos de los teóricos eran tan titubeantes como poco efectivos en el fondo. Así se descubre en la siguiente propuesta de la obra que estamos examinando:

> «Al buen modo de enseñar tambien pertenece, que lo que enseñare procure siempre tenga mas de util, que de sutil... Y aunque no quiero vedar al Maestro Evangelico el dezir sutilezas, pero quisiera que no las adelgaçase, tanto, que ò venga con ellas a confundir lo que dize, ò vengan ellas a perder la fuerça que debrian tener para la enseñança... Espada es la palabra de Dios, delgados i sutiles debe tener los filos, que si estan enbotados mal podrá con ellos erir, pero no a de apurarse tanto la delgadeza que de espada la venga à aguja»[101].

Y esto, dicho de la sutileza del artificio verbal, se podría trasladar con idéntica libre indecisión a la finalidad deleitosa, deseada como instrumento pero condenada como finalidad en sí misma. Pero sin que se señalaran

100. Cfr. AGUSTÍN DE JESÚS MARÍA, *Arte de orar evangélicamente*, ed. cit., p. 1 r.
101. *Ibid.*, pp. 5 v-6 r.

jamás los límites precisos en los que fuera posible al orador descansar con plena seguridad de acierto[102].

Tampoco la por tantos conceptos alabada *Censura de la elocuencia,* de José de Ormaza, vino a perfilar con mayor exactitud tales límites, tan imprecisamente trazados, que no impedían a unos despeñarse ni ayudaban a otros a mantenerse a salvo. Ormaza conseguiría sin duda, eso sí, formular con más vigor y elegancia que ninguno de sus contemporáneos los términos de la colaboración entre expresión y contenido, tantas veces proclamada por los juiciosos teorizadores, como frecuentemente desoída y conculcada por los practicantes de la oratoria de aluvión que contaminaban, con exageraciones y osadías sin cuento, la oratoria barroca en España. Tengase en cuenta, al respecto, su planteamiento elocuentemente barroco de los términos de colaboración entre el fondo doctrinal y la realización verbal:

> «Iunten sus armas el fervor, y el ingenio, que para cada uno ai su propio empleo, y desceñidos seran de poco efecto, mas si conspiran en uno, conseguiran el intento. Ni las vozes desacrediten el discurso, ni este haga burla dellas. Unanse en sus plumas, como en cañones de batir, donde el estruendo sirve para el pavor, la bala para la herida, y de ambos es la vitoria. Sean las vozes el trueno de la razon, que sola no bastarà, pues rara vez se venze sin espantar. Pero sin bala de razon, serà el bramido de cañon sin carga, que estremece al ignorante»[103].

Sin embargo Ormaza se percató, como la mayoría de los teorizadores en su época, de la exigencia contemporánea de deleite, demandada por los auditorios hasta límites tales, que muchas de las tendencias en que se resolvía la ideología estética de la edad pagana resultaban más austeras y refractarias a engalanar y endulzar sus contenidos doctrinales que la predicación moderna[104]. En tales términos, la opinión general de Ormaza

102. La imprecisa determinación de límites quedaba aludida en declaraciones generales del tipo de las que siguen: «Pero no tanpoco sea la principal atencion a esto: antes enseña Ciceron que sea muy escaso, tomando lo que bastare solo en orden a convencer: porque el deleite querido por si es venenoso. Quien a quitado la vida eterna de tantas almas en el mundo sino el deleite?... Asì los Maestros evangelicos —insiste poco después— deben poner deleite en el modo, i en la sustancia de lo que enseñan, para no gastar en eso todo el sermon, sino lo preciso, para que diziendo sabrosamente, los coraçones del auditorio se muevan a abraçar la verdad que se les dize a vueltas del gusto con que la oyen.» *Ibid.*, pp. 7 r.- y v.

103. Cfr. G. Pérez de Ledesma (pseudo. de J. de Ormaza), *Censura de la Eloquencia,* ed. cit., p. 15.

104. *Ibid.:* «Tal ogeriça hemos cobrado a nuestro provecho, que es menester sazonarnos lo mucho, para que lo gustemos, y aun tal vez disfrazarle con alguna gala profana, para

obedecía a la misma tónica de fluctuante equilibrio que manifestaron todos los documentos sensatos de teoría concionatoria escritos durante el período de difusión de la práctica barroca. De ahí que, junto a ocasionales defensas del deleite, como condimento ya imprescindible a los paladares cebados en las galanuras del estilo barroco[105], resulta posible constatar en otros puntos severas restricciones al hedonismo verbalista en términos, incluso, de tan absoluta sumisión a la condición directriz del contenido, que venían a justificar el difundido aforismo clásico de progenie estoica popularizado por Horacio: *cui lecta potenter erit res, nec facundia desert nec lucidus ordo*[106].

Del examen de los documentos realizado en este apartado hemos de concluir, análogamente a como hacíamos respecto del mismo contenido cuando revisábamos la proclamación barroca de los poderes del *ingenio*, que el caudal propulsor de la teorización retórica de nuestro Siglo de Oro resultó más bien escasamente estimulante en el proceso de afirmación del ideal hedonístico-verbalista que triunfara en el período de la consolidación barroca durante el siglo XVII. A propósito de este dominio, no cabe sino asentir a la convicción, ya largamente establecida, del divorcio entre teoría y práctica en el arte del clasicismo áureo español; pues, tan razonablemente estabilizada y conservadora como pudiera ser la teoría retórico-oratoria más representativa que aquí hemos tratado de presentar, fue sin duda arrebatadamente innovadora la práctica de nuestra oratoria sagrada, abierta siempre, en estimulación recíproca, a las más empeñadas novedades culteranas y conceptistas de nuestra literatura barroca.

---

que en trage de diversion nos asalte el desengaño. Mas austeridades fingia la Filosofia Estoica, que muestra la Christiana».

105. He aquí un testimonio de esta obra en tal sentido: «Ni es ocasion de flaqueza esta hermosura, pues en la Eloquencia es fortaleza el agrado. Y assi todos los cuerdos sienten, que la arte en componer la razon, sirve no solo para deleitar, sino para mover. Lo primero, porque nada puede entrar en el afecto, si ofendiendo a las orejas, ellas le cierran la puerta. Lo otro, porque la armonia, tiene secreta mano con nuestros afectos, como se vè en el instrumento, en quien sin palabras nos mueve lo numeroso; quanto mas en las razones cuerdas». *Ibid.*, p. 36.

106. Del espíritu cerradamente didáctico-contenidista de la máxima retórica horaciana mencionada, no desdice el siguiente fragmento de ORMAZA, indudablemente extremoso y poco realista en especial en sus últimas afirmaciones: «De modo, que hablar bien, supone entender mucho, y añade el saber trasladar a la voz los conceptos. Sin estos no ai buen estilo, y en concibiendo con alma, pocas vezes faltan, y las mas vezes ruegan las palabras que bastan, para no desluzir lo bien pensado». *Ibid.*, p. 33.

Triunfo del ideal formal-hedonista en los documentos críticos de las polémicas culterana y conceptista.

En los numerosos documentos fundamentales que constituyen el conjunto de temática crítico-literaria en torno a la poesía culterana de Góngora, es sin duda donde se nos brinda la ocasión óptima para corroborar el cambio de mentalidad estética sobre la poesía como realidad integral, con sus fines, sus medios de actuación y su autor. Respecto al tercero de tales componentes, la fisonomía del autor, ya detectábamos en el capítulo precedente el profundo cambio experimentado por la opinión crítica sobre él y sus peculiaridades psicológicas. Una poesía revolucionaria, como sin duda a primera vista debía resultar para sus contemporáneos la del *Polifemo*, precisaba de una justificación igualmente revolucionaria sobre sus causas[107]; de ahí la defensa emprendida por parte de los apologistas de Góngora sobre la singularidad inspirada de su carácter, y, por lo mismo, el nuevo enfoque invocado en torno a su finalidad y el estatuto de la forma —*verba*— con respecto al fondo o contenido —*res*—, que estudiaremos ahora.

Partiendo de la consideración de la finalidad, las acusaciones más frecuentes contra el nuevo estilo y la oscuridad de Góngora arrancaron por lo general de la asimilación de deleite a claridad; lo mismo que hemos visto referido, en apartados precedentes, a documentos de teoría poética y de Retórica. La oscuridad en lo que siempre tiene de exigencia de *interpretación*, priva a la lectura de todo contenido de inmediatez deleitosa a causa del

107. La conciencia de singularidad en la propia concepción del poeta y la exquisita selección del público y de los medios de actuación poética, están incuestionablemente vinculadas a toda explicación de la poesía o la propia mentalidad de Góngora, cualquiera que sea el punto de vista del que se parta. Por ejemplo, hasta en una explicación tan remota de los mecanismos poéticos mismos como la de las castas, Américo Castro creyó percibir la transparencia —y la trató de justificar— de tal punto de partida decisivo. Cfr. A. CASTRO, *Cervantes y los casticismos españoles*, Madrid, Alfaguara-Alianza, 1974, p. 11: «Al ser y al cómo estar existiendo la persona se sobreponía lo decretado por el monstruo de la *opinión*, del llamado *vulgo* con saña o irónico desdén por Mateo Alemán, Cervantes y otros tantos. Lo preferido y ensalzado por los más se hizo repugnante para el intercastizo. Quevedo amenazaba a Góngora con *untarle sus versos con tocino*; la réplica a esos dictorios —sin duda, familiares a Góngora desde su niñez— fue una altísima poesía sólo inteligible para unos pocos. En el discurrir temporal de las formas literarias han de incluirse el sentir y el designio de quienes las manejan. El mejor arte de Góngora expresaba el gusto por adentrarse en uno mismo, por valorar más el *alma* que los *respetos humanos*. En otras ocasiones, don Américo, extendió el síntoma a explicación global de los mejores productos espirituales de nuestra cultura, como en su artículo «Gracián y los separatismos españoles», donde apunta: «La contienda entre los *pocos* y los *muchos* —en la cual ganó titánicamente Gracián la última batalla— ha dado a España figuras de primera magnitud, hijas, repito, del descontento y la esperanza, seguras de que la fe en sí mismas y en lo por encima de la dentellada de la *turba*, allanaría las más altas cimas». Cfr. A. CASTRO, *Teresa la Santa y otros ensayos*, cit., p. 306.

esfuerzo intelectual que la destruye. Tal advertencia le era hecha a Góngora por Francisco de Córdova en su amistosa, pero esforzadamente crítica, comunicación sobre las *Soledades:*

> «Así que no debe Vm. procurar escrevir para solos los doctos, porque desta suerte le entenderán y gustarán de sus obras muy pocos; parte por no serlo en esta facultad; parte porque no querrán gastar el tiempo, y sus juicios en adivinar, qué quiso dezir Vm.:... reduciendo a trabajo lo que avia de ser meramente gusto, y matándose por entenderlo o no entenderlo»[108].

Aunque Córdova participaba, según él mismo nos confiesa, de un concepto sobre la finalidad de la poesía profundamente conservador y tradicional, resulta sintomática la mención que antecede sobre el carácter predominantemente deleitoso de la poesía de Góngora, ya que la objeción está centrada en este aspecto, fin de la poesía para él subsidiario, si se la considera en general[109]. Por su parte Cascales, quien como Córdova distaba de defender la exclusiva finalidad deleitosa de la poesía, atacó la oscuridad gongorina en la medida que, a su juicio, entorpecía los tres fines esenciales del poeta: enseñar, deleitar, y mover[110]. Finalmente, no entre los críticos adversos, sino en un comentador favorable del gran poeta de Córdoba, Cristóbal de Salazar y Mardones, es quizá donde sea posible descubrir una más absoluta proclamación del deleite como la más encumbrada finalidad de la poesía, para prevenir contra la oscuridad poética, a la que se venía a considerar, en suma, irreconciliable con él:

> «Y al fin carece de duda, que si se escrive para deleite de los Lectores, como quieren que sea Horatio en su Poetica, y el Principe de los Oradores Latinos.... No los podra adquirir quien escriviere con obscuridad»[111].

108. Cfr. Francisco de Córdova, *Parecer acerca de las «Soledades» a instancia de su Autor*, ed. cit., p. 137.

109. Córdova manifestaba que en su opinión la finalidad última del arte residía en el provecho didáctico-moral e intelectual, siendo únicamente secundario el deleite. Sin embargo, aun en el punto donde tales confesiones se manifiestan, no deja de hacerse la crítica a los supuestos excesos de la obscuridad gongorina en función del deleite, parificado absolutamente con el provecho: «siendo el fin ultimado y arquitectónico el aprovechar, y el deleitar el subordinado (según lo probré en mi Didascalia) si esto es así, ¿a quién a de aprovechar, y a quien deleitar lo que no es entendido? Dirá Vm. que se lo escribe para los doctos. Ya será eso conseguir sólo el fin menos principal, porque los doctos podrán bien deleitarse con este género y estilo de Poesía, pero aprovecharse no, siendo de cosas, que no deben ignorarlas». *Ibid.*, p. 136.

110. Cfr. Francisco de Cascales, *Cartas Filológicas*, Vol. I, ed. cit., p. 195.

111. Cfr. Christóval de Salazar y Mardones, *Piramo y Tisbe, comentada*, ed. cit., p. 69 v.

Contrariamente, como es lógico, los apologistas de la nueva poesía invocaron idénticas razones de finalidad deleitosa para reforzar el razonamiento opuesto: Góngora era soberanamente digno de toda alabanza, porque su poesía acertó a exaltar y dignificar el deleite lúdico-verbal por encima de cualquier otra razón o exigencia de naturaleza didáctica o lógico-contenidista. En este recorrido argumentativo, los distintos comentadores y apologistas del culteranismo siguieron vías muy dispares, todas las cuales contribuyeron, sin embargo, a presentarnos un panorama casi exhaustivo de los argumentos más peculiares de la crítica barroca en la exaltación unánime del *delectare* poético.

Díaz de Ribas, por ejemplo, defendía el deleite como único fin de la poesía, al ser lo específico de ella respecto de las restantes disciplinas afines, elevándolo por tanto sobre cualquier otra ordenación final con las siguientes razones:

> «Algunos modernos dicen que aunque pretenda deleytar la poesia su principal fin es enseñar, opinion no asiento, porque el fin de un arte por quien se distingue de las otras, no a de ser comun a elas, y la Rethorica enseña, la Historia y la philosophia y si la enseñança es como genero a muchas artes el fin especial dela poesia sera enseñar deleytando y el de la retorica enseñar persuadiendo. Lo qual confirma mucho el atribuirle casi todos los authores al poeta el deleytar —y aquí mención de distintos autores—... y casi todo el comun sentimiento, y este deleyte nace ya delas cosas portentosas admirables y escondidas ya de las voces y frases sublimes y peregrinas»[112].

Y a esta razón remitía en cada decisión concreta, tanto a la hora de defender, por ejemplo, la violenta novedad de ciertos tropos[113], como en términos más generales para justificar el retorcimiento estilístico y la oscuridad gongorinas mediante la innovación del exquisito deleite de naturaleza intelectual, que al culto y avisado lector suponía el ir desentrañando aquel laberinto de sentidos y emociones. A tal propósito recordaba una opinión de Juan de Mariana:

> «Assi un varon de nuestra nacion dijo que travajava con mucho gusto en entender Las Soledades, porque gustava de sacar oro y perlas aun a costa de mucha fatiga»[114].

112. Cfr. PEDRO DÍAZ DE RIBAS, *Discursos apologéticos*... ms. cit., fol. 70 r.
113. Por ejemplo, *Ibid.*, fol. 77 r.: «También para ensalçar el estilo y traer novedad uso muchas translaciones, florido campo de el estilo poetico que con cuidado vusca el deleyte».
114. *Ibid.*, p. 84 r.

Al mismo arbitrio del deleite recurría Francisco de Córdova, el abad de Rute, en su más importante aportación a la polémica, el *Examen del Antídoto* contra Juàn de Jáuregui. Ya conocemos, por el tenor expuesto como punto de partida en su *Parecer*, su conservadora confesión de prioridad didáctico-contenidista, que en esta obra se reitera también hasta términos mucho más perfilados como salvedad inicial[115]. No obstante, el carácter meramente convencional y formulario, con escasa incidencia en los problemas de la poética contemporánea, que nosotros creíamos descubrir en dicha anticipada confesión explícita, queda confirmado todavía más, a nuestro juicio, en esta nueva obra. La exposición de Córdova, sobre la base fundamental del ingrediente didáctico-contenidista, la advertimos totalmente reducida a los elementos más accesorios y evanescentes entre todo lo que los poemas gongorinos «enseñaban»[116]; al punto que, hasta el propio abad de Rute por el débil énfasis de su exposición, parece que adivinaba el escaso margen de convicción de sus argumentos.

Por el contrario, al tratar de la inigualable perfección con que se cumpliera en los poemas de Góngora la teóricamente secundaria finalidad deleitosa, el favorable eco de su convencimiento profundo estallaba en formas de eficaz defensa, rica en animadas gamas de matices dialécticos y sustentada por firmes bases de autenticidad y convicción personales. Para comenzar, destaca la naturaleza imprescindible de este «objeto secundario»:

> «Vengamos aora al objeto segundario, que es el deleyte, sin el qual ninguna composición puede ser, ni pasar plaça de Poema, pues a la que le faltara

115. Cfr. ABAD DE RUTE, *Examen del Antídoto*, ed. cit., p. 417: «Esta Poesía pues, o esta imitación Poética certíssimo es, que tiene por fin y objeto adequado ayudar deleitando siendo el blanco (aunque inadequado) arquitectónico y principal ayudar; y deleitar el segundario, subordinado, menos principal y asimismo inadequado, si bien ay quien ponga por único fin al deleyte; y quien al provecho, questión que para nuestro propósito importa poquísimo, conforme a lo qual el Poema, que con su gallarda imitación e invención consiguiere este fin, será sin duda perfecto Poema legítimo, noble, illustre de todos quatro costados. Supuesta pues doctrina tan sabida, como verdadera, respóndame V.m. a este entymema. El Poema intitulado Soledades ayuda deleytando, luego tiene las calidades del que mejor».

116. Cotéjese la pobre exposición —aun siendo el máximo que consigue ponderar Córdova— de lo aportado por los poemas de Góngora en su dimensión de contenido, como confesada finalidad primaria, frente a la rica y manifiesta comunicación que hemos de conocer más adelante, de lo que suponía la dimensión formal deleitosa de los mismos, considerada, sin embargo, como producto secundario bajo la presión del prejuicio: «...pues loa la frugalidad, la sinceridad de los ánimos, condena la ambición, la envidia, la adulaçión, la mentira, la soberbia; pinta caças alegres, navegaciones animosas, Hymeneos con faustas aclamaciones, juegos de carreras y lucha aventajándose en esto a muchos de los referidos, que con sus escritos bosquejaron ocupaciones de lascivia, más que de continencia, y con todo merecen nombre de Poeta, y de Poema sus obras, pues ¿por qué no las Soledades?». *Ibid.*, pp. 417-418.

esta parte, como sin motivo, al fin, fuera casual o monstruosa, no intentada ni conocida del arte».

Tras establecer una confusa y escasamente productiva distinción entre el deleite universal y particular de acuerdo con la índole del auditorio[117], concluye proponiendo como criterio de validez inapelable para los poemas de Góngora la universal coincidencia de todos los públicos, doctos o indoctos, en el deleite:

«al uno, y al otro género de gentes deleyta este Poema de las Soledades, luego es bueno a toto genere, y no peca en la obscuridad, ni en otra cosa alguna contraria al arte».

Tales ponderaciones resultaban particularmente necesarias, especialmente si se tenía en cuenta el hecho de las copiosas infracciones contra el arte tradicional que encerraban los poemas gongorinos. Prescindiendo de las cuestiones menores de detalle, los grandes poemas de Góngora lesionaban importantes preceptos estructurales, como el de la unidad de la acción, comprometiendo asimismo la distribución recíproca en la entidad morfológica de los géneros. Razones todas ellas que imponían la necesidad de movilizar un poderoso argumento, que se pudiera oponer al prestigio de las autoridades comprometidas en el parecer contrario. Pues bien, contradiciendo sus iniciales planteamientos pragmáticos, Córdova apelaría a la mención del deleite, del gusto cambiante de los auditorios, para afrontar nada menos que la autoridad y usos de los autores clásicos, con Aristóteles y Horacio a la cabeza:

«Según Aristóteles, las artes en quanto a su essencia, y a su objeto inmudables son y eternas; pero no en cuanto al modo de enseñarlas, o aprenderlas, que

117. Véase a título de curiosidad ilustrativa sobre las peculiaridades críticas del Abad de Rute, este complejo y poco útil razonamiento: «Este deleyte a de considerarse o respeto de el universal o respeto del particular, cosa es cierta, pero eslo juntamente, que ni este universal a de ser (llamémosle así) Universalíssimo, ni el particular particularísimo o individual; porque ni destos ay sciencia, ni puede, ni debe attenderse, así cada qual de los hombres gusta, o no de una compostura, para graduarla de Poema, que a esperar esto, estubieran frescos por cierto, o por mejor decir bien rancios los trabajos de los pobres Poetas, como ni tampoco debe considerarse universalísimamente respeto de todos los hombres en común; porque demás de que no concurren todos en un Idioma, entre los que participan de un mesmo ay tan rústicos, y poco inteligentes algunos, que les sirbe, muebe y deleyta el verso lo que al asno la lyra. A se de entender pues por universal deleyte el que percibe así la gente docta y bien entendida, como la que no lo es excluyendo, como queda dicho los últimamente ignorantes: y por el particular o ya los doctos y versados en letras, o ya el vulgo mal instruído en ellas». *Ibíd.*, p. 418.

este admite variedad según los tiempos, e ingenios, con los quales de ordinario prevalece la novedad, como cosa que aplaze Imitación es la Poesía, y su fin es ayudar deleitando: si este fin se consigue en la especie, en que se imita, ¿qué le piden al Poeta? ¿Guardan oy por ventura la Tragedia y la Comedia el modo mesmo, que en tiempo de Thespio, o de Eupolo? No por cierto, informémonos de Aristóteles y Horacio, ¿pues por qué? porque se halló modo mejor para deleytar del que ellos usaron, como lo tenemos oy en nuestras Comedias, diverso del de los Griegos y Latinos (aunque no ignorado de Aristóteles) y es cierto que nos deleyta este nuevo más que pudiera el antiguo, que cansara oy al Teatro»[118].

Proyectándose de manera inmediata sobre el caso concreto de las *Soledades,* el abad de Rute se veía forzado a extremar los términos de sus argumentos, reconociendo a través de su comparación con los «monstruos», fenómenos excepcionales de la naturaleza, la condición extraordinaria de la poesía culterana de Góngora. Su comprensión, que exigía el mismo notable esfuerzo que la de todos los creadores revolucionarios en la historia de la literatura, sólo se revelaría posible desde la perspectiva renovadora del sistema de emociones estéticas que la sustentaba[119].

Adviértase sin embargo que este *Examen* no se ejercía frente a la opinión de un adversario, Jáuregui, que mantuviera una postura contraria a la razón de ser del deleite para la poesía. Antes al contrario, el excelente poeta sevillano se hallaba seguramente mucho más libre de prejuicios conservadores que el abad de Rute en la proclamación exclusiva del deleite[120]. Lo que sucedía, era que, si bien la admisión del principio formal-hedonista como última razón explicativa de la poesía, había sido aceptada por todos

118. *Ibid.*, pp. 425-426.

119. *Ibid.*, p. 426: «A la variedad y la novedad, que engendran el deleyte, atiende el gusto, pero qué mucho él, pues aun la misma naturaleza por atender a ella para más abellecerse, produce a veces cosas contrarias a su particular intento, como son los monstros. Luego este motivo bastante es, para que se trabaje un Poema, qual el de las Soledades, más largo, que le usaron los antiguos lyricos y texido de actiones diversas. O señor, que no le conocieron los que dieron preceptos del arte, ¿qué importa si le a hallado como medio más eficaz para deleytar la agudeza y gusto de los modernos»?

120. No son frecuentes en Jáuregui las proclamaciones explícitas del deleite como fin principal de la poesía, que sin embargo constituye de modo evidente uno de los sustentos y móviles doctrinales básicos de su sistema estético. Recordemos sin embargo una de las contadas alusiones a que nos referimos, que no deja en duda, desde luego, la opinión mantenida al respecto por su autor: «...porque si la poesía se introduxo para deleite (aunque también para enseñança) i en deleitar principalmente se sublima i distingue de las otras composiciones; què deleite (pregunto) pueden mover los versos oscuros? ni que provecho (quando a essa parte se atengan) si por su locucion no perspicua, esconden lo mismo que dizen?», cfr. JUAN DE JÁUREGUI, *Discurso Poético*, ed. cit., p. 115.

los participantes en la polémica, como axioma estético no susceptible de ser cuestionado en universal; sí se discutía, por el contrario, atribuir deleite, en concreto, a los poemas gongorinos. Los apologistas de Góngora se lo reconocieron, en su más exquisita expresión, mientras que le fue negado irreconciliablemente por sus detractores. Estos últimos se amparaban, ya sea en la identificación del deleite con la claridad y la inmediatez lógico-comunicativas de la lengua poética, ya en que, aun reconociendo la licitud de la complejidad formal y su reducción comunicativa, no juzgaban adecuada la utilización frecuente e intensa de tal tipo de recursos por parte de Góngora, las más veces a causa de su excesiva densidad de empleo.

Idéntico tono de respeto que el que descubríamos en el abad de Rute con referencia a la pareja tradicional de expresiones del fin de la poesía, enseñanza y deleite, se observa también en el soporte estético de uno de los más fervorosos defensores del gongorismo, Martín de Angulo y Pulgar. Pero, como en el caso anterior, la puesta en relieve del *docere* aparece siempre supeditada por Angulo, en la práctica, a la proclamación preeminente del deleite como justificación última de la poesía y del arte en general. En los siguientes términos justificaba Angulo, contra los ataques de Cascales, el hedonismo formalista que constituye la pieza sustentadora de la ideología estética de Góngora:

> «porque nuestra naturaleza es inclinada a novedades, y lo que no las tiene, casi la ofende, o no lo admite el afecto, ni el entendimiento lo admira: y como las flores varias y bien compuestas deleytan la vista, y mueven al deseo para cogerlas: assi deleyta y mueve a imitarle un Poema con magnificencia y ornato. Y esto resulta de los hipervatos y translaciones»[121].

En otros muchos lugares resulta absolutamente perceptible el propósito de Angulo de establecer un compromiso integrador entre ambos principios de enseñanza y deleite, sobre el cual consideraba posible cimentar con absoluta propiedad la justificación de la poesía culterana de Góngora. Pero, en tal caso de síntesis superior, el elemento directriz estaría constituido indudablemente por el deleite, pues sería sólo la consideración de los beneficiosos efectos morales, lo que justificara el poder hablar también de utilidad; como se revela en el siguiente texto:

> «La que en quitandole a lo dificil de la letra lo misterioso que encierra, tanto deleyta al letor con su gala y novedad, como es inutil? Aquella dotrina lo

121. Cfr. MARTÍN DE ANGULO Y PULGAR, *Epistolas satisfatorias*, ed. cit., p. 21 v.

> es, que le falta prueva, y sobran ambiguedades, y que ni mueve, ni enseña, ni deleyta»[122].

La finalidad deleitosa del arte era, como hemos tenido ocasión de constatar, principio estético universalmente acatado en el segundo cuarto del siglo XVII por todos los críticos de la poesía lírica. Apologistas y detractores de Góngora, todos recurrieron al arbitrio inapelable del *deleite* como canon crítico decisivo —aunque últimamente se entendiera de muy contrapuestas maneras— en la sanción de aciertos y de errores. Una poderosa unanimidad reforzaba por tanto el fondo doctrinal de teoría estética barroca que subyacía, poderosamente vigente aunque enmascarado, a las discrepancias. Poco contaba el que éstas afloraran, incluso muy marcadas en la superficie de la praxis y la ejecución poéticas, despedazada en iniciativas contrapuestas de escuelas, banderías y personalismos. Una vez más la reflexión sobre la teoría literaria de base se revela imprescindible para examinar, con la perspectiva indeclinable, si se pretende ser veraz, la aparición y encadenamiento históricos de los acontecimientos literarios.

En términos casi absolutamente paralelos a los del desarrollo precedentemente estudiado del deleite artístico, se produjo la evolución de las ideas sobre la estructura formal de las obras literarias gongorinas, según la opinión de los críticos barrocos contemporáneos. El abad de Rute, por ejemplo, encomiaba el escogimiento verbal, el desprecio de los modos comunes de expresión, en la medida que representaban el instrumento de producción del *delectare* artístico:

> «el Poeta, —es tan sólo un ejemplo más entre las muchas declaraciones del mismo tipo existentes en éste y en la mayoría de los documentos críticos de la polémica—, cuyo fin (en la manera que ya se a dicho) es deleytar; deve procurar siempre apartarse del carril ordinario del decir pena del perdimiento de officio»[123].

La dicotomía fundamental fondo-forma, contenido-expresión, constituía la base de las más empeñadas disputas en torno a la licitud del nuevo estilo. Servía, en primer lugar, para atacar a Góngora en nombre de la hipertrofia unilateral de un elemento, la forma, a costa del otro; siendo por añadidura el ingrediente preferido, el fondo, el que gozaba de mayor preeminencia en la opinión media tradicional. Sin que su autor se refiriera explícitamente a Góngora, el *Discurso poético* de Juan de Jáuregui aportó

122. *Ibid.*, p. 30 v.
123. Cfr. ABAD DE RUTE, *Examen del Antidoto*, ed. cit., pp. 429-430.

sin duda la más alta expresión en esta encrucijada de opiniones estéticas sobre los problemas de la lengua poética barroca. En el *Discurso* se pueden hallar muchas de las más felices formulaciones, repetidas después por la crítica gongorina, incluso la moderna, como sanción definitiva de los problemas concretos planteados por la nueva poesía. Entre ellas, destaca la archifamosa distinción entre la *oscuridad* verbal nefasta y la *dificultad* por encumbramiento conceptual, las más veces loable, que, como vemos, era producto simple de una descompensada interpretación del equilibrio dualista *res-verba* en favor de la opción tradicional:

> «Ay pues en los autores —recordemos una vez más la tan penetrante como feliz divisoria de cuencas— dos suertes de oscuridad diversissimas, la una consiste en las palabras, esto es en el orden i modo de la locucion, i en el estilo del lenguage solo, la otra en las sentencias, esto es en la materia i argumento mismo, i en los concetos i pensamientos dèl. Esta segunda oscuridad, o bien la llamemos dificultad, en las mas vezes loable, porque la grandeza de las materias trae con sigo el no ser vulgares i manifiestas, si no escondidas i dificiles: este nombre les pertenece mejor que el de oscuras. Mas la otra que solo resulta de las palabras, es i serà eternamente abominable, por mil razones»[124].

En torno a este gozne, variamente acomodado, giraban los textos medulares de todos los documentos comprometidos en la polémica, como por ejemplo las *Cartas filológicas* de Francisco de Cascales[125], así como determinados ataques no públicos de Lope de Vega[126]. Pero no fue sólo en los adversarios de Góngora, sino en los defensores ponderados del mismo, como Díaz de Ribas o Angulo y Pulgar y hasta en los insensatos y poco cultivados, como Almansa y Mendoza, en quienes se puede constatar idéntico énfasis respetuoso por la dimensión del contenido a nivel de estas declaraciones generales de principios.

La forma de retorcer el argumento en favor de Góngora abarcaba en todos ellos una variada gama de resoluciones. Alguno como Díaz de Ribas,

124. Cfr. Juan de Jáuregui, *Discurso poético*, ed. cit., pp. 113-114.

125. Cfr. Francisco de Cascales, *Cartas filológicas*, cit., ed. de 1961, I, p. 162: «la obscuridad del *Polifemo* no tiene excusa; pues no nace de recóndita doctrina, sino del ambagioso hipérbato tan frecuente y de las metáforas tan continuas».

126. Cfr. Lope de Vega, *Respuesta a las cartas de don Luis de Góngora y de don Antonio de las Infantas*, ed. cit., p. 323: «y como naturaleça en pocos sujetos junta todas las perfecciones a unos docta de facilidad de lenguaje; a otros de alteças de misterios y algunos de otras gracias, y así son pocos los que tienen no sólo todas pero ni algunas acompañadas, mas V.m. muchas a juntado en estas sus Soledades pues siendo ellas tan intrincadas y escabrosas, como V.m. y sus comentadores lo conocen son tan superficiales sus misterios que entendiendo todos lo que quieren decir, ninguno entiende lo que dicen».

a diferencia de Jáuregui, no llegaba a contraponer estrictamente palabras y contenidos; sino que, en formulación absolutamente paralela a la ya citada del *Discurso*, aprobó en general el acierto estilístico, consistente para él más que nada en una esforzada correspondencia de expresión y contenido, al tiempo que condenaba la vacuidad del simple «furor verbalista». El texto en cuestión es un fragmento de gran vigor y penetración críticos, muy semejante al tan difundido de Jáuregui, pero, pese a ello, muy poco conocido; si no es que absolutamente perdido en la práctica hasta el presente en el manuscrito donde todavía yacen estos interesantes *Discursos apologéticos*:

> «ay pues dos especies de obscuridad en la poessia una nace de las historias de los pensamientos delgados de el estilo sublime: otra dela contextura amfibologica delas diciones, y esta ultima es viciosa. La primera es propia tanto de el poeta que por ella se distingue de el orador lo qual haze claro con raçon y authoridad descendiendo en particular a esplicar esta doctrina.»

Por lo demás el estilo de alta índole suponía, como es lógico, la ponderación máxima de los elementos de contenido, tanto de los fabulosos como de los estrictamente intelectuales. Y en ello, Díaz de Ribas se mostraba ya inmerso en el más generalizado valor tópico de los elogios tradicionales de la *res*:

> «Los esemplos delos poetas suelen estar llenos de mucha philosophia de fabulas ocultas i de historias las quales no podra entender sino el que estubiere mui culto en toda leccion.»

Sin embargo, no entendía Ribas estar significando en tales términos la crítica de las obras culteranas de Góngora, pues pensaba que en ellas se hallan, precisamente, los ingredientes de cultura poética inherentes a la densidad doctrinal exigida por el contenido del alto estilo. Y por tal causa, concluye sus razones en los siguientes términos:

> «Ansi como entendiera el no versado tantas fabulas historias y alusiones o imitaciones... de poetas como estan engaçadas con mucha gala por todo el contexto de las *Soledades* y que no se entienden por la erudicion que contienen no es falta suia sino del que no sabe, y ansi el que no fuera de mucho ingenio y erudicion no penetrara la agudeça y novedad delos conceptos de nuestro poeta, pues tambien la alteça que pretendio enel estylo conlas voces peregrinas con tropos, transposiciones son (bien que virtudes necesarias para este fin) causa de obscurecer la oración»[127].

127. Cfr. PEDRO DÍAZ DE RIBAS, *Discursos apologéticos*, ms. cit. Fols. 78 v.-79 r.

Evidentemente, la pretendida defensa contenidista de las obras de Góngora emprendida por Ribas resultaba fácilmente vulnerable. Indiscutible era el alto saber poético del genial poeta cordobés, patente en muchos de sus recursos verbalistas y en las decisiones formales que le atribuía Ribas; pero en todo ello no excedía, en estricta razón de pureza, la dimensión específicamente formal. De ahí la fácil entrada a saco de los detractores de Góngora en este tipo de endebles razonamientos de sus apologistas; bastaba a los adversarios, en tal sentido, reducir a esquema simple de argumento o a sumario de elementos intelectuales el parco contenido de las obras de Góngora. Por eso, cuando algún ingenuo amigo del cordobés, como el inadvertido Almansa y Mendoza, procedió a constituir una antología de conceptos —por haber aceptado la enjundia de la objeción[128]— la pobreza de su intento acabaría siendo una espada vuelta contra sus mismas razones.

Precisamente por ello, destaca, una vez más, el oportuno ingenio de Angulo y Pulgar, quien supo abdicar con juiciosa oportunidad de la defensa programática del contenido de las obras de Góngora, alegando móviles estrictamente tópicos y conservadores; optando por ponderar la excelencia insuperable de su forma poética, que le permitía alcanzar sus más encumbrados logros a despecho de la absoluta vacuidad de su contenido temático[129].

A la vista de los textos hasta aquí examinados, diríase que ni partidarios ni adversarios de la nueva poesía parecían favorecer, sino en términos muy limitados, la importancia del predominante componente formal. Pero de esta impresión inicial viene pronto a desengañarnos el examen de la persistente atención dedicada por todos al examen y elogio de los dispositivos verbales y estilísticos de los poemas gongorinos. Del planteamiento hasta aquí examinado, resultaba lógico que no se decantara un conjunto de decisiones más revolucionarias, ya que se trataba de pasar de puntillas sobre una tradición de prestigio contenidista, a ser posible sin afrontarla de manera directa. Los críticos gongorinos preferían asentir con iniciales postulados

128. Cfr. Andrés de Almansa y Mendoza, *Advertencias*, ed. cit., pp. 200-201. Almansa se hizo eco, desde luego, de la objeción habitual contra Góngora: «dicen que no entienden la variedad de locuciones y de oraciones partidas y que un ingenio tan claro y que lo solía ser tanto, a querido no con alteza de conceptos, sino con obscuridad de palabras hacer inaccesibles estas obras». Sin embargo, lejos de retorcerla con habilidad, pretendió desautorizarla asumiéndola en sus mismos términos propios, con su insatisfactoria revisión, precedida por la siguiente declaración de confianza: «y no con obscuridad de voces sino con preñados fecundísimos de conceptos que inculcándolos se verá quan fértil cosecha, si no que por no estudiarlos, o ya por falta del entendimiento o malicia de la voluntad, los condenan por mayor y dan por no inteligibles sin mirar que eso les obliga más a entenderlo».

129. Cfr. Martín de Angulo y Pulgar, *Epístolas satisfactorias* ed. cit., p. 46 v.: «ni el ser la materia menos noble disminuye la grandeza de los grandes Poetas, antes descubre mas el ingenio; como de Claudiano lo juzgò Escaligero».

inocuos en el plano de la teoría, sin buscar otras razones de enfrentamiento que las estrictamente inevitables.

En nuestro anterior examen hemos partido del *Discurso poético* de Juan de Jáuregui, al que consideramos la más rica consecuencia teórico-estética que produjeron las polémicas gongorinas. En él podemos considerar también el cumplimiento del síntoma que acabamos de exponer. Pese a ser la obra de un adversario de la nueva poesía gongorina, que buscó reiteradamente en la acusación de endeblez contenidista el más sólido argumento para sus ataques[130], Jáuregui no pretendía ocultar la importancia medular de la faceta más indiscutiblemente favorable a la poesía de sus adversarios: el superdesarrollo unilateral de la dimensión formalista de su poesía. Por ello, tras de reiterar, según era tradicionalmente obligado, sus protestas de prioridad contenidista, recordando las máximas horacianas y retóricas que proclamaban el «ten las cosas, que las palabras seguirán», ponderaría en los términos siguientes la importancia excepcional del presunto añadido verbalista:

> «Mucho pues ai que advertir, mucho que penetrar en el lenguage poetico, i mas quando se encarga de estilo grande. essa tambien es causa (entre las demas) de que falten tanto los nuestros a la parte sola del desnudo lenguage, no atendiendo a otra. Cuesta ingenioso desvelo, hablar altamente sin corrupcion de la lengua. ni estorvo de la inteligencia: guiar el estilo cō̃n tal vigor i templança que ni le derrotemos en perdidos pielagos, ni demos con el en baxios cerca de tierra: que lo peregrino i estraño no se estrañe por peregrino; no atemorize con el escandalo, sino agrade con la novedad: que se distribuyan las vozes con tal industria, que halle el brio de la lengua facil espedicion i descanso al pronunciar los versos: i que dellos resulte tan artificiosa armonia, que no pueda pretender el oido mayor regalo»[131].

Contra lo que clamaba en definitiva Jáuregui, como muchos otros componentes de la coalición conservadora antigongorista, era precisamente contra

130. La reiteración en el predominio de elementos de contenido es constante a lo largo de toda la obra de Jáuregui. Recordemos, entre otros lugares, la siguiente denuncia de los defectos de sus adversarios: «Ni sus altivezes aspiran a concetos de ingenio, sino a furor de palabras: en estas pretenden grandeza, i solo consiguen fiereza, interpolada con infimas indignidades. La mira ponen mui alta, pero no la mano o la pluma». O esta otra taxativa manifestación: «En el uso de las sentencias no se estrema, ni se descubre, como en las locuciones, el afecto excesivo de su furor, assi porque apenas las dizen, ni las procuran, como porque las embaraça, i esconde el rebuelto lenguage... El juego mas propio, i el quicio en que se rodean sus desordenes, es el abusar locuciones. I aunque tambien incurren en diversos defetos de otras esferas, essa es la flaqueza de muchos». *Ibid.*, pp. 73 y 36 respectivamente.

131. *Ibid.*, pp. 94-95.

un hecho ya irreversiblemente establecido en nuestra poesía culterana[132]: su apoteosis del universo formal. El deleite formal había conquistado finalmente, a través de su emancipación del contenido, la verdadera expresión de su autonomía artística, como salutífera vía para la prometedora exploración de un mundo estético por el hombre recién nacido a una nueva edad.

132. El tono de alarma general que adopta en muchos puntos de su diatriba el irritado Jáuregui, proclama en términos inequívocos la irrestañable difusión del fenómeno, al que Jáuregui denuncia y fustiga con tanta asiduidad y entusiasmo como con desesperanzada confianza de atajarlo. Véase una muestra: «A esta suma se reduze el estilo de nuestros *cacozelos*, en nada inferiores a aquel antiguo. No procuran ni saben valerse de grandes argumentos, i vivas sentencias, para aventajarse en essa parte essencial a otros buenos escritores; sino destituidos desta mayor virtud, i ya desesperados de alcançarla, ocurren a la estrañeza sola del lenguage, por si con ella pueden compensar el defeto; emplean su solicitud explorando dicciones prodigiosas, i entre si diciendo, *verbum fortem quis inveniet?* i en hallando estos materiales se juzgan con bastante aparato para ilustrar qualquier fabrica». *Ibíd.*, p. 85.

CAPITULO V

El debate en torno al deleite en la polémica barroca sobre la licitud del teatro. Poética, política y prejuicios morales en la sociedad española del Siglo de Oro

Introducción: La moralización estética y el programa de moral pública impuesto durante el Siglo de Oro.

A lo largo de los distintos capítulos de este libro, estudiamos la evolución del ideario estético-literario en España durante el período que comprende, desde nuestro Renacimiento, hasta el comienzo del declive barroquista en torno a 1650. En este espacio de tiempo hemos tenido ocasión de constatar en el ánimo de nuestros teorizadores el mantenimiento de una constante que podríamos quizás designar, de manera global, como moralista; manifiesta ante todo por su recalcitrante oposición al reconocimiento de las tendencias formal-hedonistas que pugnaban potencialmente en nuestro arte, y que súbitamente estallaron bajo formas más o menos escandalosas como los libros de caballerías[1], la novela de entretenimiento cervantina, el teatro que proporcionaba «gusto al vulgo» de Lope, el cultismo descarriado de la predicación religiosa y, sobre todo, la apoteósis de la nueva semántica poética en la poesía de escándalo del *Polifemo* y las *Soledades*.

Pero tal moralismo era un fenómeno, lógicamente, de alcance mucho más amplio que la simple oposición al reconocimiento teórico del hedonismo formalista; se extendía a dominios muy lejanos de la opinión y el saber

1. Los debates sobre la licitud del deleite de los libros de caballerías, y en general las novelas, podrían componer un capítulo absolutamente paralelo a éste. El tema ha sido bien estudiado desde los *Orígenes de la novela* de Menéndez y Pelayo, convocando numerosos estudios de gran acierto y prestigio. Recordamos aquí las páginas dedicadas al tema, con perspectiva distinta a don Marcelino, por MARCEL BATAILLON, *Erasmo y España*, cit., pp. 622 y ss.; así como la útil recensión de la bibliografía sobre tales debates que incluye el mismo autor en la segunda edición española de 1966.

del período[2]. Respecto a la cultura clásica se conglomeraba en el sentimiento que incontrovertiblemente ha historiado Luis Gil de «sospecha» a la ciencia humanística, de radical desconfianza al esoterismo de la lengua griega[3], y, más en general, de anatema a todo despunte erótico o religioso-pagano en la poesía de los grandes maestros greco-latinos. Naturalmente la asociación secular, y hasta en sentido propio anacrónica, del latín con la cultura eclesiástica, bastión fundamental del conservadurismo moralista, no permitía una descalificación global de la literatura y la ciencia latinas. De aquí nacían los frecuentes casos de hipocresía y ambivalencia de las actitudes españolas en el siglo XVI.

A propósito de la teoría literaria y, sobre todo, en la tradición retórica, se observa claramente cómo, dentro de una encarnadura aparentemente de desvelo y reverencia clasicistas, se recorta la interdicción firme de Horacio. Aristóteles, difundido en sus tradiciones latinas, Quintiliano y Cicerón resultaban pautas teóricas mejor aceptadas, sin duda, que la de Horacio. Concurría indiscutiblemente en esta jerarquía de vigencia la global descalificación moral para Horacio de su condición de poeta y el perfil erótico de algunas de sus composiciones que, evidentemente, no alcanza a un grandísimo sector de su producción y sobre todo a sus epístolas literarias. Sin embargo, numerosos testimonios, y de manera sobresaliente el del agudo e independiente Terrones del Caño, nos descubrían explícitamente que el relativo abandono

2. Este, como tantos otros rasgos, se comprende desde el presupuesto de la, con frecuencia aludida, «inquisición inmanente», de Unamuno a Marcel Bataillon. La atmósfera sofocante de control recíproco existente en la sociedad española de la época, es de procedencia mucho más compleja que la acción del aparato inquisitorial, tan sólo uno de los resultados. Cfr. M. BATAILLON, *Erasmo en España*, ed. cit., p. 383. Formulando el fenómeno en términos causales, Henry Kamen ha aludido más recientemente el «egoísmo patriótico», como síntoma de ese mismo estado de conciencia, incorporado por la Inquisición como por muchas instituciones y actitudes de la España del momento: «Pero España escogió el exclusivismo, eligió un *egoísmo patriótico* que negaba a los disidentes el derecho a la existencia en el interior y rechazaba todo trato con los disidentes del exterior. El destino de la Inquisición fue no sólo ser instrumento y ejecutor de este exclusivismo, sino también identificarse como autora y responsable de todos los males que se derivaran de ello». Cfr. HENRY KAMEN, *La inquisición española*, cit., p. 320. De ahí que la reconsideración moderna de la Inquisición, como institución, tienda a descargar los tientes oscuros y la carga exclusiva de responsabilidades protagonistas, que se hizo desde la historiografía del siglo pasado. A este respecto, recordaba Leonardo Gallois: «Se puede resumir diciendo que la Inquisición fue un hecho histórico producto de un tiempo y de una mentalidad, y como hemos mencionado anteriormente, sólo puede ser comprendida y justificada, si nos trasladamos a una época donde el concepto de libertad era muy diferente al de hoy, —añadiendo, incluso— la Inquisición nunca debe ser considerada como un fenómeno español, sino como un problema completamente europeo». Cfr. LEONARDO GALLOIS, *La Inquisición*, Barcelona, Fénix, 1973, p. 7.

3. Cfr. LUIS GIL FERNÁNDEZ, *El humanismo español del siglo XVI*, cit. en «Actas del III Congreso español de Estudios clásicos».

del *Ars* horaciano por nuestros teóricos del arte verbal, singularmente de la Retórica, tiene que ver con esta sanción global adversa al gran poeta latino.

Pese a todo ello, como quizás pudiera decirse respecto del propio Ovidio, la inevitable influencia de fondo del proscrito Horacio se dejaba sentir poderosamente aun en los ámbitos más recalcitrantemente moralistas. La guía teórico-artística que es la *Epistola ad Pisones,* constituía una etapa obligada en el aprendizaje de los prolegómenos de cualquier faceta del arte verbal. Más compendiosa y acertadamente alusiva —y, por tanto, más cómodamente retenible— que los tratados de Cicerón y Quintiliano no cedía ante estas obras extensas en densidad de preceptos estilísticos básicos. De todo ello se seguía el carácter atormentado y tortuoso de la historia del horacianismo en nuestra teoría literaria, que hemos estudiado en las páginas que anteceden.

Naturalmente concurrían en el caso español otras circunstancias que esta descalificación moral. Una de ellas derivaba —aunque quizás tenga que ver también con el fenómeno moralista en últimas razones— de la condición más escasa y tardía de nuestros tratados literarios de Poética respecto de los manuales de Retórica. A este propósito, sin embargo, ya hemos tenido ocasión de anotar los tres importantes documentos españoles de teoría poética que se incluyen en las obras de Vives, Sánchez de las Brozas y Antonio Llull, y que remontan con toda propiedad en más de cincuenta años la fecha de aparición de nuestra teoría poética. Pero la misma condición que tales documentos ostentan, de apartados o adiciones a obras extensas de Retórica, reafirma en cualquier caso la índole masivamente prioritaria en nuestro país de los tratados de Retórica sobre los de Poética, sobre todo durante el siglo XVI. Contando con esta desproporción, y con el preferente desarrollo obvio en el seno de las referidas obras mayoritarias de las autoridades estrictamente retóricas. Cicerón y Quintiliano, sobre un tratadista poético como era después de todo Horacio, podría darse razón de la relativa exigüidad de menciones de la teoría poética de base horaciana en nuestro país.

No obstante, otros varios fenómenos inciden y refuerzan nuestra opinión sobre la absoluta prioridad del factor moralista en la explicación de la relativa ausencia horaciana. No olvidemos —yendo a la razón de más peso— que el de Horacio no es sino un factor aislado en un conjunto general de fenómenos constitutivos del arte y la cultura, globalmente considerados, de nuestro Siglo de Oro. De ahí que podamos ponerlo en contacto con el contraste que arrojan las opiniones generales sobre el arte de nuestros críticos y preceptistas. Dos sectores participaban habitualmente en los debates de un arte movido entre dos polos dialécticos. De una parte, la base de poder teocrático, poderosísima en la organización de la estructura de gobierno en nuestro país durante el período 1550-1650, constituía el sector invariablemente refrenador y retardatario; podemos decir sin miedo a equivocarnos que su imagen ideal del país era la de un convento, incluso informado de más pío fervor que la tibia religiosidad y cómoda mortificación que se llevaban en buena parte de los conventos efectivos durante el Siglo de Oro[4].

4. Adviértase que no tratamos de plantear, con nuestra consideración de las consecuencias socio-culturales de la teocracia española, ninguna tesis opuesta a la dirección tradicional que ha exaltado los valores de sinceridad y autenticidad del sentimiento religioso, absolutamente impregnador de la vida española en todos sus aspectos. En tal sentido suscribimos plenamente las convicciones de los estudios clásicos sobre espiritualidad y literatura del Siglo de Oro, en los que nos hemos formado. Recordamos por razones de pauta y proximidad, sobre todo, HELMUT HATZFELD, *Estudios literarios sobre mística española*, Madrid, Gredos, 1955; ROBERT RICARD, *Estudios de Literatura religiosa española*, Madrid, Gredos, 1964, y AMÉRICO CASTRO, *Teresa la Santa y otros ensayos*, cit. Pero nuestro interés se mueve más bien, por esta vez, en la averiguación de encajes de la espiritualidad no heterodoxos, ni propiamente religiosos, como los que persiguiera insuperablemente el magistral libro de MARCEL BATAILLON, *Erasmo y España*, cit..., sino simplemente de aquellos aspectos de la «religiosidad soportada» por grandes masas populares, creyentes y sufridas, pero con comprensibles deseos de diversión y gozo honesto. La noción de espiritualidad, al referirse a la inmensa muchedumbre de los protagonistas y espectadores del Siglo de Oro en España, suele ser manejada como un concepto demasiado unitario, que es preciso segmentar y matizar. Tal es el valor de aportaciones como la de la miscelánea, *Corrientes espirituales en la España del siglo XVI*. Trabajos del II Congreso de Espiritualidad, Univ. Pontificia de Salamanca, Barcelona, Flors, 1963; o la más próxima a nuestros intereses de FRANCISCO LÓPEZ ESTRADA, *Notas sobre la espiritualidad española en los Siglos de Oro*, Sevilla, Universidad, 1972.

Con todo, como lo testimonian los excelentes estudios de un especialista en el tema de la solidez de FRANCISCO MÁRQUEZ VILLANUEVA, véase especialmente su libro, *Espiritualidad y literatura en el siglo XVI;* esta impregnación general y obsesiva de la vida social española inunda, con frutos muy peculiares, la totalidad de nuestras letras áureas. Y sí, como revulsivo dialéctico, se ha señalado en ella una nota indeleble, ésa es la de la intolerancia, —como ejemplo, recordamos el estudio culminativo de M. DE LA PINTA LLORENTE, *La Inquisición española y los problemas de la cultura y la intolerancia*, Madrid, Cultura Hispánica, 1953. Intolerante fue con el deleite cómico y con la sombra frívola de un Horacio leído con prejuicios, el sector más oficial de la Iglesia católica. Pueblo, nobles, y hasta reyes se plegaron con entusiasmo dudoso a su presión cuando no quedaba otro remedio.

En relación con distintos aspectos estudiados de la penetración religiosa en la vida literaria señalamos distintos ámbitos. Sobre el desarrollo de géneros, en principio no estrictamente vinculados a la expresión de la espiritualidad, recordemos, por ejemplo, la *Introducción al teatro religioso* de BRUCE WARDROPPER, Salamanca, Anaya, 1967, y los numerosos estudios de ANGEL VALBUENA PRAT, en este aspecto concreto: *Los autos calderonianos y el ambiente teológico español*, en «Clavileño», 1952, XV, pp. 33-35. Pero tal penetración, que se reflejaba incluso en la estructura organizativa de las obras de Quevedo, o del *Guzmán de Alfarache*, como indicara E. MORENO BÁEZ, *Lección y sentido del «Guzmán de Alfarache»*, Madrid, C.S.I.C., 1948. Anejo XL de la R.F.E., calaba, voluntaria o involuntariamente, la médula general de las conciencias. Pocos casos indiferentes a la presión, superficial-social o íntima, del sentimiento religioso se encontraron entre las almas comprometidas de aquellos siglos. Así lo testimonian,

Frente a este elemento, que presionaba indudablemente sobre los Consejos y el Poder Real, se abría paso una sociedad progresivamente bulliciosa y festiva, maniatada y hambrienta, desangrada de guerras y desengañada de paces, que habitaba casas malas y poco confortables y comía peor pan. Quizás por todo ello, se «echaba a la calle» al buen Sol de los paseos y jardines que nada costaba, y salía —y sale— cada día sin nuestro esfuerzo; iban fundamentalmente a mirar y a dejarse ver. De ahí nacía el disimulo cursi y pretencioso de las bisabuelas de la de Bringas, y la ociosa y hambrienta altanería del escudero del *Lazarillo*. Así se reunían, en espacios inverosímilmente diminutos, en torno al Prado o en las cercanías del Buen Retiro, los poderosos nobles estupidizados y los pícaros y mendigos, Olivares y Lerma, Lázaro y Pablos[5]; predicadores de renombre como Paravicino, y

---

por ejemplo, las averiguaciones, no sobre un espíritu particularmente sometido al torcedor religioso, sino sobre un arquetipo de nuestros escritores, en cualquier sentido, como era Miguel de Cervantes; punto sobre el que se proyectó la opinión de dos analistas tan finos como Hatzfeld y Amado Alonso. Cfr. H. HATZFELD, *¿Don Quijote asceta?*, en «Nueva Rev. de Fil. Esp.», II, 1948, pp. 57-70, y AMADO ALONSO, *Don Quijote no asceta, pero ejemplar caballero cristiano*, en «Nueva Rev. de Fil. Esp.», II, 1948, pp. 333-359, reimpreso en *Materia y forma en poesía*, cit., pp. 193-229.

5. Como en tantos otros aspectos, la contraposición histórica y social entre la España oficial y la realidad se abre paso a través del desahogo artístico en el caso que consideramos. Un síntoma más de la corriente de inquietud encauzada en formas literarias, de la que el caso siempre referenciado, como típico, es el de la sociedad picaresca, plasmada en la novela. Cfr., al respecto, MARCEL BATAILLON, *Novedad y fecundidad del Lazarillo de Tormes*, Salamanca, Anaya, 1968; y *Pícaros y picaresca*, Madrid, Taurus, 1969. Ya como actitud psicológica: MAURICE MOLHO, *Introducción al pensamiento picaresco*, Madrid, Anaya, 1972; ya como más explícita forma de contestación social, a la que sacó todos sus relieves posibles —incluyendo, como es natural, en algún caso demasiado implacablemente— el excelente estudio de ALBERTO DE MONTE, *Itinerario del romanzo picaresco spagnolo*, Florencia, Sansoni, 1957, o la excelente síntesis del gran estudio de la picaresca de Edmond Cros: *Mateo Alemán: Introducción a su vida y su obra*. Salamanca, Anaya, 1971. Como un botón de muestra, increíblemente obediente a las tesis goldmannianas, el género picaresco tradujo a su propia estructura literaria aspectos formales peculiarísimos —recordemos singularmente los trabajos de F. LÁZARO CARRETER, *Construcción y sentido del Lazarillo de Tormes*, en «Abaco», 1969, Madrid (Castalia), pp. 45-134, y de FRANCISCO RICO, *La novela picaresca y el punto de vista*, Barcelona, Seix Barral, 1970— no difícilmente reconducibles a motores de sicología social; según pautas que han seguido más indirectamente DÁMASO ALONSO, «El realismo psicológico en el *Lazarillo*», en *De los siglos oscuros al de Oro*, cit.; MANUEL MUÑOZ CORTÉS, *Personalidad y contorno en la figura del Lazarillo*, en «Escorial», X, 1943, pp. 112-119; y más recientemente ANTONIO PRIETO, *De un símbolo, un signo y un síntoma (Lázaro, Guzmán, Pablos)*, en «Prohemio», I, 1970, pp. 357-397; o bien, en constatación más explícita, estudios como: M. MORREALE DE CASTRO, *Reflejos de la vida española en el «Lazarillo»*, en «Clavileño», 30, 1954, pp. 28-31; J. BLANCO AMOR, *El «Lazarillo de Tormes», espejo de disconformidad social*, en «Cuadernos del Idioma», IX, 1968, pp. 87-96. O bien los curiosos síntomas de interacción y expansión, señalados por J. L. LAURENTI, *Notas sobre el contagio y la exaltación de la vida picaresca en el Barroco*, en «Quaderni Ispano-Americani», XXXIV, 1967, pp. 81-86.

cómicas pregonadas como la Vaca y la Calderona. Todos: pobres y ricos, listos y tontos, valientes y cobardes, hipócritas y santos, increíblemente próximos[6], se contagiaban en aquel contacto directo mugre y señorío, hipocresía y santidad, valor y cobardía en unas carnestolendas báquicas presididas por el mal gobierno de algún imbécil menguado, aterrorizado por la sucesión de desastres militares y la sangrienta crecida de las bancarrotas; y, sobre todo, temiendo, y no queriendo ver, que ni él ni aquel ingobernable enjambre carnavalesco podían ser el rey ni el pueblo elegidos por Dios[7].

6. Sorprende, en el caso de una sociedad tan cruelmente jerarquizada en castas y grupos sociales como la española de los siglos XVI y XVII, esta permeabilidad de contactos populares que aplebeyaba a los nobles y suavizaba, sin duda, el orgullo de los humildes. Todas las crónicas de sucesos y los «avisos» del período trascienden esas curiosas formas de proximidad sin contagios. Hemos de recordar aquí, fuera de toda presunción científica, los libros de JOSÉ DELEITO Y PIÑUELA, como una de las lecturas que más han contribuido a familiarizarnos con la realidad de la vida cotidiana del período. Singularmente, *El rey se divierte*, Madrid, Espasa-Calpe, 1964, (3.ª ed.); *También se divierte el pueblo*, Madrid, Espasa-Calpe, 1966 (3.ª ed.); *La mujer, la casa y la moda en la España del rey poeta*, Madrid, Espasa-Calpe, 1966 (3.ª ed.), etc. El rasgo, sin embargo, ha sido igualmente destacado como esencial por el historiador actual más riguroso del período, A. DOMÍNGUEZ ORTIZ, *Las clases privilegiadas en la España del Antiguo Régimen*, Madrid, Istmo, 1973, p. 13: «Sería un error creer que este orden social era peculiar a España. En rasgos generales resultaba común a toda Europa... En España la rigidez del sistema estuvo templada por unas relaciones cordiales y humanas entre altos y bajos, que extrañaban a los extranjeros y que se advierte en toda nuestra literatura».

7. El tema de la consciencia o inconsciencia de la decadencia nacional en la opinión española contemporánea, nos parece capital —como a un gran sector de la crítica— en la comprensión de las peculiaridades sociales y artísticas del pueblo español en el siglo XVII. Por haber incidido en él numerosísimas autoridades resulta ocioso, a nuestro juicio, extendernos en esta obra a fundamentar por extenso nuestros puntos de vista. En una serie de trabajos, como: *Sobre los orígenes del Barroco literario*, en «Anales de la Universidad de Murcia», XXV, n.º 3-4, 1966-7, pp. 293-311. *Quevedo, de sus almas a su alma*, cit., o en nuestro libro *España e Italia ante el conceptismo*, cit., hemos venido glosando las secuelas en el comportamiento artístico del Barroco español producidas por la conciencia de decadencia. Aquí, pondremos de relieve, solamente, algunos aspectos concretos de la cuestión, remitiendo a algunas de las opiniones que nos han servido tradicionalmente de sustento. Muy importante, desde nuestro punto de vista, es centrarse desde el comienzo en aquellos aspectos exclusivamente literarios del problema. A tal respecto destacaríamos, aparte de las referencias en los trabajos insustituibles de tipo histórico de Maravall, Domínguez Ortiz, etc.: MIGUEL HERRERO GARCÍA, *La poesía satírica contra los políticos del reinado de Felipe III*, en «Hispania», VI, 1946; F. MURILLO FERROL, *Saavedra Fajardo y la política del Barroco*, Madrid, Instituto de Estudios Políticos, 1957; J. C. DOWLING, *El pensamiento político-filosófico de Saavedra Fajardo. Posturas del siglo XVII ante la decadencia y conservación de las Monarquías*, Murcia, Academia Alfonso el Sabio, 1957; V. CERNY, *Teoría política y literatura del Barroco*, en «Atlántida», II, 1964, pp. 488-512, y LUIS ROSALES, *El sentimiento del desengaño en la poesía barroca*, Madrid, 1967, especialmente el estudio: «Algunas reflexiones sobre la poesía política en tiempo de los Austrias».

Planteado, como se ha hecho con frecuencia, en el ámbito de los distintos escritores concretos, el síntoma arrojaría cambiantes variadísimos para cada personalidad concreta: desde los más indiferentes en el plano explícito, como Góngora, a aquellos en que la preocupación

Esta sociedad exigía del arte el cotidiano pan del espectáculo alienador, y se le servía igualmente, bajo apariencias superficialmente distintas, en corrales y púlpitos. Los moralistas, en mal reprimidos accesos de cólera histérica, cargaban contra el deleite a cada nuevo reves militar de la decadencia, en el que veían la mano del terrible Dios justiciero del Antiguo Testamento; el rey cedía, y se instauraba un período de rígida etiqueta moral. Pero bastaba alguna victoria pírrica o el matrimonio de algún rey viudo y vicioso para que Velázquez tomara sus pinceles y pintara «Las Lanzas», o los

---

alcanza límites de obsesión trágica. Quevedo, tal como nosotros lo hemos considerado, sería quizás el prototipo más atormentado de nuestros grandes escritores del Siglo de Oro. Esta opinión la comparten en distinto grado, una extensa nómina de los críticos de Quevedo, que no han dejado de centrar su personalidad en la vertiente agónica ilusión-desengaño, desde la magistral interpretación estilística de LEO SPITZER, de quien recordamos, *Zur Kunst Quevedos in seinem Buscon*, cit., a la explícita reflexión ideológica y biográfica de sus críticos. Menos sensibles entre los antiguos a este relieve, aunque no lo omiten en sus obras clásicas, E. MERIMÉE, *Essai sur la vie et les oeuvres de Francisco de Quevedo*, París, Piccard, 1886, y ASTRANA MARÍN, *Vida turbulenta de Quevedo*, Madrid, Gran Capitán, 1945. Más lo son, en el mismo orden de trabajos clásicos: MAURA Y GAMAZO, *Conferencias sobre Quevedo*, Madrid, S. Calleja, s.a.; JULIÁN JUDERÍAS, *Don Francisco de Quevedo y Villegas. La época, el hombre, las doctrinas*, Madrid, J. Rates, 1922; o A. GONZÁLEZ DE AMEZÚA, *Las almas de Quevedo*, Madrid, S. Aguirre, 1946 (discurso en la Real Academia Española). Por último, entre los que han abordado monográficamente nuestra misma preocupación, destacaríamos por su influencia en nuestros puntos de vista: ROBERT SELDEN ROSE, *The patriotism of Quevedo*, en «The Modern Language Journal», enero, 1925; SEGUNDO SERRANO PONCELA, «Quevedo hombre político», en *Formas de vida hispánica*, Madrid, 1936, y RAIMUNDO LIDA, *Sobre la religión política de Quevedo*, en «Anuario de Letras», VII, 1968-9, pp. 201-217. Testimonio riguroso e irrefutable de la dimensión «global» de esta preocupación en su vida y en su cultura la ha dado últimamente, el importantísimo estudio de MICHELE GENDREAU, *Héritage et création: Recherches sur l'humanisme de Quevedo*, París, H. Champion, 1977, especialmente los capítulos I y II.

Cervantes, persistente arquetipo nacional para la crítica, quizás por su misma situación cronológica en el desarrollo del proceso de decadencia no ofrece ni con mucho, a nuestro juicio, las posibilidades testimoniales de Quevedo. Los síntomas son más bien implícitos, generales y diluidos, en todo caso, en su cosmovisión filosófica. Para nuestro refuerzo, cfr., sobre todo, R. MENÉNDEZ PIDAL, *Cervantes y el ideal caballeresco*, Madrid, Patronato del IV Centenario de Cervantes, 1948; F. MALDONADO DE GUEVARA, *La Maiestas cesárea en el «Quijote»*, Madrid, 1948, C.S.I.C., Anejo IV de la Rev. Lit.; la sustanciosa puntualización de MARCEL BATAILLON, *Exégesis esotérica y análisis de intenciones del «Quijote»*, en «Beiträge zur romanischen Philologie», fascículo especial, 1967, pp. 22.26; y, en especial, los insustituibles estudios de AMÉRICO CASTRO, tanto en *Hacia Cervantes*, Madrid, Taurus, 1960; como *El pensamiento de Cervantes*, Barcelona, Noguer, 1972. En el mismo volumen del trabajo de Bataillon, antes reseñado, el estudio de P. Vilar trató de evidenciar más inmediatamente la persistencia del síntoma en el autor de *Don Quijote*, cfr. P. VILAR, *«Don Quichotte» et l'Espagne de 1600. Les fondements historiques d'un irréalisme*, pp. 207-216; y semejantemente K. Barck, también en dicho número monográfico, situando al *Quijote* en su situación de arquetipo sintomático a la estimación externa, cfr. K. BARCK, *Don Quijote, arquetipo nacional*, pp. 1-34.

Hospitales de la corte vieran alborozarse sus vacías arcas con la reapertura de los corrales de comedias. Representaban a esta sociedad bulliciosa y mediocre, atormentadamente beata y gozosamente festiva, nuestros poetas, críticos y teorizadores del arte. A ellos cumplía la difícil misión de mediar entre las deformadas caricaturas de la sociedad española que pretendían imponer aquel pueblo, que se soñaba pícnico y festivo como los compadres del Baco velazqueño, y de otra parte los teólogos que se miraban en las delgadeces ascéticas del Greco y de Ribera y en los arrobados éxtasis de los monjes de Zurbarán. Por ello, la labor de nuestros poetas, y la que aquí nos interesa más de nuestros teorizadores de la poesía y de las restantes artes por lo general no eclesiásticos, presenta siempre una tímida pero crecientemente confirmada aquiescencia y simpatía por el vitalismo del arte popular, que poco a poco osa afirmar sus convicciones interpretando el giro del arte complaciente a los gustos de su público y con independencia de las autoridades de santos, concilios y decretales, traídos a colación por los teólogos en defensa de su utópica y aburrida defensa de un arte de colegios y una poesía de ñoñez y beatería insufribles[8].

De esta tensión se originó nuestro arte del período áureo, trágico y accidentado como surgido en la incidencia intermitente de tendencias contrapuestas, casi totalmente ajenas a los mecanismos estéticos propiamente dichos. No es que este tipo de presiones fueran absolutamente privativas de nuestro país; la Italia de Savonarola y Boticelli, y la Francia de Racine y Port-Royal ilustran, en momentos distintos, manifestaciones muy similares. Pero quizás en ningún lugar como en nuestro país fueran tan tenaces y persistentes; merced en gran parte a que el poder real asumió la representación quintaesenciada de la ortodoxia integrista, como su brazo armado. El resultado, al menos frente al caso de Italia —incluso durante sólo el siglo XVI—, arroja un grado de liberalización e independencia de funciones en aquel país que nunca se conoció en el nuestro. De ahí que, pese a la positiva presión de prejuicios exteriores, el desarrollo autónomo de la ideología literaria se presente adornado de un grado de armonía y coherencia en aquel país, absolutamente inalcanzable para España. El caso de la formación

8. El hecho evidente no niega la realidad de una persistente y hasta obsesiva presión teocrática sobre la sociedad. Sin embargo, el control total de una gran masa por las minorías del poder es técnicamente imposible. Algunos portillos de disidencia, como éste del teatro, se abrieron en distintos aspectos de la vida española del siglo XVI. Como afirma Maravall: «Sin tener en cuenta una cierta dosis de secularización que, especialmente en nuestros siglos XV y XVI, se descubre, no es posible entender rectamente y con pleno sentido muchos acontecimientos que tienen lugar en la España de ese tiempo», cfr. A. MARAVALL, *La oposición política bajo los Austrias*, cit., pp. 142-3. Naturalmente que el peligro consiste en convertir el detalle discrepante en conjunto. La marcha general y cotidiana de los hechos testimoniaba un intervencionismo teocrático agobiante.

y desarrollo, realmente rico, de la tradición teórica horaciana en Italia, frente a la endeblez española bajo la presión de prejuicios adversos y ajenos, constituye un innegable síntoma más que pondera la obligatoriedad de explicar los acontecimientos estrictamente circunscritos a la «serie estética» desde perspectivas histórico-sociales en apariencia desconectadas del desarrollo de dicha «serie».

El deleite cómico. Primeros debates y actitud tolerante

Para ilustrar los hechos mencionados arriba y, sobre todo, para establecer distinción y jerarquía entre períodos y momentos dentro de la sucesión uniformemente estudiada en los capítulos anteriores, hemos reservado para este lugar el examen del ejemplo más llamativo, sin duda, en los debates teórico-artísticos durante el Siglo de Oro: la cuestión de la licitud moral del «delectare» teatral, singularmente de la comedia. La directa incidencia social de este fenómeno artístico hace que en sus diatribas olviden totalmente los polemistas sus cautelas habituales, y que los respetos y prejuicios cedan a la inminencia de las masas concurrentes a los corrales, donde se popularizaba la más depravada y perniciosa manifestación del arte, según los teólogos moralistas, y el más deleitoso y activo de sus frutos a juicio de sus defensores[9].

Las sanciones adversas a Horacio, como a los autores de libros de poesía amatoria o de novelas fabulosas, y, en fin, el derroche ornamental de la poesía y la oratoria culteranas no movilizaban —salvo en casos de excepción— la actividad de congregaciones y hospitales, consejos y ministros, ni interponían nunca la incuestionable sanción de la autoridad real, al menos no en el grado que ocurría en el caso de nuestros espectáculos cómicos. Pero en los hipertrofiados lances de la crítica teatral encontramos la pauta externa y el resalte positivo imprescindibles para comprobar que la posibilidad de superponer con identidad absoluta tendencias y momentos constituye un índice fidelísimo de cómo, hasta los más apartados y aparentemente autónomos engranajes del sistema estético —como pueda serlo la ideología tradicional horaciana—, se ven causados y configurados por la dialéctica de la sociedad contemporánea. Por lo menos en los casos, como el de nuestro Siglo de Oro, en que el fundamento social y político del país se constituye sobre las inestables bases de la historia de un paroxismo teocrático.

9. Sobre la situación del teatro y las censuras de comedias en el Siglo de Oro, valoradas en la perspectiva de la situación social y económica contemporánea, cfr. ANTONIO DOMÍNGUEZ ORTIZ, *Las clases privilegiadas en la España del Antiguo Régimen*, cit., pp. 396 ss.

Conoció el proceso de ataques al teatro momentos de benignidad en los años anteriores a 1580[10], coincidiendo así con ese período de relativo liberalismo, cuando el humanismo científico cristalizó en nuestro país en el glorioso y prometedor arranque de las obras de Vives, el Brocense, Antonio Lulio, etc...[11]. Es la época en que Horacio informa las penetrantes

10. Al construir el bosquejo histórico que sigue, resulta absolutamente imprescindible aludir al fundamental trabajo de EMILIO COTARELO, *Bibliografía de las controversias sobre la licitud del teatro en España*, Madrid, Archivos, Bibl. y Museos, 1904. Indice muy completo, a la vez que generosa antología de los documentos y fragmentos de obras que interesan nuestro tema actual. Se extiende a un período cronológico mucho más extenso que el que a nosotros nos interesa. Sus datos han constituido la base de nuestra investigación en este capítulo; sólo en el caso de los libros y documentos que hemos juzgado de mayor interés, los hemos consultado directamente y por completo, extrayendo en no demasiadas ocasiones textos importantes que pasaron desapercibidos a la intuición y asidua erudición del paciente investigador cuya obra, hasta el presente, no demasiado sistemáticamente explotada, constituye una de las bases imprescindibles para todo replanteamiento polémico del añoso debate sobre la «ciencia y cultura españolas». Junto a esta obra se han de tener en cuenta los estudios clásicos de PÉREZ PASTOR, *Nuevos datos acerca del histrionismo español*, Madrid,1901, ampliado en «Bulletín Hispanique», números VIII,XVII, 1906, 1915. ADOLFO FEDERICO SCHACK, *Historia de la Literatura y del arte dramático en España*, Madrid, Tello, 1886. Así como las obras de VALBUENA PRAT, tanto los capítulos correspondientes de la *Historia de la Literatura Española*, Barcelona, G. Gili, ed. de 1968, como *El teatro español en su Siglo de Oro*. Barcelona, Planeta, 1969; y las frecuentes e interesantes noticias de la obra capital de AMÉRICO CASTRO y H. A. RENNERT —actualizada por F. LÁZARO CARRETER—, *Vida de Lope de Vega*, Salamanca, Anaya, 1968. Siendo, en fin, guía utilísima de cómodo manejo, por su edición reciente, el *Tratado histórico sobre el origen y progreso de la comedia y el histrionismo en España*, de CASIANO PELLICER, ed. de Díez Borque, Barcelona, Labor, 1975. Numerosos son los datos que extraemos sobre acontecimientos de la vida de los cómicos en las monografías clásicas de RAFAEL RAMÍREZ DE ARELLANO, *Nuevos datos acerca de la historia del teatro español. El teatro en Córdoba*, Ciudad Real, 1912; SÁNCHEZ ARJONA, *El teatro en Sevilla*, Madrid, 1887; y RICARDO SEPÚLVEDA, *El Corral de la Pacheca. Apuntes para la historia del teatro español*, Madrid 1887; JUAN BARCELÓ JIMÉNEZ, *Historia del teatro en Murcia*, Murcia, 1958; sin contar las riquísimas noticias contemporáneas de ZABALETA y, sobre todo, de AGUSTÍN DE ROJAS, en su *Viaje entretenido*, Madrid, Nueva Bibl. de Aut. Esp. 1915. Respecto a los aspectos de atención concreta al problema teórico-poético e histórico-literario de las prohibiciones, la atención no ha llegado sino en tiempos más recientes: véase al respecto, J. C. METFORD, *The enemies of the Theatre in the Golden Age*, en «Bulletin of Hispanic Studies», XXVIII, 1951, pp. 76-92; J. E. VAREY y N. D. SHERGOLD, *Datos históricos sobre los primeros teatros de Madrid: prohibiciones de autos y comedias y sus consecuencias*, en «Bulletin Hispanique», LXII, 1960, pp. 286-326; y MANUEL RUIZ-LAGOS DE CASTRO, *Controversias en torno a la licitud de las comedias en la ciudad de Jerez de la Frontera* (1550-1825), Jerez, 1964. J. M. ROZAS, *La licitud del teatro y otras cuestiones literarias en Candamo, escritor límite*, cit.; y E. M WILSON, *Nuevos datos sobre las controversias teatrales: 1650-1681*, en «Actas del Segundo Congreso de Hispanistas», 1967, pp. 132-139. Finalmente hemos atendido la orientación, conectada con acontecimientos relevantes de la vida social contemporánea, en la obra de FRANCISCO RUIZ RAMÓN, *Historia del Teatro Español*, Madrid, Alianza, 1971 (2.ª ed.), así como JOSÉ M.ª DÍEZ BORQUE, *Sociología de la comedia española el siglo XVII*, Madrid, Cátedra, 1976.

11. Con este despliegue fallido, quizás el fenómeno intelectual más denso, complejo y sintomático, sea el de los años felices del erasmismo español. Como Américo Castro ha

y precoces defensas del hedonismo formalista de Luis Vives y el Brocense, y cuando todas las diatribas contra los espectáculos teatrales se refieren de modo exclusivo a problemas de inmoralidad en los representantes, absolutamente extrínsecos por tanto a la discusión moral de la literatura cómica propiamente dicha. Por lo general, eran sólo los trajes de los representantes los que de vez en cuando merecían la atención regia para regularlos[12]; a cuyo propósito recordaremos aquí la pragmática de 1534, firmada por Carlos I y su madre[13].

---

señalado con razón, la condición de concordia liberal en el engranaje de los procesos histórico-espirituales europeos venía a ser implantada por Erasmo, por razones de convencimiento o coyuntura, cfr. A. CASTRO, *El pensamiento de Cervantes*, cit., p. 249: «Durante el Renacimiento la Iglesia había andado en coqueteos con el espíritu de novedad; los papas hicieron lo que es sabido, y se creyó con inconsciencia que el arte, la razón y la vida podían crecer sin rozar el edificio dogmático. Erasmo representaba justamente este espíritu de concordia que no podía en modo alguno ser eficaz ni sincero, ya que el holandés minaba las bases del catolicismo. La desbandada luterana comenzó y la Iglesia cantó en Trento su *mea culpa*. Repliegue general. Ni arte, ni razón, ni vida libres. Hay que volver al viejo redil, estrechando sus mallas. Reacción, Contrarreforma». Las coordenadas de inserción de tal espíritu —que marcó las cotas más altas de una gran oportunidad perdida— se hallan para nosotros en la atmósfera europeísta extendida por el país sobre el casticismo autónomo de los Comuneros, que permitía conectar el interior, con Vives y los grupos intelectuales desarraigados, tal como el de Lovaina.» Cfr. I. TELLECHEA, *Españoles en Lovaina*, en «Rev. Esp. de Teología», XXIII, 1963. Tal atmósfera fue descrita, magistralmente, por BATAILLON, *Erasmo y España*, cit., pp. 155 y ss.

Sin embargo, la reacción de los más intransigentes nunca cesó, ni en los mejores años. La expansión prodigiosa del *Enquiridion* hacia 1526, fue planteada acertadamente por Bataillon, después de todo, como el entusiasmo de una minoría frente a la oposición de la ortodoxia oficial de las masas clericales: «Al acercarse el otoño de 1526, el éxito del *Enquiridion* desencadena en el interior de España una especie de guerra espiritual que enfrenta a la mayoría de los frailes con una gran minoría erasmizante seguida por el público de los semiiletrados», (*Ibid.*, p. 225). Dicha oposición, que en lo político podía velar, quizás inconscientemente, por una razonable supervivencia interior, (cfr. J. M. JOVER, «Sobre la política exterior de España en tiempos de Carlos V», en Varios, *Carlos V (1500-1558)*, Granada, Universidad, 1958, pp. 111 y ss.); en lo ideológico, sin embargo, el síntoma de la retracción se teñía del más negro atraso, culminando en esa crisis de la conciencia política de hacia 1550, bien establecida ya por los historiadores políticos, (cfr. F. BRAUDEL, *El Mediterráneo en la época de Felipe II*, Méjico-Madrid, Fondo de Cultura Económica, 1976), que fue la que dio al traste con el liberalismo ideológico, y con el espiritualismo renovador estético, que detectamos en el pensamiento de Vives, Montano, Llull o el Brocense.

12. Cfr. DIEGO DE CABRANES, *Armadura espiritual*..., Mérida y Guadalupe, MDXXXXV; debe consignarse que la obra debió ser escrita bastantes años antes que su accidentada impresión, pues lleva privilegio fechado el 22 de septiembre de 1525. Dice al respecto que nos ocupa: «Ansí mismo atavios para representar farsas para recreación y no para hechos luxuriosos; y por ventura estas tales cosas no tienen uso lícito sino injusto; si es en lo primero, no pecan mortalmente si la intención no es dañada».

13. Evidentemente el gran momento de las posibilidades europeístas de España fue unido a estos años del reinado de Carlos V. Nuestra apreciación en dominios muy concretos de la historia literaria no resulta discrepante de la línea general en los análisis clásicos más

Con el advenimiento de Felipe II coinciden los primeros fuertes apremios

---

reputados sobre nuestra historia de los siglos XVI y XVII. Américo Castro ya situaba en torno a 1550 —quizás con más débitos a su brillante intuición que a una analítica objetiva— el síntoma de un poderoso cambio de actitudes: «Era evidente que el incremento adquirido por el arte en el siglo XVI iba derechamente a crear una zona autónoma en que los espíritus no tenían más estímulos que los puramente terrenos y humanos. La literatura hacía verdadera competencia a la religión, tanto más peligrosa cuanto que la forma en que se envolvía estaba ungida por el prestigio de las gracias antiguas y por el genio de los más grandes escritores contemporáneos. Esa es la causa de que pasada la primera embriaguez ante el triunfo vital que representó el Renacimiento, una franca reacción se dibuje, al acercarse 1550, de acuerdo con el repliegue general que en otros órdenes realiza la Iglesia católica. El Concilio de Trento vigilará enérgicamente la literatura». Cfr. A. CASTRO, *El pensamiento de Cervantes*, cit. p. 29. En Bataillon, el periodo de referencia aparece singularmente ceñido, como es lógico, a la libre circulación de las ideas de Erasmo en nuestro país. Por una parte, destacadas como causa de dicha atmósfera liberal: «Es imposible comprender la fuerte corriente de libertad religiosa —decía a este propósito— que atraviesa a la España de Carlos V y Felipe II si antes no se ha medido la potencia de la obra erasmiana que se vuelca sobre el país entre 1527 y 1533. El erasmismo español es primeramente, durante estos años decisivos, una acción militante llevada a cabo por una minoría...; es también una impregnación del mundo de los letrados y de los humanistas, por el pensamiento religioso de Erasmo; es, por último, una amplia vulgarización de este pensamiento por las traducciones». Pero también, mencionadas como consecuencia en los siguientes términos: «es una paradoja histórica la floración de traducciones de Erasmo en el país de la Inquisición, en esa España donde la censura de los libros sería, unas cuantas décadas después, más severa que en ningún otro lugar. Para comprender esto hay que tener en cuenta seguramente las coyunturas que, hacia 1527, aseguraron a las ideas erasmianas la protección oficial de los poderosos de la corte de Carlos V, del Primado y de varios obispos españoles, y por último, la del Inquisidor General en persona». Cfr. M. BATAILLON, *Erasmo en España*, ed. cit. pp. 313-314. Para el eminente historiador francés, Carlos V va tan unido a la expresión de una edad de tolerancia liberal en España, que llega a simbolizarla en tales términos, y, glosando su desaparición, se afirma: «Con esa muerte, y con la de Gattinara, pasa a la historia todo un momento de la política y la cultura españolas», p. 430.

En tal sentido, había que interpretar el episodio de Villalar como una feliz circunstancia en cuanto que supuso el mantenimiento de una actitud de apertura europeísta en Castilla. Sin embargo, en el terreno histórico-social, Maravall ha destacado precisamente este hito básico de la política interior española de Carlos V, como el resorte desencadenante del aplastamiento liberal: «Como, años después de la derrota de los comuneros, reconocía López de Gómara, a partir de ese momento el absolutismo tuvo vía libre en España y, al no encontrar enfrente resistencias suficientemente fuertes, llegó a alcanzar posiciones que, si no doctrinalmente, sí en su aplicación práctica, quizás no tuvieron parangón en otras partes. Este peso de la monarquía había de entorpecer el desarrollo de las energías comunitarias, populares, que en otras partes permitieron en los siglos XVIII y XIX la formación de robustos cuerpos nacionales». Evidentemente, en el terreno cultural al menos, las fechas simbólicas aisladas son falaces. Ni el 1550, fecha mágica del cambio para Castro, ni la adscripción inmutable a voluntad de Carlos y sus políticos y consejeros, ni menos aún el encuentro de Villalar, en 1521, sirven para jalonar terminantemente, por sí mismos, un proceso en el que los poderes civil y religioso comprometieron todo el peso de su porvenir. Lo que desde luego puede afirmarse, es que, cumplido el proceso de aplastamiento, la disidencia intelectual fue siempre tan escasa, que tesis como la de Maravall sobre la persistencia liberal bajo los Austrias, sin ser inexacta, han de ser valoradas siempre en toda su limitación de síntoma mínimo y discrepante y,

de la Inquisición[14] y se vaticina ya el encastillamiento general del Imperio hispánico[15]. Hacia la mitad del siglo, Hernando de Valdés, arzobispo de Sevilla manifiesta ya un alto tono de intolerancia con la heterodoxia religiosa; y el proceso del arzobispo Carranza[16] y los violentos procesos contra nacientes grupos luteranos en Valladolid y Sevilla[17], entre los años 1559 y 1572, constituyen un decidido toque de atención sobre la tónica realmente implacable con la que se abordarán en nuestro país las discrepancias intelectuales

hasta en muchos aspectos —quizás por desgracia— despreciable. Véase especialmente a tales respectos el conjunto de trabajos titulados: *La oposición política bajo los Austrias*, cit. Tras las líneas de arriba mencionadas, añade: «Pero esto no quiere decir que todo quedara reducido a lisa y desolada uniformidad en la sumisión al poder, sino que en toda ocasión, y en múltiples partes, se mantuvieron actitudes disconformes, las cuales, hasta en repetidos casos, proyectaron y llegaron a patentizar una oposición», p. 123. El énfasis puesto por MARAVALL en el síntoma de las Comunidades se evidencia en su libro, *Las comunidades de Castilla*, Madrid, Rev. de Occidente, 1970 (2.ª ed.). La evidencia de los resultados en los aspectos estrictamente políticos del episodio, sí parecen más incuestionables: «La victoria de Villalar —concluye en este libro—, obtenida por parte del rey y de los grandes, y la consiguiente derrota del programa de los comuneros, inicia la fase ascendente de la marca señorial en España, y cortando la evolución de las líneas de un estado moderno, si no definitivamente trazadas, sí iniciadas por los Reyes Católicos, produce entre nosotros una nueva situación política y social similar a la que también en Europa se va observando claramente a medida que entra en años el siglo XVI», p. 266.

Recordemos, en fin, glosando las discrepancias de base, que Castro denunció en años relativamente tardíos, el entusiasmo de las simplificaciones liberal-europeístas en la conceptuación de las comunidades. Descontando, incluso, su tesis específica sobre participación de judíos castellanos, la llamada de atención sobre la índole ideológica de los bandos en conflicto nos sigue pareciendo muy atendible: «Es característico —se quejaba en su introducción de 1965— el modo de enjuiciar el hecho de las Comunidades de Castilla; se habla de ellas como de un alzamiento democrático a tono con corrientes e ideologías europeas, y se rechaza de plano que los españoles de casta judía tuvieran nada que hacer en tan caótica revuelta». Cfr. A. CASTRO, *La realidad histórica de España*, Méjico, Porrúa, 1965 (4.ª ed.).

14. MARCEL BATAILLON encuadró la fuerte reacción española del período 1556-1663 en el ámbito de un proceso general europeo de recrudecimiento de la ortodoxia católica, cfr. *Erasmo y España*, ed. cit., especialmente pp. 609-702. Estimación que comparte, asimismo, HENRY KAMEN, *La Inquisición española*, cit., p. 318, en la línea de restringir el negro protagonismo histórico imputado al Santo Oficio por la historiografía del siglo pasado. Además, no se debe olvidar que, objetivamente, aquellos fueron años cruciales en la Europa no protestante para la expansión de las minorías luteranas, como advertía BATAILLON: «Es posible que, de no haber intervenido la Inquisición tan vigorosamente en 1558, estos grupos hubiesen acabado por convertirse en verdaderas comunidades protestantes, comparables con las que se estaban constituyendo en Francia por el mismo tiempo», op. cit., p. 707.

15. Cfr. JUAN REGLÁ, *Historia de España y América. La Epoca de los tres primeros Austrias*, dirigida por E. Vicens Vives, Vol. III, p. 193. Recordamos, también, el magistral estudio de G. MARAÑON, *Antonio Pérez. El hombre, el drama, la época*, Madrid, Espasa-Calpe, 1951.

16. Cfr. MARCELINO MENÉNDEZ Y PELAYO, *Historia de los Heterodoxos españoles*, Madrid, C.S.I.C., 1947, Vol. IV, pp. 7-79. MARCEL BATAILLON, *Erasmo y España*, ed. cit., p. 530.

17. Por su parte, Bataillon resume la situación en los términos siguientes: «Es muy posible que el Inquisidor General —Valdés— haya exagerado el rigor contra los *luteranos* de Sevilla y

que rozan la ortodoxia dogmática[18]. Es en este ambiente en el que se inscribe la petición de las cortes de Valladolid de 1548 para que se corrija la licencia de ciertas farsas[19]. Pero hasta el momento, la escasa consistencia misma de las piezas teatrales, unida quizás al todavía no masivo arraigo popular que han de alcanzar en el siglo siguiente, determinan muy mesuradas reacciones condenatorias, y éstas referidas más a las mismas circunstancias del espectáculo, como bailes, ropas, lugares y fechas, etc..., que a la índole moral del fenómeno literario mismo, que no registra ninguna especial condena, ni siquiera en sus aspectos más directamente vinculados al después tan sospechoso deleite[20].

No obstante, hacia el año de 1570 la consolidación de la rigidez y la intolerancia se agudizan notablemente a resultas de un cierto respiro en su tensión extranjera tras el éxito de Lepanto; Felipe II convierte sus ojos hacia la organización de su monarquía hispánica. No olvidemos que la heterodoxia luterana no era sólo una amenaza para la paz de las conciencias, sino aun para la estructura del poder temporal, equilibrado por la Iglesia en España. El nombramiento del cardenal Quiroga como arzobispo de Toledo e Inquisidor General simboliza el decidido empeño del monarca por cortar de raíz todo principio de tolerancia con la libertad moral de las conciencias[21].

Valladolid porque esta acción lo salvaba de una desgracia inminente. Es muy posible que al perseguir a Carranza haya satisfecho un resentimiento personal. Hubo indiscutiblemente, en las represiones de 1558 y de los años siguientes, un carácter de atrocidad premeditada que contrasta con los métodos menos cruentos que la Inquisición había seguido hasta entonces. Pero hay que reconocer que la acción de Valdés obedece a la lógica misma de la función inquisitorial. Siendo el fin de ésta la extirpación de la herejía. Valdés se da cuenta de que los medios puestos en práctica desde hace más de treinta años han sido ineficaces: quien quiere el fin tiene que querer otros medios. Se trata ahora de un movimiento herético de carácter sedicioso en que están comprometidos hombres de calidad. Es imposible tratarlo con la misma clemencia que los delitos de judaísmo o de mahometismo cometidos por oscuros conversos. Es tanto más peligroso, cuanto que sus adeptos tienden a liberarse de las obligaciones y mandamientos de la Iglesia, y el pueblo no pide otra cosa sino ir en pos de un movimiento liberador de esa especie», cfr. M. BATAILLON, *Erasmo y España*, ed. cit., p. 708.

18. Entre la inmensa bibliografía existente relativa a las actuaciones inquisitoriales hemos tenido en cuenta de modo especial el estudio de ANTONIO DOMÍNGUEZ ORTIZ, «Delitos y suplicios en la Sevilla Imperial», en *Crisis y decadencia de los Austrias*, cit.

19. Cfr. E. COTARELO, *Bibliografía*, cit., p. 17.

20. Una obra que arroja este tenor de tolerancia a que nos venimos refiriendo, es sin duda la de FRAY FRANCISCO DE ALCOCER, *Tratado del Iuego... en el qual se trata copiosamente, quando los jugadores pecan...* Salamanca, 1559; de especial interés para nuestro estudio es el capítulo XLIV de la obra que trata «del dançar y baylar y farsas y traer máscaras», de todo ello dice: «no son pecado mortal aunque se hagan fiestas y se gaste en ellas mucho tiempo», p. 301.

21. Cfr. JOHN LYNCH, *España bajo los Austrias*. Barcelona, Península, 1970, Vol. I, pp. 321-323. Juan Reglá concreta en los siguientes términos la vinculación recíproca Corona-Igle-

Los últimos veinte años del siglo están simbolizados por el fracaso de la «Invencible», pero dolorosamente jalonados por una casi cotidiana sucesión de reveses políticos y sobre todo económicos. El sueño de una España centinela de la cristiandad en Europa lo pagan con su hambre los pobres de Castilla[22]. Es la época en la que los estudiosos más atentos de nuestra cultura en el Siglo de Oro han empezado a descubrir el síntoma de los contrastes y paradojas de nuestro pueblo[23]. Desde Pfandl es tópico nunca desmentido el contraste creado por la asfixiante ascesis religiosa del Rey y los teólogos frente a la bulliciosa libertad de las costumbres populares[24].

---

sia: «El encuadre rígido del país bajo Felipe II se hizo particularmente ostensible en los aspectos ideológico y religioso. La identificación entre estado e iglesia, entre política y religión, y, por tanto, entre rebelde y hereje, facilitó la celosa vigilancia del Santo Oficio».

22. A menudo se piensa en términos políticos en la situación caótica de la Hacienda real. Sin embargo, como ha indicado Palacio Atard a propósito de un interesante arbitrio o proposición contemporánea de Mateo Lisón y Biedma, lo peor no era la ruina de la corte, sino la absoluta postración del pueblo, especialmente de la sufrida Castilla: «El mal no está en la cabeza —parafrasea Atard— sino en los pies. Importa menos la situación de la Real Hacienda, aunque se encuentre apurada, que la debilidad económica de los vasallos. Esto es lo grave. Por tal motivo, algunas medidas que se preconizan en este momento pueden traer un alivio inmediato al bolsillo del rey, pero a la postre le precipitarán en la ruina si son perjudiciales para los intereses de los súbditos». Y éste es el concreto texto del patético documento contemporáneo: «Manda V. M. tres cosas con parecer de Junta, que, aunque parece son de tanto aprovechamiento para la cabeza, que es la Real Hacienda, acabarán los pies, que son los vasallos... y, si esto es así, podrá V. M. volver los ojos de la consideración a imaginar de quién será rey si se acaban los vasallos». Cfr. V. PALACIO ATARD, *Derrota, agotamiento, decadencia...*, Madrid, Rialp, 1966 (3.ª ed.), pp. 144-145.

23. Tal vez entre las menos recordadas, y en nuestro ámbito quizás de las más decisivas en sus consecuencias, sea la paradoja de la *dolorida renuncia* de tantos intelectuales españoles en aras de una ortodoxia, si se nos permite el término, profiláctica; no tanto impuesta por la fuerza del poder civil, cuando dictada por la propia responsabilidad y la decidida convicción de evitar todo motivo de escándalo. Lo que, si a la corta fue positivo para los espíritus, acabó siendo fatal a la larga para las inteligencias. Así, por ejemplo, describía Bataillon la renuncia al erasmismo intelectual producida entre los más agudos espíritus españoles tras la crisis de 1558: «De Constantino a San Francisco de Borja, todo un mundo de fuerzas espirituales se defiende para no morir. El verdadero nombre de este complejo mundo es *Reforma católica*. Sólo pueden negarlo aquellos que están resueltos de antemano a ver en esta reforma un movimiento único, coherente, seguro en su oposición al protestantismo... Y podemos imaginar qué íntimos desgarramientos debieron sufrir los reformadores católicos cuando les fue preciso, un día, abjurar de todo cuanto los hacía solidarios con la reforma protestante, a riesgo de renegar de sus amigos y de embotar los pensamientos que habían sido el alma de su propaganda. Doloroso parto de una ortodoxia, más bien que batalla de una ortodoxia armada de punta en blanco contra el luteranismo: tal es la crisis en que hay que situar la prohibición que se decreta por fin contra la obra de Erasmo, amenazada desde hacía tanto tiempo». Cfr. M. BATAILLON, *Erasmo y España*, cit., pp. 714-715.

24. Cfr. LUDWIG PFANDL, *Historia de la Literatura Nacional Española de la Edad de Oro*, Barcelona, G. Gili, 1952 (2.ª ed.) pp. 32 y ss. Amenísima y llena de graciosa precisión

Decadencia política y enrarecimiento cultural. Síntomas en los debates sobre la licitud del deleite en las polémicas sobre el teatro

El contraste antes mencionado se manifiesta claramente en numerosos rasgos literarios, como la agudización de los recursos efectistas en la predicación religiosa, de la que nos ocupamos en el Libro V de esta misma obra, o en el amortiguamiento progresivo en sus innovaciones personales de los autores de Retórica. La teoría de la Literatura viene caracterizada, a más de por su incipiente endeblez en un Sánchez de Lima, o un Rengifo, por el tono de recrudecida prudencia ortodoxa con que Pinciano maneja las prometedoras propuestas iniciales del Brocense, Herrera y Huarte de San Juan, en ese sorprendente castillo de naipes, dominado y amenazado al tiempo por el equilibrio y la circunspección que es su *Philosophia.* Una tónica de prudencia vigilante va condensándose a medida que avanzan los últimos dos decenios del siglo. Próxima aún la gloriosa herencia que produjera la abierta atmósfera intelectual —quizás irresponsable— en muchas de sus tentaciones políticas, del reinado de Carlos I, el repliegue político y el adensamiento de cautelas ortodoxas en la política interna de su hijo enrarecieron fatalmente la libertad en la toma de decisiones personales. Es así como nace de esta edad, y fundamentalmente de la acción y el interdicto de teólogos y teóricos de predicación, la condición de sospecha asociada al nombre de Horacio que descalifica y trivializa el valor de su *Ars;* al tiempo que impide que se constituya en nuestro país, entre otras muchas importantes cosas, un sistema y una tradición teórica en torno a sus citas y a sus contaminaciones doctrinales, que fuera comparable en coherencia y completez intelectuales —si no en densidad, que esto era imposible por la diferencia abrumadora en los condicionamientos culturales objetivos de los dos países— a las que registrara en Italia.

El síntoma de los debates sobre la comedia funciona también con absoluto paralelismo durante estos años. Paliado en parte por el escaso arraigo popular del teatro entre nosotros hasta el advenimiento de la revolución de Lope de Vega, así como por el carácter inicialmente religioso de gran cantidad de las piezas pre-lopescas[25]; sin embargo, una densa nube de críticas morales va preparando a partir de 1580 la tensión adversa que

es la animada descripción de la vida popular española en el Siglo de Oro, que hiciera el distinguido hispanista en su obra *Cultura y costumbres del pueblo español de los siglos XVI y XVII,* Barcelona. Araluce, 1959 (3.ª ed.). Más recientemente, M. DEFOURNEAUX, *La vie quotidienne en Espagne au Siècle d'Or,* París, Hachette, 1964.

25. Festivamente denunciaba esta especialización de nuestro teatro AGUSTÍN DE ROJAS, en su *Loa de la comedia,* refiriéndose a los primeros años de nuestro teatro nacional:

culminará, en un momento de crisis general de la política hispánica, con el primer cierre general de teatros en 1598.

Ninguna de tales censuras poseía aún el nivel de profundidad crítica para afectar a la esencia literaria de la comedia, que es lo que aquí realmente nos interesa y que se alcanzará plenamente en interesantes documentos del siglo XVII. Los ataques de estos años atienden a los aspectos escandalosos puramente externos, como son los que atañen a vestidos y actitudes de los cómicos en escena[26], inmoralidad en su vida privada y, sobre todo, la cuestión batallona que no ha de faltar en ningún escrito sobre el teatro

---

«Llegó el tiempo que se usaron
las comedias de apariencias,
de santos y de tramoyas
....
y al fin no quedó poeta
en Sevilla que no hiciese
de algún santo su comedia».

Cfr. E. COTARELO Y MORI. *Colección de entremeses, loas, bailes y jácaras*, Madrid, Nueva Bibl. de Aut. Esp., 1911, Vol. XVIII, p. 347.

26. Respecto a las quejas sobre el sector más externo y apariencial de los peligros teatrales —es decir, los aspectos vinculados a la representación, bailes lascivos, costumbres licenciosas de los cómicos y vida libre de las cómicas— es preciso advertir que fueron quizás el ingrediente más frecuentado de la disputa, pero al mismo tiempo, también el menos interesantemente desarrollado en el debate. A los apologistas les parecía materia, en todo caso venial, y los atacantes la contemplaban de pasada, sólo a título de argumento marginal de condena indiscutible. Sobre la irregular vida de los cómicos y sobre los aspectos superficiales de bailes y representaciones execrados, son numerosísimas las referencias posibles, seleccionamos aquí, entre las obras generales, las de J. SUBIRÁ, *Vida teatral en el Siglo de Oro*, recop. de J. Hesse, Madrid, Taurus, 1965; así como la obra básica de CHARLES V. AUBRUN, *La comedia española (1600-1680)*, Madrid, Taurus, 1968. Más precisamente, sobre actores y comediantes, recordaríamos —además de los datos de Sánchez Arjona, Ramírez de Arellano, Barcelona, Ruiz Lagos, etc., sobre aspectos locales del teatro en ciudades, y los también mencionados discursos antiguos de Casiano Pellicer y Pérez Pastor— los estudios, ya clásicos, de RENNERT, *Spanish actors and actresses between 1560-1568*, en «Revue Hispanique», XVI, 1907, pp. 334-538; así como F. RODRÍGUEZ MARÍN, *Nuevas aportaciones para la historia del histrionismo español en los siglos XVI y XVII*, en «Boletín de la R.A.E.», I, 1914, pp. 60-66; y los datos de E. JULIÁ MARTÍNEZ en su trabajo sobre aspectos locales de este tema; R. AGUILAR PRIEGO, *Actores y comediantes que pasaron por Córdoba en los siglos XVI y XVII*, en «Boletín de la R. Academia de Ciencias... de Córdoba», XXXII, 1962, pp. 281-314; y CONDESA DE QUINTANILLA, *Documentos sobre comediantes en Extremadura en el siglo XVII*, en la «Revista de Estudios Extremeños», XIX, 1963, pp. 101-120. Necesario es advertir, no obstante, que las peculiaridades del negocio, los locales y la representación misma, favorecían este sentimiento generalizado de sospecha. Recordamos los datos sobre corrales y representaciones, en general, bien conocidos desde la abundante bibliografía existente: clásica como Zabaleta o Rojas, y tradicional como RICARDO SEPÚLVEDA, *El corral de la Pacheca*, cit. Para referirnos sólo a trabajos recientes, véanse: NOEL SALOMON, *Sur les répresentations théatrales dans les «pueblos» des provinces de Madrid et Tolède*, en «Bulletin Hispanique», LXII, 1960, pp. 398-427; J. FALCONIERI, *Los antiguos corrales en España*, en «Estudios escénicos», 1965, XI, pp. 93-118; EMILIO CARILLA,

de nuestros empecatados y obsesivos teorizadores y críticos moralistas de los siglos XVI y XVII: la licitud o no de la presencia de mujeres en escena, agudizada en los casos en que por exigencias de la «maraña» —que indiscutiblemente buscaba el lado morboso del recurso tan favorecido de la «mosquetería»— la dama vestía las más ajustadas ropas de galán[27].

Como opiniones informadas de este tenor, recordemos el ataque de Juan de Pineda, donde además se explota el argumento nacionalista, más raro, que rehúsa dar dinero a extranjeros a cambio de procacidades; aludiendo, sin duda a la nacionalidad italiana de muchos de los representantes y aun de las compañías completas en los comienzos de nuestro teatro[28].

El teatro español de la Edad de Oro. Escenarios y representaciones, Buenos Aires, Centro Editor de América Latina, 1968; N. D. SHERGOLD y J. E. VAREY, *Los Autos Sacramentales en Madrid en la época de Calderón*, Madrid, Edic. de Hist. Geografía y Arte, 1961.

27. En la revisión del problema que nos ocupa en este capítulo, nos centramos sólo en la dimensión más estrictamente vinculada con la sistemática tópica de la teoría literaria en la época. Perseguimos exclusivamente evidenciar el síntoma de la resistencia al *delectare* bajo cualquiera de sus formas en la sociedad española del Siglo de Oro, y las tensiones que tal extremismo generaba. Por ello, en la masa de documentos que forma la polémica sobre la licitud del teatro, de vertientes temáticas muy diversas, hemos seleccionado preponderantemente aquellos perfiles que rozan el síntoma problemático del deleite. Sin embargo, como hemos advertido incidentalmente en distintos lugares de nuestra exposición, los argumentos obligados y más frecuentes eran los relativos a las circunstancias de escándalo que concurrían en la vida de los cómicos y en distintos lances de representación, como bailes, trajes, etc.

En algún documento, sin embargo, tales argumentos, habitualmente omitidos, nos obligan a prestarles atención singular, de acuerdo con la índole de nuestro trabajo. Se trata de un fragmento del tratado *De sale* del obispo de Albarracín don Bernardino Gómez Miedes, que reproduce CASIANO PELLICER en su *Tratado histórico*. Lo singular aquí es que se invoca el conocido tópico horaciano «segnius irritat...» para ponderar las posibles peculiaridades del espectáculo, adquiridas a través de la vista, como algo más perturbador que los contenidos mismos de los textos representados, adquiridos a través del oído. Previamente Pellicer había explicitado la fuente horaciana de las razones de Gómez Miedes, que a ella conducen de manera inequívoca: «Esta doctrina del P. Porce —dice Pellicer aludiendo a una cita anterior análoga a la del obispo de Albarracín, que después glosará— está fundada en aquella sabia sentencia de Horacio de que *menos vivamente afectan el ánimo las cosas que entran por el oido, que aquellas que se ofrecen a los ojos que dan fiel testimonio de lo que se representa;* cuya sentencia amplifica filosóficamente el doctor obispo de Albarracín...». Y añade la referida cita: «Así es *(dice)* que los espectáculos de las comedias, tragedias, bailes, y otras diversiones teatrales, que se ofrecen y presentan a los ojos que testifican fielmente, causan en el alma más conmoción y deleitan más, que aquellos objetos, que siéndolo sólo del oído, se introducen en el ánimo por este órgano; porque, aunque sea cierto que la lección de las comedias o tragedias nos deleita, nos instruye y nos admira, pero viéndolas representar sentimos varios y diversos afectos, porque o nos conmueven, o nos perturban, o secretamente nos punzan el ánimo...» Prosiguiendo ya con una paráfrasis puramente aristotélica de la definición del sentimiento catártico. Cfr. CASIANO PELLICER, *Tratado histórico sobre el origen y progreso de la comedia y del histrionismo en España*, ed. cit., pp. 107-109.

28. Cfr. JUAN DE PINEDA, *Diálogos familiares de la Agricultura Christiana*, Madrid, Atlas, B.A.E. 1963, Vols. 161-163. Lo cita COTARELO en *Bibliografía*, cit., pp. 503, y ss.

El de Francisco de Ribera, 1586, centra sus objeciones en diversos aspectos circunstanciales y anecdóticos como la presencia en escena de mujeres con vestidos masculinos[29]. Fray Diego de Tapia se proclama en la cumbre de la repulsa por la excomunión de los actores, idea bastante generalizada que compartía, por ejemplo, en las mismas fechas, el portugués fray Manuel Rodríguez[30]. Muy radicales fueron igualmente los ataques registrados en otros lugares, singularmente en Cataluña bajo la dura presión del obispo de Barcelona, Juan Dimas Loris, esforzado paladín de cualquier campaña contra el teatro, secundado por tratadistas severos como fray Marco Antonio Camosa.

Mas en verdad, de todas estas condenas salía siempre bien parado el teatro en su dimensión estricta de producto literario que, siguiendo a Santo Tomás, ninguno de sus adversarios se atrevía a declarar pecaminoso «a se», sino por la inclusión intencionada de deshonestidades; destacando quizás por su benignidad crítica, que oculta malamente sus simpatías, las importantes menciones al tema existente en la obra de fray Alonso de Mendoza publicada en 1588[31].

En 1598, presintiendo quizás la inminencia de su muerte, Felipe II aprieta algún punto más en el potro de la moralidad de sus súbditos. Los reveses militares y en especial la bancarrota de 1597 favorecen la imagen de la cólera divina suscitada por los pecados del pueblo, en la que moralistas y monarca empiezan a creer sin la menor vacilación. La orden real de cierre de teatros, del 2 de Mayo de 1598, había sido precedida ya en 1596 por una severa regulación del Consejo Real de Castilla cortando abusos meramente externos, como el consabido de las mujeres de escena. En una consulta o parecer previo a la orden de cierre advertimos registrado un dato que en esta investigación sobre los debates del controvertido *delectare* nos interesa destacar: el deleite considerado como efecto puramente negativo,

29. Cfr. FRANCISCO DE RIBERA,... *In librum duodecim Prophetarum commentarii*, Salamanca, G. Foquel, MDLXXVII, cit. por Cotarelo, pp. 521-522.

30. Las obras aludidas de estos dos últimos escritores las recoge COTARELO. *Bibliografía*, cit., pp. 563 y 523 y ss., respectivamente. Otros autores del mismo período que mantienen una actitud ante el teatro severa y cautelosa, aunque no intransigente, son Alonso de Vega, en 1594; y Pedro Jerónimo de Cevedo, en 1592, cfr. COTARELO, *Ibid.*, pp. 584 y 147.

31. Cfr. FRAY ALONSO DE MENDOZA, *Quaestiones quodlibeticae, et relectio Theologica, de Christi regno ac dominio*, Salamanca, M. Serrano, 1588; obra importante de la que resulta escasamente satisfactorio el resumen hecho por Cotarelo en pp. 466-467. Al punto a que nos referimos en el texto, corresponde al siguiente fragmento: «Non esse illicitam eam omnem autem, qua fiunt et aguntur res quaedam, quibus alii utuntur ad peccatum mortale. Non enim mortaliter peccat qui aleas et chartas pictas et similiter fucas, quibus viri, ac feminae abutentes, peccant mortaliter, habent, conficiunt et vendunt», p. 573. Parecer también acogido como síntoma, a través de la autoridad del propio Mendoza, catedrático salmantino, por CASIANO PELLICER, cfr. *Tratado histórico...*, ed. cit., pp. 91-91.

inmoral y femenino, nocivo para la moral de las almas y aun para el buen servicio de los súbditos de la corona española:

> «Destas representaciones y comedias —se dice en el referido texto— se sigue otro gravísimo daño, y es que la gente se da el ocio, deleite y regalo y se divierte de la milicia, y con los bailes deshonestos que cada día inventan estos faranduleros y con las fiestas, banquetes y comidas se hace la gente de España muelle y afeminada é inhábil para las cosas del trabajo y guerra»[32].

Nótese cómo la razón política venía a constituirse en refuerzo de poderosa capacidad de sensibilización ante cualquier circunstancia política y militar adversa, para encubrir lo que era una pura y simple negación de la licitud del placer artístico, que nuestros cerrados moralistas clásicos no podían dejar de considerar como sinónimo de descarrío moral. Y no era esta visión privativa de teólogos y moralistas; el cambio de las costumbres al que iba vinculado el nuevo gusto teatral más abierto y jocundo, se resistía también a la disciplina dramática más severa de ingenios desterrados del aplauso popular como Lupercio Leonardo de Argensola[33].

Si el texto del *Parecer* antes aludido suponía la condena del deleite como sentimiento pecaminoso y disolvente por parte de los moralistas, el público menos comprometido en la reforma moral no estaba dispuesto a dejarse arrebatar el lenitivo del placer artístico entre tantas amarguras y sacrificios. El Concejo de Madrid representa esta actitud en su *Memorial* a Felipe II «para que levante la supresión en la representación de comedias»[34]. Con sagaz advertencia estos valedores madrileños del gusto popular

32. Cfr. *Consulta o parecer del Sr. García de Loaisa y de los PP. Fray Diego de Yepes y Fray Gaspar de Córdoba sobre la prohibición de las comedias.* Ms. del Archivo de Simancas, Gracia y Justicia, 993, cit. por COTARELO, *Bibliografía*, cit., pp. 392-397.

33. Escribió un *Memorial sobre la representación de Comedias* dirigido al rey Felipe II, en 1598. Cfr. COTARELO, *Ibid.*, pp. 65 y ss.

34. La actitud de estos «caballeros privados» ilustra el síntoma de rechinante discrepancia a la irracional planificación de la mortificación impuesta por frailes y predicadores, al servicio del teocratismo estatal. Maravall ha teorizado hasta sus últimas consecuencias el alcance de todos estos síntomas de oposición: «La gran circunstancia, pues, sobre la que se levanta la construcción política del Estado absoluto no era la de una sólida unidad interna que pretende lanzarse con todos sus recursos a las contiendas internacionales. Es, por de pronto, un aparato represor que se esfuerza por someter las discrepancias internas, en mantenimiento del juego de intereses que desde aquél se preside. La monarquía absoluta se perfila, por tanto, sobre un fondo de violenta tensión interna, sobre un fondo de lucha social que inspira a los grupos dominantes la fórmula de concentrar y vigorizar sus resortes de imposición». Cfr. J. A. MARAVALL, *La oposición política bajo los Austrias*, cit., p. 219. Doctrina en conexión con las tesis generales histórico-políticas del mismo autor en *Estado moderno y mentalidad social. Siglos XV a XVII*, Madrid, Rev. de Occidente, 1972. Recordamos, al mismo propósito,

y de los intereses de los hospitales recuerdan al monarca la necesidad política de contribuir a distender los ánimos de su atribulados súbditos:

> «Lo primero, que aunque haya exceso en el ejercicio de los actos humanos, como le debe de haber en las comedias, no por eso se deben prohibir, si de serio es cierto que toda buena república siempre las admitió, y toda historia las tiene por buenas y virtuosas, así por los buenos ejemplos que enseñan con algunos sucesos, como por ser obra que tanto ejercita, en que juntamente se mezcla el gusto y recreación del espíritu con la buena doctrina del entendimiento; pues así como conviene aflojar el arco para poderle flechar en la ocasión, conviene que el entendimiento que anda ocupado en cosas graves, alguna vez afloje la cuerda y desocupe para volverse á ocupar más asentado»[35].

Además de esta proclamación de la licitud y utilidad del deleite, los representantes de la villa de Madrid ensalzan la utilidad de las enseñanzas cómicas[36]. Pero lo realmente sorprendente es constatar cómo en estas proposiciones contrapuestas los defensores de la comedia no se molestaban en tratar de conciliar sus puntos de vista con los de los enemigos, ni siquiera en rebatirlos. Realmente un abismo insalvable de pareceres y mentalidad se había abierto entre los dos estamentos, oficial y popular, que protagonizaron la dialéctica angustiosa de la vida literaria durante el Siglo de Oro: toda esperanza de diálogo estaba ya deshecha.

La prohibición duró tan poco como la misma vida del rey Felipe II y el obligado período de luto de sus exequias. Su hijo, Felipe III, pese

---

su aplicación al análisis de los varios grupos sociales en el conflicto de la Celestina, en su conocido estudio, *El mundo social de la Celestina*, Madrid, Gredos, 1968, (2.ª ed.).

35. Cfr. *Memorial impreso dirigido al rey don Felipe II para que levante la supresión en las representaciones de comedias*, ed. por COTARELO, *Bibliografía*, cit., pp. 421 y ss.

36. Transcribimos la interesante exposición de las ventajas morales de la comedia en la expresión de este Memorial: «Lo tercero se suplica á V.M. mande advertir que en estos reinos ha sido tan manifiesta la utilidad de las comedias que nos excusa de repetir antigüedades ni ajenas historias y nos obliga á no perderla. Pues comenzando por la sustancia de la comedia, ella es espejo, aviso, ejemplo, retrato, dechado, doctrina y escarmiento de la vida por donde el hombre dócil y prudente puede corregir sus pasiones huyendo de vicios, levantar sus pensamientos aprendiendo virtudes por medio de la demostración, que de todo hay en la comedia, y que tan poderosa es en los actos humanos, de donde suele acaecer que más se aprende con los ojos que puede enseñarse con el entendimiento». Y entrando en la casuística didáctica más usualmente incorporada en la comedia, añade: «Allí se representa del rey justo el fin dichoso; de la fidelidad, el premio; del secreto, la importancia; del ánimo, la fortaleza; de la traición, el castigo, y de lo bueno y lo malo el último paradero, que, solamente oído con razones puede olvidarse, mas visto al ojo con demostración imprime en la memoria aun del más espacioso y menos obligado entendimiento, no sólo á dejar el mal, más aun imitar el mismo bien que se ve». *Ibid.*, p. 422.

a sus devociones, gustaba del teatro y, comprendiendo en su propio gusto la poderosa encarnadura popular del deleite escénico, consiente que su ministro duque de Lerma, apasionado también del espectáculo cómico, dé orden de reapertura el 17 de abril de 1599. Es decir, ni siquiera un año logró la intransigencia de nuestros severos teólogos mantener ahogada quizás la única libertad de nuestro pueblo, la de dejar volar la imaginación.

En torno al polo de las disposiciones oficiales se arremolinaban los pareceres de amigos y adversarios. Así las importantes declaraciones en defensa del deleite, como en general el resto de los alegatos del Memorial de la Villa de Madrid, fueron impugnadas por fray José de Jesús María en su *Primera parte de las excelencias de la virtud de la Castidad*, publicada el año de 1601 que, extensamente transcrita por Cotarelo[37], constituye uno de los más atentos y pormenorizados índices de razones que produjo la intransigencia de los moralistas. Interesante fue, asimismo, la obra de propósitos análogos de Tomás Sánchez, no sólo por el renombre doctrinal de su autor, sino sobre todo por hallarse vinculado al grupo de intransigencia alentado por el Arzobispo de Granada[38]. En el bando opuesto no faltaban tampoco los memoriales cargados de razones favorables al deleite y al didactismo moral del teatro, de carácter análogo al antes examinado de la Villa de Madrid, como el dirigido al gobernador por el Hospital Real de Lisboa. Constituyendo asimismo un documento sintomático, la consulta para la reapertura de teatros sometida por el Rey al Consejo de Castilla, en la que se distribuyen los pareceres en dos bandos muy bien definidos: los teólogos, irreductiblemente intransigentes, y los consejeros laicos mucho más próximos al gusto popular[39]

37. *Ibid.*, pp. 367 y ss.

38. Cfr. TOMÁS SÁNCHEZ, *Disputationum de Sancto Matrimonii Sacramento*, Genova, I. Paronem, 1603. Va dedicado al Arzobispo Pedro de Castro. No obstante, se establecen en esta obra matizaciones muy comprensivas para el problema del deleite, únicamente pecaminoso «a se» cuando se vincula a deleite carnal: «... Si intendatur delectatio venerea consurgens ex ipsi rebus turpibus apprehendibus, esse mortale». En los demás casos es tolerable, si no laudable: «Consulto autem dixi in conclusione, propter delectationem notabilem. Quia si modica sit, parvitas materiae excusabit a mortali», p. 909. Cotarelo dedica escasa atención a esta obra, de la que reconoce, sin embargo, sus méritos e influencia posterior, pero de la que no reproduce directamente texto alguno. Cfr. *Bibliografía*, p. 535.

39. El parecer de los consejeros se conserva manuscrito en la Biblioteca Nacional de Madrid, ms. 10.206, y en él concluyen: «que las comedias y entremeses en que la materia que en ellas se tratare, no sea mala ni deshonesta, ni se mezclen en ella vailes y meneos lascivos ni dichos torpes y deshonestos, no son prohibidos y se debe permitir representarse», fol. 163 v.

El siglo XVII. Optimismo nacional y sus consecuencias sobre las doctrinas dramáticas del deleite en los años iniciales del reinado de Felipe III.

Los comienzos del siglo XVI, con el relajamiento saludable en la tensión de la vida política interior en la que se mantuviera el país durante las postrimerías del reinado de Felipe II, marcaron una de esas efímeras pausas a la cargada atmósfera de coerción moral que dominaba el país[40]. Es quizás el momento en que pudo darse la actitud relativamente liberalizadora de Luis Alfonso de Carvallo, y en cuyo ambiente se gestan las obras retóricas y concionatorias de una ortodoxia flexible de Jiménez Patón y Terrones del Caño. Las esperanzas puestas en el nuevo rey zozobraban ante su bobalicona incapacidad, ensombrecida aún más por la personalidad poderosa de su padre y abuelo; pero los fieles e ilusos súbditos se esforzaban por no ver, esperando la prolongación de un milagro que ya en los años finales de Felipe II había empezado a descubrir sus grietas. Actitud ésta caracterizada por la necesidad de evasión, que ha exaltado Reglá, y con la que saludamos la característica genética más destacada del espíritu barroco[41].

Nuestros escritores no disimulan su satisfacción por la agilidad artística que les brinda el nuevo estilo. Aparte del caso quizás más revelador en teoría poética que es el *Cisne de Apolo* de Luis Alfonso de Carvallo, o el tenor igualmente benigno de la *Loa de la Comedia* de Agustín de Rojas;

40. Domínguez Ortiz ha caracterizado así el momento histórico al que nos referimos: «En paz España con Francia y con Inglaterra, indiscutido su predominio en Italia, firme su alianza con el Imperio, España no sentía gravitar sobre sí ninguna grave amenaza directa; faltaba el clima propicio para tensar voluntades y pedir sacrificios. Una gran laxitud se enseñoreaba de la nación que bajo el Prudente realizara tan duras y costosas hazañas. No era, por cierto, un sentimiento de renunciación, de cobarde y torpe fuga ante el destino; era más bien la peligrosa convicción de que el Imperio podía dejar de ser una empresa dinámica, en perpetua creación por el esfuerzo y el sacrificio de cada día, y que bastaría mantener la posición adquirida mediante pequeñas acciones defensivas y alguna demostración ocasional de fuerza para conservar el prestigio. Se quería convertir el Imperio así en una sustancia, en algo inerte que se sostendría eternamente como las piedras de El Escorial, sin aspiraciones, sin objeto ni tendencia propia; sin vida, en una palabra. En esta concepción estática iba implícita su decadencia y su muerte». Cfr. A. DOMÍNGUEZ ORTIZ, *Política y Hacienda de Felipe IV*, Madrid, Ed. de Derecho Financiero, 1960, p. 4.

41. Cfr. JUAN REGLÁ, *Introducción*, op. cit., p. 310: «hegemonía dinástica en una atmósfera de coexistencia pacífica de cansancio y de evasión ante la crisis, que preconiza en todo el occidente europeo la primera generación del barroco. No olvidemos tampoco las explicaciones que connaturalizan el alma barroca con la representación teatral, fenómeno no sólo predicable de España, como ha ilustrado E. OROZO DÍAZ, *El teatro y la teatralidad del Barroco*, cit. Un estudio excelente sobre la interacción dialéctica de ambos principios en las cortes europeas es el de HANS TINTELNOT, *Annotazioni sull' importanza della festa teatrale per la vita artistica e dinastica del Barocco*, en *Retorica e Barocco*, cit.

las páginas de nuestra literatura no revelan menosprecio ni falta de afección a la vida y la literatura teatrales. No se descubre en las páginas de la vida de aquel pícaro que en su vagar da en una compañía de cómicos, que es el protagonista de la *Segunda parte del Pícaro Guzmán de Alfarache*, de Mateo Luján. Ni, por recordar la más encumbrada obra de aquel siglo, aparece tacha adversa a la licitud del deleite cómico en el *Quijote*, en el famoso pasaje de la primera parte. Allí, al discutir las excelencias de la comedia —donde Cervantes respira indudablemente por la herida de la desafección popular a su teatro, como al de Argensola, ante la movida y bulliciosa preferencia del gusto popular por la «comedia nueva»—, la alta índole del equilibrado y atinado genio de Cervantes no deja de destacar, sin embargo, la licitud e idoneidad del deleite como sentimiento derivado de la comedia; al punto de exaltarlo sobre cualquier otra consideración pacata, sin tratar de disimularlo, por ejemplo, tras del fondo didáctico y moralizador. La utilidad moral y social de la comedia se ejercen en la admirable síntesis superior de Cervantes en la medida de las secuelas del deleite. Pese a la condición de universal difusión de la obra de Cervantes, no nos resistimos a dejar de transcribir la más autorizada, temprana y rotunda defensa del deleite estético que es posible conocer en nuestra literatura.

> «El principal intento que las repúblicas bien ordenadas tienen permitiendo que se hagan públicas comedias es para entretener la comunidad con alguna honesta recreación, y divertirla a veces de los malos humores que suele engendrar la ociosidad; y que, pues éste se consigue con cualquier comedia, buena o mala, no hay para qué poner leyes, ni estrechar a los que las componen y representan a que las hagan como debían hacerse, pues, como he dicho, con cualquiera se consigue lo que con ellas se pretende. A lo cual respondería yo que este fin se conseguiría mucho mejor, sin comparación alguna, con las comedias buenas que con las no tales; porque de haber oído la comedia artificiosa y bien ordenada, saldría el oyente alegre con las burlas, enseñado con las veras, admirado de los sucesos, discreto con las razones, advertido con los embustes, sagaz con los ejemplos, airado contra el vicio y enamorado de la virtud; que todos estos afectos ha de despertar la buena comedia en el ánimo del que la escuchare, por rústico y torpe que sea, y de toda imposibilidad es imposible dejar de alegrar y entretener, satisfacer y contentar, la comedia que todas estas partes tuviere mucho más, que aquella que careciere dellas, como por la mayor parte carecen estas que de ordinario agora se representan».

Juan de la Cueva, Rey de Artieda, Lope en su *Arte Nuevo* y en otros muchos documentos crítico-teóricos, Cristóbal de Virués, etc...; todos coinciden en la defensa de la comedia, aunque ninguno de ellos se atreva a exaltar tan rotundamente como Cervantes la importancia fundamental del deleite. Predomina por el contrario en todos ellos la tendencia a captar la benevolencia de teólogos y moralistas, tratando de mediar con la defensa del didactismo moralizador, pero descartando sin entrar en debate explícito las acusaciones de los adversarios sobre la disolución moral del género cómico.

En el segundo decenio del siglo la actitud de nuestros teóricos y literatos experimentó alteraciones notables, al adensarse la conciencia de afirmación de la comedia de Lope, que venía a marcar la quiebra definitiva del ñoño teatro escolar moralizante. El «gusto» del público, no sólo en contrapartida frente a la irregularidad formal antiaristotélica, sino también contra las tachas de inmoralidad de los teólogos, es invocado por Ricardo de Turia en su general defensa de la «comedia nueva»[42]. Y aun más abiertamente alude y elogia el deleite cómico estético el también valenciano Carlos Boyl, con los tan conocidos versos de su composición «A un Licenciado que deseaba hacer comedias»[43]. Por lo que se refiere a otros documentos de crítica teatral de la misma época, ni Cristóbal de Mesa, ni Cascales en sus *Tablas poéticas*, ni siquiera los autores de la *Spongia* hacen el menor hincapié en los problemas morales en sus discusiones sobre el nuevo rumbo de nuestro teatro. Sólo quizás el veleidoso autor de *El pasajero*, Suárez de Figueroa, aludía en 1617 desfavorablemente a la desvergüenza que, según él, reinaba en la comedia nueva.

Durante el decenio siguiente diríamos que se incrementa, en términos generales, la favorable acogida de nuestros escritores al deleite cómico[44]; o por

42. Dr. Ricardo de Turia, *Apologético de las comedias españolas*, incluido en su obra *Norte de la Poesía española, Ilustrado del sol de doce comedias... de laureados poetas valencianos; y de doce escogidas loas y otras rimas a varios sujetos*, Valencia, 1616. El Apologético ha sido incorporado a la antología de Porqueras y Sánchez Escribano, *Preceptiva dramática*, ed. cit.

43. Incluida también en *Norte de la Poesía*, y modernamente editada en *Preceptiva dramática*, ed. cit., p. 154. Recordemos la caracterización de comedia:

«La comedia es una traza
que desde que se comienza
hasta el fin, todo es amores,
todo gusto, todo fiestas».

44. Corresponde el momento con los comienzos del reinado de Felipe IV. La juventud del rey, y después la de su gran compañero de aventura el Conde-Duque, le arrojaba a una política de intervención expansiva, en contraste con el paréntesis conservador y timorato de su padre. Un optimismo general inundó España, y sus ecos en la situación de los espectáculos no podían dejar de sentirse. «En 1621 aún se está lejos de estas calamidades; las perspectivas parecen risueñas; la nación, en su eterno mesianismo, espera mucho de los nuevos gobernantes. Y éstos esbozan un ambicioso programa que comprende, en el interior, un vasto plan de

mejor decir la presión sobre ellos se ejerce de modo menos apremiante, permitiéndoseles un juego de opiniones más libre de cautelas. Como el héroe de Luján, Alonso, el *Donado hablador o mozo de muchos amos* de Jerónimo de Alcalá, no arroja ninguna tacha de desprecio contra el género ni cautela especial contra los cómicos —sino las más obvias y usuales— en el período de tiempo que su autor le hace vivir entre ellos. Un liberal y sano tono de relativismo subjetivista impregna el juicio de este autor frente a tanto dogmatismo e imposición moralizante[45]. Se llegó, incluso, a la expresión agresivamente independiente con que se defiende el deleite de la renovada comedia española, como una de sus más firmes razones de mérito, en la *Invectiva a las comedias que prohibió Trajano y Apología de las nuestras*, de Francisco de Barreda; así lo revelan las siguientes líneas de positiva importancia y notoriedad estética indudable:

> ...«ha llegado tiempo en que el atrevimiento dichoso de los ingenios de España, adorno de este siglo, la ha engalanado nuevamente, la ha hecho discreta y entretenida, y como abeja que labra dulcísimo panal de la quinta esencia de las flores la ha labrado con los esmaltes de todo género de agudeza... Todo con apacible estilo, desnudo de la severidad y aspereza con que nos dejaron los antiguos»[46].

Finalmente ni siquiera el integrista y poco amigo de novedades, Francisco de Cascales, se atrevió a renegar de la comedia lopesca por mor de la moral. No lo había hecho en las *Tablas poéticas*, como ya sabemos, preocupado preferentemente en aspectos técnico-estructurales; y cuando, en una de sus *Cartas Filológicas*, afronta el tema en directo, se resuelve en elogios de la capacidad y oportunidad moralizadora del nuevo teatro[47]; así como sobre la utilidad social indiscutible de las representaciones cómicas:

---

reformas, y en el exterior, una política más decidida, más *imperial* que la del reinado anterior», cfr. A. DOMÍNGUEZ ORTIZ, *Política y Hacienda de Felipe IV*, cit., p. 13.

45. Cfr. JERÓNIMO DE ALCALÁ, *El donado hablador Alonso, mozo de muchos amos*, Madrid, 1624, 1.ª parte, Valladolid, 1626, 2.ª parte. Cito por la Ed. de Cayetano Rosell, en la B.A.E. Madrid, Atlas, 1946, Vol. XVIII, pp. 491 y ss. En el diálogo de Alonso con el Vicario proclama el primero: «Asi que, señores los que no gustan de oir comedias, los que tienen algún escrúpulo de escuchar algunas licenciosas razones, y sienten distraerse de su recogimiento y virtud, cuando van a oirlas, no las vean; que justo es apartarse de lo que les es dañoso y buscar lo bueno, que es máxima del filósofo que ninguna cosa en razón de mala se ha de apetecer y buscar; cuanto más, que comedias se representan que se pueden oir de rodillas... adonde verdaderamente se reprenden los vicios, se exhorta a seguir las virtudes, y se toma ejemplo para la vida» p. 533.

46. Cfr. FRANCISCO DE BARREDA, *Invectiva a las comedias que prohibió Trajano y Apología de las nuestras*, ed. por Porqueras y S. Escribano, en *Preceptiva dramática*, ed. cit., p. 200.

47. Fuerza hace sin duda en apoyo de la favorable difusión de la comedia en España

«Muchos días ha, señor, —es carta del murciano a su preciado amigo en la corte, Lope de Vega— que no tenemos en Murcia comedias; ello debe ser porque aquí han dado en perseguir la representación, predicando contra ella, como si fuera alguna secta o gravísimo crimen. Yo he considerado la materia, y visto sobre ella mucho, y no hallo causa urgente para el destierro de la representación; antes bien muchas en su favor, y tan considerables, que si hoy no hubiera comedias, ni teatros de ellas, en nuestra España, se debieran hacer de nuevo, por los muchos provechos y frutos que de ellas resultan»[48].

Con esta situación del parecer de nuestros literatos, del que en sus términos extremados surgió por los mismos años el atrevimiento de los poemas culteranos de Góngora y las más encendidas apologías de sus parciales y panegiristas, contrasta, como es lógico suponer, la persistente animosidad de los teólogos y moralistas decididos a enrarecer la atmósfera en torno a cualquier manifestación de hedonismo artístico. En el ámbito concreto que nos ocupa, si bien es cierto que no lograron arrancar a la autoridad real ninguna nueva orden de supresión absoluta, una serie de reglamentaciones jalonan estos años estrechando el cerco a las libertades de autores y representantes. El decreto de Valladolid de 26 de abril de 1603 limitaba en tiempo y lugares las representaciones y fijaba en ocho el número total de compañías. Las Ordenanzas de 1608 establecían la separación e incomunicación de hombres y mujeres en los corrales, así como limitaciones respecto al número y grado de parentesco de las mujeres en las compañías y sus trajes. Finalmente, las «Ordenanzas de reformación de comedias» de 8 de abril de 1615 llevaban al extremo las prohibiciones, pero dejando suficientemente en claro, por otra parte, el límite intransgredible de la prohibición.

---

este contraste contra los hábitos críticos más usuales de Cascales. Sin embargo en su decisión debe ponderarse decididamente su amistad con Lope, creador de la comedia en España, a quien va dirigida esta carta. Como viejos conocidos del anacrónico preceptista murciano, estamos bien seguros de que su tono hubiera sido muy diverso de no mediar la circunstancia externa de su amistad con el Fénix. Su elogio de las virtudes de la comedia recorre las circunstancias de las descripciones más usuales sobre el didactismo moral utilitario de la misma. Recordemos un fragmento: «Los poetas son cisnes que siempre cantan divinamente, águilas que se trasmontan a los cielos, ríos que en vez de agua manan candidísima leche... Vamos, vamos al teatro escénico, que allí hallará el rey un rey que representa el oficio real; adónde se extiende su potestad; cómo se ha de haber con los vasallos; cómo ha de negar la puerta a los lisonjeros; cómo ha de usar de la liberalidad, para que no sea avaro ni pródigo; cómo ha de guardar equidad, para no ser blando ni cruel. Vamos al teatro, y veremos un padre de familia, que con su vida y costumbres, y con sus consejos, sacados de las entrañas de la filosofía, nos enseña cómo habemos de gobernar nuestra casa y criar nuestros hijos.» Cfr. F. DE CASCALES, *Cartas Filológicas*, ed. cit., Vol. II, p. 54.

48. *Ibid.*, pp. 38-39.

La reacción integrista: Juan de Mariana y sus seguidores

Numerosos son los documentos de religiosos adversos a la práctica teatral que contrastan con el grado de mal disimulada simpatía y tolerancia con que la favorecían nuestros escritores, como acabamos de ver. De ellos destacaremos aquí solamente aquellos que contienen la nota explícita sobre el *delectare* que perseguimos en este capítulo; identificando placer cómico, o incluso en general goce literario, con pecado. Exageración evidente en la que se traduce ya sin tapujos, exasperada quizás por su impotencia para cortar «el mal de las comedias» que gozaba cada día de mayor privanza en las masas populares, la incompatibilidad entre el mundo libre planteado por el arte desde el Renacimiento y la aburrida «ciudad de Dios» soñada por nuestros rijosos y anquilosados moralistas del Siglo de Oro.

El mejor botón de muestra en este punto de partida es la obra *De spectaculis* del prestigioso y eminente historiador Juan de Mariana, publicada en 1609. En ella se registra quizás el más feroz y directo ataque que conociera la literatura de nuestro Siglo de Oro contra el deleite como producto estético[49]. Ya desde el mismo comienzo de la obra, en el capítulo primero sobre «la causa que movió a escribir este tratado», se despliega sin disimulo la adversa opinión de Mariana frente a los peligros de la Literatura, que crece cuanto más perfecta, galana e impecable es la cobertura artística del contenido inmoral[50]. Un ideal de ascetismo interno domina el programa de reconstrucción moral de España. Mariana no disimula sus pretensiones; el deleite —sin más distingos ni matizaciones— debe ser desterrado del seno de cualquier sociedad cristiana. Véase el comienzo del interesante capítulo IV de la obra:

49. La obra fue traducida por el mismo Mariana al español con el título de *Tratado contra los juegos públicos*, publicado en la Biblioteca de Autores Españoles, Obras del P. Mariana, Vol. XXXI, pp. 413 y ss.

50. *Ibid.*, p. 413: «... enciéndese en lujuria, la cual principalmente por los ojos y orejas se despierta, doncellas en primer lugar y mozos, los cuales es cosa muy grave y perjudicial en gran manera á la república cristiana que se corrompan con deleites antes de tiempo; porque qué otra cosa contiene el teatro y qué otra cosa allí se refiere sino caídas de doncellas, amores de rameras, artes de rufianes y alcahuetas, engaños de criados y criadas, todo declarado con versos numerosos y elegantes y de hermosas y claras sentencias esmaltado por donde tenazmente á la memoria se pega, la ignorancia de las cuales es mucho más provechosa?... ¿Por ventura podríase inventar mayor corrupción de costumbres ni perversidad que esta? Porque las cosas que por imagen y semejanza en tales espectáculos se representan, acabada la representación se refieren y cuentan con risa, y poco después se cometen sin vergüenza, incitando á mal el deseo natural del deleite, que son como ciertos escalones para concebir y obrar la maldad, pasando fácilmente de las burlas á las veras como la distancia no sea muy grande».

«Grande es el poderío del deleite y sus fuerzas increíbles, porque dado que blando y halagüeño, en poco tiempo, si no se usa de recato, vence y se apodera de todas las partes y potencias del alma, resuelve el vigor de las virtudes, y el alcázar, puesto en alto, la razón y entendimiento le derriba y despeña en todo género de vicios»[51].

En dicho programa de reformismo moral la denuncia del deleite testimonia, sin posible duda, la capital importancia de esta posición para nuestra sociedad española. Mariana presenta la terrible hidra en los tonos de más grande alarma:

«Es el deleite fabricador de muerte, y como Dios llama al hombre á la vida por trabajo y sudor, por estar la virtud situada en lugares ásperos y enriscados, así correremos á la muerte por deleites y suavidades; cierto al verdadero bien lleva el camino áspero, los males y vicios á la perdición por bienes y deleites engañosos. Conviene pues huir todos los placeres y deleites de los sentidos como lazos, porque presos con aquella blandura, no vengamos nosotros y nuestras cosas á recaer en el señorío de la muerte. Si te venciese el deleite, serás vencido del dolor, trabajo, molestia, porque son enemigos del deleite, la ambición la ira, la avaricia; los demás vicios hechos un escuadrón, se apoderarán del alma.»

Y pasando ya a ocuparse concretamente en el capítulo siguiente de los peligros del deleite cómico, traza sobre ello una pormenorizada descripción de todos los resortes y galas actuativo-estéticas de la literatura dramática. De la cual se infiere, tácitamente, que lo verdaderamente pecaminoso es el placer connatural al acierto literario, tanto más execrable cuanto mayor perfección se alcance en los logros estéticos. Mariana empieza por reconocer el positivo entusiasmo de sus contemporáneos, convocados fervorosamente por el deleite de los espectáculos cómicos:

«Pero antes que pasemos adelante es justo maravillarse y inquirir por qué causa las representaciones y comedias en tanta manera arrebatan á los hombres que, menospreciando los otros oficios de la vida, muchos concurren a esta vanidad, y todos los días gastan en este deleite, muchas veces con tanta vehemencia concitados con furor, que no es menor maravilla ver lo que hacen y dicen sus meneos y visajes, gritería, aplauso y lágrimas de hombres. Por sus intereses han juntado en uno todas las maneras é invenciones para deleitar el pueblo que se pueden pensar, como cualquiera dellas tenga fuerza para suspender los ánimos de los hombres.»

51. *Ibid.*, p. 428.

Enumerando las fuentes del deleite, comienza, como la más notable, por el maravilloso poder de la ficción imaginativa, que vence y sobrepuja cualesquiera ofertas de la realidad[52]. Bien debía conocer sin duda —y sin quererlo— Mariana la triste necesidad de fantasear de sus compatriotas como único alimento de sus necios esperanza y optimismo. Pero es que, además, junto a este ingrediente tan lícito y connatural del arte desde sus orígenes, menciona un nuevo cargo contra la literatura cómica, el segundo aspecto complementario de aquél, la bella y acertada expresión, más pecaminosa cuanto mejor compuesta y propiciadora del deleite:

> «Aun las consejas y fábulas de las viejas dan justo, ¿qué será cuando se juntase á esto la hermosura de las palabras y elocuencia? ¿Cuánta gracia se acrecentará á la narración, que es la segunda causa por que deleitan tanto las representaciones, principalmente cuando de palabras escogidas y graves sentencias está sembrado lo que se dice, como el prado de flores y el oro esmaltado de pedrería? Allende desto, los versos numerosos y elegantes hicieron los ánimos y los mueven á lo que quieren, y con su hermosura persuaden con mayor fuerza á los oyentes y se pegan más a la memoria; porque los que estamos compuestos de números, más que ninguna cosa nos deleitamos con ellos, y la oración compuesta de números, cuales son los versos, más vehementes movimientos suelen despertar y mover á la parte que quieren»[53].

Tras de la mención de estos dos componentes, inseparables de los más puros y encumbrados productos literarios, se sigue la de otros elementos de la comedia contemporánea, indudablemente menos esencialmente poéticos, y más sospechosos de espúrea voluptuosidad degradada, como bailes, meneos de los cómicos, chistes, etc..., para acabar con la mención del mayor motivo de escándalo para los severos moralistas como el jesuita Mariana:

> «Y en conclusión, lo que es mayor cebo, muchachos muy hermosos, o lo que es peor y de mayor perjuicio, mujeres mozas de excelente hermosura salen

52. *Ibid.*, pp. 419-420: «primeramente se cuentan historias de acontecimientos extraordinarios y admirables, que se remontan en algún fin y suceso más maravilloso, como lo vemos en las tragedias y comedias; cosas increíbles componerse y afeitarse de manera, que no parecen fingidas, sino acaecidas y hechas; y si es propio de nuestra naturaleza maravillarnos de cosas extraordinarias, menospreciar lo que pasa cada día; y son principalmente maravillosas y acarrean muy grande deleite aquellas que succeden fuera de lo que se espera, y son de mayor peligro; que si con la simple narración de cosas ordinarias muchas veces nos entretenemos, y la historia, de cualquier manera que esté escrita, nos deleita por ser como somos naturalmente curiosos».

53. *Ibid.*, p. 420.

al teatro y se muestran, las cuales bastan para detener los ojos, no sólo de la muchedumbre deshonesta, sino de los hombres prudentes y modestos.»

El *Tratado* se extiende, antes de ocuparse de otras clases de espectáculos, en interesantes consideraciones sobre la comedia, como las diferencias creadas respecto a la antigua por la comedia moderna; la improcedente costumbre de componer comedias de santos —con lo que la irreconciliable aversión de Mariana al teatro, no perdona ni aun las más usuales formas de compromiso, que habían concedido los más empecinados enemigos de los espectáculos teatrales—; la prohibición de sacar mujeres a escena, excomunión de farsantes, etc... Capítulos todos cuyo contenido no corresponde enjuiciar a un estudio de la naturaleza y objeto del nuestro, pero que constituyen testimonios preciosos para la historia de la intransigencia antiliteraria dentro de cuya presencia y oposición se fue labrando —con sus virtudes, limitaciones y peculiaridades— nuestra literatura clásica española[54].

El que Mariana constituya una conspicua cumbre de la intransigencia moralista frente al deleite artístico, no quiere decir, sin embargo, que la suya fuera voz única del concierto. Una verdadera polifonía de tonos muy variados elevaba sus quejas a monarcas y poderosos, clamaba en los púlpitos, y recriminaba acremente en los confesionarios. En esta nube, de la que por puro milagro, y sobre todo por empeño de nuestras masas populares, escapó medianamente indemne nuestro arte áureo, comparten el criterio del prestigioso Mariana otros muchos jesuitas que levantaron bandera de persecución contra el deleite literario y singularmente el cómico; así como miembros de otras órdenes religiosas, y privados necios, en los que ha sido pródigo siempre nuestro país, que pretendían enmendar la plana a la propia Iglesia; sin duda pensando que temperamentos como el de Mariana necesitaban de su propio fuego particular.

Entre tantos pareceres recordemos el del agustino Juan González de Critana, autor en 1610 de una *Tercera parte del Confesionario: del uso bueno y malo de las comedias, y de su desengaño y cómo se deban permitir y cómo no*, que a juicio de Cotarelo[55] marca un abierto contraste con Mariana en cuanto a su grado de tolerancia de las comedias. Sin que lleguen las cosas tampoco al punto de declararse fundamentalmente favorable

54. Cfr. P. Urbano González de la Calle, *Algunas notas complementarias acerca de las ideas morales del Padre Juan de Mariana*, en «Revist. de Arch. B. y Museos», XXXIX, 1918, pp. 267-287.

55. Cfr. E. Cotarelo, *Bibliografía*, cit. p. 326: «A diferencia del P. Mariana, cuyo libro se había publicado el año anterior, el P. Critana no es sistemática y absolutamente opuesto a las representaciones teatrales; y aquí fue donde por primera vez se manifestó el disentimiento que en esta cuestión hubo entre agustinos y jesuitas.»

al deleite literario, como lo atestigua por los mismos años su compañero de Orden fray Juan Márquez, en términos extremadamente duros para el deleite cómico; pero sin pretender tampoco, como era característica de los agustinos, su prohibición[56].

Los jesuitas se mostraban desde luego más fieles a las enseñanzas de Mariana. Para Pedro de Guzmán en 1614 el deleite cómico era sinónimo de pecado[57]; siguiendo casi literalmente el razonamiento del *De spectaculis* para repudiarlo. El evidente sinsentido de tales proposiciones queda sobradamente reflejado en que el tono de determinadas ponderaciones resulta más próximo al de un panegírico del arte literario que al de una condenación del mismo:

> «La causa desta desperdición de tiempo y de los demás daños que hemos en este discurso apuntado, son dos poderosísimos deleites en que exceden los hombres á los demás animales: el uno el de la vista, el del oído otro. Oyense allí dulces melodías de instrumentos y voces, agudos dichos y razones pronunciadas con mucha suavidad, que, ayudadas del número del verso y poesía, deleitan más; vénse ingeniosas invenciones, curiosos trajes y vestidos, apariencias medio milagrosas, danzas artificiosas, lascivos bailes; vénse acciones muy propias y acomodadas á lo que se dice y representa, ingeniosos enredos, peregrinos sucesos, casos desastrados, cuales son los de las tragedias, fábulas con verdad aparente.»

Su compañero de orden, Juan Ferrer, se manifiesta en términos muy parecidos a propósito del deleite en una obra de gran interés dedicada monográficamente al tema, y surgida en el ambiente de intransigencia del

56. *Ibid.*, p. 437: «Y no aprieta más el inconveniente de las comedias tan ponderado, vestido de tantos colores; porque, aunque yo nunca seré de parecer de excusarlas, tampoco veo que para poner orden en ellas sea necesario un medio de tanta costa y dificultad como resucitar el oficio de los censores. Digo, pues, que no las excusaré, porque ha de estar muy ciego el que no echare de ver el peligro de irritar la sangre lozana con los sainetes de los bailes y tonos lascivos que cada día se inventan para despertar la sensualidad, mediante el regalo de los sentidos, que no es otra cosa, como dijo el profeta, sino hacer surcos en que sembrar yerbas viciosas, donde se había de poner toda la industria en arrancarlas.»

57. Cfr. PEDRO DE GUZMÁN, *Bienes de el honesto trabajo y daños de la ociosidad*, Madrid, I. Veruliet, MDCXIV, p. 195: En el capítulo III, con el significativo título de «Son los teatros causa de lascivos pensamientos», dice: «¿Qué cosa más peligrosa que poner delante de los ojos cuyos objetos tienen tanta fuerza y poder en el alma y negocian tan presto con ella lo que quieren, un enredo de amor, una pretensión deshonesta ó de venganza ó de ambición: comenzada, meditada y acabada con grande artificio, con mucha agudeza é ingenio, con dichos y palabras discretas, representando con acciones vivas, con pronunciación suave y con aparato y representación grave?». Referencia de esta obra la da COTARELO, en *Bibliografía*, cit. pp. 348-351.

obispado de Barcelona[58]. Aunque el autor de este *Tratado de las Comedias* no se muestra tan irreductible adversario de ellas como Mariana o Guzmán; sin embargo, recogiendo la obligación que le creaba el antecedente de sus hermanos de Orden y del gran mentor intelectual de la Compañía, reproduce en su obra, con toda firmeza, las prevenciones habituales contra el deleite[59], hasta el punto de llegar a considerarlo ilícito, sin más, sirva o no de ocasión de pecado.

Los jesuitas capitaneaban esta facción, pero sería inexacto señalarles como únicos representantes de la actitud adversa al deleite de la comedia. Textos de otros religiosos se muestran igualmente desfavorables y vigilantes contra cualquier modo de corrupción por causa del deleite[60]. Y no debían de ser infrecuentes los manuscritos, cartas, papeles, memoriales, etc..., hoy ya casi absolutamente inencontrables, que venían a abundar en tales protestas, creando un auténtico estado de opinión con escaso arraigo entre nuestros artistas verdaderos y las masas populares del país. Un manuscrito anónimo de hacia 1620, conservado en el Archivo de Simancas y reproducido por Cotarelo, que ostenta el título general de *Diálogos de las Comedias*, puede constituir un índice de la extensión del prejuicio antihedonista personalizado por Mariana, cuya traza concreta en los documentos de este tipo estamos siguiendo con especial detalle en este apartado conclusivo.

En general el anónimo autor de este manuscrito no se atreve a proponer categóricamente el cierre de los corrales y la disolución de las compañías; pero en su programa de reforma, que recuerda mucho las drásticas y utópicas

58. Cf. JUAN FERRER (usó el pseudónimo de Fructuoso Bisbe), *Tratado de las Comedias, en el qual se declara si son licitas...*, Barcelona, G. Margarit, 1618; según Cotarelo, que hace en su *Bibliografía*, p. 249, una amplia referencia de los puntos más importantes de la obra, Ferrer la escribió en 1613, es decir, cuatro años después del libro de Mariana y uno antes que el de Guzmán.

59. Véanse algunas condenas explícitas del deleite contenidas en la obra: «Debe mucho guardarse el alma, de que con el deleyte y gusto de las palabras y composición no le entre alguna ponçoña... y con composiciones de poesías ingeniosas y agudas, que es una salsa con que se hazen las tales comedias sabrosas. Porque una razon dicha en verso bueno, cantada con una dulce voz, tiene no se que, que lleva y arrebata el ánimo y con una voluntaria violencia cautiva el coraçon del oyente», *Ibid.*, p. 45 r. Y más adelante pondera el poder deleitoso-pecaminoso de la comedia en los siguientes términos: «qué será oyda y representada, dándole los vivos colores y subiéndola de punto con el donaire del dezir, con la desemboltura en los meneos y gestos, con la suavidad de la música e instrumentos, con lustre de buenos y gallardos vestidos, en boca de una mugercilla de buena cara de no buenas costumbres y mucha libertad y desemboltura, qué efectos podrá causar?». *Ibid.* pp. 45v.-46 r.

60. Recuérdese al respecto el tono de ciertos pasajes del franciscano descalzo, fray JUAN DE SANTA MARÍA, en su obra *República y política christiana para reyes y príncipes*, publicada en 1615 según la mención de COTARELO, *Bibliografía*, cit. p. 540. Quien proporciona sin referencia de página el fragmento más directamente alusivo de esta obra al problema de la condena del deleite, en pp. 195-96.

—a más de desafortunadas— propuestas de fray Juan Ferrer, defiende una especie de espectáculo moralizador, vinculado estrictamente a las fechas más sobresalientes del calendario cristiano, con temas exclusivamente bíblicos y representados por las personas de vida más honesta y edificante de cada lugar. Con todo esto, obvio resulta añadir los términos drásticos en que se ejerce su repulsa a la habitual comedia amorosa lopesca, mezclada con la ya consabida denuncia de los peligros del arte a través del dañino deleite:

> «¿Qué se puede seguir de ver un enredo de amores lascivos y deshonestos, otro de marañas y embustes y testimonios de un criado revolvedor y ordidor de males; otro de venganzas, pundonores vanos, inormes crueldades, y todo esto azucarado con la agudeza del dicho, la sutileza y artificio del verso, adornado con el aparato y riqueza de vestidos, honrado y autorizado con la multitud de oyentes, que algunas veces son personas calificadas; ver unas mugercillas de vida peligrosa?... ¿no es cosa llana que todas estas vistas y palabras son provocativas á mal, son lazo, son veneno?»[61].

El período correspondiente al reinado del tercer Felipe se nos ofrece, según acabamos de ver, como un momento de tensión sin decisiones externas. Las espadas estaban en alto, pero la vida literaria discurría con cierta independencia y alegría. Los testimonios de nuestros literatos, teóricos y críticos evidencian un positivo olvido e independencia frente a la persistente tenaza de los moralistas, a los que no desafían ni desacatan explícitamente; pero a quienes desoyen sistemáticamente en la práctica. Es la positiva atmósfera histórica y artística en la que Góngora tomaba sus personales decisiones de crear una poesía absolutamente dirigida a las modalidades más sutiles y aristocráticas del deleite, en la que el anciano Cervantes comprometía sin recelo los más animados recursos de su arte en agilizar con gracia el recreo fantástico de las dos partes de su *Quijote;* y, en fin, en la que Lope de Vega realizó el despliegue y consagración definitiva de su teatro irregular y, al decir de los severos censores y teólogos que acabamos de ver, inmoral. La teoría literaria, los críticos de Góngora y de Lope que fundamentalmente personalizan la teorización estética de este período, debatían las excelencias técnicas de las obras de sus modelos o enemigos con notable olvido de la problemática de su moralidad.

Pero la tenacidad y persistencia de las voces apocalípticas de Mariana, Guzmán, Ferrer, etc... no cerraba filas en balde; sus conminaciones, sus citas de autoridades, las condenas y adelantamientos parciales de sus propósi-

61. El texto íntegro de estos *Diálogos de las Comedias* aparece editado por COTARELO, a través de cuya *Bibliografía* lo consultamos nosotros en pp. 210-231.

tos eran datos que se iban sumando, agazapados, en la espera de la situación favorable para esgrimirse en conjunto. Venerados, pero desoídos, nuestros teólogos aguardaban el desastre militar o el revés económico para recordar al monarca y a su pueblo la inexorable fatalidad de sus amenazas apocalípticas; culpando a la disolución social de la que se hacía parte no pequeña los goces sensuales de la literatura y los mucho más híbridos y complejos de los espectáculos cómicos.

En realidad no se trata de una batalla empeñada, sino del paciente y desilusionado sestear del exangüe, mal nutrido y peor educado pueblo español, que descansa a salto de mata, reclinándose donde buenamente puede y cuando malamente le dejan, derrengado bajo el peso del ya huero fantasmón de su Imperio. Salvo quizás el caso de Góngora, no se elevó jamás en nuestro suelo una voz de auténtica rebeldía artística; Lope, verdadero rebelde, trataba de capear el temporal sin atreverse —o quizás dándola por innecesaria[62]— a la inviable rebelión explícita. Autores y público soportan los palos, escuchan el eco de las irritadas voces que claman desde púlpitos y conventos; pero continúan viviendo en corrales y paseos y en la intimidad de sus austeros domicilios, el sueño de una prosperidad pública y privada... mientras dure.

Como señalaba Américo Castro[63] analizando el final de la conciencia europea de «hipocresía» y «doble verdad» —y procediendo desde la consideración del proceso de retractaciones de Descartes y Giodarno Bruno—, hacia 1600 dicha conciencia hace crisis en Europa y se difunde un desencanto melancólico. La gran diferencia a partir de entonces entre nuestro país y la Europa culta, es que España se ha decidido por la polaridad opuesta **al resto del continente. Europa se repondrá de la melancolía a medida que** la conciencia racional y empírica le vaya reportando elementos de convencimiento. El caso de España será bien diferente: conciencia de aislamiento y orgullo de soledad se resuelven en formas cada vez más radicales de orgullosa soberbia[64]. El «todo o nada» es la única salida para los defensores de un defraudado imperio de sueños.

62. Véase la interpretación de JUAN MANUEL ROZAS, en el sentido de considerar la «palinodia» de Lope como el ejercicio táctico, habitual en él, de situarse por encima de las críticas, en *Significado y doctrina del «Arte nuevo» de Lope de Vega*, cit., especialmente el apartado: «Aguja de navegar Lope», pp. 63 y ss.

63. Cfr. A. CASTRO, *De la edad conflictiva*, cit., p. 255.

64. Esa conciencia acentuada a lo largo del XVII refuerza el tradicional sentido de aislamiento de nuestros antepasados, que, para los albores de la edad esperanzada, el siglo XVI, había caracterizado muy adecuadamente Marcel Bataillon: «Cada vez que España, ávida de renovación **espiritual —generalizaba, por una vez en su caso, sin exceso ni frivolidad el gran historiador** y amigo de la España abierta y liberal— se abre a una influencia extranjera, esta tierra inconquistable delega a uno o varios de sus hijos para decir *no* al invasor», cfr. MARCEL

En nuestros días[65] suele caer en seguida el sambenito de sospechosas nostalgias de un pasado inmediato constelado de triunfalismos imperialistas, sobre quienes se ven obligados a aludir al gran motor de aquel convencimiento imperial, —enloquecido si se quiere, pero absolutamente sincero—, que fue el abrazarse de todo un pueblo a la conciencia mesiánica de la defensa de un ideal de fe[66]. Sin embargo, a riesgo de la sospecha que muevan los inquisidores de siempre con los ropajes al uso, es necesario señalar esa gran verdad, porque de otro modo no se halla explicación al sacrificio desangrado de todo un pueblo; y más en concreto de la Castilla que era corazón responsable de ese pueblo[67], al servicio de una política desastrosa,

---

BATAILLON, *Erasmo y España*, cit., p. 91. Recordemos al respecto, sobre el problema del ser de la cultura española, de la autoctonía y la oposición a las penetraciones extranjerizantes, la insustituible obra de PEDRO SAINZ RODRÍGUEZ, *Las polémicas sobre la cultura española*, Madrid, 1919.

65. Palacio Atard ha caracterizado en tales términos el abandonismo fatalista de los españoles ante un Imperio derrotado: «Los españoles ya saben que no pueden hacer política de gran potencia, de dimensiones universales. Saben que carecen de recursos y ya no quieren hacerla», cfr. VICENTE PALACIO ATARD, *Derrota, agotamiento, decadencia, en la España del siglo XVII*, Madrid, Rialp, 1966 (3.ª ed.), p. 125.

66. Cfr. MICHEL DEVÈZE, *L'Espagne de Philippe IV*, París, S.E.D.E.S., 1970, Vol. I, p. 22: «Ainsi l'Espagne, payait très cher sa grandeur. Pays mystique, chevaleresque, batailleur mais idéaliste, l'Espagne était en réalité peu apte à s'enrichir par l'exploitation économique d'aussi vastes empires, par le capitalisme et par le profit».

67. El hecho es bien conocido y no admite réplica, desde historias tradicionales y generales como las de Elliot, que lo atribuye, con escaso acierto, a nostalgia imperial de Castilla: «... el fatal comprometimiento de España en las guerras extranjeras en una época en que Castilla carecía de los recursos económicos y demográficos indispensables para intervenir en ellas con éxito, no puede achacarse simplemente a los errores de un sólo hombre —el Conde-Duque—. Refleja, aún más, el fracaso de una generación y de las clases dirigentes. La Castilla del siglo XVII fue una victima de su propia historia al tratar desesperadamente de revivir las glorias imperiales de una época pasada, creyendo que éste era el único medio de expulsar del cuerpo político los males que, indudablemente, le aquejasen en el presente», cfr. J. H. ELLIOT, *La España imperial*, Barcelona, Vicens-Vives, 1972 (4.ª ed.), p. 413. Creemos que es preciso pensar más bien en sometimiento y lealtad, si se piensa en Castilla como pueblo y no en sus rectores, que eran más españoles o europeos que castellanos. Las aportaciones de la historia económica moderna, de Reglá, Vicens-Vives o Braudel, no han venido sino a confirmar este hecho, que llega a crear, como dijera Sánchez Albornoz, una sensación de angustia a cualquier lector moderno: «Una angustia creciente gana a cualquier lector español de las obras de Carande sobre las finanzas y la economía de Carlos V. Hubo de contrastar éste unas seiscientas operaciones crediticias; de ellas 518 pesaron sobre la hacienda de la Corona de Castilla. Las sumas recibidas por el César en ese medio millar de empréstitos ascendieron a la cifra enorme de 14.764.132.500 maravedís. Los castellanos tuvieron empero que pagar más del triple de la misma». Y poco antes había establecido el siguiente juicio general: «España, y, para decir mejor, Castilla, hubo de costear casi sola la gran carga financiera de la política imperial de Carlos V —las cosas, añadimos nosotros, no cambiaron durante el siglo XVII—. Los corolarios económicos de tan fabuloso empeño impidieron el despliegue de la potencial riqueza castellana, frustraron la gran coyuntura que la conquista

medida desde los parámetros materialistas actuales[68]. La sangría europea de España fue una realidad indiscutible, su compromiso con la solución

---

de América brindó a los españoles y agravaron todas las tradicionales flaquezas inhibitorias de los castellanos frente al cuidado de su propia economía». Cfr. CLAUDIO SÁNCHEZ ALBORNOZ, *España, un enigma histórico*, cit., Vol. II, pp. 305-306.

Domínguez Ortiz, tras Carande, ha desmenuzado y analizado las fibras de ese alma angustiada castellana, aclarándola con la frialdad aplastante de las cifras. En tales términos concluye el capítulo sobre «Política exterior y hacienda castellana», de su obra *Política y hacienda de Felipe IV*, cit., con las siguientes palabras: «...el esfuerzo económico que esta política exterior exigió de Castilla fue superior a su capacidad, y ni por asomos se verificó la recuperación aun después de conseguida la paz... La restauración de Castilla fue lentísima, y no sólo durante el resto de aquel siglo —el XVII—, sino en el siguiente, ostentó bien patentes las cicatrices. No fue sólo la causa el esfuerzo tributario que se le exigió; colaboraron otros factores, y ante todo, ciertas deficiencias geográficas innatas; no se puede esperar lo mismo de nuestra árida meseta que de la llana, húmeda y poblada Francia —aquí, por cierto, cae el propio Ortiz en evidente desproporción inconsciente, desfavorable ella misma para Castilla, pues también había una España húmeda y poblada fuera del centro de Castilla—; pero eso mismo acrecienta el error y la culpa de los que, cegados por glorias efímeras, causaron daños irreparables en un organismo debilitado, más necesitado de reposo y cuidados que de esfuerzos violentos que podían serle mortales», pp. 85-86.

Pero lo realmente trágico es que la angustia de Castilla no es sólo un hecho detectado a posteriori por historiadores modernos. Los castellanos contemporáneos eran absolutamente conscientes del origen de sus males, y del alto precio que iban a pagar por su lealtad. Cientos de documentos de lamento más que de queja, jalonan la historia documental contemporánea. Seleccionemos uno de los más equilibrados y objetivos, de mediados del siglo XVII, debido a la pluma de don Juan de Palafox y Mendoza, y que forma parte de su *Introducción a la política y razón de Estado del Rey Católico*. Sobre el aislamiento del esfuerzo castellano, proponía: «Ha aumentado la declinación de no haber tenido ocupados tan grandes y belicosos reinos como los de España, cargando todo el peso sobre Castilla: porque no cabe duda que con crear tercios en Aragón de aragoneses, en Cataluña de catalanes, en Valencia de valencianos y en Portugal de portugueses, gobernados por los de su misma nación.... se descansaba a Castilla, se ocupaba estos reinos y, lo que es más, se sangraban para que no abundasen en bandos y bandoleros... Y este punto, gobernado con la prudencia y la sagacidad que se sabría, era utilísimo al rey y de reputación grande a los reinos y de sumo descanso a Castilla». Cit., por V. PALACIO ATARD, *Derrota, agotamiento...*, cit., pp. 156-157.

Tras su estudio pormenorizado del aislamiento castellano y de la desvinculación de las regiones peninsulares y los dominios europeos de la política real, Domínguez Ortiz ha visto la culminación de la exclusividad castellana en las empresas imperiales, en aquellas cortes de 1629, en las que todos negaron sus subsidios al Conde-Duque: «Era éste el pensamiento del Conde-Duque en aquellos primeros años llenos aún de optimismo: concentrar las fuerzas de la inmensa Monarquía desparramadas por las cinco partes del mundo; hacer contribuir a todos los países que la componían para mantener constantemente en pie de guerra un ejército de ciento treinta mil hombres, suficiente para mantener la supremacía española. Pero no contaba con las resistencias que encontraría en las regiones forales y países autónomos que integraban aquel vasto complejo político. Esto determinó en último término su ruina y la de la preponderancia española. Las cortes de 1626 sólo fueron el primer episodio del conflicto que llegó a su culminación con las sublevaciones de Cataluña, Portugal y Nápoles». Cfr. A. DOMÍNGUEZ ORTIZ, *Política y hacienda de Felipe IV*, cit., p. 32.

68. Pese al frío recorrido de estadísticas y cifras con que Ramón Carande, de forma

derrotada, entonces y después, un hecho para nosotros lastimoso y definitivamente fatal[69]. La consecuencia inmediata de todo ello se refleja en un variado mosaico de mecanismos de evasión, triunfalistas en principio, esperanzados después[70], desengañados luego[71], y, al final, fatalmente desfigurados en formas de expresión trágica.

---

pionera para los estudios históricos, procuró siempre afrontar y reforzar sus juicios, registran en su obra elocuentes desahogos de noble indignación frente al planteamiento suicida impuesto a la política nacional española por Carlos V, al servicio de los intereses de las guerras europeas del Imperio. Véase algún testimonio de ello en *Carlos V y sus banqueros*, Barcelona, Ed. Crítica, 1977 (ed. abreviada), Vol. I, pp. 95-96:

«En la persecución de sus empresas, Carlos V hizo de España, como él mismo reconoce, su despensa. Escribe a Fernando estas palabras: "je ne puis estre soubstenu sinon de mes royaulmes d'Espaigne"; mas no por eso puso en marcha ningún sistema económico de unificación nacional. Fueron los territorios otras tantas provincias de intereses incompatibles, como en los tiempos clásicos. Castilla perdió una parte inmensa de las remesas de Indias, aparte de otras razones, por no disponer de una organización del crédito internacional capaz de competir con la de otras tierras del emperador. Así se explica que las familias patricias de Augusta o de Génova, y la bolsa de Amberes, tuvieren más franco acceso a los metales preciosos, en pago de sus empréstitos, que los mercaderes castellanos en las ferias de Medina o los banqueros de Sevilla.» Por su parte, Fernand Braudel, en su conocido análisis del reinado siguiente, vuelve a coincidir en lo esencial con la opinión de Carande referida al período de Carlos V. Por ejemplo sobre la política monetaria: «Pero las mayores exportaciones de plata debíanse al propio rey y a la política universal de España En vez de gastar la plata dentro del país y hacerla fructificar en diversas creaciones —como los Fugger, que invirtieron en Ausburgo la plata de sus minas de Schwaz—, los Absburgo dejábanse arrastrar cada vez más a los gastos exteriores, ya considerables en la época de Carlos V y fabulosos en la de Felipe II... Política desastrosa e insensata, se ha dicho muchas veces. Pero había que saber —cosa que tantos críticos olvidan— si no era precisamente gracias a ello y a costa de semejantes sacrificios, como lograba mantener en pie el Imperio español, si no condicionaba eso su defensa e integridad». Cfr. F. BRAUDEL, *El Mediterráneo en la época de Felipe II*, ed. cit., Vol. I, p. 634. Evidentemente, la denominación Imperio español manejada por el ilustre historiador se prestaría a infinitas matizaciones, alguna de ellas no totalmente acorde con el sentido de Braudel, como sería la que tomara en cuenta la variable de conveniencia popular de la nación española.

69. Cada nueva victoria militar de España resultaba, paradójicamente e invariablemente, una nueva derrota de su economía, como recordaba H. HAUSER, *La prépondérance espagnole*, La Haya-París, Mouton, 1973 (3.ª ed.), p. 1: «L'Espagne est sorti ruiné de sa victoire même».

70. La fecha de 1635 ha sido considerada por muchos historiadores como la clave en el cambio de la conciencia española sobre su propia situación. Es el final de un período de optimismo y de relativo bienestar económico: «... en la primera parte del reinado —Domínguez Ortiz se refiere al de Felipe IV— en la que los apuros financieros no sobrepasaron los límites ya de antiguo experimentados. Ya en 1635, al iniciarse la guerra definitiva con Francia, fue preciso arbitrar nuevas y más duras medidas; poco a poco, Castilla se encaminaba hacia un clima de *guerra total*. Desde 1640 hasta finales del reinado, todo se precipitó y desplomó», cfr. A DOMÍNGUEZ ORTÍZ, *Política y hacienda de Felipe IV*, cit., p. 13. Desde otro ángulo, histórico-político, ha enfatizado la trascendencia de la fecha, JOSÉ MARÍA JOVER, *1635: historia de una polémica y semblanza de una generación*, Madrid, 1949.

71. Ambiente, de gran repercusión literaria y artística, vinculado al gran tema del «desenga-

La ofensiva antihedonista de 1630

Ya estamos acostumbrados a contemplar cómo los desequilibrios de fuerzas, las roturas violentas del sistema de quejas desoídas de los moralistas y la bulliciosa indiferencia del público se agudizaban en ocasión de las crisis políticas nacionales. En tal sentido, 1630 debió marcar una situación de profunda convulsión. El ambicioso Olivares lanza al país a una nueva guerra, la de Mantua, con la sintomática peculiaridad de que se tratará ahora no de una de las habituales guerras impuestas a la defensiva, sino de una guerra ofensiva como en los mejores tiempos del César Carlos. Como contraste, el respaldo económico del país no podía ser más endeble; basta mencionar la bancarrota de 1627, y los desastres de las flotas de América de 1628 y 1631. Tantas desgracias no se tradujeron con todo en un cierre general de teatros[72]; pero sí en un positivo redoblamiento

ño», cfr. AMÉRICO CASTRO, *Aspectos del vivir hispánico*, cit., p. 20: «El hispano no tiene, pues, sino dos salidas: o vivir sin vivir en sí (empresas grandiosas, iluminismo religioso, fiebre de oro, el teatro y el arbitrismo del siglo XVII), o el triste despertar frente a la realidad inexorable, el desengaño, la huida del mundo (ascética, novela picaresca, quietismo). De extremo a extremo, de polo a polo: *O corte o cortijo*, según expresa ese dicho tan hispano. La resaca de la desilusión se percibe en Quevedo, en el solazarse rencorosamente con la inmundicia, al descender de su para él infecundo vuelo en pesquisa de una Providencia de Dios. Si en él más allá del horizonte no se adivina el perfil de algún fabuloso destino, el español se hunde en parálisis. Entonces permanece inmóvil, cultiva la tierra según métodos romanos o morunos, y deja en barbecho las parameras de su alma».

72. La razón quizás de ello es que, como ha indicado Domínguez Ortiz, tales reveses coincidían con los primeros años, en plenitud de esperanzas, del joven rey Felipe IV, seducido por los consejos imperialistas del Conde-Duque. Por eso, aunque los viejos púlpitos se encrespaban, su marejada no alcanzaba aún el joven trono, lleno de optimismo, aficionado de comedias y enamorado de cómicas. He aquí la caracterización del momento, en un resumen del autorizado Domínguez Ortiz: «Dentro del conjunto de preocupaciones que pesaban sobre los rectores del Imperio debió de parecer éste un incidente secundario —la bancarrota de 1672— acostumbrados como estaban a considerar la Economía como un instrumento de la política. Predominaba una confianza todavía no quebrantada en los enormes recursos de España, y no podemos sustraernos a la impresión de grandeza y poder que emana de las palabras con que Felipe IV daba cuenta al Consejo de Castilla del estado del Reino, las victorias en Italia, Flandes y Alemania, las copiosas armadas repartidas en todos los mares. 'Nuestro prestigio —decía— ha crecido inmensamente. Hemos tenido a toda Europa contra nosotros, pero no hemos sido derrotados ni perdido nuestros aliados, mientras nuestros enemigos me han invitado a la paz.' Y, comentando el incremento de la flota, añadía: 'Faltos de poder marítimo, no sólo perderíamos los reinos que poseemos, sino que hasta en Madrid se arruinaría la religión, punto principal que debemos considerar'. Y, glosando tal alocución triunfal, apostilla el distinguido historiador Domínguez: «No es difícil adivinar tras esas jactanciosas palabras la megalomanía de don Gaspar de Guzmán. Felipe, naturalmente pacífico, se dejaba seducir por los horizontes de gloria que le abría su ministro. Ambos estaban persuadidos de la inmensa superioridad del Imperio sobre sus enemigos. Sus reinos y señoríos se extendían por todo el orbe». Y concluye con la gran verdad que marcó las cotas trágicas en tan

en la ofensiva de los moralistas contra el deleite y, en general, el espectáculo escénico. Al tiempo que en la literatura, en general, triunfa en nuestros mejores escritores una circunspecta actitud de enfrentamiento moral que dejará sus huellas en los documentos de crítica y teoría que produjeron estos años. Examinemos ambos sectores.

Comenzando por la mención de las críticas morales, encontramos el nombre de un buen número de jesuitas como continuadores, a partir de 1630, de la tarea iniciada por sus predecesores bajo el modelo y ejemplo de Mariana. En 1629 sabemos que publicó en Lérida Jaime Albert un sermón con el curioso título de *Circuncisión de las Comedias*[73]. Notables son las alusiones al tema de las comedias incluidas en su voluminosa obra de consejos políticos a los príncipes por el portugués, también jesuita, Juan Bautista Fragoro, con la obligada incidencia en el punto de la injustificable presencia pecaminosa de mujeres en escena[74]. Otros jesuitas que abundan en opiniones más o menos habitualizadas por aquellos años, fueron Pedro Puente Hurtado de Mendoza y Diego de Celada, cuya condena universal de todos los deleites teatrales responde al tono rotundo de Mariana:

> «Theatralis voluptas est delictorum schola, ars libidinis, Veneris sacrarium, consilium, seu consistorium impuditiae»[75].

Pero la obra quizás más animada, interesante e incisivamente insidiosa contra el teatro es el curioso tratado del fraile jerónimo Fray Jerónimo de la Cruz, *Job evangélico*, que quizás alude a la propia paciencia del fraile quien, viviendo y predicando en el monasterio de su orden, tendría que sufrir sin duda la vecindad del bullicio, los ruidos y fasto del próximo teatro del Buen Retiro; competencia verdaderamente fuerte de la que se quejaba el buen fraile escandalizado en los siguientes términos:

> «¿Qué tienen que ver estos ejercicios con un pueblo cristiano? Si fueran de año á año aun eran malos y dignos de reformarse; pero cada día y siempre en aumento, desvelándose los poetas en hacer sainetes torpes, los comediantes en cómo mejor servirán con ellos al gusto, y que no se ponga límite, sin duda se va forjando una miserable ruina. Que aquí se predique el Evangelio

inmenso Imperio: «¿Qué faltaba para hacer decisiva esa superioridad? Que todos contribuyeran al esfuerzo común, y no sólo Castilla». Cfr. A. DOMÍNGUEZ ORTIZ, *Política y Hacienda de Felipe IV*, cit., pp. 31-32.

73. Cfr. COTARELO, *Bibliografía*, cit. p. 49.
74. *Ibid.* pp. 319-320.
75. Texto reproducido por Cotarelo, *ibid.*, p. 146, de la obra *Iudit Illustris perpetuo Commentario literali et morali*.

enviado de Cristo á deshacer las obras de Satanás, y que poco más adelante tenga el demonio puesta su cátedra, ¿qué otra cosa es que andar á porfía con Dios á quien más puede y más gente **hace?»**

Evidentemente algo del humano celo por «hacer parroquia» traducen las palabras del fraile jerónimo. Quizás en ciertos niveles, a los que no tenemos por qué dudar no pertenezca este fraile, se sentía con sincera ingenuidad la competencia de la relajación del ascetismo popular como una injuria directa a Dios. Pero no cabe duda que en otras esferas se intuía de pasada, y sin duda no en último lugar, el grave riesgo de quiebra en que tales despuntes de independencia, de libre respiro popular, ponían a los sutiles o violentos mecanismos de presión teocrática, con los que la Iglesia española defendía a ultranza su pingüe y cómoda asociación con el omnímodo poder del monarca absoluto. De ahí, directa o indirectamente, se llegaba a la irritación que testimonian las anteriores palabras de Fray Jerónimo, que se reproducen cada vez que el enfurecido fraile considera el alegre arremolinarse del pueblo de Madrid a las puertas del vecino teatro del Retiro:

«Este es un daño que sin piedad aflige nuestra república, una parte contra quien no son poderosos mil remedios intentados y un monte de insuperables dificultades. Ya no hay otros entretenimientos que los teatros y comedias, ni hay otras fiestas que las que dan las farsas, ni otros modos de divertimientos en tristezas, ni otras maneras de solazar ni alegrar las ciudades que las representaciones. En estos ejercicios se gastan los días de trabajo y los días de fiesta, los días de domingo y los días de Pascua...: como hoy se usan, no sé que haya abuso más perjudicial á las buenas costumbres»[76].

Pero lo cierto es que la alternativa ofrecida por el fraile jerónimo en nombre de su estamento resultaba auténticamente inviable en cualquier situación normal de la vida pública, y mucho más en aquellos años en que tan acendrada se sentía la necesidad de evasión: una vida de ascetismo permanente, cerrada a todo deleite, a toda alegría desbordada incluso a la más sana. No mala pauta para reforma de conventos —que por cierto bastante lo necesitaban muchos de ellos, que ni del tan denostado teatro se privaban[77]—, pero injusta e impracticable para el cuerpo social de un

76. Cfr. JERÓNIMO DE LA CRUZ, *Job evangélico stoyco ilustrado Doctrina ethica, civil y política.* Zaragoza, Hospital Real MDCXXXVIII, p. 151.

77. Cfr. E. COTARELO Y MORI, *Las comedias en los conventos de Madrid,* en «Revista de Arch. Bibl. y Mus.», II, 1925. Domínguez Ortiz, recientemente ha trazado un ponderado panorama, poco favorable, sobre la molicie escasamente edificante de la vida interna en muchos conventos de Madrid, en *Las clases privilegiadas en la España del Antiguo Régimen,*

país entero[78]:

«A la primera respondo como respondió el mismo autor —Tertuliano—: *Dicas velim non possumus vivere sine voluptate, qui mori cum voluptate debebimus?* Diréisme que no se puede pasar sin algún deleite en la vida; ¿pues es posible que los que deseamos tenerlos en la muerte, cuales los tienen los justos de verse perdonados de que parten á gozar de la Bienaventuranza, no podremos pasar sin el deleite que todo nos lo estorba? No es tan larga la vida que no se puede pasar sin ofensas de Dios mediante su gracia»[79].

---

cit. Concretamente sobre el comercio, fasto y refinamiento de las celdas, p. 295.

78. Respecto a la situación concreta de la moralidad del propio clero, hay muchas y poderosas razones para dudar de que fuera, en sí mismo, ejemplar. Si prescindimos de los problemas de escándalo herético, que nos parecen relativamente ajenos a un problema de vida social como el que ahora nos ocupa; nos refieren a tal situación, incluso las noticias relativamente benévolas de JOSÉ DELEITO Y PIÑUELA, *La vida religiosa española bajo el cuarto Felipe*, Madrid, Espasa-Calpe, 1963 (2.ª edic.), obra, por lo demás, de animadísima y rica información, como todas las de su serie, dentro de sus, en apariencia, limitadas pretensiones; o las de historiadores generales como M. DEVEZE, *L'Espagne de Philippe IV*, cit., Vol. I, p. 280. Véase su resumen: «En résumé, le clergé aida beaucoup Philippe IV sur le plan financier, tandis qu'il ne cessait d'assurer de nombreuses tâches sociales. Le malheur était qu'il était trop nombreux pour que tous ses membres eussent une vie exemplaire. La grave situation interne lui était préjuidiciable, car elle provoquait les fausses vocations de ceux qui préféraient recevoir la tonsure que de payer les charges des laïques». Habría que oponer testimonios de especialistas más empeñados en la cuestión como Márquez Villanueva, quien, por ejemplo, refiriéndose al entorno clerical de Santa Teresa, afirmaba: «Es evidente que Santa Teresa tiene siempre ante sus ojos el ejemplo lamentable del clero secular de su época, cuyas flaquezas conoció tan de cerca y que, dadas por inevitables, casi nadie se preocupó de evitar ni aun de criticar», cfr. F. MÁRQUEZ VILLANUEVA, *Espiritualidad y literatura en el siglo XVI*, cit., p. 197.

El caso de Lópe resulta poderosamente llamativo y simbólico, y es el que siempre viene al recuerdo. Al respecto, cfr. ROBERT RICARD, *Sacerdoce et littérature dans l'Espagne du Siècle d'Or. Le cas de Lope de Vega*, en «Les lettres Romanes», X (1956), pp. 39-49. El propio Márquez aporta, a través de trabajos de Miguel de la Pinta Llorente y de V. Beltrán de Heredia, testimonios contemporáneos de intentos reformadores, menos prósperos y famosos que los de Santa Teresa, de algunas beatas e iluminadas, alguna de las cuales llegaba a ofrecerse «como víctima expiatoria para aplacar su indignación por la vida desedificante del clero secular». En general, el tono de los estudios modernos más destacados que conocemos, coincide en presentar el mismo estado de degradada rutina, cfr. R. RICARD, *Estudios de literatura religiosa española*, Madrid, Gredos, 1964, y A. DOMÍNGUEZ ORTIZ, *Las clases privilegiadas...*, cit., especialmente pp. 273-320. Aunque no explícitamente aludida, tal situación no discrepa tampoco de los presupuestos de otros especialistas en temas de literatura religiosa española, como por ejemplo el francés JEAN KRYNEN; destacamos a este respecto, en el conjunto de su obra: *Sur la littérature des «Contrafacta» et le baroque*, en «Cahiers du monde Hispanique et Luso-brasilien», XIX (1972), pp. 167-174; *Aperçus sur le Baroque et la Theologie spirituelle*, en *Actes des Journées Int. du Baroque*, Montauban, 1963; y sobre todo su tesis, *Le «Cantique Spirituel» de Saint Jean de la Croix commenté et refondu au XVIIe siècle*, Salamanca, Acta Salmanticensis, 1948.

Programa de auténtica Cruzada, exigible y practicable en un instante del ascesis nacional de todo un pueblo; pero insostenible durante decenios y aun siglos. La Iglesia no medía bien el aguante de sus ya escuálidos paladines; aguijoneaba al pueblo acusándole de relajación moral culpable

---

Los males del clero de entonces, como los que vemos que lamentablemente nos brindan **muchos clérigos en estos últimos años, se pueden centrar y reunir en el defecto endémico** de las razones de reclutamiento de muchos de sus miembros: oportunismo, promoción social y, en último término, hambre. En términos bien llanos, los móviles populares de todas aquellas polémicas, los resumía en 1616, SANCHO DE MONCADA, autor de la interesante *Restauración política de España*: «... son eclesiásticos o religiosos por no poder pasar en el siglo, y así, lo que causa la pobreza del reino es lo que les obliga a ser religiosos y eclesiásticos, por no poder tomar otro estado, y esto es lo que tiene la culpa», cit. por V. PALACIO, *Derrota, agotamiento, decadencia...*, cit., p. 149.

No dejan lugar a dudas sobre la objetiva verdad de tal sentimiento nacional, reconocido unánimemente —aun con los matices más distintos— por los historiadores españoles y extranjeros, multitud de testimonios de época. Palacio Atard, nos ha provisto de buen número de ellos, como el siguiente de un procurador castellano en las Cortes de 1611; son palabras dirigidas al Rey: «Considerando estos caballeros que en Vuestra Majestad, como en columna firme, ha sido Dios nuestro Señor servido de asentar el peso de la Religión, y de poner, para sustentarla, en su divino pecho la clemencia y la justicia, el raro valor para defender la Católica Iglesia, por cuyas heroicas virtudes y gloriosos méritos descansan en paz y quietud sus súbditos y vasallos, justamente una y mil veces se alegran y regocijan, y dan infinitamente gracias a la Majestad del Cielo por tan soberano beneficio». Tal ideal bélico de Cruzada, gloria y cruz de la España imperial, era glosado, en otros años, por el mencionado historiador Palacio Atard, en términos hoy quizás ya algo insólitos, pero desde luego —a nuestro juicio— no inexactos: «El fracaso militar imponía su fracaso implacable al Estado. Pero los españoles, no. Los españoles siguen firmes en pregonar que ellos luchan por un orden político, en el que la religión no puede ignorarse y en el que las relaciones entre los estados han de adaptarse a la moral cristiana y a la convivencia general de la Cristiandad... Querían nuestros antepasados la verdadera **paz** —aquí reclamaríamos nosotros quizás excepciones y distingos sociológicos, pero en la mente de las reducidísimas clases medias y rectoras sería así sin duda— en un mundo armónicamente trabado, apoyado en pilares tan sólidos como los de la moral cristiana y el Imperio coordinador de los intereses generales. Por eso, porque no se resignaban a la paz del minuto achatada y mezquina, daban los españoles su vida sin protesta en los campos de batalla, o sus haciendas, confiando en que, al fin, encontraría el mundo, merced a su esfuerzo, la auténtica y duradera paz», cfr. V. PALACIO ATARD, *Derrota, agotamiento, decadencia...*, cit., **pp. 98-99.**

Por lo demás, un análisis del mismo sentimiento en presupuestos ideológicos diferentes, como era el de Sánchez Albornoz, que acogía sin duda, con razón, las divergencias de motivación propias del compromiso colectivo de una gran masa nacional —así como los distingos sociales que nosotros reclamábamos antes en la afirmación demasiado global de Palacio Atard—, no discrepaba en lo esencial de la estimación anterior de Palacio Atard, que hacíamos nuestra. Recordemos algunas elocuentes palabras del hermoso apartado titulado sintomáticamente «De la guerra a la guerra», en *España, un enigma histórico*, Vol. II, p. 579: «Peleó un pueblo entero sin distinción de clases, patrias, profesiones o riquezas. *Peleó con espíritu de cruzada* o con euforia deportiva, por el botín o por la gloria, por escapar a la pobreza o por codicia de honores o de fama, por emular hazañas ajenas o por olvidar propias desilusiones o tristezas, por *saña contra el hereje o el infiel* o por puro apetito de combate. Peleó por odio o *por*

de los reveses militares que transparentaban la cólera de Dios[80] contra su pueblo elegido; hasta al feliz y festivo rey joven y galante se atrevían por boca de este humilde frailecillo de San Jerónimo[81]. Pero ya todo era inútil; un rey mozo y un prepotente valido también joven, amigos de teatros y de cómicas, aun no probados de reveses realmente irreversibles, obraban como su pueblo: oían, mas no escuchaban[82]. Sólo con las amarguras

---

amor, fugitivo de sí mismo o empujado por su torrencial vitalidad, por huir de la justicia o en su busca. *Por servir a Dios o por servir al rey* —los subrayados son nuestros—. Peleó un pueblo entero y peleó un año y otro durante más de un siglo».

79. COTARELO reprodujo todos los textos a que nos referimos nosotros en su *Bibliografía*, cit. pp. 202-204.

80. No podía faltar en un documento tan cuidadamente psicológico como éste, la más grave de las acusaciones contra los teatros; la disolución de las costumbres como vía del desfallecimiento de las fuerzas de nuestros hombres para la guerra y de su haraganería para la agricultura. Hasta las limosnas de los Hospitales que salían de las recaudaciones de los teatros, le parecían poca causa a este fraile impacientado. Más vale morir con gloria, parece que pensaba. La irresponsabilidad social de la respuesta, sin otra alternativa práctica, es todo un síntoma del ya impracticable acuerdo entre la moralidad predicada por la Iglesia española y las necesidades de la sociedad a que se dirigía: «Como es más fácil sacar un disfraz en el tablado que fatigar una azada, hay trescientas compañías de comediantes, y apenas hay quien cultive la tierra, la mayor mengua que nuestra España padece. La razón segunda que hacen los que las defienden, que sustentan los hospitales, me parece al cuidado que mostró Judas de los pobres cuando por lo que se le había de pagar, quisiera que a Cristo no se le diera la Extramaunción en vida, y que se vendiera el ungüento. Quítenme los vicios y sobrarán los hospitales». *Ibid*.

81. El tono insolente de sus atrevimientos al dirigirse al rey, así como las nulas sanciones que de ellos se seguía, ya fue puesto de relieve por Cotarelo; nosotros lo destacamos como prueba del tenor en que se iba manteniendo este proceso, sobre el que hemos montado nuestra explicación del fenómeno histórico de estructura que presta razón a muchos fenómenos de la superestructura estético-artística. Véase el fragmento aludido: «Finalmente, tengo por caso escrupulosísimo el permitirlas. *Erubescat senatus* (dice Tertuliano) *erubescant omnes ordines*. Córranse los Príncipes, empáchese un Consejo Real y los demás ordines Senatorios en no poner un remedio eficacísimo en daño tan grande, y el remedio era quitarlas del todo, porque las limitaciones que pone un político, demás que no se guardarán, es dejar siempre el deslizadero regado para volver á dar de ojos dentro de pocos días, con piedad de dar algún entretenimiento y gusto á los ciudadanos». *Ibid*.

82. A tal efecto resultan ilustrativas las ilusionadas disculpas a los reveses que se manejaban habitualmente entre los españoles de la generación de 1635: la grandeza de España justifica la magnitud de sus problemas. Tal como se decían los dialogantes del *Discurso... del estado de Alemania y comparación de España con las demás naciones*, debido a la pluma de Juan de Palafox. Manuscrito, citado por JOVER y PALACIO ATARD, *Derrota, agotamiento, decadencia...*, cit., p. 78: «Al fin, todo lo ha de pagar España: siempre es la condenada en costas, y cuantas guerras se hacen en contra de ella». Y el otro interlocutor, de nombre Fernando, responde: «Esto, don Diego, es mal necesario de esta Monarquía, cuya grandeza no cabe en el mundo... Claro está que, si rodea el orbe nuestro Imperio, han de encontrarse con nosotros los holandeses por las Filipinas, los araucos por Chile, por el Septentrión los alemanes, por Flandes los rebeldes, el francés por Italia, el turco por el Africa... ¡Pobre de España cuando no tenga enemigos que emulen su grandeza!».

de la madurez, la histeria apocalíptica de monjas arbitristas y frailes iracundos[83] haría definitiva huella en el rey y sobre todo, por lo que respecta a los teatros, en su viuda.

Prudencia y conservadurismo frente al deleite teatral en los documentos de Teoría literaria posteriores a 1630.

Ya indicábamos cómo, aunque la redoblada campaña de los moralistas no desembocó en prohibiciones generales; sin embargo el síntoma de prudencia de nuestros escritores resulta muy significativo. Recordemos, en el terreno de la teoría, los signos conservadores que presiden la *Idea nueva de la Tragedia antigua* de González de Salas, quizás aun más explícitamente resueltos a favor del moralismo en la *Idea de la comedia* de Pellicer.

Sabido es que este último autor se hallaba plenamente inserto en la problemática literaria de su época; su espantosa y a veces mostrenca erudición, y sus juicios, no siempre sensatos, le valieron con frecuencia los ataques desconsiderados de otros ingenios. Pero su notoriedad y conocimiento

83. Ejemplo por excelencia de los consejos de religiosas al rey, lo ofrece el conocido caso de su corresponsal y confidente sor María de Jesús de Agreda, sobre cuya relación existe amplia y bien documentada bibliografía. Cfr. R. BOUVIER, *Philippe IV et Marie d'Agreda. Confidences royales*, París, Sorlat, 1939; C. CONDE, *Una monja que escribe y aconseja. Reinado de Felipe IV. Sor María Jesús de Agreda*, en «Cuadernos de Literatura», VI, 1949, pp. 261-273; Z. RAYO, *Una monja y un rey*, en «Celtiberia», 1965, XXIX, pp. 23-39; L. VILLASANTE, *Sor María de Jesús de Agreda, consejera espiritual del rey Felipe IV, a través de su correspondencia epistolar*, en «Verdad y vida», XXIII, 1965, pp. 683-699. Esta monja, con fama de santa, vivió una extensa vida de consejo y relación, por lo demás, con muy amplios e influyentes sectores de las clases poderosas, cfr., al respecto, los libros de conjunto de L. GARCÍA RAYO, *La aristocracia española y Sor María Jesús de Agreda*, Madrid, Espasa-Calpe, 1951, y THOMAS HENDRICK, *Mary of Agreda. The life and legend of a Spanish noun*, Londres, Routledge and K. Paul, 1967.

En definitiva, aunque —como sostuvo Marañón en *El Conde-duque de Olivares*— los consejos de Sor María no fueran malintencionados, y aunque parece que se diera, en su caso, una poco usual dosis de desinterés; no deja de ser insólito y sintomático, al tiempo, la ciega obediencia a la monja lugareña de uno de los más poderosos señores del mundo. Sorpresa que reflejó entre otros, por ejemplo, Michel Devèze: «L'influence de Soeur Marie ne fut nullement maléfique. Le roi l'avait choisie, de préférence à un directeur spirituel masculin, parce qu'il aimait tout ce qui était féminin... Mais cette situation de subordination du roi d'un empire mondial à une simple religieuse, ignorante de la plupart des réalites politiques, n'est-elle pas le plus net symbole de la décadence de l'Espagne», cfr. MICHEL DEVÈZE, *L'Espagne de Philippe IV*, cit., Vol. II, p. 464.

El alucinante mundo de supersticiones —hasta heréticas— y sobrecarga de prejuicios sobrenaturales trascendiendo todos los acontecimientos de la vida cotidiana, pública y privada, de Felipe IV y su corte han sido animadamente incorporados por Gregorio Marañón en su estudio, *El conde-duque de Olivares*, ilustrando el ir y venir de personajes y recorridos entre los conventos madrileños, las casas patricias y el propio palacio.

vivo de los problemas literarios más debatidos en tertulias, academias y mentideros de la Corte hacen de él un índice verdaderamente sensible de novedades y problemas. Con tales antecedentes no podía faltar su juicio sobre la aclimatación y futuro de la comedia lopesca, en la que, como se sabe, el problema de la licitud moral era, junto al de la irregularidad técnica, el más frecuentemente debatido. Respondiendo al general carácter precavido de las manifestaciones de nuestros literatos en este período, Pellicer da amplia entrada en su tratado al tema de la moralización, procurando con ello salvaguardar su defensa de la comedia, merced a todas las concesiones posibles del enfrentamiento directo con los ataques usuales entre los moralistas contra el deleite cómico[84]. Sin embargo, no deja de ensalzar la comedia lopesca como el más alto orbe de perfección literaria, confesando igualmente lo provechoso y saludable de su deleite; del mismo modo que no renuncia a resaltar los elementos didáctico-moralizadores de la misma contra la acusación más generalizada de los moralistas:

> «Yo confieso —dice en primer lugar por la comedia lopesca— que la comedia, como está hoy, es el poema más arduo para intentado y más glorioso para conseguido que tienen los ingenios.» Habiendo dicho ya poco antes: «Conócese... que sigue aquellas estampas nuestra junta, pues no sólo procura lo deleitoso del ritmo en los genios dulces de tanta juvenil corona como la compone, sino que solicita lo útil o lo moral en los asuntos severos que ofrece»[85].

Al mismo tenor de prudente atención a las amonestaciones de los moralistas diríamos que corresponde el severo tenor de Quevedo a partir de 1630, con ese para nosotros importante hito estilístico y moral de la traducción del *Rómulo* del senequista italiano Malvezzi, restando importancia a sus escritos satíricos y festivos como «juguetes de niñez», y preparando obras como la *Virtud militante, La constancia y paciencia del Santo Job*, traduciendo la *Introducción a la vida devota* de San Francisco de Sales, y componiendo tras su *Política de Dios*, el alto hito de prudencia política y ortodoxa católica que es su *Marco Bruto*. El caso de Quevedo es quizás el síntoma

84. Cfr. José de Pellicer y Tovar, *Idea de la comedia de Castilla*, ed. Porqueras y S. Escribano, en *Preceptiva dramática*, ed. cit. Véase algún fragmento de las recomendaciones morales que debe incorporar la comedia; y que en su opinión incorpora, claro está, la lopesca: «debe el poeta cuidar muy atento de ensalzar las virtudes morales, engrandecer los hechos generosos, sublimar la clemencia, alabar la piedad y las demás acciones que añaden méritos accidentales a la inclinación, adornando sus períodos con toda la eficacia, toda la energía y todo el aparato de voces y conceptos de que es capaz el idioma español, tanto que despierte con furor divino en los oyentes un fervor activo de imitar aquello que mira, haciéndose el varón liberal, cortés, valiente, sufrido, etc...; y la mujer honesta, templada, virtuosa, entera...» etc. p. 220.

85. Ibid. pp. 219 y 218.

límite de consciente compromiso entre la presión de la cultura y la política oficiales, impregnadas de teocratismo, y la libertad vitalista de calles, paseos y mentideros, alcázares y covachuelas, corrales y prostíbulos en la Corte de Madrid[86]. Él ilustra perfectamente los avatares de esta línea de presión y compromiso entre moralismo y deleite que, como la literatura y sus fundamentos estéticos, informaba igualmente la vida y costumbres de la sociedad española en el siglo XVII.

En el caso de Lope de Vega, principal encartado en el pleito de la licitud de la comedia, sus declaraciones de asentimiento a la exigencia moral en las propias obras, continuas pero sin la sistemática seriedad de las de Quevedo, nos sirven no obstante para confirmar el síntoma de ambivalente prudencia de nuestros ingenios, preocupados a la sazón por la marejada de quejas del siempre poderoso estamento clerical. En el capítulo precedente, ya hemos tenido ocasión de constatar numerosos documentos de Lope abundando en el poder y necesidad del *docere;* a título de simple recordatorio téngase presente aquí una vez más el prólogo de una obra crucial en su biografía artística, *La Dorotea,* de 1632, donde proclamaba abiertamente su convicción del utilitarismo didáctico-moral de la comedia, que era tanto como defender la suya frente a la inextinguible hostilidad de un amplio sector de los moralistas[87].

Esta obsesión de Lope, fácilmente suponible que en verdad lacerante, se decanta ostensiblemente en el balance y valoración de su vida que trazara su devoto amigo y discípulo Pérez de Montalbán, quien en su *Fama póstuma* se esforzaba por presentar un Lope sumamente atribulado y vigilante de los descarríos morales que se siguieran de su teatro; destacando como nota de valor singularísimo el que su admirado Fénix no hubiera tenido tropiezo alguno con la Inquisición por causa de sus obras:

86. Mucho se ha debatido sobre el «caso» de las contradictorias biografía e ideología moral quevedescas. Cuanto sobre el particular pensamos, lo resumimos hace algún tiempo en un estudio que hoy suscribimos en todos sus extremos, aun con los entusiasmos e ilusiones que ya nos haya marchitado la reflexión desapasionada sobre la tragicomedia de la historia española. Cfr. *Quevedo. De sus «almas» a su alma,* Murcia, Universidad, 1968.

87. Véase un fragmento alusivo a la defensa del *docere* moral a que nos referimos en el texto: «Pareceránle vivos los efectos de los amantes, la codicia y trazas de una tercera, la hipocresía de una madre interesable..., porque conozcan los que aman con el apetito y no con la razón, qué fin tiene la vanidad de sus deleites y la vilísima ocupación de sus engaños... porque cuantos escriben de amor enseñan cómo se ha de huir, no cómo se ha de imitar; porque este género de voluntad –se refiere al del protagonista de la obra– ni tiene modo, ni modestia, ni consejo». Cfr. A. Porqueras, Mayo, *El prólogo en el Manierismo y Barroco,* Madrid, C.S.I.C., 1968, pp. 152-153. Téngase siempre presente la confidente identificación de Lope con sus auditorios. Como indica Montesinos, Lope no trataba nunca de convencer a sus oyentes, sino de coincidir con ellos. Cfr. J.F. Montesinos, *La paradoja del «Arte nuevo»* en «Rev. de Occidente», II (1964), pp. 302-330.

«A que se añade ser tan atento, tan prudente, y tan católico en cuanto escribía, que con ser tantas, nunca el desvelo cuidadoso de la Inquisición halló palabra, opinión, pensamiento ni sentido que calificarle»[88].

Al mismo tiempo es de destacar la persistente congoja que llegaba al Fénix de sus numerosísimos detractores, de la que Montalbán se hace eco vehemente en algún lugar. En tal sentimiento no serían las notas de menor cuidado las amenazas de los clérigos sobre la vertiente de inmoralidad y descarrío placentero. Sin embargo, Montalbán omite su mención, sin duda para reforzar la faceta que él mismo debía de considerar más vulnerable en la imagen general de su maestro[89]. Insistiendo y agigantando, por el contrario, los rasgos de anécdotas de desvelo y arrepentimiento de Lope por el escándalo que pudieran proporcionar sus obras. Como en la siguiente descripción, no exenta de tonos de indudable efectismo patético del trazo grueso de Montalbán, sobre la muerte de Lope:

«Y volviéndose a un Cristo crucificado, le pidió con fervorosas lágrimas perdón del tiempo que había consumido en pensamientos humanos, pudiéndolos haber empleado en asuntos divinos; que aunque mucha parte de su vida había gastado en autos sacramentales, historias sagradas y libros devotos,... quisiera que todo lo restante de su ocupación fuera semejante a esto»[90].

Acentuación de la decadencia. Documentos tardíos de rara sensatez en defensa del deleite

El golpe de gracia que necesitaba la persistente tradición moralista para lograr definitivamente sus propósitos, se inicia con el desastre económico de 1636. A partir de entonces todo son noticias de cataclismo, la plaza de Breda que constituyó inmoderada fuente de glorificación para nuestras desacostumbradas musas heroicas, de Calderón a Velázquez, es perdida de nuevo en 1637. Dos años más tarde el desastre de Las Dunas sellaba definitivamente

88. Cfr. Juan Pérez de Montalbán, *Fama póstuma a la Vida y Muerte del doctor Fray Lope de Vega Carpio y elogios panegíricos a la inmortalidad de su nombre*, Madrid Imprenta Real, 1636. Utilizamos la edición, sin los panegíricos, de la B. A. E., tomo XXIV, pp. IX y ss.

89. Véanse al respecto las siguientes líneas: «Hacer beneficios y hacer ingratos no son dos cosas, pues mientras vivió, a vueltas de los honores que por otras partes grangeaba, siempre estuvo padeciendo sátiras de los maldicientes, detracciones de los ignorantes, libelos de los enemigos, notas de los mal intencionados, correcciones de los melindrosos y invectivas de los bachilleres, con tanto extremo, que sólo su muerte pudo ser asilo de su seguridad, haciendo la lástima lo que no pudo recabar el mérito, pues muchos de los que le lloraron muerto, fueron los mismos que le murmuraron vivo». Ibíd. p. XVII.

90. Ibíd. p. XIII.

el hundimiento del poder militar español, como queda puesto de manifiesto en las desfavorables paces de Westfalia y Munster en 1648; mientras la secesión de Portugal y la nueva guerra de Cataluña acibaran la política interior de Felipe IV[91]. Tres años antes, muriéndose en su lugarón de la Mancha con pretensiones de señorío, el ánimo nunca doblegado de un español orgulloso y patriota ejemplar, don Francisco de Quevedo, en espera de «mirarse a la cara de Jesucristo», se desmadeja al fin delirando de realismo ante el acoso fatídico de noticias. Las cartas del moribundo encierran los tonos más dolientes y furiosamente patéticos que compusieron sin duda el epitafio del Imperio:

> «Muy malas nuevas escriben de todas partes, y muy rematadas; y lo peor es que todos las esperaban así. Esto, señor don Francisco, ni sé si se va acabando ni si se acabó. Dios lo sabe; que hay muchas cosas que, pareciendo existen y tienen ser, ya no son nada sino un vocablo y una figura[92].

Las causas de aquel complejo de razones, que tan funesto resultó para el imperio español, y aun para la supervivencia digna de la propia España en los siglos siguientes, hasta nuestros días, son hoy bien conocidas por los historiadores de nuestra economía. Recordemos el cuento tan conocido de Quevedo sobre el «servicio del español al rey», y cómo aquellos desventurados ignorantes proclamaban, sobre todo orgullo, ser la guerra la única ocupación honrosa de los españoles. En nuestros tiempos Américo Castro ha ponderado el sistema en toda su enorme trascendencia[93], y a través de estudios económicos como los de Hamilton, Carande o de Domínguez Ortiz, o de historiadores de nuestra cultura como Bataillon o Vossler, se ha de admitir la absoluta evidencia de que los españoles anteponían la

91. Domínguez Ortiz, en su tesis clásica sobre la economía y la hacienda en el reinado de Felipe IV, establece cuatro períodos claros en el desenvolvimiento de la decadencia durante aquellos años. De 1627 a 1637 se extiende el que viene a considerar «Víspera de la catástrofe»; de 1635 a 1640 se desarrolla el que caracteriza por la caída de Olivares; entre 1643 y 1659 se desarrolla un declive decadente muy marcado que culmina en la paz de los Pirineos. Por último, el período de 1659 a 1665, de profunda postración, denominado por Domínguez «ocaso del reinado», cfr. A. Domínguez Ortiz, *Política y Hacienda de Felipe IV*, cit.

92. Cfr. Francisco de Quevedo, *Obras Completas* (Prosa). Ed. de Astrana Marín. Madrid. Aguilar, 1945, p. 1881.

93. Américo Castro ha justificado las razones medievales de aquel complejo en su obra, *Teresa la Santa y otros ensayos*, Madrid, Alfaguara, 1972, p. 16: «Si los cristianos de Castilla hubieran pretendido compaginar su pelea contra el moro y, a veces, contra los otros cristianos peninsulares, con el cultivo del saber teórico y de la ingeniosidad técnico-artística, es decir, si hubieran expulsado de los incipientes reinos cristianos a mudéjares y judíos; a fin de emparejarse culturalmente con Irlanda, o con la Francia carolingia, aquellos reinos no hubieran podido subsistir».

justicia ruinosa a la conveniencia reparadora[94]. Así advertía el gran historiador y filólogo alemán mencionado:

> «Aquel que estudia a los españoles en los museos y en los libros... separados completamente de la idea al servicio de la cual crearon sus obras, no será capaz de entenderlos ni de encontrar ningún criterio firme con que pueda apreciarlos de una manera definida»[95].

Américo Castro ha lanzado al mundo, en diversas ocasiones, su atractiva explicación sobre este fenómeno espiritual y político. Quizás exagerada, si se pretende exclusivizar el rasgo como poder de explicación; acierta desde luego, a nuestro juicio, con lo esencial. El deber de la guerra, que desdeñaba por igual el trabajo mercantil o práctico de administradores y amanuenses, como el intelectual de los filólogos o autores de tratados de Retórica, por ejemplo, alcanzaba sus raíces en el sentimiento-orgullo de la pureza de sangre. La misma perplejidad que a nosotros, en nuestro campo, asaltaba a don Américo al contemplar el poderoso frenazo de la «inteligente actividad» desplegada en España en la primera mitad del siglo XVI[96], **la constatación del «grave riesgo que llegó a constituir la práctica**

94. Cfr. v. Palacio Atard, *Derrota, agotamiento, decadencia*..., cit., p. 40: «La justicia antepuesta a la conveniencia. El hombre antepuesto al Estado, la materia esclava del espíritu. Esto es lo que España pretendió que triunfara en el mundo. Al entrar en conflicto las viejas ideas con las que aportaba la revolución, España se empeñó en la defensa activa de lo viejo, Fue una empresa superior a sus fuerzas». Hasta aquí lo incontrovertiblemente histórico, a lo que añade este historiador la gran cuestión problemática, trágicamente conflictiva en el caso de los españoles: «Pero, ¿merecía la pena de apostarlo todo por aquellos ideales?» Más que la respuesta afirmativa, que se cantaba a la sazón, y con la que contaba de antemano en los años cincuenta el historiador citado; o más que la negativa que se proclama, con energumenismo manifestante, en la moda actual; lo que me parece determinante, en el siglo XVI, como en el XX, es la manipulación de la indudable buena fe de las mismas masas que se sacrifican, por los intereses –o la soberbia, que quizás es peor forma de intereses– de las minorías que las sacrifican.

95. Cfr. Karl Vossler, *Trascendencia europea de la cultura española,* Madrid, Espasa-Calpe, (Austral), 1941, p. 144.

96. Véanse algunas razones y datos de la argumentación de Castro: «Cuando se leen las obras sobre botánica de Andrés Laguna, García de Orta, Cristóbal Acosta en el siglo XVI; los tratados de astronomía y matemáticas de Pedro Nuñez, los estudios jurídicos y sociales de Francisco de Vitoria, la prosa nítida y tajante de los hermanos Valdés, la crítica escrituraria y profana de tanto sabio humanista, y tanta otra cosa, es inevitable preguntarse cómo se detuvo aquella corriente de inteligente actividad; por qué la obra de Luis Vives, un tan sutil pensador, o la de Gómez Pereira, quedaron no sólo sin continuación, sino ignoradas, sin efectividad alguna. No hacía falta que entre aquellos esclarecidos hubiese un Descartes, un Spinoza o un Galileo. Tampoco en 1550 abundaban los genios de la mente en la otra Europa. ¿Qué pasó entonces? Como digo luego, el sistema de Copérnico, que comenzó a *leerse* en Salamanca, acabó por ser ignorado, y con él la matemática más sencilla. A principios del siglo XVII las imprentas españolas no poseían caracteres griegos, y quien tenía que hacer citas en aquella lengua había de ir a imprimir su libro a Amberes (ciudad de la corona española y muy católica)», cfr. A. Castro, *De la edad conflictiva,* cit. pp. 35-36.

de la actividad pensante» —fenómeno, durante cierto período de tiempo, europeo; pero siempre, y cada vez más, peculiarizado en España— forzaba al temperamento inconformista y antitópico de Castro a profundizar más allá de las socorridas razones contrarreformistas[97]. La verdadera causa —según la conocida teoría de Castro— pasaría una vez más por la especialización en castas, de raíces multiseculares[98], y que al incidir en la atmósfera sospechosa de la segunda mitad del siglo XVI, se resuelve en el menosprecio y abandono de las siempre sospechosas actividades del intelecto:

> «Mientras les fue posible, los conversos («el hijo de nadie», según Mateo Alemán) intentaron destacarse del vulgo que *opinaba*, cultivando la filosofía, la matemática, las ciencias naturales, la cosmografía, los estudios escriturarios y las humanidades, *cosa que no habían hecho antes los hispano-judíos*. A fines del siglo XVI, cuando toda actividad intelectual daba ocasión a sospechas y malquerencias entre cristianos viejos, o entre conversos arrimados al sol que más calentaba, se paralizaron las actividades del intelecto, y quienes pudieron se recluyeron en soledad, o social o literaria»[99].

La huella más sensible de todo ello es, sin duda, el peligroso atractivo de nuestra decadencia nacional, marcado de un fatalismo aristocratizante que no ha dejado de fascinar, ocultamente, a muchos de nuestros menos

97. Ibíd., pp. 37-38: «En ningún país de Occidente se produjo tal fenómeno, al menos en forma tan radical; porque se trata de lo radical de aquella situación, y no de otra cosa. Me parece, -añade- por consiguiente, que mi examen del tema de la honra hará ver que la *cerrazón religiosa*, a la cual suele atribuirse el atraso de los españoles, era sólo aspecto de una realidad más profunda. El socorrido comodín de la Contrarreforma... no nos sirve».

98. Ibíd., p. 40: «La casta guerrera y dominadora se caracterizó a sí misma como *limpia, como límpida* o *linda*, como auténticamente *castiza*. No se envanecieron, en cambio, de ser sabios los hispanocristianos, ni expertos administradores, ni buenos financieros, ni capaces de sacar adelante la difícil situación del país».

99. Ibíd., p. 231. Por exagerada que haya sido esta tesis en este punto concreto, dado el temperamento apasionado -y apasionante- de su autor, el hecho es, en sí mismo, absolutamente inolvidable a la hora de contar ya con las razones diferenciales de España y lo hispánico, como lo reconoce otro historiador, de métodos y actitud general tan diferentes de los de don Américo como Domínguez Ortiz: «Lo que constituyó la auténtica peculiaridad española no fue su estructura jerárquica, sino la existencia paralela, o más bien sobrepuesta a ella, de otra jerarquía basada en la distinción entre cristianos viejos y nuevos. Esta era una herencia medieval que los demás estados europeos no tuvieron, o en tan pequeña medida que sus huellas fueron pronto absorbidas, mientras que en España... la división se ahondó y se institucionalizó con las famosas pruebas de limpieza de sangre, una práctica que a los extranjeros, incluídos los pontífices, causaba asombro y disgusto. Tal fue el hecho diferencial hispánico en materia social, y si no es la clave que lo explica todo, sí es un factor imprescindible para la comprensión de nuestra esencia nacional en aquellos siglos», cfr. Antonio Domínguez Ortiz, *Las clases privilegiadas en la España del Antiguo Régimen*, cit. p. 14.

adversos historiadores modernos de otros países[100]; pero que en el terreno histórico-económico nacional no puede sino merecer la tremenda condena de un historiador español moderno, cuando proclamaba que «difícilmente se encontrará en la Historia, desde el punto de vista económico-nacional, un desaprovechamiento tan considerable de dos siglos enteros»[101]. Y conste que muchos de los sufridos contemporáneos de tales ideales no dejaban de percatarse de la ruina, ni siquiera dejaban de conocer muy precisamente sus causas: como testimonia el siguiente texto de Fernández Navarrete, en su *Conservación de Monarquías:*

> «En Francia, Italia ni en los Países Bajos no hay minas de oro ni plata, y la abundancia de gente lleva a aquellas provincias toda la riqueza de España por medio de la contratación y de las artes: y siendo estos reinos de España los más fértiles de Europa y teniendo todo el oro y la plata de las Indias, están infamados de estériles por faltar gente que labre, cultive y beneficie los frutos naturales de ellos, dándoles el valor industrial, que es el que enriquece a las provincias»[102].

Ese mismo «faltar de gente» del que, para las tareas mercantiles e industriales, se quejaba Navarrete, llegó a generalizarse también para las culturales; con la importante peculiaridad de que en estos campos más que gente,

100. Por ejemplo, se perfila, entre objeciones, en la explicación de la decadencia que propone Michel Devèze: «L'Espagne de Philippe IV se signale donc surtout par l'existence d'un corps nobiliaire pléthorique, qui a réussi à imposer à la société tout entière sa conception de la vie: conception chrétienne mais d'un christianisme étroit, conception de l'honneur, mais d'un honneur mal compris, conception hiérarchique, mais fondée sur *la limpieza de sangre,* c'est-à-dire sur les origines religieuses des ancêtres, conception inadaptée aux circonstances économiques, dont allait profiter la bourgeoisie capitaliste du Nord de l'Europe», cfr. M. Devèze, *L'Espagne de Philippe IV,* cit. vol. I, p. 267.
Por su parte, otro historiador general del período, Elliot, se hace eco de razones muy análogas: «Una de las tragedias de la historia de Castilla fue que a finales del reinado de Felipe II se halló en una situación en la que parecía que su adaptación a las nuevas realidades económicas sólo podía realizarse al precio de sacrificar sus más queridos ideales. Por duras que fuesen las advertencias de los arbitristas, era difícil para una sociedad educada en la guerra, hallar un sustitutivo de las glorias de la batalla en las tediosas dificultades de los libros de cuentas, o elevar a una posición de preeminencia el duro trabajo manual que había aprendido a despreciar», cfr. J. H. Elliot, *La España imperial,* cit. pp. 414-414.

101. Cfr. José María Larraz, *La época del mercantilismo en Castilla,* Madrid, 1943, p. 108.

102. Citado por V. Palacio Atard, *derrota, agotamiento, decadencia...,* cit., p. 148. Recuérdense los estudios clásicos de E. J. Hamilton, *American Tresaures and Prices Revolution in Spain, 1500-1660,* Cambrigge, Mass., Harvard Univ. Press. 1934, y *El florecimiento del capitalismo,* Madrid, 1948, especialmente en pp. 49 y ss. y 131 y ss. Los aspectos propiamente financieros del planteamiento de la decadencia, en Ramón Carande, *Carlos V y sus banqueros,* cit.; respecto al problema importante de la agricultura, Carmelo Viñas Mey, *El problema de la tierra en la España de los siglos XVI y XVII,* Madrid, 1941. Aspecto muy bien abordado, sobre todo en sus repercusiones culturales y literarias, recientemente -pese a su parcialismo de intenciones- por Noël Salomon, *La vida rural castellana en tiempos de Felipe II,* Barcelona, Planeta, 1973.

lo que llegó a ser realmente insólito fue la existencia de gentes «vivas», de espíritus inquietos e independientes, que sacasen la cultura de la postración y el adormecimiento. Pero, no nos cansemos más, si no ocurrió, es por algo tan sencillo como que era imposible.

En esta atmósfera de zozobras y dudas, en la que se inscribe el retorcimiento alegórico desde Gracián a Calderón y los primeros síntomas de la degeneración sin norte del Barroquismo en las distintas artes, cobran luz las prudencias observadas en nuestros teóricos tardíos de predicación como Quintero u Ormaza. Ellos, aun conociendo el descarrío generalizado en los púlpitos españoles por la nube de culteranos y conceptistas, mantienen celosamente el control de todo elemento de ornato o concesión hedonista, de la índole que pudiera significar la inclusión de Horacio, cuya mención del *Ars* como programa de teoría estética o de recetario estilístico levantaría sin duda numerosas suspicacias de los empecinados moralistas.

Como síntoma más perceptible de la situación, el debate en torno a las comedias comienza a alcanzar niveles extremos. Ya en 1641 sabemos que se difundió una Ordenanza, hoy perdida, altamente restrictiva contra la comedia. Los funerales de la Reina en 1644 y del hermoso principito Baltasar Carlos, pintado con mimoso cariño por un Velázquez lleno de esperanza, determinaron cierres ocasionales de los teatros; con lo cual nuestros airados moralistas se iban conformando, pues columbraban tras éstas más drásticas y definitivas prohibiciones. A Felipe IV le pasó ya en buena parte el fervor y la lozanía de su sangre moza e inquieta. Su existencia, dilatadamente pecaminosa, le es achacada por una monja llena de desparpajo, Sor María de Agreda, como causa de la cólera de Dios contra España. Y el rey decide purgar con los suyos los pecados de la triste España.

La prohibición de 1646 llevaba camino de no remediarse. Con el gozo de los moralistas contrastaba ahora la nostalgia de los auditorios languidecientes, privados de su diversión favorita y sin su válvula de escape más eficaz contra las adversidades y malas nuevas. Ante las protestas de las ciudades y las Cortes del reino, el monarca remite al Consejo el estudio de la situación[103]. Un abogado y literato, Melchor de Cabrera, testimonia en aquel atribulado año de 1646 el parecer franco y abierto de un hombre de la calle, un culto profesional sin los resabios chocarreros de la plebe ni los prejuicios quisquillosos de teólogos y moralistas. Su *Defensa por el uso de las Comedias, y súplica al Rey nuestro señor para que se continúe*, constituye un interesante documento, lleno de ecuanimidad y buen sentido[104].

103. Cfr. D. Shergold, *Datos históricos*, cit. p. 288.

104. El opúsculo se publicó en 1650, pero se escribió en 1646; Cotarelo lo reproduce íntegro en su *Bibliografía*, pp. 93-113, donde consultamos nosotros.

Cabrera, como era habitual en las discusiones de tan tópicas y radicalizadas actitudes, no trata de mediar o refutar la razón de fondo de los adversarios: la falta de utilidad moral y el mal ejemplo de la comedia. El, simplemente, afirma su parecer contrario:

> «Es un antídoto á todos los males, una segur que acorta los vicios, y un mapa y feria en que cada uno aprende aquello que ha de menester y de que necessita, sin que dexe de ser de provecho al padre de familia para el gobierno de su casa —y asi sigue en la usual enumeración de la casada, doncella, etc..., concluyendo— No hay otra escuela, otro maestro ni otra guía que produzca frutos más fértiles y provechosos que la comedia.»

Pero lo que aquí nos interesa examinar de modo preponderante es la respuesta de este documento en la cuestión del deleite estético, objeto de preferente atención de nuestra investigación actual. Según era también habitual ya en las apologías de la comedia desde el ataque de Mariana en 1609, el deleite cómico es elevado a la condición de uno de los más estimables y nobles productos de la comedia, con las siguientes razones y fundamentados en la bienandanza de la cosa pública:

> «Con que se saca por consecuencia que la comedia es entretenimiento, no sólo lícito, sino necesario á la conservación de la República y reyno; pues en ella no pierden, sino se mejoran los naturales; —y añade muy razonablemente.—. Hállasse este pueblo, hállasse el reyno rodeado de enemigos que assisten á la expugnación y opósito con la fuerça de sus propios hijos, y con el sudor y calor de su sangre no tiene otro desquite ni desahogo que el rato de una comedia; si esto se le quita, ¿qué ha de hacer sino passar el día (que no le permite trabajar) en entretenimiento que, ó le cueste su hacienda ó le ponga en evidentes riesgos?»[105].

Del mismo modo contesta este jurisconsulto a otras objeciones generalizadas, como la del afeminamiento de la virtud de los mozos merced a la supuesta relajación producida por los espectáculos cómicos[106]; a cuya acusación responde ya tan ambigua y desmayadamente Cabrera, que bien se echa de ver que a la sazón estaban ya muy claros los móviles irremediables de nuestro agotamiento militar.

105. Ibid. p. 98.

106. Ibid.: «Ni tampoco se ha de hacer reparo en que por esta causa faltan soldados y quien sirva en la guerra, porque es tan incierto, que antes de la misma comedia nace la osadía y el valor con que se incitan los moços à semejante profesión. Demás que no todos an de ir á la guerra ni son á propósito de los labradores y officiales, lo afirma Tito Livio; pero todos pelean: unos con el exercicio de las armas, otros contribuyendo para que se continúe, porque... el dinero es el nervio principal de la guerra».

En las palabras de este sensato profesional madrileño vibraba claramente el inconformismo de un pueblo cansado de sacrificios y sobrado de sermones. Los teólogos querían hacer de la Corte y de España un convento; y el hombre de la calle empezaba a dejar oír su propia voz disconforme. Paralelas al corte de las razones antes expuestas por Cabrera sobre la honestidad y necesidad del deleite para la salud psicológica del pueblo son las que en 1648, ya al borde mismo de la reapertura, dirigían al rey el presidente y un grupo de miembros del Consejo de Castilla, opuestos minoritariamente al parecer de la mayoría que se había plegado al mantenimiento de la suspensión, cediendo a la presión de los teólogos más severos[107]. El pueblo de Dios está compuesto de individuos de muy variada índole —razonan—, a todos los cuales no les cuadran adecuadamente las mismas reglas monástico-ascéticas, vienen a recordarle al rey sensatamente estos altos oficiales madrileños:

> «El pueblo, en la estimación de los cuerdos y bien entender de políticos, se debe regir por diferentes atenciones que las comunidades pequeñas y asidas á la estrecheza y profesión religiosa, de donde denota con particularidad el Abulense que Dios nuestro Señor no dió á su pueblo las mejores leyes sino las más acomodadas para su gobierno, y no es posible reducir toda una república á vida perfecta estando declinada la naturaleza, introducidas ya sus quiebras en los vivientes menos fuertes y más delicados, es conveniencia sobrellevarlos dentro de los términos de la razón»[108].

La denuncia del excesivo rigor del cierre conllevaba, como es fácil suponer, la disconformidad con la adversa estimación del deleite cómico como producto pecaminoso; antes bien lo consideran, como Cabrera, lícito y saludable pasatiempo[109]. Y bien necesitados por cierto andaban de él, y no de tonos

107. Cfr. *Consulta del Consejo Real de Castilla a su Magestad, dando dictamen para que se continuase la representación de las comedias en el año de 1648, que se habia mandado suspender.* Según Cotarelo, a través del cual la hemos consultado, existen dos copias de este manuscrito en el Archivo Municipal de Madrid y en la Academia de la Historia.

108. Cfr. Cotarelo, *Bibliografía*, cit. p. 167.

109. Ibíd.: «Es un honesto entretenimiento en que se libra el descanso del ánimo, como en la quietud y descanso del trabajo el alivio del cuerpo según el parecer del glorioso Santo Tomás que afirma que no peca quien lo permite, quien lo ejecuta, ni quien lo asiste». Y prosigue describiendo los extremos moralmente poco peligrosos en que se funda el placer para el público de los espectáculos cómicos: «Van a ver allí ya lo adornado del teatro y de las apariencias, ya la variedad de los trajes, lo artificioso de las jornadas, lo corruptuoso de los versos, el bien sentir de las frases..., lo accionado de los representantes y lo entretenido de la graciosidad, con que divertidos no discurren en las imposiciones; tiene en que hablar la plebe á su gusto, bien contentos á tan poca costa, que es lo que aconsejan aquellos que tratan de la conservación de la república y de evitar su ruina».

mortificantes ni tañidos luctuosos los atribulados súbditos de la caída monarquía española, como le recordaban al rey sus altos y fieles oficiales:

> «Y pues esto fué justo en aquel tiempo —se refieren al momento en que Felipe III procedió a suspender el cierre de teatros decretado en 1598 por su padre— en que se gozaba paz y tranquilidad y los enemigos de esta corona. no la fatigaban con tan continuas guerras. agora que se hallan los vasallos afligidos con ellas y con las calamidades y agravaciones que siempre traen consigo, es más forzoso no negarles este alivio».

Y en la continuación aún se decantan muy ilustrativas noticias sobre la inestable y exasperada situación social interna:

> «No se han visto en muchos años tales conmociones y inquietudes de pueblo: horror á los ministros, que antes solían ser respetados, y temidos porque entienden que por su consejo se les prohibe un solo entretenimiento que hallaron introducido desde que nacieron, á que favorece la costumbre tan antigua»[110].

Graves son los términos en este memorial al Rey de algunos de sus más encumbrados consejeros; del Rey abajo existía ya en 1648 el generalizado «entendu» de que los tiempos eran pésimos. Y si nadie se ponía de acuerdo en la atribución recíproca de culpas, la conciencia de sus consecuencias. derrota y quebranto, era ya universal moneda corriente en el ánimo de los españoles[111].

110. Ibíd., p. 166.

111. Tras la caída de Olivares volvió a renacer la limitada euforia de esperanzas en el rey como «salvador de la patria», que ya había funcionado en otras crisis durante el siglo, y que duró menos aún que en ocasiones anteriores. En dicho espejismo, que había sido común a Quevedo y a la mayoría de los soñadores desesperanzados –tesis de nuestro trabajo, *Quevedo, de sus almas a su alma*, cit.– se encarnaban invariablemente las últimas esperanzas. «El mito del Salvador de la Patria –ha dicho Palacio Atard–, que improvisadamente arreglará todos los males de la Patria con su sola presencia, nace en estos días de desesperación. Los españoles piensan que tal vez un milagro resuelva las cosas, y se agarran desesperadamente, cada vez que pueden, al clavo ardiendo del Salvador del país. Y el Salvador no aparece de verdad nunca. Es un mito que lo deja trazado en el alma nacional detrás de sí, como una estela. La triste y asoladora realidad de aquella degenerada clase directora». Cfr. V. Palacio Atard, *derrota, agotamiento, decadencia...*, cit., p. 117. Pero, a partir de la mitad del siglo, tales recursos llegan casi a desaparecer. La historia del encauzamiento de los «males de la patria» es quizás, desde aquel momento, el capítulo más denso en la antología del pensamiento hispánico» (Cfr. Pedro Sainz Rodríguez, *Evolución de las ideas sobre la decadencia española*, Madrid, 1924, pp. 16 y 22.). Los más lúcidos y desapasionados pensadores de nuestra decadencia proponen soluciones de liquidación mesiánica de la Cruzada y afrontamiento de las realidades de una política de equilibrios europeos, basada imprescindiblemente en la reconstrucción de nuestra más que maltrecha economía. Recordemos, una vez más, conocidos pasajes de las *Empresas* de Saavedra Fajardo, con quejas –ya recelosas– sobre la enajenación de nuestro comercio exterior y la inexistencia de nuestra industria: «Con inmenso trabajo y peligro traemos a España, de las partes más remotas del mundo, los diamantes las perlas,

Abonan la realidad popular de tales iniciativas diversos documentos públicos elevados al Rey por el Concejo de Madrid y por los Hospitales, los más directos y materialmente perjudicados por el cierre, solicitando permiso para reaperturas limitadas en ocasión de fiestas religiosas durante los años 1647 y 1648. Tal como estaban las cosas, bastaba el más liviano pretexto al contenido bullicio de unas multitudes jubilosas, ya bien nutridas en la adversidad y la derrota, para que los aficionados a la comedia rompieran el cerco de los severos moralistas. La ocasión, bien trivial por cierto en el concierto de los grandes males del país cuya consideración determinara el cierre, se presentó en el mismo año de 1648 con el matrimonio del rey viudo con doña Mariana de Austria. El comisario regio de festejos Ramírez de Prado, furibundo apasionado de las comedias, jugó la baza de las fiestas nupciales para volverlas a instaurar de forma ya inalterable durante las tristes postrimerías del reinado de Felipe IV. Las controversias suscitadas por la nueva reapertura no se hicieron esperar. En la Corte reanudaron sus críticas redobladas los decepcionados jesuitas, registrándose ataques serios como los de Tomás de Castro y Aguilar y Juan Antonio Velázquez. Al mismo tiempo que el influyente arzobispo de Sevilla, don Pedro de Tapia, trataba de interponer su positiva autoridad con el rey

los aromas y otras muchas riquezas; y no pasando adelante con ellas, hacen otros granjería de nuestro trabajo, comunicándolas a las provincias de Europa, Africa y Asia. Entregamos a genoveses la plata y el oro con que negocian, y pagamos cambios y recambios de sus negocios. Salen de España la seda, la lana, la barrilla, el acero, el hierro y otras diversas materias y, volviendo a ella labradas en diferentes formas, compramos las mismas cosas muy caras por la conducción y hechuras, de suerte que nos es costoso el ingenio de las demás naciones». Cfr. Diego Saavedra Fajardo, *Empresas*, en *Obras completas*, ed. González Palencia, Madrid, Aguilar, 1946, p. 520.

El problema económico, aludido por Saavedra, tenía complejas y bien conocidas raíces, ancladas en la estructura económica de guerra y en una demografía calamitosa, denunciada también por el diplomático murciano, siguiendo una tradición de quejas muy explícitas, de las que proponemos aquí, como recordatorio, el texto antes citado de la *Conservación de Monarquías* de Fernández Navarrete, cfr. V. Palacio Atard, *derrota, agotamiento, decadencia*, cit. p. 148. Aquél en que se hacía mención del justo resentimiento de los españoles sobre la fama de pobre e infecunda de su nación, frente a las demás de Europa; siendo así que sólo la falta de brazos para el trabajo, habitualmente ocupados en la guerra, la inexistencia de factorías industriales y de estructura comercial justificaba la pobreza de España. Por el contrario las potencias europeas, imbuidas en el espíritu de una política más moderna y realista, ponían las bases de su futura estructura industrial y mercantil. Pero no olvidemos tampoco el funcionamiento de tal empeño en la «opinión», en la especial idiosincracia de castas que tan persistentemente ha invocado don Américo Castro, llegando incluso a contradecir desde ella, explícitamente, cualquier otra razón demográfica. Véase al respecto, *Cervantes y los casticismos españoles*, Madrid, Alianza, 1974, p. 14: «España –dice– no se empobreció a causa de faltar mano de obra para el trabajo de artesanía o industrial; la pobreza se explica por la sombra de judaísmo proyectada sobre el trabajo intelectual y técnico y sobre las actividades bancarias o mercantiles».

El sufrimiento popular bajo la angustia de la crisis resulta agobiante. Mal dirigidas la Hacienda y la política industrial y sacrificadas las masas a un ideal belicista de Cruzada; ni siquiera en la agricultura el labrador honrado alcanzaba unos niveles aceptables de autonomía y rentabilidad, y la propiedad del pequeño agricultor se encontraba estancada bajo el feudalismo agrario, como han establecido, inpara hacerle volver de su acuerdo. Frente a estos documentos no faltó tampoco la defensa de la facción opuesta, a cargo de escritores como Luis de Ulloa y Pereira, autor de un discurso apologético donde se reinsistía en el fondo de enseñanza virtuosa de la comedia, descubierto por todos sus defensores y negado sistemáticamente por sus adversarios[112].

controvertiblemente, los trabajos de Salomon: «El estado monárquico-señorial, tal como se impuso a partir de Felipe II, correspondía a la situación de un feudalismo que se aburguesaba (sin por ello perder su carácter fundamental) y de una burguesía invertebrada e insuficiente que no lograba imponer una nueva manera de ser y adoptaba el estilo feudal. Este estado no fue en absoluto la expresión del equilibrio entre una aristocracia (poderosa) y una burguesía (que sólo existía débilmente), sino la de una incontestable supremacía de los terratenientes nobles o eclesiásticos (cada vez más urbanos) dedicados a vivir de la fuerza productiva de los agricultores y de los pastores, y a mantener el régimen de la renta territorial en sus diversas formas. Al prolongarse de esta manera en el marco de un desarrollo general del capitalismo europeo en expansión, el feudalismo sólo podía llevar a España al estancamiento y a la agonía históricas», cfr. Noël Salomon, *La vida rural castellana en tiempos de Felipe II*, cit. p. 320.

En definitiva, como se ha señalado con frecuencia, el problema de la España imperial fue su permanente ambición, y su propia capacidad de sacrificio al servicio de unos ideales de Cruzada de titánicas dimensiones en el desarrollo de sus esfuerzos. De vez en cuando surgían, en los años de la decepción más profunda, las voces prudentes llamando a la restricción, a la mesura de ideales, como la de Saavedra Fajardo, o la del antes aludido Fernández Navarrete, quien proponía un drástico repliegue, en los siguientes términos apremiantes: «Para evitar el consumirse y acabarse los españoles será cordura poner límite y raya a su extendido imperio, porque con la demasiada extensión crecieron al principio las riquezas y ellas despertaron la ambición, y la ambición solicitó la codicia, que es la raíz de todos los males» (Cit. por V. Palacio Atard, *Derrota, agotamiento, decadencia...*, cit., p. 174). Sin embargo, la recomendación significaba consecuencias igualmente nefastas que el mal que quería cortar. Los españoles del Imperio, extremados sostenedores del *todo o nada*, veían en aquellas prudentes renuncias a la grandeza, más soñada que realmente poseída nunca, la más fatal de las condenas. Y así, cuando en la época que consideramos, la realidad de la derrota se impuso inaplazablemente, entraron aquellos desangrados paladines de un hermoso imperio de sueños en la peor de las postraciones, que es la de la inercia complacida en la desgracia. El vibrante análisis del espíritu español derrotado, que hace años formulara don Claudio Sánchez Albornoz, es mucho más que una bella página literaria; es el diagnóstico más certero no sólo sobre una situación concreta del sentimiento patrio en unas fechas dadas, sino incluso la sanción definitiva de un carácter nacional perpetuado a través de los siglos: «Pero como ningún hombre y menos aún ningún pueblo, puede permanecer perdurablemente en prolongada exaltación energética, el español pasaba de las sacudidas eléctricas a la somnolencia y el letargo, de los ascensos bruscos a las caídas verticales del desafío al mundo al fatalismo inerte, y de la acción arrolladora, como flecha disparada hacia la meta, al ocio, a la hoganza, a la pereza y al ensueño, del que a veces tardaba en despertar o despertaba tarde. La vida del soldado que juega a cara o cruz su suerte y que se tumba luego fatigado de la lucha. La vida de un pueblo de guerreros en que no había combatido sólo una minoría aristocrática sino la masa toda y que había luchado por siglos. De un pueblo que había vuelto a pelear de nuevo perdurablemente, sin distinción de clases, de profesiones o de tierras. De un pueblo que muchas veces había combatido tanto por Dios como por su país. Le brotaban alas y al volar se perdió en los cielos, remontó muy alto, muy alto y siguió subiendo hasta caer a la tierra fatigado y exhausto», cfr. Claudio Sánchez Albornoz, *España, un enigma histórico*, cit. Vol. II, p. 582.

112. La apología consta en un opúsculo titulado *Defensa de libros fabulosos y poesias honestas. Y de las comedias que ha introducido el vso, en la forma que oy se representan en España. Con extremos diferentes de las antiguas, acvsadas, y condenadas por Santos, y Autores graves;* escrito en 1649 según Cotarelo, y publicado con las *Obras* de este autor en 1649. Ibid. pp. 574-576.

Pero más interesante y revelador resulta en esta ocasión el desarrollo de la nueva controversia en Valencia. No sólo por la actividad literaria y pastoral desplegada contra la licitud moral del teatro y el deleite cómico por el obispo Crespí de Borja, o por otros actos promovidos por el Hospital en refuerzo de las posiciones favorables a la reapertura; sino especialmente porque de aquel ambiente surgió la réplica al noble obispo del antiguo cortesano Diego de Vich. A tal documento lo consideramos uno de los testimonios más interesantes en el desarrollo de la disputa artístico-moral sobre la comedia y la licitud social del *delectare* artístico, y desde luego, dada su fecha de 1650, el que propondríamos como síntesis y colofón de la actitud que representa, para el período de tiempo que se ha fijado nuestra investigación. Una vez más se repite el lance: un caballero privado, sin sospechas de imprudente ni de veleidosa irreflexión —el noble señor de la baronía de Llauri y caballero de Alcántara era un severo y provecto personaje, que sirviera como paje en la Corte ya en tiempos de Felipe II— defiende la naturalidad de estos casi siempre inocentes esparcimientos teatrales frente al alarmismo desmesurado de los ataques eclesiásticos.

Temperamento jocoso, de fina y campechana ironía pertrechada en los desengaños de la ancianidad contra los radicalismos, el talante liberal de este viejo noble y mecenas valenciano, último representante de su nombre y sangre, estaba en las mejores condiciones para hablar sin temores ni prejuicios. De ahí que, después de advertirnos de la ausencia de egoísmos personales con que se mezcla en la polémica, de proclamar de entrada el libérrimo arbitrio de cada conciencia individual para resolver en la cuestión[113], y hasta de deslizar alguna sabrosa ironía sobre la cerril intransigencia y universal espíritu fiscalizador de moralistas y predicadores al uso[114]; acaba proclamando, como cristiano, su convicción en la licitud del espectáculo, y como antiguo político y cortesano las razones de gobierno que dictaban su conveniencia y oportunidad:

113. El raro y breve opúsculo de Diego de Vich fue conocido por Cotarelo, que lo transcribe íntegro, en la presentación moderna del académico sevillano José E. Serrano y Morales, en una limitadísima tirada. Cfr. Diego de Vich, *Discurso en favor de las comedias*. Valencia 1882. El punto a que aludimos en el texto: «en quanto al oir comedias, cada uno puede y deve ser, como en otros casos de nuestra Católica Religión, el mejor Teólogo de sí mismo», cito por la ed. de Cotarelo *Bibliografía*, cit.

114. Véase la fina ironía con que el anciano caballero descubre la soberbia intransigencia, mal disimulada de celo apostólico, de que hacían gala los predicadores que clamaban contra la comedia, enemigo de turno contra el cual los ampulosos oradores barrocos ejercitaban los filos no siempre bien cortados de su oratoria efectista y bramante: «Bien creo, que singularizarse en las conversaciones, y en el púlpito, en esta materia, es zelo santo, pero también tengo licencia (supuesta la fragilidad humana) de temer no se entremeta en ello alguna sutileza diabólica; porque embaraçado, y entretenido el Predicador en reprehender lo que en sí no es culpa moral, se descuide de lo que lo es de todos quatro costados». Y para hacer aún más manifiestamente ridícula la postura de los furibundos censores de costum-

«Puedo afirmar por relación de personas de crédito y de buenas letras, que todos los autores que tratan desto, que llaman razón de estado, concuerdan en que las representaciones en los teatros públicos son lícitas y permitibles, y algunos quieren que sean importantes y precisas; porque demás de ser maestras de las buenas costumbres, entretienen y divierten con discreta suspensión, el pueblo, puesto que por muy justas causas y bien consideradas razones, no le conviene al Príncipe tenelle ocioso ni melancólico»[115].

Y si en esta estimación coincidía con la que precisamente formulaban por aquellos mismos años los valedores del deleite cómico ya mencionados, como **Melchor de Cabrera o el Presidente del Consejo de Castilla,** no falta tampoco la común acusación al bien perceptible intento en que se resumía y viciaba la deformada visión eclesiástica de la sociedad española: reducir la variedad de conciencias y la libertad de talantes de vida a uniformidad reglada de convento. Compárese con las acusaciones entrevistas en los autores mencionados la sutil evidencia que nos presentan las palabras siguientes de don Diego de Vich:

«Y esto de la dirección de las almas, ya se sabe que requiere más la maña que la fuerça, y que la Naturaleza no en vano puso en los humores de los

bres, al tiempo que para suavizar y trivializar el tono superficial de sus chanzas, abunda con la siguiente ingeniosa y magistral pincelada, que retrata mejor que muchos severos memoriales de denuncias la extremosidad del intervencionismo moral de teólogos, predicadores y confesores: «Inundada los días pasados de sangre Christiana esta Ciudad y Reyno (gracias á Dios y á quien lo ha remediado y nos ha redimido) y rompíanse las cabeças y los púlpitos los Predicadores: en sí las mujeres avian de atacarse de pescuezos, y circuncidarse de faldas, con llevar ellas lo peor, siendo mártyres de sus trages; y quando no fuera sino considerar que todo esse trabaxo –añade extremadamando su deliciosa y campechana ironía, templada en el riguroso yunque de una sana y rarísima conciencia liberal practicante– padecen las cuitadas por agradarnos, se lo aviamos de permitir y perdonar los hombres benignamente, y aun á mí por caduco se me deve también perdonar esta breve digresión». Ibíd. p. 590.

115. Declaraciones como esta de Diego de Vich vendrían a reforzar la conocida hipótesis —difundida sobre todo últimamente en los historiadores de la escuela francesa: Aubrun, Salomon, etc...— del teatro barroco como expresión y defensa de un sistema social coronado por la monarquía. En tal sentido resulta justa la tesis de Maravall de que, si el teatro barroco no fue prohibido, se debió sin duda a que servía la ideología del poder reinante. Cfr. J. A. MARAVALL, *Teatro y Literatura en la sociedad del barroco*, Madrid, Seminarios y Ediciones, 1972, especialmente pp. 35 y ss. Sin embargo, los documentos ofrecidos en este capítulo prueban que, o bien existía una dislocación local del juego de fuerzas Monarquía-Iglesia en este caso concreto, lo que es poco imaginable, o bien, más que la defensa calculada y programática de la sociedad monárquico-señorial que ha pretendido ver la historiografía reciente, lo que sí se daba en el teatro, era un «divertimento» o alienación masiva que venía a favorecer indirectamente la comodidad del gobierno. Este hecho aparece explícita y conscientemente en el conjunto documental del debate; y nunca, insistimos en ello, el directismo temático o la amenaza de disidencias doctrinales abortadas, sencillamente inimaginables en los términos del convenio social sobre el que se cimentaba, en la época, la práctica del espectáculo teatral.

hombres —se descubren aquí las modas intelectuales predominantes en los ya lejanos años de su formación en la corte de Felipe II— la misma variedad que en los rostros, y aun los brutos nos lo enseñan, pues el mismo freno que reporta la furia de un cavallo, precipita á otro. Concédasele, pues, á la mísera condición humana, algún desahogo, y más en estos tiempos tan afligidos y amenazados, no sea todo asombros, infiernos, condenación y llanto: ni lo rígido ocupe siempre el mejor lugar, tenga alguno la blandura, pues en nuestra enseñanza se le dió tan bueno el Maestro de Maestros en su predicación y discurso de vida: Y puesto que la providencia conserve en iguales balanças al amor y al temor, lo que veo es; Que quien ama á Dios, le ha de temer por fuerça; y muchas vezes, el que le teme no le ama; y puede ser que no de todos los Sermones se haya sacado el fruto que se pretende, ni de todas las Comedias el daño que se presume»[116].

No podríamos cerrar con mejor broche estas páginas que con este opúsculo desconocido de un obscuro súbdito anciano de Felipe IV[117], que, desde que sirviera al abuelo de aquél rey como paje en la severa y segura corte del más poderoso monarca del mundo, había asistido al proceso de desgracias políticas y militares del país y al paralelo desarrollo esperpentizado de una moral histérica, empeñada en cargar a cualquier manifestación de vida y alegría con el pesado sambenito de un inevitable cataclismo[118]. En este largo y doloroso aprendizaje había adquirido el noble anciano la prudencia

116. *Ibid.*

117. Quizás no mereció en verdad tan triste fin la política de un rey no tan nefasto como la fatalidad de los hechos y la historia misma nos lo vienen presentando. Los modernos estudiosos sobre el talón de Aquiles de aquel Imperio colosal, es decir, los historiadores económicos, empiezan a presentarnos a un Felipe IV diferente: meticuloso, administrador, papelista, obsesionado con la Hacienda de su reino y la economía de sus súbditos, como lo proclamara ya en general para España el Duque de Maura: «El Imperio español enflaqueció, languideció, enfermó, y murió de hambre, no por manirroto, sino por descuidado; no por dilapidar sus rentas, sino por desconocer el manejo adecuado de sus capitales», cfr. DUQUE DE MAURA, *Carlos II y su Corte*, cit., Vol. II, p. 14. Domínguez Ortiz, sobre Felipe IV en concreto, ha consagrado la siguiente, novedosa, imagen: «Cuando después de corta enfermedad murió Felipe III, aún joven, las terribles responsabilidades del mayor Imperio del mundo recayeron en el cuarto Felipe, monarca menos indolente y menos frívolo de lo que ha venido repitiéndonos una tradición historiográfica ya secular. Una investigación más cuidadosa demostrará que aquel Rey, si bien gustaba de solazarse (no siempre honestamente), era también un burócrata nato y aplicado, como lo demuestran los largos decretos, con frecuencia de su puño y letra, con que anotaba consultar sobre los más varios asuntos», cfr. A. DOMÍNGUEZ ORTIZ, *Política y Hacienda de Felipe IV*, cit., p. 9.

118. Como se ha pensado últimamente, una mayoría silenciosa de «caballeros privados» contemplaron con serena desesperanza el agotamiento del Imperio. Don Diego era uno de aquellos varones retirados a los que aludía un contemporáneo, don Mateo de Lisón y Biedma, olvidados de la Monarquía, y relegados al silencio por los intrigantes. Las palabras de Lisón definen el entorno de don Diego: «Y este daño procede, Señor, de que se han dado los oficios a los que los pretenden y solicitan con las intercesiones y favores que tienen,

suficiente para saber respetar el atormentado resuello de una nación agotada, y el oportuno sentido realista para no esperar de ella ni exigirle ya milagros. Sabía quizás anticipadamente de los siglos de vida lánguida y obscura que esperaban a este pueblo antes de conseguir rehacerse. Conservaba y templaba su esperanza, como vemos en sus palabras, con el amor afectuoso a un Dios sin temores ni angosturas, en el júbilo festivo y diáfano del alma recien desposada por El cada día. De tales componentes se llenaban los moldes de estos obscuros, silenciosos «caballeros privados» en las postrimerías de nuestro Siglo de Oro[119], que contra el voto de los predicadores sabían estar con el pueblo sin perder a Dios.

La España oficial del siglo XVII enfrente[120], corrompida en sus ambiciosos ministros y validos, vacilante y caprichosa en sus poderosos monarcas irreso-

y se llevan las plazas, gobiernos, corregimientos y los demás cargos; y los que son capaces para cosas mayores, porque no se han procurado tener noticia de ellos, y como no solicitan ni pretenden, están retirados en sus casas, hombres de quienes se puede fiar el gobierno de la monarquía». Citado por V. PALACIO ATARD, *Derrota, agotamiento, decadencia*, cit. p. 146. Por lo demás, bien hacían los mejores confiándose a la mediocridad áurea de sus hogares, para no resistir la tremenda acometividad-ambiente de la mediocridad implantada en el poder. En brillantísimo estudio sobre «El gran duque de Osuna», don Américo Castro ha detectado todos los síntomas de una de aquellas conspiraciones de mediocres, en este caso la desencadenada contra el grande Osuna, cfr. A. CASTRO, *Teresa la Santa y otros ensayos*, cit. p. 221. Por nuestra parte hemos destacado el síntoma, en el caso de Osuna y, en especial, de su amigo Quevedo en nuestro estudio, *Quevedo, de sus almas a su alma*, Murcia, Universidad, 1968.

119. Casos como el de Vich, completarían —y quizás ampliarían, en su condición de sorprendida ortodoxia— el panorama de la corriente antioficial discrepante que MARAVALL quiso ilustrar en el conjunto de trabajos que componen su libro, *La oposición política bajo los Austrias*, cit. Tesis formulada, en alguna ocasión, del modo siguiente: «Por debajo de la historia oficial, se encuentra la de una serie de personajes, más o menos participantes en esa capa de la vida pública aparente, que se encontraron en íntima oposición con ésta y dejaron de ello testimonios interesantes para conocer el verdadero y complejo estado de la sociedad española». Véase asimismo el mantenimiento de dicha opinión en *La cultura del Barroco*, cit., p. 98: «Después de Villalar, ni en Castilla, ni en otras regiones peninsulares menos directamente afectadas por aquella derrota política de las ciudades, desaparecieron las actitudes de oposición, que algunas veces llegaron a la violencia armada, muchas quedaron en manifestaciones de protesta pública, y otras se redujeron a críticas severas de la política que se llevaba a cabo por el gobierno de Madrid, bien en pasquines y otros medios impresos, bien en conversaciones, etc.».

120. Francisco Márquez Villanueva ha sintetizado muy acertadamente la parábola ruinosa y trágica que, en estas páginas, hemos visto que recorrió el entendimiento de lo religioso en la España de los siglos XVI y XVII: «El siglo XVI, muy especialmente, se halla atravesado de arriba a abajo por la preocupación de orden religioso. La tensión intelectual española se cansaba, decisivamente, en las cercanías de este problema, que tenía tanto de línea de batalla como de frontera en expansión. Actuando como focos polarizadores, las actitudes adoptadas ante lo religioso pasaban a condicionar el planteamiento de toda otra suerte de problemas, desde los de orden político-social hasta no pocos de simple expresión literaria... Y es la gran diferencia con el siglo XVII, cuando la identificación errada de la ortodoxia con la atonía intelectual embota el filo de las mejores inteligencias». Cfr. F. MÁRQUEZ VILLANUEVA, *Espiritualidad y Literatura en el siglo XVI*, cit., p. 9.

lutos; achulapados y envilecidos unos y otros en el contagio del populacho, no sabía contemplar desde luego el mundo con la serena independencia de estos desconocidos. Amparo y amparada de una moral de Cruzada que dictaban teólogos y moralistas intransigentes, ni resistió mucho tiempo su tensión, ni —lo que es peor— supo abdicar de ella con radical realismo cuando se desvanecieron sus razones de ser[121]. En este cuadro dialéctico

121. En alguna de las más sugestivas páginas de *España, un enigma histórico*, se planteaba Claudio Sánchez Albornoz, al hilo de textos de Nietzsche, Unamuno y Ortega; de don Marcelino, Laín, Ganivet y Castro, el sentido de la grandeza y la derrota de los españoles ceñido al título «Querer ser y querer demasiado». Evidentemente en tal juego de palabras se alcanzan los fondos de lo que los españoles quisieron: quisieron ser, sin preocuparse de ser demasiado, y al caer en el no ser histórico de su aspiración, se sintieron sin fuerzas para concederse un ser algo, cotidiano. SÁNCHEZ ALBORNOZ lo expresó magistral y hasta trágicamente en el siguiente fragmento, que nos resistimos a no reproducir: «Pudimos dejar heretizar tranquilamente a los flamencos y en algún instante pudimos aliarnos con una Alemania luterana frente a la Francia católica. Y no quisimos. Es decir, quisimos lo que veníamos queriendo; lo que nuestro destino histórico nos había habituado a querer. Pero ese querer era querer demasiado. Preferimos ese demasiado querer —el esfuerzo puro— a querer *ser* demasiado, y tal desmesurado querer —un querer de salvación— nos volvió a empujar hasta el peligro del no ser. Por lo que llegamos a completar un entero ciclo histórico y volvimos a enfrentarnos con el biológico y primario querer *ser* —querer existir libres— de nuestras primeras y angustiosas jornadas tras la invasión muslim. Mas no faltó el virginal ímpetu cósmico de entonces, y agotados en ese demasiado querer de nuestra Modernidad inicial..., a la postre caímos en la sima del no ser, del no ser libres en el concierto de los pueblos de Europa y aun del no ser lo que habíamos sido: hombres enteros, para no ser sino fantasmas, allá en la segunda mitad del siglo XVII» (op. cit., Vol. II, p. 49).

Aquel querer ser pasaba, a no dudarlo, por un sano ideal espiritualizado, que, si algunos poderes supieron explotar para sojuzgamiento de la gran masa popular, es en verdad bien cierto también que era comúnmente sentido con un entusiasmo sincero hoy difícilmente imaginable. Recordemos aquí —uno entre miles— el espontáneo sentimiento exteriorizado en su *Conservación de Monarquía, religiosa y política*, por FRANCISCO ENRÍQUEZ. Con títulos de apartados tan significativos como : «Las batallas en que hoy está empeñada España son propiamente de Dios, porque son por causa de religión», o aquél otro: «Por ser las presentes batallas por causa de Religión, se pueden esperar con toda certeza grandes y gloriosas victorias». (Cit. por V. PALACIO ATARD, *Derrota, agotamiento, decadencia...*, cit., p. 100).

Carmelo Viñas dijo: «Pocos pueblos en sus horas de declive han tenido, representada por numerosos escritores, tan firme conciencia colectiva del hecho inevitable de la decadencia y tan hondo anhelo por contrarrestarla». (Cfr. CARMELO VIÑAS MEY, *El problema de la tierra en la España de los siglos XVI y XVII*, Madrid, 1941, pp. 137-138). Lo cual, sin duda, es cierto en su mayor parte. Lo es, en verdad, por lo que se refiere a la densidad y cantidad de escritos sobre la decadencia y a las propuestas y arbitrios para remediarla; y lo es también en lo que hace al sentimiento nacional de reparación hasta un determinado momento. Alcanzada la evidencia irreparable de la derrota del ideal, y de la propuesta de su reducción a otro más módico, aquellas esforzadas masas populares se sintieron definitivamente vacías de intereses y de reacciones. Las soluciones pasaban por el sacrificio sistemático de ideales heredados y hasta de atavismos de casta. A los primeros, pretendían convocar a sus compatriotas —en verdad que sin convicción última muy sincera— espíritus modernos llenos de sensato positivismo como Pons de Castelví, o pioneros del europeísmo español moderno, tan solitarios como el mismo Saavedra Fajardo.

se fraguó una cultura, un arte, un pensamiento estético. Horacio debió jugar un importante papel en la constitución de este último, y de hecho así resultó; pero el perfil español de este parcelado acontecimiento cultural, al que hemos dedicado íntegramente el Libro III de nuestra obra, arroja obligadas peculiaridades que creemos haber contribuido a clarificar —identificando su esencia, clasificando y sistematizando sus períodos y productos— desde el enfoque aparentemente remoto de este capítulo final.

INDICE ONOMASTICO

Deseo manifestar mi gratitud a doña Anunciación Igualada Belchí y a don Francisco Vicente Gómez, de la Universidad de Murcia por su trabajo en la confección de este índice. Y aprovecho esta mención gratulatoria para testimoniar mi más cariñoso reconocimiento a don Carlos Grasa, modelo de caballerosidad, con cuya amistad me honraré siempre, y a quien tanto debe la aparición de este libro.

Se incluyen también las referencias al Volumen I de esta obra.

No se ha indicado la referencia a nota, cuando se da en las páginas donde ha sido citado el nombre en texto. No se incluye la referencia a Horacio, por ser generalizada en la totalidad de la obra.